Dimensions des planches

Quand on commande du bois, on en précise l'épaisseur, la largeur et la longueur. Mais il faut savoir qu'une planche de 2 pouces x 4 pouces x 8 pieds n'aura pas tout à fait ces dimensions, car ce sont là les mesures nominales s'appliquant à la planche brute. Les dimensions réelles, après planage, sont à peu près de 1½ pouce x 3½ pouces x 8 pieds (la longueur n'est pas touchée). Les dimensions des planches « métriques » sont toujours réelles.

Impérial (po) dimensions nominales	dimensions réelles	Métrique (mm) dimensions réelles
1 x 3	⅝ x 2½	16 x 64
2 x 2	1½ x 1½	38 x 38
2 x 4	1½ x 3½	38 x 89
2 x 6	1½ x 5½	38 x 140
2 x 8	1½ x 7¼	38 x 184
2 x 10	1½ x 9¼	38 x 235
4 x 4	3½ x 3½	89 x 89
4 x 6	3½ x 5½	89 x 140

Carreaux

La formule suivante s'applique à des carreaux carrés ayant 23 centimètres de côté, à poser dans une pièce mesurant 5 mètres de longueur sur 4 mètres de largeur.

1. Divisez 100 centimètres (1 mètre) par 23 (100 ÷ 23 = 4,35 carreaux au mètre).

2. Déterminez le nombre de carreaux qu'il faudra en longueur et en largeur, en multipliant respectivement la longueur et la largeur par le nombre de carreaux qu'il faut au mètre (5 x 4,35 = 21,75 et 4 x 4,35 = 17,4).

3. Calculez le nombre de carreaux qu'il faudra pour couvrir la surface (21,75 x 17,4 = 378,45, soit environ 380 carreaux).

4. Ajoutez 10 p. 100 pour les pertes et ajustements (380 + 10 % = 418).

(Les formules de la page 309 sont en mesures impériales.)

Tapis

1. Mesurez le côté le plus long et le côté le plus large de la pièce, en incluant les portes ; ajoutez 7,5 centimètres à chacun. Ainsi : 5,18 mètres + 7,5 centimètres = 5,26 mètres (largeur) ; 5,79 mètres + 7,5 centimètres = 5,87 mètres (longueur).

2. Calculez la surface de la pièce (5,26 mètres x 5,87 mètres = 30,87 mètres carrés).

Il faudra donc 31 m² de tapis pour couvrir la pièce.

Contre-plaqués

Les contre-plaqués ont l'une ou l'autre des dimensions métriques suivantes : 1 200 millimètres x 2 400 millimètres (1,20 m x 2,40 m) — conversion fondamentale — ou 1 220 millimètres x 2 400 millimètres (1,22 m x 2,40 m) — conversion arithmétique du panneau de 4 pieds sur 8. On peut obtenir, sur commande, des panneaux d'autres dimensions. L'épaisseur des contre-plaqués de catégorie revêtement ou de catégorie *select*, même donnée en mesures métriques, est fondée sur les mesures impériales, ce qui n'est pas le cas des contre-plaqués poncés.

Épaisseurs

Catégories revêtement et *select*		Catégorie poncée	
7,5 mm	(⁵⁄₁₆ po)	6 mm	(⁴⁄₁₇ po)
9,5 mm	(⅜ po)	8 mm	(⁵⁄₁₆ po)
12,5 mm	(½ po)	11 mm	(⁷⁄₁₆ po)
15,5 mm	(⅝ po)	14 mm	(⁹⁄₁₆ po)
18,5 mm	(¾ po)	17 mm	(⅔ po)
20,5 mm	(⅗ po)	19 mm	(¾ po)
22,5 mm	(⅞ po)	21 mm	(¹³⁄₁₆ po)
25,5 mm	(1 po)	24 mm	(¹⁵⁄₁₆ po)

Briques

Voici, selon le type de brique, les quantités dont vous aurez besoin pour couvrir un carré de 1 mètre de côté.

Briques standard (CSR) : 56

Briques modulaires métriques ou de type Québec : 75

Briques de type Ontario : 67

Dans tous les cas, ajoutez 5 p. 100 pour les pertes et doublez ou triplez les quantités selon que la paroi ou le mur est double ou triple.

Panneaux et papiers peints

Nombre de panneaux. Sur du papier quadrillé, où chaque carré représente 30 cm², tracez à l'échelle le plan de la pièce. Calculez la hauteur des murs et reportez-la sur le plan de façon à former un rabat.

Les panneaux mesurant 1 200 mm sur 2 400, calculez le périmètre de la pièce (dans notre exemple : 5,5 m x 2 +

6 m x 2 = 23 m ou 23 000 mm) et divisez par 1 200 mm (largeur du panneau). Le résultat, 19, correspond au nombre de panneaux nécessaires pour couvrir les murs d'une pièce ayant 2,4 mètres de hauteur (voir p. 282 si les murs sont plus hauts).

Quantité de papier peint. Comme pour les panneaux :

1. Calculez le périmètre de la pièce : (longueur x 2) + (largeur x 2).

2. Multipliez le périmètre de la pièce par la hauteur du mur (pour connaître la surface à couvrir en mètres carrés).

3. Si vous posez du papier peint au plafond, calculez la surface du plafond (longueur x largeur = surface en mètres carrés).

4. Additionnez la surface des murs et celle du plafond pour obtenir la surface totale à couvrir.

5. Mesurez toutes les portes et fenêtres.

6. Apportez vos mesures chez le marchand.

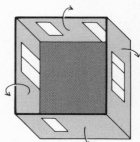

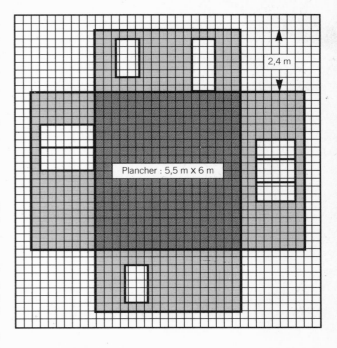

2,4 m

Plancher : 5,5 m x 6 m

NOUVEAU MANUEL COMPLET DU BRICOLAGE

NOUVEAU MANUEL COMPLET DU BRICOLAGE

Sélection du Reader's Digest (Canada) Ltée, Montréal

NOUVEAU MANUEL COMPLET DU BRICOLAGE

Copyright © 1994, Sélection du Reader's Digest (Canada) Ltée
215, avenue Redfern, Montréal, Québec H3Z 2V9

Les sources et les crédits des pages 4, 5 et 528 sont par la présente incorporés à cette notice.

Données de catalogage avant publication (Canada)

Vedette principale au titre :
Nouveau manuel complet du bricolage
Comprend un index.
Traduction de : New Complete Do-It-Yourself Manual.
ISBN 0-88850-200-1

    1. Habitations — Entretien et réparations — Manuels d'amateurs. 2. Habitations — Réfection — Manuels d'amateurs. 3. Bricolage. I. Sélection du Reader's Digest (Canada) (Firme).

TH4817.3.R414 1994   643'.7   C94-940156-0

Première édition

Sélection du Reader's Digest et le pégase sont des marques déposées de The Reader's Digest Association Inc.

94 95 96 97 / 4 3 2 1

Avertissement

Toute activité de bricolage comporte un certain risque. Matériaux, outils et conditions de travail, de même que les aptitudes du bricoleur, peuvent varier de façon significative. Bien que toutes les précautions aient été prises par l'éditeur pour assurer l'exactitude et la précision des directives, le lecteur demeure responsable du choix de ses outils, de ses matériaux et de ses méthodes de travail. Il importe de se conformer aux articles du Code canadien du bâtiment, aux règlements municipaux ou aux directives du fabricant.

Équipe de Sélection du Reader's Digest

Rédaction	**Préparation de copie**	**Coordination**
Agnès Saint-Laurent	Joseph Marchetti	Susan Wong

Secrétariat de rédaction	**Graphisme**	**Fabrication**
Geneviève Beullac Wadad Bashour	Cécile Germain	Holger Lorenzen

Autres collaborateurs de cette édition en langue française

Révision	**Traduction**	**Correction d'épreuves**
Michelle Pharand Gilles Humbert	Normand Finn René Raymond Michelle Pharand Suzette Thiboutot-Belleau Pierre Vachon	Gilles Humbert **Index** France Laverdure

Le *Nouveau Manuel complet du bricolage* est l'adaptation française de *New Do-It-Yourself Manual*, publié par Reader's Digest (Canada) Ltd. © 1991

Rédaction	**Artistes**	Menikoff
Sally French	Ron Bertuzzi	Ken Rice
Alice Philomena Rutherford	Sylvia Bokor	Gerhard Richter
	Gordon Chapman	Ray Skibinski
Recherche	Chris Duerk	Allyson Smith
Wadad Bashour	Mario Ferro	Robert Steimle
Mary Jane Hedges	John Gist	Victoria Vebell
	Karin Kretschmann	Robert Villani
	Victor Lazzaro	
Direction artistique	Lieu & Silks	**Photographes**
Kenneth Chaya	Ed Lipinski	Gene et Katie Hamilton
Lucie Martineau	Mari Maléter	Morris Karol
Virginia Wells Blaker	Max	

Consultants

Henri de Marne	Walter A. Grub, Jr.	Norman Oehlke
David Alford	Higgins & Higgins, Inc.	Gerald Persico
Michael Byrne	Carolyn Klass	Henry Printz
Daniel J. Decker	Joseph Laquatra, Ph.D.	John Schmidt
Phil Englander	Scott Lewis	Emil Shikh
Allan E. Fitchett	James Lotto	Stanley H. Smith, Ph.D.
George Frechter	Jim McCann	Leonard Urso
Clark Garner	Americo Napolitano	John Vogestad
Eugene Goeb	Robert A. Nelson	Linda Wagenet

Remerciements

L'éditeur remercie les experts et les organisations suivantes qui ont bien voulu apporter leur concours à la réalisation de cet ouvrage.

A. Stephenson's Rent-All Centre
A.C. Hathorne, Inc., Roofers
Adams Rent-All Ltd.
Agriculture Canada, Direction des pesticides
Albert Constantine & Son Inc.
Alcan Aluminium Limitée
Alfano, Salvatore
Allen, G. E.
American Lighting Association
American Olean Tile Company
American Plywood Association
American Standard Inc.
Aqueduc de Montréal
Asphalt Institute
Association canadienne de brique d'argile cuite
Association canadienne du ciment Portland
Association canadienne du contre-plaqué de bois dur
Association canadienne des fabricants de panneaux de particules
Association canadienne des fabricants de produits chimiques
Association canadienne du gaz

Association canadienne de l'industrie du bois
Association canadienne de normalisation
Association des consommateurs du Canada
Association of Home Appliance Manufacturers
Atwater Roofers Inc.
Barry Supply Company
Beam Canada Inc.
The Belden Brick Company
Bemis Manufacturing Company
Bentley Brothers
Berner Air Products, Inc.
Betco Block & Products, Inc.
Bionaire Corporation
Black & Decker, Inc.
Borden Canada Ltée
Bouchard, Robert
Brick Institute of America
The Budd Company
Busy Bee Hardware
Canada Lafarge Inc.
Canadian Tire
The Carpet and Rug Institute
Centre de coordination des mesures d'urgence
Climatisation Masonair, Inc.
Columbia Home Decor
Conseil canadien du bois
Conseil canadien de la qualité de l'eau
Conseil des industries forestières de la Colombie-Britannique
Conseil national de recherches

Consumer Gas
Coughlan, John
CreteCore Corp.
Crown Corporation, NA
Cy Drake Locksmiths, Inc.
Daoust, René
Defender Industries
Delta Faucet
Delta International Machinery Corp.
Design Directions Inc.
D.G. Centre de rénovation
Dow Chemical Canada Inc.
Dowling, Robert
Ducharme, Michael
Dupont Canada
Eakes, Jon
Elgar Products, Inc.
Emco Specialties, Inc.
Emerson Quiet Cool
Énergie, Mines et Ressources Canada
Environnement Canada
Fabri Zone Cleaning Systems
The Family Handyman
Fernandez, Julio
Fibrex Isolation Ltd.
Fire Glow Distributors, Inc.
Fluidmaster, Inc.
Formica Corporatiom
Foster, J.B.
Freidrich Air Conditioning Co.
Garland, James, P.Eng.
Garrett Wadwe
Gaz Métropolitain Inc.
Gérard, Pierre
Glidden Paints

Goineau & Bousquet Cie Ltée
Goldblatt Tool Co.
Goodrich, Laurel, Ph.D.
Granby Metal Stamping Inc.
Griffith, Donald L.
Groupe PERMACON Inc.
Hadley Products Division
Hamre, Lyle
Hanna, Adel, Ph.D., Eng.
Hasko Utilities Co., Inc.
Home and Building Supply, Inc.
Honeywell Inc.
The Hydronics Institute, Inc.
Ideal Industries, Inc.
Industrie Canada, Consommation et Affaires commerciales, Sécurité des produits
Les Industries Lennox Canada Ltée
Institut canadien de l'énergie du bois
Institut de recherche en construction
Kenworthy, Ken
Khayat, Roger, Ph.D.
Kim Yee
Lee Valley Tools Ltée
LePage's Ltée
Lipman, Richard
Lomanco Inc.
Makita U.S.A., Inc.
Mannington Mills, Inc.
Mates, Les
Mayo, Tom
Mikhael, M.A.

Milwaukee Electric Tool Corp.
Molnar, Walter
Morovsky, Ed
New England Slate
Nordic Woodstove & Fireplace Shop
Noris J. Stone & Sons, Inc.
Ontario, Ministère de l'Environnement
Ontario, Unité de santé régionale
Outremont, Plomberie et chauffage, Ltée
Pittsburg Corning Corporation
Porter-Cable
Prévention des incendies
Prosumex
P.V.C. Supply Co., Inc.
Radio Shack
Réfrigération PMF
Resources Conservation Inc.
Reynolds Metals Company
Robert Bosch Power Tool Corporation
Rocamore Frères, Canada
Rockwell Concrete Forming Specialties Inc.
Rosetta Electric Co., Inc.
Rudolf Bass, Inc.
Russell Steel
Ryobi America Corporation
Sancar Wallcoverings Inc.
Santé Canada, Direction de l'hygiène du milieu, Bureau des dangers des produits chimiques
Sbriglia, George
Schlage Lock Company

F. Schumacher & Co.
Scott, David
Shopsmith, Inc.
Simplex Équipement
Skil Corporation
Société canadienne d'hypothèques et de logement
The Stanley Works
Svec, Otto
Switzgable, Harold, Jr.
Szadkowski, Frank
Thermal Form, Inc.
Thibobeau, Jim
3M Canada Inc.
Trenwyth Industries, Inc.
Tucker, Conrad B.
Université Concordia, Montréal
Université McGill, Montréal
USG Interiors, Inc.
Val Royal, Centre de rénovation
Vermont Castings Inc.
Viau, Dr. Richard
Villa Nova, Centre de rénovation
Wagner Spray Tech Corp.
Wallcovering Information Bureau
Webster et Fils, Ltée
Western Wood Products Association
Wetzler Clamp Co., Inc.

Table des matières

Réparations d'urgence au foyer

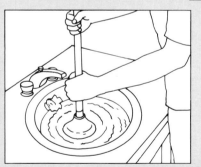  

S'il y a urgence ou sinistre, vous avez tout avantage à savoir ce qu'il faut faire. Le présent chapitre est donc placé au début du manuel pour que vous puissiez le consulter rapidement en cas d'urgence domestique. Les pages qui suivent vous expliquent comment réagir et vous protéger, et comment effectuer les petites réparations ou le nettoyage de base. Elles précisent également la marche à suivre en cas d'urgence, qu'il s'agisse de problèmes d'électricité ou de plomberie. Parfois, seules y sont expliquées les mesures temporaires. Pour les mesures permanentes, reportez-vous par conséquent aux chapitres portant, par exemple, sur l'électricité (p. 235) ou sur la plomberie (p. 197).

Réparations d'urgence / Sinistres

Protection de la maison

TORNADE

Avant la saison des tornades, repérez un abri au niveau du sol, sans fenêtre, et à structure robuste : cave, dessous d'escalier, pièce centrale au rez-de-chaussée, placard.

Après la tornade, n'entrez pas dans un édifice peu sûr dont les fondations sont lézardées ou déplacées. Vérifiez murs et plafonds.

Coupez l'électricité. Vérifiez s'il y a des courts-circuits.

S'il y a une odeur de gaz, ouvrez les fenêtres ; appelez le 911 ou la compagnie du gaz chez le voisin.

OURAGAN

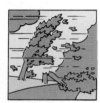

Rentrez les meubles de jardin et tout ce qui est amovible. Attachez le reste. Enlevez les auvents.

Couvrez les fenêtres de contre-plaqué ou de planches. À défaut, mettez du ruban adhésif (Section *Vitres brisées*, page suivante).

Coupez les branches mortes et les branches trop près de la maison.

Prévoyez bougies, lampes à huile ou lampe de poche en cas de panne de courant.

Verrouillez portes et fenêtres pour atténuer les vibrations. Les rideaux et les stores retiendront les éclats de verre. Des serviettes sur le bord des fenêtres arrêteront la pluie.

INONDATION

Si vous en avez le temps, portez vos objets de valeur au dernier étage ou chez un voisin situé en terrain plus élevé.

Montez vos meubles et gros appareils sur des blocs de béton, des briques ou des planches.

Ouvrez les fenêtres de la cave : l'eau entrera, ce qui évitera un effondrement dû à la différence de pression avec l'extérieur.

Écoutez la radio : en cas d'évacuation, fermez le gaz, l'électricité et l'eau, verrouillez la maison et partez sans délai.

Au retour, nettoyez selon les instructions de la page suivante.

TEMPÊTE DE NEIGE

Nettoyez les gouttières et les descentes pour faciliter l'écoulement.

Fenêtres et contre-fenêtres doivent être bien verrouillées.

Prévoyez les pannes de courant et de chauffage (voir p. 12).

Entourez les tuyaux d'isolant ou d'une bonne épaisseur de papier journal. Laissez couler un filet d'eau aux robinets. Calfeutrez les fenêtres avec de la pâte, du ruban adhésif ou des journaux.

Ayez de l'eau et des vivres pour une semaine et du bois de chauffage supplémentaire ; prévoyez des lampes de poche et des bougies et une radio à piles.

TREMBLEMENT DE TERRE

En zone à risque, renforcez les fondations d'une vieille maison à l'aide de boulons d'ancrage ; fixez bien la cheminée et le réservoir à eau chaude.

Si la terre tremble, réfugiez-vous sous un cadre de porte ou sous un gros meuble (lit, pupitre).

Après un séisme, gare aux incendies, inondations et raz de marée. Si vous habitez dans une vallée près de l'eau, allez vous réfugier dans les hauteurs.

Entrez prudemment dans un édifice endommagé (voir *Tornade* ci-dessus) ; coupez tout (gaz, etc.).

Couper le courant

ATTENTION ! Il est dangereux de toucher le tableau de distribution principal quand le plancher est mouillé ou quand les fils sont humides. Appelez la compagnie d'électricité.

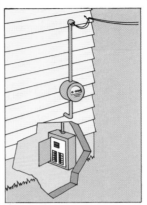

Coupez le courant au tableau de distribution principal (à fusibles ou à disjoncteurs).

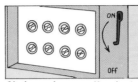

Abaissez la manette du tableau à fusibles en position d'arrêt (*off*).

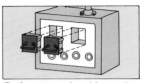

Retirez tous les blocs d'un tableau à fusibles pour couper le courant.

Déclenchez le ou les disjoncteurs principaux pour couper le courant.

Déclenchez un à un tous les disjoncteurs pour couper le courant.

Couper le gaz

ATTENTION ! S'il y a odeur, ouvrez les fenêtres et quittez la maison. Ne fermez pas le robinet principal à moins de savoir quoi faire et d'avoir le bon outil sous la main. N'allumez aucune flamme, aucune lampe ni aucun appareil. N'utilisez surtout pas votre téléphone : appelez de chez un voisin.

Le robinet du gaz naturel est près du compteur. Mettez-le à l'horizontale avec une clé.

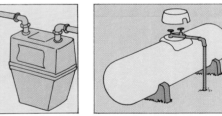

Tournez le robinet du gaz (levier ou bouton) dans le sens des aiguilles d'une montre.

Couper l'eau

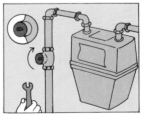

Le robinet extérieur est souvent près du point d'entrée du tuyau.

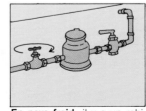

En pays froid, il y a un robinet d'arrêt à l'intérieur, sur un tuyau ou sur le mur.

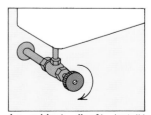

Le robinet d'arrêt installé sous l'évier ou la toilette permet de fermer l'eau.

Fuite dans la toiture

Si l'entretoit est accessible, bouchez provisoirement la fuite de l'intérieur (deux premières illustrations à droite). Après une tempête, si la portion endommagée du toit est dégagée, réparez-la sommairement (les deux illustrations à l'extrême droite.) Laissez sécher le toit avant toute réparation permanente (p. 384).

Vitres brisées

Si vous ne pouvez barricader les fenêtres, et pour éviter qu'elles ne volent en éclats, apposez-y en X de larges bandes de ruban gommé. Manipulez du verre brisé avec des gants épais et mettez les morceaux dans un contenant sûr. (Pour remplacer une vitre, voir p. 421.)

Dégâts d'une inondation

N'entrez que si la structure est saine et que si le gaz et l'électricité sont coupés. Enlevez la boue à la pelle ou au tuyau d'arrosage ; brossez et désinfectez planchers et boiseries ; suivez les directives, à droite. Avant de remplacer le revêtement et l'isolant, laissez bien sécher (ce qui peut prendre plusieurs mois).

Gel des tuyaux

Dégelez un tuyau de métal au chalumeau, mais vous devez toujours pouvoir le toucher sans vous brûler ; autrement, arrêtez. Utilisez une lampe à infrarouges ou un séchoir près d'une conduite de gaz ou d'un matériau inflammable, de même que pour dégeler un tuyau de plastique. Pour réparer sommairement une fuite, voyez à l'extrême droite.

Bouchez (à sec) les petits trous de l'entretoit à l'aide d'une pâte à calfeutrer à base d'asphalte.

Taillez une planche ; placez-la entre les chevrons sur le trou préalablement bouché ; clouez-la.

Sur un toit dégagé, couvrez de plastique la portion endommagée. Repliez, agrafez et calfeutrez.

Si vous craignez de grands vents, fixez le plastique à l'aide de lattes de bois.

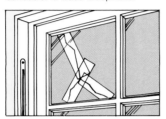

Sur une vitre fêlée, posez du ruban adhésif élastique. La fêlure ne s'étendra pas.

Pour enlever les éclats de verre, portez des gants épais et travaillez de haut en bas.

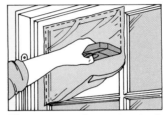

Fixez une membrane de plastique (polyéthylène, sac à ordures) après en avoir replié les bords.

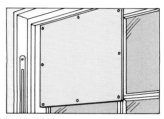

Par temps venteux, renforcez le plastique en le couvrant d'un carton ou de planches.

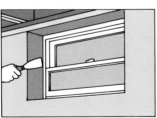

Après une inondation, aérez. Si une fenêtre est coincée, ôtez le butoir ; poussez de l'extérieur.

Pompez l'eau à raison d'un maximum de 2 pi par jour pour éviter les affaissements.

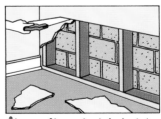

Ôtez revêtement et isolant imbibés d'eau ; finissez à la scie à main.

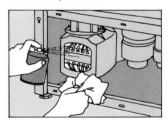

Débranchez et asséchez les appareils. Vaporisez un lubrifiant anti-humidité. Faites vérifier.

Dégelez le tuyau par un va-et-vient constant depuis le robinet (ouvert) vers la partie gelée.

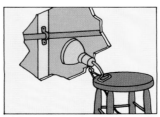

Si le tuyau est dans un mur, dégelez à la lampe à infrarouges à quelques pouces du mur.

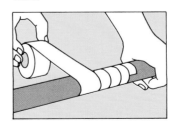

Réparez une fuite mineure à l'aide de ruban gommé. Coupez l'eau et asséchez le tuyau d'abord.

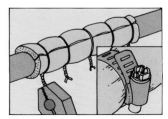

Fixez solidement au tuyau un isolant de mousse à l'aide de colliers ou de fil métallique.

Les lumières s'éteignent, les appareils s'arrêtent ? Un fusible ou un disjoncteur est peut-être en cause. Il y a panne chez les voisins ? La solution relève de la compagnie d'électricité ; c'est sans doute une panne générale.

Panne partielle. La surcharge d'un circuit (p. 241) peut causer une panne partielle. Éteignez les lampes et les appareils branchés sur ce circuit ; remplacez le fusible ou réenclenchez le disjoncteur. Si le fusible saute ou si le disjoncteur se déclenche, c'est qu'il y a un court-circuit. Vérifiez les fils et les prises à la recherche de sections dénudées ou de jeu dans les raccords. Si vous ne trouvez rien, éteignez et débranchez les lampes et les appareils ; remplacez le fusible ou réenclenchez le disjoncteur. Si cela ne fonctionne toujours pas, un câble est défectueux ; appelez alors l'électricien. Si les câbles sont en bon état, rebranchez un à un les appareils pour trouver celui qui est défectueux et faites-le réparer.

Panne générale. Il y a panne générale ? Éteignez les lampes et les appareils pour éviter la surcharge des circuits, mais gardez une lampe ou une radio allumée pour vous signaler la fin de la panne. Évitez d'ouvrir le réfrigérateur ; les aliments restent congelés 48 heures dans un congélateur plein et fermé. Une fois la panne terminée, attendez 10 minutes, puis rallumez un à un les appareils.

S'il y a panne par temps froid, fermez toutes les pièces sauf les principales et les mieux isolées ; faites un feu à combustion lente. Si vous êtes branché sur un aqueduc, ouvrez les robinets et laissez couler un filet d'eau pour éviter que les tuyaux gèlent. Si la panne doit se prolonger (6 heures ou plus à la campagne, 24 heures en ville), faites provision d'eau potable et purgez les principaux tuyaux. Pour purger tout le système (avant un long voyage en hiver, par exemple), appelez le plombier. Il possède l'équipement permettant de faire un travail efficace. Mais en cas d'urgence, vous pouvez faire le travail, tel qu'illustré à droite.

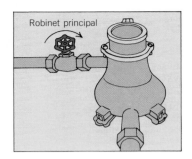

Robinet principal

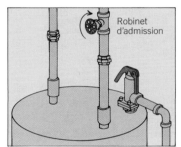

Robinet d'admission

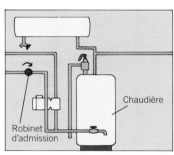

Chaudière

Robinet d'admission

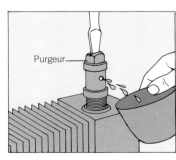

Purgeur

Purge du système.
Par temps froid, si la panne risque de se prolonger (de 6 à 24 heures), faites purger la tuyauterie. Vous pouvez le faire vous-même en suivant les étapes suivantes :
1. Fermez le robinet principal d'arrivée d'eau.

2. Coupez l'alimentation en eau du chauffe-eau en fermant le robinet. Si le chauffe-eau est au gaz, fermez le robinet du gaz. S'il est électrique, déclenchez le disjoncteur ou ôtez le fusible qui l'alimente.

3. Si vous avez le chauffage central, fermez le robinet d'admission d'eau près de la chaudière, sur le tuyau. Tirez toutes les chasses d'eau et ouvrez les robinets.

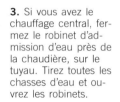

4. Si vous chauffez à l'eau chaude, ouvrez tous les robinets des radiateurs. Ouvrez les purgeurs d'un ou de plusieurs radiateurs (de type plinthe ou autre) au dernier étage. Recueillez l'eau dans un récipient.

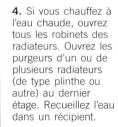

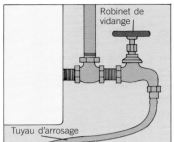

Robinet de vidange

Tuyau d'arrosage

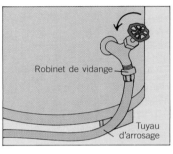

Robinet de vidange

Tuyau d'arrosage

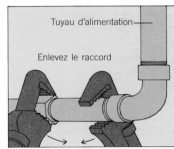

Tuyau d'alimentation

Enlevez le raccord

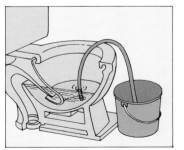

5. Laissez refroidir l'eau de la chaudière (vérifiez-en le thermomètre). Reliez un tuyau au robinet de vidange ; faites-le aboutir dehors ou à un drain plus bas que la chaudière. Ouvrez le robinet et laissez couler.

6. Fixez un tuyau au robinet de vidange du chauffe-eau et faites-le aboutir dehors ou à un drain situé en contrebas. Ouvrez le robinet et laissez couler.
ATTENTION ! L'eau est très chaude.

7. Ouvrez le robinet du tuyau d'alimentation d'eau. S'il n'y en a pas, enlevez un raccord tout en bas pour que l'eau puisse s'écouler. Si vous avez un puits, arrêtez la pompe, purgez-en les tuyaux de surface et videz le réservoir.

8. Videz les cuvettes et réservoirs de toilette avec un siphon, ou écopez et épongez. Versez ensuite un mélange à part égale d'antigel et d'eau dans les cuvettes et dans le siphon de chaque évier, lavabo, bain et cabine de douche.

Problèmes de plomberie

Un problème de plomberie, comme un évier ou une toilette qui se bouche, ce n'est pas drôle. D'habitude, le débouchoir fait l'affaire. Mais une obstruction grave peut exiger le nettoyage du tuyau de renvoi.

Nettoyeurs chimiques. Un nettoyeur liquide pourra venir à bout d'un évier partiellement bouché. Mais soyez très prudent : les nettoyeurs contiennent des produits chimiques corrosifs. Suivez les directives à la lettre. Si vous vous éclaboussez, rincez-vous immédiatement à l'eau froide. Si le tuyau reste bouché après utilisation du nettoyeur et qu'il reste du produit dans l'évier, n'essayez pas de déboucher le tuyau d'une autre façon : vous pourriez vous éclabousser. Appelez le plombier.

En fait, les nettoyeurs sont surtout utiles pour l'entretien. Utilisez-les une fois par mois pour éviter les obstructions. Mieux encore (surtout si vous avez une fosse septique), versez chaque mois dans vos tuyaux 10 ml (2 c. à thé) de bicarbonate de soude et une théière d'eau bouillante.

Objets perdus. Il est possible de récupérer une bague ou tout autre objet de valeur tombé dans un évier ou un lavabo, s'il se trouve encore dans le siphon, cette pièce en U, sous l'évier et les lavabos. Placez un seau sous le siphon. Ôtez le bouchon ou tout le siphon comme si vous vouliez le nettoyer. (Voir p. 197 pour la solution à d'autres problèmes de plomberie.)

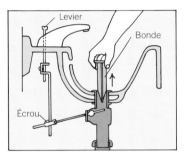

Avant de déboucher l'évier, enlevez la bonde ou la crépine. Il suffit ordinairement de tirer. Parfois, il faut d'abord enlever, sous le lavabo, l'écrou reliant le levier à la bonde.

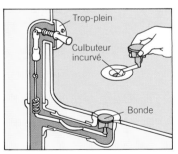

Pour enlever la bonde de la plupart des baignoires, dévissez et ôtez l'applique du trop-plein. Tirez doucement la bonde. (Après avoir débouché le renvoi, tenez la bonde, la partie recourbée du culbuteur vers le bas, et replacez-la doucement, par petits coups.)

Le débouchoir sur le dessus du renvoi, laissez couler assez d'eau pour recouvrir la ventouse. Bouchez le trop-plein. Inclinez la ventouse pour libérer l'air. Pompez fort une dizaine de fois et retirez brusquement ; laissez l'eau s'écouler. Recommencez.

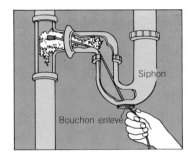

Si vos tentatives sont infructueuses, placez un seau sous le siphon en U, sous l'évier. Dévissez le bouchon. Laissez s'écouler l'eau, et débouchez à la main ou avec une tige de métal (cintre). Remettez en place le bouchon du siphon.

S'il n'y a pas de bouchon, enlevez le siphon pour le nettoyer. Couvrez de ruban gommé les mâchoires de la clé à tuyaux pour ne pas abîmer les bagues. Dévissez les bagues. Pour éviter les fuites, ne revissez pas trop serré.

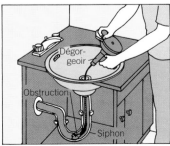

En dernier ressort, utilisez un dégorgeoir. Tournez la poignée dans le sens des aiguilles d'une montre et enfoncez par à-coups dans le tuyau pour disloquer l'obstruction. Si celle-ci est au-delà du siphon, passez le dégorgeoir par le siphon.

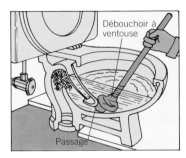

Pour déboucher les toilettes, remplissez la cuvette à moitié. Utilisez un débouchoir à ventouse qui s'adapte au fond. Pompez vigoureusement 10 fois et retirez brusquement. Ajoutez de l'eau. Si le niveau monte, recommencez.

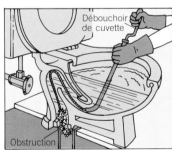

Si plusieurs tentatives échouent, utilisez un débouchoir de cuvette. Tournez la manivelle jusqu'à ce que le débouchoir atteigne l'obstruction. Ramenez-la lentement ou broyez-la par un mouvement de va-et-vient. En cas d'échec, appelez le plombier.

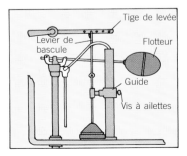

Si le réservoir ne se remplit pas, le flotteur tombe peut-être trop vite. Desserrez la vis du guide ; levez le guide de ⅜ po ; resserrez. Ou bien, raccourcissez la tige de levée en la recourbant ou en la fixant dans un autre trou.

Réparations d'urgence / Panne de chauffage

Manquer de chauffage par un jour glacial d'hiver, c'est plus qu'un ennui ; c'est un risque, surtout s'il y a dans la maison de jeunes enfants ou des vieillards. D'abord, passez en revue les endroits par où l'air chaud peut sortir et l'air froid, entrer. Assurez-vous que l'interrupteur du système de chauffage n'est pas fermé, que le thermostat n'est pas trop bas, qu'un disjoncteur n'a pas basculé ou qu'un fusible n'a pas grillé. Vérifiez le thermostat et son délai de déclenche-

ment. Réglez-le à 5 degrés Celsius au-dessus de la température ambiante ; le système devrait démarrer dans les 5 minutes qui suivent. Vérifiez le tableau de distribution. Si un disjoncteur a basculé, remettez-le en place. Si un fusible a sauté, changez-le. Le disjoncteur bascule à nouveau, le fusible saute ? Il y a un court-circuit dans le système. Appelez le service d'entretien.

Dans l'intervalle, assurez-vous que les portes, les fenêtres et les contre-fenêtres sont bien fer-

mées. Bouchez les fentes avec du ruban-cache ou du papier journal. Fermez rideaux et persiennes. Allez prendre asile chez un voisin si c'est possible. Sinon, réunissez tout votre monde dans une ou deux pièces et fermez les autres. Si vous avez un foyer, un poêle à bois ou une chaufferette, allumez-les, mais prenez soin d'entrouvrir légèrement une fenêtre pour que l'air se renouvelle. Si la panne doit durer longtemps, purgez canalisations d'eau et appareils sanitaires (p. 12).

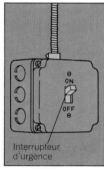

En cas de panne : 1. Réglez le thermostat ; voyez si l'interrupteur du système est en marche. S'il y a lieu, enclenchez le disjoncteur ou remplacez le fusible grillé.

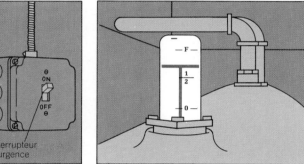

2. Chauffage au mazout : vérifiez le niveau du carburant dans le réservoir. En général, les fournisseurs viennent régulièrement le remplir ; une erreur est toujours possible.

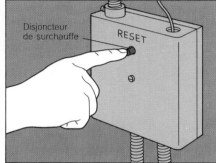

3. Appuyez sur le disjoncteur de surchauffe. Rien ne se passe ? Appuyez de nouveau. C'est toujours l'échec ? Appelez le service d'entretien et dites ce que vous avez fait.

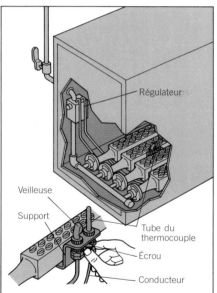

La veilleuse du brûleur à gaz s'éteint. Coupez le gaz et laissez la chambre de combustion s'aérer. Nettoyez la veilleuse (ci-contre) et rallumez-la selon les instructions du brûleur. En cas d'échec, demandez qu'on remplace le conducteur qui sort du régulateur du thermocouple (retard à l'allumage) et le tube du thermocouple relié au support de la veilleuse. Pendant ces vérifications, ne fumez pas et éteignez toute flamme nue.

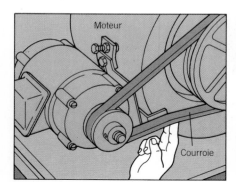

4. Air chaud pulsé : coupez le courant et examinez la courroie. Elle a glissé ? Redressez-la. Elle est brisée ? Remplacez-la. Si le moteur est bruyant, appelez l'entretien.

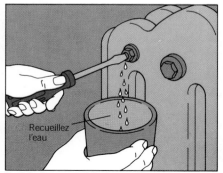

5. Il faut purger l'air des systèmes à eau chaude. Ouvrez le robinet de chaque radiateur ou du convecteur (système à purge centralisée). Quand l'eau coule, refermez.

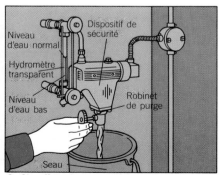

6. Chauffage à vapeur : laissez le système refroidir. Si l'hydromètre n'est pas à moitié plein d'eau, ajoutez-en. Videz le dispositif de sécurité pour le nettoyer et remplissez-le.

Panne de climatiseur   Panne d'eau chaude

Allumez le système central de climatisation 24 heures avant de vous en servir. Pour le faire démarrer, réglez le thermostat à 5 degrés Celsius sous la température ambiante et placez la manette à *Cool*. Si l'appareil ne démarre pas, réglez le thermostat au minimum et recommencez.

Un filtre encrassé peut empêcher le système de donner satisfaction. Le cas échéant, il faut le nettoyer ou le remplacer. Dans la plupart des appareils à climatiser, on démonte la grille pour

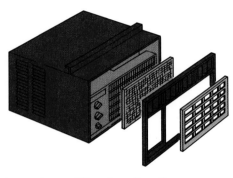

avoir accès au filtre. Le climatiseur ne part pas ? Le disjoncteur a peut-être basculé ou le fusible, grillé. Vérifiez et, s'il y a lieu, enclenchez le disjoncteur ou remplacez le fusible par un autre de même ampérage (p. 237). Allumez l'appareil. Si le disjoncteur se déclenche de nouveau ou que le fusible grille, il peut s'agir d'une baisse de courant. Attendez un peu avant de rallumer. Autre possibilité : le circuit est trop chargé. Débranchez tout ce qu'il commande et rallumez seulement le climatiseur. Toujours en panne ? Pensez à un court-circuit dans le système ou dans l'appareil ; faites venir le service d'entretien.

Durant la panne, installez un ventilateur de fenêtre de façon qu'il souffle vers l'extérieur. Montez-le entre des panneaux de contre-plaqué ou de carton épais. Fermez toutes les fenêtres sauf une, de l'autre côté de la pièce et, si possible, à l'ombre. Allumez le ventilateur ; en chassant l'air chaud d'un côté, il fait entrer l'air frais de l'autre.

Vérification du chauffe-eau

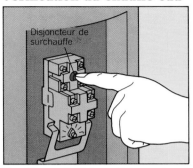

Chauffe-eau électrique. Enfoncez le disjoncteur de surchauffe une seule fois. Si ça ne marche pas, faites vérifier thermostats et éléments chauffants.

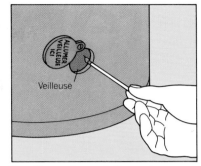

Chauffe-eau à gaz. Rallumez la veilleuse qui s'est éteinte en suivant les instructions. Après plusieurs essais infructueux, appelez le fournisseur de gaz.

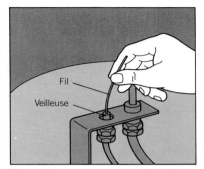

Si la veilleuse continue de s'éteindre, nettoyez l'orifice avec un petit fil de cuivre et brossez les volets d'air dans le bas de l'appareil.

Le chauffe-eau est en panne quand il sort de l'eau froide du robinet d'eau chaude. Vérifiez les disjoncteurs ou les fusibles (p. 237), s'il est électrique, la veilleuse ou le robinet d'amenée du gaz au chauffe-eau, dans les autres cas. Assurez-vous que le chauffe-eau est de niveau ; autrement, il fonctionne mal. Si la panne continue, appliquez les solutions décrites ci-dessus.

L'eau chaude prend une teinte anormale ? Coupez le courant ou le gaz, purgez le réservoir (p. 12) et remplissez-le de nouveau. Le chauffe-eau électrique fuit ? Coupez le courant et resserrez les boulons des deux éléments chauffants ; remplacez les joints usés et resserrez les raccords des tuyaux et le robinet de purge, mais sans excès. Faites vérifier et remplacer au besoin la soupape de sûreté si la fuite se produit en cet endroit. Ne tolérez aucune fuite, même minime. Voyez-y sans tarder.

Remplacez sans attendre le chauffe-eau électrique ou à gaz qui continue de fuir après qu'ont été faites les vérifications d'usage ; vous risquez autrement d'inonder la cave ou la maison. Installez un petit détecteur de fuites à pile près du chauffe-eau ; au moindre contact avec l'eau, il émet un signal électronique puissant.

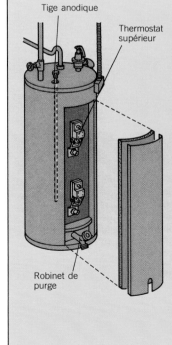

Prolongez la vie du chauffe-eau. Le réservoir est vulnérable à la rouille. En moins de 10 ans, la corrosion peut en avoir raison et provoquer une inondation. Mais il a une tige anodique au magnésium qui attire les impuretés et la rouille. Faites remplacer cette tige tous les cinq ans (tous les 10 ans si la garantie du réservoir est de 10 ans). Ces tiges sont rigides, mais on peut s'en procurer une flexible si le dégagement supérieur du chauffe-eau est inférieur à 36 po.

Mieux vaut prévenir que guérir (vérifiez réguliè-rement les piles du détecteur de fumée), mais si un jour votre maison brûle, il vous faudra être prêt. Faites un plan familial d'évacuation. Si un incendie se déclare, restez entre le feu et la sortie ; sortez vite ; refermez les portes au fur et à mesure pour contenir l'incendie. Avant d'ouvrir une porte, touchez-la ; si elle est chaude, cher-chez une autre sortie. Si la pièce est enfumée, avancez à quatre pattes (la fumée monte).

Éteignez l'incendie. Pour un incendie mi-neur, utilisez un extincteur tout usage (classé ABC) ; visez le feu à la base et vaporisez dans un mouvement de balayage. Faute d'extincteur, étei-gnez à l'eau un feu de bois, de papier, de tissu ou de plastique. Éteignez un feu de graisse en l'étouffant ou à l'aide de bicarbonate de soude ou de sel (pas de sucre ni de farine). Si l'incen-die est d'origine électrique, coupez le courant et utilisez un extincteur de classe C.

Après l'incendie. Votre assurance ne couvri-ra pas les dégâts se produisant après l'incendie. Clouez des planches dans les portes et fenêtres endommagées, faites réparer le toit, enlevez les déblais et mettez en lieu sûr les objets récu-pérés jusqu'à ce que l'évaluateur soit venu. Par temps froid, purgez la tuyauterie (p. 12), ou ins-tallez une chaufferette et mettez de l'antigel dans les éviers et les toilettes. Faites vérifier le systè-me électrique et l'équipement électronique avant usage. Pour le nettoyage, faites appel à un entre-preneur spécialisé (consultez les pages jaunes.)

Si possible, envoyez vêtements et rideaux dans une buanderie équipée d'une chambre à ozone : un nettoyage mal fait fixe les odeurs dans les tis-sus. Essuyez le cuir avec un linge humide, puis sec. Bourrez sacs et chaussures de papier jour-nal pour qu'ils gardent leur forme. Faites sécher les articles de cuir à l'abri du soleil ou loin des sources de chaleur, puis nettoyez-les avec du savon pour le cuir.

Placez les tableaux, livres, papiers et autres documents abîmés par le feu dans un congéla-teur à vide en attendant un expert. Faites appel à une entreprise de produits congelés, s'il le faut.

Nettoyage après l'incendie

1. Percez de petits trous dans un plafond légèrement affaissé et laissez l'eau s'égoutter dans des seaux. Portez un masque protecteur. **ATTENTION !** Pas de perceuse électrique! Si le plafond est très affaissé, n'entrez pas dans la pièce : appelez un professionnel.

2. Ôtez la suie à l'eau chaude (4 litres) addi-tionnée de 1 tasse d'eau de Javel et de 5 c. à table de phos-phate trisodique (ou de tout autre nettoyeur puissant vendu en quincaillerie). Rincez à l'eau chaude claire. **ATTENTION !** Portez des gants et des lunet-tes de sécurité ; gardez ces produits hors de la portée des enfants.

3. Sortez les tapis pour qu'ils sèchent. Enlevez moquettes et thibaudes humides. Si les deux sont récupérables, sor-tez-les et déroulez-les pour qu'elles sèchent. Après vérification du système électrique, utilisez des ventilateurs pour assécher les plan-chers. Sinon, aérez le plus possible.

4. Si l'eau s'est infiltrée sous le revêtement du plancher, elle fera gau-chir le bois et causera des odeurs. Ôtez le revêtement, en prenant soin de ne pas l'en-dommager. Vous le réutiliserez. S'il est cas-sant, chauffez-le pour l'amollir, à l'aide d'une lampe à infrarouges.

5. Pour éliminer les petites cloques du revêtement, percez-les avec un clou et injectez de la colle époxyde à l'aide d'un fusil à colle (p. 90) ou de la pâte à linoléum à l'aide d'une seringue. Couvrez de briques ou de plan-ches jusqu'à séchage complet.

6. Brossez les meubles avec un nettoyeur à base d'huile de pin. Laissez sécher complè-tement dans un endroit aéré et à l'abri du soleil pour éviter le gauchisse-ment. Faites sécher les tiroirs séparément. Enlevez la moisissure à l'aide d'une solution de 1 tasse d'eau de Javel par litre d'eau chaude ; rincez.

Outillage à main

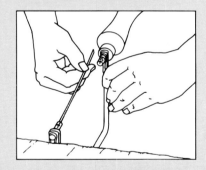

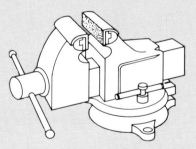

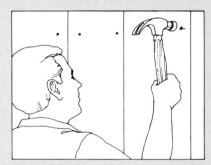

Bien que l'on dispose aujourd'hui d'outils électriques, l'outillage à main demeure indispensable pour la plupart des travaux de bricolage. On trouvera dans le présent chapitre la description des outils courants et d'outils spéciaux extrêmement variés. Leurs caractéristiques, tout comme leurs utilisations, sont clairement exposées. Choisi avec soin, bien réglé et bien entretenu, un outil peut être bon à vie. Il vaut donc la peine d'opter pour la meilleure qualité, au meilleur prix.

Ce chapitre présente la plupart des outils manuels tout usage. Pour les outils adaptés à des tâches spécifiques comme la plomberie ou la maçonnerie, consultez la table des matières ou l'index.

Outillage à main / Coffre à outils

Les outils de base sont considérés comme essentiels ; les outils d'appoint accélèrent ou simplifient les travaux effectués avec les premiers.

Achetez les outils au gré de vos besoins et optez pour la meilleure qualité : ils donnent le goût du travail bien fait, ils sont sûrs et ils sont faciles à utiliser et à entretenir.

Compléments de l'outillage de base. Ayez sous la main les objets suivants qui pourront tôt ou tard s'avérer indispensables : chandelle, huile pour machine, huile de décapage, crayons, fixations (p. 80-87), rubans (p. 90), adhésifs (p. 88-90), pierre à aiguiser (p. 44-45), papier de verre, laine d'acier (p. 50), brosse d'acier, pinceaux, pelle à poussière, balai, chiffons non pelucheux, baladeuse à pince, rallonge électrique avec prise de terre, grattoir à lame de rasoir, ciseaux, coffre à outils, escabeau.

Équipement de protection. Songez que si, par mégarde, votre main touchait une lame de scie circulaire à 40 dents à 5 800 tr/min, c'est 1 300 coups de dents que vous recevriez avant même de pouvoir réagir. Prenez toujours les mesures

Lunettes protectrices   Masque antipoussière

de sécurité qui s'imposent (p. 19) et utilisez l'équipement de protection approprié. Conformez-vous aux recommandations qui accompagnent les outils que vous utilisez.

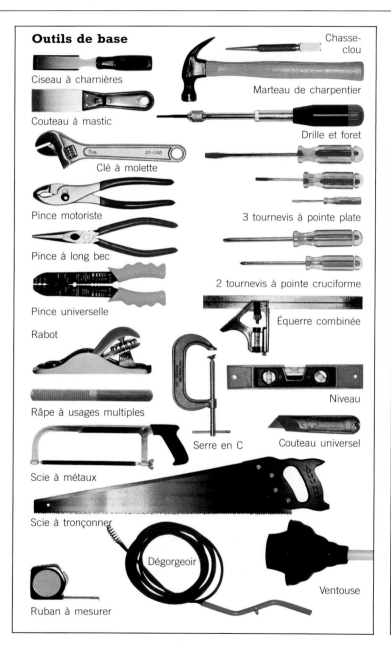

Outils de base

Ciseau à charnières

Couteau à mastic

Clé à molette

Pince motoriste

Pince à long bec

Pince universelle

Rabot

Râpe à usages multiples

Scie à métaux

Scie à tronçonner

Ruban à mesurer

Chasse-clou

Marteau de charpentier

Drille et foret

3 tournevis à pointe plate

2 tournevis à pointe cruciforme

Équerre combinée

Niveau

Serre en C

Couteau universel

Dégorgeoir

Ventouse

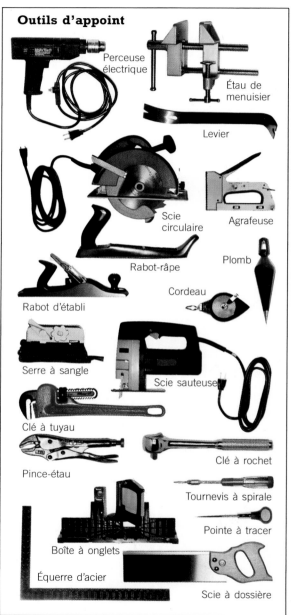

Outils d'appoint

Perceuse électrique

Étau de menuisier

Levier

Scie circulaire

Agrafeuse

Plomb

Rabot-râpe

Cordeau

Rabot d'établi

Serre à sangle

Scie sauteuse

Clé à tuyau

Pince-étau

Clé à rochet

Tournevis à spirale

Pointe à tracer

Boîte à onglets

Équerre d'acier

Scie à dossier

Aménagement d'un atelier

Vous pouvez aménager un atelier presque n'importe où dans la maison. Concevez-le en fonction de vos travaux les plus fréquents.

Rangez vos outils de façon qu'ils n'encombrent pas l'espace de travail. Le panneau perforé permet un bon rangement ; un placard verrouillé les met à l'abri.

L'établi est le cœur de l'atelier. Optez pour un modèle stable sur pieds, accessible de tous

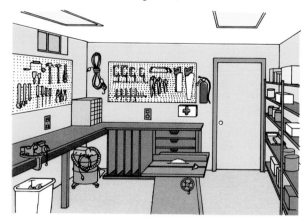

les côtés. Laissez assez d'espace autour de l'établi pour les gros travaux nécessitant la pose de nombreuses serres. Dans une petite pièce, un robuste établi à abattant ou un établi pliant préfabriqué conviendra à maints travaux. Vous pouvez ancrer un établi à abattant à toute surface verticale, même à l'intérieur d'une porte de placard. (Ce type ne convient toutefois qu'aux petits travaux. Pour ne pas forcer les charnières, placez une cale sous la porte.)

Éclairage. Peu chers, les fluorescents fixés au plafond éclairent uniformément. Ils peuvent être orientés, grâce à une suspension ou à une baladeuse à pince, directement sur l'endroit de travail pour ne pas produire d'ombres.

Évitez le désordre. Tout outil peut causer une blessure ; mettez donc en pratique le proverbe « Une place pour chaque chose et chaque

chose à sa place ». Le rangement des outils doit être fonctionnel. Acquérez le réflexe de déposer hors de l'aire de travail les outils dont vous n'avez pas besoin. Après usage, rangez-les.

Le dégagement autour des outils électriques fixes doit vous permettre de travailler librement, sans risquer de heurter d'objets ou de les faire tomber sur l'outil. Les branchements doivent être sûrs. Des prises à fusibles intégrés peuvent remplacer les prises ordinaires : elles protègent les outils contre une éventuelle surcharge.

La sciure et la limaille chaude peuvent causer un incendie. Les vapeurs chimiques sont aussi dangereuses. Pour réduire les risques, veillez à ce que l'atelier soit propre et bien aéré. Un aspirateur eau-poussière (p. 76) ramassera la poussière et la limaille refroidie. Ouvrez les portes et les fenêtres, et utilisez un ventilateur pour éloigner les vapeurs toxiques. Entreposez les sub-

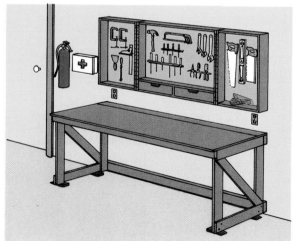

stances inflammables dans un lieu à l'épreuve du feu et non accessible aux enfants.

▶ **ATTENTION !** Éteignez la veilleuse du gaz avant d'utiliser une substance inflammable. Ne fumez pas : les vapeurs peuvent s'enflammer tout autant que la substance qui les dégage.

Mesures de sécurité

Dans l'atelier, des mesures de sécurité s'imposent. Lisez la notice accompagnant chaque outil. Repassez mentalement les étapes d'un travail avant de l'accomplir. Prévoyez les problèmes. Rassemblez les outils et les matériaux nécessaires. Effectuez les gros travaux sur une surface solide, stable et de dimension convenable.

Des outils bien entretenus, des lames bien affûtées (p. 44-45), des pièces mobiles propres et lubrifiées seront plus sûrs et plus efficaces. Éloignez les câbles électriques des outils tranchants. Avant d'utiliser un outil, vérifiez-en le fonctionnement.

Ne portez ni vêtements amples ni bijoux. Remontez vos manches au-dessus des coudes. Attachez vos cheveux s'ils sont longs. Portez, au besoin, des lunettes protectrices, des bouchons d'oreilles et un masque antipoussière.

Les câbles et les prises doivent être mis à la terre (p. 240), et les prises doivent comporter un disjoncteur différentiel. Ne vous servez pas d'un outil électrique dans un lieu humide. Ne laissez jamais fonctionner un outil sans surveillance. Débranchez les outils que vous n'utilisez pas ou si vous devez faire un réglage ou changer une lame ou un foret. Utilisez un bâton-poussoir (p. 65) pour diriger une pièce vers une lame ou un élément mobile. Abaissez toujours les protège-lame.

Ne faites pas de travaux si vous êtes fatigué ou si vous prenez des médicaments. Ayez toujours un extincteur et une trousse de premiers soins sous la main. Quelqu'un de votre entourage doit savoir quand vous travaillez ; ne vous placez jamais là d'où, en cas d'urgence, vos appels à l'aide ne seraient pas entendus.

L'établi est le cœur de l'atelier. Il existe des modèles standard ; ils sont coûteux et pourraient ne pas vous convenir. Vous pouvez construire vous-même un établi facile à démonter, avec des équerres et des planches de 2 x 4 (38 x 89 mm) pour les pieds et les traverses, et un morceau de contre-plaqué pour le dessus. Vous pouvez aussi vous fabriquer un établi fixe, aux dimensions adaptées à vos besoins.

L'établi illustré ici ne coûte pas cher si vous utilisez du bois de construction (p. 94). Avant de tailler, mesurez les pieds de façon que le plateau de l'établi soit à la hauteur de vos hanches. Si vous devez installer un étau (p. 33), achetez-le avant de construire l'établi ; certains exigent que le plateau soit modifié. Une fois l'établi assemblé, appliquez plusieurs couches de vernis au polyuréthane sur le plateau.

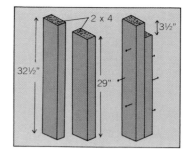

1. Soustrayez l'épaisseur du contre-plaqué (étape 6) de la hauteur finale pour déterminer la longueur des pieds longs ; les pieds courts doivent avoir 3½ po de moins. Unissez un pied court et un long avec des clous (en quinconce) et de la colle.

Cet établi a été assemblé avec des clous et des boulons. Des vis à placo-plâtre ou à bois (n° 8, 1¼ po, tête plate) peuvent remplacer les clous.

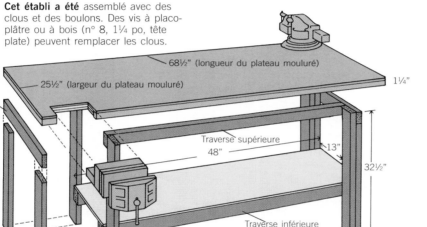

68½" (longueur du plateau mouluré)

25½" (largeur du plateau mouluré)

1¼"

Entretoise

Traverse supérieure
48"

13"

32½"

Pied court — Pied long

Traverse inférieure

Matériaux :
1 contre-plaqué de 4' x 8', ½ po
1 panneau de fibres de 4' x 8', ¼ po
5 planches de 2" x 4", 8 pi
3 planches de 1" x 2", 6 pi
8 boulons de carrosserie, ¼" x 3½", avec rondelles, rondelles de blocage et écrous
16 tire-fond de ⁵⁄₁₆" x 3½", avec rondelles
  Clous ordinaires de 8d (ou vis à bois n° 8, 1¼ po)
  Clous annelés de 4d
  Mèche hélicoïdale de ¼ po
  Mèche hélicoïdale de ³⁄₁₆ po
  Colle à bois
  Serres en C

Coupez le plateau et la tablette dans un contre-plaqué de ½ po. Recouvrez le plateau d'un panneau de fibres de ¼ po. Des chants de 1 x 2 po permettent l'emploi de serres.

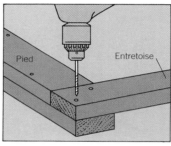

Pied — Entretoise

2. Coupez deux entretoises de 20 po de longueur. Posez-les en travers des pieds courts. Percez des trous de ¼ po au travers des entretoises et des pieds (deux trous par pied) ; étiquetez les éléments en vue de leur assemblage.

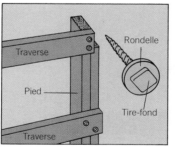

Traverse

Pied

Traverse

Rondelle

Tire-fond

3. Taillez les traverses supérieures (45 po) et les traverses inférieures (48 po). Alignez les premières sur les pieds longs ; les secondes doivent être à 8 po du sol. Les traverses doivent être derrière les pieds. Percez deux trous (³⁄₁₆ po) ; fixez.

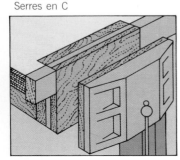

Pour installer un étau de menuisier, il faudra peut-être entailler le plateau pour y loger la mâchoire fixe. Si le panneau recouvre cette mâchoire au moment de l'assemblage, fabriquez des mordaches en bois (p. 33) qui affleurent le dessus du plateau.

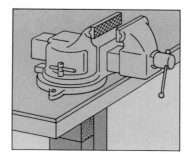

L'étau de mécanicien doit être boulonné au plateau. Installez-le sur un pied, près du bord. Le levier de serrage doit tourner librement. Utilisez des boulons à tête ronde, des rondelles de blocage et des écrous (p. 84) : vous pourriez l'enlever au besoin.

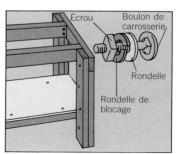

Écrou — Boulon de carrosserie

Rondelle

Rondelle de blocage

4. Assemblez la base. Posez les entretoises sur les pieds. Fixez-les. Taillez la tablette (13 x 48 po) dans l'un des bouts du contre-plaqué. Posez-la sur les traverses inférieures et fixez-la avec des clous 8d ou des vis à bois de 1¼ po.

Construction d'un chevalet

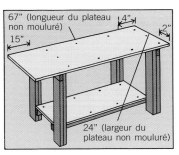

67" (longueur du plateau non mouluré)
4"
2"
15"
24" (largeur du plateau non mouluré)

5. Coupez le reste du contre-plaqué en deux, longitudinalement. Taillez à la longueur du bâti. Pour recevoir un étau de menuisier, le plateau doit déborder de 15 po d'un côté, de 4 po de l'autre et de 2 po devant et derrière. Fixez.

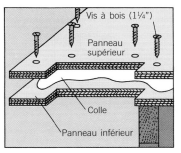

Vis à bois (1¼")
Panneau supérieur
Colle
Panneau inférieur

6. Collez les deux panneaux. Mettez des serres sur les bords et un objet lourd au centre. Pour plus de solidité, fixez les bords avec des clous annelés ou des vis à tête plate, noyés et espacés de 1 pi. Entaillez le plateau là où sera installé l'étau.

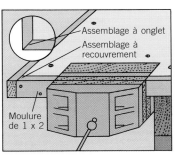

Assemblage à onglet
Assemblage à recouvrement
Moulure de 1 x 2

7. Taillez les moulures dans une planche de 1 x 2 po. Avec de petits clous annelés, fixez-les au chant du plateau de façon qu'elles soient au niveau du plan de travail. Assemblez les coins (p. 100, 108). Installez l'étau.

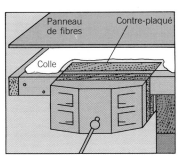

Panneau de fibres
Contre-plaqué
Colle

8. Taillez le panneau de fibres aux mesures du plateau mouluré. Encollez panneau et plateau et alignez-les ; mettez des serres au bord et un objet lourd au centre. Étalez au moins trois couches de vernis au polyuréthane sur le plan de travail (p. 121).

Les chevalets sont essentiels dans un atelier. Le modèle illustré ici est robuste et facilement démontable. Des ferrures en plastique ou en métal et des planches de 2 x 4 (38 x 89 mm) forment aussi des chevalets faciles à démonter.

Marquez et taillez les angles soigneusement (p. 48). Les pieds inclinés coincent la selle et s'appuient sur des blocs d'arrêt ; les semelles doivent reposer bien à plat. La hauteur d'un chevalet doit être de 24 à 30 po (60 à 75 cm).

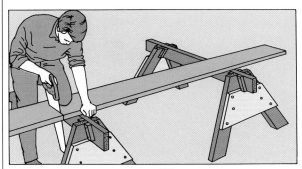

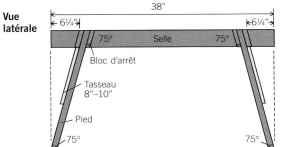

Vue latérale
38"
6¼"
6¼"
75°
Selle
75°
Bloc d'arrêt
Tasseau 8"–10"
Pied
75°
75°

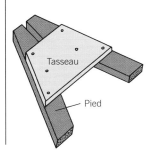

Tasseau
Pied

Adaptez la hauteur du chevalet à votre taille. Des pieds plus longs seront plus inclinés à la base. Marquez bien tous les angles et taillez-les soigneusement. Si le chevalet n'est pas d'aplomb, égalisez les semelles avec une râpe (p. 43) ou un rabot de coupe (p. 40).

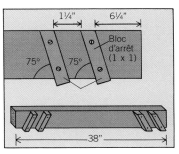

1¼"
6¼"
Bloc d'arrêt (1 x 1)
75°
75°
38"

1. Selle. Taillez une planche de 2 x 4 à 38 po et huit blocs d'arrêt de 1 x 1 à 5½ po ; fixez-les sur la planche à 75°. L'arête du premier bloc doit être à 6¼ po du chant de la planche et à 1¼ po du second bloc. Collez et clouez.

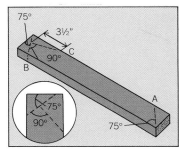

75°
3½"
90°
B
C
A
75°
75°
90°

2. Pieds. Taillez quatre pieds dans une planche de 2 x 4. Sciez les angles dans l'ordre indiqué. Ces coupes déterminent l'empattement.

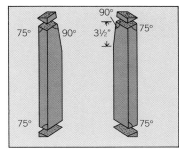

90°
75°
90°
3½"
75°
75°
75°

3. Tournez les pieds du côté étroit. Marquez les semelles et les têtes pour qu'ils soient de niveau avec la selle et qu'ils reposent à plat sur le sol. Deux pieds s'inclinent vers la droite ; les deux autres, vers la gauche. Taillez. Râpez les inégalités.

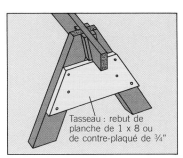

Tasseau : rebut de planche de 1 x 8 ou de contre-plaqué de ¾"

4. Assemblez les pieds par paires. Taillez les tasseaux ; posez-les en fonction de l'épaisseur et de la profondeur de la selle ; collez et clouez aux pieds. Assemblez le chevalet en glissant les pieds dans les coulisses formées par les blocs d'arrêt.

21

Le poids des marteaux et la forme de leur tête varient selon leur fonction. C'est le poids de la tête qui détermine le poids du marteau. Le marteau de 16 oz (450 g) à panne fendue et à table bombée est un bon outil tout usage.

Choisissez une tête en acier estampé, de finition soignée. Évitez la fonte, qui est trop fragile.

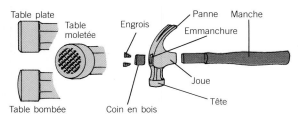

Table plate — Table moletée — Engrois — Panne — Manche — Emmanchure — Joue — Coin en bois — Tête — Table bombée

La table du marteau peut être, au choix, plate, bombée ou moletée ; plate, elle permet d'enfoncer un clou jusqu'à la tête ; bombée, elle forme un petit creux dans la surface ; moletée, elle compense les coups décentrés que l'on donne quand on travaille rapidement.

La longueur du manche doit vous permettre d'enfoncer un clou grâce à l'inertie de la tête et non pas en employant la force du bras ; elle ne doit cependant pas gêner le mouvement du poignet. Le manche est en bois franc, en caryer, en fibre de verre ou en acier ; ces matériaux n'amortissent pas les chocs de la même façon. Essayez des poids, des longueurs de manche et des matériaux différents pour trouver l'outil qui vous convient.

Les manches creux cèdent sous l'effort quand il s'agit d'arracher un clou (la pression exercée peut alors atteindre plusieurs milliers de livres au pouce carré) ; réservez aux travaux légers les marteaux qui en sont dotés.

Si la tête d'un marteau à manche de bois devient branlante, essayez de l'assujettir en enfonçant des engrois dans l'emmanchure. Mais si elle demeure mal affermie ou si le manche prend du retrait, se craquelle ou se fend, suivez les directives données à droite.

Outils de fixation et d'extraction

Marteau à panne fendue. Pour arracher ou enfoncer des clous.

Marteau à démolir. Pour défaire ou démolir des assemblages.

Massette. Pour accomplir de gros travaux.

Maillet. Avec tête en bois ou en caoutchouc, pour frapper un ciseau à bois.

Marteau de rembourreur. Pour faire du rembourrage et enfoncer des clous, des broquettes et des pointes.

Levier. Pour arracher des clous ou démolir des assemblages.

Marteau à panne ronde. Pour travailler le métal.

Marteau de maçon. Pour couper et aligner des briques ; pour briser le mortier.

Agrafeuse. Des adaptateurs en accroissent l'utilité.

Remplacement d'un manche de marteau

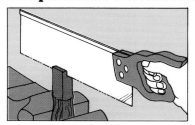

1. Bloquez le manche. Ajustez la tête ; taillez le manche en vue d'un assemblage sans jeu ; entaillez-le.

2. Posez le manche ; la tête doit être solidement calée. Taillez au ras de la tête la partie du manche qui dépasse.

3. Enfoncez un coin, puis des engrois en travers du coin. Le bois s'ouvrira dans tous les sens et bloquera la tête.

Pour enfoncer un clou, tenez-le droit, frappez-le doucement avec le marteau, puis ôtez votre main. En tenant le manche près du bout, soulevez le marteau, balancez votre avant-bras à partir du coude et laissez retomber le marteau : son poids suffira à l'entraîner. À l'étape de la finition, enfoncez les clous avec un chasse-clou.

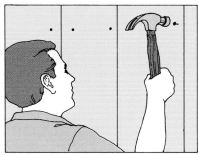

Tenez le manche près du bout, sans serrer mais fermement ; il doit être le prolongement de votre bras. Laissez le poids du marteau entraîner le bras. La force d'impact peut atteindre 300 lb/po^2.

Aplatissage de la pointe d'un clou. Enfoncez un clou qui traversera le bois. Tenez une massette sur la tête du clou. Aplatissez la pointe du clou au marteau.

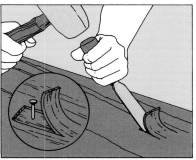

Pour effectuer un clouage à tête perdue (cacher la tête d'un clou), soulevez un éclat de bois au ciseau et enfoncez le clou dessous. Rabattez ensuite l'éclat, collez-le et bloquez-le avec une serre durant le séchage.

La table doit être propre, c'est-à-dire non graisseuse. Protégez un manche en bois contre l'humidité et la chaleur. L'humidité excessive fera gonfler le bois, qui se fendra à la longue ; une trop grande sécheresse le fera contracter, et la tête jouera. Dans un cas comme dans l'autre, vous devrez remplacer le manche.

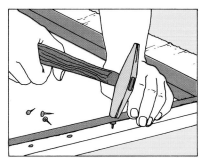

Le marteau de rembourreur sert à enfoncer les petits clous. Sur le modèle à deux têtes, une table fendue magnétique retient le clou pour l'enfoncement initial ; on achève de l'enfoncer avec la table ordinaire.

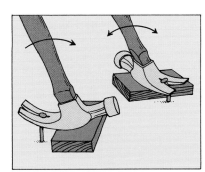

Pour arracher un clou, mettez un bloc sous le marteau pour disposer d'une force accrue. Avec un marteau à panne fendue, tirez le manche côté table ; avec un marteau à démolir, basculez-le.

Le levier se glisse entre deux pièces. Sa panne, déportée et fendue, permet des mouvements de levier et l'arrachement de clous. Glissez des cales entre les surfaces.

Agrafeuse

Cet outil pratique accélère la pose de moustiquaires ou de tissus. Achetez un modèle facile à charger. Certains ont deux niveaux de pression, qui conviennent à divers types d'agrafes et réduisent les risques de recul ou d'enrayage. Des adaptateurs permettent d'enfoncer d'autres types d'attaches. Pour les gros travaux, louez une agrafeuse électrique.

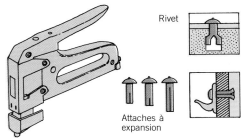

Rivet

Attaches à expansion

L'adaptateur permet la pose de petits rivets et d'attaches à expansion, dont le calibre dépend de l'épaisseur du matériau et de la capacité de l'agrafeuse.

Les pointes, semblables à des demi-agrafes, peuvent remplacer les agrafes ordinaires là où elles seraient trop visibles.

Chasse-clou

Pour obtenir une surface unie, utilisez des clous à finir et noyez leurs têtes avec un chasse-clou. Cet outil est offert dans des diamètres divers, qui conviennent aux clous à finir standard.

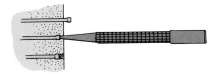

1. Cessez de frapper avant que la tête s'enfonce.
2. Avec un chasse-clou, noyez légèrement la tête.
3. Obturez le trou (mastic ou bouche-pores). Poncez.

Outillage à main / Scies

Types de scies à main

La scie à tronçonner et la scie à refendre se ressemblent. La voie et la forme de leurs dents diffèrent. Le dos de certaines scies permet de tracer des lignes.

La scie à dossière, courte, a une lame rigide. Sa poignée rappelle celle de la scie à tronçonner ; son orientation permet de placer les dents presque à plat sur la pièce.

La scie à chantourner sert aux travaux délicats ; elle permet de tailler de petites courbes et des motifs. Sa lame pivotante coupe dans tous les sens.

La scie passe-partout et la scie à guichet ont une lame conique servant à tailler de fines courbes ou à scier en plongée à partir de trous de départ.

La scie à métaux a une lame amovible ; le nombre de dents varie en fonction de l'épaisseur du métal à couper. Sa lame peut couper dans quatre sens.

Les lames des scies à main ont des dents à tronçonner ou à refendre. Les premières coupent à contrefil ; les secondes, dans le sens du fil. Le nombre de dents et la longueur de la lame sont variables. L'inclinaison opposée et décentrée de deux dents successives fait que le trait de coupe est un peu plus large que la lame. La lame des scies de qualité est mince le long du dos et elle s'épaissit au niveau des dents ; sa pointe est plus mince que son talon. Elle a moins tendance à gripper. Les lames en acier trempé ou en inox sont durables et faciles d'entretien.

Achetez une scie adaptée à votre main et choisissez-la aussi longue que possible, car plus elle est longue, plus la coupe est vite faite. Le gros du sciage s'accomplit quand vous poussez la scie. Tâchez d'aligner votre épaule au-dessus de l'ouvrage ; vous utilisez ainsi votre poids pour donner une force maximale.

Amorcez le trait de coupe un peu à l'extérieur de la ligne tracée (côté chute), sinon la planche sera trop courte. Suivez le travail en gardant l'œil sur le dos de la scie. En tenant une équerre contre la lame, vous vous habituerez à faire des coupes à 90°. Tenez l'index contre la lame pour la stabiliser et la guider.

La lame doit couper sans que vous ayez à forcer exagérément. Si elle s'arque, c'est que votre rythme de coupe n'est peut-être pas adéquat ou que les dents sont émoussées. Faites affûter promptement par un spécialiste une lame qui coupe mal. Outre qu'elle permette des coupes précises, une lame bien affûtée est moins dangereuse et plus facile à utiliser.

Ayez toujours sous la main de la paraffine, de la cire en pâte ou du savon en pain pour lubrifier les côtés de la lame ; n'en mettez pas toutefois sur les dents.

Pour protéger les dents de vos scies, suspendez-les. Mettez un peu d'huile sur les lames qui resteront longtemps inutilisées ; ainsi, elles ne rouilleront pas. Nettoyez-les périodiquement avec une laine d'acier et de l'essence minérale.

Scie à tronçonner

La lame de la scie à tronçonner peut avoir de 10 à 16 dents au pouce (4 à 6 au centimètre) ; plus elle en a, plus la coupe est douce. Biseautées, ces dents produisent une coupe franche et unie.

Profil de dents biseautées (agrandies)   Dents et trait

Avant d'acheter ce genre de scie, testez-la. Frappez la lame : elle devrait produire un son clair avec des résonances. Arquez-la jusqu'à former un demi-cercle, mais sans effort : une fois relâchée, elle devrait reprendre sa forme initiale.

La scie à tronçonner coupe quand vous poussez. Une légère pression suffit.

Utilisez-la toujours pour tailler du contre-plaqué, quel que soit le sens du fil.

Technique de sciage

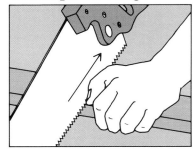

Amorce d'un trait de coupe. Placez le talon de la scie à tronçonner du côté de la chute. Tirez doucement la scie vers vous et par petites passes, en guidant la lame avec le pouce.

Fin de coupe. Pour que le bois n'éclate pas, retenez la chute et sciez par passes légères. Si la position de travail est malaisée, tournez la planche et finissez la coupe de l'autre côté.

Scie à refendre

La scie à refendre ne coupe que dans le sens du fil. Sa lame a de 5 à 12 dents au pouce (2 à 5 au centimètre) dont la forme rappelle celle de la lame d'un ciseau.

Les dents à refendre se mesurent aussi en demi-dents

Dents et trait

La scie à refendre coupe quand vous poussez. Pour amorcer le trait de coupe, placez les dents presque à plat sur la pièce et poussez doucement pour entailler le bord. Procédez ainsi jusqu'à ce que le trait soit assez profond, puis ramenez la lame à un angle moins aigu (généralement entre 45° et 60°). Commencez à scier par passes longues et régulières. En tirant sur la scie, vous chassez la sciure au passage.

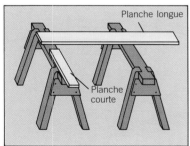

Supportez la planche à scier. Deux chevalets procurent une surface de travail stable ; ils sont facilement transportables. Vous pouvez construire des chevalets adaptés à votre taille (p. 21).

Planche longue

Planche courte

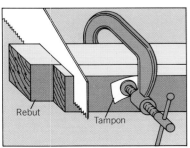

Pour scier un mince morceau en bout de planche, attachez celle-ci à une planche de rebut. Sciez les deux planches en même temps. Protégez la surface avec un tampon (carton épais ou bout de bois).

Rebut

Tampon

Une scie à main fabriquée au Japon

Dans une quincaillerie ou un catalogue, vous découvrirez parfois des outils pratiques, inhabituels et fort beaux comme cette *ryoba* japonaise, une scie double qui permet à la fois de refendre et de tronçonner le bois.

Les dents ne coupent que lorsque vous tirez la scie vers vous ; la lame force donc moins, ce qui lui permet d'être plus mince. La poignée ovale s'empoigne facilement et permet à l'utilisateur un peu expérimenté de bien guider la scie sans trop d'effort.

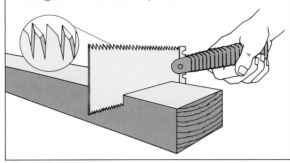

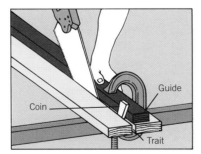

Longues coupes. Pour que la lame ne grippe pas, ouvrez le trait de coupe en y plaçant un coin. Une planche de rebut fixée le long de la ligne de coupe permet de guider la lame.

Guide

Coin

Trait

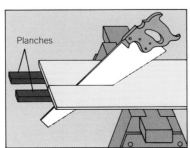

Coupe d'un panneau de fibres. Mettez le panneau sur de longues planches. Déplacez-le au gré de la coupe pour que la lame n'entre pas en contact avec le chevalet.

Planches

Scie à dossière

La scie à dossière sert aux coupes fines et précises. Sa lame rectangulaire a de petites dents ; une bande de métal lui confère sa rigidité. Cette scie s'emploie souvent avec une boîte à onglets. La patience et l'expérience vous permettront de faire des coupes presque parfaites.

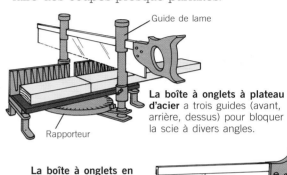

Guide de lame

La boîte à onglets à plateau d'acier a trois guides (avant, arrière, dessus) pour bloquer la scie à divers angles.

Rapporteur

La boîte à onglets en bois a des entailles à 90° et à 45°. Peu précise, elle sert aux travaux grossiers.

Coupe de la face

Taillez la face d'un tenon avec une scie à dossière ayant une denture à refendre. Sciez l'épaulement avec une scie à dossière ayant une denture à tronçonner.

Coupe de l'épaulement

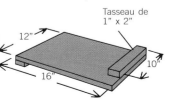

Tasseau de 1" x 2"

12"

10"

16"

Utilisez un butoir d'établi au lieu de serres ou d'un étau. Placez la pièce contre le tasseau du dessus ; l'autre tasseau doit buter contre l'établi.

Scie à chantourner

La scie à chantourner a une mince lame remplaçable, tendue dans un cadre en C. Une poignée de bois franc règle la tension de la monture et de la lame. Une fois la tension relâchée, la lame peut pivoter sur 360° sans démontage préalable.

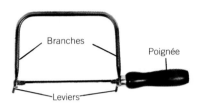

Tige
Branches
Poignée
Cheville
Leviers

La scie à chantourner sert à découper des motifs délicats. Sa lame a une petite tige à chaque extrémité, qui fixe la lame sur le cadre. Les tiges sont logées dans des chevilles, sur les branches.

Placez la lame dans le cadre, en orientant la pointe des dents vers la poignée ; de cette façon, les dents couperont lorsque vous tirerez la lame vers vous, et vous serez mieux en mesure de guider la scie. Les leviers solidaires des chevilles règlent l'angle de la lame. Assurez-vous qu'ils sont alignés et que la lame suit une ligne droite d'une branche à l'autre.

Il existe des lames pour couper le bois ; d'autres, pour couper le plastique, le métal et la céramique. Certaines lames sont plates, d'autres sont spiralées. Ces dernières sont coupantes sur tout leur diamètre ; elles permettent de découper des cercles avec un diamètre aussi petit que celui d'un crayon. Vérifiez la tension de la lame en coupant du bois de rebut. Une lame trop lâche s'arquera dans le trait de coupe ; une lame trop tendue pourrait se rompre. Portez des lunettes protectrices lorsque vous travaillez.

Scie passe-partout et scie à guichet

La scie passe-partout a une lame dont la largeur décroît vers la pointe. Cette lame a des dents à tronçonner (p. 24). La lame des scies à poignée pistolet coupe quand vous poussez ; celle des scies à poignée droite coupe quand vous tirez.

Scie passe-partout

La scie à guichet a la même forme que la scie passe-partout, mais elle est moins longue et plus maniable. L'une ou l'autre peut servir à scier en ligne droite à partir d'un trou, à découper de fines courbes ou à travailler dans des espaces restreints, où il n'est pas possible d'utiliser la scie à tronçonner.

Techniques de chantournage

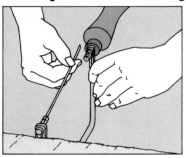

Pour poser la lame, détendez le cadre. Logez une des tiges dans une cheville. Courbez un peu le cadre en l'appuyant contre une surface solide ; fixez l'autre tige. Relâchez le cadre et serrez la poignée.

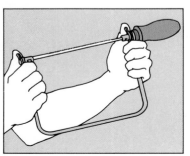

Pour orienter le cadre ou la lame, tournez la poignée : cela relâchera la tension. Déplacez ensuite les leviers solidaires des chevilles pour obtenir l'angle désiré et alignez-les pour que la lame soit droite.

Pour découper des motifs décoratifs à l'intérieur d'une planche, percez un trou, passez la lame au travers, puis réassemblez la scie. La gorge de la scie détermine la distance maximale.

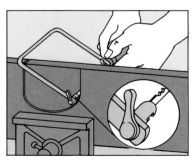

Pour découper un arc, bloquez la planche. Suivez ensuite le motif, en tournant la lame au besoin. Tenez la poignée dans le plan de coupe ; toute torsion influerait sur la tension.

Utilisation d'autres scies

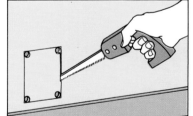

Pour découper en ligne droite dans un espace restreint, utilisez une scie passe-partout. Pour faciliter la rotation de la lame, percez des trous dans les coins. Ramenez la lame à 45° au fur et à mesure que le trait de coupe s'allonge.

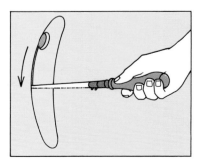

La scie à guichet permet de découper des courbes impossibles à faire avec les scies passe-partout ou à chantourner. Tenez-la à 90° par rapport au plan de coupe. Maniez-la avec soin ; sa lame souple tend à s'arquer.

Scie à métaux

Avec une lame appropriée, votre scie à métaux vous permet de scier à peu près tous les métaux, peu importe l'épaisseur. Le nombre de dents au pouce est fonction de cette épaisseur : plus le métal est mince, plus la denture est fine.

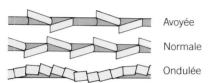

Avoyée

Normale

Ondulée

Les lames ont 14, 18, 24 ou 32 dents au pouce. Il y a trois types de denture : avoyée, normale ou ondulée. Dotées de grosses dents, les lames à denture avoyée sont d'un maniement aisé. Elles servent à scier des métaux ferreux ou non ferreux de trempes différentes ainsi que des métaux épais. Les lames à denture normale, moins chères que les premières, sont aussi moins résistantes. Elles servent à couper des métaux non ferreux tendres, comme l'aluminium. Les lames à denture ondulée conviennent à la coupe de métaux durs et minces.

Le cadre des scies à métaux est fixe ou réglable. À chacune de leurs extrémités, les lames plates sont percées d'un trou où s'engagent les tenons de crémaillères à tige carrée fixées aux branches du cadre. Les crémaillères sont orientables à 90°, dans quatre sens, et retenues par un écrou à ailettes.

Installez la lame, les dents orientées vers le bout de la scie. Amorcez le trait de coupe à la lime ; la précision en sera accrue. Sciez un peu à l'extérieur de la ligne de coupe, côté chute. Guidez la scie avec les deux mains, en appliquant une pression uniforme. Tenez la lame à angle aigu ; ayez un rythme de coupe régulier pour ne pas gauchir la lame. Si la lame se brise, recommencez à scier à l'autre bout de la ligne de coupe, au cas où la nouvelle lame serait un peu plus large : elle gripperait dans le trait de coupe.

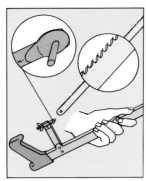

L'orientation de la lame détermine le sens de la coupe. Engagez les tenons dans les trous et serrez les écrous.

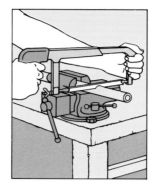

Tenez la scie à deux mains. Guidez-la par devant. Appliquez une pression ferme et égale à chaque passe.

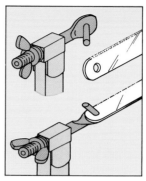

Pour orienter la lame, ôtez-la du cadre. Tournez les crémaillères sur 90°. Remettez la lame.

Éloignez le cadre en changeant l'orientation de la lame. Huilez un peu la lame pour accélérer la coupe.

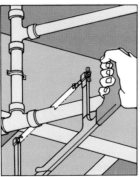

Dans les espaces restreints (un tuyau entre des solives), renversez la lame. Appliquez une pression vers le bas.

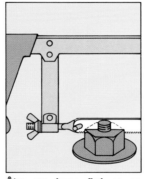

Ôtez un écrou figé en en sciant une moitié d'un côté du boulon. Une seconde coupe peut être nécessaire.

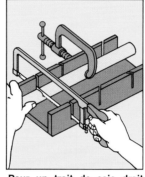

Pour un trait de scie droit dans du tuyau de plastique, bloquez solidement celui-ci dans une boîte à onglets.

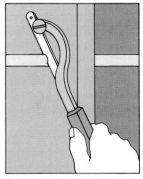

La miniscie à métaux, utilisée avec une lame standard, est pratique dans les espaces restreints.

Couteau universel

Le couteau universel est l'un des outils les plus pratiques. Il facilite une foule de travaux de coupe et d'entaillage. La lame est rétractable ou vissée au manche. Le manche contient aussi parfois des lames de rechange.

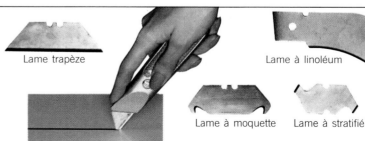

Lame trapèze

Lame à linoléum

Lame à moquette

Lame à stratifié

Outillage à main / Perceuses

Contrairement aux perceuses électriques, les perceuses manuelles sont portatives et assez petites pour servir dans les espaces restreints.

Certaines perceuses ne prennent que les mèches dotées d'une soie particulière. La plupart ont un mandrin à trois mors qui centre automatiquement la mèche. Avant de percer, vérifiez toutefois que la mèche est bien centrée et bien bloquée ; autrement, elle pourrait présenter un danger et, de plus, le perçage serait imprécis.

Faites un trou de guidage avec un perçoir ou un poinçon, placez-y la mèche, orientez la perceuse selon l'angle désiré et commencez à percer. La chignole et le vilebrequin ont une poignée de tenue et une autre qui commande un mécanisme d'entraînement. La drille est dotée d'un mécanisme à rochet qui entraîne la mèche ; une seule poignée sert à tenir l'outil et à actionner son mécanisme. La mèche peut être lubrifiée pour accélérer le travail et protéger le tranchant.

La drille est la plus petite des perceuses manuelles. Sa poignée unique libère une main, ce qui permet de stabiliser l'outil ou la pièce à percer. Servez-vous de cette perceuse en l'animant d'un mouvement de va-et-vient. Vous percez quand vous abaissez la poignée ; la remontée ne fait que réarmer le mécanisme.

Le mandrin des drilles n'accepte que des mèches spéciales, qui ne peuvent être utilisées avec d'autres outils.

La chignole a une manivelle latérale qui entraîne une roue d'engrenage en prise sur un pignon ; à chaque tour de manivelle, la mèche tourne au moins trois fois. La chignole sert à percer le bois, le métal tendre et les plastiques ; son mandrin accepte les mèches hélicoïdales ou les fraises plates (leur soie ne peut avoir un diamètre supérieur à $1/4$ po [6 mm]).

Le vilebrequin permet de percer avec précision des trous de grand diamètre et de poser des vis ou d'en ôter. En procédant avec soin, l'on peut percer des trous profonds en mettant une mèche extra-longue ou une rallonge dans le mandrin. Un rochet réversible permet de faire tourner le mandrin vers la droite ou vers la gauche. Les vilebrequins sont classés selon leur longueur (du pommeau jusqu'aux mors) et leur portée (le diamètre du cercle décrit par la poignée rotative). On peut leur adjoindre un grand éventail de mèches (voir ci-dessous), y compris des pointes de tournevis.

Les mèches spéciales de vilebrequin servent à des fins spécifiques. La mèche à expansion perce des trous de divers diamètres ; la mèche Forstner, des trous à fond plat ; la mèche à double traçoir et la mèche pleine, des trous profonds, francs et précis.

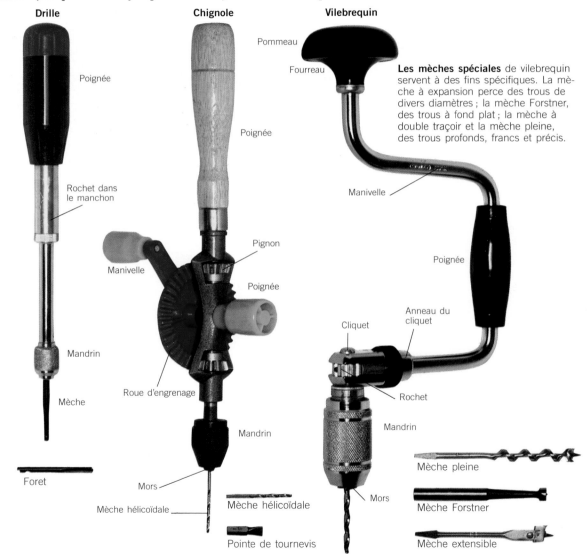

Drille
Poignée
Rochet dans le manchon
Mandrin
Mèche
Foret

Chignole
Poignée
Manivelle
Pignon
Poignée
Roue d'engrenage
Mandrin
Mors
Mèche hélicoïdale
Mèche hélicoïdale
Pointe de tournevis

Vilebrequin
Pommeau
Fourreau
Manivelle
Poignée
Cliquet
Anneau du cliquet
Rochet
Mandrin
Mors
Mèche pleine
Mèche Forstner
Mèche extensible

Outillage à main / Tournevis

Pour effectuer un travail efficace et sûr, mieux vaut posséder un jeu de tournevis de types, de largeurs et de longueurs variés, à pointes diverses : carrées, hexagonales, plates, cruciformes.

Pour serrer une vis, il faut exercer sur elle un couple de serrage. Plus la tige du tournevis est épaisse, plus le couple produit à chaque rotation est élevé. La vis et le tournevis devraient toujours former une seule ligne droite.

Afin d'éviter les blessures, n'utilisez jamais de tournevis en guise de levier, de ciseau, de poinçon ou d'ouvre-boîte.

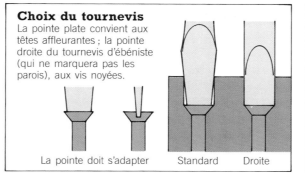

Choix du tournevis
La pointe plate convient aux têtes affleurantes ; la pointe droite du tournevis d'ébéniste (qui ne marquera pas les parois), aux vis noyées.

La pointe doit s'adapter   Standard   Droite

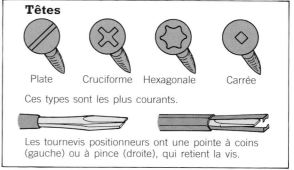

Têtes

Plate   Cruciforme   Hexagonale   Carrée

Ces types sont les plus courants.

Les tournevis positionneurs ont une pointe à coins (gauche) ou à pince (droite), qui retient la vis.

Modèles de tournevis

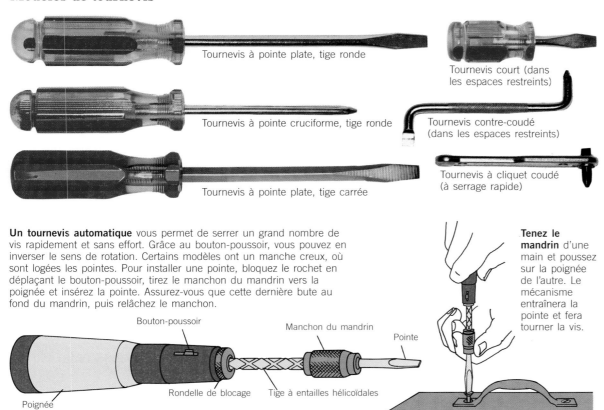

Tournevis à pointe plate, tige ronde

Tournevis à pointe cruciforme, tige ronde

Tournevis à pointe plate, tige carrée

Tournevis court (dans les espaces restreints)

Tournevis contre-coudé (dans les espaces restreints)

Tournevis à cliquet coudé (à serrage rapide)

Un tournevis automatique vous permet de serrer un grand nombre de vis rapidement et sans effort. Grâce au bouton-poussoir, vous pouvez en inverser le sens de rotation. Certains modèles ont un manche creux, où sont logées les pointes. Pour installer une pointe, bloquez le rochet en déplaçant le bouton-poussoir, tirez le manchon du mandrin vers la poignée et insérez la pointe. Assurez-vous que cette dernière bute au fond du mandrin, puis relâchez le manchon.

Bouton-poussoir   Manchon du mandrin   Pointe

Poignée   Rondelle de blocage   Tige à entailles hélicoïdales

Tenez le mandrin d'une main et poussez sur la poignée de l'autre. Le mécanisme entraînera la pointe et fera tourner la vis.

Techniques spéciales

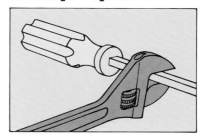

Le tournevis à tige carrée utilisé avec une clé à molette augmente le couple de serrage. (Le couple de serrage, et non pas la pression exercée vers le bas, permet de serrer une vis.)

Les espaces restreints sont plus accessibles avec un tournevis contre-coudé. La pointe peut être standard à un bout et cruciforme à l'autre.

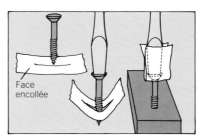

Avec du ruban, collez la vis à la pointe pour amorcer le serrage dans un espace restreint. Fendez le ruban, insérez la vis et repliez le ruban sur la pointe.

Face encollée

Outils à main / Clés

Les clés servent à serrer ou à démonter certaines pièces : clés plates pour écrous à quatre ou six pans ; clés serre-tube ; clés à mâchoires fixes ou réglables, etc. Il suffit en général d'avoir deux clés à molette et quelques clés plates. Pour réparer une voiture ou effectuer des travaux de plomberie, il en faut davantage. Si vous devez manipuler une grande variété de boulons et d'écrous, utilisez un rochet à piles.

Les clés à molette se présentent en différentes longueurs ; les clés plates et les clés à cliquet sont identifiées par les dimensions de leurs mâchoires. La longueur du manche est proportionnelle à la force des mâchoires ; si vous ajoutez une rallonge, par exemple en glissant un tuyau sur le manche, vous risquez d'endommager la clé ou la pièce que vous travaillez. Prenez une clé plus grande ou utilisez de l'huile pénétrante.

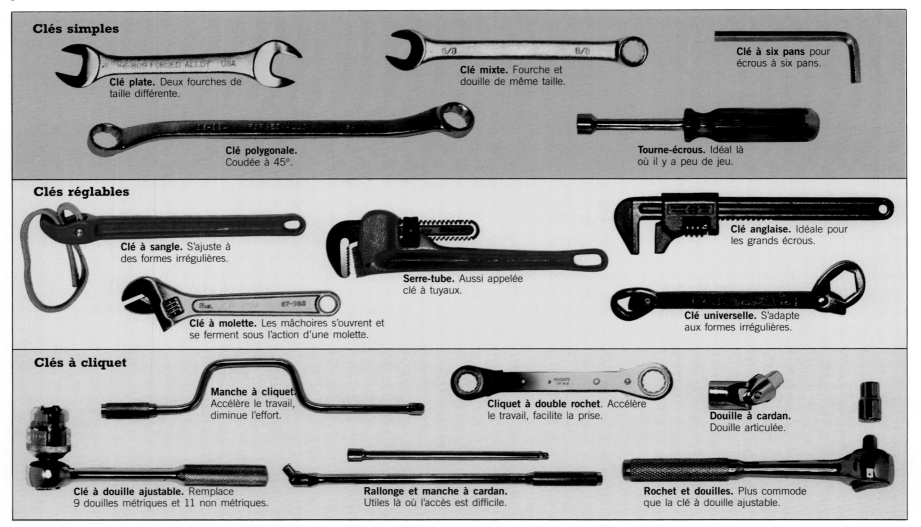

Clés simples

Clé plate. Deux fourches de taille différente.

Clé mixte. Fourche et douille de même taille.

Clé à six pans pour écrous à six pans.

Clé polygonale. Coudée à 45°.

Tourne-écrous. Idéal là où il y a peu de jeu.

Clés réglables

Clé à sangle. S'ajuste à des formes irrégulières.

Serre-tube. Aussi appelée clé à tuyaux.

Clé anglaise. Idéale pour les grands écrous.

Clé à molette. Les mâchoires s'ouvrent et se ferment sous l'action d'une molette.

Clé universelle. S'adapte aux formes irrégulières.

Clés à cliquet

Manche à cliquet. Accélère le travail, diminue l'effort.

Cliquet à double rochet. Accélère le travail, facilite la prise.

Douille à cardan. Douille articulée.

Clé à douille ajustable. Remplace 9 douilles métriques et 11 non métriques.

Rallonge et manche à cardan. Utiles là où l'accès est difficile.

Rochet et douilles. Plus commode que la clé à douille ajustable.

Clés simples

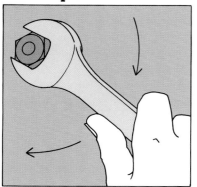

Clé plate. Elle est commode quand on a accès à l'écrou d'un seul côté. Tirez toujours la clé vers vous. Ne serrez pas trop pour ne pas endommager l'écrou.

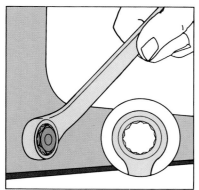

Clé coudée à douille. Elle est utile quand l'angle dégagé n'est que de 30°. Les ouvertures polygonales, coudées à 45°, sont de diamètres différents et portent 6 ou 12 pans. La plus utile est celle à 12 pans.

Tourne-écrous. En jeux assortis pour écrous de ³⁄₁₆ à ½ po ; certains s'ajustent de ¼ à ⁷⁄₁₆ po. On les utilise comme des tournevis. La dimension de l'ouverture polygonale est parfois inscrite sur le manche.

Clés réglables

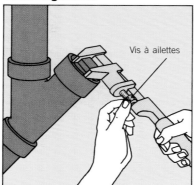

Vis à ailettes

Clé anglaise. On la confond souvent avec le serre-tube. Ses mâchoires lisses n'ont prise que sur les surfaces plates et à pans. Tournez la molette pour ajuster les mâchoires. La clé anglaise varie en longueur de 9 à 18 po.

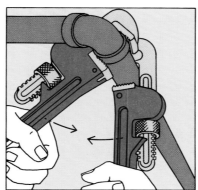

Deux serre-tubes utilisés conjointement permettent de dégager les tuyaux gelés. Installez-en un sur l'écrou, l'autre sur le tuyau ; tournez-les en sens inverse. Le serre-tube sert aussi à dégager les écrous endommagés.

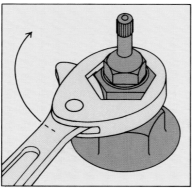

Clé universelle. C'est un système excentrique dont une pièce, mobile, s'insère sur la tête de la clé et complète la serre. Elle permet de bloquer et de débloquer écrous et boulons sans ajustement délicat.

Clés à cliquet

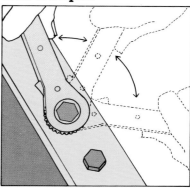

Clé à double rochet. Cette clé combine les avantages du cliquet et de la douille. Tirez le cliquet : la poignée agrippe et fait tourner l'écrou. Poussez le cliquet : vous remettez la poignée en position sans avoir à dégager la clé.

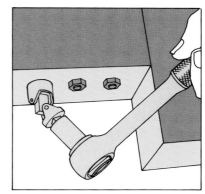

Douille universelle. Elle est montée sur un cardan. Adaptée à une rallonge, elle donne accès aux écrous difficiles d'accès. L'articulation du cardan permet une infinité d'angles.

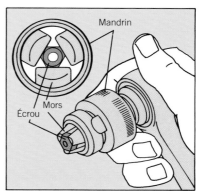

Mandrin

Mors

Écrou

Douille ajustable. Elle vaut à elle seule une vingtaine de douilles. Faites tourner le mandrin pour dégager les mors. Centrez la douille sur l'écrou et resserrez. La serre est stable. La douille s'ajuste à un manche à cliquet de ³⁄₈ po.

Outillage à main / Pinces

Pinces à bec

Ces pinces servent à la préhension ou à la coupe ; certaines combinent les deux usages. Leur écartement peut être réglable ; elles peuvent comporter un tranchant.

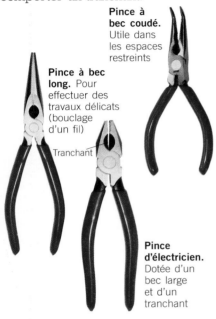

Pince à bec coudé. Utile dans les espaces restreints

Pince à bec long. Pour effectuer des travaux délicats (bouclage d'un fil)

Tranchant

Pince d'électricien. Dotée d'un bec large et d'un tranchant

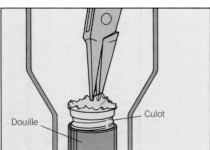

Douille — Culot

La pince à bec long permet de saisir de petits objets ou d'atteindre des objets difficiles d'accès. La pince à bec effilé, plus petite, est utile pour réparer lunettes et bijoux.

Pinces réglables

Leurs mâchoires ont un écartement variable. Écartez les branches et faites jouer le joint à coulisse jusqu'à l'écartement voulu. Refermez les branches et bloquez les mâchoires.

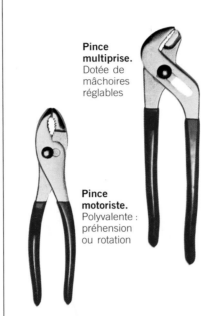

Pince multiprise. Dotée de mâchoires réglables

Pince motoriste. Polyvalente : préhension ou rotation

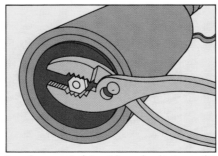

La pince motoriste, très polyvalente, a des mâchoires à plats et à creux permettant de saisir des objets de formes diverses. Le joint à coulisse permet deux écartements.

Pinces coupantes

Elles servent à couper du fil ou de petites pièces de métal mince, à dénuder les fils électriques, à tailler la tuile et à couper ou à arracher de petits clous.

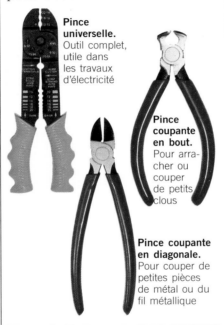

Pince universelle. Outil complet, utile dans les travaux d'électricité

Pince coupante en bout. Pour arracher ou couper de petits clous

Pince coupante en diagonale. Pour couper de petites pièces de métal ou du fil métallique

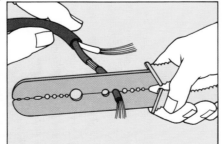

La pince universelle sert à mesurer, à sectionner, à dénuder et à sertir les fils. Coupez le courant (p. 237), car les poignées en vinyle n'assurent pas une isolation adéquate.

Pinces-étaux

Leurs mâchoires en prise sur l'objet, vissez le réglage et fermez les branches jusqu'à blocage complet. Pour relâcher la prise, appuyez sur le levier ou ouvrez les branches.

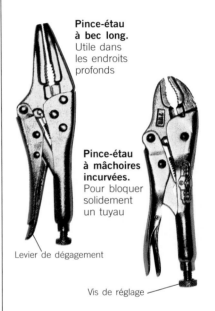

Pince-étau à bec long. Utile dans les endroits profonds

Pince-étau à mâchoires incurvées. Pour bloquer solidement un tuyau

Levier de dégagement

Vis de réglage

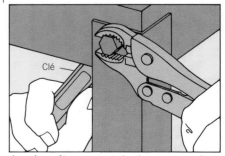

Clé

La pince-étau permet de desserrer un écrou ou un boulon figé. Tenez-la sur la tête du boulon et tournez l'écrou avec une clé. Il existe divers types de mâchoires.

Outillage à main / Étaux

Étau de menuisier

L'étau comporte deux mors larges et plats dont on règle l'écartement par une longue vis. Il constitue en quelque sorte une « seconde paire de mains ». Un demi-écrou permet le réglage rapide de l'écartement.

L'étau de menuisier est habituellement posé sur le devant de l'établi, près d'un coin. Le dessus des mors doit être au niveau du plateau de l'établi. Des tire-fond et des vis à bois servent à fixer l'étau.

Des mordaches en bois fixées aux mors protégeront la surface des pièces à façonner. Utilisez des vis à tête plate ou du ruban adhésif double face pour les fixer ; elles doivent être lisses et planes (remplacez-les au besoin).

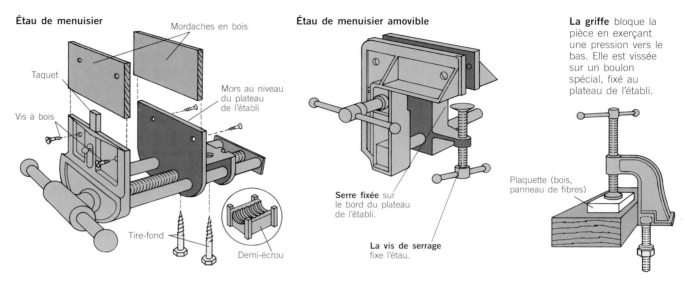

Étau de menuisier

Mordaches en bois

Taquet

Mors au niveau du plateau de l'établi

Vis à bois

Tire-fond

Demi-écrou

Étau de menuisier amovible

Serre fixée sur le bord du plateau de l'établi.

La vis de serrage fixe l'étau.

La griffe bloque la pièce en exerçant une pression vers le bas. Elle est vissée sur un boulon spécial, fixé au plateau de l'établi.

Plaquette (bois, panneau de fibres)

Étau de mécanicien

L'étau de mécanicien (étau d'établi) se pose sur le plateau de l'établi ; il sert avant tout au façonnage des métaux. Des plaques en métal mou et pliées à 90° peuvent servir de mordaches ; elles doivent avoir la largeur des mors rainurés sur lesquels elles prendront appui.

Il y a trois types d'étaux de mécanicien : l'étau pivotant, le plus perfectionné, pivote sur 360° ; l'étau amovible, moins robuste, comme la serre en C (p. 34) est fixé sur le bord du plateau de l'établi au moyen d'une vis de serrage ; l'étau de perçage est, quant à lui, boulonné au plateau d'une perceuse à colonne (p. 56). Ses mors rainurés bloquent les pièces rondes ou de petites dimensions.

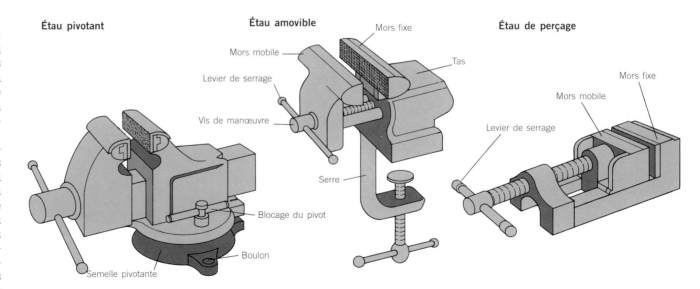

Étau pivotant

Semelle pivotante

Blocage du pivot

Boulon

Étau amovible

Mors fixe

Mors mobile

Levier de serrage

Vis de manœuvre

Tas

Serre

Étau de perçage

Mors fixe

Mors mobile

Levier de serrage

Outillage à main / Serre-joints

Les serre-joints servent dans pratiquement tous les travaux de bois, qu'il s'agisse de simples réparations ou d'ajustements complexes. Achetez-les par paires ou par trois. Elles servent à bloquer des pièces pendant que vous les façonner, à tenir un assemblage pendant que la colle sèche, ou à faire tenir un assemblage temporaire.

Il y a divers types de serres. Certaines ont deux mâchoires mobiles, mais la plupart ont une mâchoire fixe. Les serres improvisées sont efficaces, mais elles exigent un montage précis. Les serres en C, les presses réglables et les presses extensibles sont très polyvalentes ; les serres à ressorts conviennent à un grand nombre de travaux.

Repassez mentalement l'ordre de serrage avant d'appliquer l'adhésif. Posez les serres au centre de l'ouvrage et progressez vers les extrémités. Cette méthode élimine les poches d'air et favorise l'étalement de la colle le long du joint, favorisant une meilleure adhésion.

Mettez une plaquette entre les mâchoires et la pièce pour protéger la surface et répartir également la pression. Le serrage ne doit pas être excessif ; serrez les mâchoires à la main jusqu'à ce qu'un mince filet de colle sorte du joint.

Placez du polyéthylène sous les joints pour recueillir la colle qui pourrait faire adhérer la pièce à l'établi ou à la plaquette. Assurez-vous que le serrage ne provoque pas le glissement des matériaux. Avec un chiffon humide, ôtez tout excès de colle ; laissez sécher.

Serres en C

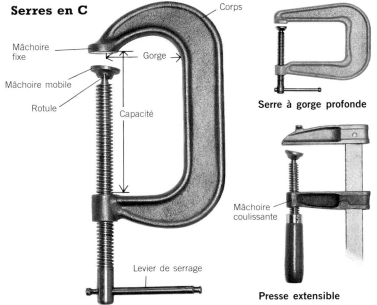

Corps
Mâchoire fixe
Gorge
Mâchoire mobile
Rotule
Capacité
Levier de serrage

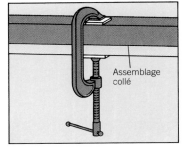

Serre à gorge profonde

Mâchoire coulissante

Presse extensible

Presse réglable

Poignée arrière
Mâchoires
Poignée centrale
Écartement variable

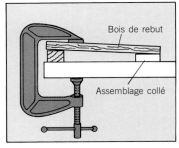

Assemblage collé

Les serres en C sont offertes en divers formats. Leur capacité varie de 1 à 8 po ; la profondeur de la gorge, de 1 à 4 po. Certaines sont dotées de mâchoires à rotule qui permettent de les adapter à des profils irréguliers.

Bois de rebut
Assemblage collé

Une serre à gorge profonde s'improvise au moyen d'une serre en C robuste et de deux morceaux de bois. Le bloc doit être plus haut que l'assemblage. Mettez un long morceau de bois en travers du bloc et de l'assemblage, et bloquez le tout.

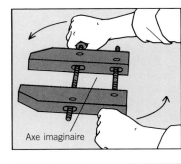

Axe imaginaire

Les mâchoires d'une presse réglable seront parallèles si vous tournez les poignées simultanément de chaque côté d'un axe imaginaire. Pour modifier l'angle d'écartement, bloquez une poignée et tournez l'autre.

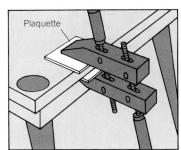

Plaquette

Pour serrer des surfaces parallèles, en retrait l'une par rapport à l'autre, écartez les mâchoires parallèlement, mais de façon que l'une aille plus loin que l'autre. Les mâchoires mesurent 8, 10, 12 ou 14 po.

Serre à ressort

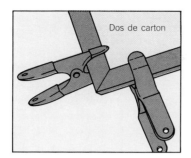

Dos de carton

Pour ouvrir ou fermer une serre à ressort, serrez les poignées. Employez-la quand il faut une pression légère. Sa position peut être changée rapidement et facilement. Certains modèles ont des mâchoires recouvertes d'un vinyle protecteur.

Serre à sangle

Rochet

Sangle

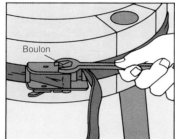

Boulon

Idéale pour les profils ou courbes irréguliers, la serre à sangle serre uniformément les assemblages. Pour régler la tension, tournez le boulon du rochet avec une clé. Attention que le serrage ne provoque le glissement des matériaux.

Serres à cadre et à coulisse

Manivelle

Mors mobile : se cale dans le cran le plus près de la largeur désirée.

Mors mobile : se glisse vers l'avant pour un blocage solide.

Serre à cadre

Serre à coulisse

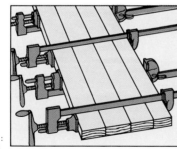

Pour régler une serre à coulisse, bloquez le mors à la position voulue, puis serrez les mâchoires. Certains encollages exigent de nombreuses serres, parfois de dimensions diverses. Mettez-les dessus et dessous, en alternance, pour ne pas gauchir les pièces.

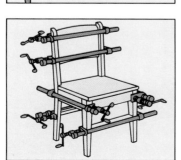

Les mâchoires d'une serre à cadre s'adaptent à du tuyau de ½ ou de ¾ po de diamètre. Le tuyau doit avoir une extrémité filetée où l'on visse la tête de la serre. Espacez les serres de 12 à 18 po.

Serres spéciales

La serre à bordure bloque les pièces à coller (stratifié, moulure, etc.) sur trois faces. Répartissez la pression uniformément.

La presse d'angle bloque les onglets et les garde bien alignés. Elle est utile pour assembler des cadres ou des tiroirs.

La pince-étau à mâchoires en C s'adapte aux profils irréguliers. Un mécanisme à molette et à ressort commande le blocage des branches.

La serre d'angle réglable comporte une sangle remplaçable et des équerres. La longueur de la sangle détermine la capacité de cet outil.

Serres improvisées

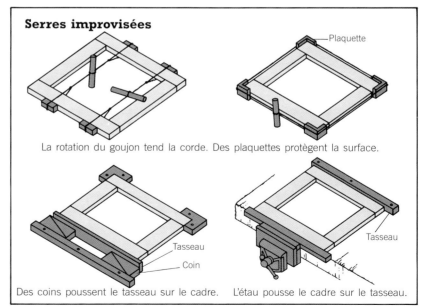

Plaquette

La rotation du goujon tend la corde. Des plaquettes protègent la surface.

Tasseau

Coin

Tasseau

Des coins poussent le tasseau sur le cadre. L'étau pousse le cadre sur le tasseau.

Simple en apparence, le ciseau est un outil de précision très coupant. L'utilisation de cet outil, d'abord conçu pour les travaux de finition, exige de la minutie et de la précision. Les ciseaux présentent une grande variété de formes et de dimensions. Certains servent aux travaux de menuiserie, d'autres à la coupe du métal ou de la pierre.

Le tranchant du ciseau est toujours biseauté ; les arêtes de la lame sont toutefois biseautées ou droites. Le *bédane* est un ciseau lourd à arêtes droites. Le *ciseau à biseau* et le *ciseau long* sont plus délicats et leurs arêtes sont biseautées. Le bédane s'utilise avec un maillet ; il sert au dégrossissage. Le ciseau à biseau et le ciseau long sont poussés manuellement ; ils servent à l'ébarbage et au façonnage.

La largeur des lames varie, tout comme l'écart entre les largeurs consécutives. En principe, les ciseaux étroits sont plus utiles que les larges. Une bonne trousse de base comprend des ciseaux à biseau de ¼, ⅜, ½ et ¾ po (6, 9, 13 et 20 mm).

Les ciseaux à manche de plastique très résistant doivent avoir une soie de longueur égale à celle du manche. Ils conviennent à la plupart des travaux, mais leur lame, d'un acier un peu moins résistant que pour les ciseaux de haute qualité, nécessite un affûtage fréquent.

Quand vous travaillez avec un ciseau, bloquez toujours la pièce à l'aide de serres, d'étaux ou de butoirs. Travaillez dans le sens du fil et en surface : il vaut mieux détacher de minces copeaux que de gros éclats de bois. Si vous devez travailler à contrefil, ayez bien soin de ne pas rainurer la surface. Quand la chose est possible, utilisez un autre outil pour effectuer la plus grande part du dégrossissage (page ci-contre). Rangez les ciseaux dans un étui souple ou sur un râtelier, et évitez de les laisser tomber ou de les cogner sur l'établi. Le tranchant du ciseau devrait être protégé par une gaine ; celle-ci est parfois fournie avec l'outil, mais on peut aussi se la procurer séparément.

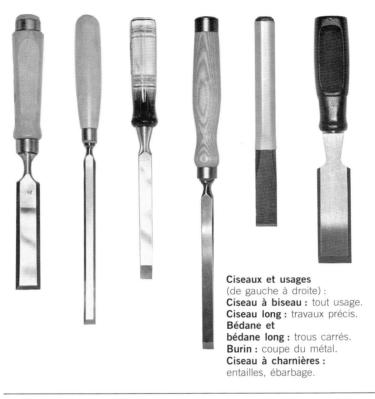

Ciseaux et usages
(de gauche à droite) :
Ciseau à biseau : tout usage.
Ciseau long : travaux précis.
Bédane et
bédane long : trous carrés.
Burin : coupe du métal.
Ciseau à charnières :
entailles, ébarbage.

Manches

Soie. Usage manuel, légers coups

Douille. Tout usage

Très résistant. Forts coups de maillet

Tranchants

15°

Ciseau long : angle aigu ; travaux précis.

20°

Ciseau à biseau : angle moyen ; polyvalent.

25°

Bédane : angle obtus ; dégrossissage.

Orientation du biseau

Coupe profonde : vers le haut. Poussez à la main ou frappez légèrement avec un maillet.

Coupe fine : vers le bas. Balancez le biseau pour régler la profondeur de coupe.

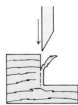

Coupe à 90° : vers le rebut. Les copeaux rouleront vers l'évidement.

Coupe convexe : vers le haut (meilleure maîtrise).
Coupe concave : vers le bas. Le biseau sert de point d'appui.

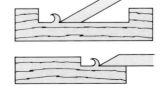

Vers le bas : espaces restreints.
Vers le haut : efficace quand le ciseau peut être tenu presque à plat.

Dégrossissage

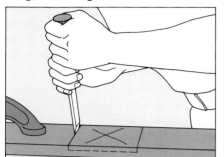

Placez le biseau du côté du rebut. Tenez le ciseau à deux mains. Enfoncez la lame en mettant tout votre poids sur le manche.

Frappez légèrement sur le ciseau à plat (biseau vers le haut) pour dégrossir la pièce. Allez des côtés vers le centre.

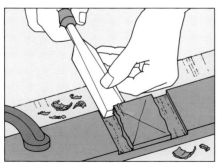

Le ciseau à charnières large (biseau vers le haut) sert à ôter le gros morceau central. Guidez le ciseau avec les deux mains.

Assemblage à tenon et mortaise

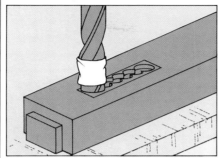

Entaillez la ligne de coupe avec un couteau. Évidez l'ébauche en perçant des trous qui chevauchent.

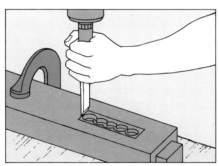

Le bédane sert à ôter le rebut à chaque bout de l'ébauche. Tenez le ciseau à 90°. N'allez pas trop profondément.

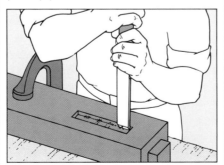

Tenez un ciseau à biseau à deux mains et appuyez avec tout votre poids pour couper les côtés. N'utilisez pas de maillet.

Assemblage à queue d'aronde

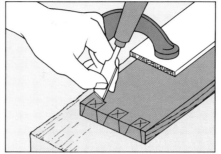

Bloquez la pièce sur l'établi. Tracez les lignes de coupe avec le coin d'un ciseau. Marquez les rebuts.

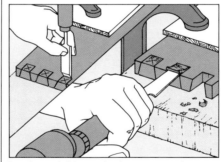

Le ciseau à biseau étroit sert à ôter le rebut. Alternez les coupes verticales et horizontales ; enlevez un peu de bois chaque fois.

Égalisez les chants des queues avec un ciseau long. Les coins doivent être lisses et d'équerre.

Arrondis d'angles

Protégez le plateau par une planche de rebut : bloquez-y la pièce. Avec un ciseau tenu droit, découpez les coins à 45°.

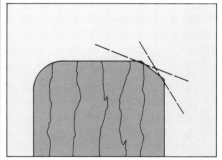

Le biseau du côté du rebut, rognez le bois, de l'extérieur vers la ligne de coupe ; façonnez l'arrondi peu à peu.

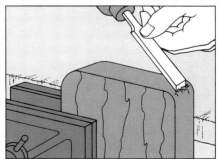

Pour finir l'arrondi, détachez de minces copeaux (biseau vers le haut). Tenez le ciseau d'une main ; guidez-le de l'autre.

Les rabots servent surtout à dresser et à finir le bois, à dégauchir les chants et à les chanfreiner. Des rabots spéciaux (p. 40-41) servent à faire des feuillures et à dresser le bois. Les quatre types de rabots d'établi qui existent ne diffèrent que par leurs dimensions. Il s'agit, par ordre de grandeur croissant, du *rabot à repasser*, de la *galère*, du *riflard* et de la *varlope*. Utilisez un petit rabot pour finir ou dresser de petites surfaces et un long rabot pour les grandes.

Avant de vous lancer dans les achats, réfléchissez à vos besoins. Un rabot de bonne qualité en acier et en plastique pourrait se révéler aussi efficace qu'un rabot en laiton et bois exotique et constituer aussi un bon investissement compte tenu de son prix et du nombre de fois que vous l'utiliserez.

Il faut un réglage adéquat et un fer de bonne qualité. Le bouton de réglage doit être facile à atteindre et à tourner. La fourchette doit parfaitement soutenir le fer. Essayez d'égratigner le fer avec un canif ; si vous y parvenez, cela signifie que le métal est trop tendre.

La semelle du rabot est unie ou biseautée. En raison de sa plus grande surface, une semelle unie offrira une résistance plus grande qu'une semelle biseautée. Par contre, le biseau pourra se révéler nuisible au moment de dresser des chants. Cirez la semelle pour réduire la friction.

Le poids du rabot, qui est un atout dans certains cas, peut représenter un fardeau dans d'autres. Le fût en plastique, plus léger que le fût en bois ou en acier, pourra représenter le meilleur choix : il est résistant, léger et durable. Le bois est facilement affecté par la sécheresse et l'humidité ; et, pour certains, l'acier est trop lourd.

Réglez bien la profondeur pour que les copeaux soient uniformes. Travaillez dans le sens du fil, en gardant la semelle à plat sur la surface. Nettoyez souvent la lumière. Soulevez le rabot à la passe de recul pour épargner le fer.

Si la lumière se bourre de copeaux, c'est que le contre-fer est probablement trop près du tranchant. Des marques perpendiculaires au fil révèlent un assemblage fautif de la fourchette, du fer et du contre-fer ; des marques parallèles au fil, un tranchant encoché ou concave, ou un réglage latéral inégal. Vérifiez toujours le réglage avant d'affûter le fer.

Si le rabot glisse sur la surface sans couper, c'est qu'un copeau est coincé, que le tranchant est émoussé, que le fer est mal réglé ou que la semelle est enduite de résine. Vérifiez ces éléments. Au besoin, nettoyez la semelle avec un solvant ou de l'essence minérale et cirez-la pour empêcher l'accumulation de résine et ralentir la corrosion.

Protéger et affûter le rabot (p. 44-45) constituent les seules mesures d'entretien. Pour n'endommager ni le fer ni le tranchant, ne déposez jamais le rabot sur sa semelle. Rangez-le sur le côté et remontez le fer. Avant chaque utilisation, vérifiez l'état du tranchant.

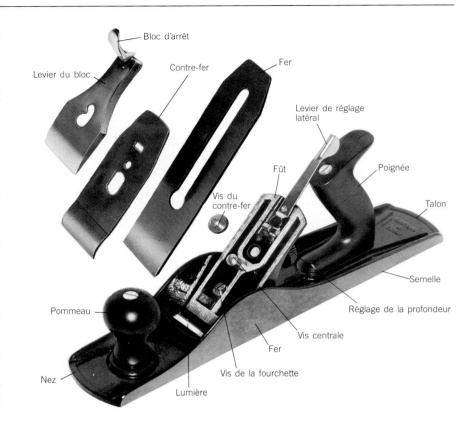

Levier du bloc — Bloc d'arrêt — Contre-fer — Fer — Levier de réglage latéral — Fût — Poignée — Talon — Vis du contre-fer — Semelle — Pommeau — Réglage de la profondeur — Vis centrale — Fer — Vis de la fourchette — Nez — Lumière

Rabots d'établi

Rabot à repasser n° 3 ou 4 : pour finir et chanfreiner ; convient aux petites surfaces, pas aux grandes.

Riflard n° 6 : dimensions moyennes, outil tout usage ; la galère n° 5 (non illustrée) est plus petite.

Varlope n° 7 : pour dresser de longs chants, de larges surfaces ou des planches jointes bout à bout (p. 110).

Réglage du rabot

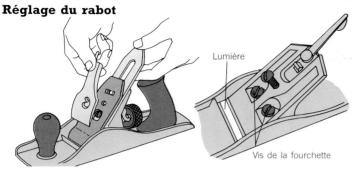

Lumière

Vis de la fourchette

1. Soulevez le levier pour ôter le bloc, le contre-fer et le fer. Posez la fourchette ; son bord doit être aligné sur celui de la lumière.

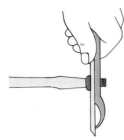

2. Assemblez le fer et le contre-fer, leurs bords devant être parallèles et se trouver à une distance de $1/16$ à $1/8$ po du tranchant. Serrez la vis du contre-fer.

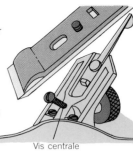

Vis centrale

3. Placez cet assemblage biseau vers le bas sur la fourchette ; enclenchez-y le levier de réglage latéral. Placez le bloc d'arrêt sur la vis centrale. Abaissez le levier.

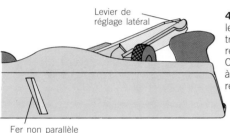

Levier de réglage latéral

Fer non parallèle

4. Mettez le rabot sur le côté. Alignez le tranchant sur le rebord de la lumière. Corrigez l'alignement à l'aide du levier de réglage latéral.

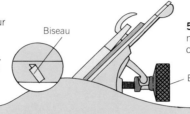

Biseau

5. Réglez le fer au moyen du bouton de réglage.

Bouton de réglage

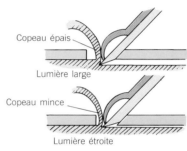

Copeau épais

Lumière large

Copeau mince

Lumière étroite

Le fer réglé pour mordre profondément permet de dégrossir une surface ; réglé plus haut, il sert au dressage de finition. Le contre-fer rabat les copeaux et les brise.

Dressage

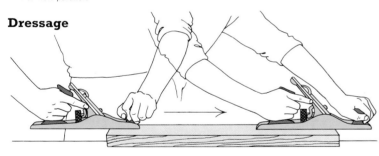

Réglez le fer, posez la semelle à plat sur le bois. Appliquez une pression uniforme des deux mains et poussez le rabot d'un bout à l'autre de la surface. À la fin de chaque passe, cessez d'appuyer sur le nez. Travaillez toujours dans le sens du fil : le dressage à contre-fil ou en travers du fil creuse la surface.

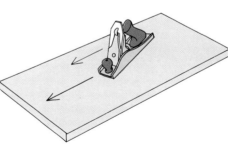

Pour dresser de grandes surfaces, tenez le rabot un peu de travers par rapport au fil. Tout en gardant cet angle, poussez le rabot parallèlement au fil.

Planche à dresser et butoir

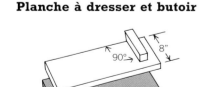

90°

8"

14"

20"

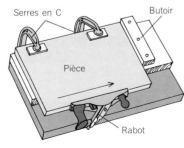

Serres en C

Butoir

Pièce

Rabot

La planche à dresser facilite le dressage des chants. Clouez une planchette sur une planche plus large. Clouez ou vissez un butoir sur la planche du dessus. Appuyez-y la pièce, son chant surplombant la planche du dessous. Fixez le tout sur l'établi avec des serres en C. Dressez le chant.

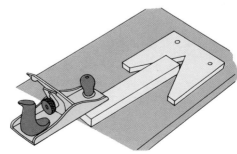

Le butoir en V bloquera la pièce à dresser. Appuyez-le contre un étau ou fixez-le à l'établi avec des serres, des vis ou des clous.

Bien des travaux qui nécessitaient autrefois l'usage du rabot (le façonnage des moulures, par exemple) s'effectuent de nos jours avec des outils électriques ou des machines industrielles. Il existe encore néanmoins un large éventail de rabots spéciaux. Certains ne servent qu'à une seule tâche ; d'autres, à plusieurs.

Parmi le premier groupe se rangent le *rabot de coupe* (ci-dessous), la *vastringue* et le *guillaume de bout* (page ci-contre). Ce dernier permet de dresser une surface jusque dans les coins. Il y a aussi le rabot à parer, variante plus petite du rabot de coupe, qui sert aux travaux précis ; le rabot à corroyer, semblable au rabot à repasser (p. 38), mais à fer plus étroit ; la toupie, qui sert à ébarber et à finir les moulures et les rainures (p. 102). Le second groupe inclut le *guillaume* et le *rabot démontable* (page ci-contre).

Vous trouverez peut-être qu'un rabot en plastique moulé fait aussi bien votre affaire qu'un autre plus cher en bois franc exotique ou en laiton. Ce qui importe, c'est qu'il fasse bien en main. Assurez-vous que l'outil est facile à régler et que son mécanisme de blocage conserve bien le réglage. Gardez l'habitude de débarrasser le rabot de la résine et des copeaux qui s'y accumulent et d'affûter le fer (p. 44-45).

Rabot de coupe

Pour chanfreiner un chant, tenez le rabot à un angle de 30° à 45° et poussez-le dans le sens du fil. Commencez par les bords.

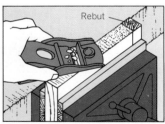

Pour le dressage en bout, bloquez d'abord la pièce entre deux planches de rebut ; poussez le rabot d'un bout à l'autre.

Molette — Bloc d'arrêt — Talon — Lumière — Fer — Appui-doigt — Fût — Semelle — Nez

Réglage du rabot de coupe

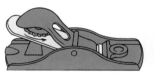

Fer — Lumière

Tournez la molette pour débloquer le bloc d'arrêt. Il faut que le biseau soit orienté vers le haut et que le tranchant et le bord de la lumière soient parallèles.

Pour régler le fer, tenez le rabot à l'envers. Glissez le fer vers le nez, le tranchant à peine sorti.

En tenant le rabot à l'envers, assurez-vous que le tranchant et le bord de la lumière sont parallèles. Tenez bien le rabot pour conserver l'alignement et resserrez la molette.

Le rabot de coupe ressemble au rabot d'établi, mais il est plus court et son fer est orienté selon un angle plus aigu. Le biseau du fer est orienté vers le haut (contrairement à celui du rabot d'établi), ce qui en fait un outil idéal pour le dressage en bout ; il permet aussi de chanfreiner et de dresser de petites surfaces. Vu ses petites dimensions, le rabot de coupe ne peut servir à dresser de grandes surfaces ; utilisez pour cela un rabot d'établi (p. 38-39).

Pour réduire les risques d'éclatement des fibres au cours du dressage en bout, chanfreinez d'abord un peu les bords. Tenez ensuite le rabot obliquement par rapport au fil.

Guillaume

Les formes de cet outil varient, mais le guillaume sert toujours à créer ou à dresser des feuillures et de larges entailles, à dresser et à équarrir des encoignures et à finir les bords et les joints de moulures.

Le guillaume proprement dit a deux lumières : une près du nez, pour aller jusque dans les coins, une autre au centre, pour dresser. Le rabot démontable n'a qu'une lumière et un fût adaptable aux différents travaux.

Vastringue

Cet outil servait, à l'origine, à façonner les rayons des roues de charrettes. Ses deux poignées et son petit fer placé au centre permettent de dresser les surfaces courbes et d'effectuer des travaux de finition. Bien utilisée, la vastringue permet de réduire grandement le ponçage.

Achetez un modèle doté de vis réglant la profondeur du fer. Selon le travail à effectuer, le fer et le bâti seront droits, convexes ou concaves.

Allez des bords vers le centre, en travaillant dans le sens du fil, pour obtenir un fini doux sur les surfaces courbes. Le dressage à contre-fil produit un fini rugueux.

Guillaume

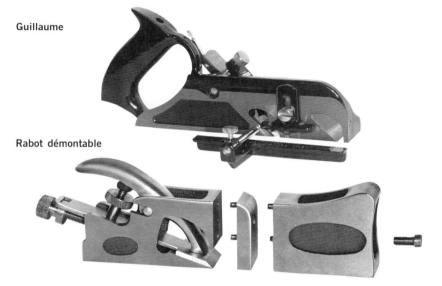

Rabot démontable

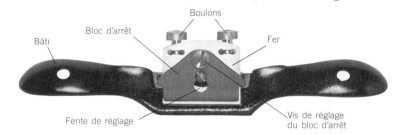

Boulons · Bloc d'arrêt · Bâti · Fer · Fente de réglage · Vis de réglage du bloc d'arrêt

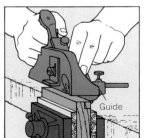

Le guillaume sert à créer ou à dresser des feuillures et de larges entailles. Réglez la largeur à l'aide du guide.

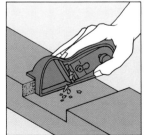

Le guillaume de côté permet de dresser les entailles et les feuillures pour les assemblages en équerre.

Le fer du guillaume de bout, sur le nez, permet de dresser les coins et les feuillures des cadres.

Racloir

Cet outil simple et peu coûteux se révèle vite indispensable. Utilisez-le pour dresser ou pour ôter de la colle séchée. Il permet de réduire de 80 p. 100 le temps de ponçage.

Vous pouvez en fabriquer un avec une vieille lame de scie ou une plaque en acier trempé. Aiguisez les arêtes (p. 44-45).

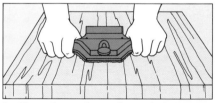

Le fût en forme de vastringue doté de racloirs rectangulaires permet d'accomplir un travail plus précis et protège les mains contre la chaleur causée par la friction.

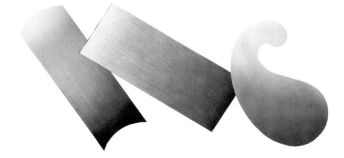

Les racloirs sont polyvalents. Ils se présentent sous diverses formes (à gauche). Un tranchant bien aiguisé présente un morfil courbe.

Les limes sont utiles pour adoucir et façonner le métal. Elles sont classées selon leur forme, la disposition de leurs dents, qu'on appelle leur *taille,* et leur longueur. Une longue lime rude fera des travaux de dégrossissage et de rognage ; une petite lime douce fera des travaux de finition et d'aiguisage. Son métal doit toujours être plus dur que celui de la pièce à ouvrager.

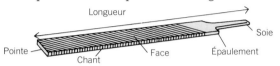

Forme. Les limes sont le plus couramment plates, carrées, triangulaires, rondes et demi-rondes. Leur corps peut avoir la même forme de l'épaulement à la pointe ou être effilé.

Taille. La denture est constituée d'arêtes transversales. Elle peut être à *taille simple* (lime d'usage général), *double* (lime bâtarde), *courbe* ou *de râpe.* La denture à taille simple est constituée d'arêtes diagonales et parallèles ; la denture à double taille, d'arêtes qui s'entrecroisent ; la denture courbe est formée d'arcs parallèles ; et la denture de râpe, de picots. Les limes ordinaires ont des arêtes sur leurs chants, mais il y a aussi des limes à chants lisses.

La taille peut être *bâtarde* (la plus rude), *demi-douce* ou *douce.* On ne trouve pas toujours les catégories *rude* et *extra-douce.*

Longueur. On mesure la longueur d'une lime de l'épaulement à la pointe ; elle influe sur la grosseur de taille. Sur une longue lime, la grosseur des arêtes et la largeur de leur écartement sont proportionnellement supérieures à celles d'une lime plus petite. C'est pourquoi une lime bâtarde de 12 po (30 cm) est plus rude qu'une lime bâtarde de 6 po (15 cm), même si la grosseur de taille indiquée est semblable.

▶ **ATTENTION !** Posez toujours un manche sur les limes : la soie est pointue et peut perforer la peau. Les limes sont des outils qui coupent aussi facilement la peau que le métal.

Types de limes

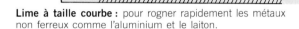

Lime à taille simple : pour adoucir les métaux ferreux ou affûter les outils qui en sont faits.

Lime à double taille : pour rogner rapidement les métaux ferreux ou non ferreux.

Lime à taille courbe : pour rogner rapidement les métaux non ferreux comme l'aluminium et le laiton.

Plate   Carrée   Triangulaire   Ronde   Demi-ronde

Utilisez la forme convenant à la surface.

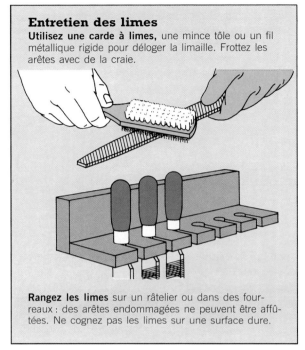

Entretien des limes

Utilisez une carde à limes, une mince tôle ou un fil métallique rigide pour déloger la limaille. Frottez les arêtes avec de la craie.

Rangez les limes sur un râtelier ou dans des fourreaux : des arêtes endommagées ne peuvent être affûtées. Ne cognez pas les limes sur une surface dure.

Techniques de limage

Tenez la lime à chaque bout, un peu de travers par rapport à la pièce et bien à plat. Imprimez-lui un mouvement rectiligne.

Pour limer à traits tirés, tenez la lime à plat et à angle droit par rapport à la pièce. Allez et venez en appliquant une pression uniforme. N'inclinez pas la lime.

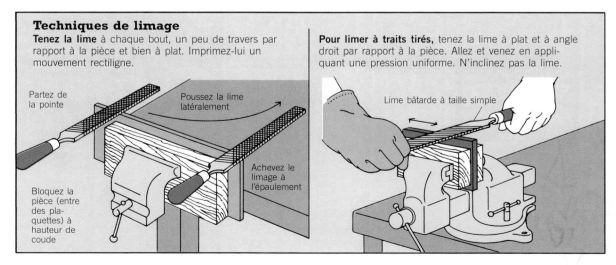

Partez de la pointe

Poussez la lime latéralement

Achevez le limage à l'épaulement

Bloquez la pièce (entre des plaquettes) à hauteur de coude

Lime bâtarde à taille simple

Râpe

La râpe est une lime à picots. Elle sert à rogner à contre-fil, à arrondir les coins et les chants, et à dégrossir rapidement le bois, le métal non ferreux ou le plastique. La râpe demi-ronde est la plus polyvalente.

La râpe coupe quand on pousse. Adaptez la pression que vous exercez à la dureté du matériau : légère sur le bois et le plastique, forte sur le métal. Les picots laissent un fini rude ; pour adoucir la surface, utilisez une lime à double taille et un papier de verre (p. 50). Ne travaillez jamais un métal plus dur que celui de la râpe.

Râpe

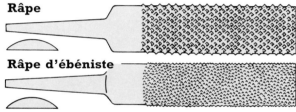

Râpe d'ébéniste

Les picots de la première râpe sont plus gros que ceux de la râpe d'ébéniste. Les deux râpes sont demi-rondes.

La râpe de cordonnier sert aussi de lime à double taille.

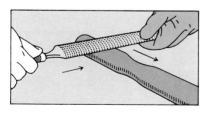

Le côté plat de la râpe demi-ronde sert à rogner les surfaces planes et à façonner des profils convexes. Soulevez entre chaque passe.

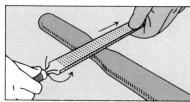

Le côté rond sert à façonner des profils concaves et à agrandir des trous. Pour ne pas trop entamer le matériau, appuyez moins fort.

Rabot-râpe

Le rabot-râpe existe en plusieurs formes. Ses picots sont faits de petits trous aux rebords tranchants, par où peuvent passer les rognures ; la semelle ne s'empâte donc pas. Cet outil permet de façonner rapidement le bois, le métal tendre et le plastique.

Le modèle le plus courant, doté d'une poignée à chaque extrémité, a la forme d'un petit rabot d'établi ; son fût est en acier ou en plastique. Les picots d'un rabot-râpe ne peuvent pas être affûtés, mais les lames sont bon marché et faciles à remplacer.

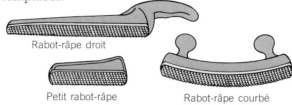

Rabot-râpe droit

Petit rabot-râpe

Rabot-râpe courbé

Limes spéciales

Il existe des centaines de limes combinant diversement la forme, la longueur et la taille. Avant d'effectuer un travail inhabituel ou d'affûter un outil, consultez votre marchand : il y a peut-être une lime spéciale. Le nom des limes évoque tantôt leur usage (lime à scie à chaîne, lime à hache, etc.), tantôt leur forme (lime aiguille, queue-de-rat, etc.). Peu importe la lime, il vaut toujours mieux limer en ligne droite avec un mouvement vers l'avant ; soulevez pour revenir en arrière.

Queue-de-rat : pour adoucir de petites surfaces rondes.

Tiers-point : pour affûter les dents de scie.

Lime aiguille : pour effectuer des travaux de précision.

Lime à lame de tondeuse : à taille simple ou double.

Emploi du rabot-râpe

Le rabot-râpe donne un fini différent selon l'angle tenu par rapport à la surface.

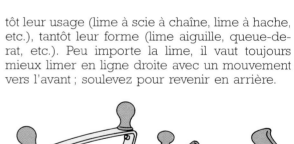

Rude   Doux   45°   Fin   Poli

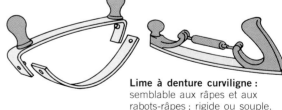

Lime à denture curviligne : semblable aux râpes et aux rabots-râpes ; rigide ou souple.

Riflard courbe : triangulaire, demi-rond, rond ou carré ; pour façonner le bois ou le métal.

Outillage à main / Affûtage

L'aiguisage ravive le tranchant d'un outil, tandis que l'affûtage, qui reconstitue le profil de la lame, est une opération plus complexe. L'affûtage comporte en principe trois étapes : le meulage, l'affilage et le limage (ou émorfilage). L'affilage sur une lanière de cuir rend la lame très tranchante.

Le meulage permet de donner au bord carré d'une barre de métal un fini en biseau ; l'affilage complète le travail. La forme du biseau, son angle et sa longueur varient selon l'outil. Il peut arriver qu'un outil neuf requière un affilage ou un meulage avant de servir ; toutefois, à moins que le tranchant ne soit endommagé ou très émoussé, le biseau original devrait être bon à vie.

L'affilage, étape principale de l'affûtage, se fait avec une pierre abrasive (voir tableau). Placez celle-ci sur une surface antidérapante (tapis de caoutchouc) ou bloquez-la dans un étau. Déposez d'abord quelques gouttes d'huile à machine sur la pierre ; après usage, épongez-la soigneusement avec un chiffon propre.

Vérifiez le tranchant en tenant la lame près d'une source de lumière. Un tranchant bien affûté reflète uniformément la lumière.

Si vous vous servez d'un touret (p. 73), protégez vos yeux. Refroidissez l'outil dans l'eau.

Rectification en biseau

 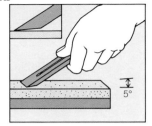 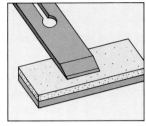 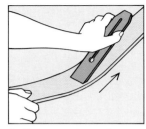

1. Affilage. Tirez cinq ou six fois la lame sur une pierre rude, biseau à plat.

2. Face de dépouille. Soulevez la lame à 5° ; tirez-la dans un seul sens.

3. Limage. Retournez la lame et frottez-la à plat. Refaites les étapes 2 et 3.

4. Repassez chaque face en sens unique sur une lanière de cuir lisse.

Rectification en creux

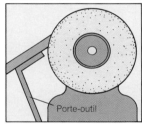 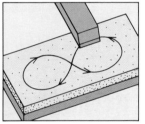

1. Meulez la pièce en l'appuyant sur un porte-outil ; affilez-la sur une pierre plate.

2. Limez les deux faces du tranchant en esquissant des huit sur une pierre douce.

Gouges

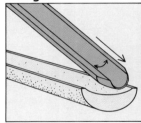 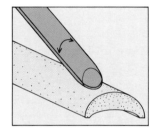

1. Le côté concave de la pierre sert à affiler le biseau d'une gouge.

2. Retournez la pierre et la gouge. Limez plusieurs fois la gouge contre la pierre.

Types de rectifications

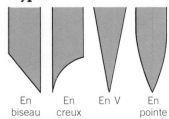

En biseau — En creux — En V — En pointe

Profil en biseau : caractérise les ciseaux à bois et les fers de rabots ; **profil en creux :** plus tranchant, mais plus fragile que le **profil en V** ; **profil en pointe :** à la fois tranchant et robuste.

Face de dépouille : renforce le tranchant.

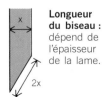

Longueur du biseau : dépend de l'épaisseur de la lame.

Coutellerie ou outils	Affilage grossier	Aiguisage	Finition	Pierres abrasives
Fer de rabot, ciseau	Pierre à double usage ; face rude	Pierre à double usage ; face douce	Pierre d'Arkansas dure	
Hache, hachette	Pierre à hache à double usage ; face rude	Pierre à hache à double usage ; face douce	Pierre d'Arkansas tendre	
Couteau, outil de sculpture	Pierre à double usage ; face rude	Pierre à double usage ; face douce	Pierre d'Arkansas tendre	
Couteau de cuisine, couteau à parer	Pierre à double usage ; face rude	Fusil		
Ciseaux, outils divers	Pierre à double usage ; face rude	Pierre à double usage ; face douce	Pierre d'Arkansas tendre	
Gouge	Pierre à gouges ; face rude	Pierre à gouges ; face douce	Pierre d'Arkansas à gouges	

Outils divers

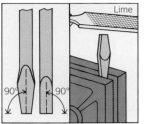

Rectifiez la pointe d'un tournevis avec une lime. Si le métal est trop dur, utilisez un touret.

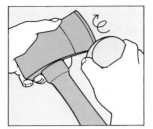

Pour affûter une hache, limez les ébréchures et affilez le tranchant avec une pierre en décrivant des cercles.

Pour aiguiser des ciseaux, glissez les branches en diagonale, de la pointe vers l'axe, biseau à plat.

Une lame de tondeuse à gazon peut être affûtée à la main avec une lime spéciale (p. 42-43).

Poinçons et pointes

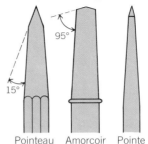

Pointeau   Amorçoir   Pointe

Tournez rapidement le manche pour aiguiser une pointe. Conservez l'angle approprié.

Racloir

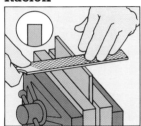

1. Limez les arêtes du racloir pour les aplanir et leur redonner leurs angles (p. 42). Faites disparaître la limaille.

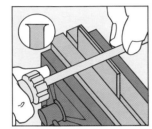

2. En appuyant bien, passez la tige ronde d'un tournevis sur l'arête pour former un morfil plat.

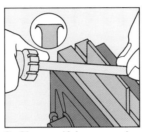

3. Si vous désirez recourber le morfil, passez la tige du tournevis, légèrement inclinée, le long de l'arête.

Foret

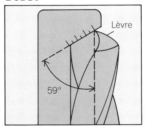

1. Vérifiez la longueur et l'angle de la pointe avec un calibre d'affûtage. L'angle devrait être de 59°.

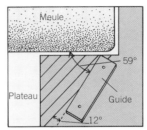

2. Réglez le guide à 59° par rapport à la meule. Tracez des lignes parallèles à 12° du bord du guide.

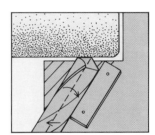

3. Démarrez le touret. Le foret appuyé sur le guide et la meule, faites-lui faire un tour et ramenez-le sur les lignes.

Couteau

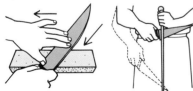

Passez les deux faces du tranchant sur la pierre ; conservez le biseau. Finissez le tranchant au fusil.

Mèche hélicoïdale

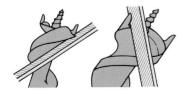

Avec une lime à mèches, affûtez le biseau des lèvres et la face interne des traçoirs. La pointe ne s'affûte pas.

Guides

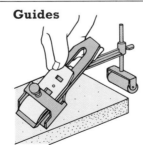

Le guide roulant facilite l'affilage et permet de garder le même angle (30° généralement).

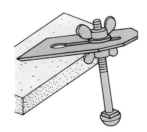

Un boulon de carrosserie et des écrous à ailettes forment un guide de fortune. Bloquez bien le fer.

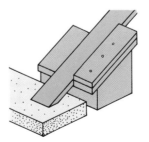

Fabriquez un guide en bois : coupez un bloc à l'angle voulu ; posez un tasseau bien d'équerre.

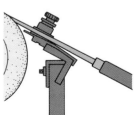

Le guide de meulage fixé au porte-outil bloque la lame à l'angle désiré ; s'utilise avec tous les tourets.

Outillage à main / Mesurage et marquage

Le mesurage et le marquage doivent être faits avec précision : ils représentent l'essentiel du projet. Des pièces bien mesurées s'assemblent facilement ; mal mesurées, elles sont source de frustration, et souvent tout le travail est à refaire. Le dicton « Le calcul vaut le travail » est inspiré par la sagesse et l'économie.

Apprenez la technique et le vocabulaire adéquats. Sachez, par exemple, que pour acheter du tuyau, il faut au moins trois mesures de base (p. 216) ; et que le bois se vend au *pied linéaire* ou au *pied-planche* (p. 94). Servez-vous des mêmes outils pour un même travail ; le calibrage de l'un à l'autre diffère parfois de ⅛ po (3 mm).

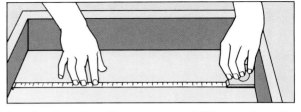

Le ruban à mesurer. Pour les mesures intérieures, ajoutez la longueur du boîtier (gravée sur celui-ci).

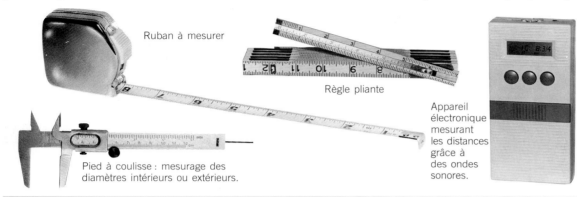

Ruban à mesurer

Règle pliante

Appareil électronique mesurant les distances grâce à des ondes sonores.

Pied à coulisse : mesurage des diamètres intérieurs ou extérieurs.

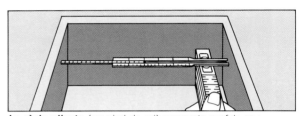

La règle pliante (ou pied-de-roi) comporte parfois une rallonge métallique servant au mesurage intérieur.

Trusquins

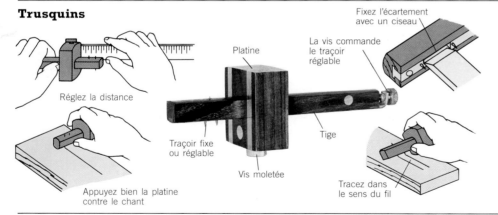

Réglez la distance

Appuyez bien la platine contre le chant

Platine

Traçoir fixe ou réglable

Vis moletée

Tige

Fixez l'écartement avec un ciseau

La vis commande le traçoir réglable

Tracez dans le sens du fil

Le trusquin à double traçoir permet de tracer deux lignes parallèles d'un coup. La platine glisse sur la tige et peut être bloquée à une distance donnée par rapport au chant de la planche. La vis de la tige fixe la distance entre les traçoirs. Il existe aussi des trusquins à traçoir unique.

Fabrication d'une limande

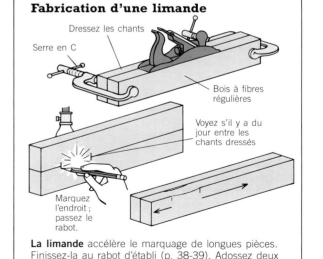

Dressez les chants

Serre en C

Bois à fibres régulières

Voyez s'il y a du jour entre les chants dressés

Marquez l'endroit ; passez le rabot.

La limande accélère le marquage de longues pièces. Finissez-la au rabot d'établi (p. 38-39). Adossez deux planches pour déceler les inégalités.

Pointe à tracer

La pointe sert à tracer des lignes ou à marquer le centre d'une pièce.

Cordeau

Tracez une longue ligne droite. Tendez la ficelle, relevez-la au centre et laissez-la retomber ; la craie tracera la ligne.

Précision des angles

La précision des angles et des coupes est essentielle à la résistance et à l'apparence d'un assemblage. L'équerre à rapporteur se bloque pour marquer avec précision ; l'équerre de menuisier permet de vérifier l'équerrage ; l'équerre combinée est polyvalente ; l'équerre à chevron a des tables et des formules de calcul.

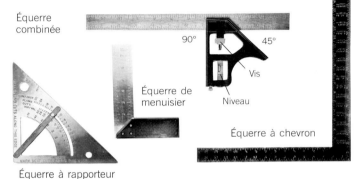

Équerre combinée

90° 45°

Vis

Niveau

Équerre de menuisier

Équerre à chevron

Équerre à rapporteur

Utilisation de l'équerre combinée

L'angle à 90° permet de tracer une ligne perpendiculaire.

Pour marquer un onglet, alignez l'équerre à 45° sur le bord.

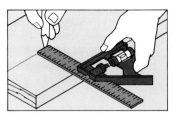

Trusquin improvisé. Bloquez l'équerre à 90° sur le bord.

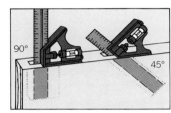

Pour mesurer une profondeur, glissez la règle dans l'ouverture.

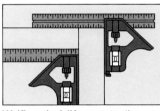

Vérifiez ainsi l'équerrage d'un coin intérieur ou extérieur.

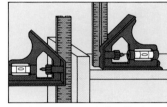

Le niveau sert à vérifier l'horizontalité et la verticalité.

Horizontalité et verticalité

Le niveau à bulle d'air sert à vérifier avec précision l'horizontalité et la verticalité des surfaces. Une surface est parfaitement horizontale ou verticale quand la bulle d'air se trouve au centre des repères de la fiole. Vérifiez la précision du niveau en le tournant bout à bout ; la lecture devrait être la même.

Les niveaux ont des formes et des longueurs variées selon leur usage. Les plus courts sont le niveau de ligne et le niveau torpille (qui comporte trois fioles, à 180°, à 90° et à 45°) ; les plus longs sont le niveau de maçon et le niveau de menuisier. Le niveau rond sert à vérifier l'horizontalité sur 360°, et le niveau multifonction (encore difficile à trouver) est précis à 0,5° près, à l'horizontale comme à la verticale.

Le fil à plomb, suspendu à un point fixe, vous permet de déterminer la verticale par simple gravité.

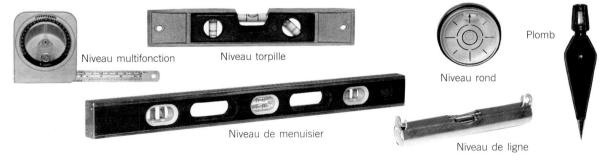

Niveau multifonction

Niveau torpille

Niveau rond

Plomb

Niveau de menuisier

Niveau de ligne

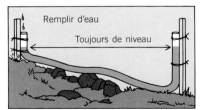

Remplir d'eau

Toujours de niveau

Trouvez l'horizontale avec un flexible transparent en partie rempli d'eau.

La ficelle permet de poser les briques bien de niveau

Mettez le niveau de ligne au centre de la ficelle.

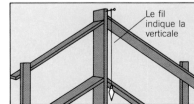

Le fil indique la verticale

Le plomb sert à déterminer la verticale. Il ne doit pas rencontrer d'obstacle.

Presque tous les travaux de bricolage exigent qu'on ait quelques connaissances de base en géométrie pour savoir mesurer et marquer avec précision les angles, pour tracer des cercles et pour régler les outils aux angles de coupe voulus. Les outils et les techniques illustrés ici vous faciliteront la tâche.

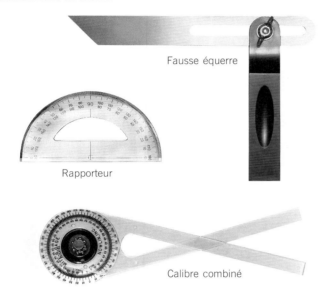

Fausse équerre

Rapporteur

Calibre combiné

Mesurage à l'équerre

L'équerre à chevron peut remplacer au besoin le rapporteur. Placez une règle un bout à 12 po sur la branche courte, un bout sur la marque adéquate, sur l'autre branche (côté extérieur).

Branche longue	Angle
20¾"	60°
12"	45°
6⅞"	30°
3¼"	15°

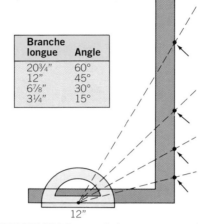

12"

ATTENTION ! Cette technique est assez précise pour le charpentage ou les gros travaux. Pour effectuer des travaux de précision, utilisez un rapporteur et une règle.

Le compas à secteur a deux pointes permettant de tracer des arcs, des cercles et des droites ou des courbes parallèles, et de reporter des mesures. Le compas porte-crayon est moins précis, mais ses traits sont plus visibles.

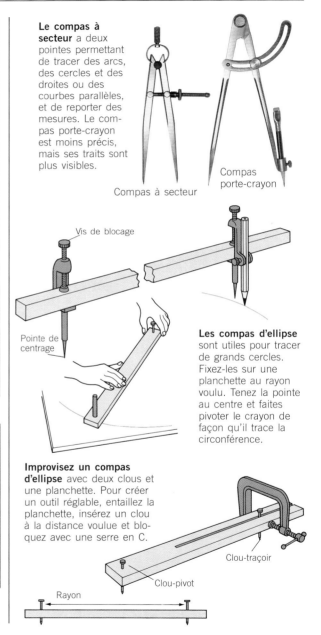

Compas à secteur

Compas porte-crayon

Vis de blocage

Pointe de centrage

Les compas d'ellipse sont utiles pour tracer de grands cercles. Fixez-les sur une planchette au rayon voulu. Tenez la pointe au centre et faites pivoter le crayon de façon qu'il trace la circonférence.

Improvisez un compas d'ellipse avec deux clous et une planchette. Pour créer un outil réglable, entaillez la planchette, insérez un clou à la distance voulue et bloquez avec une serre en C.

Clou-traçoir

Clou-pivot

Rayon

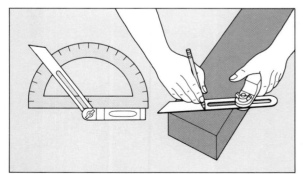

La fausse équerre est idéale pour reporter des angles, tracer plusieurs droites au même angle et vérifier l'exactitude d'un angle. Placez la branche à l'angle voulu avec un rapporteur.

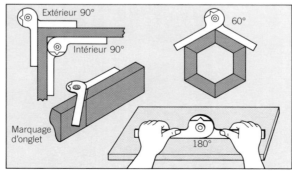

Extérieur 90°

Intérieur 90°

60°

Marquage d'onglet

180°

Le calibre combiné s'ouvre à des angles allant de 0 à 180°. L'écartement est égal à l'angle indiqué par la flèche, sur la tête. Cet outil sert aussi à vérifier l'horizontalité d'une surface.

Trucs du bricoleur

Les spécialistes ont des secrets pour accélérer le travail. En voici quelques-uns pour vous aider à accomplir un marquage répétitif, à résoudre des problèmes de mesurage et à simplifier l'assemblage et la reproduction de formes profilées.

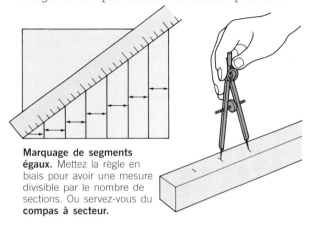

Marquage de segments égaux. Mettez la règle en biais pour avoir une mesure divisible par le nombre de sections. Ou servez-vous du **compas à secteur.**

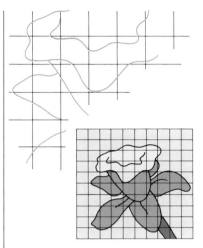

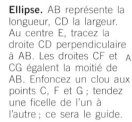

Pour réduire ou agrandir un motif, placez-le sous un quadrillage. Copiez-le sur un second quadrillage, lignes et angles servant de repères.

Courbe. Fixez un clou au sommet et aux extrémités d'une courbe. Appuyez une planchette au clou du sommet, parallèlement à la base, une autre contre le même clou et contre l'un des autres. Agrafez les planchettes, tenez un crayon à leur intersection ; faites glisser.

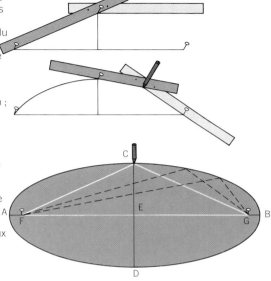

Ellipse. AB représente la longueur, CD la largeur. Au centre E, tracez la droite CD perpendiculaire à AB. Les droites CF et CG égalent la moitié de AB. Enfoncez un clou aux points C, F et G ; tendez une ficelle de l'un à l'autre ; ce sera le guide.

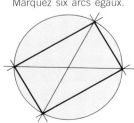

Hexagone. Tracez un cercle. En conservant le même rayon, placez la pointe du compas sur le périmètre. Marquez six arcs égaux.

Centre d'un cercle. Avec une équerre, tracez un rectangle dont les coins touchent le cercle. Le centre se trouve à l'intersection des diagonales.

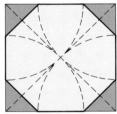

Octogone. Tracez des diagonales dans un carré. Écartez les branches du compas à la distance coin-centre. Tracez des arcs à partir de chaque coin.

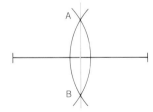

Centre d'une droite : tracez un arc à partir de chaque bout, puis la droite AB.

Perpendiculaire : mettez sur P la pointe du compas. Tracez un arc aux points A et B. Ouvrez le compas. À partir de A, puis de B, tracez un arc. La perpendiculaire est à l'intersection (droite PC).

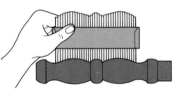

Gabarit de profil. Prenez une empreinte avec des tiges mobiles.

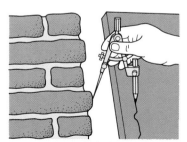

Traçage d'un profil irrégulier. Suivez le profil avec la pointe du compas : le crayon le reproduira.

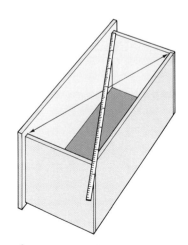

Équerrage. Les diagonales doivent être égales ; modifiez les angles au besoin.

Les abrasifs (papiers de verre, laines métalliques ou poudres) sont plus ou moins durs et plus ou moins rudes.

Papiers de verre. Ce sont des papiers (ou du tissu) sur lesquels sont collés des grains abrasifs (carbure de silicium, oxyde d'aluminium, émeri, grenat). Le carbure de silicium, mouillé ou sec, est le plus dur ; le grenat, le moins dur.

Les papiers de verre sont classés selon une échelle granulométrique. Plus le chiffre est élevé, plus les grains sont fins. Les papiers peuvent être à *couche fermée* (grains serrés) ou à *couche ouverte* (grains espacés). Le papier rude à couche ouverte convient à un nettoyage rapide ; le papier fin à couche fermée s'utilise sur les matières tendres (peinture, aluminium, bois résineux) qui encrasseraient les autres papiers.

Laines métalliques. Elles sont en acier, en bronze ou en cuivre. La laine d'acier, la plus utilisée est offerte dans divers calibres, mais elle s'effiloche, et les filaments qu'elle perd tachent les surfaces en rouillant ; la laine de bronze, parce qu'elle est inoxydable, sert sur les surfaces qui doivent être exposées à l'eau ; la laine de cuivre résiste aussi à la corrosion.

Poudres. La pierre ponce, l'émeri et la diatomite sont très doux. Mélangés à un lubrifiant, ils permettent de polir les surfaces (p. 123).

Papiers de verre

F = fin (120-150) **M** = moyen (80-100)
R = rude (50-60) **ER** = extra-rude (30-40)
SF = superfin (360-400) **EF** = extra-fin
(280-320) **TF** = très fin (160-240)

	Usages	Oxyde d'aluminium				Grenat (bois)			Émeri sur tissu (métal)		
		F	M	R	ER	F	M	R	F	M	R
Bois	Décapage, ponçage			●	●		●				
	Ponçage moyen		●				●				
	Ponçage de finition	●				●					
Métal	Décapage, dérouillage			●	●						●
	Ponçage léger			●	●						
	Ébarbage, nettoyage	●	●								
	Finition, polissage									●	

	Usages	Oxyde d'aluminium					Carbure de silicium (placoplâtre)		Carbure de silicium		
		TF	F	M	R	ER	F	M	SF	EF	TF
Plastique / fibre de verre	Façonnage				●	●					
	Ponçage léger			●				●			
	Finition, frottage	●	●					●			●
Murs secs	Ponçage initial						●				
	Ponçage final							●			
Vernis / peinture	Après scellant ou apprêt	●								●	
	Entre les couches									●	●

Laine d'acier

		Usages
4	Très rude	Décapage, nettoyage
3	Rude	Décapage
2	Mi-rude	Nettoyage (filetages, planchers)
1	Moyenne	Dérouillage, apprêt de surface
0	Fine	Nettoyage (métaux, tuiles)
00	Très fine	Polissage, astiquage (cuir)
000	Extra-fine	Polissage (meubles, chrome)
0000	Superfine	Polissage et finition

Poudres

	Usages
Pierre ponce	
Très rude	Polissage (bois)
Rude	Adoucissage, dépoussiérage, détachage
Moyenne	Polissage de finition
Fine	Polissage de finition
Extra-fine	Lustrage maximal (bois, métal)
Émeri	Émeulage du métal (aussi en bâton)
Diatomite	Lustrage (brillant comme le verre)

Emploi des abrasifs

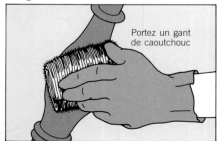

La laine d'acier rude sert au décapage. Tournez le tampon ou repliez-le pour que la surface soit toujours propre.

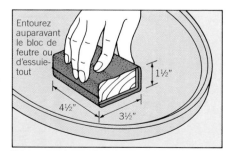

Découpez du papier de verre en deux sur la longueur et entourez-en un bloc. Le travail se fera plus facilement, bien à plat.

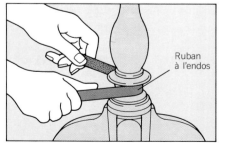

Une bande de papier de verre servira à nettoyer des pièces tournées. Renforcez le papier avec du ruban séparateur.

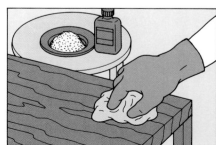

De la pierre ponce ou de la diatomite dans un peu d'huile élimineront les éraflures ou les cernes sans endommager le fini.

Outillage électrique

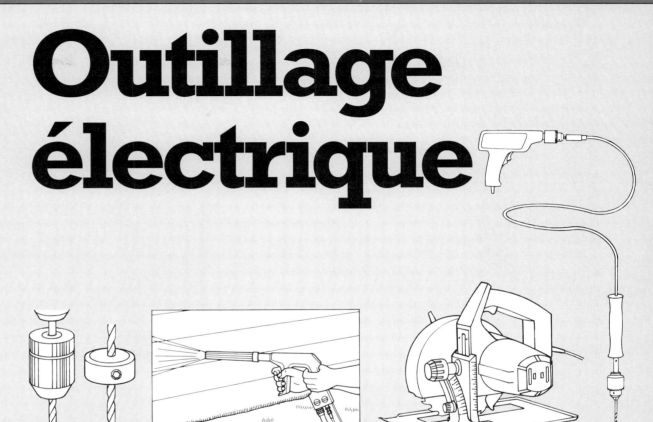

Pourquoi ne pas simplifier votre travail ? Un outil électrique permet d'effectuer presque tous les travaux de bricolage plus rapidement, plus efficacement et plus facilement qu'un outil manuel. Le présent chapitre décrit les principaux outils électriques, donne des instructions de base ayant trait à leur utilisation et propose des critères d'achat. Les renseignements contenus dans les pages qui suivent vous permettront de choisir l'outil le mieux adapté à un travail en particulier. Sans doute voudrez-vous acheter les outils que vous êtes appelé à employer souvent. Mais à l'occasion d'un projet spécial, la location d'un outil électrique pourrait se révéler une solution à la fois pratique et rentable.

Outils électriques / Perceuse

La perceuse électrique est un outil d'une telle polyvalence qu'aucun bricoleur ne saurait s'en passer. Elle permet de percer des trous dans à peu près tous les matériaux, de visser, de poncer, de meuler et de polir.

Le meilleur modèle est à action réversible et à vitesse variable. L'action réversible vous permet de visser et de dévisser, et prolonge l'efficacité des disques à poncer et à décaper. La démultiplication de la vitesse vous permet d'utiliser plus d'accessoires et de mieux maîtriser votre travail.

Capacité et puissance. La perceuse se définit par la capacité de son mandrin, c'est-à-dire par le diamètre de la tige du plus gros foret qui s'y adapte : ¼, ⅜ ou ½ po (6, 10 ou 13 mm). La puissance du moteur varie selon la capacité de la perceuse et selon son modèle ; elle se situe entre ⅕ et ½ ch. La vitesse diminue en fonction de la capacité de la perceuse, mais le couple, ou puissance de l'outil, augmente.

En somme, plus la perceuse est petite, plus elle travaille vite mais moins elle a de puissance. Le modèle de ¼ po (6 mm) fait de petits trous très vite ; celui de ⅜ po (10 mm) exécute la plupart des travaux qu'entreprend le bricoleur dans sa maison ; celui de ½ po (13 mm) perce de gros trous sans forcer le moteur ; par contre, il ne tourne pas assez vite pour le ponçage et le meulage.

Forets et accessoires. Avec des forets hélicoïdaux, on peut percer des trous d'un diamètre maximum de 1 po (2,5 cm) dans le métal, le bois et la plupart des matières plastiques. Pour travailler béton, pierre, brique et plâtre, il faut avoir des forets à pointe au carbure de tungstène.

Le marché offre une grande variété de forets et d'accessoires ; certains sont décrits dans les trois pages qui suivent. S'il est parfois possible d'exécuter un travail avec un accessoire non spécialisé, on se rappellera que les résultats risquent d'être moins soignés et plus difficiles à obtenir. Si vous avez à exécuter souvent le même travail spécifique, vous avez intérêt à acheter l'accessoire approprié.

Anatomie d'une perceuse

Interrupteur du moteur/action réversible

Foret hélicoïdal

Trou du collier pour serrer le foret au moyen de la clé

Mandrin

Gâchette. En règle générale, plus vous appuyez sur la gâchette, plus vite tourne le mandrin.

Bouton de blocage

Foret à maçonnerie, pour le béton, la pierre, la brique ou le plâtre.

Clé à mandrin. Fixée sur le cordon ou insérée dans le manche.

La perceuse électrique illustrée ici est un modèle réversible à vitesse variable de ⅜ po qui s'adapte à tous les accessoires décrits dans la page ci-contre. Il existe de nombreux modèles de perceuses.

Perceuse sans fil

Il existe des perceuses rechargeables sans fil ; elles sont utiles quand il faut travailler loin d'une prise de courant. À titre d'exemple, une perceuse comme celle-ci percera 50 trous de ⅜ po dans une planche de pin de 2 po avant qu'il soit nécessaire de la recharger. Il existe des modèles qui se rechargent en moins d'une heure.

Achetez un second accumulateur : vous rechargez le premier sans interrompre votre travail.

Chargeur d'accumulateur. Branchez la perceuse en permanence quand vous ne vous en servez pas.

Guides et bagues d'arrêt

Ils facilitent le travail et diminuent les accidents : poignée latérale se plaçant à gauche ou à droite ; guide de profondeur ; guide d'angle ; support vertical pour transformer la perceuse portative en perceuse à colonne ; bague d'arrêt en acier, vissée à la hauteur voulue pour remplacer le guide de profondeur.

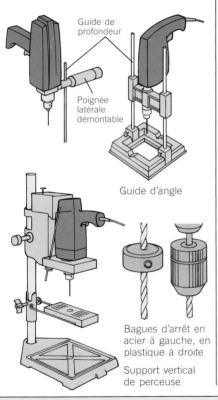

Guide de profondeur

Poignée latérale démontable

Guide d'angle

Bagues d'arrêt en acier à gauche, en plastique à droite

Support vertical de perceuse

Perçage des trous

Percez un trou pour la tige, un avant-trou et, au besoin, un trou pour noyer la tête de la vis. Employez deux forets à bois de différentes tailles et un foret-fraise, ou un foret-fraise qui permet de faire le tout en une seule opération. Pour cacher les têtes de vis, coupez des bouchons de bois avec un emporte-pièce. Insérez les vis avec l'accessoire tournevis.

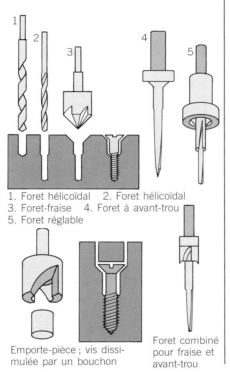

1. Foret hélicoïdal   2. Foret hélicoïdal
3. Foret-fraise   4. Foret à avant-trou
5. Foret réglable

Emporte-pièce ; vis dissimulée par un bouchon

Foret combiné pour fraise et avant-trou

Forets spéciaux

Les forets à centrer sont utiles en menuiserie. Les forets hélicoïdaux évidés permettent de passer des fils électriques dans les murs. Les forets Forstner percent des trous à fond plat ; ils s'utilisent également pour des trous qui se superposent. Le foret emporte-pièce comporte un jeu d'anneaux ou un tube cupuliforme. Le foret cranté perce une feuille de métal mince. Le foret à trois pointes fait de grands trous.

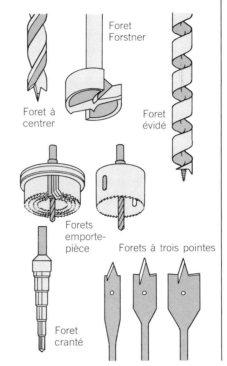

Foret Forstner

Foret à centrer

Foret évidé

Forets emporte-pièce

Forets à trois pointes

Foret cranté

Travaux difficiles

Un flexible monté sur le mandrin donne à la perceuse une autonomie de 40 po. La rallonge à foret augmente cette autonomie de plusieurs pieds. Enfin, le coude de 90° permet de travailler dans des endroits exigus.

Perceuse avec flexible et foret

Le coude de 90° est commode là où l'espace est restreint. On trouve aussi des perceuses à angle droit, ou très grosses, ou extra-petites, qui sont utiles.

Rallonge à foret

Entretien de l'outillage électrique. L'entretien est limité quand on utilise l'appareil conformément aux instructions et qu'on le nettoie fréquemment. Prenez garde de forcer le moteur. Remplacez ou affûtez les forets et accessoires coupants qui ont perdu leur mordant. Ne tenez pas l'appareil par son cordon de branchement ; ne tirez pas sur le cordon pour retirer la fiche de la prise de courant. Débranchez le bloc-moteur pour le nettoyer et essuyez-le avec un chiffon ou une éponge humide.

Ne le plongez jamais dans l'eau ; n'employez jamais de solvants. Si les trous d'aération sont obstrués, dégagez-les avec un jet d'air.

La plupart des outils électriques d'aujourd'hui sont lubrifiés à vie et scellés ; on n'a pas à les huiler. Dans certains cas, cependant, il est recommandé de lubrifier certaines pièces. Vous aurez peut-être aussi, le cas échéant, à remplacer des balais, des cordons ou des interrupteurs défectueux. Consultez le manuel du fabricant.

Outillage électrique / Techniques de perçage

La perceuse électrique ordinaire ou sans fil vous permet de percer des trous précis et d'épargner temps et efforts si elle est bien utilisée et un tant soit peu entretenue. Elle peut aussi remplacer des outils dont vous ne vous servez qu'à l'occasion. Si vous travaillez sur un établi ou une table, mettez du bois de rebut sous la pièce pour protéger la surface. En perçant des trous profonds, soulevez le foret de temps en temps pour évacuer les alésures.

Entretien de la perceuse sans fil. Pour profiter au maximum d'une perceuse sans fil ou de tout autre outil rechargeable, il faut respecter certaines règles : n'utilisez que la pile et le chargeur conçus pour l'outil ; n'utilisez jamais la pile avec un autre chargeur, ou vice versa ; ne laissez pas tomber la pile ; n'utilisez pas en guise de marteau un outil qui en contient une ; arrêtez un outil qui ne sert pas.

Recharge. Au moment de recharger un outil, assurez-vous que la prise utilisée est sous tension ; si elle est reliée à un interrupteur mural, ce dernier doit être en circuit. Ne rechargez pas un outil (et ne le rangez pas non plus) à une température inférieure à 4°C (40°F) ou supérieure à 41°C (105°F). L'énergie d'une pile provient de réactions chimiques qui ralentissent au froid et cessent de se produire sous 0°C (32°F). À température élevée, des vapeurs s'échappent de la pile, et la capacité d'emmagasinage est réduite. De temps à autre, laissez la pile se décharger complètement avant la recharge.

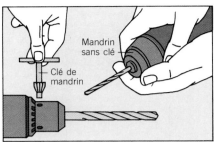

Technique de base. 1. Introduisez le foret dans le mandrin, jusqu'au fond. Tournez la clé dans chaque trou pour que tous les mors touchent le foret. Vous pourriez aussi utiliser un mandrin sans clé.

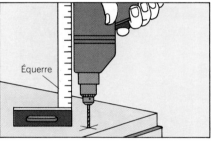

4. Pour percer à la verticale, posez ou bloquez une équerre près de la perceuse ; celle-ci doit demeurer parallèle à l'équerre. Si vous percez à un angle différent, utilisez un guide de facture commerciale ou une fausse équerre.

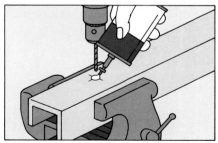

Entamez le métal avec un chasse-clou et déposez-y une goutte d'huile ; travaillez lentement ; ajoutez de l'huile au besoin. Amorcez les trous de ¼ à ½ po avec un foret de ¼ po et achevez avec le foret approprié.

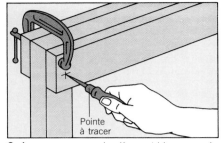

2. Assurez-vous que la pièce est bien appuyée ou bloquée. Mettez-la de façon à pouvoir la percer à la verticale ou à l'horizontale. Percez un trou de guidage avec une pointe à tracer ou un clou.

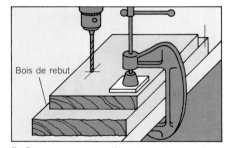

5. Pour percer une pièce de part en part en évitant l'éclatement des fibres, placez-la sur du bois de rebut. Ou bien cessez de percer quand la pointe du foret affleure la face opposée et retournez la pièce pour terminer.

Percez la maçonnerie avec un foret à mise rapportée. Travaillez lentement pour éviter l'échauffement du foret. De temps à autre, soulevez-le pour évacuer la poussière et le refroidir avec une giclée d'eau.

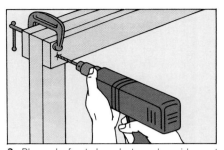

3. Placez le foret dans le trou de guidage et amorcez le perçage à petite vitesse (perceuse à vitesse variable). Augmentez la vitesse après pénétration du foret. Poussez sans excéder la vitesse de pénétration de l'outil.

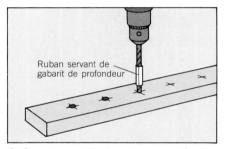

6. Pour percer des trous à une profondeur donnée, utilisez un gabarit de profondeur, de facture commerciale ou artisanale (collez du ruban-cache à la hauteur voulue sur le foret). Percez ensuite la pièce à cette profondeur.

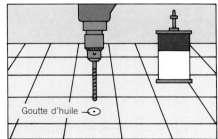

Pour percer la céramique, entamez avec un poinçon ou un clou et déposez une goutte d'huile. Travaillez lentement avec un foret spécial. Pour le verre, mettez de la térébenthine ou du kérosène dans un cercle de mastic.

Meulage, ponçage et polissage

Outre le perçage de trous et la pose de vis, la perceuse permet d'accomplir d'autres tâches : affûtage d'outils, ponçage du bois et polissage du métal. Adaptez-y simplement l'un des nombreux accessoires conçus pour ces travaux.

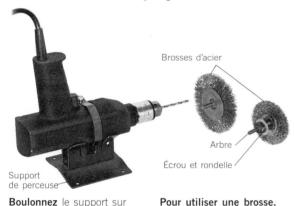

Brosses d'acier

Arbre

Écrou et rondelle

Support de perceuse

Boulonnez le support sur l'établi et bloquez-y la perceuse avant d'utiliser une meule ou un polissoir.

Pour utiliser une brosse, posez-la sur son arbre et bloquez-la dans le mandrin de la perceuse.

Lime rotative

Râpe rotative

Il existe diverses perceuses spéciales, dont une qui sert à la fois à percer des trous et à poser des vis ; il suffit de changer la mèche. Si vous posez souvent des vis, il vaut mieux toutefois opter pour le tournevis électrique.

Pour poser peu de vis, utilisez des pointes de tournevis et une perceuse à vitesse variable. Il y a des pointes pour toutes les têtes de vis (p. 82).

L'outil à usages multiples est le plus polyvalent : il peut servir de perceuse, de tournevis et de perceuse à percussion. En mode tournevis, le couple est réglé par un limiteur de couple ; en mode perceuse à percussion, l'outil perce la ma-

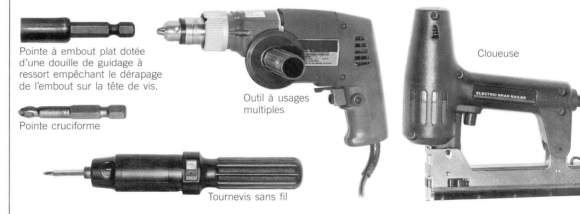

Pointe à embout plat dotée d'une douille de guidage à ressort empêchant le dérapage de l'embout sur la tête de vis.

Pointe cruciforme

Outil à usages multiples

Cloueuse

Tournevis sans fil

çonnerie, grâce à un mouvement de marteau-piqueur permettant au foret en rotation de briser tout agrégat qui résiste au perçage. Le mouvement de marteau-piqueur permet, après l'ajout de la mèche appropriée, d'utiliser l'outil en guise de ciseau ou de gouge.

Quant à la cloueuse, elle sert à enfoncer des pointes dans la plupart des matériaux ; c'est cependant dans les bois tendres et le contreplaqué qu'elle donne les meilleurs résultats. Elle risque de ne pas être assez puissante pour enfoncer complètement les pointes dans certains bois francs ou panneaux de particules.

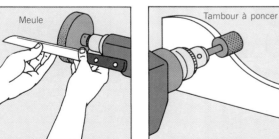

Meule

Utilisez la meule et le polissoir comme s'il s'agissait de ceux d'un touret (p. 73). Portez un écran facial.

Adaptez des limes et tout autre accessoire de ponçage — râpes rotatives, meules, tambours à poncer —, avec ou sans support.

Tambour à poncer

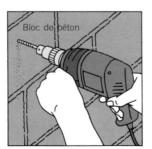

Posez les vis avec un tournevis électrique, une perceuse ou un outil à usages multiples. Effectuez le travail à petite vitesse.

Bloc de béton

Percez le béton avec une perceuse à percussion. Le mouvement de marteau-piqueur triple la vitesse de pénétration.

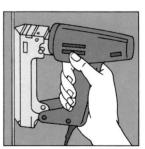

Porte

Pratiquez des mortaises de charnières ou ôtez le plâtre ou les tuiles avec une perceuse à percussion dotée d'un ciseau.

La cloueuse sert à travailler dans les espaces restreints ou à enfoncer des pointes (rembourrage, fixation d'isolant, etc.).

Il est souvent difficile de stabiliser une perceuse. Ce problème ne se pose pas avec la perceuse à colonne : le foret demeure bien positionné, et le perçage à une profondeur ou à un angle précis est rendu possible par simple réglage de la hauteur ou de l'inclinaison du plateau. La perceuse à colonne consiste en un moteur à vitesse variable qui entraîne un mandrin et les accessoires qui y sont logés ; un levier commande la descente et la remontée du mandrin. Il existe deux modèles : d'établi et de plancher. Pour plus de stabilité, ils doivent être boulonnés.

N'employez que les accessoires conçus pour l'outil et ne dépassez jamais leur vitesse nominale (tr/min). Utilisez la petite vitesse pour faire de gros trous et pour percer le bois franc ou le métal. Portez des lunettes protectrices.

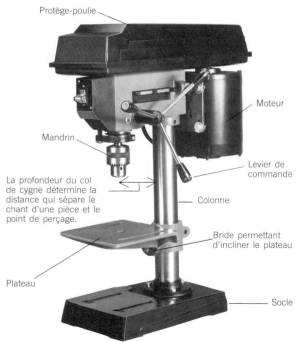

Protège-poulie

Moteur

Mandrin

La profondeur du col de cygne détermine la distance qui sépare le chant d'une pièce et le point de perçage.

Levier de commande

Colonne

Bride permettant d'incliner le plateau

Plateau

Socle

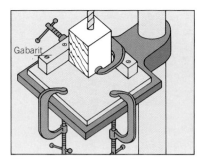

Bloquez la pièce sur le plateau pour plus de sûreté et plus de précision. Au besoin, fabriquez un gabarit et bloquez-le aussi sur le plateau.

Gabarit

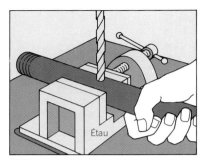

Utilisez un étau pour bloquer un tuyau ou une pièce difficile à bloquer. Il y a un grand nombre d'étaux qu'on peut utiliser sur une perceuse à colonne.

Étau

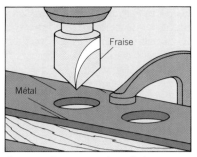

Amorcez le perçage du métal avec un pointeau. Travaillez à petite vitesse ; la pression doit être faible. Le trou percé, fraisez-en le pourtour.

Fraise

Métal

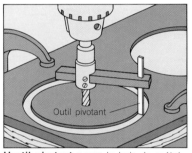

L'outil pivotant perce le bois, le métal et le plastique. Bloquez la pièce ; positionnez la pointe et calez la lame sur le bras. Travaillez à petite vitesse.

Outil pivotant

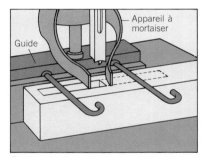

Pour mortaiser une pièce de bois, glissez-la le long du guide d'un appareil à mortaise ; percez une suite de trous carrés par passes successives.

Guide

Appareil à mortaiser

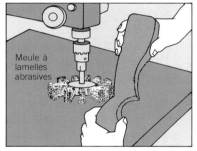

Pour poncer une surface courbe, utilisez une meule à lamelles abrasives. Les lamelles arrondiront et adouciront les contours de la pièce.

Meule à lamelles abrasives

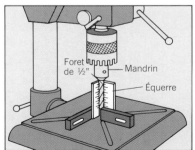

Réglages : 1. Mettez un foret de ½ po dans le mandrin. Posez une équerre devant, puis à côté du foret pour vérifier l'équerrage par rapport au plateau.

Foret de ½"

Mandrin

Équerre

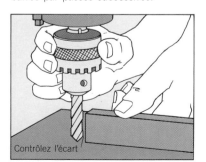

2. Faites tourner le même foret près d'un bloc de bois. S'il oscille, recalez-le dans le mandrin. Si l'oscillation persiste, changez le mandrin.

Contrôlez l'écart

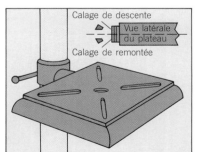

3. Vérifiez l'horizontalité de la table. Au besoin, faites-la rectifier dans un atelier d'usinage. Redressez-la temporairement avec des cales en papier ou en métal.

Calage de descente

Vue latérale du plateau

Calage de remontée

Scie sauteuse

La scie sauteuse permet de faire des coupes droites ou courbes dans toutes sortes de matériaux comme le bois, le métal, le plastique, le cuir, la céramique. Elle sert au tronçonnage, au refend et à la coupe en plongée. On peut y adap-

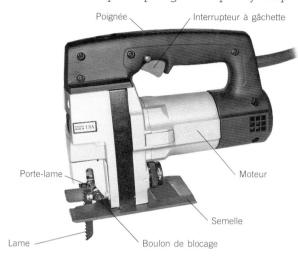

Poignée — Interrupteur à gâchette
Porte-lame
Moteur
Lame
Semelle
Boulon de blocage

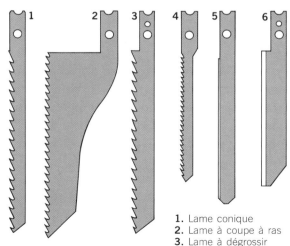

1
2
3
4
5
6

1. Lame conique
2. Lame à coupe à ras
3. Lame à dégrossir
4. Lame à chantourner
5. Lame couteau
6. Lame au carbure

ter des râpes, des limes et des accessoires de ponçage permettant d'adoucir les chants.

La scie. La scie sauteuse consiste en un engrenage qui, entraîné par un moteur, commande le déplacement alternatif et rapide d'un arbre portant une lame. La lame décrit ordinairement un mouvement rectiligne, la passe de remontée étant celle du sciage. Toutefois, certaines scies permettent un mouvement orbital d'amplitude variable, la passe de remontée donnant lieu à un sciage légèrement déporté, et la passe de descente à un retrait de la lame par rapport à la pièce. Ce mouvement accroît le rythme de coupe tout en réduisant la vibration et l'usure de la lame. Certains modèles sont dotés d'un mécanisme de chantournage qui, en cours de coupe, autorise une rotation de la lame sur 360°, sans rotation de la scie elle-même. La semelle de certains autres modèles peut en outre être inclinée à 45°, ce qui permet les coupes d'onglets.

Les scies sauteuses s'évaluent selon leur puissance (ordinairement entre 2 et 4,5 A) de même que selon la longueur de course et la vitesse de déplacement de la lame. La longueur de course se situe généralement entre $\frac{1}{2}$ et 1 po (12 et 25 mm) ; plus la course est longue, plus le nombre utile de dents augmente et plus la vitesse de coupe est importante. Le rythme de déplacement de la lame s'exprime en courses par minute (cpm). Les scies à vitesse variable permettent d'adapter le rythme de coupe au matériau. Les scies sauteuses sans fil sont également efficaces.

Les lames. Plus la lame a de dents au pouce, plus la coupe est douce et s'effectue lentement. Utilisez une lame à chantourner étroite pour scier des courbes serrées et une lame conique pour faire des coupes ultradouces. Les lames au carbure permettent de scier la maçonnerie, la céramique, l'acier, la fibre de verre, etc. ; il existe aussi des lames couteaux servant à la coupe du caoutchouc, du cuir, du liège, du vinyle et du carton. La lame à coupe à ras fait des coupes affleurant un mur ou un obstacle.

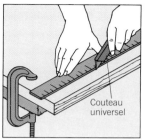

Couteau universel

Entaillez au couteau pour empêcher les fibres d'éclater ; ou collez un ruban et marquez-le. Sciez à haute vitesse avec une lame à dents fines.

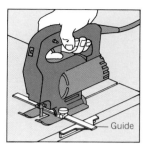

Guide

Pour scier dans le sens du fil, utilisez un guide ou une limande bloquée par des serres. En présence d'un nœud, poussez la lame lentement.

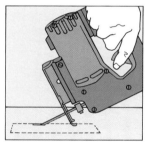

Pour amorcer une coupe en plongée, inclinez la scie et appuyez la semelle sur la pièce. À vitesse moyenne, introduisez lentement la lame.

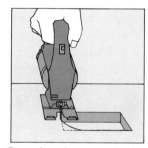

Poursuivez la coupe à plus grande vitesse. Contournez les coins pour passer à la coupe droite suivante. Taillez les coins pour finir.

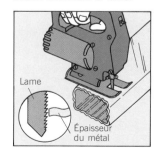

Lame

Épaisseur du métal

Quand vous sciez un métal mince, utilisez une lame dont au moins deux dents seront constamment en contact avec la pièce.

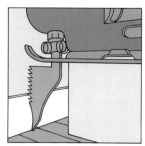

Sciez une moulure fixée au mur avec une lame à coupe à ras. Placez la scie sur un bloc de bois pour que la lame soit au ras du plancher.

Outillage électrique / Scie circulaire portative

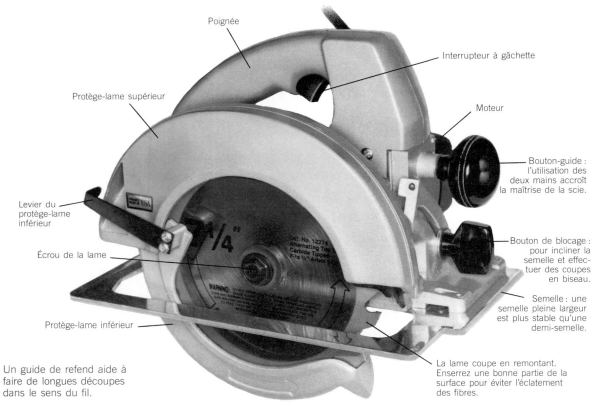

Poignée

Interrupteur à gâchette

Protège-lame supérieur

Moteur

Bouton-guide : l'utilisation des deux mains accroît la maîtrise de la scie.

Levier du protège-lame inférieur

Bouton de blocage : pour incliner la semelle et effectuer des coupes en biseau.

Écrou de la lame

Semelle : une semelle pleine largeur est plus stable qu'une demi-semelle.

Protège-lame inférieur

Un guide de refend aide à faire de longues découpes dans le sens du fil.

La lame coupe en remontant. Enserrez une bonne partie de la surface pour éviter l'éclatement des fibres.

La scie circulaire portative permet d'exécuter des coupes droites et la plupart de celles qui sont réalisées avec une scie circulaire à table ou une scie radiale si encombrantes. Elle évite le transport des pièces jusqu'à l'atelier.

Un moteur logé dans un carter doté de poignées entraîne une lame circulaire. La sécurité de l'utilisateur est assurée par des protège-lame et des dispositifs de freinage, à condition qu'ils soient utilisés. La dimension de la scie est déterminée par le diamètre de sa lame. Les modèles de 7¼ po (18,40 cm) sont les plus utilisés et les plus pratiques. Il existe aussi une version sans fil de petite dimension, qui coupe les contre-plaqués minces et les moulures.

La vitesse de rotation est mesurée à vide. Plus le moteur est puissant, plus la vitesse de coupe réelle s'apparente à la vitesse mesurée à vide et plus la coupe est douce et rapide. Le poids de la scie accroît aussi la douceur de la coupe, mais il ne doit pas gêner l'utilisateur.

Généralement, plus une lame possède de dents au pouce, plus la coupe est douce. L'on trouve des lames ayant des dents à pointe de carbure ; plus coûteuses, elles offrent toutefois une coupe plus douce et demeurent plus longtemps affûtées. Il existe aussi des lames abrasives servant à scier la maçonnerie et le métal.

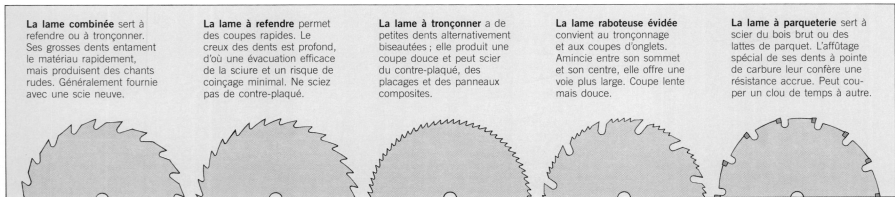

La lame combinée sert à refendre ou à tronçonner. Ses grosses dents entament le matériau rapidement, mais produisent des chants rudes. Généralement fournie avec une scie neuve.

La lame à refendre permet des coupes rapides. Le creux des dents est profond, d'où une évacuation efficace de la sciure et un risque de coinçage minimal. Ne sciez pas de contre-plaqué.

La lame à tronçonner a de petites dents alternativement biseautées ; elle produit une coupe douce et peut scier du contre-plaqué, des placages et des panneaux composites.

La lame raboteuse évidée convient au tronçonnage et aux coupes d'onglets. Amincie entre son sommet et son centre, elle offre une voie plus large. Coupe lente mais douce.

La lame à parqueterie sert à scier du bois brut ou des lattes de parquet. L'affûtage spécial de ses dents à pointe de carbure leur confère une résistance accrue. Peut couper un clou de temps à autre.

Réglages

Avant d'utiliser la scie circulaire, il faut en général remplacer la vieille lame par une nouvelle et la positionner. Débranchez la scie, tirez le protège-lame inférieur vers l'arrière et enfoncez les dents dans un morceau de bois. Retirez l'écrou de la lame, puis la lame ; posez la nouvelle lame, les dents pointant vers le haut et le devant de la scie. Remettez l'écrou et resserrez-le.

Réglez la profondeur de passe de façon que la lame saille tout au plus de ¼ po (6 mm) sous la pièce à couper. L'échelle de la semelle peut servir à un réglage approximatif.

Si vous voulez effectuer des coupes en biseau, vous devez aussi régler l'orientation de la semelle. Il suffit généralement de desserrer un bouton ou un écrou à ailettes et d'incliner la semelle à l'angle voulu. Les échelles situées près du bouton peuvent servir à incliner la semelle à 45°, mais de façon approximative. Si vous les utilisez, faites d'abord un essai sur une planche de rebut et vérifiez l'angle de coupe avec un rapporteur. Si la précision de l'angle importe, utilisez un rapporteur et une fausse équerre (p. 48).

Pour obtenir en tout temps une coupe douce et précise, assurez-vous que la semelle de la scie circulaire est toujours propre. Nettoyez-la avec du diluant à laque si elle est en métal ou avec de l'essence minérale si elle est en plastique. Vous enlèverez ainsi la saleté, la résine ou le goudron. Enduisez la face inférieure de cire en pâte pour plancher (n'utilisez pas une cire pour automobile) ; le glissement et l'entretien en seront d'autant facilités.

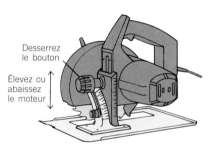

Retenez le protège-lame

Écrou de la lame

Bois de rebut

Pour remplacer la lame, utilisez comme il est montré ci-dessus la clé fournie par le fabricant. Débranchez toujours la scie avant de manipuler la lame.

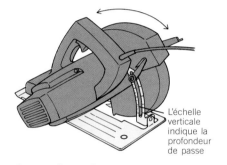

Desserrez le bouton

Élevez ou abaissez le moteur

Pour régler la profondeur de passe sur ce type de scie, desserrez le bouton de blocage, élevez ou abaissez le moteur sur son rail et resserrez le bouton.

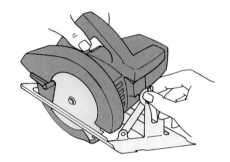

L'échelle verticale indique la profondeur de passe

Sur certaines scies, on règle la profondeur de passe en faisant glisser le moteur dans une coulisse, après avoir tourné un levier, un bouton ou un écrou.

Pour scier à 45°, desserrez le bouton de blocage de l'inclinaison et orientez la semelle en fonction des repères ou de l'échelle. Vous pouvez vérifier l'angle sur du bois de rebut.

Utilisation sûre de la scie circulaire

Utilisée imprudemment, la scie circulaire est dangereuse. Mais, en prenant certaines précautions, vous épargnerez grâce à elle des heures de dur labeur. Portez des lunettes protectrices, un masque antipoussières et des bouchons d'oreilles ; observez les règles de sécurité (p. 19). Assurez-vous que la lame est bien calée sur l'arbre ; rangez la clé. Veillez aussi à ce que le protège-lame inférieur, qui se soulève au cours du sciage, revienne à sa position initiale d'un coup et de lui-même.

Réglez toujours la profondeur de passe en fonction de la pièce ; ne maintenez pas la lame en tout temps à la profondeur maximale. Cette méthode, qui peut sembler pratique, est dangereuse : le frottement d'une large portion de la lame sur la pièce crée une friction qui entraîne un violent recul de la scie. C'est là une cause majeure d'accidents.

Pour éviter le recul de la scie : gardez la lame propre et bien affûtée ; bloquez la pièce sur une surface stable ; évitez de scier du bois mouillé ; soyez très prudent quand vous sciez du bois gauchi ou noueux.

Adoptez une posture stable ; ne travaillez jamais à bout de bras. Tenez-vous à côté de la pièce de façon à être protégé en cas de recul. Tenez la scie fermement ; lancez-la avant d'entamer la pièce et guidez-la le long de la ligne de coupe. Relâchez l'interrupteur si la lame grippe. En terminant une coupe, soutenez la scie pour l'empêcher de tomber. Attendez que la lame se soit immobilisée avant de la retirer.

Outillage électrique / Utilisation de la scie circulaire portative

Coupes simples

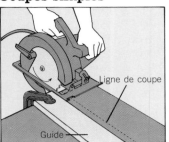

1. Tracez une ligne de coupe au dos de la pièce ; enserrez-la à l'envers sur du bois de rebut. La lame doit la traverser et entamer à peine le rebut. Fixez un guide le long de la ligne, à une distance égale à l'espace entre la lame et le bord de la semelle.

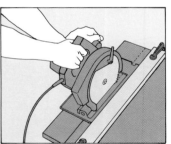

2. Le moteur à l'arrêt, posez la semelle de la scie contre le guide ; placez la lame sur la ligne de coupe pour contrôler sa position. Retirez un peu la scie ; lancez-la. La vitesse maximale de rotation atteinte, poussez doucement mais fermement.

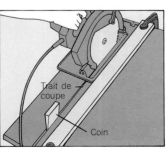

3. Tenez de préférence la scie à deux mains. Ne la poussez pas ; laissez la lame et le poids de l'outil faire le travail. Si la scie grippe, retirez-la ; attendez que la vitesse maximale de rotation ait repris ; continuez. Si le moteur geint, ralentissez.

4. Si le bois est vert ou mouillé, il se peut que le trait de coupe se referme sur la lame et la coince, occasionnant le recul de l'outil. Si le trait se referme, arrêtez la scie et enfoncez un coin étroit dans le trait derrière la scie pour le maintenir ouvert.

Coupes diverses

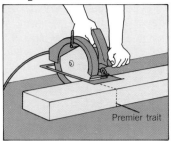

Si l'épaisseur de la pièce dépasse la capacité de la lame, effectuez deux passes. Sciez d'abord la pièce d'un côté, en excédant un peu la moitié de son épaisseur. Retournez ensuite la pièce ; alignez la lame sur le premier trait et achevez la coupe.

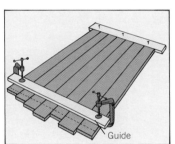

Pour couper des planches à la même longueur, butez leurs bouts équarris contre une planchette droite fixée sur la surface de travail. Tracez la ligne de coupe sur toutes les planches ; fixez-y un guide ; sciez-les toutes en une seule passe.

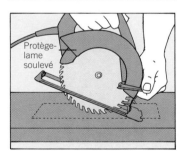

Coupe en plongée. Soulevez le protège-lame. Inclinez la semelle sur la pièce. Lancez la scie ; abaissez en douceur. Quand la semelle est à plat, relâchez le protège-lame. Sciez à deux mains. Faites les coins à l'égoïne. **ATTENTION** aux doigts !

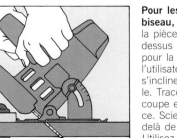

Pour les coupes en biseau, le côté long de la pièce doit être sur le dessus parce que, pour la sécurité de l'utilisateur, la lame s'incline sous la semelle. Tracez la ligne de coupe en conséquence. Sciez un peu au-delà de la chute. Utilisez un guide.

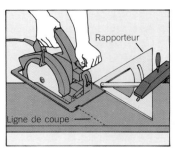

Pour les coupes diagonales servant à former des onglets (p. 109), utilisez un rapporteur pour fixer l'angle de coupe exact. Tracez la ligne de coupe ; fixez un guide (le rapporteur sert de guide s'il est en métal rigide). La scie ne doit pas toucher les serres.

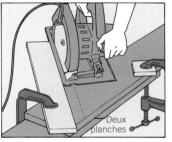

Des onglets complémentaires peuvent être sciés en même temps dans deux minces planches placées l'une sur l'autre et bloquées dans cette position. Cette méthode donne un assemblage sans jeu. Si vous sciez des moulures, fixez-les dos à dos avec des serres.

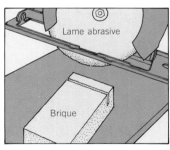

Pour scier la maçonnerie, utilisez une lame abrasive spéciale. Coupez la brique. Sciez les blocs de béton, la pierre à chaux et la céramique en plusieurs passes ; le trait d'amorce, léger, est approfondi à chaque passe.

Arrondi. Sciez des traits d'une profondeur égalant l'épaisseur du bois, moins ⅛ po. La distance entre le premier trait et le bout de la pièce doit égaler le rayon de l'arrondi. Relevez le bout de la pièce jusqu'à ce que le trait se ferme ; faites les autres traits.

Scie à onglet

Rainures

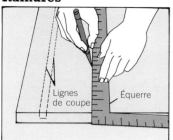

Lignes de coupe
Équerre

1. Marquez la largeur et la profondeur de la rainure. Mesurez la distance entre le bord de la semelle et la lame ; marquez. Bloquez la pièce sur une surface stable ; fixez un guide de façon à scier la ligne la plus éloignée du chant de la pièce.

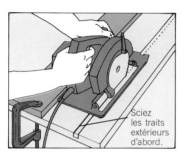

Sciez les traits extérieurs d'abord.

2. Réglez la profondeur de passe ; sciez le premier trait. Arrêtez la scie et déplacez le guide de façon que la lame soit placée sur l'autre ligne de coupe. Sciez l'autre trait.

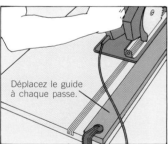

Déplacez le guide à chaque passe.

3. Effectuez une suite de coupes parallèles entre les deux traits. Déplacez le guide à chaque passe. Les coupes peuvent se faire à main levée ; toutefois, l'utilisation du guide permet de mieux maîtriser l'outil et de se protéger contre les accidents.

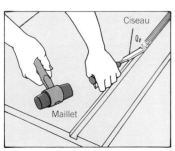

Ciseau
Maillet

4. Le gros du dégrossissage entre les traits extérieurs doit se faire avec la scie. Servez-vous d'un ciseau et d'un maillet pour l'achever et adoucir le fond de la rainure.

Si vous devez faire beaucoup de coupes angulaires, vous épargnerez temps et matériaux en utilisant une scie à onglet. Conçue pour scier le bois à différents angles, cette scie effectue des coupes rapides et précises.

C'est, en fait, une scie circulaire placée sur un socle métallique bas. L'orientation du plateau pivotant rond correspond à celle de la lame ; la descente de la lame est commandée par une poignée. La scie à onglet peut être bloquée à tout angle, de 45° à 90°, et permet d'effectuer un grand nombre de coupes identiques.

Il existe divers modèles. Le plus courant a une lame de 10 po (25,4 cm). Le fabricant fournit généralement une lame combinée, dont la douceur de coupe convient à la plupart des travaux de menuiserie. Pour une coupe extra-douce, optez pour une lame dotée de dents à pointe de carbure ou pour une lame raboteuse.

Avant d'utiliser la scie à onglet, fixez-la solidement à la surface de travail. Lisez aussi la notice pour régler l'orientation de la lame à 45° et l'angle de 90° entre la lame et le guide.

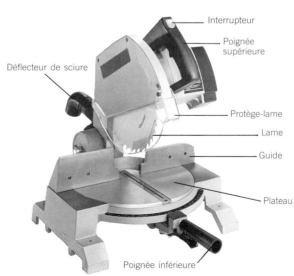

Interrupteur
Poignée supérieure
Déflecteur de sciure
Protège-lame
Lame
Guide
Plateau
Poignée inférieure

Utilisation de la scie à onglet

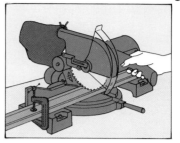

Pour régler l'angle de coupe, faites pivoter le plateau au moyen de la poignée inférieure ; bloquez-le à l'angle voulu. Tracez la ligne de coupe ; bloquez la pièce contre le guide. Lancez la scie ; la vitesse de rotation maximale atteinte, abaissez la lame.

Ligne de coupe
Trait d'amorce

Comme le protège-lame recouvre la ligne de coupe, il est difficile d'aligner la lame. Sciez un trait de repère à une fraction de pouce de la ligne, côté chute ; vérifiez la position du trait ; déplacez la pièce s'il le faut ; effectuez la coupe.

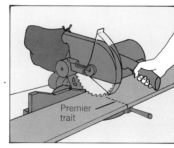

Premier trait

Si la planche est d'une largeur qui excède la portée de la scie, sciez-la en deux passes. Faites une première coupe aussi profonde que possible ; retournez la planche ; alignez la lame sur le trait et effectuez la seconde coupe.

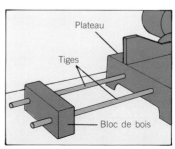

Plateau
Tiges
Bloc de bois

Si une pièce est trop longue pour le plateau, utilisez une rallonge. S'il n'en existe pas pour votre scie, fabriquez-en une : passez deux tiges métalliques à travers un bloc de bois et introduisez-les dans les trous percés dans le socle.

Outillage électrique / Scie alternative

La scie alternative est un outil robuste tout usage permettant de scier presque tous les matériaux. C'est la scie désignée pour dégrossir une pièce, scier du bois de chauffage ou pratiquer des ouvertures destinées à recevoir des fenêtres, des portes, des climatiseurs ou de la plomberie. La scie alternative comporte un arbre au bout duquel se trouve un porte-lame ; arbre et porte-lame décrivent un mouvement alternatif rectiligne par rapport à l'outil.

Certaines scies ne comportent qu'une vitesse, d'autres deux ou plusieurs. La scie à vitesse variable est le meilleur choix. On trouve aussi quelques modèles offrant deux types de courses : alternative ou orbitale. Afin d'obtenir les meilleurs résultats, optez pour la course alternative et une vitesse faible pour scier le métal, ou une vitesse moyenne pour scier le plastique ou les stratifiés, et pour la course orbitale et une vitesse élevée pour scier le bois et les panneaux composites.

Lames. Les lames, qui existent en longueurs et en épaisseurs diverses, permettent de scier autant le métal que le bois. Choisissez une lame adaptée au matériau, la plus courte possible pour la tâche.

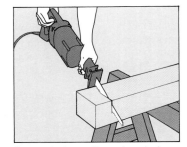

Coupe de base. Tenez la scie à deux mains. Appuyez la semelle contre la pièce, la lame juste au-dessus. Appuyez sur l'interrupteur et amorcez la coupe.

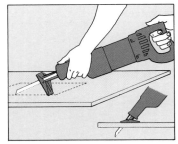

Coupe en plongée. Faites reposer la semelle sur la pièce, la lame au-dessus de la ligne. Si la semelle est fixe, placez-en le bord sur la pièce. Amorcez lentement la coupe.

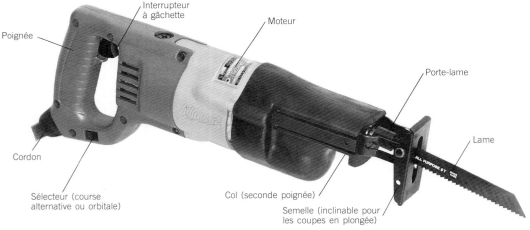

- Interrupteur à gâchette
- Moteur
- Poignée
- Porte-lame
- Cordon
- Lame
- Sélecteur (course alternative ou orbitale)
- Col (seconde poignée)
- Semelle (inclinable pour les coupes en plongée)

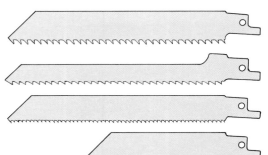

Lame à grosses dents pour coupes grossières

Lame à dents fines pour coupes douces (bois, plastique, panneau dur)

Lame à métaux

Lame couteau pour couper le cuir, le caoutchouc, le tissu ou le linoléum

Coupe droite dans un mur. Repérez les fils électriques et les tuyaux. Percez des trous dans les coins ; insérez la lame dans l'un d'eux et sciez jusqu'à l'autre trou.

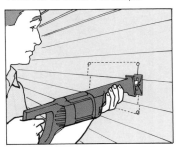

Coupe droite dans de l'aluminium. Repérez les fils électriques et les tuyaux. Sciez à petite vitesse. Ne touchez pas aux pièces métalliques de l'outil pendant le sciage.

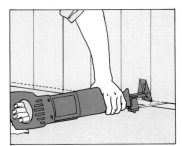

Coupe à ras. On peut parfois placer la lame hors de la semelle grâce à un adaptateur déporté. Cet accessoire rend possible les coupes au ras d'un mur ou d'un plancher.

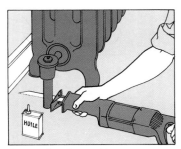

Coupe d'un tuyau. Versez un peu d'huile. Avec une lame à dents fines, sciez la pièce à petite vitesse ; de temps à autre, retirez la lame et ajoutez de l'huile.

Scie à ruban

La scie à ruban est un outil de coupe rapide, doté d'une lame flexible formant un cercle fermé. Logée dans des carters, cette lame tourne de gauche à droite sur des poulies. La scie à ruban permet d'effectuer des coupes courbes ou droites dans le bois, le plastique, l'aluminium, le cuivre et la tôle. Elle sert aussi à équarrir le bout des poutres, à refendre les poutres et à exécuter des découpages complexes. Pour découper le métal, il faut travailler à petite vitesse.

Les dimensions de la scie à ruban sont déterminées par le diamètre des poulies, lequel équivaut à un peu moins que l'ouverture du col de cygne. La plupart des scies à ruban sont massives et encombrantes, mais il existe de petits modèles destinés au bricoleur. Ce sont des modèles compacts qui peuvent scier des pièces ayant de 4 à 6 po (10 à 15 cm) de largeur, alors que les modèles destinés aux spécialistes peuvent scier des pièces d'une largeur variant de 12 à 24 po (30 à 60 cm).

Pour scier rapidement et en ligne droite une pièce épaisse, optez pour une lame large à grosses dents. Pour scier des courbes, choisissez une lame étroite : plus la lame est étroite, plus les courbes peuvent être serrées.

Le guide-lame supérieur doit se trouver au plus à ¼ po (6 mm) au-dessus de la pièce à scier. Au cours du sciage, la lame s'appuie sur le guide-lame coulissant et les galets, qui empêchent tout contact accidentel de la main et de la lame. Une simple pression du bout des doigts suffit à pousser une pièce de 1 à 2 po (2,5 à 5 cm) sur une lame affûtée. N'utilisez jamais une lame émoussée : le surplus de pression nécessaire pour faire avancer la pièce accroîtrait les risques d'accident.

On peut utiliser un guide de refend pour les longues coupes, un guide à onglet pour les coupes droites ou angulaires et un plateau (ou une tête) inclinable pour les coupes en biseau. La profondeur du col de cygne détermine souvent les possibilités de coupes. Vous pourriez devoir mettre la pièce à l'envers pour effectuer certaines portions de coupe. Si vous devez effectuer une longue coupe et une coupe courte dans des sens opposés, commencez par la coupe courte.

Il existe des scies à ruban horizontales et portatives qu'on peut louer pour scier le métal (tuyaux, tiges d'armature).

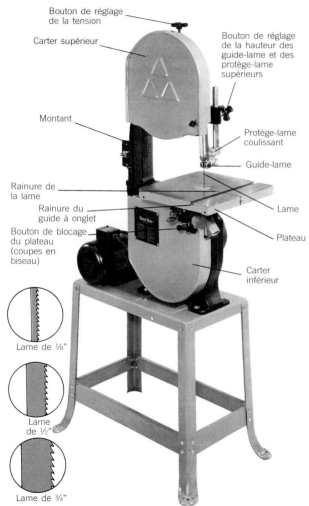

Bouton de réglage de la tension
Carter supérieur
Bouton de réglage de la hauteur des guide-lame et des protège-lame supérieurs
Montant
Protège-lame coulissant
Guide-lame
Rainure de la lame
Rainure du guide à onglet
Lame
Bouton de blocage du plateau (coupes en biseau)
Plateau
Carter inférieur

Lame de ⅛"
Lame de ½"
Lame de ¾"

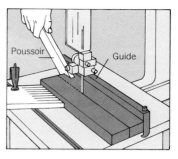

Refend. Appuyez la pièce contre le guide et bloquez-la avec un presseur à peigne (p. 65). Placez-vous face à la lame, mais un peu à gauche (si la lame se brise, elle fouettera l'air brusquement vers la droite). Faites glisser la pièce avec un poussoir.

Poussoir
Guide

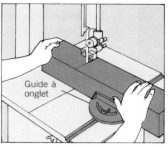

Tronçonnage. Appuyez la pièce contre un guide à onglet ; réglez-le à l'angle voulu. Poussez la pièce sur la lame. Gardez toujours les mains au moins à 3 po de la lame. Soyez prudent. Cette scie coupe la plupart des matériaux rapidement.

Guide à onglet

Chantournage. Poussez la pièce avec les deux mains ; soyez prudent. Sciez le trait un peu à l'extérieur de la ligne. Si vous devez retirer la pièce, faites-le lentement et après avoir arrêté la scie ; veillez à ne pas faire sauter la lame hors des poulies.

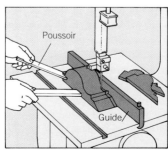

Reproduction. Donnez à une pièce épaisse le profil souhaité ; vous la débiterez ensuite en tranches de l'épaisseur désirée. Pour y arriver, faites-la glisser sur le guide de refend. Cette technique permet de reproduire tous les profils, même les plus complexes.

Poussoir
Guide

Outillage électrique / Scie circulaire

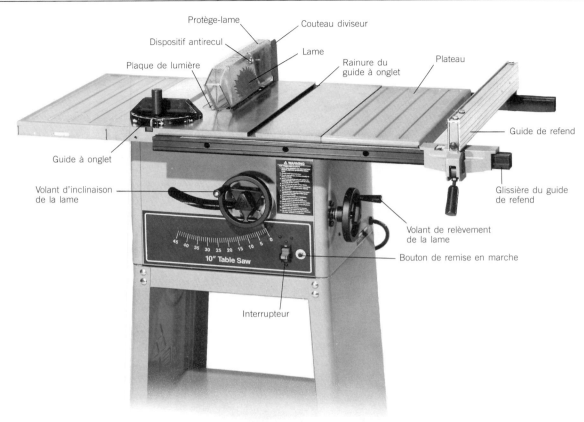

Protège-lame

Couteau diviseur

Dispositif antirecul

Lame

Plaque de lumière

Rainure du guide à onglet

Plateau

Guide à onglet

Guide de refend

Volant d'inclinaison de la lame

Glissière du guide de refend

Volant de relèvement de la lame

Bouton de remise en marche

Interrupteur

La scie circulaire est la plus utilisée des machines fixes. Son moteur fait tourner une lame circulaire montée sous un plateau fixe. La lame saille d'une lumière de façon à couper toute pièce qu'on y glisse. Un guide de refend et un guide à onglet amovibles gardent la pièce alignée. C'est l'outil par excellence pour les coupes droites et précises. Il permet de refendre de longues planches ou de tronçonner de larges panneaux. Un volant permet de relever ou d'abaisser la lame en fonction de la pièce à couper ou de la profondeur de la passe à faire ; un autre volant sert à l'incliner pour scier en biseau.

Cette scie comporte des accessoires de sécurité : protège-lame, couteau diviseur et dispositif antirecul. Le protège-lame empêche le contact accidentel des mains et de la lame ainsi que la projection de copeaux vers la figure de l'utilisateur. Le couteau diviseur garde le trait ouvert pour qu'il ne bloque pas la lame, empêchant ainsi le recul de la pièce vers l'utilisateur. Le dispositif antirecul est constitué de griffes, de cliquets à ressorts, de cames rotatives ou de galets escamotables. Le couteau diviseur et le dispositif antirecul sont intégrés au protège-lame.

La dimension d'une scie circulaire est fonction du diamètre de la plus grande des lames. La lame de 10 po (25,4 cm) est très utilisée. Elle permet de scier une pièce pouvant avoir jusqu'à 3½ po (8,8 cm) d'épaisseur.

La scie circulaire utilise les mêmes lames que la scie circulaire portative (p. 58). Il y a aussi des lames spéciales, comme la tête à rainurer, qui permet de scier des entailles, des rainures et des feuillures (p. 102-103) en une seule passe.

Réglages et utilisation. Avant de scier, alignez le plateau, le guide à onglet et le guide de refend, et vérifiez l'inclinaison de la lame. N'utilisez qu'une lame affûtée et propre.

La pièce à scier doit être dirigée vers la lame dans le sens opposé à sa rotation. Planifiez votre travail de façon à scier de grandes pièces faciles à manipuler plutôt que de petites pièces.

Emploi sûr de la scie circulaire

Peut-être en partie à cause de son usage répandu, la scie circulaire est la première cause d'accidents en atelier. Soyez dont très prudent lorsque vous l'utilisez. Prenez les mesures de sécurité qui s'imposent (p. 19). En outre :

- Débranchez la scie avant de la régler ou de changer la lame.
- Avant de relancer la scie, resserrez brides et leviers ; le plateau doit être libre d'outils.
- Tenez-vous à côté de la lame et non devant ; ne vous penchez jamais au-dessus.

- Utilisez le plus possible le protège-lame.
- Ne sciez jamais à main levée. Utilisez un guide et, si vos mains doivent s'approcher à 6 po (15 cm) ou moins de la lame, un poussoir ou un gabarit.
- Ne mettez jamais les mains devant la lame.
- La coupe finie, arrêtez le moteur ; ne touchez à la lame qu'une fois immobilisée.
- Pour écarter les chutes de bois, servez-vous d'un bâton long d'au moins 2 pi (60 cm).
- Évitez de scier du bois gauchi ou noueux.

Accessoires de protection

Dirigez la pièce sur la lame à l'aide d'un poussoir. Vous pouvez en fabriquer un avec une planche ou du contre-plaqué de ¼ po. Pour fabriquer un presseur à peigne, coupez un bout de 1 x 6 à 60° ; sciez-y des rainures longues de 8 à 10 po, espacées de ¼ po.

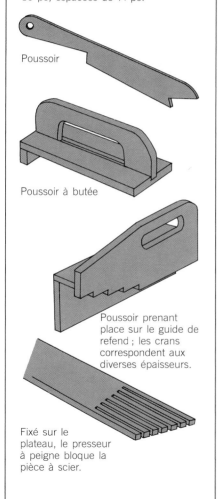

Poussoir

Poussoir à butée

Poussoir prenant place sur le guide de refend ; les crans correspondent aux diverses épaisseurs.

Fixé sur le plateau, le presseur à peigne bloque la pièce à scier.

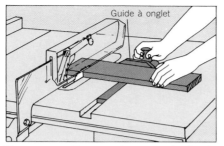

Tronçonnage. Ne vous placez pas derrière la lame. Avec une main, appuyez la pièce sur le plateau et contre le guide réglé à 90°. Lancez la scie. La vitesse maximale atteinte, poussez lentement la pièce avec l'autre main.

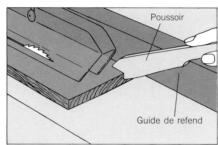

Refend. Positionnez le guide et appuyez-y la pièce pendant que vous la dirigez vers la lame avec un poussoir. Ne vous placez pas derrière la lame. Ne lâchez la pièce que lorsqu'elle est complètement passée derrière la lame.

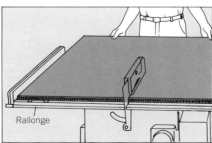

Panneaux larges. La pièce doit être bien soutenue. Si elle dépasse du plateau, utilisez des chevalets de la hauteur du plateau et demandez de l'aide. La rallonge est utile si vous sciez souvent des panneaux larges.

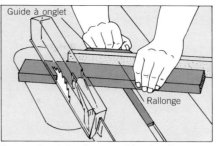

Coupe d'onglets. Appuyez bien la pièce contre le guide. Pour avoir une meilleure prise, vissez sur le guide une rallonge recouverte de papier de verre et dont la hauteur excédera celle du guide d'au moins 1 po.

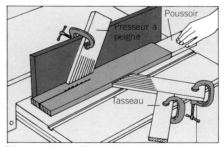

Blocage de la pièce. Si votre prise n'est pas suffisante, utilisez un tasseau et des presseurs à peigne. Avec une planche de rebut dont l'épaisseur égale celle de la pièce, poussez celle-ci sous le presseur et au-delà de la lame.

Rainures, entailles et feuillures. Effectuez plusieurs passes ou utilisez une tête à rainurer (les pointes des déchiqueteurs ne doivent ni se toucher ni entrer en contact avec les lames). Changez la plaque de lumière.

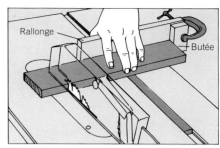

Pièces de même longueur. Sur la rallonge du guide à onglet, fixez un bloc qui servira de butée (n'employez jamais le guide de refend comme butée). Placez le bout équarri de chaque pièce contre le bloc ; exécutez la coupe.

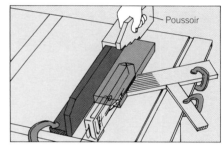

Coupes en biseau. Inclinez la lame à l'angle voulu. Assurez-vous que le protège-lame ne touche pas la lame. Placez toujours le guide de refend ou le guide à onglet du côté opposé à l'inclinaison de la lame.

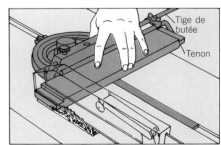

Tenons. Placez la tête à rainurer à la hauteur de l'épaulement du tenon. Sciez les faces (p. 104) et les deux côtés adjacents (soulevez la tête au besoin). Fixez la longueur avec une tige de butée posée sur un guide à onglet.

Outillage électrique / Scie radiale

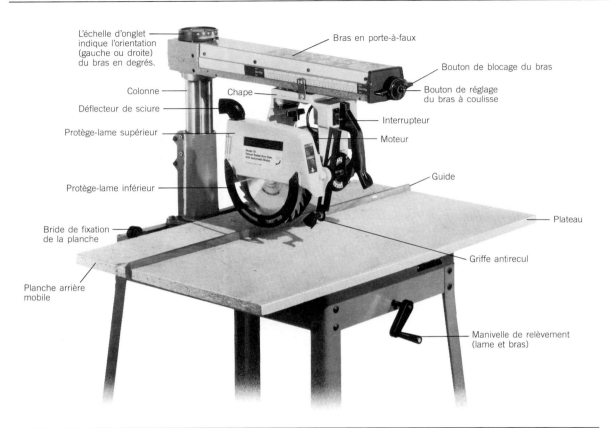

L'échelle d'onglet indique l'orientation (gauche ou droite) du bras en degrés.

Colonne

Déflecteur de sciure

Protège-lame supérieur

Protège-lame inférieur

Bride de fixation de la planche

Planche arrière mobile

Chape

Bras en porte-à-faux

Bouton de blocage du bras

Bouton de réglage du bras à coulisse

Interrupteur

Moteur

Guide

Plateau

Griffe antirecul

Manivelle de relèvement (lame et bras)

La scie radiale sert aux mêmes travaux que la scie circulaire, mais elle a des avantages qui lui sont propres, le principal étant que la pièce est entamée par le dessus, et qu'il est facile de suivre la coupe. Pour le tronçonnage, vous déplacez la lame plutôt que d'y pousser la pièce.

La scie radiale est une scie circulaire coulissant sous un bras métallique en porte-à-faux, placé au-dessus d'un plateau en bois. Moteur et lame coulissent le long du bras ou sont bloqués à une position quelconque. Le bras inclinable permet de faire des coupes à tout angle. Inclinez la lame pour scier en biseau ou placez-la horizontalement pour scier des chants. La position horizontale permet d'utiliser les accessoires de perçage, de meulage, de ponçage ou de moulurage.

La dimension de la scie correspond au diamètre de la plus grande lame pouvant y être fixée. Les lames utilisées sont semblables aux lames de scie circulaire portative. Le bricoleur sera satisfait d'une scie de 10 po (25,4 cm) ou de 12 po (30,5 cm). Il existe des scies dites portatives; quoique assez lourdes, elles peuvent être assez facilement transportées au lieu de travail.

Réglages et utilisation. Avant d'utiliser une scie, apprenez-en le fonctionnement. Avant chaque utilisation, réglez la position de la lame: abaissez-la dans le trait de façon que les dents pénètrent à $1/8$ po (3 mm) dans le plateau, puis relevez-la de $1/16$ po (1,5 mm). Quand la lame est inclinée, il faut scier un nouveau trait dans le plateau, puis régler la position de la lame de la façon indiquée.

Pour le tronçonnage, la lame passe à travers le guide. Chaque coupe à un angle nouveau correspond à un nouveau trait dans le guide. Ce trait servira par la suite aux coupes identiques à la première. Le guide devra être changé, mais peu souvent. Toute coupe complète laisse dans le plateau un trait d'une fraction de pouce de profondeur. Si un travail donné laisse des traits un peu partout sur le plateau, clouez-y temporairement un panneau dur.

Emploi sécuritaire de la scie radiale

La scie radiale, mal utilisée, cause des accidents. Outre les règles de sécurité décrites à la page 19, observez celles qui suivent:
- Serrez brides, boutons et écrous avant utilisation; ne laissez pas d'outil sur le plateau.
- N'utilisez jamais une lame qui ne soit pas affûtée et propre; veillez à la propreté des flasques (lame et arbre).
- Utilisez le guide pour appuyer la pièce ou suivre la ligne de coupe; gardez les mains loin de la lame.

- N'étendez pas le bras près de la lame et n'y touchez pas quand elle est en mouvement.
- Utilisez le protège-lame, le couteau diviseur et le dispositif antirecul; pour refendre une pièce étroite, employez un poussoir.
- Pour le refend, utilisez le couteau diviseur et le dispositif antirecul; poussez la pièce sur la lame, à contresens de la rotation.
- Après le tronçonnage, poussez le bras à coulisse vers l'arrière; débranchez la scie avant de la régler ou d'en changer la lame.

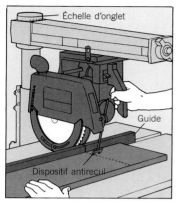

Tronçonnage de base.
Bloquez le bras à 90°
par rapport au guide
(0° sur l'échelle
d'onglet) ; poussez
la lame vers l'arrière.
Maintenez la pièce
contre le guide d'une
main (quatre doigts sur
le dessus et le pouce
contre le chant) ; la
ligne de coupe doit
être alignée sur le trait
du guide. Placez le
dispositif antirecul à
environ ⅛ po au-
dessus de la pièce.

Labels: Échelle d'onglet, Guide, Dispositif antirecul

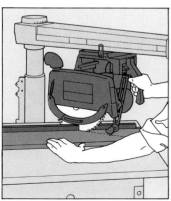

Lancez la scie. La
lame tournant à vitesse
maximale, tirez la lame
doucement vers l'avant
(en tenant toujours la
pièce d'une main).
Quand la coupe est
tout juste achevée,
repoussez la lame vers
l'arrière et arrêtez la
scie. Avant de retirer la
pièce ou de toucher la
lame, actionnez le frein
intégré.

**Pour les coupes
diagonales,** telle la
coupe à onglet
(p. 109), procédez
comme pour le
tronçonnage ; bloquez
d'abord le bras et la
lame à l'angle voulu.
Placez la pièce et la
lame de façon à
pouvoir tenir la pièce
du côté opposé au
sens de la coupe et à
éloigner la lame de
votre main durant le
sciage.

**Pour faire une coupe
en biseau,** inclinez le
moteur et la lame à
l'angle voulu ; bloquez-
les. Sciez la pièce
comme d'habitude.
Pour effectuer des
coupes en biseau
combinées, comme
celles qui servent à fa-
briquer une couronne
(p. 99), inclinez la
lame et réglez à
nouveau l'inclinaison
du bras ; tronçonnez
la pièce de la manière
illustrée.

Refend. Pour les cou-
pes larges de 10 ou
12 po, bloquez le bras
à 90° par rapport au
guide. Tournez le mo-
teur pour que la lame
soit parallèle au guide
et placée entre lui et le
moteur. Placez ensuite
la lame à la distance
voulue du guide. Avec
un poussoir, glissez la
pièce le long du guide
et sur la lame, à
contresens de la
rotation.

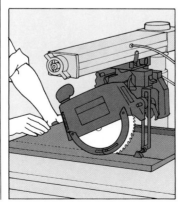

**Pour faire des refends
plus larges,** placez le
moteur entre le guide
et la lame, parallèle-
ment au guide. Faites
comme s'il s'agissait
d'un refend vers l'inté-
rieur, mais poussez la
pièce sur la lame,
du côté opposé du
plateau, à contresens
de la rotation. La pièce
étant large, poussez-la
avec les mains, en
étant très prudent.

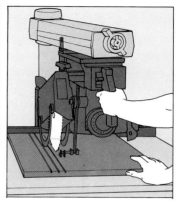

Pour rainurer, relevez
la lame pour faire un
trait qui ne traverse
pas la pièce. (Pour les
pièces larges, utilisez
la position de refend.)
Pour faire une entaille
ou une feuillure, exé-
cutez plusieurs passes
avec une même lame
ou utilisez une tête à
rainurer (p. 65). Des
têtes monobloc servent
à réaliser des coupes
profilées ou des mou-
lures décoratives.

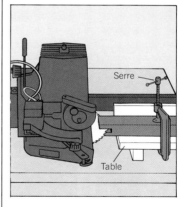

**Pour scier horizontale-
ment** en travers du fil
d'extrémité, relevez le
bras et tournez le
moteur et la lame à
90°, à l'horizontale.
Fabriquez une petite
table pour soutenir la
pièce au moins à
1½ po au-dessus du
plateau ; fixez la table
sur le plateau, à la
place du guide. Blo-
quez la pièce, réglez la
profondeur de passe et
sciez lentement.

Labels: Serre, Table

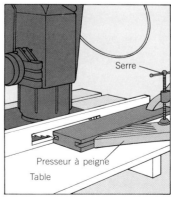

**Pour faire un refend
horizontal,** fabriquez
une petite table (à
guide doté d'une
lumière pour que
puisse saillir la lame).
Placez la lame horizon-
talement, à la hauteur
voulue, poussez-la
dans la lumière, à la
profondeur de passe
désirée, et bloquez-la.
Placez la pièce contre
le guide ; stabilisez-la
avec un presseur à
peigne (p. 60) ; sciez.

Labels: Serre, Presseur à peigne, Table

Outillage électrique / Toupies

Le mandrin d'une toupie tourne à une vitesse variant d'environ 18 000 à 30 000 tr/min. Il contient une douille dans laquelle est logé un couteau pouvant servir au rainurage, à l'ébarbage des chants, à la création d'évidements, au moulurage, à la coupe de bois ou de stratifié. La profondeur de passe est réglée par un dispositif placé sur la toupie. Il existe deux types de toupies : standard et plongeante.

La toupie de faible puissance permet d'accomplir bon nombre des travaux réalisables avec la toupie de forte puissance, mais moins rapidement et en plusieurs passes peu profondes.

Critères d'achat. Le diamètre de la douille ($\frac{1}{4}$, $\frac{3}{8}$ et $\frac{1}{2}$ po [6, 9,5 et 12,5 mm]) correspond à celui de la tige du couteau qui s'y adapte. Pour les travaux légers, une douille de $\frac{1}{4}$ po (6 mm) suffit généralement ; une douille s'adaptant à de plus grosses tiges rend l'outil plus polyvalent.

Déterminez quel type de poignée vous convient le mieux. L'emplacement de l'interrupteur devrait vous permettre de l'actionner sans déplacer votre main. Évaluez aussi la facilité d'installation du couteau.

Essayez l'outil sur du bois de rebut pour sentir quelle vitesse est la plus efficace. Le couteau doit entamer la pièce en ne provoquant qu'une faible baisse de la vitesse de rotation. Le son du moteur est donc un bon indice. Déplacez la toupie à un rythme régulier : trop lent, il pourra brûler le bois et échauffer le couteau ; trop rapide, il pourra provoquer la surcharge du moteur.

Sécurité. Portez des lunettes protectrices ou un écran facial ainsi qu'un masque antipoussières. Vous pouvez installer sur un aspirateur eau-poussière (p. 76) des adaptateurs qui vous permettront de l'utiliser comme collecteur de sciure. Portez des bouchons d'oreilles. Surveillez les nœuds et les clous.

▶ **ATTENTION !** Gardez les doigts loin du couteau ; débranchez la toupie si vous le changez.

Entretien. Délogez la sciure du moteur et de la douille avec un ajutage à air ou un suceur d'aspirateur. Gardez la douille et les couteaux propres ; nettoyez-les avec de l'essence minérale (ou du diluant à laque si la saleté est rebelle). S'il y a vibration ou oscillation, vérifiez les roulements à billes, la douille ou la tige du couteau.

Moteur

Interrupteur

Poignée : gardez-la propre ; tenez-la bien.

Couteau

Anneau de réglage de la profondeur

MODEL 1001 ROUTER BASE
PORTER-CABLE CORPORATION
JACKSON, TENNESSEE, 38301 U.S.A.

Douille : doit rester exempte de saleté ou de sciure.

Semelle : cirez-la à l'occasion pour faciliter le déplacement.

Échelle de profondeur

Bouton de blocage de la profondeur

Couteau

Toupie standard. Le couteau saille toujours sous la semelle. Pour amorcer une coupe en plongée, inclinez la toupie, lancez-la et abaissez le couteau sur la pièce.

Toupie plongeante. Le couteau, au-dessus de la semelle, permet de positionner la toupie. Il s'abaisse automatiquement à la profondeur choisie.

Guidage et déplacement de la toupie

Pour un toupillage précis, utilisez un gabarit, un couteau à guide (qui s'appuie contre le chant à toupiller), une planchette droite (fixée sur la pièce) ou un modèle. Le toupillage à main levée permet de fabriquer des enseignes ou d'autres objets décoratifs.

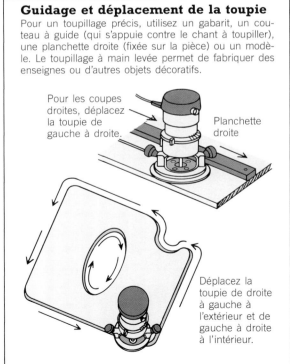

Pour les coupes droites, déplacez la toupie de gauche à droite.

Planchette droite

Déplacez la toupie de droite à gauche à l'extérieur et de gauche à droite à l'intérieur.

Toupillage

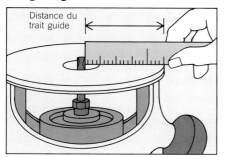

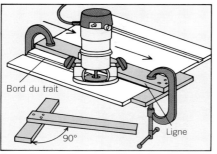

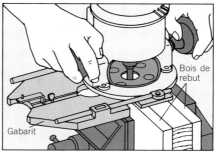

Position du guide. Mesurez la distance entre le côté du couteau et le bord de la semelle. Tracez une ligne à pareille distance du bord du trait. Alignez une planchette sur la ligne.

Posez la semelle sur la pièce ; lancez le moteur et abaissez le couteau. Pour éviter que les fibres éclatent, achevez le toupillage dans la traverse d'un guide de votre fabrication.

Pour rainurer une pièce étroite, bloquez-la entre deux plaquettes de bois de rebut qui supporteront la semelle de la toupie. Un gabarit de facture commerciale est illustré ici.

Pour faire un cercle avec le même gabarit, les deux points d'appui doivent demeurer sur le chant. Avec un guide de toupillage circulaire, percez un trou au centre.

Couteaux de toupie	Couteaux droits	Couteaux à rainurer	Couteaux à guide	Couteaux à stratifié

Couteaux de toupie

Un couteau en acier rapide convient à un usage occasionnel ; un couteau au carbure, à un usage fréquent.

La dimension d'un couteau s'exprime par trois mesures : la largeur de coupe, la profondeur de passe et le diamètre de la tige.

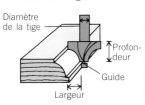

Entretien. Les couteaux en acier peuvent être nettoyés à l'essence minérale. Rangez-les, la tige dans des trous percés dans un bloc de bois. Un couteau émoussé endommagera la toupie et la pièce ; confiez-en l'affûtage à un spécialiste.

Couteaux droits

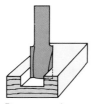

Deux cannelures : entailles, rainures ; dégrossissage.

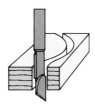

Pas irrégulier : coupes en plongée, entailles, rainures, fentes.

Couteaux à rainurer

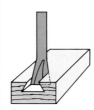

Queue d'aronde : assemblages solides (tiroirs, rayons, etc.).

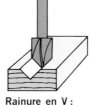

Rainure en V : lettrage, enseignes, cadres.

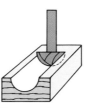

Rainurage et rabotage : entailles, feuillures, mortaises.

Gorge ronde : cannelures, évidements, décorations.

Couteaux à guide

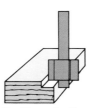

Feuillure : feuillures de tiroirs, de placards.

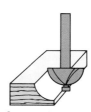

Gorge : chants décoratifs, assemblages à abattant.

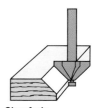

Chanfrein : queues perdues, chants, moulures.

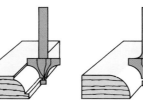

Baguette : chants décoratifs (tables, cadres et moulures).

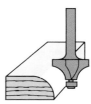

Moulure demi-rond : arrondis et décorations.

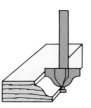

Doucine romaine : chants décoratifs (meubles d'époque).

Couteaux à stratifié

Quatre cannelures, un fer : coupe de stratifié (plan de travail).

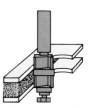

Quatre cannelures, deux fers : coupe de stratifié sur deux faces.

Poncer à la main donne de beaux résultats, mais il faut du temps et de l'habileté pour y parvenir. Les ponceuses électriques facilitent et accélèrent le travail.

Ponceuse à courroie. La ponceuse à courroie permet de faire un ponçage rapide. Elle est idéale pour adoucir une grande surface, corroyer légèrement une pièce ou la décaper. On l'utilise avec une courroie spéciale sur le métal ou le plâtre (mais pas sur le placoplâtre).

La courroie est placée sur deux roues en forme de tambours. L'une est entraînée par un moteur ; l'autre, retenue par un ressort, sert à tendre la courroie.

La dimension de la courroie détermine celle de la ponceuse. Au point de contact avec la surface à poncer, la courroie prend appui sur une platine. Une ponceuse à large platine, facile à diriger sur une surface plane, se révélera encombrante pour poncer des chants.

Ponceuses vibrantes. Les ponceuses vibrantes servent à donner aux surfaces un aspect satiné avant leur finition ou à les adoucir entre les applications d'un enduit. Le papier de verre est placé sur une plaquette compressible à laquelle le moteur imprime un mouvement orbital ou alternatif. Le premier permet un ponçage rapide, mais il peut laisser de petites volutes sur la surface. Le mouvement alternatif, plus lent, donne un fini plus doux. Il y a deux types de ponceuses vibrantes : un gros modèle à deux poignées et un petit modèle utilisable avec une seule main.

Ponceuse à courroie

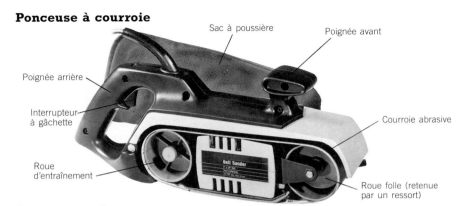

Sac à poussière — Poignée avant — Poignée arrière — Interrupteur à gâchette — Roue d'entraînement — Courroie abrasive — Roue folle (retenue par un ressort)

Ponceuses vibrantes

Ponceuse à courroie et à disque

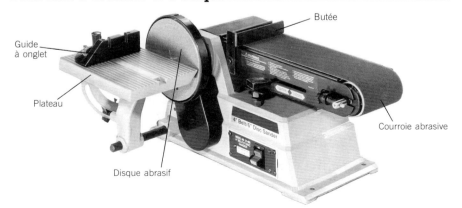

Butée — Guide à onglet — Plateau — Disque abrasif — Courroie abrasive

Ponceuse à courroie et à disque. Boulonnée sur l'établi ou posée sur le plancher, la ponceuse à courroie et à disque sert aussi bien à poncer de petites pièces que des éléments d'assemblages plus volumineux. Le plateau du disque peut être incliné jusqu'à 45°. Comme un guide à onglet est généralement fourni, on peut pousser la pièce sur le disque à l'angle voulu. À l'une des extrémités du dispositif à courroie, une butée retient la pièce ; elle empêche en outre la pièce ou les doigts de se coincer entre la courroie et le bâti. Au besoin, la courroie peut être relevée ou abaissée.

Il existe des ponceuses à disque manuelles à haut rendement, qui servent aux travaux de carrosserie et au dégrossissage du bois ou au décapage.

Abrasifs. Amorcez le ponçage avec un abrasif à gros grains, puis passez à un abrasif plus fin. Les ponceuses vibrantes prennent généralement le quart, le tiers ou la moitié d'une feuille de papier de verre ; vous devez la couper sur mesure. Les feuilles précoupées coûtent plus cher.

Sécurité. Ne déposez jamais une ponceuse en mouvement. Même si la ponceuse est dotée d'un sac à poussière, portez un masque anti-poussières et des lunettes protectrices. Videz le sac fréquemment ; un sac trop rempli réduit la capacité de filtration de l'outil. Videz le sac si vous poncez du métal après avoir poncé du bois ; les étincelles produites par le métal chaud peuvent enflammer la sciure.

Ponceuse à courroie

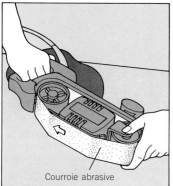

Courroie abrasive

Pour changer la courroie, débranchez la ponceuse, tirez la roue folle vers la roue arrière et bloquez-la dans cette position. Ôtez la vieille courroie en la glissant vers l'extérieur et posez la nouvelle, la flèche pointée dans le sens de rotation des roues. Débloquez la roue folle. Faites tourner le moteur brièvement pour vérifier le centrage de la courroie. Ajustez au besoin.

Lancez la ponceuse ; abaissez-la doucement, puis déplacez-la d'avant en arrière sans appuyer (sauf s'il faut enlever beaucoup de matériau). Ne la maintenez pas longtemps au même endroit et ne l'inclinez pas, car vous creuseriez la surface. Tenez-la bien droite une fois le chant atteint pour ne pas l'arrondir. Soulevez-la avant de l'arrêter.

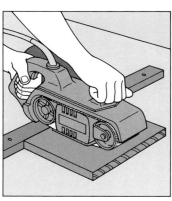

Bloquez solidement les petites pièces avant de les poncer. Il suffit de fixer une planchette sur la surface de travail et d'y appuyer la pièce ; vous pouvez aussi utiliser un gabarit ou un simple cadre que vous aurez fabriqué à cette fin. Ne tentez jamais de poncer une petite pièce que vous tenez dans la main.

Ponceuses vibrantes

Pour poser le papier, il faut généralement en bloquer un bout sous une pince, le rabattre sur la plaquette et en bloquer l'autre bout de la même manière que le premier. Le papier doit être tendu, sinon il se déchirera. Il existe du papier autocollant : détachez-en la pellicule protectrice et collez-le sur la plaquette. Il n'est pas nécessaire d'utiliser les pinces.

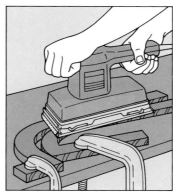

Lancez la ponceuse. Utilisez les deux mains pour avoir meilleure prise, mais n'appuyez pas sur l'outil. Poncez dans le sens du fil et maintenez la ponceuse bien à plat, sinon elle creusera la surface. Si vous poncez de petites pièces, bloquez-en plusieurs de la même épaisseur côte à côte ; cela contribuera à maintenir l'horizontalité de la ponceuse.

Utilisez une petite ponceuse dans les espaces restreints ou pour poncer à l'envers. Utilisable presque partout, elle est assez légère pour vous permettre de travailler dans des positions difficiles ou pendant de longues périodes. Elle permet aussi d'exécuter un ponçage affleurant. Il existe des modèles sans fil.

Ponceuse à courroie et à disque

Quand vous utilisez une courroie à l'horizontale, bloquez la butée tout au plus à $1/16$ po de la courroie pour éviter que la pièce ou les doigts ne se coincent dans l'ouverture. Tenez bien la pièce, appuyez-la contre la butée et déplacez-la également sur la courroie. Soyez très prudent quand vous poncez des pièces minces.

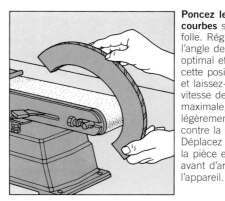

Poncez les pièces courbes sur la roue folle. Réglez l'appareil à l'angle de ponçage optimal et bloquez-le à cette position. Lancez-le et laissez-le atteindre sa vitesse de rotation maximale, puis appuyez légèrement la pièce contre la courroie. Déplacez constamment la pièce et enlevez-la avant d'arrêter l'appareil.

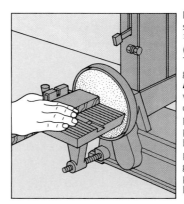

Le disque ne doit pas se trouver à plus de $1/16$ po du plateau (incliné ou droit). Travaillez sur la partie gauche du disque. **ATTENTION !** Ne travaillez jamais sur le côté droit du disque ; la pièce pourrait être projetée en l'air et vous blesser. Lorsque le ponçage est exécuté à gauche, le disque pousse la pièce contre le plateau.

Outillage électrique / Rabot et dégauchisseuse

Le rabot permet de gagner du temps quand il faut finir les chants d'une pièce ou dresser des portes. Il peut détacher des copeaux minces comme une feuille de papier ou enlever jusqu'à $^1/_{32}$ po (0,75 mm) de matériau.

Pour amorcer le dressage, tenez le rabot à deux mains, nez sur la pièce, en exerçant une pression sur la poignée avant. Dès que le fer entame le bois, appliquez une pression égale avec les deux mains et gardez le rabot bien à plat. Un peu avant la fin de chaque passe, ralentissez et faites passer la pression sur la poignée arrière afin de réduire le risque d'éclatement, d'amincissement ou d'arrondissement du bois.

On peut adapter un guide dont la traverse saille sous la semelle. On l'appuie contre le bord pour obtenir une coupe parfaitement d'équerre.

La dégauchisseuse sert à dégauchir, à équarrir et à dresser des planches afin qu'elles s'ajustent bien une fois assemblées. Le bois est entamé par des fers tournant entre deux plateaux. On règle la profondeur de passe en ajustant le plateau avant. La pièce à façonner, poussée le long d'un guide, passe sur le plateau avant, sur les fers et sur le plateau arrière.

Pour biseauter une pièce, bloquez le guide à l'angle voulu. La dégauchisseuse ne permet pas de rendre parallèles les deux faces d'une même planche ; ce type de travail nécessite l'emploi d'une dégauchisseuse-raboteuse.

▶ **ATTENTION !** Ne tenez jamais les mains au-dessus des fers.

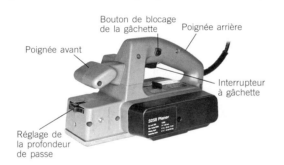

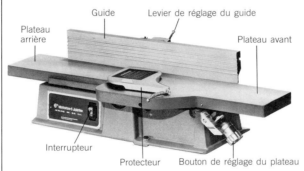

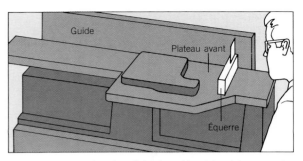

Pour que le travail soit précis, le guide et le plateau avant doivent former un angle droit. Vérifiez l'angle en posant une équerre contre le guide (débranchez la machine). S'il y a du jour entre l'équerre et le guide, réglez celui-ci.

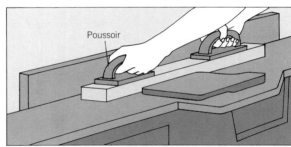

Assemblages. Dégauchissez la pièce lentement, en l'appuyant contre le guide ; utilisez des poussoirs (p. 65). Si la pièce est gauchie, dressez-la par passes légères.

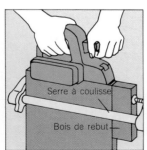

Dressage en bout. Bloquez du bois de rebut sur le chant pour éviter qu'il éclate ; il doit affleurer la surface.

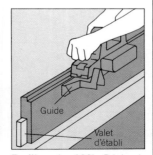

Feuillure (p. 103). Réglez le guide pour que le fer soit au-dessus de la partie à façonner. Faites plusieurs passes.

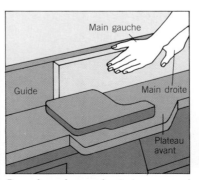

Pour équarrir un chant, tenez-vous à gauche du plateau avant. De la main gauche, appuyez la pièce contre le guide ; poussez-la de la main droite.

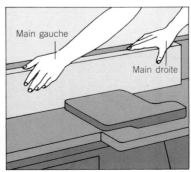

La main gauche suit la pièce quand elle passe sur le plateau arrière. La main droite pousse la pièce, qui doit demeurer à plat sur le guide.

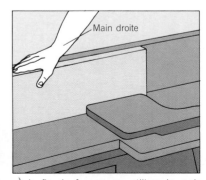

À la fin du façonnage, utilisez la main droite pour glisser le bout de la pièce sur le plateau arrière. Arrêtez la machine ; ôtez la pièce.

Raboteuse   Touret

La raboteuse coûte cher et n'est pas indispensable. Mais vous avez avantage à la connaître si vous exécutez beaucoup de travaux de menuiserie et si vous voulez économiser en achetant du bois brut que vous dresserez vous-même. Cette machine aplanit le bois brut et rend la seconde face d'une planche parfaitement parallèle à la première. Elle permet de corroyer une planche et d'en éliminer les défauts ; mais elle ne remplace pas la dégauchisseuse.

Les raboteuses qu'utilisent les spécialistes sont encombrantes. Il existe toutefois des modèles plus petits à l'usage des bricoleurs, classés d'après leur capacité.

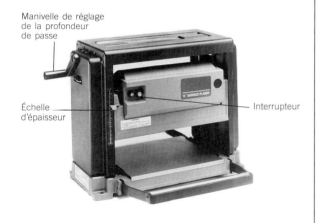

Manivelle de réglage de la profondeur de passe

Échelle d'épaisseur

Interrupteur

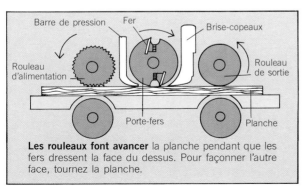

Les rouleaux font avancer la planche pendant que les fers dressent la face du dessus. Pour façonner l'autre face, tournez la planche.

Barre de pression — Fer — Brise-copeaux

Rouleau d'alimentation

Rouleau de sortie

Porte-fers — Planche

Écran protecteur

Pare-étincelles

Meule

Porte-outil

Moteur

Interrupteur

Socle

Protecteur

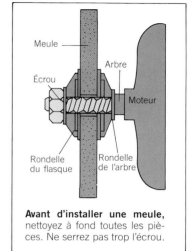

Meule

Arbre

Écrou

Moteur

Rondelle du flasque

Rondelle de l'arbre

Avant d'installer une meule, nettoyez à fond toutes les pièces. Ne serrez pas trop l'écrou.

Pour prolonger la vie de vos outils, employez un touret pour les affûter, les nettoyer et les polir. La plupart des tourets comportent un moteur à deux arbres, deux meules, un porte-outil devant chaque meule et des accessoires de protection : pare-étincelles, protecteurs, écrans. La meule vitrifiée en oxyde d'aluminium et de granulométrie moyenne (150) convient le mieux à l'affûtage. Dérouillez les outils avec une brosse d'acier et polissez le métal avec un polissoir en tissu et de la pâte à polir.

Avant d'utiliser une meule, vérifiez-en l'état : frappez-la avec le manche d'un tournevis. Le son devrait être résonnant ; s'il est sourd, la meule est ébréchée ou fêlée : remplacez-la. Une meule tourne environ à 3 450 tr/min. N'enlevez pas les protecteurs et portez un écran facial. Quand vous lancez le touret, tenez-vous en retrait. Posez toujours la pièce à façonner sur le porte-outil, qui ne doit pas se trouver à plus de $1/16$ po (1,5 mm) de la meule. Appuyez bien la pièce contre la meule. Pour empêcher l'échauffement du métal, exercez une pression légère ; au besoin, refroidissez la pièce dans l'eau. (Voir aussi p. 44.)

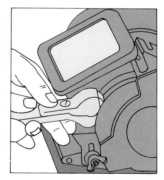

Dressez la meule quand elle est usée ou encrassée. Portez un écran facial. Utilisez d'abord un dresse-meule à molettes dentées (vendu dans la plupart des quincailleries). Posez-le sur le porte-outil et appuyez-le contre la meule en rotation. En exerçant une légère traction, faites-le glisser sur la meule.

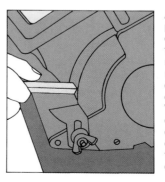

Après deux ou trois passes, la meule devrait être dressée ; il se pourrait toutefois qu'elle soit trop rude. Pour l'adoucir, redressez-la avec un bâton de carbure de bore ou un diamant dresse-meule. Vous pouvez aussi la dresser en une seule opération avec un bâton de carbure de silicium, mais il faudra plus de temps pour obtenir le même résultat.

Outillage électrique / Tour à bois

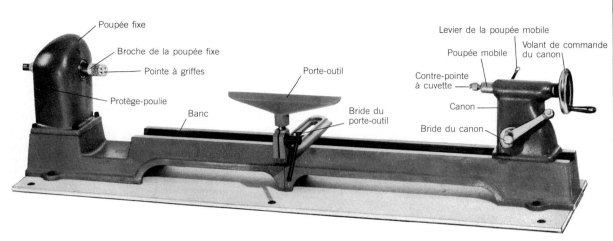

Poupée fixe
Broche de la poupée fixe
Pointe à griffes
Protège-poulie
Porte-outil
Banc
Bride du porte-outil
Levier de la poupée mobile
Poupée mobile
Volant de commande du canon
Contre-pointe à cuvette
Canon
Bride du canon

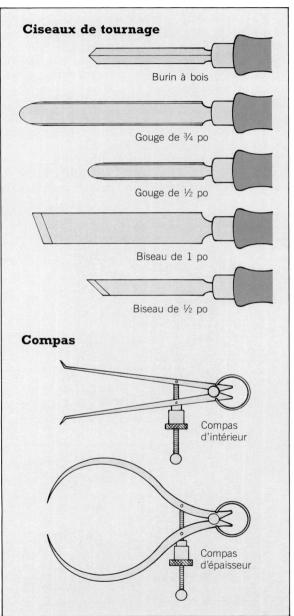

Ciseaux de tournage

Burin à bois

Gouge de ¾ po

Gouge de ½ po

Biseau de 1 po

Biseau de ½ po

Compas

Compas d'intérieur

Compas d'épaisseur

Vous pouvez créer de belles pièces cylindriques grâce au tournage. À une extrémité du tour, le bloc de bois (plein ou stratifié) est retenu par la poupée fixe ; à l'autre, par la poupée mobile. Le tour repose sur un établi ou un socle ; le mouvement du moteur lui est communiqué par une courroie que l'on déplace d'une poulie à une autre pour varier la vitesse de rotation.

Techniques de tournage. Il y a deux techniques de tournage : la coupe et le raclage. La première est la préférée des tourneurs ; elle consiste à entamer la surface du bois avec un ciseau et à en détacher des copeaux. Le raclage (que nous n'abordons pas) consiste à enfoncer un ciseau dans le bloc et à arracher les fibres ; c'est la technique idéale pour façonner un bol dans un bloc de bois fixé sur un plateau et placé sur la broche de la poupée fixe.

Amorcez d'abord le tournage à petite vitesse (400-700 tr/min) et donnez au bois une forme grossièrement cylindrique. Achevez le travail à grande vitesse (1 200-2 000 tr/min) si le diamètre de la pièce est inférieur à 3 po (7 cm), à vi-

tesse moyenne (700-1 200 tr/min) s'il se situe entre 3 et 6 po (7 et 15 cm) ou à petite vitesse s'il est supérieur à 6 po (15 cm).

Ciseaux de tournage. Trois types de ciseaux sont utilisés : la gouge (dégrossissage et gorges), le biseau (coupes douces et droites, bourrelets) et le burin à bois (rainures, évidements et calibrage). Pour faire un travail précis et sans danger, gardez-les propres et bien affûtés. Les compas servent à mesurer les diamètres extérieurs ou la profondeur des coupes intérieures.

Sécurité. Avant de fixer un bloc sur le tour, examinez-le pour déceler tout défaut qui pourrait causer le bris ou l'éclatement du bois. Si vous tournez un bloc de stratifié, assurez-vous que les joints de colle sont solides (temps de séchage minimal : 24 heures) : des joints fragiles céderont sur le tour et pourront être cause de blessures. Serrez tous les leviers et brides avant de lancer le tour ; tenez-vous en retrait. Portez toujours des lunettes protectrices ou un écran facial ainsi qu'un masque antipoussières ; entamez le bloc lentement.

Mesures de sécurité 19
Affûtage de l'outillage manuel 44-45
Entretien de l'outillage électrique 53

1. Équarrissez les bouts de la pièce ; marquez-en le centre en traçant deux diagonales. Enfoncez la contre-pointe à cuvette à l'intersection des diagonales, au moins à ¹⁄₁₆ po de profondeur. Ôtez la contre-pointe ; logez-la dans le canon.

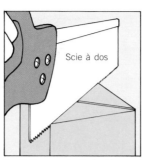

2. Faites un trait de ⅛ po de profondeur sur les diagonales de l'autre bout. Positionnez la pointe à griffes sur ces traits, en vous assurant que les griffes pénétreront dans les traits. Enfoncez la pointe avec un maillet en bois.

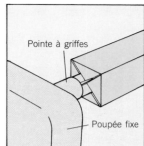

3. Ôtez le porte-outil. Enduisez de paraffine la contre-pointe à cuvette. (Cela n'est pas nécessaire si la contre-pointe est à roulement à billes.) Logez la pointe à griffes dans la broche de la poupée fixe ; positionnez la pièce au-dessus du banc.

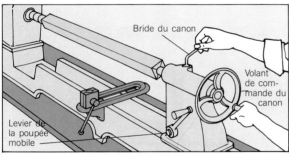

4. Déplacez la poupée mobile vers la pièce ; la contre-pointe à cuvette doit pénétrer dans l'orifice pratiqué à l'étape 1. Bloquez le levier de la poupée mobile ; tournez le volant de commande pour caler la contre-pointe ; bloquez la bride du canon.

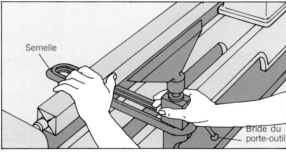

5. Reposez le porte-outil ; il doit surplomber le centre du bloc à une distance égale au quart de son épaisseur et se trouver au plus à ¼ po des coins. Faites tourner la pièce manuellement ; elle ne doit pas toucher le porte-outil.

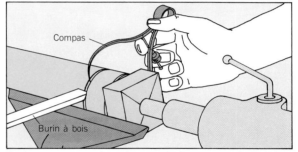

6. Avec une gouge (tranchant soulevé et un peu incliné dans le sens de rotation), arrondissez la pièce en allant et venant ; avec un burin à bois, faites une série de rainures excédant de ⅛ po le diamètre final (utilisez un compas).

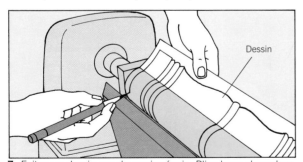

7. Faites un dessin sur du papier épais. Pliez-le en deux dans le sens de la longueur et placez-le contre la broche. Reportez les lignes de coupe sur la pièce avec un crayon. Poursuivez le tournage.

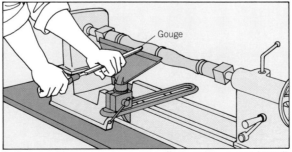

8. Avec un biseau ou une gouge, effectuez les coupes jusqu'à ¹⁄₁₆ po du diamètre final. Tenez l'outil à un angle approprié et éliminez le bois de rebut. Arrêtez de temps à autre pour corriger la position du porte-outil et examiner la pièce.

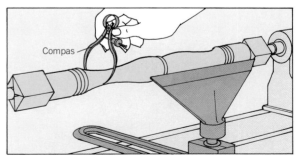

9. Façonnez les formes finales. Placez une règle le long de la pièce pour vérifier cylindres et fuseaux. Mesurez le diamètre des coupes avec un compas d'épaisseur ; ôtez le porte-outil et poncez la pièce. Faites un patron pour reproduire la pièce.

Outillage électrique / Aspirateur eau-poussière

Les aspirateurs eau-poussière, plus puissants que les aspirateurs ordinaires, permettent d'aspirer de l'eau. Leur moteur, leur réservoir, leur tuyau et leurs filtres étant plus gros, ils aspirent des copeaux, des retailles de papier, de la sciure de panneau mural et d'autres types de débris qui bloqueraient un aspirateur ordinaire.

La plupart des aspirateurs eau-poussière sont vendus avec un tuyau de 4 ou 6 pi (1,20 ou 1,80 m), une brosse, des suceurs (eau et poussière), des rallonges et un suceur plat. Ils sont montés sur roulettes et dotés d'un réservoir inoxydable.

L'achat de ce type d'aspirateur se révèle avantageux pour le bricoleur car il peut le raccorder à ses outils électriques. Ainsi, par exemple, la sciure produite par une scie circulaire peut-elle être aspirée directement. L'aspirateur doté d'un réservoir de 5 à 8 gal (22,5 à 36 litres), d'un moteur de 1 ch et d'un tuyau de 1¼ po (3,2 cm) convient aux petits travaux et peut être raccordé à des outils électriques portatifs ; doté d'un réservoir de 12 à 16 gal (54,5 à 73 litres), d'un tuyau de 2½ po (6,3 cm) et d'un moteur de 1½ ch, il peut être raccordé aux machines fixes. Nettoyez souvent les filtres.

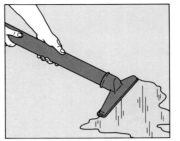

Le suceur-racloir assèche presque complètement le plancher (bois ou tuiles). Utilisez un racloir large sur les moquettes.

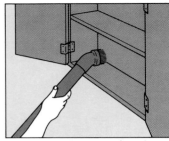

Dans les espaces restreints, les placards et autres lieux clos, utilisez la brosse.

Poignée — Moteur — Tuyau — Réservoir — Bouchon de vidange — Rallonge — Brosse — Suceur large (débris secs) — Suceurs-racloirs

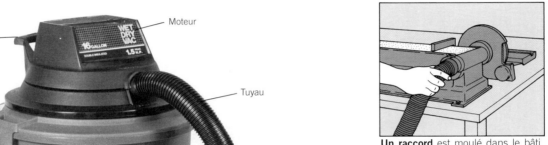

Un raccord est moulé dans le bâti de nombreux outils (scies radiales, ponceuses, etc.). Pour une utilisation facile, glissez le tuyau de l'aspirateur sur ce raccord.

Les outils sans raccord peuvent être reliés à l'aspirateur. Ainsi, fixez le tuyau dans le collecteur d'une dégauchisseuse pour recueillir le gros des copeaux.

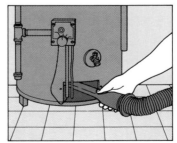

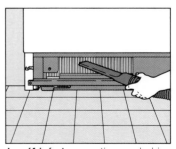

Utilisez le suceur plat pour aspirer la rouille accumulée sous le brûleur d'un chauffe-eau à gaz. Auparavant, éteignez l'appareil et laissez-le refroidir.

Le réfrigérateur continuera de bien fonctionner si vous nettoyez régulièrement le serpentin et les tubes à ailettes (derrière l'appareil, en bas) avec le suceur plat.

Compresseur

Manomètre

Interrupteur

Régulateur

Raccord pour boyau

Poignée

Protecteur (moteur/poulie)

Réservoir

Boyau

Purgeur

Roue

Le compresseur portatif facilite de nombreux travaux de bricolage. Il aspire l'air et le fait pénétrer sous pression dans un réservoir. L'air passe ensuite dans un régulateur, puis dans un boyau et permet de faire fonctionner de petits outils (ponceuse, scie, perceuse, pistolet vaporisateur, cloueuse, etc.).

Étant donné que le fonctionnement efficace de la plupart des accessoires nécessite une réserve d'air, optez pour un compresseur monté sur réservoir. Choisissez un modèle qui puisse alimenter le plus gros des outils que vous pourriez utiliser. Pour faciliter l'utilisation des accessoires, employez des boyaux légers et des raccords « express ».

Pressions d'air recommandées

Outil ou accessoire	pi³/min	lb/po²
Agrafeuse	1,5-5	70-90
Ajutage à air	1-1,5	10-50
Ajutage de lavage	8,5	40-90
Cloueuse	5-6	70-90
Perceuse (⅜ po)	4-6	70-90
Pistolet vaporisateur	0,75-5	10-70
Polissoir	2	70-90
Ponceuse	4-6	70-90
Scie circulaire (8 po)	6-12	70-90
Scie sauteuse	4,5-6	70-90
Toupie (stratifié)	6-8	70-90

Procurez-vous un compresseur dont le débit (pieds cubes par minute) et la pression d'air (livres au pouce carré) permettent d'utiliser vos accessoires. Les chiffres du tableau représentent des valeurs moyennes.

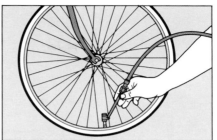

Les ajutages à air font partie des accessoires essentiels. Pour ne pas trop gonfler un pneu, réglez le régulateur à la pression recommandée, exprimée en kilopascals (kPa).

Parmi les accessoires de compresseur, il y a les ponceuses à disque et les ponceuses vibrantes. Les premières enlèvent beaucoup de matériau ; les secondes adoucissent ou polissent les surfaces.

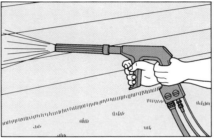

Les ajutages de lavage mélangent air, eau et détergent, et produisent un jet à haute pression. Ils sont idéaux pour nettoyer les parements, la maçonnerie et les véhicules automobiles.

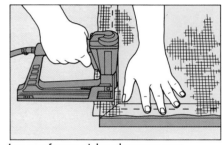

Les agrafeuses et les cloueuses vous facilitent la tâche. Selon le format et la puissance, elles peuvent enfoncer divers types d'attaches, des petites pointes et agrafes aux grosses agrafes ondées.

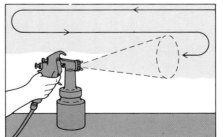

Les pistolets vaporisateurs produisent divers jets à différentes pressions. Leurs buses interchangeables les rendent pratiques pour peindre le bois, le plastique ou le métal, ou pour appliquer des enduits transparents.

Les rouleaux reliés à un réservoir vous permettent d'appliquer un enduit sans interruption et rendent inutiles les bacs. Le poil peut être long, mi-long ou court.

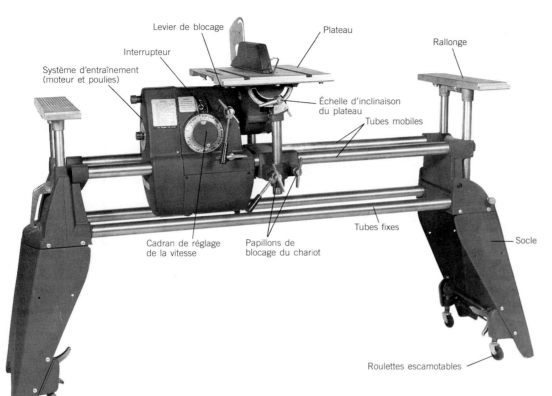

Levier de blocage

Plateau

Rallonge

Interrupteur

Système d'entraînement
(moteur et poulies)

Échelle d'inclinaison
du plateau

Tubes mobiles

Tubes fixes

Socle

Cadran de réglage
de la vitesse

Papillons de
blocage du chariot

Roulettes escamotables

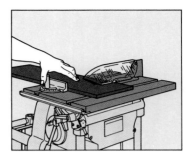

Scie circulaire. La machine peut servir à refendre ou à tronçonner une pièce. Elle permet aussi de faire des coupes d'onglets combinées quand le plateau et le guide à onglet sont réglés à l'angle voulu.

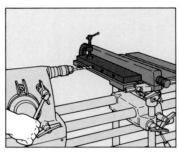

Perçage horizontal. La machine peut percer des trous de goujons ; travaillez à petite vitesse. Utilisez le plateau pour soutenir la pièce, et le guide pour la bloquer.

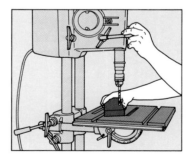

Perceuse à colonne verticale. Placez le moteur et la perceuse en position verticale, et positionnez le plateau sous le mandrin. Inclinez le plateau pour percer une pièce à un angle quelconque.

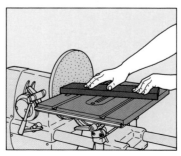

Ponceuse à disque. Une ponceuse à disque de 12 po fixée sur l'arbre du moteur facilite l'ébarbage des chants sciés. Inclinez le plateau pour poncer une pièce à un angle précis.

Pour le bricoleur qui travaille dans son garage ou son sous-sol, la machine-outil adaptable est une solution au manque d'espace. Elle est tellement compacte que son encombrement est moindre que celui des machines fixes qu'elle supplée. Elle permet d'exécuter de nombreux travaux de menuiserie avec un seul système d'entraînement. Son prix équivaut en gros aux prix combinés des machines remplacées.

La machine-outil peut servir de perceuse à colonne verticale, de perceuse horizontale, de tour, de ponceuse à disque et de scie circulaire ; elle est vendue avec une rallonge servant à soutenir les longues pièces, un guide de refend et un guide à onglet. L'ajout d'organes permet de la transformer en raboteuse, en dégauchisseuse et en diverses scies et ponceuses. Une foule d'accessoires sont offerts, dont des fers à toupiller et à moulurer. Grâce à ces équipements et à quelques gabarits maison, elle permet d'accomplir à peu près n'importe quel travail de menuiserie, du casse-tête à l'horloge de parquet.

Son système d'entraînement est composé de poulies et d'un moteur à vitesse variable, d'une puissance habituellement supérieure à 1 ch. La plage des vitesses doit être suffisamment large pour convenir aussi bien au perçage (700 tr/min) qu'au toupillage (5 200 tr/min). Une prise (120 V, 15 A) doit être réservée à la machine-outil.

Attaches et adhésifs

Fixation des matériaux

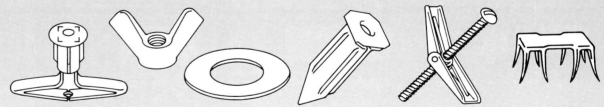

Dans les travaux de réparation et de rénovation, le mode de fixation des matériaux est de première importance. Du choix des clous, des vis, des chevilles ou des colles dépend la réussite ou l'échec d'un projet.

Enfin, il est aussi important de savoir comment installer une attache que de savoir comment appliquer une colle.

Le présent chapitre expose les éléments à considérer au moment de choisir un produit, les choix possibles et les techniques à employer pour obtenir de bons résultats.

Il présente aussi les attaches les plus courantes. Les attaches et les adhésifs à usage restreint sont présentés de façon plus détaillée ailleurs dans le livre.

Attaches / Clous

Types de clous

Clou à bois. Usage général ; construction lourde et charpentage. Sa large tête ne peut traverser la pièce.

Clou d'emballage. Variante du clou à bois, de plus petit calibre. Fixation de pièces minces se fendant facilement.

Pointe de Paris. La plus petite variante du clou à bois. Dimension : millimètres ou numéro de calibre.

Clou à finir. Moulure et ébénisterie, là où la tête doit être dissimulée : noyée et recouverte de bouche-pores (p. 23).

Clou à boiserie. Variante du clou à finir, il résiste mieux à l'arrachement. Fixation de dormants et de moulures.

Clou-épingle. Travaux délicats. Noyé et recouvert de bouche-pores. Dimension : millimètres ou numéro de calibre.

Clou à placoplâtre. Fixation solide grâce à sa large tête et à sa tige annelée ou barbelée. Souvent enduit de résine.

Clou annelé. Ses arêtes tranchantes mordent dans le bois, ce qui accroît sa résistance à l'arrachement.

Clou vrillé. Tourne comme une vis quand on l'enfonce. Permet d'éliminer les craquements de plancher.

Clou à toiture en aluminium. Recouvrements (métal ou plastique) ondulés. Sa rondelle assure l'étanchéité.

Clou à toiture. Tête extra-large. Fixation de bardeaux d'asphalte et de matériaux semblables. Généralement galvanisé.

Clou à maçonnerie. En acier trempé. Fixation de pièces sur des murs ou des planchers — béton, brique, etc. (p. 86).

Rappointis. Fixation temporaire ; sa tête supérieure déborde, ce qui permet l'arrachement du clou.

Clou découpé. Plat, à pointe carrée empêchant l'éclatement des fibres pendant le clouage des lames de parquet.

Semences. Découpées ou rondes. Fixation de tapis ou de tissu sur du bois et autres usages légers.

Cavaliers. Multiformes et à usages variés, dont la fixation de treillis et, si garni d'un isolant, de fils électriques.

Attache ondulée. Assemblages à onglet ou aboutés soumis à de faibles contraintes. Enfoncez-la en travers du joint.

Attache à pointes. Renfort d'assemblage. Huit pointes évasées mordent dans le bois. Enfoncez bien droit.

Calibrage des clous (unité : le penny)

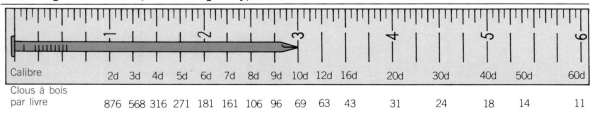

Calibre	2d	3d	4d	5d	6d	7d	8d	9d	10d	12d	16d	20d	30d	40d	50d	60d
Clous à bois par livre	876	568	316	271	181	161	106	96	69	63	43	31	24	18	14	11

Les clous les plus utiles sont le clou à bois, résistant, et le clou à finir, discret. Les autres clous en sont des variantes ou sont des pointes spéciales offrant une résistance à l'arrachement ou un pouvoir de pénétration accrus.

Calibre du clou. L'unité de longueur du clou à bois est le penny ; ce terme indiquait jadis le prix du cent de clous. La plupart des clous sont offerts dans une foule de longueurs, à diamètre proportionnel. Le clou à bois est vendu dans des longueurs variant de 1 po (2,5 cm), ou 2 penny (2d), à 6 po (15,25 cm), ou 60 penny (60d). Le diamètre quadruple à l'intérieur de cette plage. Pour les travaux d'envergure, achetez vos clous en vrac. À poids égal, une boîte de clous à finir contient 75 p. 100 plus de clous qu'une boîte de clous à bois. La dimension du clou-épingle et de la pointe de Paris s'exprime en millimètres ou par un numéro de calibre. Plus le chiffre est élevé, plus le clou ou la pointe est petit.

Clouage. Enfoncez les clous à bois de façon que leur tête affleure la surface. Cessez d'enfoncer un clou à finir quand sa tête affleure la surface ; avec un chasse-clou (p. 23), achevez le clouage. Pour protéger une surface inégale, enfoncez un clou à finir dans un trou de panneau perforé de rebut ; achevez le clouage avec un chasse-clou. Pour fixer une pièce sans appui, placez derrière un bloc de bois ou d'acier.

▶**ATTENTION !** Utilisez des lunettes protectrices et un marteau en acier trempé si vous enfoncez des clous trempés. Non frappés d'aplomb, ils cassent et peuvent ébrécher un marteau en fonte et projeter des débris de métal.

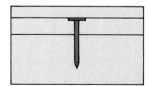

Pièce mince sur pièce épaisse. Le clou doit faire trois fois l'épaisseur de la pièce mince.

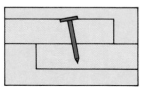

Épaisseurs égales. La longueur du clou doit égaler leur somme. Inclinez le clou.

Amorce du clouage

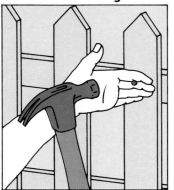

Plutôt que de placer **le clou** entre le pouce et l'index, l'on peut ouvrir la paume et tenir le clou entre deux doigts étendus. Cette technique est particulièrement utile quand de petits clous sont utilisés ; un coup mal visé causera moins de mal si le marteau frappe la partie charnue des doigts.

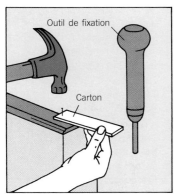

Piquez le petit clou ou la broquette dans un carton mince qui servira à le tenir. Arrachez ensuite le carton. Une pince à bec long permet aussi de tenir un clou. Pour enfoncer un grand nombre de clous-épingles, servez-vous d'un outil de fixation ; logez un clou dans l'évidement de sa pointe magnétique, puis poussez sur la poignée.

Outil de fixation

Carton

Pour amorcer le clouage dans un espace restreint ou quand une seule main est libre, coincez le clou dans la panne du marteau, sa tête butant contre le col du marteau. Enfoncez le clou en rabattant le marteau contre la pièce. Dégagez la panne ; effectuez le clouage comme d'habitude. Portez des lunettes protectrices.

Clouage à angle

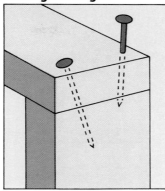

Pour plus de résistance à l'arrachement, enfoncez les clous en les inclinant un peu. Dans les assemblages, essayez de les opposer, en les orientant les uns vers les autres de façon que chacun compense la tendance à l'arrachement de l'autre. Ainsi disposés, ils auront un effet d'ancrage.

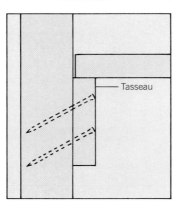

Quand vous clouez un tasseau sous un rayon ou une pièce qui pourrait supporter une lourde charge, enfoncez les clous en les inclinant ; la charge les enfoncera davantage, ce qui renforcera le tasseau. Par contre, les clous à maçonnerie, enfoncés dans un mur de béton ou de maçonnerie, seront posés à l'horizontale (p. 86).

Tasseau

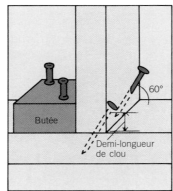

Pour clouer en biais une pièce sur une autre, fixez une butée derrière (ou retenez-la avec le pied). Inclinez un peu le clou, enfoncez-le de 1/8 po, relevez sa tête à 60°, achevez le clouage. Terminez le clouage sur ce côté, puis retirez la butée et clouez de l'autre côté. Disposez les clous en quinconce pour qu'ils ne se touchent pas.

Butée

60°

Demi-longueur de clou

Autres techniques de clouage

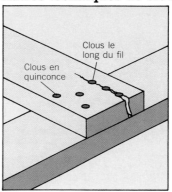

Pour éviter de fendre le bois, disposez les clous en quinconce plutôt que le long du fil. L'épointage du clou aide à empêcher l'éclatement des fibres quand le clouage est effectué près du bout d'une pièce. L'on peut aussi couper la pièce au-delà de la longueur nécessaire, la clouer et scier ensuite le surplus de matériau.

Clous le long du fil

Clous en quinconce

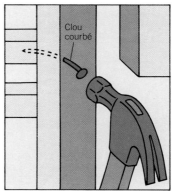

Dans un espace restreint, courbez un peu le clou avant de l'enfoncer ; vous pourrez ainsi frapper la tête de front. Dans un coin ou près d'un mur, enfoncez le clou avec un chasse-clou. Dans un interstice difficile d'accès, posez le clou sur le bout d'une tige d'acier préalablement magnétisée par frottement sur un aimant puissant.

Clou courbé

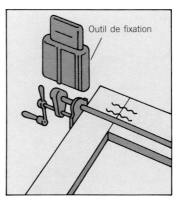

Avant d'enfoncer une attache ondulée, assurez-vous que les deux pièces reposent sur une surface plane et stable. Butez-les bien l'une contre l'autre ou utilisez une serre. Pour enfoncer un grand nombre d'attaches, achetez un outil de fixation servant à les tenir droites pendant qu'on les frappe. Cet outil permet aussi de les noyer.

Outil de fixation

Têtes

 À fente

 Cruciforme

 Carrée

 Hexagonale

 À sens unique

Hexagonale

Types de vis

Longueur

Vis à tête fraisée. Vis à bois d'usage général. Tête pouvant affleurer la surface ou être noyée. La longueur englobe toute la vis.

Longueur

Vis à tête bombée. Tête renflée décorative. Renflement non inclus dans le calcul de la longueur.

Longueur

Vis à tête ronde. Fixation de minces pièces de bois ou de métal sur des pièces de bois épaisses. Tête non incluse dans la longueur.

Vis à panneau de particules. Filets larges et profonds (pour résister à l'arrachement) et tranchants (pour traverser la colle).

Vis à placoplâtre. Mince, tranchante et trempée. Tête permettant d'entamer la surface. Filets profonds pour mordre dans le bois.

Vis pour tôle. Filetée sur toute sa longueur. Autotaraudeuse. Dans le métal, percez d'abord un trou de guidage (p. 129).

Tire-fond. Haute résistance. Peut avoir jusqu'à 6 po de longueur. Vissé dans un trou de guidage à l'aide d'une clé.

Goujon fileté. Fixation de pattes de table. Vissez-le avec une pince-étau aux mâchoires recouvertes d'un matériau protecteur.

Boulon-vis. Doté de filets de vis à bois à une extrémité et d'un filetage de vis mécanique à l'autre (qui peut recevoir un écrou).

Les vis offrent une grande résistance à l'arrachement et permettent de démonter un assemblage sans l'endommager. Les vis à bois ainsi que les vis spéciales — pour la tôle, les panneaux de particules ou le placoplâtre — forment aussi des assemblages résistants. Celles-ci ont des filets profonds et tranchants qui ne nécessitent pas de trou de guidage dans le bois tendre si l'on se sert d'un outil électrique.

Types de vis. Les têtes cruciformes, hexagonales et carrées empêchent le dérapage de la pointe si on utilise un outil électrique. La tête hexagonale du tire-fond permet l'utilisation d'une clé. La vis à sens unique est difficile à desserrer.

Calibres. À l'achat de vis, indiquez-en la longueur en pouces, ou en centimètres, et le calibre, ou le diamètre. Les calibres de 2 (environ $3/32$ po [2,4 mm]) à 16 (environ $1/4$ po [6 mm]) sont les plus courants.

Pose des vis. Pour une vis de calibre 5 (3 mm) ou moins, faites un trou de guidage avec une alêne ou un clou ; pour les vis plus grosses, utilisez un foret d'un diamètre égal à celui de la vis moins les filets.

Les deux tiers des filets doivent pénétrer dans la seconde pièce (bois). Pour un assemblage serré, percez un trou dans la pièce du dessus pour que la partie non filetée de la vis passe sans gripper. Pour éviter l'éclatement des fibres, percez un trou pour la tige des grosses vis.

Les cuvettes procurent une surface d'appui, protègent la surface ou servent de décorations.

Pitons

Piton ouvert

Piton fermé

Gond

Cuvettes

Affleurante pour vis à tête fraisée

Fraisée pour vis à tête bombée

Plate pour vis à tête ronde

Calibrage des vis

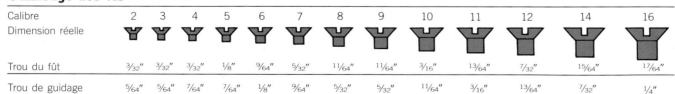

Calibre	2	3	4	5	6	7	8	9	10	11	12	14	16
Dimension réelle													
Trou du fût	$3/32''$	$3/32''$	$3/32''$	$1/8''$	$9/64''$	$5/32''$	$11/64''$	$11/64''$	$3/16''$	$13/64''$	$7/32''$	$15/64''$	$17/64''$
Trou de guidage	$5/64''$	$5/64''$	$7/64''$	$7/64''$	$1/8''$	$9/64''$	$5/32''$	$5/32''$	$11/64''$	$3/16''$	$13/64''$	$7/32''$	$1/4''$

Assemblages réalisés avec des vis à bois

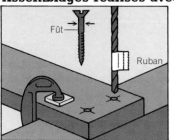

1. Enserrez les pièces. Marquez la position des vis ; choisissez un foret au diamètre égal à celui du fût de la vis. Sur le foret, marquez l'épaisseur de la pièce du dessus avec du ruban. Percez le trou du fût, en n'excédant pas la profondeur indiquée par le ruban.

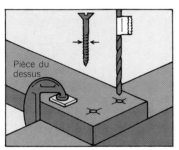

2. Choisissez un foret dont le diamètre égale celui de la partie non filetée de la vis. Sur le foret, indiquez la longueur de la vis avec du ruban. Percez un trou de guidage, en n'excédant pas la profondeur indiquée par le ruban.

3. Si vous utilisez des vis à tête fraisée, percez une noyure d'un diamètre égal à celui de la tête des vis. Contrôlez le diamètre en plaçant la tête vers le bas, au-dessus de la noyure.

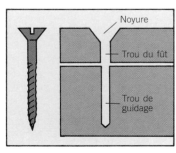

4. Enduisez les filets de cire pour faciliter la pose de la vis. Insérez la vis dans le trou et serrez-la jusqu'à ce que la tête affleure la surface.

Autres techniques

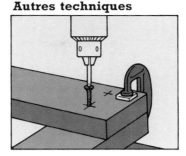

Pour serrer des vis à placoplâtre dans un assemblage en bois, utilisez une perceuse à vitesse variable et une pointe cruciforme. Laissez le poids de l'outil enfoncer la vis ; posez-la à petite vitesse. S'il y a lieu, percez d'abord un trou de guidage.

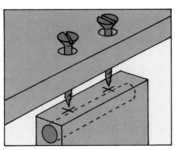

Dans un grain d'extrémité fragile, percez un trou et insérez-y un goujon en bois franc. Enfoncez ensuite les vis dans le goujon comme d'habitude, pour réaliser un assemblage solide. Vous pourriez aussi employer une vis trois fois plus longue.

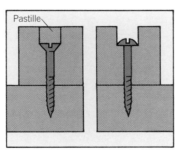

Pour unir des pièces épaisses avec des vis de longueur normale, réalisez un profond lamage, c'est-à-dire un trou dont la largeur permette le passage de la tête de la vis. Posez ensuite la vis ; percez une noyure si vous utilisez une vis à tête fraisée.

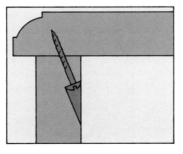

Pour fixer le plateau d'une table ou d'un meuble de rangement, pratiquez, de biais, avec une perceuse ou un ciseau, un long évidement sur la face latérale du bâti. Avant de poser la vis, percez un trou de guidage dans l'évidement en conservant le même angle.

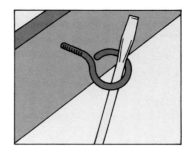

Pour poser un piton fermé qui ne peut être vissé manuellement, percez d'abord un trou de guidage. Amorcez le vissage à la main ; insérez ensuite la tige d'un tournevis ou une tige de métal dans le piton et vissez.

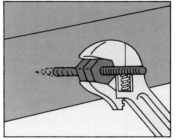

Pour poser un boulon-vis, percez un trou de guidage. Serrez ensuite deux écrous sur presque toute la longueur du filetage de façon qu'ils se bloquent l'un l'autre. Logez-les ensuite dans une clé pour visser le boulon-vis dans la pièce.

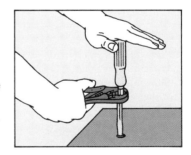

Une vis coincée peut souvent être desserrée à l'aide d'un tournevis à tige carrée dont l'embout s'adapte sans jeu dans la fente. Il s'agit de bloquer une pince-étau ou une clé à molette sur la tige du tournevis et de pousser fort vers le bas tout en tournant le tournevis.

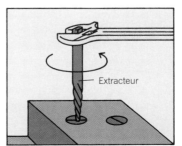

Pour déloger une vis brisée ou figée, percez un petit trou dans la partie supérieure de la vis. Insérez-y ensuite un extracteur et desserrez la vis en tournant l'outil avec une clé. À défaut d'extracteur, bloquez un clou à bois à pointe carrée dans une pince-étau.

Attaches / Boulons et écrous

Boulons et écrous forment des assemblages solides mais faciles à démonter. Les boulons mécaniques et poêliers conviennent au métal et aux matériaux minces ; le boulon de carrosserie, aux assemblages en bois démontables.

Dimension des boulons. La dimension des boulons s'exprime généralement comme suit : 1/4-20 x 1 1/2, où 1/4 (po) est le diamètre, 20 le pas et 1 1/2 (po) la longueur. Si la dimension du boulon est donnée en métrique, elle s'exprime ainsi : M 6 x 38, où M est l'abréviation de métrique, 6 (mm) le diamètre et 38 (mm) la longueur. Normalement, plus le boulon est gros, moins il y a de filets au pouce ou au centimètre. Comme pour les vis (p. 82), la longueur exclut tout renflement de la tête. Le diamètre d'une vis mécanique s'exprime par un numéro de calibre. (Une vis mécanique est un boulon poêlier d'un diamètre inférieur à 1/2 po [12,5 mm].)

Serrez un écrou ou un boulon à tête hexagonale avec une clé ; une pince peut les endommager.

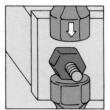 

Desserrer un écrou figé. Faites-le tremper 10 à 15 minutes dans de l'huile de décapage. S'il reste figé, placez un marteau contre un pan et frappez le pan opposé avec un autre marteau. S'il est très rouillé, sciez-le sur deux faces avec une scie à métaux.

Types de boulons

Boulon mécanique. Tête hexagonale ou carrée ; peut recevoir un écrou hexagonal ou carré.

Boulon de carrosserie. Tête ovale sans fente. Le collet pénètre dans le bois et bloque le boulon.

Boulon poêlier. D'usage général. Tête fendue. Identique à la vis mécanique, plus petite.

Tête du boulon poêlier. Plate : affleure ; bombée : facile à ôter ; ronde : reçoit une rondelle.

Attaches filetées spéciales

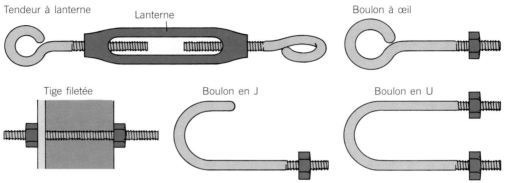

Autres attaches filetées. Les boulons à œil et les boulons en J peuvent recevoir cordes, fils ou crochets. Les boulons en U s'adaptent à des tuyaux. Un tendeur à lanterne possède des yeux ou des crochets filetés que la rotation de la lanterne déplace latéralement ; il exerce la traction diagonale qui assure l'horizontalité d'une barrière ou d'une porte moustiquaire. Utilisée avec deux écrous ou plus, une tige filetée peut unir un des objets d'une épaisseur supérieure à la longueur d'un boulon.

Types d'écrous

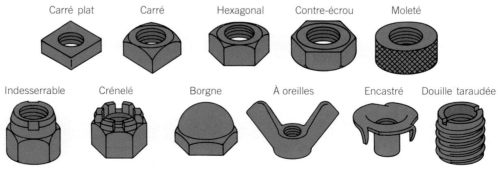

Écrous courants. Le contre-écrou bloque un écrou carré ou hexagonal. L'écrou indesserrable assure son propre blocage. L'écrou crénelé permet la mobilité d'une roue ou d'une autre pièce. Tout en étant décoratif, l'écrou borgne protège le boulon. L'écrou moleté et l'écrou à oreilles peuvent être serrés manuellement. L'écrou encastré est placé sur l'une des faces d'une planche et reçoit un boulon inséré sur l'autre face. Vissée dans le bois, la douille taraudée reçoit un boulon.

Types de rondelles

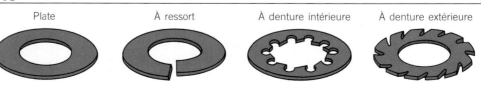

Rondelles courantes. La rondelle plate se place sous la tête d'un boulon ou d'un écrou pour répartir la pression et protéger la surface, celle à ressort ou à denture empêche le desserrement.

Attaches pour cloison creuse

Si possible, fixez tout objet sur les montants derrière une cloison. Fixez-y toujours les objets lourds. Les tire-fond et les boulons-vis sont l'idéal mais on peut utiliser tout clou ou vis pouvant pénétrer profondément dans les montants ; percez un trou de guidage si vous posez une vis. Si les montants sont en métal, utilisez des vis pour tôle (p. 82) ; percez un trou jusqu'à un montant, entamez-le avec un amorçoir et percez un petit trou de guidage. Ce travail est réalisable en une seule étape avec des vis autotaraudeuses pour montants métalliques et une perceuse électrique.

Fixez un objet de poids moyen avec des attaches pour cloison creuse. Le calibre de l'attache va dépendre de l'épaisseur de la cloison ; pour la connaître, percez un trou de ¼ po (6 mm) là où sera posée l'attache et insérez-y un clou à bois de 6d (ou moins) tête première. Butez-la contre la face interne de la cloison. Marquez le clou à l'ouverture du trou, ôtez le clou et mesurez l'épaisseur.

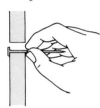

Si l'objet est léger, une cheville en plastique suffit.

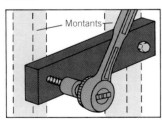

Pour poser un objet lourd sur une cloison creuse, vissez une planchette sur les montants avec des tire-fond et fixez-y l'objet. Repérez les montants avec un détecteur (p. 191).

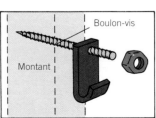

Une autre façon de fixer un objet lourd consiste à visser un boulon-vis dans un montant (p. 83). Serrez ensuite un écrou sur le filetage du boulon mécanique pour fixer l'objet, ou utilisez un crochet.

Types d'attaches et pose

Ailettes
Boulon

Boulon à ailettes. Les ailettes à ressort s'ouvrent derrière la cloison. Fixation solide, mais gros trou. Ailettes non récupérables. Calibre en fonction de l'épaisseur du mur et du poids de l'objet.

Passez le boulon dans l'objet et les ailettes. Percez un trou.

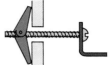
Les ailettes derrière la cloison, tirez le boulon pour qu'elles butent.

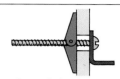
Serrez le boulon jusqu'à ce que l'objet soit solidement fixé.

Boulon à gaine d'expansion. La gaine s'aplatit contre la cloison quand on serre le boulon ; elle demeure en place si celui-ci est ôté. Calibre déterminé par l'épaisseur de la cloison.

Percez un trou. Logez-y le boulon. Enfoncez les pointes.

Serrez jusqu'à ce que vous sentiez une forte résistance.

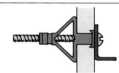
Ôtez le boulon. Passez-le dans l'objet, puis resserrez-le.

Boulon à gaine d'expansion pour porte creuse. Comme le boulon à gaine d'expansion pour cloison creuse. Sert avec des matériaux plus minces.

Percez un trou. Logez-y le boulon.

Serrez jusqu'à ce que vous sentiez une forte résistance.

Ôtez le boulon. Passez-le dans l'objet, puis resserrez-le.

Ailettes en plastique. Comme le boulon à ailettes ; le trou nécessaire est moins large et l'attache est récupérable. Choisissez un calibre convenant à l'épaisseur de la cloison.

Percez un trou. Rabattez les ailettes et passez-les dans le trou.

Avec un clou ou la pointe en plastique, ouvrez les ailettes.

Passez la vis dans l'objet, puis serrez-la dans la cheville.

Tampon métallique à enfoncer. Les pointes restent droites pendant la pose au marteau. Elles s'écartent lorsque la vis est serrée, assurant alors une fixation solide. Calibre unique.

Percez un trou de ⅛ po dans un bloc de béton ou du plâtre.

Tenez les pointes horizontalement ; enfoncez le tampon.

Passez la vis dans l'objet, puis serrez-la dans le tampon.

Attaches / Maçonnerie et béton

Fixez fourrures, châssis de fenêtres, etc., sur des blocs de maçonnerie ou du béton avec des clous à maçonnerie, enfoncés de $\frac{7}{8}$ po (22 mm) à $1\frac{1}{2}$ po (40 mm) dans les blocs ou les joints de mortier et de $\frac{3}{4}$ po (19 mm) à 1 po (25 mm) dans le béton. Percez un trou de guidage dans le béton armé.

Pour assurer votre sécurité et une fixation solide, enfoncez les clous bien droit et frappez-les d'aplomb ; un coup mal assuré risque de les briser. Utilisez un marteau en acier trempé : les clous peuvent ébrécher un métal plus mou. Portez toujours des lunettes protectrices. Si vous devez enfoncer beaucoup de clous à la fois, un

marteau à main pourrait vous être utile. Il maintient une pointe (goujon) bien droite et l'enfonce grâce à un piston. Pour plus de rapidité, procurez-vous un outil semblable, qui utilise l'énergie de cartouches à blanc de calibre .22 pour enfoncer le goujon. Rangez-le, ainsi que les cartouches, dans un placard sous clef.

Clous et vis à maçonnerie

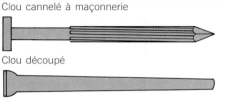

Clou cannelé à maçonnerie

Clou découpé

Les clous à maçonnerie sont en acier trempé. Le clou à tête plate a généralement une tige cannelée ; il pénètre les matériaux dont la dureté empêche l'emploi d'un clou découpé. Enfoncez ces deux types de clous avec une massette.
ATTENTION ! Les clous à maçonnerie cassent facilement. Portez des lunettes protectrices ; utilisez un marteau en acier trempé.

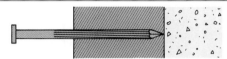

Enfoncez le clou bien droit dans la pièce de bois jusqu'à ce qu'il atteigne le béton.

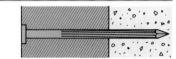

Enfoncez ensuite le clou dans le béton en frappant la tête avec force et d'aplomb.

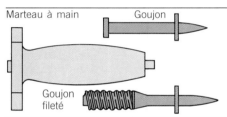

Marteau à main   Goujon

Goujon fileté

Les goujons à maçonnerie sont enfoncés avec un outil spécial afin que leur position et l'angle de frappe soient adéquats. Utilisez une massette. Quand l'outil enfonce le goujon, une rondelle retient celui-ci dans la lumière de l'outil ; elle glisse vers le haut de la tige et offre une surface d'appui supplémentaire sous la tête.

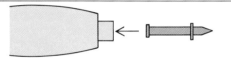

Logez la tête du goujon dans la lumière de l'outil.

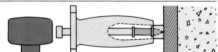

Posez la pointe du goujon contre la pièce à fixer. Frappez légèrement le piston jusqu'à ce qu'il bute contre le goujon ; frappez fort.

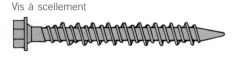

Vis à scellement

Les vis à scellement sont en acier trempé. Elles possèdent des filets tranchants et larges qui mordent dans le béton. On les pose comme la vis à bois, en perçant un trou de guidage. S'il n'y a pas de trous de montage sur la pièce à fixer, percez-en d'abord qui soient assez larges pour que les vis y passent sans gripper.

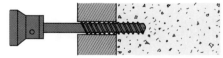

Positionnez la pièce à fixer et percez dans le mur un trou dont le diamètre égale celui de la partie non filetée de la vis.

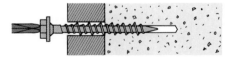

Glissez la vis dans le trou ; posez-la avec une pointe cruciforme ou une douille hexagonale mue par une perceuse à vitesse variable ou un tournevis électrique.

Tamponnement du béton et de la maçonnerie

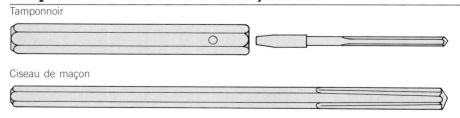

Tamponnoir

Ciseau de maçon

Pour tamponner le béton, la brique ou la pierre, utilisez un tamponnoir si le trou a moins de $\frac{1}{4}$ po. Pour les trous plus grands, jusqu'à 1 po, utilisez un ciseau de maçon. Portez des gants et des lunettes protectrices. Tenez l'outil près du centre et frappez-le d'aplomb avec une massette. Après chaque coup, tournez-le un peu ; de temps à autre, retirez-le pour éliminer la poussière.

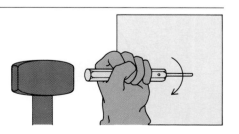

Quand on fixe des crochets ou des objets lourds sur des murs de maçonnerie ou de béton, les chevilles sont gages d'une sécurité accrue. La plupart se dilatent quand on y enfonce une vis et font pression contre les parois du trou où elles sont logées. Les ailettes en plastique (p. 85) sont aussi utilisables ; dans un mur plein, elles demeurent fermées et font pression sur les parois du trou. Elles risquent moins de fendre la brique que les chevilles.

Les vis à scellement peuvent remplacer les chevilles. Vous pouvez percer un trou et les poser alors que l'objet à fixer est en place. (Avant de percer le trou d'une cheville, vous devez retirer l'objet après en avoir marqué la position.) Bien qu'il soit plus aisé de percer un trou dans la maçonnerie ou le béton avec un foret à pointe de carbure (p. 54), on peut y arriver manuellement avec un ciseau de maçon ou un tamponnoir. Avant de percer un gros trou, faites-en un petit, puis élargissez-le peu à peu.

Chevilles à maçonnerie

Goujon en bois

Vis à tête ronde

Les goujons en bois permettent de fixer des objets légers sur de la maçonnerie de façon simple et économique. Utilisez un goujon de ⅜ po ou de ½ po avec une vis n° 10 ou moins ; le diamètre du goujon ne doit pas excéder celui de la vis de plus de ¼ po.

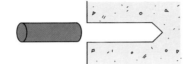
Percez un trou à la profondeur voulue, et d'un diamètre adéquat au goujon.

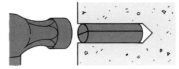
Fendez le goujon avec un ciseau ; enfoncez les moitiés ensemble, leur extrémité affleurant la surface.

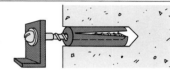
Glissez une rondelle sur une vis à tête ronde ; passez la vis dans l'objet à fixer ; vissez dans le goujon.

Cheville en plomb

Cheville en plastique

Cheville en plastique

Les chevilles en plomb, en plastique ou en fibres et les attaches de même type se dilatent quand on y enfonce une vis à tôle, une vis à bois ou un tire-fond. Choisissez le modèle et le calibre convenant au poids de l'objet. La cheville de plomb assure la meilleure fixation.

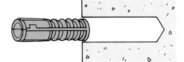
Percez un trou juste assez gros pour que la cheville en plomb y pénètre sans jeu. Posez la cheville.

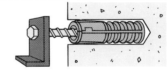
Vissez un tire-fond dans l'objet, puis la cheville. Si celle-ci tourne, ôtez-la, entourez-la de ruban.

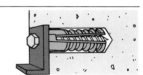
Vissez le tire-fond jusqu'à ce que l'objet soit solidement fixé. Ne serrez pas trop.

Cheville pour vis mécanique

Outil de fixation

Les chevilles pour vis mécaniques assurent une fixation très solide. À l'intérieur, un coin en acier dur provoque la dilatation de l'enveloppe externe en plomb de la cheville, quand un outil de fixation spécial est inséré à fond dans la lumière. Le coin est fileté et peut recevoir une vis mécanique.

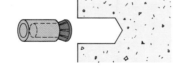
La cheville ne doit pas être lâche. La profondeur du trou doit excéder un peu la longueur de l'enveloppe.

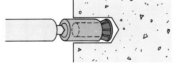
Posez l'outil sur la cheville. Avec une massette, enfoncez-la en frappant fort ; elle doit affleurer.

Passez une vis mécanique dans l'objet à fixer ; serrez-la jusqu'à ce que l'objet soit bien fixé.

Boulon à maçonnerie

Tête filetée

Boulon à œil

Les boulons à maçonnerie servent à fixer des objets lourds sur un mur plein. Au fond de la cheville, un coin provoque l'ouverture du manchon quand un boulon est vissé dans la cheville. Les boulons à maçonnerie sont offerts dans de nombreux calibres ; leur tête est filetée ou en forme d'œil.

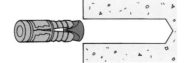
Percez un trou assez gros pour que la cheville y pénètre sans jeu. Posez la cheville.

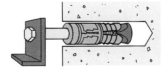
Passez le boulon dans l'objet à fixer ; vissez-le dans la cheville.

Serrez le boulon pour que le manchon s'ouvre ; fixez fermement l'objet.

Adhésifs / Colles tout usage

Adhésif	Marques (exemples)	Usages courants	Composants	Application	Caractéristiques	Solvant
Acétate de polyvinyle (PVA ou colle blanche)	Glue-All (Elmer) Bondfast (LePage) Supergrip (LePage) GF Glue	Réparations diverses dans la maison, meubles, boiseries intérieures, papier, céramique.	Monocomposant — liquide : prêt à l'usage.	Applicateur de la bouteille : petits travaux. Pinceau : travaux d'envergure.	Durcissement : environ 8 h à 21°C (70°F). Prise : 24 h. Soluble dans l'eau ; ne pas utiliser sur des matériaux exposés à l'eau. Rigide, clair.	Savon, eau chaude
Acrylique	3 Ton Adhesive Plastic Welder (Devcon) Weather Ban Miracle Mender Acrylic Latex Sealant	Collage rapide et extra-résistant — bois, métal, verre, meubles de jardin.	Bicomposant — liquide et poudre (mélanger juste avant usage) ou liquide et pâte (appliquer sur chaque surface).	Pinceau, couteau à mastic, baguette de bois, selon le travail.	Durcissement : 5 min et plus. Prise : une nuit. Imperméable, rigide, jaunit en séchant.	Acétone (dissolvant) Nettoyant naturel 3M
Aliphatique (colle jaune ou de menuisier)	Titebond BriColle (Elmer)	Adhésif tout usage — construction et réparation de meubles, ébénisterie.	Monocomposant — liquide : prêt à l'usage.	Directement de la bouteille en plastique déformable. Serrage : au moins 45 min.	Durcissement : moins de 1 h. Prise : une nuit. Soluble dans l'eau ; intérieur seulement. Rigide, clair.	Eau chaude
Cellulose	Duco Cement (clair) Ambroid (ambre) Répare-porcelaine (LePage)	Bois, porcelaine, verre, tissus, modèles réduits. Essayer sur le plastique : si une goutte l'attaque, le produit le collera probablement.	Monocomposant — liquide : prêt à l'usage.	Directement du contenant. Joint résistant : deux couches sur chaque surface ; laisser la première devenir poisseuse avant d'appliquer la seconde.	Durcissement : 60 % de la résistance finale en 2 h. Prise : 90 % en 2 jours. Imperméable, modérément souple, claire ou ambre.	Acétone (dissolvant)
Cyanoacrylate (supercolle ou colle instantanée)	Krazy Glue Hot Stuff Super colle InstaBond Wonder Bond Plus	Liquide : plastiques, métaux, vinyle, caoutchouc, céramique. Gel : bois et autres matériaux poreux.	Monocomposant — liquide ou gel : prêt à l'usage.	Directement du tube. **ATTENTION !** Protéger la peau et ne pas pointer le tube vers la figure.	Durcissement : de 10 à 30 sec. Prise : de 30 min à 12 h. Imperméable, de rigide à semi-rigide, extra-résistant, clair.	Acétone (dissolvant)
Époxyde	Colle époxydique 5 min. Colle époxydique (Elmer) Adhésif Scotch-Weld Colle époxydique Super-Fast Cold Cure Epoxy	Bois, métal, porcelaine, verre, la plupart des autres matériaux. Particulièrement efficace pour lier des matériaux différents, comme le métal et le verre.	Bicomposant — deux liquides sirupeux (mélanger en quantités égales juste avant usage). Offert en tube, en seringue double et en mastic à mélanger.	Baguette de bois, couteau à mastic, pinceau, allumette ou directement de la seringue. Pétrir les mastics ensemble. Difficile à enlever ; utiliser des pinceaux jetables.	Durcissement : de 5 min à une nuit à la température ambiante, selon le type. Prise : de 3 h à plusieurs jours. Imperméable, de rigide à semi-rigide, extra-résistant, clair ou brunâtre.	Acétone (dissolvant), pour adhésif pris seulement
Polychlorure de vinyle (PVC)	Adhésif Super Scotch	Réparations rapides et artisanat ; porcelaine, marbre, verre, bois, métal, plastique.	Monocomposant — liquide : prêt à l'usage.	Directement du tube ou utiliser une baguette de bois.	Durcissement : quelques minutes. Prise : plus longue ; voir la notice. Imperméable, semi-rigide, clair.	Acétone (dissolvant)
Résorcinol	Weldwood Waterproof Glue Adhésif pour plastique Scotch-Grip	Réparations extra-résistantes de pièces en bois ; construction de bateaux, meubles de jardin.	Bicomposant — liquide et poudre (mélanger juste avant usage).	Pinceau, rouleau, baguette de bois, selon le travail. Nettoyer avant durcissement : la colle ne peut être enlevée après.	Durcissement et prise : 10 h à 21°C (70°F), 6 h à 27°C (80°F), 3 h 30 à 32°C (90°F). Imperméable, rigide, rouge foncé.	Eau froide, avant durcissement
Styrène butadiène (dissolution)	Adhésif-calfeutre au butylcaoutchouc (LePage) Adhésif au butylcaoutchouc Weather Ban	Adhésif polyvalent. Temporaire — métal, verre, plastiques ; fixation de papier de verre sur disque à poncer.	Monocomposant — pâte épaisse : prêt à l'usage.	Spatule, couteau à mastic, truelle : travaux d'envergure. Directement du tube : petits travaux.	Durcissement et prise : environ 48 h. Imperméable, rigide, noir ou blanc.	Essence minérale, comme la térébenthine
Urée formaldéhyde	Colle résine de plastique Panite (LePage) Aerolite 306	Réparations extra-résistantes — meubles et placards.	Monocomposant — poudre (diluer selon les instructions).	Pinceau, rouleau ou spatule, selon le travail.	Durcissement : de 9 à 13 h à 21°C (70°F). Prise : 24 h. Imperméable une fois prise, rigide, brun pâle.	Savon, eau chaude avant durcissement

Parmi les nombreux adhésifs offerts, certains sont polyvalents. Leur description figure à la page précédente. Le tableau ci-contre contient la description de produits à usages plus limités. D'autres adhésifs sont conçus pour des travaux particuliers, comme la pose de panneaux muraux ou de tuiles à plafond.

Résistance à l'eau. Les adhésifs PVA (colle blanche) et aliphatiques (colle de menuisier) ainsi que les colles caséines et de peau à base d'eau sont solubles dans l'eau. Ne vous en servez donc pas sur les objets devant être exposés aux intempéries ou à l'humidité. Optez pour un adhésif imperméable si l'objet doit être occasionnellement exposé à l'humidité et pour une colle imperméable s'il risque d'être immergé ou mouillé régulièrement.

Préparation des surfaces. Nettoyez les deux surfaces à fond. Toute trace d'huile ou de saleté empêchera l'adhérence. Décapez le bois (p. 117) ou poncez-le pour ôter la cire, la peinture ou le vernis. Frottez le métal, le verre et les autres matériaux non poreux avec un dégraissant, comme l'alcool.

Serrage et prise. L'application d'un adhésif est suivie de la pose de serres (p. 34-35), qui demeurent en place durant la *période de durcissement.* Durant la *période de prise,* le joint atteint sa résistance maximale. Une pièce collée ne doit servir qu'après la période de prise. Pour le verre, la porcelaine et les matériaux se prêtant mal au serrage, utilisez une colle à durcissement instantané ou rapide.

Adhésif	Marques (exemples)	Usages courants	Application	Solvant
Base de latex	Multi-Purpose Latex Adhesive SAF-T (Elmer) Adhésif pour plastique Scotch-Grip	Tissus, tapis, papier, carton.	Directement du tube. Directement de la boîte (baguette de bois).	Essence à briquet Nettoyant 3M
Colle caséine	National Casein Co. No. 30	Colle à meubles ordinaire. Efficace sur les bois huileux (teck, bois de rose). Tache les bois tendres.	Diluer la poudre dans de l'eau ; étendre (pinceau, rouleau ou baguette de bois).	Eau chaude
Colle contact	Premium Contact Cement (Elmer) Adhésif de contact 3M Colle de ménage (LePage) SAF-T Contact Cement (Elmer) Colle contact Pres-Tite	Collage permanent du plastique stratifié sur un plan de travail. Travaux où le serrage se révèle difficile, comme la repose d'une tuile murale.	Pinceau ou rouleau ; étendre sur les deux surfaces. Liaison instantanée.	Acétone (dissolvant) Nettoyant naturel 3M
Colle de peau	Behlen Pearl Hide Glue Les produits sous forme de flocons ou de granules portent généralement le nom du détaillant.	Réparation de meubles assemblés avec de la colle de peau, incompatible avec les colles aliphatiques ou PVA. Soluble dans l'eau ; ne pas utiliser sur les meubles de jardin.	Dissoudre les flocons dans de l'eau chaude. Chauffer au bain-marie à 54°C (130°F). Étendre à chaud. Durcit rapidement. Forme liquide : directement de la bouteille.	Eau chaude
Frein-filet (résine anaérobie)	Rondelle de blocage liquide Perma-Lok Adhésif époxydique Scotch-Weld Adhésif Scotch-Grip pour caoutchouc et joints Adhésif instantané Pronto	Blocage des filets de boulons et de vis. Durcit en l'absence d'air entre des pièces métalliques très serrées l'une contre l'autre.	Directement du tube ou de la bouteille déformable.	Savon, eau chaude avant durcissement
Mastic	Tile & Tub (LePage) Mastic industriel Scotch-Grip Poly Fix	Plafonds, murs, carrelages, contre-plaqué, béton, asphalte, cuir, textiles.	Directement du tube. Directement de la boîte (baguette ou truelle brettée).	Essence minérale (voir la notice)
Polyester	Résine de fibre de verre Fiberglass Scellant marin Scotch-Seal	Collage de fibre de verre sur un bateau. Colmatage des éviers et auvents en fibre de verre.	Ajouter le catalyseur et étendre au pinceau.	Acétone (dissolvant)
Soudure liquide	Liquid Solder (LePage) Liquid Steel Scellant pour métal Scotch-Seal Plastic Steel	Aluminium, étain, autres métaux et matériaux. Ne pas utiliser pour souder les épissures de fils électriques.	Directement du tube. Directement de la boîte (pinceau ou baguette de bois).	Acétone (dissolvant)
Thermofusible	Thermogrip Hot Melt Jet Melt 3M	Réparations rapides — cuirs et tissus. Produit de remplissage pour les meubles ayant du jeu.	Pistolet-colleur (p. 90).	Acétone (dissolvant)
Uréthane	Urethane Bond (Dow Corning) Stix-All (Elmer) Adhésif uréthanique Scotch-Weld Ultragrip (LePage)	Joint résistant et extra-souple sur du bois ou entre du bois et du métal ou du verre.	Directement du tube.	Alcool avant durcissement

ATTENTION ! Les adhésifs sont inflammables et volatils. Travaillez dans un lieu aéré. Abstenez-vous de fumer, de manger ou de boire. Les adhésifs irritent la peau et les yeux et sont toxiques si on les avale. Gardez-les sous clé.

L'adhésif thermofusible produit un joint moins résistant que celui de la plupart des autres adhésifs. En revanche, il durcit vite et sert à réparer rapidement meubles, jouets, chaussures, tapis, céramiques, carrelages et articles de bois et de cuir. La colle, vendue en bâtonnets, est appliquée au pistolet-colleur électrique.

Insérez un bâtonnet dans le pistolet ; laissez chauffer de 3 à 5 minutes et appliquez la colle en appuyant sur la détente ou le bâtonnet, selon le pistolet. Faites vite : vous disposez d'environ 10 à 15 secondes. La colle acquiert 90 p. 100 de sa résistance en moins d'une minute.

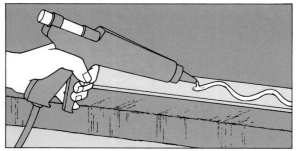

Joint droit. Appliquez une bonne quantité de colle rapidement, en décrivant une ligne ondulée sur une des surfaces. Moins de 15 secondes plus tard, assemblez les pièces. Tenez-les 30 secondes. Coupez le surplus avec un couteau.

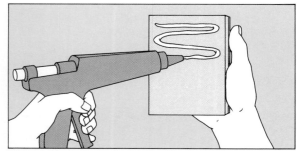

Tuile ou autre pièce large. Appliquez rapidement un épais filet de colle en décrivant un large zigzag ; posez la tuile et maintenez-la en place durant 30 secondes, jusqu'au durcissement de la colle. Coupez le surplus avec un couteau.

Ruban	Description	Usages
Antidérapant	Plastique épais imperméable, à texture rude, enduit d'un adhésif fort.	Prévention des chutes (baignoires, douches, escaliers, entrées, planches à roulettes, échelles).
À cheminée	Ruban métallique ayant une très grande résistance à la chaleur. Enduit d'un adhésif fort.	Joints de tuyaux (chaudières). Colmatage de fuites dans les conduites d'air chaud.
Collant double face	Plastique ou toile, enduit d'un adhésif modérément fort sur ses deux faces. Il existe un ruban imperméable à usage extérieur.	Fixation de tapis et de carpettes (maison, patio). Coller sur le plancher, détacher la pellicule protectrice et poser le tapis en appuyant. Nombreux autres usages : fixation d'affiches et d'autres articles sur les murs, pose de papier de verre sur un bloc, etc.
Couvre-joint ajouré en fibre de verre	Treillis en fibre de verre, mince et résistant, enduit d'un adhésif poisseux.	Réparations et joints sur du placoplâtre. Utilisé avec de la pâte à joints.
Isolant	Vinyle mince extensible, ignifuge, enduit d'un adhésif modérément fort. Plus durable que le chatterton.	Isolation d'épissures temporaires ou d'urgence (cordons, autres composants électriques). Ne jamais utiliser sur les fils dans la maison.
Métallique	Feuille d'aluminium de fort calibre, enduite d'un adhésif fort.	Scellement et réparation de gouttières, de conduites et de parements en aluminium.
En mousse	Âme en mousse souple, enduite d'un adhésif fort sur ses deux faces.	Fixation d'articles légers sur des surfaces rudes, comme la brique ou le béton. Se pose comme le ruban collant double face (voir plus haut).
En plastique	Vinyle mince et extensible, imperméable, enduit d'un adhésif modérément fort. Choix de couleurs.	Réparations légères (capitonnage en plastique et autres matériaux). Couleurs servant aussi au marquage d'articles ou au jalonnement.
Réfléchissant	Ruban en plastique imperméable. Son revêtement brille lorsque la lumière le frappe.	Marquage du début des escaliers et des coins saillants, particulièrement dans les sous-sols, les allées, les garages et les entrées. Marquage des vélos et des vêtements d'enfants ou de coureurs.
Ruban-cache	Papier épais uni, bis ou blanc, enduit d'un adhésif modérément fort.	Masquage de fenêtres ou marquage de lignes avant l'application de peinture. Nombreux usages temporaires, dont le serrage de pièces à coller. Très polyvalent. Difficile à ôter s'il est laissé longtemps sur une surface.
Scellant	Ruban en plastique épais, imperméable, enduit d'un adhésif fort.	Colmatage de fentes autour des portes, des fenêtres, des climatiseurs, des conduites d'air froid et des enceintes protectrices en plastique.
Séparateur	Tissu plastifié résistant, argent, enduit d'un adhésif modérément fort. Résiste à l'humidité, à la chaleur et au froid.	Scellement de joints de conduites. Ruban très polyvalent, nombreux usages intérieurs et extérieurs. Souvent utilisé pour des réparations temporaires (verre fêlé, tapis ou accessoire de camping déchiré, etc.).
Téflon	Mince ruban de téflon sans adhésif.	Étanchement du filetage des tuyaux de plomberie en métal ou en plastique.
De toile	Tissu imperméable enduit d'un adhésif modérément fort. Diverses couleurs vives.	Réparations (livres, albums, capitonnage en plastique, articles de maison).

Travail du bois
Types de bois, techniques et finition

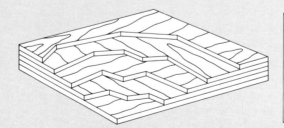  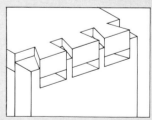

Le bois est le matériau le plus utilisé dans les travaux de bricolage et de réparation. Résistant, facile à façonner et disponible en multiples dimensions, formes et couleurs, il est agréable à travailler. Installer des moulures, fabriquer des boîtes, faire des assemblages ou finir des meubles : ce chapitre vous dira comment vous y prendre.

D'autres chapitres du livre vous renseigneront sur les outils et leur emploi, les adhésifs et les fixations, ainsi que sur les applications pratiques du bois.

Pour bien façonner le bois, il est essentiel de comprendre d'où il vient : de l'arbre, depuis son écorce jusqu'à ses fibres internes. Lorsque vous connaîtrez les caractéristiques des différents types de bois, vous serez en mesure de choisir ceux qui conviendront le mieux à vos besoins (voir tableau, page suivante).

Les arbres sont constitués, en gros, de 60 p. 100 de cellulose et de 25 p. 100 de lignine ; c'est cette dernière qui donne du corps au bois. Les 15 p. 100 qui restent sont formés de minéraux divers, dont le potassium, qui confèrent aux diverses essences une partie de leurs qualités individuelles, telles que la couleur, l'odeur et la résistance au pourrissement.

Les éléments suivants sont communs à tous les arbres : l'*écorce,* partie morte, enveloppe protectrice ; le *liber,* qui distribue les éléments nutritifs élaborés dans les feuilles aux autres parties ; le *cambium,* assise génératrice qui donne naissance au liber et au bois ; l'*aubier,* partie tendre qui véhicule la sève des racines aux feuilles ; les *anneaux de croissance,* qui indiquent l'âge de l'arbre (un anneau par année) et sa robustesse (plus les couches sont minces, plus l'arbre est solide) ; la *médulle,* cœur de l'arbre ; les *rayons médullaires,* réserves nutritives de l'arbre.

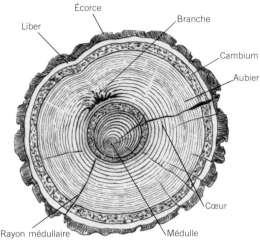

Écorce — Branche — Cambium — Aubier — Cœur — Médulle — Liber — Rayon médullaire

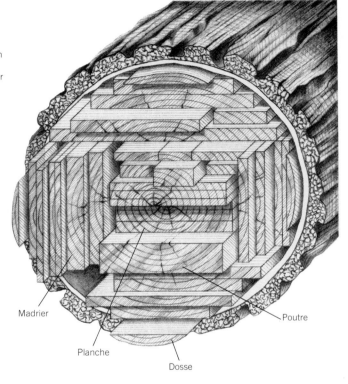

Madrier — Planche — Dosse — Poutre

Transformation de la bille
L'écorce sert de combustible et, dans certains cas, de paillis. Les dosses sont réduites en copeaux, dont on fait des panneaux. Du reste, on tire des planches et des madriers variant en épaisseur de 1 po à 3 po et, près du centre, du bois de construction, notamment de gros madriers et des poutres.

Retrait et gauchissement

À mesure que s'évapore l'eau dans le bois d'œuvre récemment débité (bois vert), celui-ci rétrécit et durcit. On atténue l'effet de gauchissement qui accompagne le retrait en empilant le bois de façon que chaque pièce soit aérée : séparez chaque rang au moyen de pièces de 2 x 4 (38 x 89 mm) et recouvrez-le d'une feuille de polythène). Le séchage au four réduit la teneur en eau ; mais le bois séché de cette manière aura tendance à absorber l'humidité de l'atmosphère s'il n'est pas scellé.

Évitez d'acheter du bois avec des défauts (voir ci-dessous). Éliminez les encoches ou les gerces avec une scie circulaire ou un plateau de sciage. Coupez en deux les planches gauchies et redressez-les au moyen d'une corroyeuse (p. 110). Sectionnez les planches tordues et rabotez-les.

    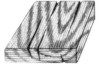 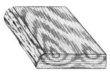

Courbure. Planche recourbée sur son chant.

Arc. Planche recourbée sur le plat.

Gauchissement. Courbure transversale.

Torsion. Tordue en plusieurs sens.

Nœuds sains. Peuvent néanmoins se fendiller.

Gerces le long des anneaux de croissance.

Cavités entre les anneaux de croissance.

Chants non ou mal équarris.

Types de bois

On utilise généralement deux termes pour classer le bois : *dur* et *tendre*. Ces qualificatifs ne sont toutefois pas toujours précis. Certains bois tendres, notamment le sapin de Douglas, sont plus durs que certains bois dits durs, comme l'acajou des Philippines.

Le bois tendre provient des conifères (pin, cèdre, épinette, sapin, pruche). Il est moins cher et plus facile à trouver que la plupart des bois durs. On l'utilise généralement en construction (charpente, échafaudage, bardeaux, planchers, quais, coffrages), parfois aussi en ébénisterie (pin blanc, par exemple). Les centres de rénovation vendent le bois tendre en dimensions et en longueurs standard appelées mesures nominales.

Le bois dur provient des arbres à feuilles caduques, c'est-à-dire qui perdent leur feuillage en hiver, tels que le chêne, le frêne ou le bouleau. Le bois dur est généralement plus résistant que le bois tendre et il coûte plus cher. On peut en obtenir une plus belle finition et il peut être taillé, assemblé et tourné aussi bien que le bois tendre, pour peu que les outils soient bien affûtés. Si vous ne trouvez pas l'essence désirée dans un centre de rénovation, faites appel à une entreprise spécialisée (en cherchant dans les pages jaunes sous *Bois de construction*).

Bois traité sous pression

Si votre ouvrage doit être en contact avec la terre, donc sujet à l'humidité et aux insectes, utilisez du bois traité sous pression (bois tendre enduit d'un agent protecteur). Il n'est pas facile de trouver du bois traité à la créosote ou au pentachlorophénol ; le bois traité à base d'eau et contenant de l'arsenic inorganique est plus sûr pour les travaux domestiques.

▶ **ATTENTION !** Lorsque vous utilisez du bois traité sous pression, travaillez dehors ; portez des lunettes de protection, des gants, une chemise à manches longues, des pantalons et un masque ; lavez séparément vos vêtements ; ne brûlez jamais les rebuts.

Bois tendres

Essences	Caractéristiques	Usages
Cèdre rouge de l'Est	Grain fin, texture unie, très résistant au pourrissement, léger, facile à travailler et à finir	Commodes, placards, revêtements extérieurs et panneaux
Cèdre rouge de l'Ouest	Grain fin, texture rugueuse, très résistant au pourrissement, léger, facile à travailler et à finir	Bardeaux, moulures, portes, bateaux, revêtements extérieurs et panneaux
Pin américain	Grain fin, texture moyenne, léger, facile à travailler, retrait minimal	Portes, cadres, panneaux, volets
Pin blanc de l'Est	Grain uni, texture moyenne, léger, facile à travailler, retrait minimal	Coffres, panneaux noueux, parement
Pin rouge	Grain fin, texture moyenne, léger, simple à façonner, retrait minimal, résineux	Bois de construction, panneaux, revêtements extérieurs
Pruche de l'Ouest	Grain fin, texture très lisse, léger, facile à travailler	Bois de construction, couche centrale des contre-plaqués
Sapin de Douglas	Grain fin, texture rugueuse, assez lourd, plus ou moins facile à travailler, difficile à peindre	Poteaux, placages, panneaux

Bois durs

Essences	Caractéristiques	Usages
Acajou	Grain fin, texture unie, très résistant au pourrissement, lourd, facile à travailler et à finir	Meubles, placages fins, lambris
Acajou des Philippines (lauan)	Grain grossier, texture variable, très résistant au pourrissement, léger, facile à façonner, finition tachetée	Gros travaux de construction, planchers industriels, meubles de qualité inférieure
Cerisier tardif	Grain uni, texture moyenne, assez lourd, plus ou moins facile à façonner	Meubles, coffres, panneaux
Chêne rouge	Grain grossier, texture rugueuse, résistant au pourrissement, lourd, facile à travailler et à finir	Poteaux de clôtures, planchers très solides
Érable	Grain uni, texture moyenne, lourd, difficile à travailler, facile à finir	Planchers (salles de danse, allées de quilles), meubles
Merisier	Grain uni, texture moyenne, difficile à travailler, facile à finir	Ébénisterie, armoires, contre-plaqué, portes
Noyer foncé	Grain grossier, texture unie, très résistant au pourrissement, assez lourd, facile à travailler et à finir	Meubles, panneaux, étagères
Teck	Grain grossier, texture moyenne, très résistant au pourrissement, très lourd, plus ou moins facile à travailler, facile à finir	Meubles, lambris

Avant d'acheter du bois, voyez quelles sont les catégories et les dimensions vendues dans votre région. Comparez avant d'acheter. Apportez la liste de ce dont vous avez besoin et un croquis de votre projet. Achetez des pièces sans défauts (p. 92). Prévoyez 10 p. 100 de perte.

Retrait. Le bois se contracte ou se gonfle en fonction du taux d'humidité. Attendez plusieurs semaines avant de le découper. Les dimensions réelles s'avèrent toujours inférieures aux dimensions *nominales,* en raison du retrait et du planage, mais les longueurs restent les mêmes.

Le bois tendre est classé selon sa *résistance* ou selon son *apparence.* Le bois de dimension (de 2 po x 2 po [38 x 38 mm] à 4 po x 12 po [89 x 280 mm]), utilisé comme poteau, montant, solive et poutre, est classé selon sa résistance, de même que le bois carré (5 po [117 mm] d'épaisseur), utilisé dans les maisons en pièce sur pièce, bien qu'il soit rarement estampillé. Le bois de planche (de 1 po x 2 po [19 x 38 mm] jusqu'à 12 po [280 mm]), utilisé comme revêtement (toits, murs et planchers), est classé selon l'apparence.

Les dimensions nominales du bois dur diffèrent de celles du bois tendre. L'épaisseur est donnée en quarts de pouce, de 4/4 (1 po) à 8/4 (2 po) ; la largeur correspond toujours à la largeur maximale d'une bille. Le bois s'achète en pieds de planche. Précisez si vous voulez le faire planer sur une face (P1F), sur deux chants (P2C), sur une face et deux chants (P1F2C), sur deux faces (P2F), et ainsi de suite.

Unités de mesure

Le bois de dimension, le bois carré et tous les bois durs sont vendus en pieds de planche : multipliez la largeur nominale par l'épaisseur nominale (en pouce) par la longueur (en pied) ; puis divisez par 12.

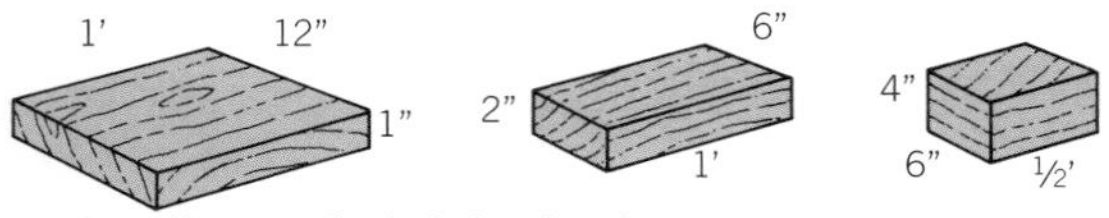

Toutes les pièces = 1 pied de planche

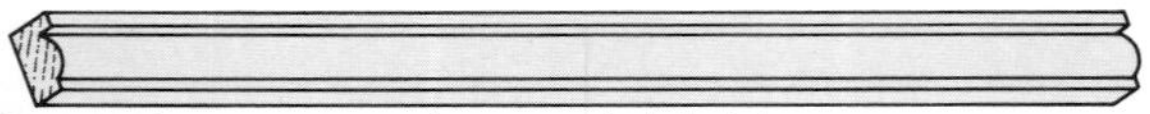

Les moulures sont vendues au pied linéaire.

Nominal	Réel	Nominal	Réel
1 x 6	¾" x 5½"	2 x 8	1½" x 7¼"
1 x 8	¾" x 7¼"	2 x 10	1½" x 9¼"
1 x 10	¾" x 9¼"	2 x 12	1½" x 11¼"
1 x 12	¾" x 11¼"	3 x 4	2½" x 3½"
2 x 2	1½" x 1½"	4 x 4	3½" x 3½"
2 x 3	1½" x 2½"	4 x 6	3½" x 5½"
2 x 4	1½" x 3½"	6 x 6	5½" x 5½"
2 x 6	1½" x 5½"	8 x 8	7½" x 7½"

Estampillage des bois tendres

Le bois tendre est classé par plusieurs associations. Les essences aux caractéristiques similaires sont souvent regroupées pour fins de mise en marché. Voici la classification de l'Association canadienne de l'industrie du bois.

Certification d'inspection : sigle de l'association qui a classé le bois.

Essences : symbole ou lettres les identifiant. Ici, S-P-F signifie *spruce/pine/fir* (épinette/pin/sapin).

Scierie : nom ou nombre l'identifiant.

Qualité : nom, nombre ou abréviation. La qualité *Standard* est employée dans les charpentes légères.

Teneur en humidité à l'usinage : *R-Sec* (19 % d'humidité ou moins) ; *MC-15* (15 % d'humidité ou moins) ; *S-GRN ou R-Vert* (19 % d'humidité ou plus).

C L® A
S-P-F
100
No. 2
S-GRN.

Catégories de bois tendres

Les planches sont classées selon leur apparence et non selon leur résistance. En voici les diverses qualités, des meilleures aux moins bonnes.
Qualité de choix : B ou mieux (optimal, défauts minimes) ; C (excellent, défauts naturels) ; D (quelques défauts, certains résultant de l'usinage).
Qualité de finition : plus grand nombre de défauts d'usinage. *Superior* (semblable à C), *Prime* (semblable à D) ; E (plus de défauts que *Superior* ou *Prime*).
Qualité courante : entre 1 (la meilleure) et 4 (la moins bonne).
Qualité de parement : de choix, courante ou secondaire, selon les essences. Sur commande seulement.
Qualité secondaire : inférieure à la qualité courante (n° 1, marchande de choix ; n° 2, construction ; n° 3, normale).

Le bois de dimension a une épaisseur variant de 2 po à 4 po et une largeur d'au moins 2 po. En voici les catégories par ordre décroissant de résistance :
Structure de choix, nº 1, nº 2 et **nº 3 :** pour les structures, les fermes et les coffrages.
Colombage : pour tous les montants, y compris ceux des cloisons portantes.
Construction, Standard et **Utilité :** pour les charpentes légères.

Catégories de bois durs

Au Canada, les producteurs de bois durs utilisent la classification de l'Association américaine des producteurs de bois durs. FAS et FAS1FACE : 6 po de largeur x 8 pi de longueur ; de Choix : 4 po de largeur x 6 pi de longueur ; et Courante 1 et 2 : 3 po de largeur x 4 pi de longueur.
FAS (firsts and seconds) : pièces longues, larges et exemptes de nœuds (claires), classées selon leur côté le moins beau. Meubles de valeur et moulures.
FAS1FACE ou de **Choix :** combinaison de FAS et de 1-Commun ; les deux faces sont classées et la meilleure est claire à 83,3 % au moins. Mêmes utilisations que la catégorie FAS.
1-Commun : pièces de longueurs et de largeurs moyennes, classées selon le côté le moins beau et dont une face est claire dans une proportion de 66,6 % à 83,3 %. Meubles et ébénisterie.
2-Commun : pièces courtes, étroites et claires de 50 % à 66,6 % d'un côté, classées selon le côté le moins beau. Combiné au 1-Commun : armoires de cuisine et de salles de bains.

Le contre-plaqué

Moins cher et plus léger que la plupart des bois massifs, le contre-plaqué est résistant et souple, ce qui en fait un matériau de choix pour les meubles, les revêtements, les panneaux. Le contre-plaqué est fait de minces couches de bois (placages) superposées et collées les unes aux autres. Le noyau central est généralement constitué de bois usiné. Les placages extérieurs (face et dos) ont une meilleure qualité que ceux de l'intérieur. La face est plus belle que le dos.

Le contre-plaqué à noyau central, le plus résistant et le plus commun, est fait d'un nombre impair (parfois pair) de placages : trois, cinq, sept ou neuf. Les épaisseurs sont diverses et peuvent atteindre jusqu'à $1\frac{1}{8}$ po (2,9 cm). Les placages sont superposés, le grain perpendiculaire à celui de la couche précédente ; cette disposition évite le retrait de la feuille dans le sens de la largeur. Elle renforce également la feuille et diminue le retrait et le gauchissement. Les placages, unis au moyen de colle hydrofuge, permettent d'utiliser le contre-plaqué à l'extérieur comme à l'intérieur.

Bien que les placages soient perpendiculaires les uns aux autres, le fil de la feuille elle-même est dans le sens de la longueur. Si vous installez

Coupes économiques

Avant de découper un panneau de contre-plaqué, rappelez-vous que chaque trait de scie en réduit la dimension de $\frac{1}{8}$ po. Modifiez un peu les dimensions de votre ouvrage pour tirer toutes les pièces nécessaires d'une seule feuille. Dans l'exemple ci-contre, une feuille de 4 x 8 pi doit servir à la fabrication d'une bibliothèque constituée de huit pièces, chacune ayant une largeur de 9½ po.

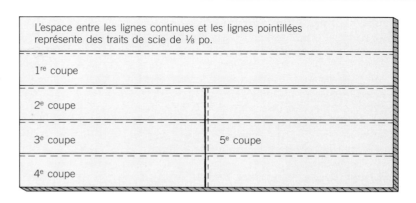

L'espace entre les lignes continues et les lignes pointillées représente des traits de scie de ⅛ po.

1ʳᵉ coupe	
2ᵉ coupe	
3ᵉ coupe	5ᵉ coupe
4ᵉ coupe	

une feuille de contre-plaqué sur des montants, le sens du fil doit donc être à l'horizontale.

Le contre-plaqué de fibres, fait de la même façon que le contre-plaqué à placages multiples, comporte un épais noyau de copeaux de bois. Comme il est surtout utilisé en ébénisterie, sa face est généralement constituée d'un placage de bonne qualité, souvent en bois dur. À cause de la colle utilisée, ce type de contre-plaqué ne convient pas, en général, aux usages extérieurs.

Selon son placage extérieur, le contre-plaqué est rangé en deux catégories : *construction* (sur-

tout fait de bois tendre) et *bois dur.* Au Canada, le contre-plaqué étant surtout fabriqué de bois tendre, celui qu'on vend dans les centres de rénovation entre le plus souvent dans la catégorie construction. Un panneau de contre-plaqué mesure 4 x 8 pi (1,2 x 2,4 m) ; son épaisseur varie entre $\frac{1}{4}$ po (0,6 cm) et $\frac{3}{4}$ po (2 cm). (Plus la feuille est épaisse, plus il y a de placages.)

Les panneaux de bois dur ayant une surface équivalente varient en épaisseur entre $\frac{3}{16}$ po (0,2 cm) et $1\frac{1}{4}$ po (3 cm). Une cinquantaine d'usines en fabriquent au Canada.

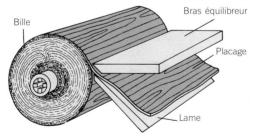

Fabrication du contre-plaqué
Assouplie après avoir été soumise à l'ébullition ou à la vapeur, la bille est placée dans un tour géant qui la transforme en un long placage continu au moyen d'une puissante lame. Cette bande est ensuite ébarbée, puis découpée en longueurs préétablies qui seront séchées au four.

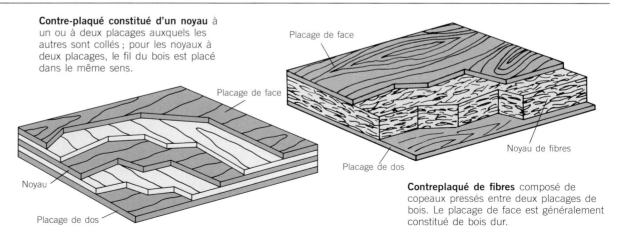

Contre-plaqué constitué d'un noyau à un ou à deux placages auxquels les autres sont collés ; pour les noyaux à deux placages, le fil du bois est placé dans le même sens.

Contreplaqué de fibres composé de copeaux pressés entre deux placages de bois. Le placage de face est généralement constitué de bois dur.

Le contre-plaqué de construction, en bois tendre, remplace souvent le bois massif. Ses placages, incluant le noyau, sont unis au moyen de résine de phénol-formaldéhyde imperméable.

La plupart des contre-plaqués en bois tendre sont classés par le Conseil des industries forestières de Colombie-Britannique (COFI), selon les exigences de l'Association canadienne de normalisation (ACNOR). Les essences généralement utilisées sont le sapin de Douglas, la pruche de l'Ouest, le sapin, l'épinette de Sitka, l'épinette blanche de l'Ouest, le mélèze de l'Ouest, le pin blanc de l'Ouest, le pin ponderosa et le pin lodgepole. La qualité est déterminée par l'état des surfaces et des placages.

Les panneaux de qualité supérieure sont poncés au moins d'un côté. Employez-les si vous projetez une belle finition (en ébénisterie, par exemple). Optez pour une des qualités dites de choix quand l'apparence importe moins. La qualité de parement sert aux toitures, aux planchers et partout où la résistance est un facteur important. Le contre-plaqué recouvert de fibre de verre ou de résine est particulièrement durable.

Il y a des contre-plaqués spéciaux à rainure et à languette, pour toitures et planchers, et des contre-plaqués traités, pour les ouvrages sujets à l'humidité et aux insectes (p. 93).

Le contre-plaqué en bois dur est utilisé pour les meubles, les lambris, les armoires de cuisine et de salle de bains, les portes, les tablettes et les équipements sportifs. Il coûte plus cher que le contre-plaqué en bois tendre. Sa face est toujours constituée d'un placage de bois dur (orme, peuplier, érable ou chêne) ; les plis peuvent être en bois tendre et en bois dur ; le noyau peut être fait de placage ou de particules. Les épaisseurs varient généralement entre $3/16$ po (0,5 cm) et $1\,1/4$ po (3,2 cm). Les éléments sont assemblés avec un adhésif à l'urée-formaldéhyde. Bien qu'il serve généralement à l'intérieur, le contre-plaqué en bois dur est souvent estampillé *exterior*. Cela signifie que l'adhésif est imperméable. Dans le cas contraire, il ne fera que résister à l'humidité.

Contre-plaqués en bois tendre

Qualité	Caractéristiques	Utilisations
G2S (bon sur deux faces)	Poncé des deux côtés ; particules ou pièces incrustées.	Meubles, portes, armoires, cloisons, étagères, coffrages. Peut être peint.
G1S (bon sur une face)	Poncé d'un côté ; particules ou pièces incrustées.	Endroits visibles, sous-planchers, coffrages.
Sel TF (de choix, non poncé)	Non poncé ; pour les surfaces à fermer. Peut être fini et taillé.	Sous-planchers et sous-finition de carrelage. Partout où l'on n'a pas besoin d'un bois poncé.
SELECT (de choix)	Non poncé, uni, légèrement fendillé. Peut être fini et taillé.	
SHG (parement)	Non poncé ; petits nœuds, trous de nœud et autres défauts mineurs.	Toitures, murs et sous-planchers. Panneautage. Partout où l'on n'a pas besoin d'un revêtement poncé.
HDO 60/60 (revêtement de haute densité 60/60)	Surface en fibre de résine. Aucune finition à faire.	Coffres, bassins, bateaux, meubles, panneaux d'affichage, coffrages.
MDO1S, MDO2S (revêtement de moyenne densité ; un côté ou les deux)	Surface en fibre de résine. Peut être peint.	Parements, soffites, lambris, ouvrages intégrés, panneaux d'affichage, surfaces à peindre.

Contre-plaqués en bois dur

Qualité	Caractéristiques	Utilisations
G/So (bon sur une face, dos plein) G1S (bon sur une face)	Le placage des faces n'est pas uniforme. Couleur naturelle, autres propriétés naturelles limitées, quelques défauts mineurs.	Ébénisterie ; importance du fini naturel.
So2S (deux côtés pleins) So1S (un côté plein)	Le placage des faces n'est peut-être pas uniforme. Caractéristiques et couleurs naturelles ; quelques défauts.	Dans les endroits où il importe peu d'avoir une surface uniforme.
Ind 2S (industriel sur les deux faces) Ind 1S (industriel sur une face)	Peut ne pas être uniforme. Caractéristiques naturelles et quelques défauts.	Pour usage général.

Estampille de chant sur un contre-plaqué de sapin de Douglas COFI/EXTERIOR

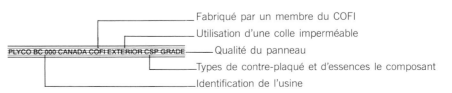

PLYCO BC 000 CANADA COFI EXTERIOR CSP GRADE

Fabriqué par un membre du COFI
Utilisation d'une colle imperméable
Qualité du panneau
Types de contre-plaqué et d'essences le composant
Identification de l'usine

Travail du contre-plaqué

Entreposez votre contre-plaqué pendant plusieurs semaines dans un endroit frais et sec, de façon qu'il ne touche pas au sol. Étendez-le sur des pièces de 2 x 4 (38 x 89 mm) ou placez-le sur le chant, solidement appuyé à un mur.

Sciage. Utilisez une scie électrique munie d'une lame à dents de carbure ou d'une lame à contre-plaqué. La colle du contre-plaqué émousse les lames. Évitez de faire éclater la surface : placez-le la face en haut si vous sciez à la main ou avec un plateau de sciage. Ajustez la lame pour qu'elle soit de ¼ po (6 mm) plus haut que la feuille. Si vous utilisez une scie sauteuse ou une scie circulaire, placez le panneau face en bas. Portez un masque et travaillez dans un endroit bien aéré.

Ponçage. Soyez prudent si vous utilisez une ponceuse électrique sur un contre-plaqué de bois dur ; vous pourriez user le placage de finition. N'utilisez jamais une ponceuse à courroie.

Fixation. Ni clou ni vis ne tiendra dans les chants d'un contre-plaqué mince ; utilisez des vis dans un contre-plaqué de ¾ po (19 mm) ou plus. Sur les faces, utilisez des clous espacés de 4 po (10 cm) pour assurer une solidité maximale. Si vous arrachez un clou, retirez-le à la verticale pour éviter l'éclatement du bois.

Façonnement des chants. Bouchez les vides au plâtre ou au mastic ; améliorez l'apparence des chants en y collant un placage ou une moulure, ou en les peignant.

Sens du fil. Si vous utilisez du contre-plaqué comme revêtement mural, mettez le sens du fil à l'horizontale, perpendiculairement aux montants ; pour les planchers, placez-le perpendiculairement aux solives. Si vous voulez un plancher encore plus solide, installez des traverses (2 x 4 po [38 x 89 mm]) entre les solives ; vous pourrez ainsi clouer le panneau sur les quatre rives.

Finition. Le grain particulier du contre-plaqué peut être mis en valeur par une teinture translucide à base d'huile ; auparavant, appliquez un scelleur sur les chants.

Coupe du contre-plaqué

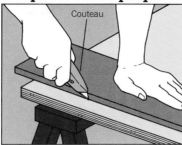

Avant de scier, marquez au couteau la ligne de sciage. Faites d'abord les coupes en longueur.

Tenez la scie à angle très aigu et sciez le long de la ligne. Le panneau doit être bien appuyé.

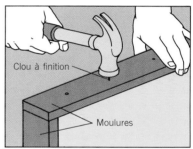

Sur le plateau de sciage, utilisez un poussoir pour faire avancer le panneau, face en haut, vers la lame.

Façonnement des chants

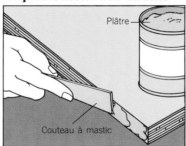

Avant de peindre le contre-plaqué, bouchez les vides des chants avec du plâtre ou du mastic ; poncez.

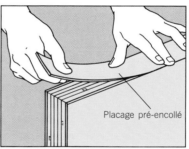

Pour obtenir l'apparence du bois massif, posez sur les chants un ruban de placage préencollé.

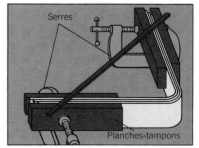

Pour ne pas écorcher les rives, posez-y une moulure que vous fixerez au moyen de clous à finition.

Pliage du contre-plaqué

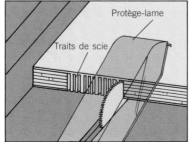

1. Pour plier le contre-plaqué épais, effectuez à l'endroit du pli des traits de scie tous les ¼ po.

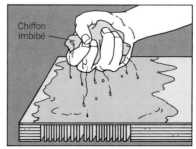

2. Augmentez la flexibilité du panneau : mouillez-en la face à l'eau chaude. (Cela fera ressortir le grain du bois dur.)

Le contre-plaqué mince (de ¼ po ou moins), en bandes étroites, est facile à plier une fois mouillé. Enserrez-le.

Travail du bois / Agglomérés

Le panneau de fibres, de copeaux, de particules et le panneau à particules entrecroisées sont relativement peu chers et, judicieusement utilisés, se révèlent souvent d'usage aussi bon sinon meilleur que le contre-plaqué ou le bois massif. On les utilise tant dans la fabrication de meubles que dans le panneautage. Il existe aussi un aggloméré à particules parallèles qui sert à fabriquer des poutres d'une longueur allant jusqu'à 66 pi (20 m) ; il se compare avantageusement au bois massif pour les structures légères.

La plupart des agglomérés sont liés au moyen d'une résine de phénol-formaldéhyde ; pour les panneaux de particules et de fibres à densité moyenne, on emploie une résine d'urée-formaldéhyde. Le Canada n'a pas encore de réglementation sur les émanations de formaldéhyde, mais les producteurs effectuent des analyses dont les résultats sont envoyés à Consommation Canada.

▶ **ATTENTION !** Si vous réagissez aux gaz d'urée-formaldéhyde (étourdissements, nausées, maux de tête), choisissez un aggloméré lié au moyen de phénol-formaldéhyde. Quand vous travaillez des agglomérés, portez un masque.

Le panneau de fibres est probablement celui des agglomérés qui répond au plus grand nombre de besoins ; il se vend traité ou non. *Traité,* il résiste à l'humidité ; *non traité,* il absorbe bien la peinture. Voici les principaux panneaux de fibres : le standard, fini d'un côté ; le laminé, revêtu d'un côté de plastique stratifié ; le préfini, enduit de peinture sur un côté ; et le perforé, de simple ou double épaisseur.

Entreposage. Rangez les panneaux de fibres dans un endroit frais, sec et bien aéré. Posez-les sur au moins quatre 2 x 4 (38 x 89 mm) de 4 pi (1,2 m) de longueur. Veillez à ne pas endommager les surfaces : elles sont difficiles à restaurer. Les autres agglomérés peuvent être placés sur la tranche et montés sur des pièces de bois, dans un environnement semblable. On peut façonner les agglomérés sans attendre, le risque de retrait étant minime.

Encollage. La plupart des agglomérés retiennent bien les adhésifs ; suivez les directives du fabricant. Avant d'encoller un panneau de particules, poncez la surface pour la rendre plus rugueuse et assurer une meilleure adhérence.

Fixation des agglomérés

Les vis ou les clous ordinaires ne tiendront que s'ils sont enfoncés dans du bois massif.

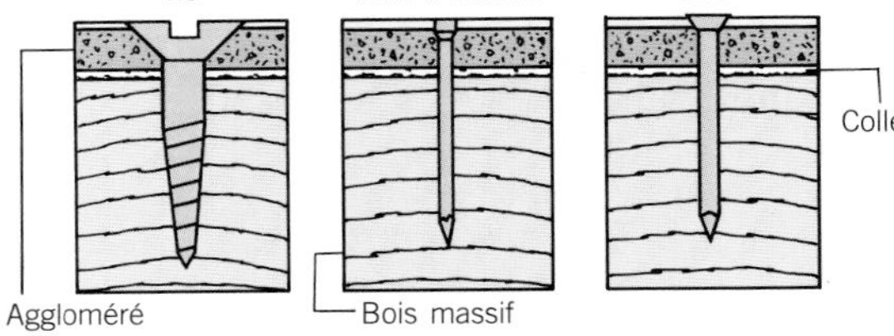

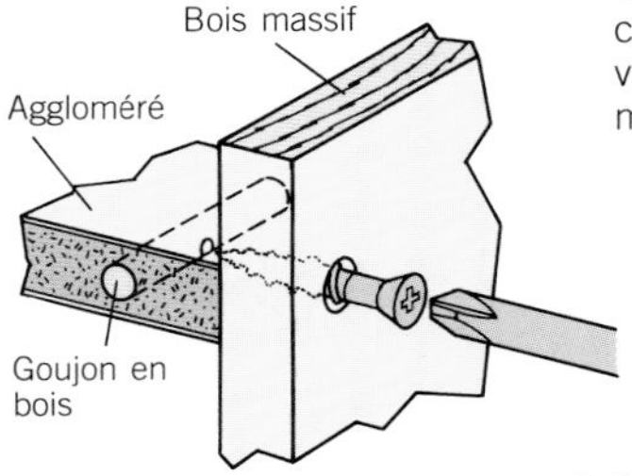

Le chant d'un aggloméré retiendra une vis si vous y avez auparavant inséré un goujon.

Les vis à panneau de particules (achetez-les chez votre fournisseur) tiennent mieux que les vis à bois.

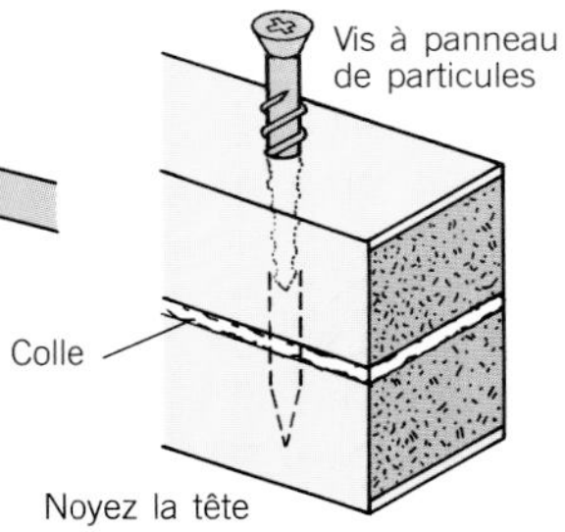

TOUS LES PANNEAUX 4' x 8'	PANNEAU DE COPEAUX Épaisseurs : ¼", ⅜", 7/16", ½", ⅝", ¾"	PANNEAU À PARTICULES ENTRECROISÉES Épaisseurs : ¼", ⅜", 7/16", ½", ⅝", ¾"	PANNEAU DE PARTICULES Épaisseurs : ½", ⅝", ¾"	PANNEAU DE FIBRES Épaisseurs : ⅛", ¼", 7/16", ½"
Composition	Copeaux de bois disposés au hasard, liés au phénol-formaldéhyde.	Copeaux de bois disposés à angle droit, liés au phénol-formaldéhyde.	Copeaux de bois, éclisses et sciure liés à l'urée-formaldéhyde.	Fibres de bois et copeaux liés au phénol-formaldéhyde ou à l'huile de lin.
Utilisation	Sous-planchers, revêtement de murs et de toitures.	Sous-planchers, revêtement de murs et de toitures.	Assises de comptoirs ; noyau de contre-plaqué pour meubles.	Murs, portes, parement, fonds de tiroirs, dessus de table.
Coupe	Outils courants.	Outils courants.	Outils à pointes de carbure.	Outils à pointes de carbure (face en bas) ; outils à main (face en haut).
Fixation	Retient assez bien les clous et les vis.	Retient assez bien les clous et les vis.	Retient mal les clous et les vis ; doit être fixé au bois massif.	Retient mal les clous et les vis ; doit être fixé au bois massif.
Finition	Faites un essai sur une partie cachée. Scellez avec un apprêt à l'huile ; peignez au latex à l'acrylique.	Faites un essai sur une partie cachée. Scellez avec un apprêt à l'huile ; peignez au latex à l'acrylique.	Aucune finition, en raison de son utilisation.	Poncez au papier 120 et scellez avec un apprêt à l'huile ; appliquez deux couches de latex à l'acrylique.

Moulures

Les moulures de bois servent à cacher les joints ; on les utilise aussi pour leurs qualités décoratives. Les moulures de bois tendre se vendent dans les centres de rénovation en longueurs de 4, 6, 8, 10 et 12 pi (1,2, 1,8, 2,4, 3 et 3,7 m) ; les largeurs varient. Les moulures de bois dur sont plus chères ; il faut souvent les commander. Les moulures à encadrement ont une feuillure à l'intérieur pour y insérer le tableau. Achetez un peu plus de moulure que nécessaire pour parer aux erreurs. Si vous taillez vous-même les entures (voir ci-dessous), vous ferez des économies.

Il existe une moulure de section rectangulaire appelée P4F (planée 4 faces) ; elle se prête bien à la confection de moulures composées.

Achat. Déterminez la quantité de moulures nécessaire : notez la largeur de chaque mur, arrondissez et additionnez. Si vous voulez les peindre, achetez les moulures de qualité inférieure : la peinture cachera les défauts.

Pose. Apprêtez et peignez avant la pose ; appliquez d'abord une gomme-laque sur les nœuds. Fixez les moulures aux montants avec des clous à finition 6d ou 8d (p. 191). Noyez les têtes au chasse-clou ; bouchez les trous avec du plâtre ou du mastic ; poncez et peignez. Pour les moulures composées, travaillez les éléments séparément : les erreurs seront moins coûteuses.

Les assemblages à onglets (p. 109) ou à chaperons (p. 292) demandent de l'habileté : faites d'abord des essais.

Profils courants

Coins : protègent les coins et cachent les joints.

Heurtoir : arrête une porte.

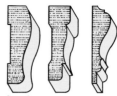

Garniture : encadre portes et fenêtres.

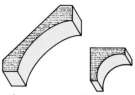

Couronne : dissimule les joints entre murs et plafonds.

Chapiteau : surmonte une plinthe.

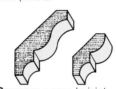

Couronne : orne le joint entre mur et plafond.

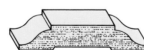

Couvre-joints : recouvre les joints entre panneaux muraux.

Moulures composées

La combinaison de moulures confère une apparence intéressante aux plinthes, aux plafonds et aux murs.

Moulure à lambris — Chapiteau — Coin — **Plafond** — P4F — P4F — Quart-de-rond — Chapiteau — **Cimaise** — Plinthe — **Plancher**

Encadrement : met en valeur les œuvres d'art.

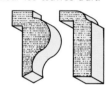

Moulure à lambris : cache les joints entre les panneaux.

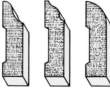
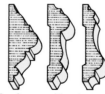

Plinthe : cache le joint entre plancher et mur.

Cimaise : protège les murs à hauteur de dossiers.

Quart-de-rond : associé à d'autres moulures.

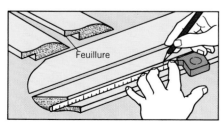

Moulures d'encadrement. 1. Après avoir découpé un bout à 45° (onglet), mesurez à partir du coin intérieur de la feuillure.

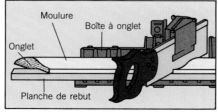

2. Découpez l'autre bout en plaçant la face extérieure vers le haut ; appuyez la feuillure sur une planche de rebut.

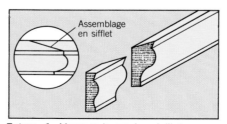

Enture. 1. Marquez la moulure à l'intersection du montant. Taillez les deux longueurs à 45°. (Voir aussi Assemblage en sifflet, p. 111.)

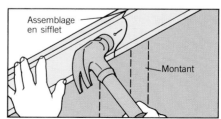

2. Le joint placé à l'intersection du montant, clouez à angle pour fixer les deux pièces au montant.

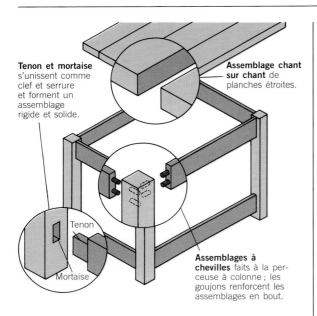

Tenon et mortaise s'unissent comme clef et serrure et forment un assemblage rigide et solide.

Assemblage chant sur chant de planches étroites.

Tenon

Mortaise

Assemblages à chevilles faits à la perceuse à colonne ; les goujons renforcent les assemblages en bout.

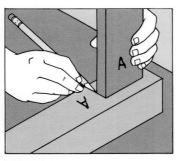

Pour tracer l'emplacement des joints, alignez les composantes. Marquez leur point de jonction d'un poinçon ou d'un crayon bien aiguisé. Plus précis que le mesurage à la règle. Marquez du même signe les pièces à réunir.

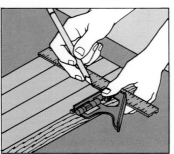

Tracez et coupez simultanément les pièces identiques tels les pieds de table. La possibilité d'erreur est ainsi réduite.

Il y a plusieurs façons d'assembler le bois : par aboutement, recouvrement ou emboîtement. Chacune a ses exigences et peut convenir à plusieurs situations.

Déterminez quels assemblages conviennent à l'usage que vous ferez du produit fini ; choisissez le plus simple à réaliser. Ainsi, les joints à onglet (p. 109) ou les assemblages de coin (à droite) sont moins robustes que ceux qui réunissent des pièces *chant sur chant* (p. 110) ou dont les composantes sont emboîtées (*queue d'aronde*, p. 106).

Évaluez la robustesse de vos assemblages. Ils devraient pouvoir supporter de manière uniforme le poids et la tension qu'on leur imposera. Visualisez le produit fini. Les assemblages paraîtront-ils ? Si oui, choisissez ceux qui rehausseront l'apparence de l'objet.

Ensuite, posez-vous des questions d'ordre technique : quel pourcentage de dilatation ou de retrait vos assemblages pourront-ils avoir à supporter ; et quel type de colle ou de fixations est compatible avec vos matériaux (p. 98).

Votre choix fixé, dessinez vos assemblages à l'échelle sur papier quadrillé et notez-y les mesures. Mesurez toujours à partir du même point de départ. Utilisez les mêmes outils pendant toute la durée du projet. Mesurez deux fois plutôt qu'une ! Tracez les contours avec précision ; marquez d'un X les parties destinées au rebut. Lorsque c'est possible, enserrez les pièces identiques, marquez-les et taillez-les ensemble.

Neuf façons de faire des coins

Appelés aussi assemblages en L, les assemblages ci-dessous sont d'exécution rapide et simple. Vous les renforcerez de colle, d'équerres et de fixations, de pièces de quincaillerie spéciales ou de goujons. Utilisez des fixations de calibre adapté : des vis trop grosses fendront le bois ; trop petites, elles manqueront de solidité (p. 80-84). Si vous avez plusieurs assemblages à faire, décidez, avant d'encoller, comment vous poserez vos étaux.

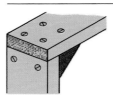  

Coin triangulaire, collé et vissé. Il stabilise le coin intérieur.

Coin carré. Il peut être fixé à l'intérieur, cachant ainsi les vis.

Coin extérieur. Il renforce l'assemblage sans obstruer le coin intérieur.

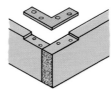 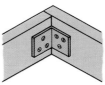 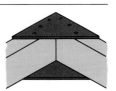

Équerre métallique plate enchâssée. Elle assure une surface unie.

Équerre métallique intérieure. Elle retient les pièces l'une contre l'autre.

Goussets triangulaires en contreplaqué de ¼ po, collés et cloués.

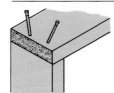 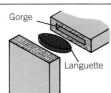 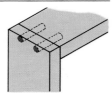

Gorge

Languette

Clous posés à angle. Ils assurent plus de stabilité que les clous à la verticale.

Languettes de bois insérées dans les gorges (p. 107) ; un assemblage résistant.

Chevilles solides mais difficiles à réaliser ; cachées ou visibles.

Assemblages à recouvrement

Mesurage et traçage 46-49
Plateau de sciage 64-65
Toupie 68-69

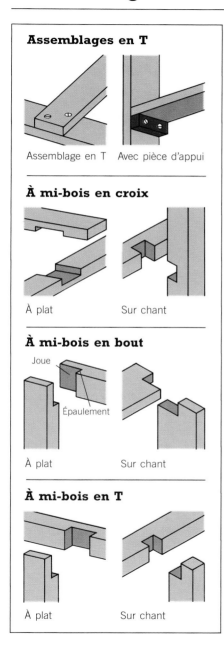

Assemblages en T

Assemblage en T   Avec pièce d'appui

À mi-bois en croix

À plat   Sur chant

À mi-bois en bout

Joue

Épaulement

À plat   Sur chant

À mi-bois en T

À plat   Sur chant

Les assemblages *à recouvrement* sont simples à réaliser. On les renforce avec de la colle et des fixations ou en faisant des assemblages *à mi-bois,* par chevauchement ou par emboîtement.

L'assemblage en T, le plus facile, ne nécessite aucun découpage. Placez une pièce sur l'autre, à l'angle désiré, et fixez-les avec de la colle et des clous ou d'autres fixations. C'est un assemblage solide mais rudimentaire. Vous pouvez l'améliorer avec une pièce d'appui. Collez et vissez des blocs de bois aux montants ; appuyez-y la traverse.

Les assemblages à plein recouvrement ou à mi-bois se font plat sur plat, chant sur chant ou chant sur plat. À plein recouvrement, la pièce la plus épaisse est entaillée de façon à y enchâsser la pièce la plus mince. À mi-bois, deux pièces de même épaisseur sont entaillées à moitié de leur épaisseur pour s'emboîter et offrir une surface unie. Entaillez le centre de chaque pièce (*assemblage en croix*), leurs extrémités (*en bout*) ou l'extrémité de l'une et le centre de l'autre (*en T*).

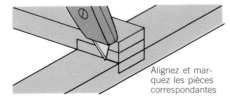

Alignez et marquez les pièces correspondantes

Tracez d'abord le contour des pièces l'une sur l'autre (tel qu'illustré). Enlevez le rebut à la toupie, à la scie circulaire (à droite) ou au ciseau à bois (p. 36-37).

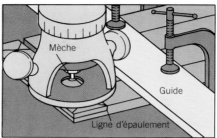

Mèche

Guide

Ligne d'épaulement

1. Entaillez plusieurs pièces à la fois avec une toupie à mèche droite. Marquez et alignez les pièces. Utilisez une planche comme guide ; tenez compte de la distance entre la mèche et le rebord de l'outil.

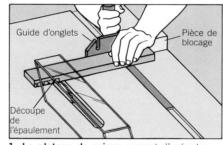

Guide d'onglets   Pièce de blocage

Découpe de l'épaulement

1. Le plateau de sciage permet d'exécuter rapidement les entailles. Ajustez la hauteur de la lame pour qu'elle touche la ligne de joue. En utilisant un guide d'onglets, effectuez la découpe de l'épaulement.

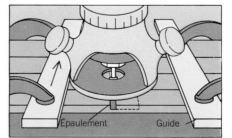

Épaulement   Guide

Utilisez la toupie pour les entailles au centre des pièces. Alignez et enserrez les guides de part et d'autre de l'entaille. Découpez les deux épaulements.

Guide

2. Éliminez le rebut en commençant aux extrémités et en progressant vers le guide. Si vous avez peu d'expérience, replacez le guide à chaque passe.

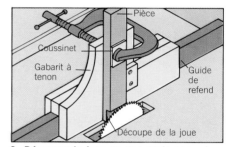

Pièce

Coussinet

Gabarit à tenon

Guide de refend

Découpe de la joue

2. Découpez la joue en une seule passe à l'aide d'un gabarit à tenon ; enserrez la pièce verticalement contre le gabarit. Sans gabarit, tenez la pièce comme pour la découpe de l'épaulement et faites plusieurs passes.

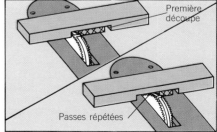

Première découpe

Passes répétées

Sur le plateau de sciage, ajustez votre lame à entailles comme pour la découpe d'épaulements des entailles de bout. Découpez les deux épaulements ; éliminez le rebut.

Une ouverture pratiquée à contresens du fil du bois est une *entaille*. (Si elle est effectuée dans le sens du fil, c'est une *rainure*.) Une traverse insérée dans un montant constitue un assemblage à entaille ; il forme toujours un angle droit. La pièce insérée dans l'entaille peut conserver sa pleine épaisseur ; quand elle est amincie pour former une languette, elle devient une *feuillure* (voir page ci-contre).

Parce qu'elles encastrent le bout des traverses, les entailles empêchent la torsion et le gauchissement. Sur le plan esthétique, elles ont l'avantage de masquer le fini grossier au bout des pièces jointes.

Il y a deux sortes d'entailles : complète et arrêtée. L'entaille complète couvre toute la largeur de la pièce ; l'entaille arrêtée s'interrompt non loin du chant. Une des extrémités de la découpe ou les deux peuvent être invisibles.

Découpez une entaille à angle droit avec une toupie ou un plateau de sciage. Découpez l'entaille à queue d'aronde à angles différents. L'assemblage à queue d'aronde est particulièrement solide, mais il requiert une grande précision.

Dans les directives à droite, on suppose que la mèche a la largeur de l'entaille. Réalisez l'entaille de la queue d'aronde avec une mèche spéciale en une passe. Par contre, faites la languette en plusieurs passes : elle ne sera pas trop petite. Mais si l'entaille est plus large que la mèche, vous devrez faire plusieurs passes : enserrez un guide et déplacez-le à chaque passe.

Entaille complète

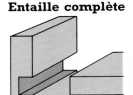

1. Tracez les contours de l'entaille sur la pièce avec, si possible, la pièce correspondante comme guide. Marquez la profondeur de l'entaille ; elle ne devrait pas être supérieure à la moitié de l'épaisseur de la planche.

2. Coincez la pièce entre deux planches pour éviter l'éclatement des chants. Enserrez le guide parallèlement à l'entaille à effectuer. Placez-le de sorte que la mèche soit centrée et qu'elle effleure les lignes.

Entaille arrêtée

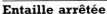

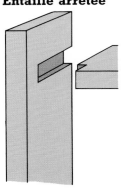

1. Tracez les contours de l'entaille. Fixez le guide parallèlement à l'entaille. Installez une pièce de blocage parallèlement au bout de l'entaille, en tenant compte de la distance séparant la mèche du rebord du plateau de la toupie.

2. Actionnez la toupie. Appuyez-la au guide, à l'extrémité gauche de l'entaille. Faites pénétrer la mèche lentement dans le bois pour ne pas griller le moteur. Déplacez la toupie de gauche à droite.

3. Enlevez les débris. Si les rebords sont grossiers, faites une autre passe de toupie ; ne changez pas la longueur de la mèche. Équarrissez l'extrémité de l'entaille à l'aide d'un ciseau à bois.

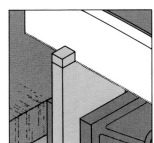

4. Marquez et taillez la traverse aux dimensions justes. Découpez le rebut avec une scie à dos. Sciez avec soin afin que les surfaces soient unies et les coins bien carrés.

Queue d'aronde

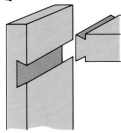

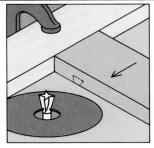

1. Les entailles de queue d'aronde doivent être découpées d'une seule passe. Ancrez une mèche à queue d'aronde dans une toupie d'établi. Ajustez la mèche à la pleine profondeur de l'entaille. Fixez le guide. Passez votre planche sur la mèche.

2. Pour la languette, taillez chaque côté de la queue d'aronde individuellement. Tracez les contours de la queue d'aronde sur le plat de la planche et sur le bout. Faites plusieurs passes sur la mèche, d'un côté et de l'autre, en enlevant des quantités équivalentes de rebut.

Feuillures

Souvent combinée aux entailles ou aux rainures pour former des emboîtements solides, la feuillure est une languette en forme de L qui supporte les composantes de l'assemblage, augmente les surfaces encollées et masque les bouts sciés.

L'assemblage à feuillure est notamment utilisé pour la fabrication des meubles. Facile à découper, il exige des mesures précises. Pour assurer une résistance maximale, découpez l'entaille à une certaine distance du bout de la pièce. La largeur et la profondeur de l'entaille ne devraient pas excéder la moitié de l'épaisseur de la planche.

Taillez les feuillures normales avec une toupie, une scie radiale, un plateau de sciage ou un rabot spécial (p. 40-41). Mettez une mèche à guide dans la toupie ou une lame à entailles dans le plateau de sciage pour accélérer le découpage et assurer une plus grande précision. Pour de multiples découpes identiques, fabriquez un gabarit qui vous servira de guide.

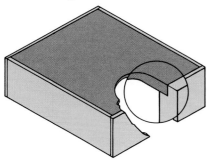

Les feuillures pratiquées à l'arrière d'un meuble permettent d'y insérer le dos avec précision et assurent une surface unie.

Assemblage à feuillure

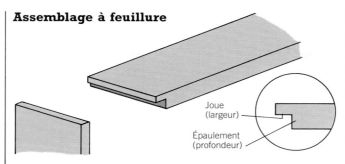

Joue (largeur)

Épaulement (profondeur)

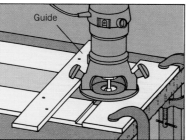

Guide

Taillez les feuillures jusqu'à ½ po de largeur au moyen d'une toupie munie d'une mèche à feuillure. Tracez les contours ; ajustez la mèche à la profondeur voulue. Fixez le guide parallèlement à la ligne d'épaulement et effectuez la découpe.

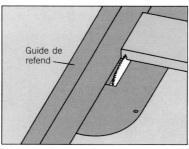

Guide de refend

1. Si vous travaillez avec un plateau de sciage, découpez d'abord l'épaulement. Ajustez la lame à la profondeur voulue ; fixez le guide de refend, en tenant compte de l'épaisseur de la lame. Appuyez la planche au guide de refend (ci-contre) et procédez à la découpe.

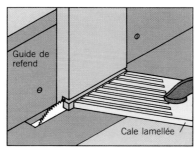

Guide de refend

Cale lamellée

2. Pour découper la joue, ajustez la hauteur de la lame selon la largeur de la feuillure. Tenez la pièce fermement appuyée au plateau. Ajustez la distance entre le guide et la lame en tenant compte de l'épaisseur de la lame. Pour votre sécurité, placez à plat sur le plateau une cale lamellée, sous l'ouvrage.

Assemblage à entaille et à feuillure

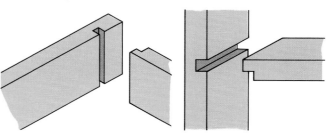

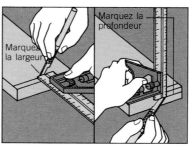

Marquez la profondeur

Marquez la largeur

1. Tracez les contours de la feuillure en utilisant une équerre à combinaison ; transposez les mesures de l'entaille. Si vous utilisez des outils manuels tels que rabots et ciseaux à bois, travaillez dans le sens du fil. Pour le travail à contre-fil, il est préférable d'utiliser une scie.

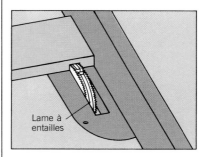

Lame à entailles

2. Découpez l'entaille d'abord. Ajustez la hauteur de la lame selon la profondeur de l'entaille à faire. Fixez le guide de refend à la distance voulue en tenant compte de l'épaisseur de la lame. Effectuez la découpe. Avec une lame ordinaire, faites plusieurs passes.

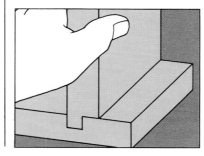

3. Ajustez la hauteur de la lame de façon que la feuillure ait 1/16 po de moins que la profondeur de l'entaille (ceci permet à la colle de bien s'infiltrer). Découpez la joue et l'épaulement de la feuillure. Exercez-vous auparavant sur des pièces de rebut.

Ce type d'assemblage, autrefois courant en charpenterie, est surtout réservé aujourd'hui à la fabrication des meubles. Il sert à réunir deux pièces à n'importe quel angle.

La mortaise est la partie creuse du joint ; elle est pratiquée dans le montant ou le pied de l'ouvrage. Le tenon est la queue ou languette façonnée au bout de la traverse. Il est caractérisé par ses dimensions : l'*épaulement*, sa longueur ; la *joue*, sa largeur ; et la *tranche*, son épaisseur. La mortaise destinée à unir un montant et une traverse ne devrait pas dépasser en profondeur la moitié de la largeur de la pièce. Le tenon, en épaisseur, devrait avoir un tiers de l'épaisseur de la pièce et, s'il est borgne, devrait avoir ⅛ po (0,3 cm) de moins que la profondeur de la mortaise pour permettre à la colle de s'infiltrer. Marquez les lignes de sciage, en mettant une pièce sur l'autre.

Cet assemblage se façonne avec des outils manuels ou électriques (p. 101).

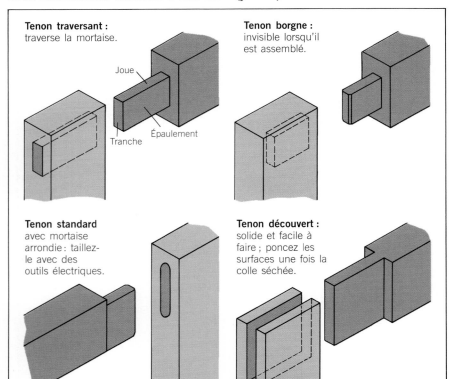

Tenon traversant :
traverse la mortaise.

Joue

Tranche

Épaulement

Tenon borgne :
invisible lorsqu'il est assemblé.

Tenon standard
avec mortaise arrondie : taillez-le avec des outils électriques.

Tenon découvert :
solide et facile à faire ; poncez les surfaces une fois la colle séchée.

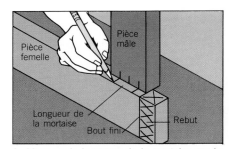

1. Marquez la longueur de la mortaise sur la pièce femelle. Divisez la largeur de la pièce mâle en quarts ; alignez sur la ligne de coupe. Reportez la première et la troisième marque sur la pièce femelle.

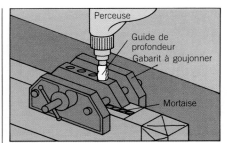

4. Avec une mèche de diamètre équivalant à la largeur de la mortaise, enlevez le plus de rebut possible. Percez d'abord aux extrémités. La mèche Forstner (p. 28) donne un fond plat, mais une mèche ordinaire suffit.

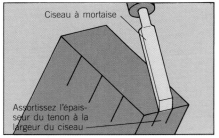

2. Tournez la pièce mâle du côté de l'épaisseur ; divisez en tiers. Le tiers central représente la largeur de la mortaise. Pour tailler la mortaise, prenez un ciseau ayant ¹⁄₁₆ po de moins que le segment central.

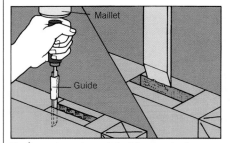

5. Équarrissez les extrémités et aplanissez le fond de la mortaise. Pour les longues mortaises, accélérez le travail au moyen d'un large ciseau bien affûté. Le ruban adhésif sur le ciseau sert de guide de profondeur.

3. Utilisez le ciseau à plat pour établir la distance entre les limites de la mortaise. Alignez les points sur la ligne mentionnée à l'étape 1, puis ajustez la pointe du trusquin sur la ligne. Complétez le contour.

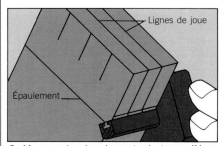

6. Marquez les épaulements du tenon (⅛ po de moins que la profondeur de la mortaise) sur les quatre côtés de la pièce. Avec le trusquin (étape 3), tracez sur les chants et le bout les contours des joues.

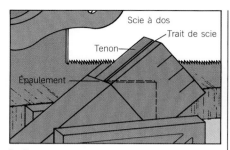

7. Enserrez la pièce à angle dans un étau. Placez votre scie du côté rebut de la ligne de joue, les dents à l'horizontale, et coupez jusqu'à la ligne d'épaulement. Remettez la pièce du côté opposé dans l'étau. Découpez.

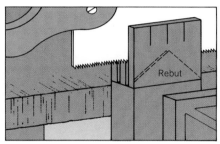

8. Enserrez la pièce à la verticale. Les dents de scie toujours bien à l'horizontale, découpez jusqu'à l'épaulement, enlevez le rebut et équarrissez. Ne dépassez pas l'épaulement, car vos traits de scie seraient visibles.

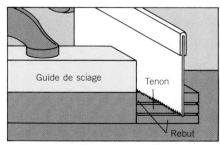

9. Enserrez la pièce à plat sur l'établi. Taillez les épaulements et enlevez le rebut, découvrant les joues. Utilisez un guide pour effectuer une coupe d'équerre. Placez votre scie du côté rebut de la ligne d'épaulement.

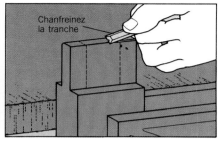

10. En plaçant votre ciseau à 45°, chanfreinez légèrement des deux côtés du tenon pour faciliter l'insertion dans la mortaise. Si le tenon est trop épais, reprenez les étapes 7, 8 et 9.

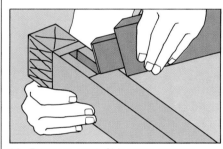

11. Faites un essai. Si le tenon est trop serré, faites-le balancer tout en tirant. Ajustez alors le tenon et non pas la mortaise. Identifiez les pièces correspondantes avant de les encoller.

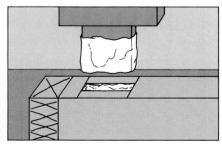

12. Appliquez de la colle sur les rives de la mortaise et sur les joues et la tranche du tenon. Assemblez et enserrez jusqu'à ce que la colle soit séchée. Puis enlevez l'excédent de colle pour obtenir des surfaces unies.

Renforcement d'un assemblage à tenon et à mortaise

Utilisez des coins ou des goujons pour renforcer, séparer ou orner. Avec un ciseau à bois bien affûté, taillez une petite brèche pour pouvoir insérer le coin. Mettez-y une colle à base d'eau et enfoncez le coin avec un maillet. Si le coin est d'un bois plus pâle ou plus foncé, vous obtiendrez un effet d'incrustation.

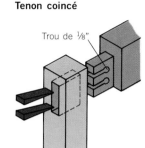

Coinçage d'un tenon traversant

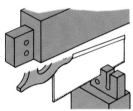

1. Percez à distances égales des trous aux deux tiers du tenon. Découpez les encoches. (Les trous empêchent le fendage.)

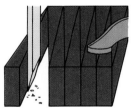

2. Fabriquez des coins finement biseautés à partir d'une pièce de rebut ; utilisez une scie ou un ciseau à bois.

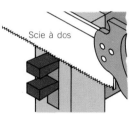

3. Encollez les coins et enfoncez-les avec un maillet en caoutchouc. La colle séchée, arasez les coins.

Fabrication d'un assemblage goujonné

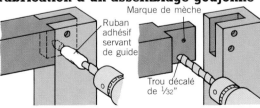
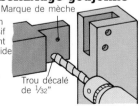

1. Percez l'assemblage non collé jusqu'à ce que la mèche touche au tenon. Enlevez le tenon, puis continuez de percer.

2. Repérez les marques de la mèche sur le tenon. Percez les trous en les rapprochant de l'épaulement de ½₂ po.

3. Encollez et assemblez de nouveau. Enfoncez de longs goujons dans les trous. La colle séchée, taillez les goujons.

À queues traversantes   **Par chevauchement**

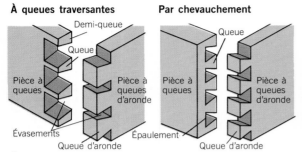

À la fois décoratifs et durables, les assemblages à queue d'aronde sont constitués de queues et de queues d'aronde qui s'emboîtent solidement. Comme on ne peut les séparer, ces assemblages conviennent bien aux parties de meubles soumises à beaucoup de tension. D'apparence agréable, ils sont souvent laissés à découvert.

L'assemblage est composé de *queues* et de *queues d'aronde*. Les espaces vides sont les *évasements*. Tracez les queues d'abord.

Prévoyez une demi-queue de chaque côté, puis espacez également les queues sur toute la largeur de la planche. Une queue par pouce (2,5 cm) suffit. Elles devraient être un peu plus minces que les queues d'aronde et avoir en longueur $^1/_{32}$ po (0,8 mm) de plus que l'épaisseur de la queue d'aronde.

Il y a essentiellement deux types d'assemblages à queue d'aronde : *par chevauchement* et *à queues traversantes*.

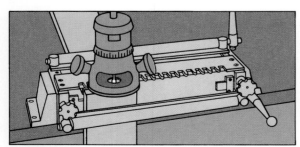

Ce gabarit utilisé avec une toupie permet de tailler simultanément les queues et les queues d'aronde pour les assemblages par chevauchement.

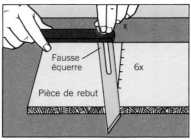

1. L'angle de la queue est de 75°-80° ou de proportions 1:6. Sur une pièce de rebut, dessinez un triangle six fois moins grand à la base qu'en hauteur. Ajustez l'équerre sur l'hypoténuse.

4. Enserrez la planche sur l'établi face en haut. Avec un ciseau à bois, taillez alternativement à la verticale et à l'horizontale jusqu'à la moitié de la planche. Retournez la planche ; finissez.

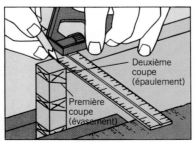

7. Marquez et taillez les épaulements des évasements qui recevront les demi-queues. Découpez d'abord l'évasement, puis l'épaulement ; si cette opération n'est pas réussie, l'ensemble sera raté.

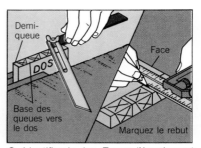

2. Identifiez le dos. Tracez l'épaulement en prévoyant $^1/_{32}$ po de plus que l'épaisseur de la planche. Enserrez la pièce face en haut ; tracez les queues et les demi-queues.

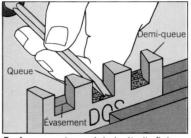

5. Avec un ciseau à bois étroit, finissez les coins. Ils doivent être unis et carrés afin de bien correspondre aux queues d'aronde. Taillez les fonds en leur donnant une légère forme en V.

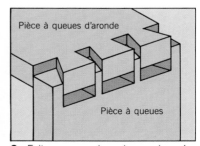

8. Faites un essai, mais pas jusqu'au fond. Si l'ensemble est trop serré, taillez. Si les pièces s'unissent bien, encollez et assemblez. Si l'ensemble est lâche, calez avec des pièces de placage.

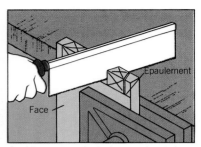

3. Alignez la scie à dos sur le côté rebut de la ligne de sciage. Tenez la scie à angle pour voir la ligne d'épaulement. Redressez la scie avant d'arriver à l'épaulement. Sciez avec précaution.

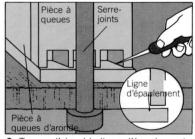

6. Tracez d'abord la ligne d'épaulement ; prévoyez $^1/_{32}$ po de plus. Alignez la pièce à queues. Tracez les contours des queues avec un poinçon. Identifiez les pièces correspondantes.

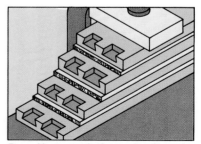

Pour découper plusieurs planches, placez-les les unes sur les autres, chacune en retrait par rapport à la précédente. Séparez-les par du bois de rebut pour protéger les surfaces ; enserrez le tout.

Assemblages à queues droites

Assemblages à languettes

Les queues et les encoches à angle droit s'unissent facilement et, en raison de leur grande surface d'encollage, forment un assemblage solide qu'on appelle aussi assemblage à queues emboîtantes.

Les queues devraient avoir, en longueur, $1/32$ po (0,8 mm) de plus que l'épaisseur de la planche correspondante. Une des planches aura une queue entière de chaque côté ; l'autre, une encoche à la place. Si vous utilisez un plateau de sciage, donnez aux queues et encoches les mesures de votre lame à entailles.

Le gabarit est indispensable. Ses éléments correspondent exactement à ceux de l'assemblage. Équarrissez les bords d'une pièce de 1 x 6 po (2,5 x 15,2 cm) et découpez-y une planche ayant 10 po (25,4 cm)

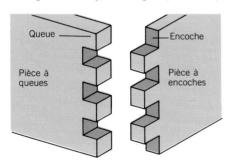

de plus que le guide d'onglets. Pratiquez-y une encoche reproduisant les encoches de l'assemblage. Taillez un petit cube reproduisant une queue ; collez-le sur la planche à distance d'une queue de la lame. Vissez ce gabarit au guide d'onglets du plateau de sciage. Découpez une encoche puis montez-la sur le cube : la suivante est alignée.

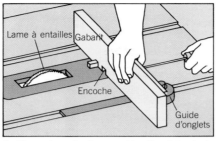

1. Vissez le gabarit au guide d'onglets de la scie pour que la distance entre le bord de la lame et le cube sur le gabarit égale la largeur d'une encoche. Faites un essai dans une pièce de rebut, puis ajustez la lame.

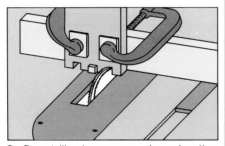

2. Pour tailler les queues, placez la pièce contre le gabarit et passez le tout sur la lame à entailles. Montez l'encoche ainsi faite sur le petit cube collé au gabarit et procédez à la découpe suivante.

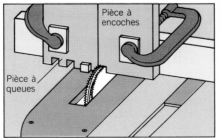

3. Appuyez la seconde pièce contre la première. Enserrez les deux au gabarit et taillez la première encoche. Retournez la pièce et découpez la dernière encoche. Ôtez la pièce à queues. Refaites les opérations de l'étape 2.

D'exécution rapide, invisibles et à peu près à toute épreuve, les assemblages à languettes peuvent se substituer aux queues d'aronde et aux queues droites et servent parfois aussi à les solidifier.

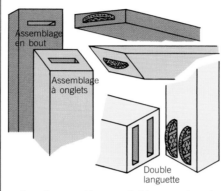

Les languettes, en hêtre, sont préfabriquées et ressemblent à des biscuits ovales. La *scie à gorge* sert à creuser les rainures. Mettez de la colle blanche ou jaune à base d'eau dans les gorges, insérez-y la languette et enserrez. La colle fait gonfler la languette, formant ainsi un assemblage solide. La forme elliptique des languettes permet un certain jeu dans l'alignement latéral.

La scie à gorge est une petite scie circulaire munie d'une lame horizontale plongeante. Si elle est de bonne qualité, elle aura un interrupteur commodément situé et un guide qui s'ajuste facilement pour effectuer les assemblages à angle droit ou à onglets. Le guide sert à centrer la gorge et à maintenir la lame parallèlement aux faces du bois. Observez les règles usuelles de sécurité (p. 19) et d'entretien.

1. Alignez les deux pièces. Marquez le centre des gorges sur les deux planches. S'il y a plusieurs assemblages, identifiez les pièces correspondantes : AA, BB et ainsi de suite. Pour une seconde languette, marquez au verso.

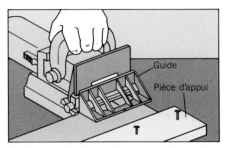

2. Appuyez la pièce. Ajustez le guide de l'outil à la moitié de l'épaisseur de la planche. Alignez le repère de l'outil sur la marque de la pièce. Tenez l'outil fermement contre la planche, actionnez le moteur et poussez.

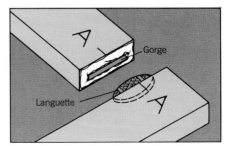

3. Reprenez l'étape 2 pour l'autre pièce. Soufflez dans les gorges pour enlever la sciure. Mettez-y de la colle blanche ou jaune. Insérez la languette ; ajustez et enserrez. Lorsque la colle est sèche, poncez.

Travail du bois / Assemblages à goujons

Les assemblages à goujons sont presque aussi solides que les assemblages à tenon et à mortaise (p. 104-105). Ils nécessitent un travail soigné et un équipement spécial.

Utilisez au moins deux goujons par assemblage, d'un diamètre ayant au plus la moitié de l'épaisseur de la planche la plus mince et d'une longueur en ayant 1¼ fois l'épaisseur. Percez des trous dans chaque composante. Ils devraient avoir, en profondeur, ⅛ po (3 mm) de plus que la moitié de la longueur des chevilles. Les goujons devront être entaillés (encoches ou cannelures) pour que l'air et l'excédent de colle puissent s'échapper. Un léger chanfrein aux extrémités facilitera l'insertion.

L'alignement et le perçage des trous constituent une tâche délicate. Servez-vous d'une cheville pointée ou d'un clou à finition. Un gabarit vous permettra de percer des trous droits ; le gabarit autoajustable s'adapte à toute perceuse électrique.

Assemblages à goujons

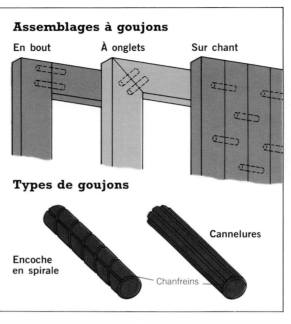

En bout **À onglets** **Sur chant**

Types de goujons

Cannelures

Encoche en spirale

Chanfreins

Façonnement des goujons

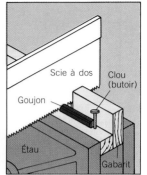

Scie à dos
Clou (butoir)
Goujon
Étau
Gabarit

1. Faites les cannelures d'abord. Fixez votre scie dans un étau de façon que les dents en excèdent les mâchoires de ¼ po. Tenez le goujon perpendiculairement à la scie. Appuyez et frottez contre les dents, encochant le goujon sur sa longueur.

2. Découpez le goujon à la longueur désirée. Pour accélérer, fabriquez un gabarit. Enfoncez un clou dans une pièce de rebut ; dans une autre, faites un trait de scie. Fixez-les à angle droit dans un étau. Chanfreinez les extrémités avec une lime (ou avec un taille-crayon).

Traçage et insertion des goujons

Bout

Situez la première marque de façon que la circonférence du trou se trouve à une distance égale à deux diamètres de goujon du bord de la planche. Marquez les centres des autres trous. Espacez-les également.

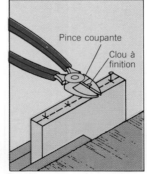

Pince coupante
Clou à finition

Pour transposer les centres sur l'autre pièce, enfoncez partiellement des clous à finition dans les centres de la première planche, bien à la verticale. Au moyen d'une pince coupante, enlevez-en les têtes et laissez dépasser de ¼ po.

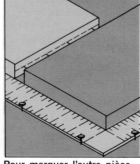

Pour marquer l'autre pièce, placez les deux planches à plat sur une surface unie et appuyez-les contre les lames d'une équerre de charpente. Assurez-vous que les faces sont du bon côté. Poussez fermement la pièce munie de clous contre l'autre ; enlevez les clous et percez.

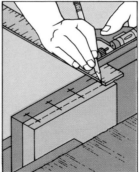

Autre méthode : utilisez un gabarit au lieu de clous à finition. Enserrez les pièces. Avec une équerre, tracez des lignes sur les deux planches pour indiquer l'emplacement des trous. (Certains gabarits s'ajustent d'eux-mêmes.)

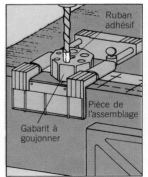

Ruban adhésif
Pièce de l'assemblage
Gabarit à goujonner

Fixez le gabarit aux pièces selon les directives du fabricant. En général, il s'agit d'aligner le repère du gabarit sur les marques des pièces de bois. Percer ainsi tous les trous. Collez à votre mèche un ruban adhésif qui servira de guide de profondeur si le gabarit n'en est pas muni.

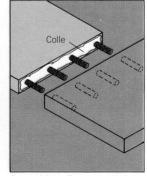

Colle

Assemblez. Encollez les surfaces des pièces et les rives des trous. N'encollez pas les goujons. Enfoncez les goujons dans une pièce, puis assemblez l'autre pièce. Enserrez et laissez sécher la colle.

Scie circulaire 60-61
Scie à onglets 61
Fabrication de boîtes 113

Assemblages à onglets

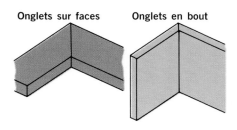

Onglets sur faces   Onglets en bout

Dans un assemblage à onglets, les faces ou les bouts des pièces sont taillés à angle, 45° étant le plus répandu, pour former un angle droit.

Les assemblages à onglets sont réalisés soit en découpant les pièces sur leurs faces (*onglets sur faces*), soit en entaillant les bouts (*onglets en bout*). On a recours aux onglets sur faces pour l'encadrement d'œuvres d'art, de portes et de fenêtres, et pour la fabrication de boîtes à encadrement et à panneaux. Les onglets en bout sont utilisés en ébénisterie.

Dans les deux cas, ce sont les bouts qui sont réunis. Comme ils ne retiennent pas très bien la colle ou les fixations, ils donnent des assemblages peu solides. Ils peuvent être renforcés par de petits morceaux de placage, des languettes, des pièces de soutien, des goujons (page ci-contre), des languettes préfabriquées (p. 107) ou des attaches ondulées (p. 80).

Tracez et découpez avec précision. Avec la scie, utilisez une boîte à onglets métallique ; avec le plateau de sciage, faites un essai sur une pièce de rebut. Enserrer demandera de l'ingéniosité. Faites un essai avant d'encoller (p. 35).

Fabrication d'un assemblage à onglets

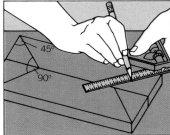

1. Tracez les lignes de sciage en plaçant les pièces côte à côte et les bouts de niveau. Avec une équerre à combinaison, tracez un angle de 45° sur chaque planche. Vérifiez l'exactitude en plaçant l'équerre à l'intérieur de l'angle ainsi formé.

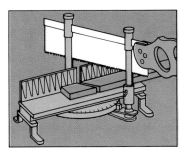

2. Découpez les pièces dans une boîte à onglets métallique en utilisant une scie à dos finement dentée. Assurez-vous d'effectuer correctement la coupe. Placez chaque pièce de façon que la scie repose sur le côté rebut de la ligne.

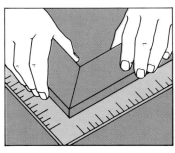

3. Vérifiez l'exactitude de vos coupes. Appuyez les pièces contre les lames d'une équerre de charpente. Aucun interstice ne devrait être visible le long du joint, ni entre les planches et les lames de l'équerre.

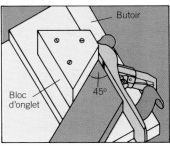

4. S'il faut tailler l'onglet, rabotez en vous aidant d'un butoir (p. 39) avec un bloc d'onglet. Avec un rabot bien affûté, n'enlevez que de fins copeaux à chaque passe. Vérifiez fréquemment l'assemblage.

Renforcement des assemblages à onglets

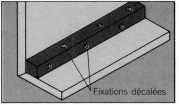

Fixations décalées

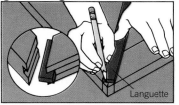

Languette

Coin carré : Renforce les onglets en bout. Collez et fixez sur les surfaces intérieures.

Languette. 1. Alignez les pièces. Centrez la languette. Marquez pour établir la profondeur des rainures.

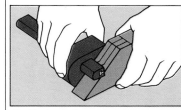

Languette de placage. 1. La colle une fois sèche, faites des traits obliques sur le coin avec une scie à lame fine.

2. Ajustez le trusquin selon l'épaisseur de la languette (un tiers de l'épaisseur des pièces).

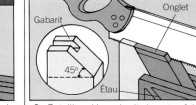

Gabarit   Onglet   Étau

2. Taillez de petits morceaux de placage. Encollez-les ; insérez-les dans les entailles ; enfoncez délicatement.

3. Entaillez. Un gabarit de votre fabrication assurera des rainures identiques dans les deux pièces.

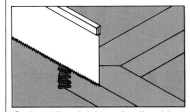

Marquez le rebut

3. La colle séchée, sciez l'excédent. Aplanissez en utilisant un ciseau à bois ou un rabot, puis poncez.

4. Assemblez sans colle ; marquez le rebut. Enlevez et taillez la languette ; assemblez en collant.

Travail du bois / Assemblages chant sur chant

Si vous désirez créer une surface en largeur (dessus de table, par exemple), procédez à un assemblage chant sur chant. Une surface ainsi réalisée est plus solide qu'une pièce de bois massif, car plusieurs planches étroites auront moins tendance à gauchir qu'une seule planche large. Il importe toutefois de bien équarrir les chants (par planage) et d'utiliser un bon adhésif.

Avant d'assembler, mettez les planches côte à côte et faites alterner le sens des arcs formés par les anneaux de croissance (visibles à chaque bout). Si les planches gauchissent, le panneau ne présentera que de petites ondulations que vous pourrez éliminer par planage. Veillez aussi à ce que le grain de surface s'harmonise. Tracez un grand V sur les planches ; il vous guidera pour les réassembler.

Les chants sont planés au moyen d'outils à main ou électriques. La corroyeuse (p. 72) donne de belles surfaces avec un moindre effort ; mais le rabot, la toupie ou le plateau de sciage feront très bien l'affaire. Lames et mèches doivent être bien affûtées et ajustées.

Si possible, assemblez tous les chants simultanément. Si vous planez à la main, enserrez les planches dos à dos ; à la toupie, placez-les chant sur chant ; à la corroyeuse, vous façonnerez un chant à la fois.

Si les chants finis sont un peu concaves (et que la pièce est plus étroite au milieu), vous aurez besoin de moins de pression pour assembler. (Une pression appliquée au centre redressera les bouts.)

Assemblage des pièces

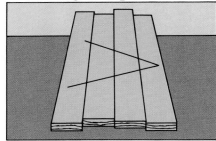

1. Faites alterner le sens des arcs. Harmonisez le grain en surface (il n'est pas nécessaire de placer les bouts à la même hauteur). Marquez.

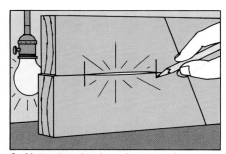

2. Mettez les planches chant sur chant, devant une lampe. Marquez les espaces qui laissent passer la lumière en vue d'aplanir. Un tout petit espace au centre est tolérable.

3. Mettez les planches dans un étau et planez-les deux à deux en ordre séquentiel. Vous planerez les chants extérieurs après l'assemblage.

Aplanissage

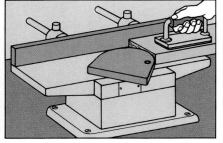

Corroyeuse. La corroyeuse rend les chants parfaitement plats. Pour les rendre concaves, utilisez un rabot. Travaillez des bouts vers le centre.

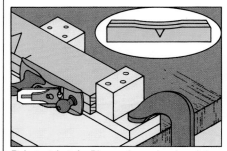

Rabot et butoir. Planez deux planches à la fois, dos à dos. Enlevez les aspérités ; vérifiez devant une lampe ou au moyen d'une règle. Au besoin, accentuez la concavité.

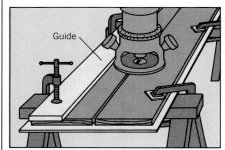

Guide

Toupie. Alignez deux planches larges côte à côte ; ménagez entre elles un espace un peu plus étroit que la mèche. Enserrez et faites plusieurs passes à la toupie entre les deux.

Encollage

1. Prévoyez un serre-joint tous les 1 pi. Mettez les planches sur des chevalets en ordre d'assemblage. Appliquez une légère couche de colle sur les chants.

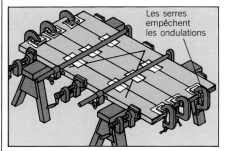

Les serres empêchent les ondulations

2. Alternez la position des serre-joints (dessus et dessous) ; serrez à partir du milieu. Alignez les planches avec un maillet. La colle séchée, égalisez les bouts à la scie.

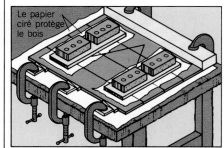

Le papier ciré protège le bois

Pour les planches minces, assemblez dans un gabarit de votre fabrication et sur du papier ciré. Utilisez des cales pour exercer une pression latérale. Mettez un poids.

Assemblages d'allongement

On peut allonger la surface d'une planche de la même façon qu'on l'élargit (voir page ci-contre) : en joignant deux planches, cette fois bout à bout, que l'on taille et colle ensemble, ou que l'on relie par des fixations, ou encore en combinant les deux méthodes.

Ce type d'assemblage sert à des ouvrages spécifiques — fermes de toit, coques de bateaux — mais aussi à raccorder les moulures (p. 99), la coupe en biseau rendant le joint presque invisible.

Sa résistance dépend de l'adhésif, mais aussi de l'étendue de la surface d'encollage. Outre les colles blanches ou jaunes, les adhésifs à base d'acrylique ou de résorcine (une résine imperméable) assurent de bons résultats. Mais deux pièces assemblées n'auront jamais la résistance d'une pièce unique. Réalisé à l'horizontale, l'assemblage devrait être soutenu par un montant ou un poteau ; à la verticale, il sera appuyé par une traverse.

En général, plus le joint est long, plus l'assemblage est solide. Un angle de 1:8 est la règle d'or en construction. Mais pour les assemblages destinés à subir de grandes tensions, il est recommandé de faire appel à un professionnel.

L'assemblage en sifflet (décrit à droite) dissimulera le joint, ce qui est important dans le cas des moulures ou des plinthes. Si vous avez accès chez vous aux solives et que vous remarquez des assemblages de ce type, vérifiez-les périodiquement. Au besoin, ajoutez des boulons ou des plaques (voir à droite).

L'assemblage en sifflet

1. L'angle du joint devrait être d'au moins 1:8 ; c'est-à-dire que la ligne de sciage devrait constituer un triangle rectangle dont l'hypoténuse est huit fois plus grande que la base. Selon les contingences, cet angle pourra être modifié.

2. Sciez du côté rebut de la ligne de sciage. Utilisez une scie à tronçonner à fine denture (p. 24) pour les grosses pièces et une scie à dos pour les pièces plus petites. (À la scie électrique, utilisez une lame à finition.)

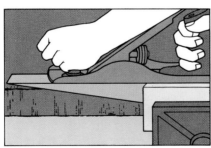

3. Faites un essai. Les surfaces assemblées doivent se toucher sur toute leur longueur ; aplanissez au besoin. Dans l'étau, placez la surface à planer quasi à l'horizontale. Mettez la pièce entre deux limandes (p. 46) qui serviront de guide.

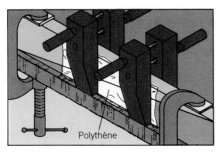

4. Placez l'assemblage sur une surface unie (ou une planche). Encollez et assemblez. Assujettissez au moyen de serres en C et ajoutez des serres à main pour empêcher les pièces de glisser. La colle séchée, enlevez l'excédent ; rabotez les chants.

Autres méthodes

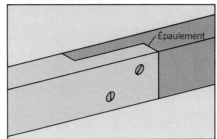

Mi-bois. Facile à réaliser (p. 101) ; chaque feuillure a la moitié de l'épaisseur de la pièce. Les épaulements doivent s'appuyer exactement sur les tranches des feuillures. Assemblez au moyen de colle et de vis, de boulons ou de clous fixés en diagonale.

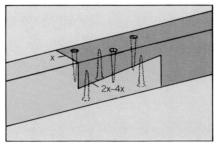

Mi-bois en biseau. Appelé aussi mi-bois en queue d'aronde. La partie la plus mince doit faire au moins le tiers de l'épaisseur de la pièce. Assemblez avec des vis. Décalez les vis pour éviter de fendre le bois. Cet assemblage doit être soutenu.

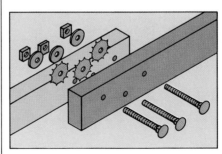

Assemblage boulonné. Il n'a pas à être taillé. Recouvrez une pièce d'une autre, sur une longueur équivalant à deux fois leur largeur. Fixez au moyen de boulons de carrosserie, de rondelles plates et d'écrous. Pour plus de solidité, intercalez des rondelles à dents.

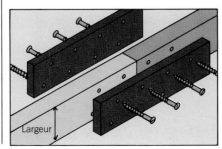

Plaques d'assemblage. Taillez des plaques de bois ou de métal de la même largeur que les pièces et de la moitié de leur épaisseur. Assemblez les pièces en bout ; coincez-les entre les plaques. Fixez des deux côtés avec de la colle et des vis ou des clous.

Assemblages à tenon et à mortaise 104-105
Assemblages à languettes 107
Assemblages à goujons 108

Travail du bois / Assemblages triples

La solidité des meubles et des ouvrages à structure dépend de l'assemblage des pieds et des traverses (assemblage triple). En planifiant un ouvrage, choisissez un type d'assemblage compatible avec sa fonction. Pour un meuble de valeur, l'assemblage à tenon et à mortaise est tout indiqué, mais pour un établi, un des assemblages à recouvrement illustrés ici suffira.

Les assemblages triples sont simples ou complexes. Les plus simples sont les assemblages en bout ou assemblages en L (p. 100), renforcés de coins de bois ou de fixations métalliques. Ils sont solides et faciles à réaliser et conviennent aux ouvrages ordinaires ou temporaires.

Pour les meubles, utilisez des plaques d'angle métalliques ou des goujons. L'assemblage ainsi réalisé sera plus discret, mais tout aussi résistant. Les plaques d'angle métalliques permettent de resserrer les assemblages lâches, et de les défaire et de les refaire au besoin. Les assemblages à languettes préfabriquées peuvent être substitués aux assemblages à goujons ou à tenon et à mortaise, mais ils doivent être confectionnés au moyen d'une scie à gorge.

Malgré leur solidité, les assemblages à goujons ou à tenon et à mortaise sont parfois renforcés par des fixations ou des pièces de soutien. Une telle robustesse n'est peut-être pas nécessaire ; par ailleurs, ils exigent une grande précision lors du traçage et du découpage.

Assemblage triple à goujons

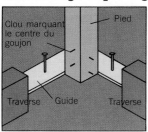

1. Assemblez pour définir l'emplacement des goujons (p. 108). Marquez le pied ; décalez les goujons pour éviter qu'ils se touchent. Enfoncez des clous à finition ; enlevez les têtes. Marquez ; ôtez les clous.

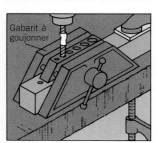

2. Enserrez solidement les pièces. Avec un gabarit à goujonner (p. 108), percez le pied et les traverses. (Vous pouvez décaler les trous en calant un côté du gabarit.)

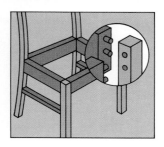

3. Avant d'assemblez, décidez de la marche à suivre : combien de serre-joints, de quel type, où les placer (p. 34-35). Employez un adhésif (p. 88-89) de bonne qualité. Assemblez.

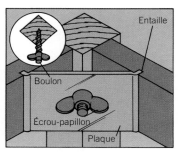

Plaque d'angle métallique. Cette pièce consolide un pied de chaise ou de table. Faites des entailles sur les faces intérieures des traverses ; glissez-y la plaque. Percez un avant-trou, mettez le boulon et serrez l'écrou-papillon.

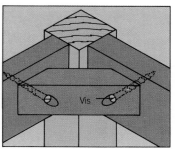

Gousset de bois. Muni d'onglets, il consolide un coin. Il peut remplacer la plaque métallique si on ajoute un boulon au centre. Assemblez et installez le gousset. Percez des avant-trous pour les vis.

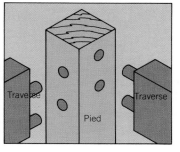

Goujons. Mettez-en deux ou plus par traverse afin d'obtenir un assemblage solide et durable. Décalez les goujons. Si les traverses sont trop minces, utilisez de petits goujons ; renforcez avec une plaque métallique ou un gousset.

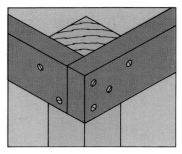

Assemblage à recouvrement (traverses extérieures) : il convient aux établis. Fixez avec de la colle et au moins deux fixations par traverse ; décalez pour ne pas qu'elles se touchent. Des boulons (sans colle) permettent de démonter l'assemblage.

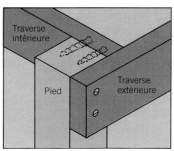

Assemblage à recouvrement : semblable au précédent, avec une traverse à l'intérieur. La solidité repose sur la qualité de la colle et des fixations. Installez d'abord la traverse intérieure au moyen de vis. Fixez l'autre pièce avec des vis ou des boulons.

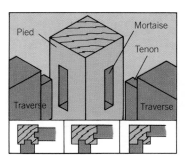

Tenon et mortaise : le plus solide et le plus complexe. Le traçage varie selon le mode d'assemblage. L'assemblage à mortaise et à feuillure (au centre et à droite), moins solide, sert à monter des boîtes. La longueur du joint augmente la solidité.

Fabrication de boîtes

Boîte en bois massif

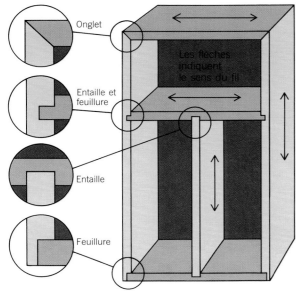

Onglet

Entaille et feuillure

Entaille

Feuillure

Les flèches indiquent le sens du fil

Boîte à structure

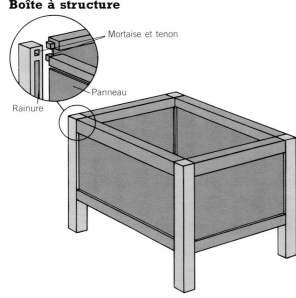

Mortaise et tenon

Panneau

Rainure

La boîte sert de base à la plupart des projets. Si vous y ajoutez des tiroirs (p. 114-115), des rayons, des moulures et des portes, elle devient un véritable meuble.

Il existe deux types de boîtes : *en bois massif* et *à structure*. La première est constituée uniquement de pièces de bois : planches ou contreplaqué. Dans la seconde, une structure de bois donne sa forme à l'ouvrage. De minces panneaux la complètent : ils sont fixés à la structure ou encastrés dans les rainures qui y ont été pratiquées.

Si vous fabriquez une boîte en bois massif, déterminez-en d'abord le type d'assemblage. Bien que les assemblages en bout soient une possibilité, il en existe beaucoup d'autres plus solides, de meilleure apparence et facilement réalisables avec des outils électriques. Installez un dos (généralement en contreplaqué) pour obtenir une plus grande solidité. Le fil du bois devrait être dans le sens de la partie la plus longue ; le mouvement d'expansion et de retrait sera ainsi le même dans toutes les parties.

Moins sujettes au gauchissement, les boîtes à structure servent de base aux armoires et aux commodes. Le rapport entre les panneaux et la structure inspire une grande variété d'effets décoratifs. Découpez d'abord les pièces de la structure. Si le panneau doit être fixé à l'extérieur, commencez par assembler la structure ; s'il doit être fixé à l'intérieur, suivez les directives à droite. Dans les deux cas, terminez d'abord l'intérieur de la boîte.

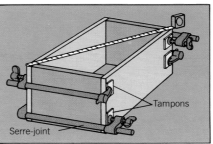
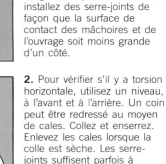

Tampons

Serre-joint

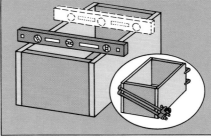

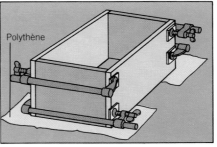

Polythène

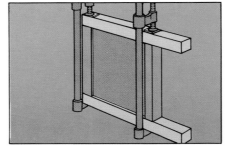

1. Vérifiez l'exactitude des angles à l'équerre ; mesurez les diagonales (p. 49). Si la boîte n'est pas d'équerre ou si elle ne repose pas bien à plat, vérifiez les coupes. Si l'angle n'est pas loin de 90°, installez des serre-joints de façon que la surface de contact des mâchoires et de l'ouvrage soit moins grande d'un côté.

2. Pour vérifier s'il y a torsion horizontale, utilisez un niveau, à l'avant et à l'arrière. Un coin peut être redressé au moyen de cales. Collez et enserrez. Enlevez les cales lorsque la colle est sèche. Les serre-joints suffisent parfois à redresser l'ouvrage. Placez-les à des angles différents jusqu'à ce que la boîte soit de niveau (en médaillon).

3. Quand l'ouvrage est droit, encollez et réassemblez. Remettez les serre-joints pour maintenir la forme. Des feuilles de polythène recueilleront l'excédent de colle. Si vous ne collez pas, clouez ou vissez ; puis installez le dos ou le fond. Serrez uniformément aux deux bouts. Des tampons protégeront les surfaces.

Boîte à structure. Assemblez d'abord deux côtés. Si la structure entoure le panneau, faites un essai d'assemblage. Si le panneau doit être fixé à la structure, faites d'abord la structure. Vérifiez l'équerrage des coins ; encollez et enserrez. Une fois la colle sèche, fixez les deux autres côtés aux montants.

Travail du bois / Fabrication de tiroirs

Le tiroir est essentiellement une boîte dans une boîte. La planification et le traçage sont les secrets d'un tiroir bien réussi. Fabriquez le meuble et installez les guides avant de confectionner les tiroirs. Leurs dimensions seront ainsi plus précises.

Comme une boîte en bois massif (p. 113), un tiroir a deux côtés, un dos, un fond et un devant (ras, faux ou débordant). Les tiroirs à devant ras entrent complètement dans le meuble. Leurs extrémités sont habituellement feuillurées pour recevoir les côtés et former des coins unis. La largeur des feuillures pourra être plus grande que l'épaisseur des côtés pour dissimuler les joints et les fixations métalliques.

Les devants faux et débordants sont également entaillés. Ils recouvrent les ouvertures du meuble, masquant ainsi les irrégularités et les fixations. Les faux devants sont sans doute les plus simples à faire.

Dans tous les tiroirs, le devant et les côtés sont généralement rainurés de façon à retenir le fond. Fixez le fond au dos avec de petits clous ou de petites vis ; n'utilisez pas de colle. Finissez l'intérieur et l'extérieur au polyuréthane ou avec un autre vernis pour diminuer les réactions à l'humidité.

Pour les tiroirs ordinaires comme ceux qu'on retrouve dans les salles de bains, suivez la méthode illustrée à droite. Les tiroirs devant contenir des objets lourds (page suivante) ou destinés aux meubles de valeur doivent être construits au moyen de solides assemblages emboîtants.

Assemblage d'un tiroir

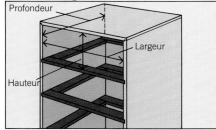

1. Mesurez la hauteur, la largeur et la profondeur du tiroir, compte tenu des fixations, des guides, des coulisseaux et des tasseaux (à droite) ; laissez un jeu de $\frac{1}{16}$ à $\frac{1}{8}$ po. Revérifiez vos mesures avant de couper.

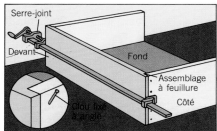

2. Découpez les feuillures du devant. Encollez et enserrez ensemble le devant, les côtés et le fond. Fixez les côtés au devant avec des clous à finition de $1\frac{1}{2}$ po enfoncés à angle.

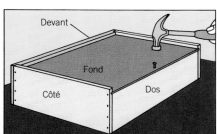

3. Fixez le dos avec des clous à finition de $1\frac{1}{2}$ po plantés à angle. Vérifiez les angles et le niveau du tiroir (p. 113). Pour terminer, fixez le fond au dos avec de petits clous ou des vis.

Guides et coulisseaux

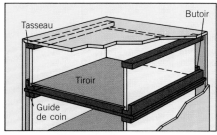

Les guides de coin supportent le tiroir et servent de rails. Les **butoirs** empêchent le tiroir de s'enfoncer trop loin. Les **tasseaux,** fixés de chaque côté du meuble, empêchent le tiroir de basculer et de tomber.

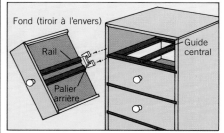

Un guide central et des rails fixés sous le fond s'utilisent pour des tiroirs à appuis latéraux. Un palier arrière en plastique fixe le tiroir au guide et l'empêche de basculer lorsqu'il est ouvert.

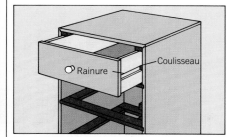

Des guides latéraux conviennent pour les tiroirs ordinaires : fixez des coulisseaux au meuble ; faites des rainures assorties dans les côtés du tiroir. Utilisez une toupie (p. 68-69) ou un plateau de sciage (p. 64-65).

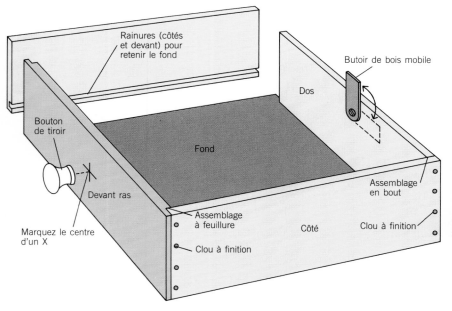

Serres 34-35
Construction de boîtes 113
Réparation de tiroirs 506

Tiroirs robustes

Choisissez vos matériaux en fonction autant de leur solidité que de leur apparence. Faites des assemblages au lieu d'employer des fixations. Achetez des pièces de support métalliques avec roulements à billes ou roulettes en nylon plutôt que de les fabriquer en bois.

Si les tiroirs ont une longueur de 24 po (61 cm) ou moins, utilisez du contre-plaqué ou du bois massif de ½ po (12,5 mm) pour les côtés et le dos, et du contre-plaqué de ¼ po (6 mm) pour le fond. Pour les faux devants, utilisez des pièces de ½ po (12,5 mm) ; pour les devants ras ou débordants, des pièces de ¾ po (19 mm). Si la largeur des tiroirs excède 24 po (61 cm), utilisez des pièces de ¾ po (19 mm) pour les côtés, le dos et le devant et de ⅜ po (9,5 mm) pour le fond.

Les assemblages de coin, à l'avant, devraient être très solides : queues d'aronde (p. 106) ou évasements (p. 102), par exemple. Les assemblages à queues droites sont les plus faciles à réaliser ; ceux à feuillure et à entaille (p. 103) se découpent facilement avec un plateau de sciage ou une toupie. Taillez ensuite des rainures sur le devant, les côtés et le dos pour recevoir le fond. Ne collez pas le fond ; fixez-le au dos avec des vis de façon à pouvoir le remplacer.

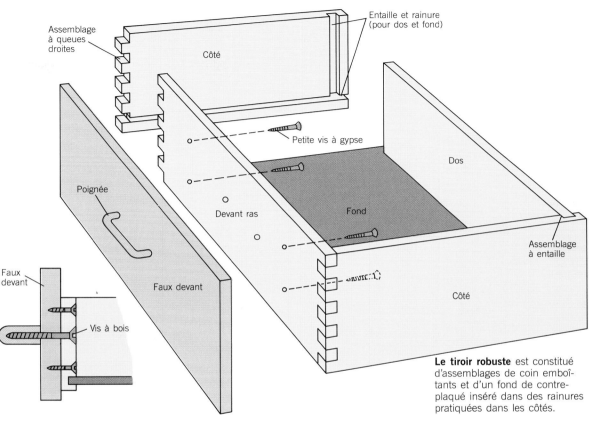

Le tiroir robuste est constitué d'assemblages de coin emboîtants et d'un fond de contre-plaqué inséré dans des rainures pratiquées dans les côtés.

Les mécanismes à tiroir

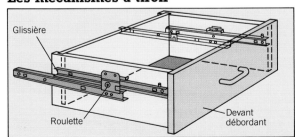

Les glissières latérales assurent un support ferme et un bon fonctionnement, même aux tiroirs lourds. Généralement, on laisse un jeu de ½ po entre les côtés des tiroirs et ceux du meuble. Les glissières à pleine portée permettent d'ouvrir plus grand le tiroir. Le devant débordant cache les glissières.

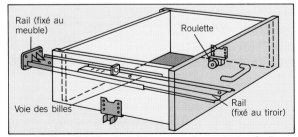

Les glissières à billes installées au centre sont plus faciles à poser et requièrent peu d'espace. Elles remplacent les guides classiques si les composantes du tiroir et le meuble sont solides. Certaines glissières, munies de roulettes verticales, assurent une plus grande stabilité.

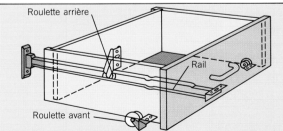

La glissière centrale à trois roulettes, peu chère, peut être utilisée sur des tiroirs dont les fonds ne sont pas solides. Fixez le rail à l'arrière et à l'avant du meuble. Fixez les roulettes au dos et aux côtés du tiroir. Le dessus du rail est ouvert : en dégageant la roulette, on peut enlever le tiroir.

115

Travail du bois / Quincaillerie de portes d'armoires

Charnières cachées

Charnière à cisaillement

Charnière à pivot

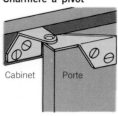

Cabinet   Porte

Charnière à usages multiples

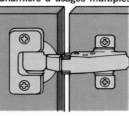

Charnière à cylindres

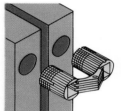

Charnière à lames

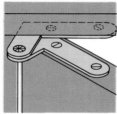

Charnière européenne

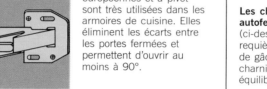

Les charnières cachées assurent une surface unie. Les charnières à lames, à cisaillement ou à cylindres sont utilisées dans les meubles de valeur. Les charnières à usages multiples, munies de ressorts, servent surtout dans les armoires de cuisine et les tables à rallonges pliantes. Elles éliminent les écarts lorsque les rallonges sont repliées. Les charnières européennes et à pivot sont très utilisées dans les armoires de cuisine. Elles éliminent les écarts entre les portes fermées et permettent d'ouvrir au moins à 90°.

Charnières visibles

À pentures de bout

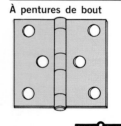

À penture extérieure

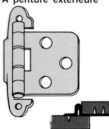

Semi-dissimulée

Les charnières visibles sont installées en général à l'extérieur. Les charnières à pentures de bout répondent au plus grand nombre d'usages ; les charnières à penture extérieure se posent sur les portes qui recouvrent les châssis ; les charnières semi-dissimulées sur les portes débordantes.

Loquets

Loquet à ressort

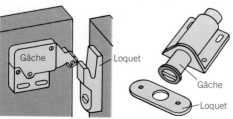

Gâche   Loquet

Loquet cylindrique

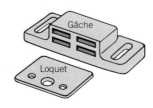

Gâche

Loquet

Loquet aimanté

Gâche

Loquet

Le loquet à ressort se ferme lorsque le rouleau s'engage dans la gâche. Ce loquet et le loquet cylindrique aimanté se ferment au moyen d'une légère poussée. Le loquet aimanté est peu cher et facile à installer. Une traction légère suffit à l'ouvrir.

Loquets et charnières pour portes de verre

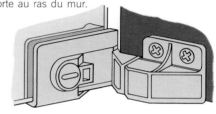

Le bouton et la gâche se montent sur le chant du verre (à droite). L'intérieur constitue le pêne qui s'unit à une gâche aimantée.

La charnière typique (ci-dessous) est munie d'une vis qui serre le verre. Il en existe deux variantes : pour porte encastrée et pour porte au ras du mur.

Les charnières autofermantes (ci-dessus) ne requièrent pas de gâche : la charnière centrale équilibre le poids.

Autres pièces pour meubles

La tige de nivelage ajustable élimine le calage. Le tasseau s'enlève pour accéder sous le meuble.

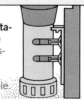

Les fixations mobiles fixent le dessus d'un meuble aux côtés ; elles sont faciles à défaire.

La charnière à coffre se ferme lentement et se bloque si elle est grande ouverte.

Le support à tablette permet d'installer les tablettes au moyen de vis cachées. Une fois la vis glissée dans la rainure, le support est fixe.

Mur

Dos du cabinet

Finition du bois   Décapage

Le fini met en valeur le grain du bois, en rehausse la couleur et en protège la surface. Il ralentit également la perte ou l'absorption d'humidité et prévient ainsi le retrait et le gonflement.

Si le bois est enduit de peinture ternie ou si sa surface est endommagée, il faudra peut-être le décaper. Mais avant de faire quoi que ce soit, lavez-le avec un savon à base d'huile. Vous pourrez ensuite juger de son état.

Réparez d'abord les parties abîmées et enlevez les taches. Les parties ébréchées ou égratignées peuvent être corrigées : humectez-les avec de l'eau. Le bois absorbe l'eau, gonfle et retrouve sa forme. Lorsqu'il est sec, poncez-le au papier abrasif (n° 180). Les brûlures et autres imperfections peuvent être masquées au moyen de cire en bâton ou d'un bouche-pores en pâte. Les bâtons de cire existent en diverses couleurs qui s'harmonisent avec le bois. On remplit le défaut avec de la cire fondue et on gratte l'excédent (p. 502). Les bouche-pores à base d'eau ou de solvant sont appliqués avec un couteau à mastiquer. La pâte de bois est disponible en plusieurs couleurs, mais elle n'absorbe pas la teinture une fois qu'elle est sèche. Vous pouvez en modifier la couleur avec un colorant universel (p. 119) avant de l'appliquer. Les bouche-pores se contractent ; mettez-en un peu plus et poncez après le séchage.

Le ponçage (p. 118), souvent négligé, est pourtant l'étape la plus importante de la finition. Les bouche-pores (p. 120) et les scelleurs viendront ensuite améliorer le fini.

Mesures de sécurité. Portez des gants de caoutchouc, des lunettes protectrices et un masque à poncer ou un respirateur (p. 354) lorsqu'il y a de la poussière et des émanations. Aérez et gardez sur les lieux un extincteur. Ne fumez pas. Si vous travaillez à l'intérieur, éteignez les veilleuses de votre cuisinière à gaz ; les émanations des substances décapantes peuvent exploser. Mettez vos chiffons dans un contenant de métal fermé hermétiquement (p. 348).

Un fini abîmé peut être enlevé en le grattant ou en le dissolvant avec un décapant. Il y a deux genres de décapants. Ceux qui contiennent du méthylène chlorhydrique, disponibles en crème ou en pâte, font effet en 15 minutes ; ils sèchent rapidement, mais ils sont toxiques. Suivez les précautions recommandées sur l'étiquette. Les décapants à base d'eau sont aussi efficaces, mais ils agissent beaucoup plus lentement. Ils ne sont ni toxiques ni inflammables et ils restent malléables pendant plusieurs heures. L'eau soulève toutefois le grain ; vous devrez donc poncer le bois nu. Ne faites pas décaper vos meubles par immersion : cela risque de décolorer le bois et de dissoudre la colle qui retient les placages et les assemblages.

Certaines taches vont persister. Par exemple, le tanin du chêne réagit au contact des clous et forme en profondeur des taches foncées. Tentez le ponçage ou le blanchiment (p. 118). En cas d'échec, vous devrez les accepter ou enduire le bois d'une teinture foncée ou de peinture.

1. Versez une généreuse couche de décapant et faites-la pénétrer. Ne l'étendez pas comme de la peinture. Maintenez la surface à l'horizontale.

2. Enlevez le fini ramolli avec un couteau à mastic. Travaillez dans le sens du fil. Attrapez les égouttures avec un chiffon ou du papier journal.

Frottez avec de la toile ou de la laine d'acier les arrondis et les courbes. Retournez fréquemment pour obtenir un fini propre.

La brosse d'acier enlève le fini des pièces tournées ou sculptées sans endommager le détail. Avec du jute tordu, nettoyez creux et rainures.

Enroulez du papier abrasif autour d'un bloc pour enlever le fini des coins. Utilisez un goujon de la même manière pour décaper les moulures.

Le pistolet à décaper fait boursoufler les finis résistants. Soyez prudent : ne touchez pas la bouche du pistolet. Ne l'utilisez pas sur les placages.

Le ponçage

La finition met en valeur le grain du bois, mais il fait ressortir en même temps les imperfections. Il est donc indispensable de bien poncer pour obtenir un beau fini. La ponceuse électrique nivelle rapidement une surface ; finissez à la main pour éliminer les égratignures.

Utilisez une série de papiers abrasifs, en commençant par les plus grossiers : du 80, passez au 120 et terminez avec un 180. Pour obtenir une surface très douce,

utilisez un 240. Enlevez la poussière à chaque étape et surveillez qu'il n'y ait pas de débris sur le papier susceptible d'égratigner la surface. Poncez dans le sens du fil.

L'utilisation d'un bloc assure une pression uniforme et évite les égratignures. Idéalement, votre bloc devrait avoir 4½ po (11 cm) de long, 3½ po (9 cm) de large et 1½ po (4 cm) d'épaisseur, ce qui vous permettra de le recouvrir d'une demi-feuille de papier abrasif. L'affûtage

et l'utilisation des rabots spéciaux (p. 41) requièrent de l'expérience, mais ces outils diminuent — et parfois éliminent — le ponçage.

Poncez toutes les surfaces. Utilisez vos deux mains pour assurer une pression ferme et uniforme : vous adoucirez la surface et enlèverez tout résidu. Quant aux petites pièces, vous pouvez les enserrer, ou encore les déplacer par rapport à un bloc abrasif immobilisé. Sur les surfaces concaves, frottez avec un

goujon entouré de papier abrasif. Vous pouvez utiliser vos doigts dans les petits espaces, mais il importe d'exercer partout une pression uniforme. Comme les extrémités absorbent plus de teinture que le plat ou le chant, poncez-les vigoureusement, dans un seul sens, et appliquez un scelleur (p. 120).

Enlevez la poussière au balai ou, mieux, à l'aspirateur ; essuyez ensuite avec un chiffon de gaze humecté de térébenthine et de vernis.

Tenez la plane à un angle d'environ 80°, légèrement à la diagonale du fil du bois. Sur les surfaces rugueuses ou les vieux finis, poussez l'outil au lieu de le tirer vers vous. Pliez-le légèrement avec vos pouces.

La ponceuse orbitale est efficace sur les surfaces planes. Passez dans le sens du fil sans appuyer, car vous pourriez brûler le moteur. Le poids de l'outil et son mouvement orbital suffisent à assurer une surface lisse.

La ponceuse à contour se fixe à une perceuse électrique. Les pales, comme les poils d'une brosse, s'insinuent dans les endroits inaccessibles et enlèvent les débris. Mettez du papier abrasif au besoin.

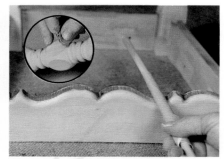

Enveloppez un goujon ou tout objet rond de papier abrasif pour poncer les endroits concaves et les moulures. Pliez du papier 120 déjà utilisé et finissez les surfaces délicates.

Le blanchiment

Si les surfaces décolorées se poncent mal ou si vous désirez pâlir le bois, utilisez un produit de blanchiment. Un javellisant pour la lessive devrait suffire à pâlir une petite section de manière à l'harmoniser au reste. Mais si vous voulez éclaircir l'ensemble d'une pièce, il faudra employer un produit de blanchiment spécial à deux solutions ; conformez-vous au mode d'emploi du fabricant. Quel que soit l'agent de blanchiment que vous utilisez, protégez vos yeux et vos mains.

Pour obtenir de meilleurs résultats, ne blanchissez que des pièces propres et sans fini. Continuez de blanchir jusqu'à ce que vous obteniez une teinte légèrement plus foncée que celle que vous recherchez : le bois pâlit en séchant. (Recommencez si vous le trouvez encore trop foncé.) Ensuite, appliquez un agent neutralisant : un produit commercial ou une solution composée à parts égales de vinaigre blanc et d'eau. Rincez à l'eau chaude et laissez sécher.

Cerisier

Noyer

Chêne

Bois naturel (à gauche) blanchi (à droite). Le blanchiment fait ressortir le grain sans aller en profondeur. Poncez en douceur. Vous retrouverez ainsi la couleur naturelle.

Choix et utilisation des teintures

La teinture rehausse l'apparence du bois et uniformise les teintes de toutes les composantes d'un ouvrage. Sa couleur à l'achat varie selon la composition chimique de la marque de commerce, mais, une fois la teinture appliquée, la couleur dépend du bois et de la finition. Si vous tentez d'assortir une couleur à une autre ou si vous faites une retouche, il est important de faire d'abord des essais sur une pièce de rebut ou sur une partie invisible du meuble. Si vous vous trompez, il est préférable que le bois soit plus pâle : il est plus facile de foncer que de pâlir. Sur votre pièce d'essai, appliquez deux ou trois couches.

Les teintures à l'eau font saillir le grain ; vous avez le choix entre le faire saillir et le poncer avant de teindre (voir p. 117) ou le poncer après. Les teintures à l'alcool sèchent vite, sont utiles pour les retouches et sont vendues en aérosol. Les teintures à l'huile sont souvent mélangées au vernis ou à la laque en vue de l'opération finale.

Note : le vernis à l'huile décompose la teinture à l'huile. Scellez donc le bois teint (p. 120) avant d'appliquer le vernis.

Il n'est pas toujours nécessaire de teindre. Un bois de belle apparence peut être simplement traité (p. 123). Si vous faites les deux, employez, pour un même meuble, des produits de même marque.

Types de teintures. Les *teintures pénétrantes* sont absorbées par les fibres du bois, ce qui se traduit par une couleur pure et claire qui accentue le grain. Les *teintures à pigments* restent en surface du bois, créant un fini translucide qui masque un peu le grain. Utilisez-les pour le bois ordinaire. Les teintures pénétrantes, parce qu'elles agissent rapidement, sont d'un maniement plus délicat, mais elles s'imposent si l'on veut conserver la beauté du grain. Les *teintures en gelée* rassemblent les qualités des deux autres ; leur emploi est à peu près garanti et elles ne dissimulent pas le grain.

Les teintures d'aniline font partie des teintures pénétrantes. Il s'agit d'une poudre qu'on doit dissoudre dans l'eau chaude ou l'alcool. Il en existe une grande variété de couleurs. Pour obtenir de bons résultats, appliquez d'abord une légère couche ; ajoutez d'autres couches au besoin.

Les teintures à l'alcool sont des teintures pénétrantes prémélangées, faites de colorant d'aniline et d'alcool de méthane. Elles donnent des couleurs claires et vives. Ne contenant pas d'eau, elles ne font pas saillir le grain. Pour diminuer l'intensité de la couleur, utilisez un diluant approprié.

Les teintures pigmentées sont constituées de pigments finement moulus en suspension dans l'huile. Il faut mélanger souvent, sinon les pigments s'agglutinent au fond du contenant, ce qui donnera une couleur inégale. Les teintures à base d'eau donnent des couleurs moins intenses que les teintures à base d'huile. Bien que solubles à l'eau, ce qui facilite le nettoyage, elles ne font pas saillir le grain du bois.

Application. Ces produits sont toxiques et inflammables. Protégez-vous : conformez-vous aux modes d'emploi. Évitez les erreurs : faites d'abord des essais.

L'utilisation de teintures d'aniline en aérosol réduit les risques de rayures, d'éclaboussures et autres. Si vous utilisez un pinceau ou un chiffon, suivez le fil du bois et faites des passes longues et régulières.

N'imbibez pas trop votre pinceau. Les mêmes principes s'appliquent aux teintures à l'alcool, sauf qu'il est recommandé d'utiliser un ralentisseur pour prolonger le temps de séchage et éviter le chevauchement des marques de pinceau.

Appliquez les teintures pigmentées avec un pinceau ou un chiffon, d'abord à contresens, ensuite dans le sens du fil. Après le temps de séchage recommandé, essuyez. Appliquez les teintures en gelée dans le sens du fil avec un chiffon sans peluche et frottez jusqu'à ce que la couleur soit uniforme.

Le colorant universel est constitué d'un pigment pur et concentré en suspension dans une solution de type vernis. On le trouve dans toute une gamme de couleurs, dont le blanc et le noir. Il sert à teindre les bouche-pores, à créer et à imiter des teintes. S'il est très concentré, il ressemble à la peinture et masque complètement le grain du bois. Lorsqu'il est mélangé avec le vernis ou la laque, il teint et finit tout à la fois. Ainsi utilisé, il n'offre toutefois pas une bonne protection : la moindre égratignure révélera la couleur naturelle du bois.

Teinture à l'alcool appliquée au tampon.

Teinture à l'alcool : couleur claire, grain net.

Teinture pigmentée appliquée au chiffon.

Teinture pigmentée : masque le grain.

Bouche-pores

Pour obtenir un fini doux ou pour accentuer le grain du bois, utilisez un bouche-pores en pâte. Il est constitué de quartz broyé et de pigments mélangés à un liant et à des siccatifs. Les essences à grain ouvert comme le chêne, le noyer, le palissandre et l'acajou requièrent habituellement l'utilisation d'un bouche-pores. Si vous voulez obtenir un fini naturel sur un bois à petits pores comme le pin, l'érable, le bouleau ou le cerisier, il n'est pas nécessaire d'en appliquer.

La pâte de bois peut être obtenue en diverses couleurs. Une fois sèche, elle n'absorbe pas la teinture ; vous pourrez cependant la teindre avec un colorant universel (p. 119) et obtenir la couleur désirée. (Quand vous préparez une couleur, faites-en suffisamment pour tout le travail.) Pour accentuer le grain, appliquez un bouche-pores faisant contraste avec la couleur du bois : blanc ou pâle sur bois foncé, foncé sur bois pâle.

On applique généralement le bouche-pores après la teinture, mais on peut le faire avant. Les teintures à base d'alcool (p. 119) dissolvent le bouche-pores ; on doit donc les appliquer avant. Faites un essai teinture, bouche-pores, vernis sur une pièce de rebut du même bois pour vous assurer de l'effet. Vous verrez aussi si le bouche-pores modifie la couleur du bois. La pâte de bois doit avoir la consistance d'une crème épaisse. Elle peut être diluée au moyen de térébenthine ; vérifiez d'abord l'étiquette.

Scelleur

Le scelleur améliore presque toujours un fini. Appliqué avant la teinture, il assure son absorption uniforme. Appliqué après la teinture et le bouche-pores, il réduit le nombre de couches de finition : parce qu'il pénètre dans le bois, elles resteront en surface. Des extrémités qui ne sont pas scellées absorbent trop de teinture. Sur un bois gras comme celui du palissandre, le scelleur empêche la résine de suinter. Si les bois de ce type ne sont pas scellés, leur fini pourrait ne pas sécher ou se détériorer.

La gomme-laque est un bon scelleur tout usage, sauf sous le polyuréthane. Utilisez la gomme-laque orangée pour les bois foncés, la solution pâle pour les autres.

Avec un pinceau, appliquez généreusement et uniformément le bouche-pores : faites-le pénétrer. Frottez à contresens d'abord, dans le sens du fil ensuite. Ne faites que de petites sections à la fois : une fois sec, le bouche-pores est presque impossible à enlever. Mélangez bien le produit avant et pendant l'utilisation.

Pendant le séchage (15 min.), la surface devient terne. Frottez vigoureusement à contresens avec un chiffon de toile. (Un essuyage hâtif risque d'enlever le bouche-pores.) Frottez jusqu'à ce qu'il n'y ait plus de bouche-pores en surface. Laissez sécher pendant la nuit ; poncez légèrement. Nettoyez.

Autre méthode : ôtez l'excédent avec un couteau à mur aux coins arrondis ou un couteau à mastic rigide. Travaillez dans le sens du fil en tenant l'outil légèrement à la diagonale du fil. Nettoyez le couteau après chaque passe.

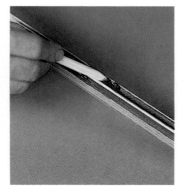

Dans les coins ou les rainures, enlevez le bouche-pores avec un goujon pointu au bout enveloppé d'un chiffon pour éviter les égratignures. Vous pouvez aussi utiliser une brosse métallique souple. Changez de chiffon ou nettoyez la brosse souvent.

Couche finale	Scelleur
Tous les vernis, sauf le polyuréthane	Coupage de 1 lb de gomme-laque (ci-contre). Scelleur à base de laque. Vernis dilué à 50 p. 100 avec son solvant
Polyuréthane	Scelleur à base de laque. Polyuréthane dilué à 50 p. 100 avec de l'alcool
Laque	Scelleur à base de laque. Coupage de 1 lb de gomme-laque
Gomme-laque	Coupage de 1 lb de gomme-laque
Huile pénétrante	Pas nécessaire
Huile d'abrasin	Pas nécessaire

Les bois tendres (p. 93) absorbent inégalement la teinture (à gauche). Un scelleur appliqué avant la teinture donnera une couleur uniforme et évitera une absorption exagérée.

Vernis et laques

Il y a deux types de produits de finition : les *produits de surface,* qui durcissent à la surface du bois, formant une pellicule protectrice (polyuréthane, laque, gomme-laque, vernis), et les *produits pénétrants* (huiles), qui sont absorbés par le bois et qui durcissent dans les fibres. Les couches additionnelles agissent de la même façon. Chaque produit a des propriétés différentes quant à son apparence et à sa durabilité (p. 123).

Lorsque vous utilisez un de ces produits, préparez toutes les parties de l'ouvrage de façon identique — le dos aussi bien que le devant, le dessous comme le dessus — de manière que l'ensemble réagisse uniformément aux changements hygrométriques et ne gauchisse pas. Évitez de travailler dans un endroit frais ou humide. Avant de commencer, laissez au bois et au produit de finition le temps de s'acclimater.

Polyuréthane

Le polyuréthane est résistant, il sèche rapidement et il est facile à appliquer. Satiné (mat) ou brillant, il est généralement de couleur ambrée et met en valeur la teinte naturelle du bois. Il peut être coloré au colorant universel ou à la teinture à l'huile, et dilué avec de la térébenthine ou un solvant d'alcool. Le polyuréthane n'est pas à proprement parler un vernis, lequel se définit comme un mélange de résines naturelles distillées et d'huiles. Pour les travaux à l'extérieur ou sur les coques de bateaux, utilisez l'uréthane ; également synthétique, il est très résistant à l'abrasion, à l'eau et aux rayons solaires.

Étendez uniformément le polyuréthane, en suivant le fil du bois, du centre vers les extrémités. Plusieurs couches minces sont préférables à une seule couche épaisse. Laissez sécher chaque couche (24 heures) avant d'appliquer la suivante. Poncez au 220 ou au 240 entre les couches. Essuyez avec un chiffon humide : la poussière donnerait une surface granuleuse.

Vernissage au tampon et gomme-laque

Beaucoup d'antiquités de valeur ont été vernies au tampon (poli français), technique laborieuse consistant en l'application de plusieurs couches de gomme-laque et d'huile de lin par frottage. On obtient un fini similaire avec une gomme-laque et un tampon spécial. Utile pour de petites pièces, ce procédé convient aussi aux plus grandes. Mettez de la gomme-laque sur le tampon et pressez dans la paume pour bien imprégner le tampon. Appliquez sur la surface d'un mouvement constant et en frottant légèrement.

La gomme-laque se présente en flocons ou en liquide. Ces deux présentations peuvent être diluées avec de l'alcool altéré. On recommande de diluer 3 lb (1,4 kg) dans 1 gal (4,5 litres) d'alcool altéré pour traiter les meubles. Ainsi diluée, la gomme-laque ne se conserve pas longtemps : il faut l'utiliser avant six mois. Ne diluez que les quantités nécessaires. Appliquez la gomme-laque en mouvements longs et uniformes. Poncez légèrement après 4 heures.

Laque

Séchant rapidement, la laque est généralement appliquée au pistolet ou en aérosol. Comme pour tous les finis, plusieurs couches minces sont préférables à une seule couche épaisse. Mettez-en toutefois assez pour qu'elle s'étende bien et qu'elle recouvre uniformément la surface, sans la noyer. Sur les grandes surfaces, allez du centre vers les extrémités. Si vous vaporisez, faites un essai sur rebut : évitez les chevauchements et les égouttures. Si vous optez pour le pinceau, utilisez-en un à soies naturelles et travaillez dans le sens du fil. Laissez sécher avant de recommencer (4 heures au pulvérisateur, 24 au pinceau). Poncez entre les couches. Après 24 à 36 heures de séchage, donnez la couche finale (p. 122). Ne mettez pas de laque sur de la peinture ou du vernis : elle agit alors comme décapant.

▶**ATTENTION !** La laque et ses émanations sont inflammables et toxiques. Travaillez à l'extérieur. Portez des lunettes protectrices et un respirateur jetable (p. 354).

Sur les grandes surfaces, allez du centre vers les extrémités, en utilisant un pinceau à soies naturelles. Pour éviter les bulles, essuyez-le contre le rebord du contenant.

Avec un tampon, appliquez la laque dans le sens du fil dans un mouvement de balayage. Faites un tampon en forme d'œuf en enveloppant du coton dans de la gaze.

Tenez le pistolet parallèlement au meuble, 6 ou 8 po ; pulvérisez légèrement et uniformément. Sur les surfaces planes, vaporisez à contresens, puis dans le sens du fil sans jamais immobiliser le pistolet. Si le temps est humide, le fini pâlira. Pour diluer la laque, suivez les directives.

Travail du bois / Finition et polissage

Applications simples

Pour teindre et finir en une seule étape, utilisez une huile pénétrante (huile scandinave ou d'abrasin) ou un mélange commercial de teinture et de polyuréthane. L'opération est facile et rapide, mais l'aspect n'est pas aussi riche que celui qui résulte d'un travail fait en plusieurs temps.

Les produits à base de polyuréthane se présentent en liquides, qu'on applique au pinceau, ou en gelées, qu'on applique avec un chiffon. Le chiffon confère une meilleure maîtrise et requiert moins de nettoyage. Les mélanges de teinture et d'huile pénétrante sont appliqués au chiffon. Quel que soit le produit, conformez-vous aux recommandations du fabricant. Il se peut qu'on recommande plus d'une couche.

Appliquez le produit avec un pinceau ou un chiffon sans peluches. Essuyez l'excédent avec un chiffon propre, en le retournant souvent, jusqu'à ce que la couleur soit uniforme. Utilisez une tige ouatée dans les rainures.

Huile scandinave

Composée d'huiles pénétrantes et de résines, l'huile scandinave est facile à appliquer et la surface finie est facile à restaurer. À mesure que l'huile pénètre le bois, elle réagit au contact de l'oxygène et durcit au sein des fibres : c'est la *polymérisation*. Si une surface ainsi traitée est endommagée, il n'y a qu'à la poncer et à faire une nouvelle application. Rappelez-vous toutefois que l'huile scandinave fonce la couleur du bois à chaque couche.

Conformez-vous aux directives du fabricant. Plus vous appliquerez de couches, plus la surface sera dure et lustrée. Les travaux finis, mettez les chiffons dans un contenant bien fermé ; rangez-le dans un endroit sûr (p. 348).

Versez une quantité généreuse d'huile sur le bois, étendez-la uniformément avec un chiffon propre et laissez-la pénétrer. Essuyez l'excédent après 15 à 30 minutes. Pour boucher les pores, poncez à l'abrasif 400 avant d'essuyer.

Huile d'abrasin

Cette huile pénétrante provient du fruit de l'arbre du même nom. On la trouve pure, polymérisée et en vernis. L'huile pure donne une surface mate et résistante ; l'huile polymérisée, modifiée chimiquement par chauffage, donne une surface brillante et plus résistante que l'huile pure ; le vernis donne une surface qui risque de s'endommager plus facilement. Pour qu'elle sèche bien, appliquez l'huile d'abrasin par une température moyenne et lorsque le taux d'humidité est peu élevé.

Les divers mélanges commerciaux d'huiles d'abrasin pures et polymérisées donnent des résultats variables, mais leurs finis sont les plus naturels.

Au pinceau ou au chiffon, appliquez deux couches assez minces. Attendez le temps recommandé ; frottez vigoureusement dans le sens du fil avec un chiffon propre ou un tampon de feutre.

Poudres et cires

On peut donner un lustre éclatant aux finis séchés au moyen de poudres abrasives (p. 50) ou de mélanges à base de poudre de ponce, qui donnent un fini satiné. Pour obtenir un poli lustré, utilisez plutôt de la poudre de pierre pourrie.

Ajoutez à ce fini plusieurs couches minces de cire à meuble, qui le protégeront. (La cire en pâte est plus résistante que la cire liquide.) Laissez sécher la cire avant de polir, sinon vous ne faites que la déplacer. N'utilisez ni silicone ni huile de citron. Le silicone empêcherait un nouveau fini d'adhérer, le cas échéant. Quant à l'huile de citron, sa teneur importante en kérosène risque d'endommager le fini.

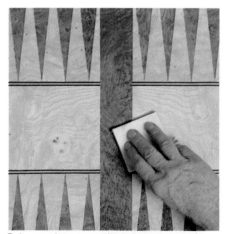

Préparez dans un petit contenant une pâte crémeuse avec de la poudre de ponce et de l'huile de paraffine. Avec un tampon de feutre ou de toile, frottez légèrement dans le sens du fil. Essuyez avec un chiffon doux.

Produits de finition

Type de produit	Apparence	Utilisations	Application	Commentaires
Vernis **À l'eau** **Alkyde** **Huile d'abrasin** **Polyuréthane** **Résine naturelle** **Uréthane**	Fini dur ; satiné (apprêt, mat) ou lustré ; de brun pâle à brun foncé ; fonce légèrement le bois.	**À l'eau.** Objets d'utilisation courante. **Alkyde.** Tout usage ; imite bien le fini par frottage. **Huile d'abrasin.** Surfaces modérément soumises à l'usure. **Polyuréthane.** Très résistant ; parquets, dessus de table ou de bureau, surfaces soumises à l'usure. Dilué dans l'alcool ou la térébenthine, utilisé comme scelleur. **Résine naturelle.** Restauration. **Uréthane.** Extérieurs et bateaux.	**En liquide,** appliquez au pinceau (ou pulvérisez si suffisamment dilué) ; **en gelée,** appliquez avec un tampon en plusieurs couches. Conformez-vous au mode d'emploi.	Résiste aux intempéries, à l'eau, à la chaleur et à l'alcool. Quasi impossible à retoucher. Le long temps de séchage le rend vulnérable à la poussière. Les poudres abrasives lui donnent un beau poli. Le **polyuréthane** a un fini transparent mais de type plastique ; l'**huile d'abrasin** donne un fini plus naturel ; l'**uréthane** jaunit avec le temps et au soleil ; le **vernis à l'eau** ne pollue pas l'environnement (ne contient aucun solvant), se nettoie à l'eau, mais fait saillir le grain. **ATTENTION !** Pour tous ces produits, sauf le vernis à l'eau, les vapeurs sont très inflammables. Travaillez dans un endroit bien aéré, loin de toute flamme ; éteignez les veilleuses ; ne fumez pas. Entreposez chiffons et pinceaux dans un contenant bien fermé (p. 348).
Laque	Fini mat ou lustré ; nombreuses couleurs ; accentue le grain du bois ; fonce à peine le bois.	Meubles soumis à l'usure et aux produits ménagers ; cadres et autres objets décoratifs.	Pulvérisation, avec équipement professionnel (l'utilisation du pinceau est quasi impossible). Portez des lunettes de protection et un respirateur.	Résiste à l'abrasion, à l'eau et à l'alcool ; ternit si on l'applique dans un endroit humide ; sèche très rapidement, donc moins vulnérable à la poussière que le vernis. La plupart des meubles sont aujourd'hui finis à la laque. Appliquée au pinceau, elle laisse des marques de chevauchement. Résiste moins au retrait que les vernis, mais plus que les huiles. La laque synthétique est très inflammable ; à base d'eau, elle est ininflammable et non toxique, mais fait saillir le grain du bois.
Gomme-laque	Fini très lustré ; imite le vernissage au tampon. La **gomme-laque orangée** rehausse la couleur du bois, accentue le grain ; la **gomme-laque blanche** donne un fini transparent, accentue légèrement le grain du bois.	Très pratique pour petits et moyens objets décoratifs.	Appliquez avec un tampon ou un chiffon sans peluches (p. 121), ou encore au pinceau ou au pistolet. Conformez-vous au mode d'emploi.	Sèche rapidement ; résiste à l'usure ; vulnérable à l'alcool ou à l'eau. Appliquée au tampon, peut être teinte et ajoutée à un autre fini. Ternit si elle est appliquée dans un endroit humide. Prémélangée, elle ne dure pas longtemps. N'en achetez pas si elle ne porte pas de date ou si elle a plus de 6 mois.
Huile scandinave	Fini mat d'apparence naturelle ; accentue le grain du bois. Teinte naturelle (transparente) ou foncée (noyer). L'huile transparente fonce un peu le bois.	Tous les objets (à l'intérieur) ; tout indiquée sur les sculptures. Formules spéciales pour extérieur et bateaux, et pour bois denses comme le teck et le palissandre.	Appliquez au chiffon, essuyez. Pour boucher les pores, poncez au papier fin avant le séchage. Mettez trois couches sur les surfaces soumises à l'usure.	Peu vulnérable à la poussière. Accentue les défauts, comme les égratignures : la surface doit donc être parfaite avant d'appliquer. Pénètre le bois ; doit être poncée si l'on veut mettre un autre produit. Facile à retoucher.
Huile d'abrasin	Fini naturel mat, semi-lustré ou lustré ; accentue le grain du bois ; fonce le bois.	N'appliquez que sur du bois nu. Tous les objets à l'intérieur, en particulier les sculptures ; meubles d'extérieur ou patios (tous les 2 ans).	Appliquez au pinceau ou avec un chiffon ; frottez vigoureusement. Poncez au papier fin avant le séchage pour boucher les pores.	Durcit au sein des fibres ; résiste à l'eau et à l'alcool. Très difficile à enlever ; facile à retoucher. Fige lorsque le contenant n'est pas plein ; transvidez dans un contenant plus petit avant de l'entreposer.

123

Travail du bois / Finis spéciaux

Patine

Voici une façon rapide de réparer les dommages en tirant parti de l'usure et des égratignures, ou encore de donner à une surface neuve un fini vieilli. En donnant plus de couleur aux parties moins usées et aux égratignures, vous créez un effet d'usure normale.

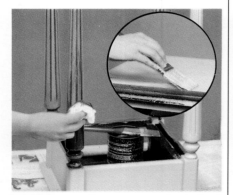

Au pinceau, appliquez une couche de fond opaque et laissez sécher. Appliquez la glaçure. Avant qu'elle ne sèche, essuyez, sauf dans les creux et sur les bords.

Poncez légèrement la glaçure avec un papier fin. Finissez avec plusieurs couches minces de polyuréthane ou d'un autre vernis (p. 121).

Noircissement

Créez l'apparence de l'ébène avec de la pâte de bois brune et une teinture noire concentrée. Pour noircir le chêne, faites tremper de la laine d'acier pendant une semaine dans du vinaigre distillé. Ce liquide réagira au contact du tanin du chêne et le fera virer au noir.

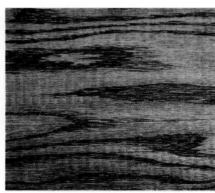

Pour imiter le grain contrastant de l'ébène, bouchez d'abord les pores avec une pâte de bois brun foncé (p. 120).

Appliquez une teinture commerciale ou de votre confection sur la pâte jusqu'à ce que le bois soit noir.

Imitation du bois

Le grain du bois peut être imité avec un procédé semblable à celui de la patine. Il faut de l'apprêt, de la glaçure et des pinceaux. Les teintes naturelles donnent une apparence traditionnelle : les couleurs confèrent un aspect décoratif. Vérifiez les couleurs sur des pièces de rebut.

Appliquez une couche de fond en passant le pinceau sur la longueur. Après le séchage, appliquez la glaçure ; essuyez avec un pinceau ou un tampon rugueux pour imiter le grain.

Lorsque la glaçure est sèche (deux couches ou plus), recouvrez de polyuréthane satiné (mat) ou lustré, ou de laque.

Veinure

Pour mettre en valeur les veines du bois, remplissez les pores des bois à grain ouvert (chêne, noyer, frêne) de peinture blanche ou de pâte de bois blanche (p. 120). Vérifiez toujours la couleur et essayez la technique sur une pièce de rebut de même essence.

Recouvrez la surface de peinture blanche mate ou de pâte de bois blanche. Enlevez l'excédent avec un tampon de toile ou un chiffon, laissant la peinture dans les pores.

Les veines de la surface finie sont accentuées par de la peinture blanche. Utilisez d'autres couleurs aussi, selon vos goûts.

Métaux et plastiques
Exécution des travaux

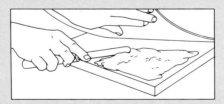 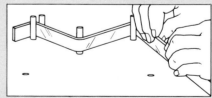 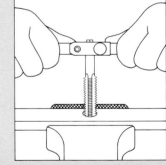

Il faut souvent faire de petites réparations sur des objets de métal ou de plastique dans la maison. En effet, il entre du métal dans les solins, les meubles de parterre, les armoires de cuisine et les cadres de fenêtres. Par ailleurs, le plastique remplace le verre dans les portes de douche et rend imperméables certaines surfaces dans la cuisine et la salle de bains. Il est également utilisé dans les revêtements de plancher.

Vous trouverez plus loin, au chapitre sur les réparations et l'entretien (p. 271), des façons d'utiliser, entre autres, ces matériaux. Quant aux questions relatives aux tuyaux de plastique, elles sont traitées dans le chapitre sur la plomberie (p. 197).

Travail des métaux / Notions de base

Les plastiques ont remplacé les métaux dans bon nombre d'applications pour la maison, mais ces derniers sont encore largement utilisés. Un objet peut être fait d'un métal pur, comme le cuivre, ou d'un alliage, mélange de deux métaux ou plus, comme le laiton (cuivre et zinc). Les métaux ayant chacun leurs caractéristiques propres, on les combine souvent à des fins particulières. Ainsi, on allie le chrome et le nickel, qui résistent à la corrosion, à l'acier pour obtenir l'acier inoxydable. Le glossaire ci-dessous décrit certaines caractéristiques des métaux et explique quelques techniques propres au travail des métaux.

Les métaux les plus employés dans une maison sont l'acier, les alliages d'aluminium (l'aluminium pur est trop mou), le cuivre et le laiton. L'acier est composé de fer et de carbone. Plus il contient de carbone, plus il est dur. Pour la maison, on emploie la plupart du temps l'*acier doux*, contenant de 0,1 à 0,3 p. 100 de carbone. L'acier pour machines (à teneur moyenne en carbone) est plus dur. L'acier à haute teneur en carbone sert à la fabrication de lames et de forets.

Les quincailleries et les ateliers de soudure et de mécanique vendent du métal en *feuilles* ou en *plaques*. La feuille de métal de 12 po (30,5 cm) de largeur ou moins s'appelle *bande* ; la plaque de 8 po (20,3 cm) de largeur ou moins s'appelle *larget* ; feuilles et plaques sont classées parmi les barres de métal, tout comme les tiges. On peut aussi trouver des pièces de métal profilées en I, en T, en U et en L. Les tuyaux et le fil métalliques sont disponibles en calibres et en formes diverses.

Outils de mesurage et de traçage

Planifiez bien votre travail. Faites des tracés précis ; toute inexactitude peut entraîner des erreurs irréparables au moment de couper, de plier ou de percer. La devise de l'artisan, « Mesurer deux fois, couper une fois », s'applique particulièrement au travail du métal, car on ne peut masquer les erreurs.

Plans et gabarits. Faites un dessin détaillé en inscrivant tous les plis, coupes ou raccords. Si le dessin est compliqué, faites une maquette de papier ou de carton. Le traçage sera plus précis si le gabarit est taillé dans une feuille de métal,

Le compas

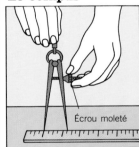
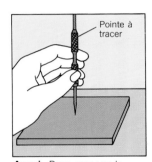

Ajustement. Placez une des branches sur une règle ; placez l'autre branche à la distance voulue.

Appui. Pour appuyer le compas exactement où vous le voulez, faites un petit trou avec une pointe à tracer.

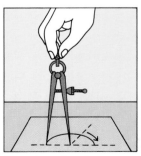
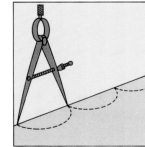

Arcs et cercles. Appuyez une branche du compas au centre et faites pivoter l'autre en marquant la surface.

Espacements égaux. Appuyez une branche et faites pivoter l'autre. Reprenez en alternant le point d'appui.

Qualificatifs

Anticorrosif : Qui est peu sujet à la rouille ou à toute autre forme de corrosion. Le chrome, le nickel, l'étain et le zinc, métaux anticorrosifs, servent au placage de métaux sujets à la corrosion et dans des alliages.

Conductible : Qui conduit la chaleur ou le courant.

Ductile : Qui peut être étiré en un fil mince (cuivre).

Dur : Qui résiste au bossellement et aux perforations (fonte et acier à haute ou moyenne teneur en carbone).

Élastique : Qui reprend sa forme originale après avoir été plié ou tordu (laiton dur et inox).

Extensible : Qui résiste à la traction longitudinale (inox et acier à outils).

Ferreux : Le fer et ses alliages sont ferreux ; tous les autres métaux et alliages sont non ferreux.

Fragile : Cassant (acier trempé et certaines fontes).

Fusible : Qui peut être allié à d'autres métaux après fusion des deux éléments (laiton et cuivre).

Malléable : Qui peut être martelé, roulé ou plié sans se fissurer (aluminium et cuivre).

Résistant : Qualité d'un matériau difficile à briser, à fendre, à plier ou à étirer (inox).

Techniques

Coloration : Modification chromatique d'un métal par l'effet de la chaleur ou de produits chimiques.

Coulage : Couler un métal en fusion dans un moule.

Forgeage : Martelage ou pression du métal à chaud.

Galvanisation : Application de zinc sur du fer, de l'acier.

Gravure : Impression sur une plaque de métal. On enduit le métal d'une substance résistant à l'acide, sur laquelle on trace un dessin au burin. On y verse de l'acide qui brûle le métal aux seuls endroits burinés.

Placage : Application d'une couche de métal sur un autre métal pour en améliorer l'aspect ou la résistance.

Planage : Martelage ou roulage du métal.

Recuit : Mise au feu et refroidissement d'un métal pour le rendre moins cassant après pliage et martelage.

Repoussage : Mise en relief d'un motif sur le métal.

Soudage : Assemblage de pièces de métal par fusion.

Soudage à l'étain : Assemblage de deux pièces de métal par l'intermédiaire d'un autre métal que l'on fait fondre (p.134-135) ou d'un tuyau dans un raccord (p. 220).

Trempe : Chauffage et refroidissement de l'acier pour en diminuer la fragilité et en fabriquer des outils.

de carton ou de papier épais. Collez le gabarit sur le métal et tracez.

Outils et techniques. La pièce de métal à travailler doit être propre et lisse. Limez ou meulez les aspérités et nettoyez la saleté à l'eau savonneuse et avec une laine d'acier. Employez de préférence une pièce de métal dont les rives sont à angle droit, préférablement usinées ; sinon, vos mesures risquent d'être décalées. Vérifiez l'angle des rives à l'équerre ou au niveau.

Pour mesurer avec une règle d'acier, placez-la, sur une de ses rives, sur le matériau et marquez le début et la fin d'une ligne avec une

pointe à tracer. (Agrandissez les marques au pointeau si vous comptez percer à cet endroit.) Pour tracer une ligne, mettez la règle à plat aussi près de vos points de repère que possible sans les recouvrir, appuyez fermement ou fixez-la avec une serre et tracez la ligne.

Servez-vous d'une pointe à tracer plutôt que d'un crayon, car les marques de crayon sont difficiles à voir et s'estompent facilement. La pointe à tracer est un instrument en acier à bout pointu qui grave une ligne fine dans le métal. La pointe à tracer du machiniste comporte une deuxième pointe recourbée à angle droit pour les recoins.

Jauges à métal. On mesure l'épaisseur du métal avec une jauge, mais il existe plusieurs systèmes incompatibles de jauges. Une constante toutefois : plus le chiffre est élevé, plus le métal est mince. Généralement, on utilise la norme américaine pour les métaux ferreux et la norme Brown et Sharpe pour les non ferreux. Pour appareiller du fil ou deux feuilles de métal, utilisez une jauge. Cet outil en forme de disque présente des trous et des fentes de différentes tailles. Glissez le fil ou le bord de la feuille de métal dans la fente de la même épaisseur ; le calibre est inscrit d'un côté, l'épaisseur (en pouces) de l'autre.

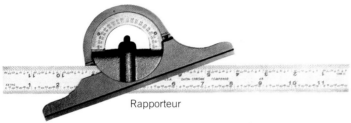

Rapporteur

Les outils de mesurage et de traçage : l'équerre à combinaison dont les éléments sont illustrés ci-dessus et à droite est un instrument polyvalent mais coûteux. Des outils séparés peuvent le remplacer : règle d'acier et équerre (p. 47), rapporteur et fausse équerre (p. 48). D'autres outils de traçage sont illustrés ci-dessous ainsi qu'une jauge d'épaisseur. Vous pouvez ajouter des limes (p. 42) pour nettoyer le métal avant de tracer, des pointes à compas d'ellipse (p. 48) pour tracer des cercles, des pieds à coulisse (p. 46) pour mesurer des dimensions intérieures et extérieures, et des profondeurs.

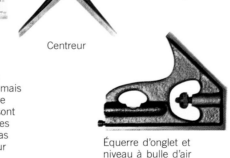

L'équerre à combinaison comprend quatre instruments : une règle d'acier, un rapporteur, un centreur et une équerre.

Centreur

Équerre d'onglet et niveau à bulle d'air

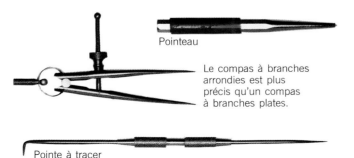

Pointeau

Le compas à branches arrondies est plus précis qu'un compas à branches plates.

Pointe à tracer

Jauge pour feuilles de métal et fil

Écrou à blocage

L'équerre à combinaison et le rapporteur servent à tracer des angles. Desserrez l'écrou, ajustez à l'angle voulu, resserrez ; appuyez le rapporteur et tracez la ligne.

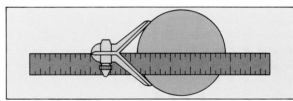

On positionne le centreur en le glissant le long d'une règle jusqu'à ce que ses extrémités touchent le périmètre du cercle. Trouvez le centre à l'aide de la règle.

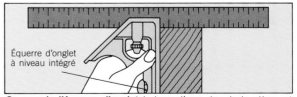

Équerre d'onglet à niveau intégré

On appuie l'équerre d'onglet le long d'une rive de la pièce, et la règle le long de l'autre. Si la règle est à plat, l'angle de la pièce est droit.

127

Métaux / Découpage

On peut couper le métal avec un couteau tout usage, un ciseau à froid, une meule ou sur un plateau de sciage. La scie à métaux (p. 26) coupe le métal sous toutes ses formes, et la cisaille est l'outil privilégié pour le métal en feuille.

Il y a divers types de cisailles. La cisaille de ferblantier sert à couper les feuilles minces en ligne droite. Pour les arcs et les cercles, il faut utiliser une cisaille à lames recourbées, soit la cisaille à chantourner, à double levier, plus forte et plus facile à manier. Celle à poignées jaunes sert à couper en ligne droite, celle à poignées vertes, dans le sens des aiguilles d'une montre, celle à poignées rouges, dans le sens contraire.

La cisaille électrique est utile à ceux qui ont de nombreux travaux à exécuter. Pour couper plus facilement le métal en feuille ou en plaque, on peut adapter une lame à métaux à la scie électrique, mais il faut être prudent. On peut également installer une scie emporte-pièce ou un outil pivotant sur la perceuse électrique.

Cisailles à métaux

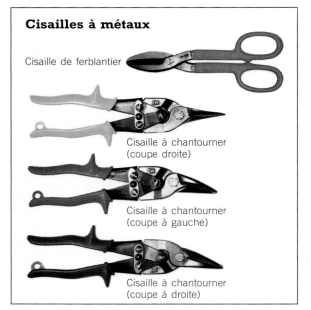

Cisaille de ferblantier

Cisaille à chantourner (coupe droite)

Cisaille à chantourner (coupe à gauche)

Cisaille à chantourner (coupe à droite)

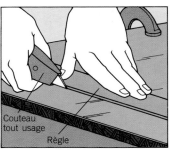

Couteau tout usage — Règle

Le couteau tout usage sert à couper les feuilles de métal très minces, lisses ou bosselées. Fixez la feuille sur du bois avec une serre, tracez et passez plusieurs fois le couteau le long de la règle. Séparez les pièces (mettez de bons gants) et limez-les.

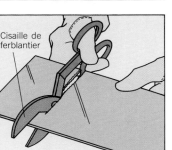

Cisaille de ferblantier

La cisaille de ferblantier fonctionne comme des ciseaux dans le gros carton, mais protégez-vous les mains avec des gants épais. Ouvrez grand les mâchoires, mais ne les refermez pas complètement pour éviter de faire des encoches. Limez la coupe.

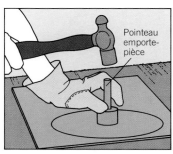

Pointeau emporte-pièce

Pour découper à l'intérieur d'une feuille de métal, commencez par faire le tracé. Percez-y un trou où vous pourrez insérer la lame de la cisaille. Percez avec un pointeau emporte-pièce et un marteau, une scie emporte-pièce (p. 53) ou un outil pivotant (p. 56).

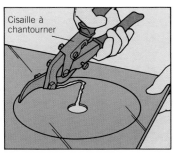 

Cisaille à chantourner

Insérez la cisaille dans le trou et découpez jusqu'à environ ¼ po du tracé. Enlevez la découpure et faites la coupe finale. *Remarque :* Si vous faites la première coupe trop près du tracé, la cisaille fera plier le métal au lieu de le couper à la coupe finale.

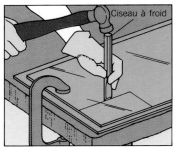

Ciseau à froid

Le ciseau à froid coupe le métal. Fixez la pièce à couper sur du bois (la coupe sera plus fine) ou du métal avec une serre et faites le tracé. Coupez, en frappant le ciseau avec un marteau de mécanicien. Coupez sur toute la longueur du tracé en plusieurs passes.

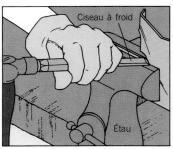

Ciseau à froid — Étau

Une autre méthode de coupe au ciseau à froid consiste à placer la pièce à couper dans un étau, le tracé juste au-dessus des mâchoires. Appuyez la lame du ciseau sur la mâchoire à un angle de 30°. Procédez ensuite selon la méthode précédente.

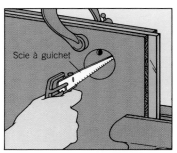

Scie à guichet

Tuyaux et plaques de métal se coupent avec une scie à métaux (p. 27), le métal très mince aussi, s'il est immobilisé entre deux chutes de bois. La scie à chantourner sert aux coupes détaillées, et la scie à guichet aux coupes intérieures.

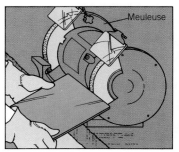

Meuleuse

La coupe terminée, aplanissez la pièce : appuyez-la contre une surface dure et martelez la ligne de coupe au maillet. Limez les aspérités (p. 42) et polissez la rive à la meule (p. 73). La meule peut aussi tailler un biseau sur une plaque de métal épais.

Perçage

Le métal en feuille se perce avec tout type de perceuse, même une perceuse à main; mais, dans le métal épais, le vilebrequin ou la perceuse électrique sont plus pratiques. La perceuse à colonne est toutefois la plus précise. Servez-vous d'un foret hélicoïdal ordinaire (préférablement à pointe au carbure) ou d'un foret en acier à coupe rapide. Celui-ci est plus résistant et perce des métaux plus durs. La grosseur des forets se mesure en fractions de pouces, en millimètres, en calibres pour métaux, en lettres ou en chiffres.

Bloquez la pièce dans une serre et, pour percer à travers, appuyez-la sur un morceau de bois. Faites une petite marque pour guider le foret. Pour percer une feuille de métal mince, mettez-la entre deux morceaux de bois et percez le tout.

Si vous percez du métal épais, huilez le trou avec de l'huile légère ou de la térébenthine avant et pendant le perçage pour empêcher le foret de surchauffer. Sortez le foret de temps en temps pour enlever la limaille.

Mesures de sécurité

Le travail des métaux comporte peu de risques pourvu qu'on fasse attention. Suivez les conseils de la page 19 et prenez soin de toujours:
- tenir les lames et les forets bien affûtés et de ne jamais forcer un outil;
- fixer le matériau avec des serres. Ne le tenez jamais d'une main pendant que vous le travaillez de l'autre;
- porter des lunettes protectrices quand vous percez, sciez ou meulez du métal: la limaille pourrait vous blesser les yeux;
- porter des gants épais. Les bords sciés peuvent couper les mains, et les aspérités infliger des blessures douloureuses;
- limer ou meuler aussitôt après;
- utiliser les mécanismes de sécurité et les écrans protecteurs intégrés aux outils.

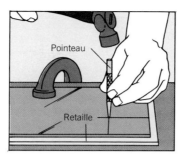

Pointeau — Retaille

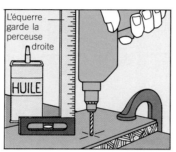

L'équerre garde la perceuse droite — HUILE

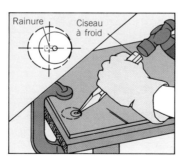

Rainure — Ciseau à froid

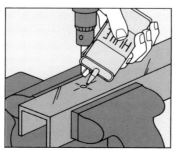

Prenez une serre pour stabiliser la pièce à percer sur une surface dure (une retaille de métal) et marquez l'endroit où forer en traçant des lignes croisées. Enfoncez le pointeau à l'intersection. La marque empêchera le foret de patiner.

Versez quelques gouttes d'huile sur la marque. Si vous utilisez une perceuse à colonne ou une grosse perceuse, forez lentement ou à la vitesse indiquée sur le mode d'emploi. Sortez le foret de temps en temps: enlevez la limaille et ajoutez de l'huile.

Dans le métal épais, vérifiez que le trou est bien centré. S'il ne l'est pas, faites une rainure au ciseau entre le trou percé et le point où il devrait être. Guidez le foret le long de la rainure jusqu'à l'endroit voulu. *Remarque:* Emploi d'un foret hélicoïdal seulement.

Forez les gros trous (plus de ¼ po de diamètre) par étapes. Commencez par un foret de ¼ po et augmentez graduellement. Voyez aussi le foret étagé (p. 53), la scie emporte-pièce (p. 53) et la perceuse à colonne (p. 56).

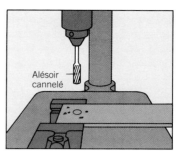

Alésoir cannelé

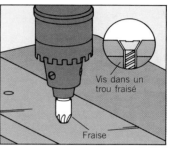

Vis dans un trou fraisé — Fraise

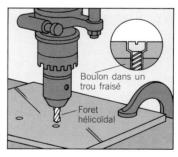

Boulon dans un trou fraisé — Foret hélicoïdal

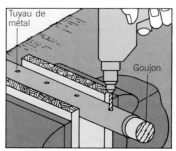

Tuyau de métal — Goujon

Une dimension très exacte est nécessaire? Prenez un foret plus petit (¹⁄₁₆ po) que le trou voulu. Finissez avec une queue-de-rat, un alésoir conique ou une perceuse de ½ po (ou à colonne) et un alésoir cannelé. Lissez l'intérieur à l'alésoir ou à la fraise.

Affleurez la tête de vis en biseautant le trou juste assez pour que la tête s'y loge. Percez d'abord le trou, puis servez-vous d'une fraise (p. 53) pour l'agrandir en biseau. Mettez la perceuse à sa plus faible vitesse et forez en huilant généreusement.

Affleurez la tête de boulon et l'écrou en agrandissant le trou pour qu'ils s'y logent. Employez la même méthode que pour les têtes de vis, mais servez-vous d'un foret hélicoïdal au lieu d'un alésoir conique. Forez à faible vitesse et huilez généreusement.

Percez près du bout d'un tuyau en y insérant d'abord un goujon pour le renforcer. Forez ensuite jusque dans le goujon. Pour percer les deux parois du tuyau, continuez jusqu'à ce que la paroi inférieure soit perforée.

Le taraud sert à fileter l'intérieur d'un trou. C'est une tige ronde, en acier à outil, dont l'un des bouts est carré et l'autre fileté. Les fils sont tranchants. On insère le taraud dans un trou et on le tourne avec un outil à tarauder. On peut fileter un trou taraudé ou un trou borgne.

 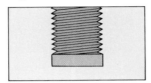

Trou taraudé   Trou borgne

Choix d'un taraud. Il y a trois principaux types de tarauds. Le *taraud intermédiaire*, dont les trois ou quatre premiers filets sont coniques, sert à amorcer le taraudage mais non à couper jusqu'au fond d'un trou borgne. Le *taraud ébaucheur*, dont un plus grand nombre de filets sont coniques, facilite davantage l'amorce. Le *taraud finisseur* est droit ; il coupe jusqu'au fond d'un trou borgne mais il faut amorcer le filetage avec un taraud intermédiaire ou ébaucheur. Les tarauds et *filières* (qui servent à couper les filets extérieurs) sont vendus en ensembles comprenant les outils pour les tourner. Employez de préférence des tarauds en acier à coupe rapide (un acier très dur, habituellement marqué *HS*).

La grosseur du taraud est burinée sur sa tige et porte trois indications : diamètre (calibre ou pouces), nombre de filets au pouce et type de filets. Les types de filets sont habituellement désignés selon la norme américaine : NC signifie gros, NF fin. Choisissez un taraud de même type et de même dimension que le boulon que vous utiliserez.

Trou d'amorce. Avant de tarauder, il faut percer un trou. Consultez un tableau, comme celui de droite, pour choisir le calibre du foret. Ce calibre est le plus souvent indiqué en fraction de pouce, mais parfois aussi par un chiffre ou une lettre.

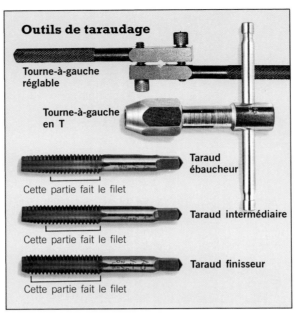

Outils de taraudage

Tourne-à-gauche réglable

Tourne-à-gauche en T

Taraud ébaucheur
Cette partie fait le filet

Taraud intermédiaire
Cette partie fait le filet

Taraud finisseur
Cette partie fait le filet

Forets à utiliser avant de tarauder

Taraud et boulon	Foret	Foret
N° 8-32-NC	N° 29	9/64"
N° 10-24-NC	N° 25	5/32"
N° 12-24-NC	N° 16	11/64"
¼"-20-NC	N° 7	13/64"
¼"-28-NF	N° 3	7/32"
5/16"-24-NC	F	17/64"
3/8"-16-NC	5/16"	5/16"
3/8"-24-NF	21/64"	21/64"
½"-13-NC	27/64"	27/64"
½"-20-NF	29/64"	29/64"

Calibres des forets. Le calibre taraud-boulon figure dans la première colonne ; le calibre du foret et son équivalent en fraction de pouce, dans les deux autres.

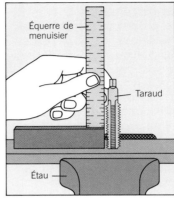

Équerre de menuisier

Taraud

Étau

1. Bloquez la pièce à tarauder dans un étau et percez un trou un peu plus petit que le taraud (voir le tableau ci-contre). Huilez les filets du taraud avec du liquide de coupe ou, mieux, avec de la graisse végétale. Placez le taraud bien droit dans le trou à l'aide d'une équerre.

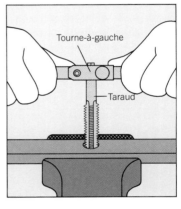

Tourne-à-gauche

Taraud

2. Prenez un tourne-à-gauche et tournez le taraud dans le sens des aiguilles d'une montre. Exercez une légère pression puis relâchez ; les premiers filets coupés entraîneront ensuite le taraud. Dévissez un peu le taraud après chaque tour et enlevez la limaille. Lubrifiez le taraud pour l'empêcher de se briser dans le trou.

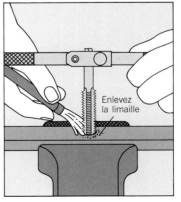

Enlevez la limaille

3. Reprenez la même séquence : tournez le taraud, dévissez-le, nettoyez les filets, lubrifiez. En arrivant au fond d'un trou borgne, il faut sortir le taraud complètement à chaque tour et nettoyer le trou avec une tige métallique ou un coton-tige.

Filetage des boulons

La *filière* coupe les filets d'un boulon. Cet instrument permet aussi de fileter une tige ou un tuyau ou de reprendre le filetage d'un vieux boulon. Ce travail se fait à la main, un peu comme le taraudage. Fabriquée en acier (de préférence en acier à coupe rapide ou en acier à outils), la filière est une pièce ronde ou hexagonale, évidée au centre et munie d'un filetage intérieur tranchant. Le *porte-filière* sert de clé pour tourner la filière sur la tige ou le boulon à fileter. Pour faciliter l'amorce, les premiers filets d'un côté de la filière sont moins épais.

Filets d'un boulon

Calibre des filières. Le calibre est inscrit sur les filières et, comme celui des tarauds, il correspond à celui des boulons (voir page précédente). Pour reproduire un boulon, mesurez-en le diamètre avec une jauge et filetez une tige de même diamètre. Prenez une jauge à filetage (voir à droite) pour trouver le nombre de filets au pouce (ou au centimètre) sur votre boulon.

Réglage du porte-filière. À moins de travailler avec une filière hexagonale, qui se tourne avec une clé, vous devrez employer un porte-filière. Utilisez le calibre qui convient. Certains porte-filières sont conçus de façon qu'il suffise d'y insérer une filière et de la bloquer en serrant une vis. D'autres sont munis d'un guide-coussinet. Il faut alors mettre la tige à fileter dans un étau et placer le porte-filière (guide sur le des-

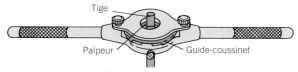

Tige
Palpeur
Guide-coussinet

sus) sur la tige. Tournez le guide jusqu'à ce que les palpeurs touchent la tige, puis serrez les vis de blocage. Enlevez le porte-filière et insérez la filière, filets moins épais contre le guide. Remettez le porte-filière sur la tige, guide dessous (ou du côté de l'étau) et procédez comme à droite.

Outils de filetage

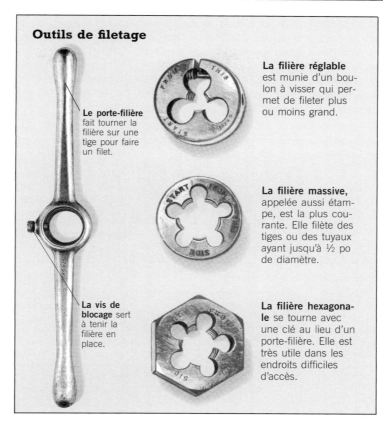

Le porte-filière fait tourner la filière sur une tige pour faire un filet.

La vis de blocage sert à tenir la filière en place.

La filière réglable est munie d'un boulon à visser qui permet de fileter plus ou moins grand.

La filière massive, appelée aussi étampe, est la plus courante. Elle filète des tiges ou des tuyaux ayant jusqu'à ½ po de diamètre.

La filière hexagonale se tourne avec une clé au lieu d'un porte-filière. Elle est très utile dans les endroits difficiles d'accès.

Jauge à filetage

Trouvez la lame qui s'insère parfaitement dans le pas de vis du boulon à reproduire. Prenez la filière du même calibre.

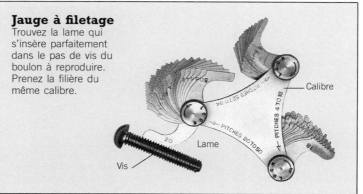

Calibre
Lame
Vis

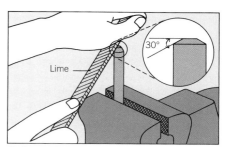

Lime

1. Serrez la tige, le tuyau ou le boulon dans un étau. Avec une pointe à tracer, marquez jusqu'où les filets doivent aller. Limez l'extrémité supérieure de la tige en biseau à 30° pour faciliter l'amorce du filetage.

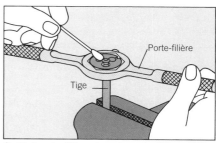

Porte-filière
Tige

2. Mettez la filière dans le porte-filière. (S'il est muni d'un guide-coussinet, voir le texte à gauche.) Placez la filière d'aplomb sur la tige. Lubrifiez-la avec de la graisse végétale ou du liquide de coupe.

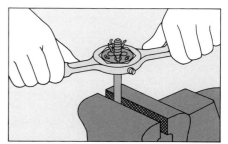

3. Donnez un ou deux tours de porte-filière dans le sens des aiguilles d'une montre, en appuyant. Dévissez, vérifiez les filets, enlevez la limaille et ajoutez du lubrifiant. Répétez les mêmes étapes, sans pression.

Métaux / Boulons, vis et colles

Il y a plusieurs façons d'assembler une pièce de métal à une autre ou à un autre matériau. On peut évidemment la visser ou la boulonner mais également la coller à l'époxyde ou avec d'autres colles (voir ci-dessous), la river (page ci-contre) ou la souder (p. 134-135). On peut aussi assembler deux pièces par joints emboîtants (p. 136-137).

Le boulon traverse généralement les deux pièces à assembler ; il est retenu en place par une rondelle et un écrou. Cependant, dans le métal épais, on peut tarauder (p. 130) un trou et visser directement le boulon dans la pièce. Enfin, on peut fileter une tige de métal ou refileter un vieux boulon avec une filière (p. 131).

La vis à autotaraudage — parfois appelée aussi vis à tôle — s'emploie pour assembler deux feuilles de métal ou même fixer une feuille de métal à un autre matériau. Généralement, elle glisse librement dans le trou de la pièce supérieure et mord dans le matériau inférieur (dans un trou plus petit) en y filetant des cannelures.

Vissage des boulons

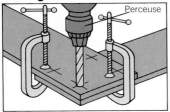

1. Serrez les pièces, marquez l'emplacement des trous et percez le premier. (Les trous doivent être juste assez grands pour que le boulon glisse librement.)

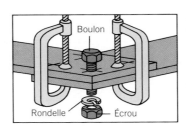

2. Passez le boulon dans le trou, mettez une rondelle et serrez l'écrou avec une clé, en retenant le boulon avec une autre clé. Assurez-vous que les pièces sont bien alignées ; remettez les serre-joints.

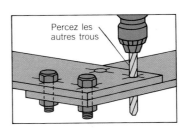

3. Percez le deuxième trou, mettez-y un boulon et serrez l'écrou pour empêcher les pièces de bouger. Percez les autres trous, enlevez les serre-joints et fixez les autres boulons.

Vissage des vis à autotaraudage

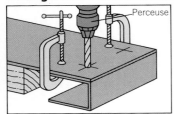

1. Serrez les pièces et marquez l'emplacement des vis. Percez, à travers les deux pièces, des trous de guidage juste un peu plus petits que le fût des vis.

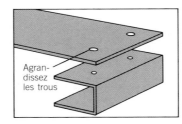

2. Défaites les serre-joints et agrandissez les trous de la pièce supérieure pour que les fûts des vis s'y glissent librement. Remettez les serre-joints après vous être assuré que tous les trous sont bien alignés.

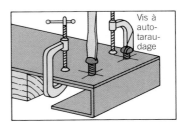

3. Vissez toutes les vis presque complètement, puis serrez-les jusqu'au bout. Les vis mordent dans la pièce inférieure et serrent les deux pièces l'une contre l'autre.

Colles à métaux

La colle époxyde est probablement la colle à métaux la plus forte. Composée de deux éléments, une résine et un durcisseur, elle doit être mélangée juste avant l'application (voir à droite).

Il existe par ailleurs la soudure liquide, le chlorure de polyvinyle (CPV), diverses colles instantanées, la colle acrylique en deux éléments et la colle à vis, qui sert à cimenter les filets des boulons.

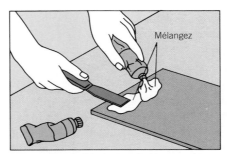

Application de l'époxyde : 1. Nettoyez les surfaces à coller. Versez des parties égales de résine et de durcisseur (liquide ou en pâte) sur une des surfaces et mélangez-les.

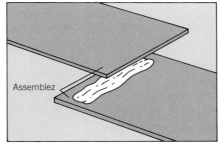

2. Étendez uniformément une fine couche du mélange sur les deux surfaces. Assemblez, fixez avec des serre-joints. Essuyez immédiatement le surplus de colle.

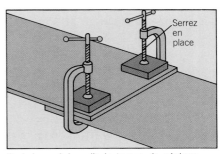

3. Laissez à la colle le temps de sécher, selon les recommandations du fabricant. On peut dissoudre l'époxyde avec de l'acétone (dissolvant pour vernis à ongles).

Rivets

Vis 82-83
Boulons et écrous 84
Adhésifs 88-89

Les rivets servent à assembler solidement des feuilles de métal ou à créer un effet décoratif. On les insère dans des trous percés au préalable. Une fois posés, ils font fonction de boulons ayant une tête à chaque extrémité. Ils sont en fer, en laiton, en cuivre, en aluminium, etc. Choisissez des rivets de même métal que les pièces à assembler. Leurs têtes sont plates, rondes ou coniques, pour le fraisage. (Fraisez un rivet comme vous le feriez pour un boulon, p. 129.)

Il y a deux types de rivets : les pleins et les creux. Les creux sont utilisés lorsqu'un seul côté de l'ouvrage est accessible. Ils se posent facilement à l'aide d'un outil qui ressemble à une agrafeuse. Les pleins se posent à l'aide d'une bouterolle, barre d'acier dont l'une des extrémités présente une cavité profonde et une cuvette. On place la cavité sur le rivet et on enfonce celui-ci en frappant sur la bouterolle avec un marteau ; le métal s'étend et les pièces se resserrent. La cuvette sert à façonner la tête du rivet. Diverses bouterolles conviennent à des rivets de diamètres différents.

La tige du rivet devrait dépasser d'une longueur correspondant aux trois quarts de son diamètre pour faciliter le façonnement de la tête. Pour un assemblage solide, posez les rivets en quinconce plutôt que de les aligner. Si vous utilisez des rivets pleins, appuyez-vous sur une surface de métal. Si vous posez des rivets à tête ronde, appuyez-vous sur un bloc de métal pourvu de cuvettes qui pourront recevoir les têtes des rivets.

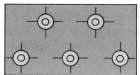

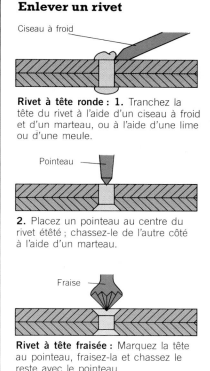

Enlever un rivet

Ciseau à froid

Rivet à tête ronde : 1. Tranchez la tête du rivet à l'aide d'un ciseau à froid et d'un marteau, ou à l'aide d'une lime ou d'une meule.

Pointeau

2. Placez un pointeau au centre du rivet étêté ; chassez-le de l'autre côté à l'aide d'un marteau.

Fraise

Rivet à tête fraisée : Marquez la tête au pointeau, fraisez-la et chassez le reste avec le pointeau.

Rivets creux

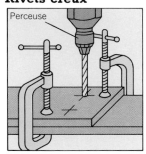

Perceuse

1. Marquez les endroits où poser les rivets. Percez des trous de même diamètre que les rivets.

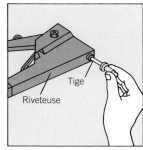

Tige

Riveteuse

2. Les poignées de la riveteuse ouvertes, insérez la tige du rivet. Placez le bout du rivet dans un trou du métal.

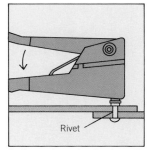

Rivet

3. Serrez les poignées jusqu'à ce que la tige du rivet se casse. Si elle ne se casse pas, recommencez.

Bouterolle

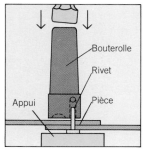

Bouterolle

Rivet

Appui

Pièce

1. Introduisez le rivet par-dessous. Placez dessus la cavité de la bouterolle. Frappez avec un marteau.

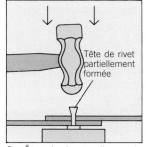

Tête de rivet partiellement formée

2. Ôtez la bouterolle ; puis martelez le rivet avec la panne ronde d'un marteau de mécanicien.

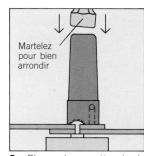

Martelez pour bien arrondir

3. Placez la cuvette de la bouterolle sur le rivet. Frappez avec la panne plate du marteau pour l'arrondir.

Métaux / Soudure

L'une des plus anciennes méthodes utilisées pour assembler deux pièces de métal consiste à les chauffer et à utiliser la chaleur résultante pour faire fondre le métal plus tendre qui sert à les relier. On nomme soudure le procédé de même que l'agent de liaison.

On distingue deux types de soudures : la *soudure tendre*, dont le point de fusion est inférieur à 426°C (800°F), et la *soudure forte*, dont le point de fusion dépasse 593°C (1 100°F). Les deux types se présentent sous forme de barres, de fragments, de feuilles ou de fil. L'aluminium exige une soudure particulière. Anciennement, les soudures tendres se composaient à parts égales de plomb et d'étain. Aujourd'hui, certaines réglementations provinciales interdisent l'usage de plus de 2 p. 100 de plomb dans les soudures et les décapants qui servent à souder les tuyaux d'eau potable.

La soudure forte, parfois appelée soudure d'argent, est un alliage d'argent (ou de laiton). Vu son point de fusion élevé, la soudure forte donne des joints solides ; elle ne peut être utilisée sur des métaux dont le point de fusion est bas. Confiez ce type de soudure à des professionnels.

Outils. La soudure tendre est appliquée à l'aide d'un fer, d'un pistolet ou d'une torche. Le pistolet sert aux ouvrages délicats, le fer aux gros travaux. Les fers ont entre 100 et 350 watts ; ceux de 150 ou 250 watts conviennent aux usages domestiques. Les fers au gaz sont pratiques si vous n'avez pas de prise de courant. Fabriquez un appui pour votre fer : fixez un morceau de métal plié sur un bloc de bois.

Avant d'utiliser un fer à souder, nettoyez-en la pointe à fond et couvrez-la de soudure. Gardez à portée de la main une éponge humide et essuyez la pointe de temps à autre. Ne tenez jamais un fer par le fil ou la tige, même s'il n'est pas branché : vous pourriez vous brûler.

Torches. La torche au gaz est idéale mais la torche au propane convient à la plupart des travaux de soudure tendre. La torche au propane se compose d'un cylindre de combustible remplaçable, dont le dessus est pourvu d'un bec et d'une roulette pour ajuster la sortie du gaz.

Lorsque vous utilisez une torche, travaillez sur une surface non métallique, à l'épreuve du feu et éloignée de toute substance inflammable (un établi recouvert de briques réfractaires). Il importe d'immobiliser les pièces à souder, mais évitez l'usage d'un serre-joint métallique ou d'un étau : ils absorberaient une partie de la chaleur. Si vous devez utiliser de tels outils, interposez du bois de rebut entre ceux-ci et les pièces.

Nettoyage du métal. Avant d'unir les pièces de métal, assurez-vous qu'elles n'ont aucune trace de saleté, d'oxydation ou de peinture : la soudure ne prendrait pas.

Nettoyez à l'eau savonneuse et à la laine d'acier, puis rincez à fond. Si le métal est peint ou oxydé, vous devrez le poncer, le limer ou même le meuler.

Utilisation du fer à souder

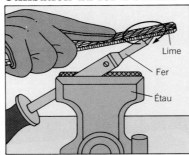

1. Si la pointe est neuve ou oxydée, limez-la en décrivant un mouvement circulaire jusqu'à ce qu'elle soit lisse, arrondie et brillante. (Ne limez une pointe de fer que si elle est oxydée.)

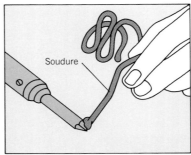

2. Branchez le fer à souder et laissez-le chauffer environ 5 minutes. Recouvrez la pointe de décapant, puis de soudure (pour l'étamer) sur tous les côtés, en tournant doucement le fer.

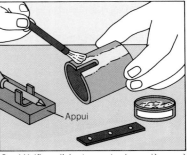

3. Vérifiez l'ajustement des pièces à souder ; enlevez toute rugosité ou trace d'oxydation en frottant ou en limant. Lavez et asséchez. Appliquez du décapant ; évitez d'y toucher.

4. Installez la pièce à souder sans toucher aux parties recouvertes de décapant. Appuyez le fer sur les pièces à souder et chauffez-les. Mettez la soudure au contact du métal et du fer.

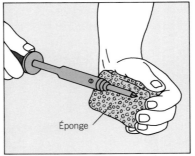

5. Déplacez le fer le long du joint ; ajoutez de la soudure au besoin. Essuyez le fer de temps à autre. Si la soudure se liquéfie ou si le fer fume, éteignez le fer pour le laisser refroidir.

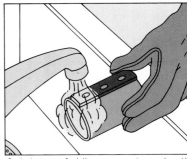

6. Laissez refroidir un peu ; tenez la pièce sous l'eau tiède avec des pinces, des tenailles ou des gants épais. Frottez à l'eau savonneuse pour enlever toute trace de décapant.

Une fois le métal bien nettoyé, recouvrez-le de *décapant* liquide ou en pâte pour éviter l'oxydation et favoriser l'écoulement de la soudure. Sans décapant, la soudure ne prendrait pas bien. Appliquez-le au pinceau. La plupart des décapants étant corrosifs, enlevez tout excédent. La résine et les décapants non corrosifs peuvent être utilisés pour les travaux d'électricité, mais ils sont à déconseiller pour les plus gros travaux. Certaines soudures en fil contiennent déjà de la résine et ne devraient servir qu'aux travaux d'électricité.

Soudure à l'étain (ou brasage). Cette technique consiste à assembler deux pièces de métal avec un autre qui fond plus vite. Voici la marche à suivre : nettoyez le métal et appliquez le décapant ; chauffez le métal et appliquez la soudure ; laissez refroidir et nettoyez de nouveau. S'il s'agit de pièces plates, appliquez la soudure aux deux et laissez refroidir, puis assemblez-les et chauffez pour faire fondre la soudure et joindre les morceaux. Ce procédé est aussi utilisé en plomberie. Si vous faites des travaux d'électricité, utilisez un décapant non corrosif comme la résine. Ne nettoyez pas la connexion soudée.

Soudage. On peut aussi assembler du métal sans joint et la soudure est aussi forte que le métal d'origine. Le soudage exige des températures élevées et des techniques particulières que seuls maîtrisent les professionnels.

Soudure à la torche

1. Vérifiez l'ajustement des pièces à souder ; nettoyez à fond (voir page ci-contre). Appliquez au pinceau le décapant liquide ou en pâte. Sans décapant, le métal s'oxydera et la soudure ne s'écoulera pas adéquatement.

Décapant

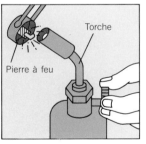

2. Allumez la torche. S'il s'agit d'une bonbonne de propane, tournez le bouton de la valve d'un quart de tour ; réduisez la sortie du gaz et allumez avec une pierre à feu. Réglez la flamme à 3 po de longueur.

Torche
Pierre à feu

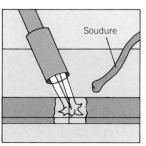

3. Chauffez uniformément le métal. Lorsque le décapant forme des bulles, appliquez la soudure. Si elle ne fond pas, retirez-la et rechauffez le métal. Laissez la soudure s'écouler vers la flamme tout le long du joint. Enlevez toute trace de décapant.

Soudure

Endroits difficiles d'accès

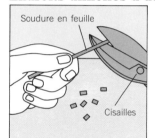

Soudure en feuille
Cisailles

1. Avec un couteau ou des cisailles, coupez la soudure en petits morceaux. Nettoyez le métal et couvrez-le de décapant ; ajustez les pièces. Allumez la torche et ajustez la flamme ; passez et repassez sur la pièce jusqu'à ce que le décapant soit sec (blanc et cristallin).

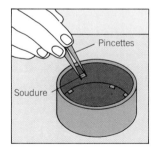

Pincettes
Soudure

2. Avec des pincettes, placez les morceaux de soudure sur le métal couvert de décapant, à intervalles de ½ po, tout le long du joint à souder.

Chauffez l'intérieur et l'extérieur

3. Chauffez à la torche jusqu'à ce que la soudure s'écoule uniformément le long du joint. Distribuez la chaleur également en décrivant des 8 avec la torche. Si le métal rougit, éloignez la torche et laissez refroidir. Enlevez toute trace de décapant (voir page ci-contre).

Soudure à l'étain

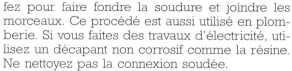

Pointe à tracer

1. Avant de souder deux pièces plates, nettoyez-les. Marquez la position de la pièce du dessus à l'aide d'une pointe à tracer. Appliquez du décapant sur la pièce du dessous et sous la pièce du dessus. Asséchez à la torche.

2. Disposez les morceaux de soudure et chauffez-les. Éloignez la torche de temps à autre pour ne pas faire fondre les pièces. Retournez l'ouvrage avec un tisonnier, une pointe à tracer, un pic à glace ou un morceau de cintre à pointe affilée. Laissez refroidir.

Morceau de bois

3. Placez la pièce du dessus sur celle du dessous et retenez-la avec un tisonnier. Utilisez un serre-joint au besoin. Passez la flamme uniformément et éloignez-la lorsque la soudure sort sur les côtés. Remplissez tout vide de soudure. Laissez refroidir et nettoyez.

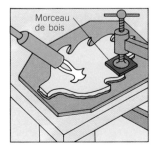

Le bricoleur doit souvent travailler le métal en feuille : fabrication ou réparation de conduits d'air chaud ou de climatisation, installation d'une hotte de cuisinière, remplacement de solins, réfection de gouttières ou fabrication de tablettes. Le métal de ⅜ po (9,5 mm) d'épaisseur ou moins s'appelle métal en feuille ou tôle ; s'il est plus épais, on parle de plaque.

Vous pouvez emboutir la tôle en la pliant, la finir avec un ourlet et l'assembler avec des joints. Ces travaux s'exécutent la plupart du temps sans outils spéciaux. Souvent un maillet et des gabarits de fabrication artisanale suffiront.

Pliage. La tôle étant très malléable, vous pouvez facilement l'emboutir en formes courbées ou angulaires, ou assembler deux pièces, plates ou pliées, par joint chevauché, retenues par des vis, des boulons, des rivets ou une soudure.

Vous pouvez également ourler les pièces ou les emboîter. Pour éviter les blessures, limez le tranchant et les aspérités du bord d'une pièce de métal ou repliez le bord en ourlet simple ou double. Vous pouvez renforcer un ourlet en y insérant un fil de fer.

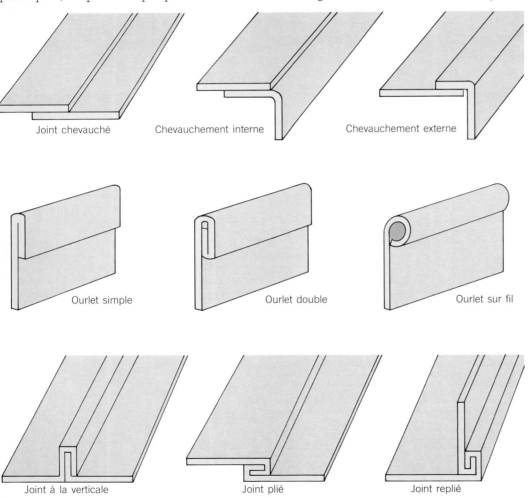

Joint chevauché

Chevauchement interne

Chevauchement externe

Ourlet simple

Ourlet double

Ourlet sur fil

Joint à la verticale

Joint plié

Joint replié

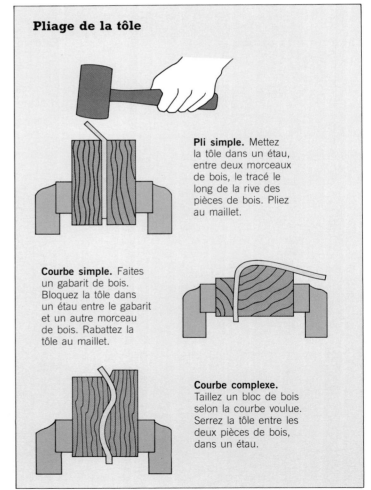

Pliage de la tôle

Pli simple. Mettez la tôle dans un étau, entre deux morceaux de bois, le tracé le long de la rive des pièces de bois. Pliez au maillet.

Courbe simple. Faites un gabarit de bois. Bloquez la tôle dans un étau entre le gabarit et un autre morceau de bois. Rabattez la tôle au maillet.

Courbe complexe. Taillez un bloc de bois selon la courbe voulue. Serrez la tôle entre les deux pièces de bois, dans un étau.

Techniques. Mesurez bien (en tenant compte des ourlets et des joints) et marquez l'emplacement exact des plis avant même de tailler la tôle. Quand vient le moment de façonner la tôle et de la marteler, bloquez-la pour qu'elle soit bien appuyée des deux côtés sur toute sa longueur. Placez-la dans un étau entre deux morceaux de bois dur ou bloquez-la avec des serre-joints en-

tre le bord de l'établi et une planche de bois. Façonnez les courbes en vous aidant d'un gabarit de bois dur.

Travaillez au maillet. Un maillet de bois peut faire l'affaire, mais vous risquerez de moins abîmer la tôle avec un maillet de caoutchouc, de plastique ou de cuir. Martelez la tôle à petits coups. N'essayez jamais de la plier d'un seul

coup : vous risqueriez de la gauchir, de la déformer ou de la faire gondoler.

▶ **ATTENTION !** Portez des gants de cuir épais pour éviter de vous couper avec la tôle.

Finition des bords

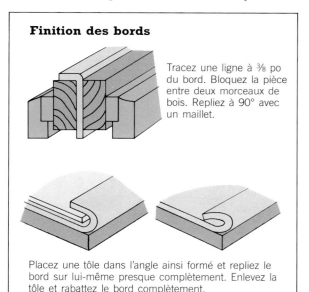

Tracez une ligne à ⅜ po du bord. Bloquez la pièce entre deux morceaux de bois. Repliez à 90° avec un maillet.

Placez une tôle dans l'angle ainsi formé et repliez le bord sur lui-même presque complètement. Enlevez la tôle et rabattez le bord complètement.

Formation d'un joint

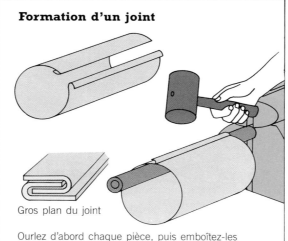

Gros plan du joint

Ourlez d'abord chaque pièce, puis emboîtez-les avant de les rabattre complètement. Appuyez les pièces courbes sur un tuyau immobilisé dans un étau pour les marteler.

Renforcement d'un ourlet

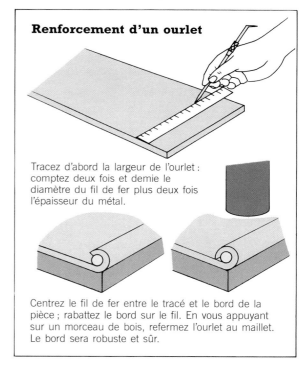

Tracez d'abord la largeur de l'ourlet : comptez deux fois et demie le diamètre du fil de fer plus deux fois l'épaisseur du métal.

Centrez le fil de fer entre le tracé et le bord de la pièce ; rabattez le bord sur le fil. En vous appuyant sur un morceau de bois, refermez l'ourlet au maillet. Le bord sera robuste et sûr.

Outils spéciaux

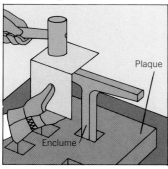
Plaque
Enclume

Une petite enclume sert à plier la tôle. Fixez-la dans une plaque spéciale sur l'établi ou dans un étau. Appuyez la tôle sur l'enclume, le long du tracé, et pliez-la à petits coups de maillet.

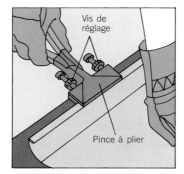
Vis de réglage
Pince à plier

La pince à plier sert à plier le bord des tôles pour les assembler. Placez la mâchoire de la pince pour qu'elle se referme le long du tracé. Appuyez d'une main sur la tôle et relevez la pince de l'autre. Répétez tous les 3 ou 4 po ; refermez l'ourlet.

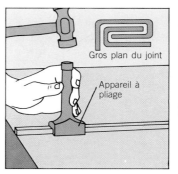
Gros plan du joint
Appareil à pliage

L'appareil à pliage sert à faire un joint replié à plat. Faites des ourlets et emboîtez-les, comme pour former un joint, mais sans trop les marteler. Placez la rainure de l'appareil à pliage sur le joint et frappez au maillet en le déplaçant.

Métaux / Pliage des barres et des tuyaux

Les barres de métal mou (aluminium, cuivre, laiton, fer forgé et acier doux) se plient à froid sans casser : la face externe du pli s'étire et sa face interne se contracte. Pour minimiser la déformation, il faut recuire (voir page suivante) le métal avant de le travailler. Si vous travaillez l'acier, le cuivre ou le fer forgé (mais pas le laiton ni l'aluminium), chauffez le métal au rouge avec un chalumeau, pliez-le et corrigez-en la déformation tout de suite en le martelant sur une enclume.

Tuyaux. Comme ils sont creux, les tuyaux de métal ont tendance à froncer quand on les plie. Il faut donc les plier lentement et pas trop. Remplissez-les de sable humide avant de les plier ; vous les nettoierez plus tard à grande eau.

Raccords de tuyaux. Il est souvent plus facile d'utiliser un raccord que de plier un tuyau. Il y a des raccords coudés à 90°, des raccords réglables, des raccords en T pour angles droits, des raccords droits et des bouchons. Les brides servent à fixer les tuyaux le long des planchers ou des murs, ou à installer une rampe pour handicapés. Certains raccords sont pourvus d'une vis de réglage qui coince une patte contre les parois du tuyau pour tenir celui-ci en place.

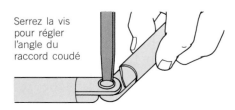

Serrez la vis pour régler l'angle du raccord coudé

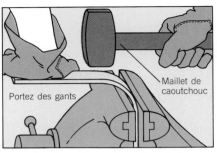

Pour plier à court une barre de métal, rayez le tracé à l'intérieur de la courbe et placez la barre dans un étau. Appuyez sur la barre et martelez-la juste au-dessus du pli.

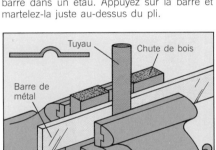

Pour profiler un canal pour tuyaux ou fils, placez la bande de métal dans un étau, deux morceaux de bois d'un côté et un tuyau de l'autre ; serrez lentement.

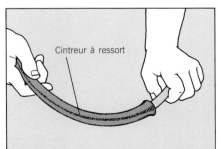

Pour plier un tuyau à parois minces, glissez-le dans un cintreur à ressort de la même dimension. Pliez-le à la main ou en vous servant d'un étau.

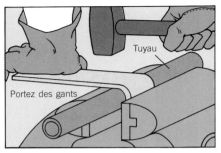

Pour obtenir une courbe, procédez de la même façon. Mettez un tuyau ou une tige de fer dans l'étau, avec la barre ; appuyez sur la barre et martelez-la contre le tuyau.

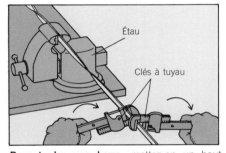

Pour tordre une barre, mettez-en un bout dans un étau et tournez l'autre avec deux clés à tuyau. (Entourez les mâchoires de ruban gommé pour ne pas abîmer le métal.)

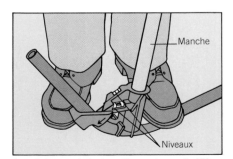

La cintreuse à levier plie un tuyau à 45° ou à 90°. Placez le tuyau dans la pince, l'emplacement du pli placé sur la flèche. Le pied sur l'appui, inclinez le manche à l'angle voulu.

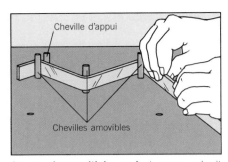

Les courbes multiples se font sur un gabarit. Percez dans une pièce de bois des trous correspondant à la forme à donner ; insérez-y des chevilles. Pliez le métal.

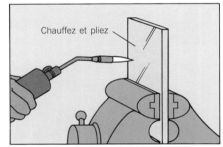

Pliez le fer forgé, le cuivre ou l'acier en le chauffant d'abord suffisamment à la torche (p. 134). Pliez-le ensuite avec des tenailles ou à la main. Portez de bons gants épais.

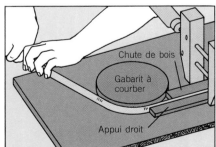

Fabriquez un gabarit en fixant un bloc rond et un appui droit à une planche. Remplissez le tuyau de sable humide, retenez-le sur l'appui et pliez-le autour du bloc rond.

Réparation des bosselures

Le métal est plus résistant que bien d'autres matériaux, mais il n'est pas indestructible. Le métal en feuille et en plaque peut rouiller, percer ou se déformer. Cependant, les bosselures se réparent et la rouille peut être enlevée avant qu'elle ne cause des dommages irréparables.

Les bosselures. Une bosselure dans du métal mince se corrige facilement à la main ou avec un maillet (voir à droite), si le côté bombé de la bosselure est accessible des deux côtés.

Si vous n'avez pas accès au côté bombé de la bosse, essayez de faire la correction avec une vis. Percez un trou de 1/8 po (3 mm) dans le creux et ancrez-y une vis n° 8. Prenez la tête de la vis dans une pince-étau et tirez-la doucement, mais fermement. Procédez sans à-coups ni torsions, sinon la vis risquera de se déprendre.

Si le métal ne reprend pas sa forme, martelez le pourtour du creux pour détendre le pli et tirez à nouveau. Si nécessaire, faites d'autres trous et recommencez.

Mélange de fibre de verre. Si le métal doit être peint ou fini d'une autre façon, vous pouvez remplir une concavité ou même un trou causé par la rouille ou une réparation. Servez-vous d'un mélange de fibre de verre, vendu en nécessaires dans les quincailleries. Préparez le mélange, un type d'époxyde, selon le mode d'emploi, appliquez-le et laissez-le durcir durant toute la durée suggérée (généralement de 1 à 2 heures) avant de le poncer. (Voir aussi p. 144.)

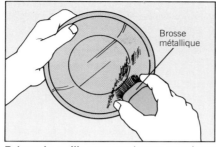

Enlevez la rouille avec une brosse en acier ou en laiton selon la gravité des dommages ou, encore, avec une brosse adaptée à la perceuse. (Portez des lunettes de protection.)

Brosse métallique

Une petite bosse se corrige souvent par simple pression de la main. Si cela ne réussit pas, appuyez la pièce sur un sac de sable, corrigez le défaut à l'aide d'un maillet.

Sac de sable

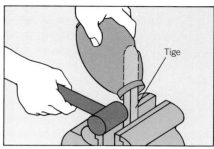

Si la bosse est difficile d'accès, mettez une tige de bois ou de fer dans un étau et appuyez-y la bosse. Frappez sur la tige ; la vibration aidera à débosseler le métal.

Tige

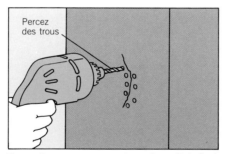

Pour réparer un creux dans du métal épais ou qui n'est accessible que du côté concave, nettoyez, poncez et percez de petits trous pour faire tenir le mélange de fibre de verre.

Percez des trous

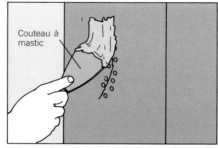

Préparez le mélange à l'époxyde, puis remplissez bien les trous à l'aide d'un couteau à mastic. Étendez le mélange un peu au-delà du pourtour de la cavité.

Couteau à mastic

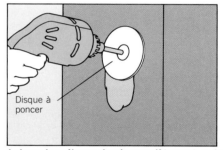

Laissez le mélange durcir complètement, puis poncez-le. Nettoyez et peinturez. **ATTENTION !** Quand vous poncez, portez un masque pour filtrer la poussière de plastique.

Disque à poncer

Recuit

Le pliage et le martelage répétés font durcir le métal, le rendant fragile et plus difficile à travailler. Vous pouvez lui redonner sa malléabilité en le recuisant, c'est-à-dire en le chauffant et en le laissant refroidir.

Travaillez dans une pièce peu éclairée pour voir la lueur du métal chauffé. Placez-le sur de la brique réfractaire ou un autre matériau ignifuge non métallique. Passez-le au chalumeau, aussi uniformément que possible jusqu'à ce qu'il devienne rouge et laissez-le refroidir complètement. Le cuivre, le laiton et le bronze doivent être portés au rouge mat ; le fer et l'acier, au rouge cerise. Ne recuisez pas l'aluminium vous-même.

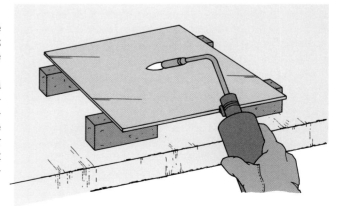

Plastiques / Stratifiés

Le plastique stratifié est un matériau durable, fabriqué de papier imprégné de résine à haute température. Les feuilles ont 24, 30, 36, 48 et 60 po (61, 76, 91, 122 cm et 152 cm) de largeur ; de 5 à 12 pi (1,5 à 3,6 m) de longueur ; et 1/16 po (1,5 mm) d'épaisseur. On pose le stratifié préencollé en le chauffant au fer, procédé que l'on utilise aussi pour courber les bordures.

Posez le stratifié sur un panneau de contreplaqué ou d'aggloméré. Travaillez dans un endroit bien aéré.

Pour empêcher toute déformation des pièces mobiles (comme un dessus de table amovible ou une porte), posez également une mince feuille de stratifié sur l'envers. Commencez par les bords et faites la surface principale ensuite.

Coupe et ébarbage. La meilleure façon de couper le stratifié consiste à le briser net après l'avoir rayé. Pour le scier, on conseille la scie sauteuse, mais la scie circulaire, le plateau de sciage, la scie à métaux, à dossière ou à tronçonner peuvent aussi servir. Faites un essai sur une recoupe pour voir si la scie fait des ébréchures ; fixez solidement le stratifié et laissez 1/8 po (3 mm) d'excédent. Coupez le surplus à la toupie, avec une mèche au carbure pour stratifié ; ou encore, louez un outil à ébarber les stratifiés. Si le stratifié est recouvert d'un papier protecteur, ne l'enlevez qu'après avoir fini le travail.

Préparation des surfaces. La surface à recouvrir doit être lisse, sèche et propre. Obturez les trous avec de la pâte de bois, poncez les rugosités et passez l'aspirateur. Appliquez la colle. (Prenez une colle-contact à base de néoprène, ou de type néoprène ; la colle au latex ne colle pas de façon permanente.) Sur un aggloméré poreux, vous devrez peut-être mettre deux couches de colle.

▶ **ATTENTION !** La plupart des colles-contact au néoprène sont inflammables et toxiques. Travaillez dans une pièce bien aérée. Portez des lunettes protectrices et un respirateur antivapeurs. Ne fumez pas.

Techniques de coupe

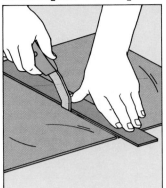

Au couteau. Mettez le stratifié sur une surface plane et coupez à l'endroit. Prenez un couteau tout usage avec une lame pour stratifié et faites plusieurs passes sur votre tracé en suivant une règle. Puis, tracez la ligne de coupe sur l'envers, appuyez-y un morceau de bois et relevez le bout excédentaire : il se détachera.

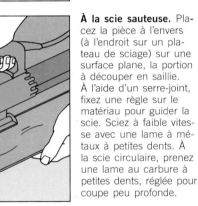

À la scie sauteuse. Placez la pièce à l'envers (à l'endroit sur un plateau de sciage) sur une surface plane, la portion à découper en saillie. À l'aide d'un serre-joint, fixez une règle sur le matériau pour guider la scie. Sciez à faible vitesse avec une lame à métaux à petites dents. À la scie circulaire, prenez une lame au carbure à petites dents, réglée pour coupe peu profonde.

Coupe courte. Prenez une scie à dossière ou à tronçonner ayant 12 dents au pouce, ou une scie à métaux si la pièce à couper n'est pas très large. Fixez le matériau à l'endroit entre l'établi et un morceau de bois. Sciez à angle étroit, presque à plat.

Pose des bandes

Pour couvrir un bord, enduisez les deux surfaces de colle-contact et laissez sécher. Placez la bande contre le bord en mettant du papier brun entre les deux. Commencez à un bout et appuyez sur la bande en retirant le papier. Attention : la colle agit instantanément. Passez au rouleau à pâtisserie pour éliminer les bulles d'air.

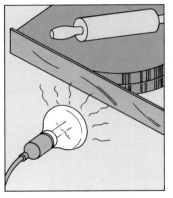

Pour faire un arrondi, prenez une bande de stratifié pliable et chauffez-la (lampe ou chalumeau) jusqu'à ce qu'elle devienne flexible. Mettez des gants isolants épais et fixez la bande par pression ; passez-la au rouleau. Vous pourriez aussi chauffer la bande en passant un fer chaud juste au-dessus ; c'est plus rapide, mais il y a risque de brûler la bande.

Coupez l'excédent au niveau de la surface. Servez-vous d'une toupie munie d'une mèche droite au carbure pour stratifié. Laissez sécher la colle 30 minutes avant de couper l'excédent.
ATTENTION ! Portez des lunettes et un masque protecteurs.

Pose des feuilles

Appliquez la colle-contact uniformément, à la brosse, au rouleau ou avec une truelle dentée, sur les deux surfaces. Laissez sécher jusqu'à ce qu'une feuille de papier brun ne colle pas à la surface. Mettez une deuxième couche de colle s'il y a des plaques ternes.

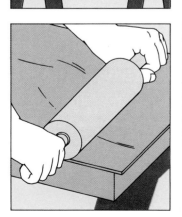

Pour fixer le stratifié : installez sur la surface deux feuilles chevauchantes de papier brun ; placez dessus le stratifié. Commencez à tirer une première feuille tout en appuyant fortement sur le milieu de la feuille de stratifié. Enlevez ainsi toute la première feuille de papier ; faites la même chose pour l'autre feuille.

Éliminez les bulles d'air et renforcez l'adhésion de la colle en passant toute la surface au rouleau. Appuyez aussi fort que possible. Allez du centre vers les bords. Laissez sécher la colle 30 minutes avant de passer aux étapes suivantes.

Finition

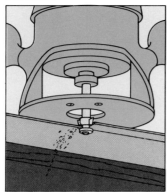

Avant de couper les excédents, enduisez de vaseline le pourtour du stratifié pour le protéger des égratignures et des brûlures que la mèche de la toupie pourrait causer. Coupez en biseau avec une mèche au carbure pour stratifié. **ATTENTION !** Portez des lunettes et un masque protecteurs.

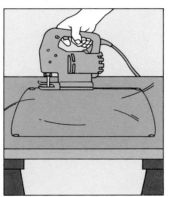

Pour découper une ouverture pour l'évier, tracez d'abord la découpe en employant le gabarit fourni par le fabricant. Percez des trous aux quatre coins de l'évier au vilebrequin, à la perceuse ou avec une mèche à griffe. Retournez la pièce et tracez de nouveau sur l'envers. Découpez à la scie sauteuse munie d'une lame à métaux à petites dents.

Sur un dosseret, laminez et coupez selon l'ordre suivant : bouts, devant, dessus. (Finissez le bord arrière au moment de l'installation.) Mettez le dosseret sur une doucine de métal ou de plastique et du scellant à la silicone sous la doucine. Retenez le tout avec des serre-joints ; percez des trous guides et enfoncez des vis à bois par le dessous.

Dernier
Premier
Dosseret
Deuxième
Doucine
Scellant à la silicone

Réparation du plastique stratifié

La plupart des taches s'enlèvent avec du détergent liquide doux et une brosse douce. Frottez les taches rebelles (teinture à cheveux, encre, etc.) à l'eau de Javel, au nettoyant liquide ou à l'alcool dénaturé ; rincez immédiatement. Ne récurez pas. Un comptoir brûlé doit le plus souvent être refini complètement mais vous pouvez découper la partie endommagée et y installer une planche à découper synthétique (on trouve ce genre d'installation en kit). Le stratifié qui lève se recolle comme suit :

Pour recoller le stratifié, étendez la colle dessous avec un petit couteau à mastic. Appuyez sur le stratifié, puis relevez-le tout de suite ; la colle aura uniformément enduit les deux surfaces.

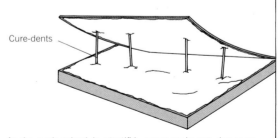

Cure-dents

Après avoir relevé le stratifié, appuyez-le sur des cure-dents pour laisser sécher la colle (environ 5 minutes de moins que le temps recommandé). Ensuite, rabattez le stratifié et appuyez au rouleau.

Plastiques / Marbre synthétique

Seul le marbre synthétique fabriqué à partir d'acrylique ou de polyester peut être manipulé par un bricoleur. Contrairement au similimarbre, qui contient des éclats de marbre, la texture et la couleur de ce matériau sont uniformes. On le travaille comme le bois dur, mais avec plus de précaution car son prix est élevé.

Formats. Une épaisseur de ¼ po (6 mm) convient pour les revêtements muraux, ½ po (1,2 cm) pour les comptoirs et ¾ po (2 cm) pour les surfaces sans support. Le matériau se vend habituellement en feuilles de 22 à 36 po (56 à 92 cm) de large et de 5 à 12 pi (1,5 à 3,6 m) de long. Enfin, il se vend des kits pour les salles de bains.

Coupe. Sans enlever la pellicule protectrice, posez la feuille sur une surface de soutien plus grande que la feuille elle-même. Avec une scie circulaire et une lame à pointes au carbure à 40 dents ou une scie sauteuse à lame à petites dents, faites un essai sur une découpe en travaillant à faible vitesse, car le matériau s'ébrèche facilement. Finissez les bords à la toupie. Portez un masque pour travailler.

Joints. Un bon joint est invisible et aussi robuste que le matériau lui-même. Faites d'abord un essai à sec ; mettez des cales si nécessaire. Enlevez la pellicule protectrice près des joints et nettoyez les bords à l'alcool dénaturé ou isopropylique ; ne les touchez plus. Employez la colle recommandée pour le matériau et suivez le mode d'emploi. Ne serrez pas trop les joints : toute la colle sortirait.

La colle sert aussi à boucher de petites entailles et à retenir des bandes du matériau sous les bords d'un comptoir pour qu'il paraisse épais. Avant de poser des bandes, poncez les surfaces au papier 120. Une fois encollées, placez les surfaces dans une serre à ressort.

Pour installer un plan de travail, mettez des supports tous les 18 po (45 cm) et sous les joints à 3 po (8 cm) de part et d'autre d'un appareil encastré. Manipulez délicatement les feuilles.

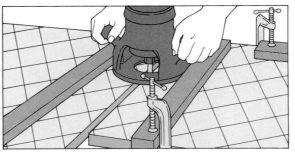

Préparation du joint. Fixez les pièces au serre-joint, en laissant entre elles un peu d'espace pour pouvoir passer la toupie sur les deux bords en même temps. Nettoyez les bords à l'alcool dénaturé ou isopropylique.

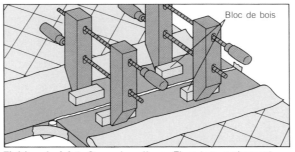

Finition du joint. Serrez les pièces. Fixez temporairement des blocs de bois de chaque côté avec de la colle en bâton. Serrez les blocs, mais pas trop. Une fois la colle séchée, poncez au papier 120, puis au 180.

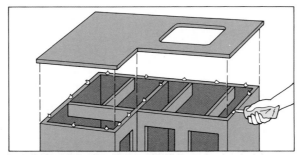

Installation d'un plan de travail. Finissez les bords à la toupie. Appliquez du scellant à la silicone sur le cadre tous les 10 po et posez le dessus. Les serres ne sont pas nécessaires : son poids suffira à le tenir en place.

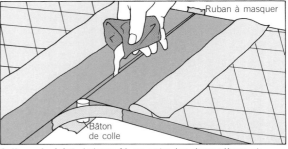

Collage du joint. Laissez ⅛ po entre les deux pièces et mettez du ruban à masquer dessous et aux extrémités pour retenir la colle. Dans un angle, bouchez le joint avec un bâton de colle. Mélangez la colle ; remplissez le joint au tiers.

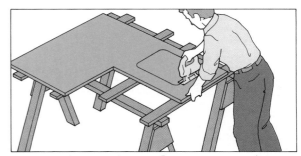

Découpage. Tracez la découpe. Percez un trou et sciez à la scie sauteuse pourvue d'une lame à petites dents. Déplacez les supports à mesure que vous travaillez pour éviter que la feuille ne se brise.

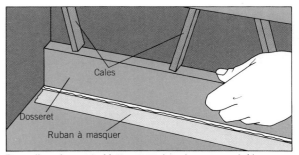

Pose d'un dosseret. Mettez un ruban à masquer à ¼ po du joint. Nettoyez les surfaces à l'alcool, appliquez la colle au dosseret et calez-le en place. Nettoyez le surplus de colle à l'alcool. Laissez sécher et poncez au papier fin.

Feuilles d'acrylique

L'acrylique en feuille, apprécié pour sa transparence, sa légèreté et sa résistance, remplace souvent le verre (dans les contre-portes, les cabines de douche, etc.). Il se vend en feuilles de 4 x 8 pi (1,2 x 2,4 m), en épaisseurs de ⅛, ¼ et ⅜ po (3, 6 et 10 mm). Certains fournisseurs et vitriers vendent de plus petites feuilles et les taillent sur mesure.

Comme il s'égratigne facilement, l'acrylique est recouvert d'un papier protecteur. Tracez sur ce papier (au crayon à mine) et ne l'enlevez qu'après avoir fini tout le travail. Pour faire un joint, enlevez-en juste ce qu'il faut. Marquez le plastique à l'encre de Chine.

Faites les joints avec la colle à solvant recommandée ; elle amollit l'acrylique et les pièces se fondent. Pour faire un joint par capillarité (en bas, au centre), joignez les pièces sans interstice visible : une fine pellicule devrait apparaître quand vous serrez les deux pièces.

On colle l'acrylique au bois avec de la colle blanche, au métal avec de l'époxyde. Comme l'acrylique réagit plus fortement aux changements de température que le bois ou le métal, boulonnez aussi ou vissez (le trou dans l'acrylique devra être plus grand).

▶**ATTENTION !** Aérez bien la pièce et portez un masque antivapeurs : les vapeurs de colle sont toxiques. Ne laissez pas l'acrylique au-dessus d'un élément chauffant : il est inflammable.

Coupe de l'acrylique en feuille

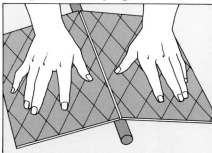

Coupe droite. Rayez une feuille de ⅛ po avec un couteau tout usage ou une pointe à tracer pour acrylique. Brisez-la sur une tige de bois. L'acrylique plus épais se coupe à la scie sauteuse.

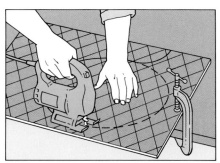

Coupe courbe. Découpez du bord en allant vers le centre. Déplacez la scie lentement, mais faites-la tourner à haute vitesse. Gardez la feuille bien appuyée en tout temps : déplacez-la au besoin.

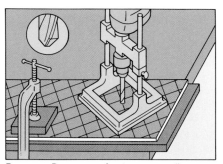

Perçage. Prenez un foret pour acrylique, ou arrondissez la pointe d'un foret hélicoïdal en l'émoussant à la lime. Fixez la pièce sur un morceau de bois avec une serre. Forez bien droit en vous aidant d'un guide de perçage.

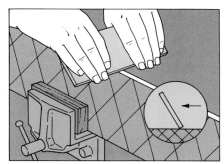

Finition des bords. Arasez avec une règle de métal. Poncez au papier 100, puis au papier plus fin. Polissez avec un disque et du rouge à polir jusqu'à ce que l'acrylique redevienne transparent ; ne polissez pas les bords.

Joints. Enlevez le papier près des bords et maintenez les pièces serrées, sans interstice, avec du ruban adhésif ou un gabarit. Appliquée avec un applicateur à bec fin, la colle pénètre par capillarité.

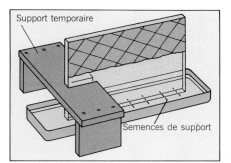

Support temporaire

Semences de support

Autre procédé. Placez la pièce sur des semences, dans un bac d'aluminium ou de verre. Laissez tremper de 6 à 8 minutes, épongez et placez sur l'autre pièce pendant 30 secondes. Pressez pendant 1 heure.

Pliage de l'acrylique

Chauffez l'acrylique pour le plier. Chauffez une pièce étroite avec un pistolet à air chaud ; les pièces plus larges se chauffent sur un élément chauffant.

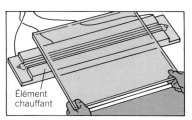

Élément chauffant

Avant de chauffer l'acrylique, enlevez le papier protecteur. Maintenez la pièce au moins à ¼ po au-dessus d'un élément chauffant.

Pliez la feuille chauffée et tenez-la en place 1 à 2 minutes, le temps qu'elle se refroidisse. Portez des gants isolants.

Plastiques / Réparations à la fibre de verre

La fibre de verre, le bois, le métal et certains plastiques se réparent avec de la fibre de verre. La fibre et les produits chimiques nécessaires se vendent dans les quincailleries et les magasins de fournitures automobiles et marines.

On ne peut différencier la fibre de verre de certains plastiques comme l'ABS et l'acrylique. Cependant, la résine polyester n'adhère pas à ces matériaux et peut les abîmer. Par contre, la résine époxyde convient à l'ABS et à certains types d'acryliques. En cas de doute, employez une résine époxyde.

Les réparations s'effectuent en recouvrant la surface endommagée d'une résine. Pour effectuer une réparation majeure, trempez un renfort dans la résine et posez-le en alternant avec du mat. Le revêtement durcira et se transformera en un matériau solide. Poncez entre les couches et finissez avec une couche de gel.

▶ **ATTENTION !** Évitez tout contact avec la peau. Couvrez-vous bien les bras, les jambes et le cou. Portez des lunettes protectrices et des gants de polyéthylène. Si la fibre ou la résine entre en contact avec la peau, suivez les recommandations du fabricant. Portez un respirateur antivapeurs, aérez et gardez les matériaux loin des flammes.

Produit	Description	Utilisations
Tissu de fibre de verre	Fibres de verre filées et tissées. Reluisant, plus mince que le mat et le tissu stratifil mais plus fort. Vendu à la verge carrée, en laizes de 5 pi et en bandes, d'un poids de 4 à 20 oz. Aussi sous forme de ruban.	Renfort dans une cavité, revêtement d'une grande surface. Pour mouler une surface courbe. Alternez avec des couches de mat. Recouvrement des joints, des bords et des coins.
Mat de fibre de verre	Fibre de verre comprimée et non tissée. Vendu au pied carré, en laizes de 3 à 5 pi, d'un poids de ¾ à 3 oz.	Remplissage pour combler une cavité ; donne de l'étanchéité.
Tissu stratifil	Épais tissu de fibres de verre assemblées sans torsion. Vendu à la verge carrée, en laizes de 38 po à 5 pi, d'un poids de 16 à 45 oz.	Couches résistantes sur les surfaces étendues. Alternez avec du mat pour donner plus d'adhérence.
Résine polyester pour stratifié ; résine de finition	Plastiques liquides thermodurcissables. Vendu en mélanges plus ou moins épais et flexibles. Ajoutez le catalyseur pour faire durcir. Durée de vie limitée.	Couches résistantes sur les surfaces étendues. Alternez avec du mat pour donner plus d'adhérence.
Gel (résine colorée)	L'une des résines polyester à laquelle on peut ajouter des pigments.	Couche protectrice finale et étanche. Utile pour les retouches.
Mastic polyester	Mélanges de résines polyester, parfois pour usage spécifique (bateau, auto) ; certains peuvent être colorés.	Boucher des cavités, des fissures et des égratignures avec ou sans renfort.
Résine époxyde	Plastique liquide thermodurcissable plus fort et plus liant que le polyester ; plus cher aussi. Le contact avec la peau peut entraîner une dermatite ; les vapeurs peuvent irriter.	Réparations là où une forte adhérence est requise. (Laminez la première couche avec de la résine polyester.)
Mastic époxyde	Mélanges de résines époxydes, parfois pour usage spécifique (sous l'eau, par exemple).	Boucher des cavités, des égratignures. Aussi coller des matériaux différents.

Pour boucher une fissure, poncez la surface avec un papier abrasif grossier. Nettoyez à l'acétone ou au savon et à l'eau ; laissez sécher.

Taillez le tissu de fibre de verre avec un excédent de 2 po sur la surface à réparer. Mélangez résine et durcisseur. Étendez-en une mince couche ; imbibez le tissu de résine.

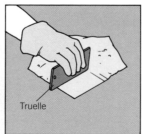

Étendez la pièce sur la surface à réparer. Lissez à la truelle (ou avec un pinceau à soies pures) pour défaire les plis et enlever les bulles d'air. Laissez sécher complètement.

Truelle

Prenez du papier abrasif fin pour lisser le pourtour de la pièce. Appliquez une deuxième couche de résine, laissez sécher et poncez. Finissez avec du gel teinté ou un apprêt et de la peinture.

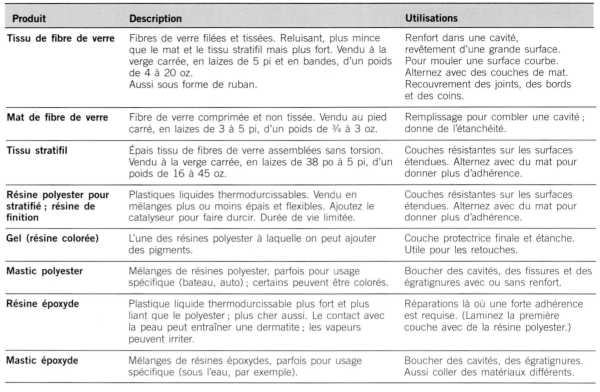

Petit trou. Lavez à l'eau savonneuse, essuyez et poncez. Limez les bords en biseau. Collez un carton à l'arrière du trou. Mélangez la résine ; appliquez-la et laissez-la sécher. Poncez.

Bords biseautés
Appui — Résine

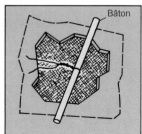

Dans un recoin. Passez un fil métallique dans un treillis et mettez-y de la colle. Enfoncez-le dans le trou et fixez-le en le tordant autour d'un bâton pour qu'il colle à la sous-face.

Bâton

Béton et asphalte
Techniques et projets

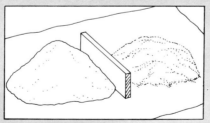 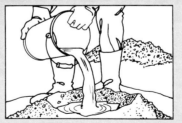 

Économique et résistant, le béton est étonnamment facile à travailler. Dans les pages qui suivent, vous apprendrez tout sur cet extraordinaire matériau : ses propriétés, sa composition et les façons de le préparer, de le couler et de le finir. Vous apprendrez aussi comment construire des trottoirs, des entrées de garage, des perrons, des semelles et des fondations, et comment redonner belle apparence à une entrée d'asphalte. Même si vous faites appel à des professionnels, les renseignements donnés ici vous permettront de discuter avec eux en toute connaissance de cause.

Béton / Composition

Le béton est un des matériaux de construction les plus résistants, économiques et malléables. Il est fait d'un mélange de ciment Portland, de sable, de gravier ou de pierre concassée, et d'eau, combinés en proportions variables. Le béton que l'on mélange soi-même est décrit selon le rapport entre les quantités de ciment, de sable et de gravier. Ainsi un mélange 1:2½:3 signifie que le béton doit être constitué de 1 partie de ciment, de 2½ parties de sable et de 3 parties de gravier ou de pierres concassées.

Le ciment Portland est un mélange de minéraux chauffés au four, combinés à du gypse et broyés en une poudre fine. Fabriqué selon les exigences de l'Association canadienne de normalisation (ACNOR), le ciment Portland est vendu dans des sacs de 88 lb (40 kg).

Mêlé à l'eau, le ciment Portland se transforme en une pâte qui lie les éléments et qui se solidifie pour devenir dure comme la pierre. Cette pâte forme de 25 à 40 p. 100 du volume total du béton.

Le ciment Portland est de couleur grise ou blanche, mais on obtient d'autres teintes par l'ajout de colorant lors du malaxage.

Le ciment Portland cellulaire contient un agent qui crée des millions de bulles d'air microscopiques dans le béton. Cette formule, tout en rendant le travail plus facile, augmente la résistance du béton au gel et diminue l'effritement causé par le sel. Le Code national du bâtiment stipule que le ciment cellulaire doit être utilisé pour les garages et les abris

d'auto, les marches extérieures ou tout ouvrage soumis au gel et au dégel. Ce béton devrait être acheté prémalaxé et utilisé moins de deux heures après la livraison.

Agrégats. Les agrégats fins et grossiers forment de 60 à 75 p. 100 du béton fini. Ils sont vendus au poids ou au volume.

L'agrégat fin est constitué de sable pouvant traverser un tamis de ¼ po (6 mm). Il ne devrait contenir ni boue ni corps étranger qui appauvrirait la qualité du béton. Si vous utilisez du sable provenant de source non commerciale, procédez à la vérification expliquée à droite pour déterminer sa teneur en boue. Si une couche de plus de ⅛ po (3 mm) se forme en surface, le sable doit être lavé. Le sable à mortier ou le sable de plage ne conviennent pas.

Le sable est livré humide pour qu'il ne soit pas balayé par le vent. Sa teneur en eau détermine la quantité d'eau à ajouter au mélange (p. 149). Pour la déterminer, prenez une poignée de sable et serrez-la (à droite).

Les types d'agrégats grossiers les plus utilisés sont le gravier et la pierre concassée, dont les éléments varient en diamètre de ¼ à 1½ po (0,6 à 3,8 cm). N'utilisez pas d'agrégats plus gros que le quart de l'épaisseur de l'ouvrage. L'agrégat grossier doit être dur, propre et ne contenir aucun corps étranger.

L'eau. L'eau potable convient au béton. N'utilisez pas d'eau de mer ni d'eau contenant de l'huile, de l'acide ou des matières organiques.

Vérification de l'humidité

Le sable humide se désagrège lorsque vous en faites une boule. Vous devrez ajouter de l'eau au mélange.

Moyennement mouillé, le sable forme une boule ou une masse compacte : il laisse la main presque sèche.

Très mouillé, le sable dégoutte lorsque vous le serrez : il laisse la main mouillée. Vous aurez moins d'eau à ajouter.

Classification des agrégats

L'agrégat grossier peut être tamisé. On obtient alors des éléments uniformes (on voit ici trois grosseurs : de ¼ à ⅜ po, de ⅜ à ¾ po, de ¾ à 1½ po).

Les petites particules se tassent entre les grosses, augmentant la résistance du béton fini. Les vides ainsi remplis, le coût du travail sera moindre.

Teneur en boue

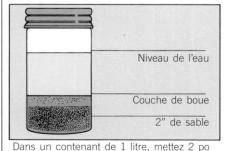

Dans un contenant de 1 litre, mettez 2 po de sable et remplissez d'eau aux trois quarts. Agitez et laissez décanter 1 h. S'il se forme une couche de boue de plus de ⅛ po, lavez.

Outils et rangement

Pour travailler le béton, vous aurez besoin des outils suivants : un marteau et une scie pour construire les coffrages (p. 152-153), un ruban à mesurer métallique de 50 pi (15 m), un niveau à bulle d'air de 4 pi (1,2 m), une équerre métallique, un cordeau de maçon, une brouette (pour gâcher et transporter le béton), trois seaux (un pour mesurer le ciment, un pour contenir l'agrégat et un, gradué à l'intérieur, pour mesurer l'eau et la verser dans le mélange), et une pelle à bout carré (pour malaxer et placer le béton).

Il vous faudra aussi des outils spéciaux que vous pourrez acheter, louer ou fabriquer :

Une *raclette* pour enlever l'excédent de béton et niveler la surface. Utilisez un 2 x 4 (38 x 89 mm) bien droit, d'une longueur excédant de 2 pi (60 cm) la largeur du coffrage.

Une *planchette à régaler* pour lisser la surface après avoir passé la raclette et avant la finition. Fabriquez-la avec un vieux manche à balai et une planche de 1 x 8 po (19 x 184 mm) (à droite). La planchette à régaler est généralement utilisée sur les grandes surfaces ; sur les petites, prenez plutôt un *aplanissoir.*

Une *langue-de-chat* pour séparer le béton du coffrage.

Un *fer à bordures* pour arrondir les rebords.

Un *fer à rainures* pour creuser des rainures ou des joints à distance régulière.

Une *truelle à régaler* en bois pour donner une surface rugueuse, en magnésium pour donner une surface lisse. Utilisez toujours la truelle en magnésium pour le ciment cellulaire.

Une *truelle à finir* pour donner un fini lisse.

Un *balai-brosse* pour obtenir un fini rugueux.

▶ **ATTENTION !** Le béton mouillé est corrosif ; portez des gants imperméables, une chemise à manches longues et des pantalons. Si vous devez mettre les pieds dans le béton, portez de hautes bottes de caoutchouc. Lavez immédiatement les éclaboussures sur la peau et lavez les vêtements tachés. Utilisez une crème à base de lanoline pour soulager les irritations.

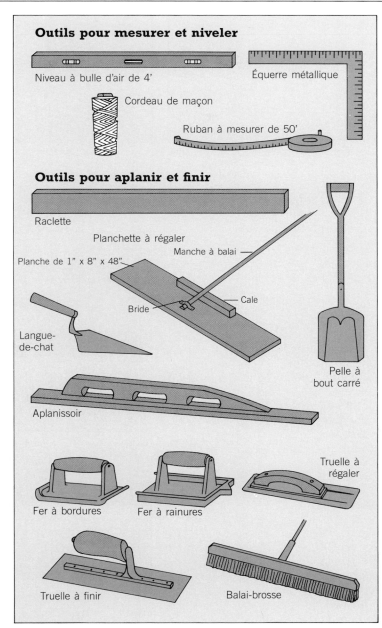

Outils pour mesurer et niveler

Niveau à bulle d'air de 4'

Équerre métallique

Cordeau de maçon

Ruban à mesurer de 50'

Outils pour aplanir et finir

Raclette

Planchette à régaler

Planche de 1" x 8" x 48"

Manche à balai

Bride

Cale

Langue-de-chat

Aplanissoir

Fer à bordures

Fer à rainures

Truelle à régaler

Truelle à finir

Balai-brosse

Pelle à bout carré

Rangement

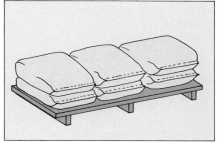

Rangez le ciment dans un endroit sec. Placez les sacs les uns contre les autres sur une plate-forme, loin des murs ; couvrez d'une bâche imperméable.

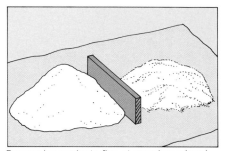

Rangez les agrégats fins et grossiers séparément sur une surface dure et propre. Séparez-les par une pièce de bois. À l'extérieur, recouvrez-les d'une feuille de polythène.

Refermez bien les sacs entamés et mettez-les dans des sacs de plastique bien fermés. S'il y a des grumeaux qui ne se décomposent pas, jetez le ciment.

Béton / Estimation des surfaces et quantités

Pour déterminer la quantité de béton requise, calculez la surface de l'ouvrage. Pour un carré ou un rectangle, multipliez la longueur par la largeur. Pour un cercle, un triangle ou une surface irrégulière, suivez les directives à droite. Multipliez ensuite la surface par l'épaisseur. Calculez en pieds, non en pouces (par exemple : 4 po font ⅓ pi). Le résultat sera le volume de béton requis, en pieds cubes. Pour convertir ce nombre en verges cubes, divisez-le par 27 (qui est le nombre de pieds cubes dans 1 vg³). Pour calculer la quantité de béton nécessaire à une dalle carrée ou rectangulaire, vous faites donc :

$$\frac{\text{largeur (pi) x longueur (pi) x épaisseur (pi)}}{27} = vg^3$$

Pour faire un plancher en béton de 15 pi de largeur, de 25 pi de longueur et de 4 po (⅓ pi) d'épaisseur, vous calculez :

$$\frac{15 \text{ pi x } 25 \text{ pi x } ⅓ \text{ pi}}{27} = 4,63 \text{ vg}^3 \text{ de béton}$$

Pour évaluer rapidement la quantité requise pour faire une dalle de béton (entrée de garage, patio, trottoir ou mur de fondation), consultez le graphique à droite. Repérez la ligne qui correspond à l'épaisseur et à la surface, puis du bout de cette ligne, et à la verticale, descendez jusqu'à la ligne du bas qui donne le nombre de pieds cubes ou de verges cubes requis. Pour convertir au système métrique, consultez le tableau à la fin du manuel.

Vous obtiendrez par addition les épaisseurs et les surfaces qui ne sont pas incluses dans le graphique. Par exemple, pour une dalle de 5 po d'épaisseur, additionnez les nombres s'appliquant aux dalles de 2 po et de 3 po ; pour 350 pi², additionnez les quantités requises pour des surfaces de 200 et de 150 pi². Pour compenser les pertes, et pour toute éventualité, ajoutez de 5 à 10 p. 100 aux quantités estimées.

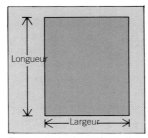

Pour calculer la surface d'un rectangle, multipliez la longueur par la largeur.

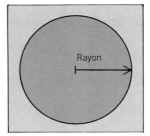

Pour calculer la surface d'un cercle, multipliez le carré de son rayon par 3,1416 (π).

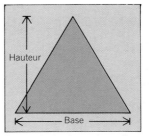

Pour calculer la surface d'un triangle, multipliez la moitié de la base par la hauteur.

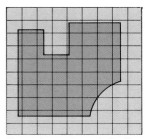

Tracez les surfaces irrégulières sur du papier (1 carré = 1 pi²) ; additionnez les carrés couverts à plus du tiers.

Épaisseur de la dalle	Surface (pi²)	Quantité de béton requise
Dalle de 2 po	50	
	100	
	150	
	200	
	250	
Dalle de 3 po	50	
	100	
	150	
	200	
	250	
Dalle de 4 po	50	
	100	
	150	
	200	
	250	
Dalle de 6 po	50	
	100	
	150	
	200	
	250	
Dalle de 8 po	50	
	100	
	150	
	200	
	250	

pi³   25   50   75   100   125   150   175

vg³   1   2   3   4   5   6

Mélanges

Pour qu'un béton soit solide et résistant, ses éléments doivent être incorporés en proportions justes. Tenez compte des conditions auxquelles le béton sera soumis. Pour les planchers, les entrées de garage et les trottoirs soumis à un climat tempéré et ayant à subir une usure normale, on recommande un mélange composé de 1 partie de ciment, de 2 parties de sable et de 3 parties de gravier ou de pierre concassée. Pour les ouvrages plus protégés, utilisez un mélange de 1:2¾:4.

Le rapport entre l'eau et le ciment est important. Trop d'eau appauvrit le béton ; trop peu complique le travail. La consistance doit être voisine de celle du mastic.

Le tableau du haut, à droite, indique les quantités nécessaires pour faire 1 vg³ de béton et deux types de mélanges. Les quantités d'eau sont basées sur la teneur en eau du sable. Un petit surplus d'eau pouvant appauvrir le béton, vérifiez l'humidité du sable (p. 146) avant d'ajouter de l'eau.

Béton prémélangé et béton de centrale. Pour les ouvrages nécessitant 1 vg³ ou moins de béton, il est plus économique d'acheter les éléments séparément et de les mélanger vous-même (p. 150). Pour des petits ouvrages, comme l'ancrage d'un poteau, utilisez un béton prémélangé contenant tous les éléments sauf l'eau.

Pour les ouvrages requérant plus de 1 vg³, vous économiserez du travail en commandant du béton prémalaxé. Évaluez d'abord la quantité nécessaire et assurez-vous qu'on vous la livrera (on impose peut-être une quantité minimale). Précisez à quoi le béton est destiné, la grosseur maximale de l'agrégat (pas plus du quart de l'épaisseur de la dalle) et si vous voulez qu'on y incorpore un produit imperméabilisant ou autre additif. L'affaissement (mesure de la consistance) ne devrait pas dépasser 4 po. N'oubliez pas que pour tout ouvrage extérieur, le béton doit contenir de 5 à 8 p. 100 d'air et avoir une résistance minimale déterminée.

Mélanges pour faire 1 vg³ de béton non cellulaire*

Éléments	Mélange 1:2:3 Quantités requises	Mélange 1:2¾:4 Quantités requises
Ciment	6 sacs de 88 lb	5 sacs de 88 lb
Sable (agrégat fin)**	1 058 lb ou 12 pi³	1 215 lb ou 16½ pi³
Gravier/pierre concassée (gros agrégat)†	1 587 lb ou 18 pi³	1 763 lb ou 24 pi³
Eau (pour sable humide)	18 gal (3 gal par sac de ciment)	18 gal (3⅗ gal par sac de ciment)
Eau (pour sable mouillé)	5 gal (1⅙ gal par sac de ciment)	5 gal (1 gal par sac de ciment)
Eau (pour sable très mouillé)	3 gal (½ gal par sac de ciment)	3 gal (⅗ gal par sac de ciment)

*Pour le béton à l'abri des intempéries. Utilisez du béton cellulaire pour les ouvrages soumis au gel, au dégel et au sel.
**Le sable est livré mouillé. Déterminez sa teneur en eau (p. 146) et évaluez la quantité à ajouter.
†Grosseur maximale de l'agrégat : 1½ po.

Quantités requises pour faire 100 pi² de béton d'épaisseurs diverses‡

Épaisseur de la dalle de béton	Quantité de ciment	Mélange 1:2:3 Sacs de ciment	Sable	Gravier	Mélange 1:2¾:4 Sacs de ciment	Sable	Gravier
2 po	0,62 vg³	4	705 lb (8 pi³)	1 058 lb (12 pi³)	3,3	800 lb (9 pi³)	1 164 lb (13 pi³)
3 po	0,93 vg³	6	1 058 lb (12 pi³)	1 587 lb (18 pi³)	5	1 217 lb (13,8 pi³)	1 771 lb (16,5 pi³)
4 po	1,23 vg³	8	1 411 lb (16 pi³)	2 116 lb (24 pi³)	6,6	1 600 lb (18 pi³)	2 328 lb (21,8 pi³)
5 po	1,54 vg³	10	1 764 lb (20 pi³)	2 646 lb (30 pi³)	8,2	1 988 lb (22,6 pi³)	2 892 lb (27 pi³)
6 po	1,85 vg³	12	2 116 lb (24 pi³)	3 175 lb (36 pi³)	10	2 425 lb (27,5 pi³)	3 527 lb (33 pi³)
8 po	2,47 vg³	16	2 822 lb (32 pi³)	4 233 lb (48 pi³)	13,2	3 201 lb (36,3 pi³)	4 656 lb (43,6 pi³)

‡Ajoutez de 5 à 10 p. 100 en raison des pertes.

On gâche les petites quantités de béton à la main, dans une brouette ou sur une grande surface plane (plate-forme en bois étanche ou entrée de garage en béton recouverte d'un polythène robuste). Si vous avez besoin de plus de 2 pi³ de béton, épargnez temps et argent et louez un malaxeur. N'oubliez pas que le béton cellulaire devrait toujours être commandé prémalaxé.

En respectant les proportions recommandées pour votre ouvrage (p. 149), mesurez les éléments secs à la pelletée ou au seau ; utilisez des seaux différents pour le ciment et l'agrégat. (Pour faire des mesures plus précises, fabriquez une boîte sans fond ayant un carré intérieur de 12 po et une hauteur de 12 po. Placée sur une surface plane, elle contiendra 1 pi³ de ciment ou d'agrégat.) Utilisez un troisième seau, gradué à l'intérieur, pour mesurer la quantité d'eau. Suivez les directives à droite pour gâcher le béton à la main et en vérifier la consistance.

Au malaxeur. Placez le malaxeur aussi près que possible de l'ouvrage. Mettez-y l'agrégat grossier et environ la moitié de la quantité d'eau requise. Actionnez le malaxeur et ajoutez le sable, le ciment et le reste de l'eau. Malaxez pendant 3 minutes ou plus, jusqu'à ce que le béton soit bien mélangé et de couleur uniforme.

La capacité d'un malaxeur est d'environ 60 p. 100 son volume ; ne la dépassez jamais. Lavez le cylindre après chaque gâchée et récurez-le à la fin de la journée. Pour ce faire, mettez de l'eau et plusieurs pelletées de sable pendant qu'il tourne. Après quelques minutes, videz-le et rincez au tuyau d'arrosage.

Gâchage à la main

1. Avec une pelle à bout carré, étendez également le sable, ajoutez la quantité requise de ciment et mêlez jusqu'à ce que l'ensemble ait une couleur uniforme, sans taches grises ou brunes. Ajoutez l'agrégat grossier et retournez les matériaux au moins trois fois ou jusqu'à ce que l'agrégat soit également réparti.

2. Faites un cratère au centre du mélange ; versez une partie de la quantité d'eau requise et creusez davantage pour que l'eau s'étale jusqu'au fond.

3. Versez encore de l'eau et amenez peu à peu le matériau sec dans le liquide ; mélangez. Ajoutez de l'eau, un peu à la fois, et continuez de gâcher jusqu'à ce que le tout soit uniformément humide. Lorsque toute l'eau a été absorbée, retournez la gâchée trois ou quatre fois pour que le mélange soit uniforme et facile à travailler.

Vérification du mélange

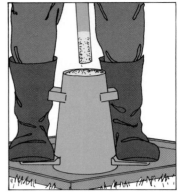

Le béton ne devrait être ni trop liquide ni trop épais. Faites une gâchée ; vérifiez sa consistance au moyen d'un cône d'affaissement (ou d'une boîte de café ouverte aux deux bouts). Remplissez le cône en trois fois. Éliminez l'air en pilonnant chaque fois avec une tige ronde. Nivelez, enlevez le cône et laissez reposer.

Mesurez l'affaissement. Il devrait être de 3 ou 4 po. S'il dépasse 4 po, il y a trop d'eau ; ajoutez de l'agrégat. S'il est de moins de 3 po, la gâchée est trop épaisse et l'addition d'eau modifierait le rapport eau-ciment et gâterait le béton. Faites une nouvelle gâchée en mettant moins d'agrégat.

Autre façon de vérifier la consistance. Tirez une pelle sur le dessus du mélange ; enfoncez-la à distances à peu près équivalentes. Si les marques demeurent nettes, le mélange est bon. Si elles sont indistinctes, le béton est trop épais. Si elles se remplissent, le mélange contient trop d'eau.

Coulage, finissage et durcissement

Commencez par préparer votre chantier, puis construisez les coffrages (p. 152-158) ; ayez vos outils et vos assistants sur les lieux. Avant de mettre en place le béton, mouillez le sol pour qu'il absorbe moins l'eau du béton. Ne coulez jamais de béton sur un sol gelé, boueux ou détrempé ; coulez-le par temps chaud.

Après 45 minutes, le béton est trop dur pour pouvoir être travaillé. Ne préparez que les quantités que vous prévoyez utiliser. S'il est trop épais, gâchez-le à nouveau *sans ajouter d'eau*. S'il n'est pas malléable, jetez-le.

Faites verser le béton prémalaxé directement dans les coffrages. Avec des rallonges, la plupart des bétonnières peuvent verser le béton jusqu'à une distance de 24 pi (7,3 m). Au-delà, vous devrez utiliser des brouettes ou louer une pompe (p. 158). Ayez suffisamment de brouettes et d'assistants pour terminer le travail en moins du temps limite recommandé.

Une fois coulé, le béton doit être nivelé et lissé (étapes 1, 2 et 3). Le tassement du béton fait remonter l'excédent d'eau. Lorsque l'eau apparaît, arrêtez le travail ; attendez qu'elle s'évapore et que le béton durcisse un peu. Par temps frais ou humide, cela peut prendre plusieurs heures ; par temps chaud ou sec, 20 minutes seulement. Lorsque le béton perd son aspect luisant, commencez à le finir (étapes 4, 5 et 6).

Durcissement. Le béton fini doit être maintenu à une température de plus de 10°C (50°F). Il faut qu'il reste humide pendant au moins 3 jours ; et pendant 7 jours, s'il est vulnérable au gel, au dégel et au sel. Utilisez une des méthodes suivantes :

1. Mouillez la surface au tuyau d'arrosage ; couvrez-la d'un plastique fixé aux extrémités par des briques.

2. Couvrez le béton d'une toile ; gardez-la mouillée le temps recommandé.

3. Laissez fonctionner un arroseur.

4. Par temps doux, vaporisez un produit de durcissement.

1. Commencez à verser le béton à un bout du coffrage et versez chaque brouettée contre la précédente. Mettez-en une quantité généreuse, dépassant de ½ po le bord du coffrage. Utilisez une pelle pour étendre le béton et le tasser dans les coins. Pilonnez avec la pelle pour éliminer l'air.

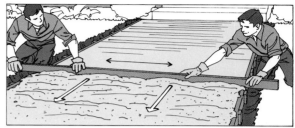

2. Une fois le coffrage rempli, utilisez une raclette pour tasser et niveler le béton. Adoptez un mouvement de sciage tout en avançant lentement le long de l'ouvrage. Remplissez les trous et repassez la raclette jusqu'à ce que le béton soit de niveau avec le dessus du coffrage.

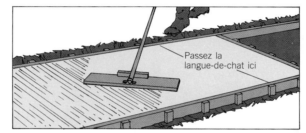

3. Pour éliminer les stries et les creux, passez la planchette à régaler, en levant un peu le devant pour ne pas creuser la surface. Pour les petits ouvrages, utilisez un aplanissoir (p. 147) en décrivant de grands arcs sur le béton. Passez un fer à bordures sur les bords et attendez que l'eau s'évapore avant de finir.

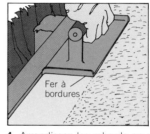 

4. Arrondissez les rebords en passant un fer à bordures. Utilisez un fer à rainures pour faire des joints également distancés (p. 152, 153, 154). Des joints ayant une profondeur d'un quart de l'épaisseur de la dalle empêchent le fendillement lorsque le béton est sec. Mettez un 2 x 8 en travers des coffrages et utilisez-le comme guide.

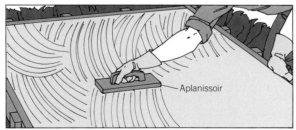

5. L'aplanissoir aide à niveler et à tasser le béton. Les outils en bois créent une texture rugueuse ; pour obtenir un fini plus lisse — et pour éviter les déchirures lorsqu'il s'agit de béton cellulaire —, utilisez une truelle à régaler. Tenez l'outil à plat sur la surface et décrivez des arcs. Les fers à bordures et à rainures peuvent être réutilisés.

6. Pour obtenir une surface lisse, passez la truelle à régaler après la planchette à régaler. Tenez l'outil à plat et décrivez des arcs. Attendez quelques instants ; recommencez une ou deux fois, jusqu'à ce que vous ayez obtenu le fini voulu ; relevez le bord de la truelle un peu plus chaque fois. Pour obtenir un fini rugueux, passez un balai-brosse.

Béton / Trottoirs

Il importe de vous conformer aux règlements municipaux (p. 193) en vigueur dans votre région.

Dimensions. La largeur d'un trottoir varie : au moins 5 pi (1,5 m) pour un trottoir public, 2 à 3 pi (0,6 à 0,9 m) pour un trottoir secondaire et 3 à 4 pi (0,9 à 1,2 m) pour une entrée. L'épaisseur d'un trottoir résidentiel est habituellement de 4 po (10 cm), mais si des camions doivent le franchir, donnez-lui une épaisseur de 6 po (15 cm).

Préparation du chantier. Le sol sous la dalle de béton doit être bien drainé, uniformément tassé et dépourvu de gazon, de racines ou de débris. Si la terre est sèche et ferme, coulez le béton sur le sol nu. Si le sol est mal drainé ou si le gel le soulève, vous devrez mettre une couche de gravier. Sur un sol instable et mal drainé, ajoutez 1 ou 2 po (2,5 ou 5 cm) à l'épaisseur de la dalle. Sur un sol bien drainé mais difficile à niveler, mettez 2 à 3 po (5 à 6 cm) de gravier.

Coffrages. En général, les coffrages d'une dalle de 4 po (10 cm) sont faits de 2 x 4 (38 x 89 mm) posés sur le chant et ancrés tous les 3 ou 4 pi (1 m) au moyen de piquets de 18 po (45 cm) enfoncés solidement dans le sol. Les 2 x 4 des coffrages doivent être en bois lisse, droit et vert. Les piquets peuvent être en bois, coupés dans des 1 x 2, des 2 x 2 ou des 2 x 4 (19 x 38 mm, 38 x 38 mm ou 38 x 89 mm), ou encore en acier. Les coffrages doivent être assez solides pour résister aux pressions qu'exerce le béton quand il est coulé.

Clouez les coffrages aux piquets (étape 4) avec des clous à deux têtes (p. 80) ; ils seront plus faciles à arracher au décoffrage. Pour éviter que le béton n'adhère, appliquez de l'huile à moteur ou une huile spéciale sur les surfaces avec lesquelles il entrera en contact.

Pour les longs trottoirs, procédez par sections de 8 à 10 pi (2 à 3 m) et faites des cloisons temporaires.

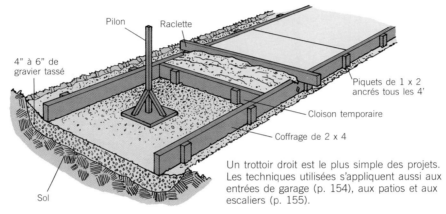

Un trottoir droit est le plus simple des projets. Les techniques utilisées s'appliquent aussi aux entrées de garage (p. 154), aux patios et aux escaliers (p. 155).

Une fois que le béton a été coulé et fini (p. 151), enlevez les cloisons temporaires, installez-les plus loin et continuez à couler.

Lorsque vous construisez un trottoir tout près d'un mur, il devient compliqué de passer la raclette. Pour remédier au problème, divisez le trottoir en sections, et travaillez une section sur deux. Vous pouvez ainsi passer la raclette parallèlement au sens de la longueur, en commençant près du mur. Lorsque le béton est assez dur pour supporter votre poids, enlevez les cloisons et coulez les autres sections.

Pente. Pour bien se drainer, un trottoir doit avoir une pente d'environ $1/4$ po (6 mm) au pied (30 cm), vers la rue. Si vous construisez un trottoir menant en ligne droite de votre porte à la rue et que le terrain descend en pente douce vers la rue, suivez-la en installant vos coffrages ; cela assurera un bon drainage. Si le terrain est plat, établissez la pente dans le sens de la largeur.

Joints. Pour empêcher la formation de fissures, faites des joints (p. 151) tous les 5 pi (1,5 m) pour les trottoirs de 3 à 5 pi (0,9 à 1,5 m) de largeur, et tous les 3 pi (0,9 m) pour les trottoirs de 2 à 3 pi (0,6 à 0,9 m) de largeur. Si vous construisez un trottoir en sections, vous pouvez installer des joints de fibres semi-rigides. Vous pouvez aussi utiliser ce matériau comme joint d'isolement si votre trottoir touche un autre ouvrage (marche, dalle ou fondations). Le chant supérieur de cette pièce doit être au même niveau que votre trottoir ou même plus bas.

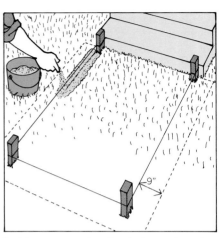

1. Jalonnez avec des piquets les quatre coins de votre ouvrage. Joignez-les avec un cordeau ; versez du sable sur le cordeau pour déterminer sur le sol les contours de l'ouvrage. Enlevez les piquets et creusez sur 4 à 8 po en dépassant de 9 po les contours.

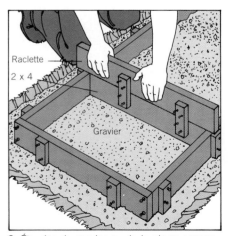

6. Étendez du gravier ou de la pierre concassée jusqu'au chant inférieur du coffrage (cette couche doit s'étendre au-delà du coffrage). Tassez le matériau. Fixez à votre raclette un 2 x 4 égal en longueur à la largeur de la dalle et nivelez le gravier.

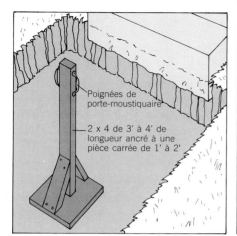

2. Conservez un peu de terre d'excavation pour remblayer après les travaux. Enlevez gazon, racines et débris. Creusez davantage aux endroits où le sol est mou et remplissez de gravier. Tassez la terre avec un pilon comme ci-dessus.

Poignées de porte-moustiquaire

2 x 4 de 3' à 4' de longueur ancré à une pièce carrée de 1' à 2'

3. Jalonnez de nouveau les coins, mais à 1½ po à l'extérieur. Reliez les piquets avec un cordeau. Appuyez un niveau sur le sol, tracez une ligne sur le piquet, sous le niveau. Tracez une autre ligne 2 po plus haut. Faites de même partout.

Niveau

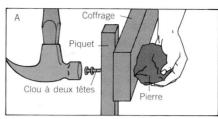

A

Coffrage

Piquet

Clou à deux têtes

Pierre

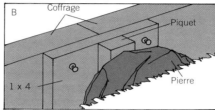

B

Coffrage

Piquet

1 x 4

Pierre

4. (A) Placez les planches du coffrage contre la face intérieure des piquets, de façon que les planches dépassent de 2 po le niveau du sol (marqué sur les piquets). (B) Fixez les piquets avec des clous à deux têtes, en vous appuyant sur une pierre.

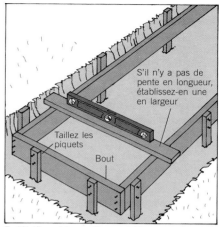

S'il n'y a pas de pente en longueur, établissez-en une en largeur

Taillez les piquets

Bout

5. Vérifiez si les coffrages latéraux sont parallèles. Installez les bouts et taillez les piquets au ras des planches. Vérifiez le niveau. Si le terrain est de niveau, relevez un côté du coffrage pour obtenir une pente transversale de ¼ po par pied.

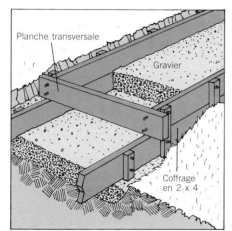

Planche transversale

Gravier

Coffrage en 2 x 4

7. Pour faire une marche, érigez vos coffrages de la façon indiquée. Clouez une planche transversale aux côtés supérieurs. Mettez une couche de gravier de 6 à 8 po d'épaisseur derrière la planche transversale. Le béton aura une double épaisseur à cet endroit.

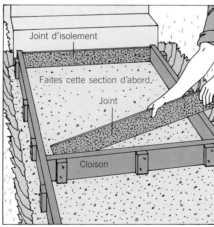

Joint d'isolement

Faites cette section d'abord

Joint

Cloison

8. Dans le béton coulé par sections, des planchettes de fibres semi-rigides de ½ po d'épaisseur, coupées à la largeur de la dalle, servent de joints. Appuyez-en une à la cloison temporaire ; coulez le béton. À la section suivante, déplacez la cloison, mais pas la planchette.

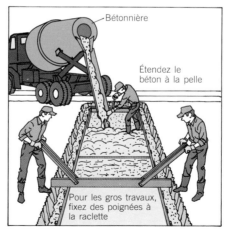

Bétonnière

Étendez le béton à la pelle

Pour les gros travaux, fixez des poignées à la raclette

9. Revérifiez le niveau et la pente du coffrage ; passez encore la raclette sur le gravier pour assurer une base égale et une épaisseur uniforme. Huilez l'intérieur des coffrages pour empêcher le béton d'y adhérer ; humectez le gravier ; coulez le béton (p. 151).

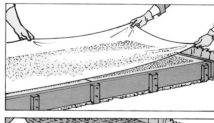

10. Pour humidifier la dalle (p. 151), humectez-la et recouvrez-la de polythène, de papier hydrofuge ou de toile. (Arrosez souvent la toile pour la garder mouillée.) Le béton durci, démantelez le coffrage ; évitez de circuler sur la dalle pendant une semaine.

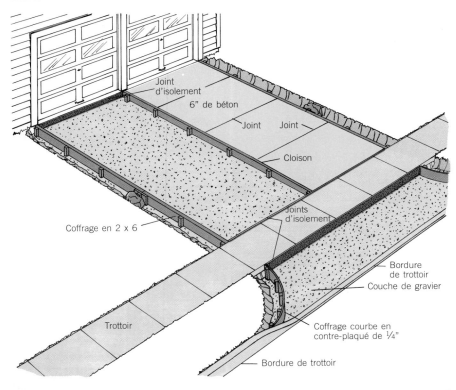

Joint d'isolement

6" de béton

Joint   Joint

Cloison

Joints d'isolement

Coffrage en 2 x 6

Bordure de trottoir

Couche de gravier

Trottoir

Coffrage courbe en contre-plaqué de ¼"

Bordure de trottoir

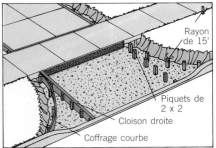

Rayon de 15'

Piquets de 2 x 2

Cloison droite

Coffrage courbe

1. Installez les piquets et enlevez la terre en ménageant une pente vers la rue tel que décrit dans le texte. Jalonnez les courbes (2 x 2 espacés de 1 pi). Clouez du contre-plaqué de ¼ po (p. 96) aux piquets. (La pente des courbes doit s'élever de la bordure de la rue au trottoir.)

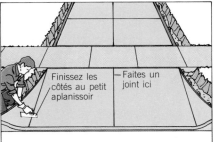

Finissez les côtés au petit aplanissoir

Faites un joint ici

2. Mettez le gravier, posez les joints d'isolement, coulez, aplanissez, puis finissez le béton entre les cloisons. Enlevez les cloisons, coulez le béton dans les parties incurvées, aplanissez et finissez. Utilisez un petit aplanissoir pour obtenir une surface unie sur toutes les parties incurvées de l'entrée.

Les entrées de garage sont parfois soumises à une réglementation plus rigoureuse que celle qui s'applique aux trottoirs. Il faut vous renseigner auprès de la municipalité et obtenir les permis nécessaires (p. 193).

Prescriptions. Une entrée de garage simple devrait avoir une largeur d'au moins 10 pi (3 m) ; double, de 16 à 24 pi (5 à 7 m), avec un joint longitudinal au centre. L'épaisseur dépend des véhicules : 4 po (10 cm) pour les autos, 6 po (15 cm) pour les camions. Comme les camions entrent souvent à reculons, donnez à la partie de la dalle qui communique avec la voie publique une épaisseur de 8 po (20 cm). Si la stabilité du sol et le drainage sont mauvais, épaississez la dalle de 1 ou 2 po (3 à 5 cm). Pour une dalle de 6 po (15 cm), faites des coffrages en 2 x 6 (38 x 140 mm) et creusez d'au moins 8 po (20 cm) ; mettez 4 po (10 cm) de gravier. La dalle dépassera le sol de 2 po (5 cm). Au contact du plancher du garage, la dalle devrait être plus basse d'environ 1 po (2,5 cm). Au contact de la rue, elle devrait être plus haute de 1 ou 2 po (2,5 à 5 cm). Vérifiez les règlements de votre municipalité en ce qui concerne les bateaux (dépressions) de trottoir.

Pente. Une entrée de garage doit avoir une pente vers la rue. Pour assurer un drainage adéquat, il faut que la pente soit d'au moins ¼ po (0,6 cm) au pied (30 cm). Si la pente descend vers le garage, installez un drain et un système de canalisation à l'entrée du garage. Consultez les règlements municipaux.

En terrain plat, établissez une pente transversale en relevant le coffrage d'un côté (étape 5, p. 153), mais pour une entrée de 20 pi (6 m) de largeur, vous aurez une pente peu commode de 5 po (12,7 cm). Établissez plutôt un point haut au centre : l'eau s'écoulera de part et d'autre. Après avoir installé les coffrages, mettez une cloison longitudinale au centre. Assurez-vous que les piquets du centre seront assez longs (pour une entrée de 20 pi [6 m] de largeur, les piquets devraient dépasser de 2½ po [6,5 cm] les coffrages latéraux). Commencez près du garage, faites un côté, remplacez la cloison par un joint en fibres (p. 152) et faites l'autre côté.

Évitez les fissures. Installez des joints d'isolement au contact du garage, des trottoirs et de la rue. Ils devraient être espacés d'au plus 10 pi (3 m) dans les deux sens, de façon à former des carrés. Les treillis métalliques, souvent recommandés, ne sont pas nécessaires si les joints sont correctement espacés et s'ils ont une profondeur du quart au moins de l'épaisseur de la dalle.

Entrées en courbe. Pour dessiner des courbes du trottoir public à la rue, enfoncez des piquets le long du trottoir, à 15 pi (4,5 m) de part et d'autre de l'entrée. Fixez un clou sur chaque piquet et attachez-y un cordeau qui servira d'étalon pour installer les autres piquets. Creusez à 10 po (25 cm) et étendez l'excavation de 9 po (23 cm) de chaque côté ; installez ensuite les coffrages (étape 1, à gauche) ; puis coulez et finissez le bateau (étape 2).

Marches d'un perron

Consultez d'abord les règlements municipaux de votre région (p. 193).

Les marches d'entrée doivent être au moins aussi larges que la porte ou que le trottoir qui y mène. La largeur la plus répandue est de 48 po (1,2 m).

L'escalier est constitué de *contremarches* (verticales) et de *marches* (où l'on pose le pied). La somme de ces constituantes devrait faire 18 po (45 cm) ; la combinaison la plus pratique est de 6 à 8 po (15 à 20 cm) pour la contremarche et de 10 à 12 po (25 à 31 cm) pour la marche. Dans un même escalier, ces mesures ne doivent jamais varier. Quant au palier, il devrait avoir une profondeur d'au moins 3 pi (0,9 m) pour faciliter l'accès à la porte.

Supports. Les piliers doivent reposer sur un sol stable, sous la ligne de gel. Votre municipalité vous renseignera sur la profondeur minimale. Pour soutenir un escalier de trois marches ou moins, creusez deux trous ou plus à l'emplacement prévu pour la marche du bas ; remplissez-les de béton cellulaire ayant une résistance de 4 350 lb/po^2 (329 kg/cm^2) (étape 2, à droite). Un escalier de plus de trois marches devra reposer sur des piliers (p. 156-158) d'une épaisseur d'au moins 6 po (15 cm). Pour fixer l'escalier à la maison, percez deux trous dans les fondations (p. 54, 86-87), sous le palier, remplissez-les de mortier (p. 162) et insérez-y des tiges métalliques. Mettez un joint d'isolement (p. 152) entre l'ouvrage et la maison. Si l'escalier s'appuie contre du bois non traité, couvrez d'abord le bois d'une feuille d'aluminium à solin.

Coffrages. Les coffrages d'escalier doivent être solides : utilisez du bois droit, lisse et sans taches. En commençant par le bas, coulez le béton, passez la raclette et lissez les marches et le palier (étape 5). Lorsque l'eau excédentaire s'est évaporée et que le béton a durci (p. 151), enlevez les coffrages des contremarches et finissez (étape 6). Laissez les coffrages des marches jusqu'à ce que le béton ait durci (une semaine).

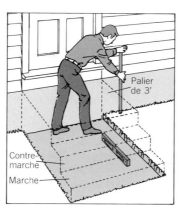

Palier de 3'

Contre-marche

Marche

1. Pour déterminer les dimensions d'un escalier, nettoyez et nivelez une surface jusqu'à 6 pi de la porte et excédant de 2 po la largeur prévue. Mesurez la distance du sol au seuil ; divisez par le nombre de marches voulu. Pour une hauteur de 21 po, faites un escalier à trois degrés avec contremarches de 7 po et marches de 11 po.

Tarière manuelle

2. Avec une tarière manuelle, creusez deux trous ou plus de 6 à 8 po de diamètre à l'emplacement projeté pour la marche du bas. Quant à leur profondeur, informez-vous auprès de votre municipalité. (À plus de 4 pi, il vaudra peut-être mieux engager un spécialiste.) Tassez bien la terre.

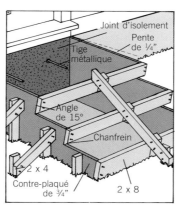

Joint d'isolement

Pente de ¼"

Tige métallique

Angle de 15°

Chanfrein

2 x 4

Contre-plaqué de ¾"

2 x 8

3. Installez les tiges et le joint d'isolement ; construisez les coffrages latéraux en contre-plaqué de ¾ po ; donnez vers l'avant un angle de 15° aux coffrages des contremarches. Utilisez des 2 x 8 ou des 2 x 10 refendus selon la hauteur de la contremarche. Chanfreinez le dessous. Utilisez des clous à deux têtes et ancrez avec des 2 x 4.

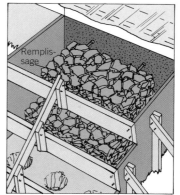

Remplissage

4. Assurez-vous que les coffrages sont appuyés contre la maison sur toute leur hauteur. Les contremarches doivent être de niveau et les marches doivent avoir une pente descendante. Protégez la porte avec un polythène. Huilez l'intérieur des coffrages. Remplissez partiellement de pierres ou de débris de briques ; coulez le béton.

Polythène

5. Commencez par la semelle et la marche du bas ; raclez. Faites les autres marches. Pilonnez avec une pelle pour remplir les coins et éliminer l'air. À partir du palier supérieur, raclez de nouveau. Passez l'aplanissoir sur le palier et les marches ; passez un fer à bordures le long des coffrages (p. 151).

Fer à coins

Agenouilloir

Genouillère

6. Lorsque les marches sont assez dures pour supporter votre poids, décoffrez les contremarches, en commençant par le haut. Passez l'aplanissoir sur les contremarches et un fer à coins à l'intersection des marches et des contremarches. Donnez un fini rugueux ; corrigez les imperfections avec un mélange à colmater (p. 159).

La *semelle* est la base élargie des fondations qui contribue à en distribuer également le poids. Généralement en béton, elle doit être aménagée sur un sol dur ou sur une couche de gravier, sous la ligne de gel. Elle doit comporter au moins deux tiges d'armature de ½ po (13 mm) de diamètre, et être deux fois plus large que les fondations.

Le *solage* (p. 158), le type de fondation le plus courant au Canada pour les maisons et leurs extensions, consiste en des murs reposant sur une semelle continue ; il délimite le sous-sol ou le vide sanitaire. Les *piliers* (page suivante) servent aussi à soutenir un patio ou une véranda. Les *dalles* (page suivante), coulées sur une couche de gravier, reposent sur un sol bien tassé.

▶ **ATTENTION !** Ces pages visent à donner des informations sur des travaux qui devraient être effectués par des professionnels. La construction de fondations est rigoureusement réglementée. Consultez les règlements municipaux, prévoyez des inspections et munissez-vous des permis requis.

Jalonnement du chantier. Votre plan cadastral en main, mesurez avec précision à partir de votre ligne de propriété, ou d'une structure existante, pour situer un des coins de la future construction. Enfoncez un piquet (A, illustration au centre, à droite) ; plantez un clou au centre du piquet ; à partir de là et de votre ligne de propriété, situez le piquet B ; plantez-y un clou ; tendez un cordeau entre les piquets. À partir de ces points, situez les piquets C et D.

Pour obtenir des angles droits, procédez par triangulation 3:4:5. Enfoncez un piquet (E) à 3 pi (1 m) de A, dans la ligne AB. Plantez-y un clou. Appuyez le bout d'un ruban à mesurer de 50 pi (15 m) au clou du piquet A ; demandez à votre assistant d'étirer le ruban jusqu'à C. Appuyez le bout d'un pied-de-roi au clou E ; dépliez-le jusqu'au ruban métallique à F, à 4 pi (1,2 m) de A. Demandez à votre assistant de déplacer le ruban jusqu'à ce que la ligne de 4 pi (1,2 m) coïncide avec la ligne de 5 pi (1,5 m) sur le pied-de-roi. Ayant des côtés de 3, 4 et 5 pi, le triangle AEF comporte un angle droit en A. Replacez au besoin le piquet C ; tendez un cordeau de A à C. Pour vous assurer que tous les angles sont droits, mesurez les diagonales AD et BC, et déplacez D jusqu'à ce qu'elles soient bien égales. Tendez des cordeaux de C à D et de D à B ; revérifiez toutes les mesures.

Planches repère. Pour préserver le tracé pendant les travaux, installez des planches repère à chaque coin, à 4 pi (1,2 m) à l'extérieur des lignes. Clouez deux planches de 1 x 6 (17 x 140 mm) à angle droit à trois piquets de 2 x 4 (38 x 89 mm), au même niveau que la fondation ou un peu au-dessus de la dalle. Ajustez-les à l'aide d'un niveau à bulle d'air. En terrain accidenté, installez les premières planches repère au coin le plus élevé et utilisez un niveau à eau (p. 47) pour transposer la hauteur sur les autres. Transposez les lignes de construction sur les planches repère (à droite).

Clouez des espaceurs tous les 3' ou 4'

2 x 4 chanfreinés

6" de gravier

Pour faire la semelle d'un muret de jardin, creusez une tranchée 2 po plus large que normalement (voir texte). Assemblez et ancrez les coffrages (p. 152-153) ; mettez-les de niveau en tous sens. Muret de béton : installez des 2 x 4 huilés, chanfreinés et retenus au centre par des espaceurs. Sur un sol bien tassé, le béton peut être coulé directement dans la tranchée.

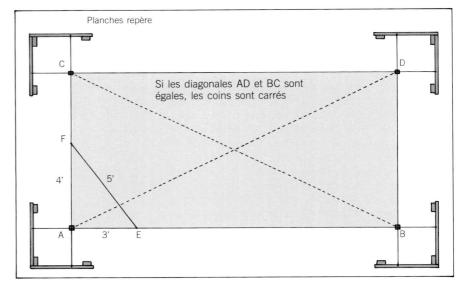

Planches repère

C — D

Si les diagonales AD et BC sont égales, les coins sont carrés

F

4' 5'

A 3' E B

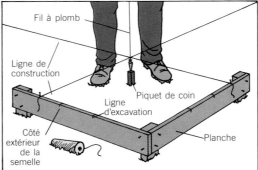

Fil à plomb

Ligne de construction

Côté extérieur de la semelle

Piquet de coin

Ligne d'excavation

Planche

Tendez des cordeaux entre les piquets de coin et les planches repère. Plantez de petits clous dans le chant des planches ; fixez-y le cordeau. Avec un fil à plomb, vérifiez s'il y a intersection des cordeaux juste au-dessus du clou de coin ; ajustez les cordeaux. Faites des traits de scie où les cordeaux touchent les planches. La ligne de construction marque la face extérieure des fondations ; à partir de cette ligne, faites des traits de scie marquant le côté extérieur de la semelle et la ligne d'excavation.

Piliers. En béton moulé ou en blocs de béton, ils soutiennent des patios et des vérandas et, parfois, des maisons sans sous-sol. Ils sont très répandus dans l'Ouest canadien où ils soutiennent les garages attenant aux maisons. Placés à distances égales sur le périmètre du bâtiment, ils reposent sur des semelles préalablement coulées. L'espacement et les dimensions sont en fonction de la grandeur et du poids du bâtiment, de même que de la nature du sol. Vérifiez les règlements municipaux. La semelle doit

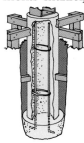

reposer sous la ligne de gel. Elle doit avoir une épaisseur d'au moins 12 po (30 cm) et deux fois les dimensions d'un pilier.

Les piliers ronds en béton s'utilisent souvent pour soutenir les patios en bois (p. 155) ; ils ont parfois leur propre semelle. On se sert généralement des tubes en carton ciré pour les fabriquer.

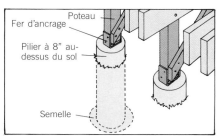

Creusez avec une foreuse manuelle ou une pelle. Coulez la semelle. Enfoncez les tiges métalliques de ½ po dans le béton et fixez-les (ci-haut). Installez le tube. Coulez le béton ; fixez-y un fer d'ancrage.

Les dalles, qui servent de rez-de-chaussée, sont peu utilisées au Canada. Les semelles devant toujours reposer sous la ligne de gel, et le plancher du rez-de-chaussée devant être situé au moins à 18 po (46 cm) au-dessus du sol, il est avantageux d'aménager un sous-sol.

Les dalles sont construites au niveau du sol quand on aménage des rajouts (en bas, à droite). La dalle, les fondations et les semelles (sous la ligne de gel) sont coulées séparément ; on met des joints d'isolement aux points de jonction (p. 152). Installez un isolant sous la dalle, entre le coupe-vapeur et la pierre concassée, ou de part ou d'autre des fondations.

Délimitez le chantier et installez des planches repère. Assemblez les coffrages (p. 152) de telle sorte que les faces intérieures des planches coïncident avec la ligne de construction et que leur dessus soit de niveau. La dalle devrait reposer sur : un sol bien tassé, 5 po (12 cm) de pierre concassée bien tassée, 2 po (5 cm) de sable (si le sol est humide), un matériau isolant et un coupe-vapeur en polythène de 6 mil.

Pour creuser la tranchée de la semelle, louez un outil mécanique. L'excavation faite, placez parallèlement, à 3 po (7,5 cm) du fond, deux tiges métalliques de ½ po (1,2 cm) reposant sur des assises métalliques spéciales ou des pierres. Il est recommandé de mettre un treillis métallique de 6 po (15 cm) à mi-profondeur de la dalle pour empêcher la formation de fissures. Après que la dalle a été coulée, raclée et aplanie (p. 151), intégrez des boulons d'ancrage tous les 6 pi (1,8 m) le long des fondations, jamais à moins de 1 pi (30 cm) des coins. Les boulons, généralement enfoncés de 7 po (18 cm), servent à retenir la lisse, à laquelle sera fixée la charpente du bâtiment.

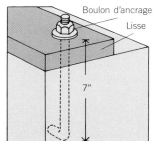

Profondeur des semelles au Canada

La profondeur à laquelle une semelle doit être enfouie dépend de la pénétration du gel, de la nature du sol, des exigences locales et même de la fréquence des tremblements de terre. À Prince Rupert, en Colombie-Britannique, le roc peut se trouver juste sous la surface à certains endroits et à d'autres, la tourbe peut atteindre 30 pi (9 m) de profondeur. Il faut, dans ce dernier cas, mettre la semelle à 8 pi (2,4 m) et enfoncer des piliers parfois à 50 pi (15 m) pour atteindre le roc. On doit souvent utiliser des piliers de 100 pi (30 m) à Yellowknife.

Région	Profondeur minimale de la semelle
St. John's, T.-N.	3 pi
Montréal, Qué.	4½ à 5 pi
Windsor, Ont.	3½ pi
Toronto, Ont.	4 pi
Winnipeg, Man.	4½ à 6 pi
Regina, Sask.	4 pi (12 pi pour les piliers)
Edmonton, Alb.	4 pi
Vancouver, C.-B.	1½ pi
Yellowknife, T.N.-O.	En raison du pergélisol, les bâtiments sont construits au niveau du sol ou sur des piliers d'acier reposant sur le roc.
Whitehorse, Yukon	En raison du pergélisol, les profondeurs minimales ne sont pas précisées. Surtout des dalles et des dalles et fondations coulées ensemble.

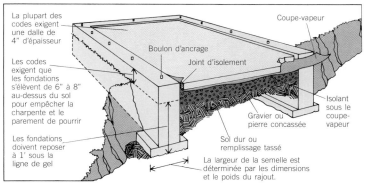

Dalle et fondations sont souvent utilisées pour les rajouts. La dalle et les fondations sont coulées séparément et on utilise des joints d'isolement. Les semelles doivent reposer à 1 pi sous la ligne de gel. La tranchée doit être assez large pour recevoir les coffrages des fondations (p. 158) ou permettre d'ériger des fondations en blocs de béton (p. 178-179).

Béton / Semelles et fondations (*suite*)

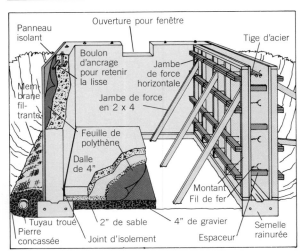

Sous-sol à divers stades de sa construction. Louez des coffrages réutilisables ou construisez-en en contre-plaqué de ¾ po, renforcés au moyen de 2 x 4, à leur tour consolidés par des paires de traverses en 2 x 4. Des fils de fer torsadés empêchent les parois de s'écarter, et des espaceurs de 1 x 2 les empêchent de se rapprocher. On ajoute des jambes de force placées à angle.

Les coffrages permanents constitués de blocs de polystyrène creux qui s'emboîtent épargnent temps et argent et remplacent la construction des coffrages en bois qu'il faut ôter par la suite. Légers et faciles à installer, ces blocs servent aussi d'isolant thermique. Solidifiés par des 2 x 4 placés en diagonale et espacés de 8 pi, les blocs de polystyrène sont remplis de béton avec une pompe munie d'un tuyau de 2 po.

Les fondations permettent d'avoir facilement accès à la tuyauterie et au circuit électrique, et ajoutent beaucoup d'espace, mais elles coûtent bien plus cher que les dalles.

Une fois les lignes de construction déterminées (p. 156) et l'excavation faite, creusez une tranchée tout autour, sous la ligne de gel ; installez deux tiges métalliques n° 4 (p. 157) et coulez la semelle. Les règlements municipaux précisent les dimensions de la semelle.

Les fondations (p. 178-179) ont une épaisseur variant entre 6 et 12 po (15 et 30 cm), une hauteur d'environ 7 pi (2 m) et doivent s'élever au moins à 10 po (25 cm) au-dessus du sol.

Après que la semelle a durci, installez les coffrages du mur : mettez-les de niveau et consolidez-les. Pour éviter les fissures, installez deux tiges métalliques n° 4 sur toute la longueur, à 2 po (5 cm) du haut. (Ces tiges peuvent reposer sur les fils de fer torsadés qui empêchent les coffrages de s'écarter.) Installez une meilleure armature dans les régions où le sol est instable et où il y a risque de séisme ; consultez les autorités municipales ou un ingénieur en structure.

Le béton prémalaxé est coulé en couches de 6 à 20 po (15 à 50 cm) et bien tassé au moyen d'un pilon ou d'un vibrateur qui élimine les poches d'air.

Imperméabilisez les fondations en posant, à l'extérieur, du polythène de 6 mil (avec chevauchement aux joints). Installez un drain sur tout le pourtour de la semelle. Mettez du tuyau troué de 4 po (10 cm) et 12 à 18 po (30 à 45 cm) de pierre concassée, et recouvrez d'une membrane filtrante. Des panneaux d'isolant, adossés au polythène des murs imperméabilisent davantage (p. 340). Remblayez après que le plancher du rez-de-chaussée a été construit. Utilisez du gros sable ou du gravier et terminez avec la terre d'excavation. Le terrain fini doit descendre en pente à partir des fondations. Installez des joints d'isolement entre la dalle du sous-sol et les murs de fondations (en haut, à gauche).

Couleurs et textures

Pour colorer le béton, vous pouvez ajouter un agent colorant au moment du mélange des éléments (p. 150) ; mais pour économiser, coulez le béton jusqu'à 1 po (2,5 cm) du bord du coffrage et, lorsque l'eau s'est évaporée, remplissez d'un mortier coloré à consistance moyenne, fait de ciment et de sable (p. 162-163). Vous pouvez aussi saupoudrer une dalle fraîchement polie de poudres colorantes. Vous pouvez également peindre le béton, mais c'est peu efficace.

Voyez ci-dessous quelques façons d'imprimer une texture au béton.

L'aspect dallage s'obtient en dessinant les formes de votre choix au moyen d'un bout de tuyau de cuivre, après avoir régalé, puis après avoir aplani.

Des gabarits donnent l'impression de la brique ou d'autres motifs. Appliquez-les fermement sur une dalle fraîchement finie.

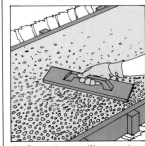

1. Pour donner l'impression que les agrégats affleurent le ciment, raclez ; éparpillez du gravier à la surface ; incrustez-le avec un 2 x 6, puis avec un aplanissoir.

2. Lorsque le béton a suffisamment durci pour maintenir en place les agrégats, arrosez-le, puis enlevez au balai-brosse le béton qui recouvre le gravier.

Réparations

Un béton mal mélangé, mal fini ou qui n'a pas séché dans de bonnes conditions présentera certains défauts. Voici les plus répandus :

Poudre. Nettoyez la surface et appliquez un scelleur à béton (suivez les directives de l'étiquette). Dans les cas graves, appliquez auparavant un durcisseur (à base de magnésium et de fluosilicates).

Écaillage. Appliquez deux couches d'un composé d'huile de lin bouillie et de térébenthine à parts égales. Ne touchez pas la surface avant qu'elle soit sèche. Les trois années suivantes, refaites le traitement juste avant l'hiver.

Effritement. Enlevez la poussière et les débris et bouchez avec du mortier ou un composé spécial (ci-dessous).

Fissures. Enlevez la poussière et les débris. Pour obtenir une bonne adhésion, élargissez la fissure.

Pour réparer les petites fissures, utilisez un produit commercial qu'on applique avec un pistolet à calfeutrer. Pour colmater les larges fissures dans les murs de béton, de blocs de béton ou de briques, voir p. 175. Pour réparer de larges fissures et des gros trous, voir à droite.

Fabriquez votre propre mortier en mélangeant 1 partie de ciment Portland et 3 parties de sable ; ajoutez juste assez d'eau pour former une pâte épaisse. Vous pouvez aussi acheter un mortier commercial ; suivez le mode d'emploi sur l'étiquette. Pour améliorer l'adhésion, achetez un adhésif ou fabriquez un coulis à parts égales de ciment et de sable (p. 163) ; mettez suffisamment d'eau pour que la pâte ait la consistance d'une peinture épaisse.

Les produits à base d'époxy ou de latex adhèrent bien, ne requièrent pas d'adhésif et n'ont pas à être traités pendant le durcissement. Les mortiers doivent être maintenus chauds et humides pendant environ une semaine (voir p. 151).

▶ **ATTENTION !** Portez des gants et des lunettes protectrices lorsque vous utilisez un ciseau à froid, une foreuse ou une masse.

Colmatage des fissures

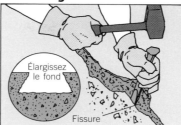

1. Au moyen d'un marteau et d'un ciseau à froid, enlevez le béton lâche. En tenant le ciseau à angle, élargissez le fond de la fissure (médaillon). Enlevez les débris.

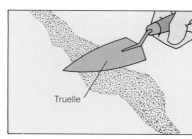

2. Humectez la fissure ; mettez-y un adhésif si nécessaire. Avec une truelle, remplissez de mortier et polissez. Lorsque le mortier est figé, aplanissez. Maintenez humide jusqu'au durcissement.

Réparation des dalles

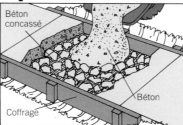

Brisez la partie endommagée avec une petite masse. Enlevez les débris ; nettoyez toutes les surfaces. Installez des coffrages ; humectez le fond. Coulez le béton (p. 151).

Réparation des marches : arêtes

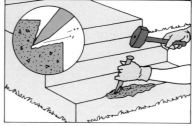

1. Brisez le béton qui s'effrite avec un marteau et un ciseau à froid. En tenant le ciseau à angle, découpez une entaille en V (médaillon). Nettoyez et humectez la partie à réparer.

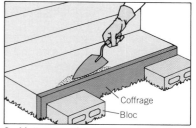

2. Mettez en place une planche de la hauteur de la contremarche ; appuyez-y des blocs de béton. Si nécessaire, remplissez d'époxy, de mortier ou de latex avec une truelle langue-de-chat.

3. Enfoncez à plusieurs reprises la pointe de la truelle pour éliminer les poches d'air. Polissez ; passez le fer à bordures entre l'arête et la planche pour bien tasser le mortier.

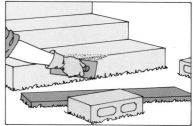

4. Laissez figer pendant 1 heure ; enlevez la planche et façonnez le remplissage avec une truelle. Gardez le mortier humide pendant sept jours. N'y touchez pas pendant deux semaines.

Réparation des marches : coins

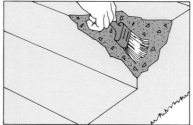

1. Brisez le béton endommagé ; nettoyez avec une brosse ou un pinceau. Revêtez la surface brisée d'un adhésif si nécessaire. Avec une langue-de-chat, refaites le coin tel qu'il était.

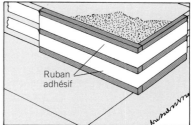

2. Uniformisez à la truelle. Fixez deux planches en coin avec du ruban adhésif. Le mortier figé, ôtez les planches ; finissez. Gardez humide pendant sept jours ; n'y touchez pas pendant trois semaines.

Asphalte / Scellage et réparation des entrées

L'asphalte couramment employé est un type de béton dans lequel les agrégats sont liés par un dérivé du pétrole qui remplace le ciment Portland. Bien plus souple que le béton, il est aussi plus vulnérable à l'infiltration de l'eau et à l'action du gel. Il doit donc être entretenu et réparé périodiquement.

Pour protéger l'asphalte contre les fissures et les taches et pour rétablir son apparence après l'avoir réparé, traitez-le tous les trois ou quatre ans au moyen d'une émulsion d'asphalte ou d'un scelleur à base de charbon et de goudron. Certains scelleurs liquides, vendus en contenants de 5 gal (22,5 litres), couvrent près de 400 pi^2 (37 m^2). Certains fabricants recommandent d'en appliquer parfois une deuxième couche après 48 heures. Lisez bien l'étiquette.

Le scellage de l'asphalte en élimine automatiquement les petites fissures. Les fissures plus larges ou les dépressions devraient être réparées dès qu'elles apparaissent ; sinon, en gelant, l'eau qui s'y est infiltrée empirera les dégâts. Scellez les fissures ayant jusqu'à $\frac{1}{2}$ po (1,3 cm) au moyen d'un produit qu'on applique avec un pistolet à calfeutrer. Colmatez les fissures plus larges avec un mélange de scelleur et de sable. Pour les trous et les fissures très larges, utilisez un produit spécial mélangé à froid.

Effectuez les travaux par temps chaud ; les produits sont plus malléables, durcissent plus rapidement et adhèrent mieux. Conformez-vous aux recommandations du fabricant.

Pour sceller une entrée d'asphalte, enlevez poussières et débris. Versez suffisamment de scelleur pour couvrir 4 pi^2 à la fois ; étendez avec un balai-brosse. Répétez jusqu'à ce que toute l'entrée soit scellée. Laissez sécher au moins 24 heures.

Balai-brosse muni d'une raclette

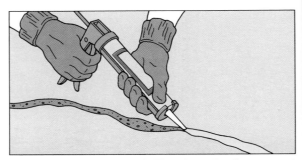

Nettoyez avec une brosse métallique les petites fissures ayant jusqu'à $\frac{1}{2}$ po. Si la fissure a une profondeur de plus de $\frac{1}{4}$ po, remplissez-la partiellement de sable ; appliquez le scelleur avec un pistolet à calfeutrer. Nivelez à la truelle.

Nettoyez les larges fissures (voir plus haut). Dans une assiette à tarte en aluminium, mélangez sable et scelleur jusqu'à ce que la consistance soit voisine de celle du mastic. Remplissez la fissure ; nivelez à la truelle.

Réparation des trous

Colmatez les petites fissures avec du scelleur et du sable. Les fissures plus larges et les trous doivent être bouchés avec un produit mélangé à froid. Si les dommages sont importants, faites appel à un professionnel qui y remédiera avec un mélange à chaud ; le produit doit être chauffé et appliqué sous forme liquide. On utilise tels quels les mélanges à froid ; ils sont vendus en sacs de 60 lb (27 kg) et ne doivent pas contenir de grumeaux. S'il y en a, entreposez le produit dans un endroit chaud pendant plusieurs heures ou pendant la nuit.

Nettoyez et bouchez les trous (voir ci-dessous). Pour imperméabiliser le produit et dissimuler la réparation, scellez toute la surface.

1. Enlevez les débris. Si le trou est profond, mettez-y du gravier jusqu'à 4 po du bord. Tassez avec un 4 x 4. Appliquez une émulsion d'asphalte.

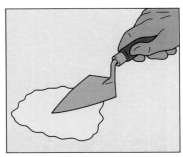

2. Avec une truelle ou une pelle, mettez dans le trou le mélange à froid par couches de 1 po. Tassez ; enfoncez la pointe de la truelle pour éliminer l'air.

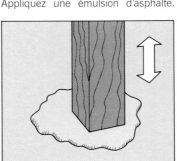

3. Avec un 4 x 4, tassez la couche d'asphalte. Recommencez jusqu'à ce que le produit dépasse de $\frac{1}{2}$ po le niveau de l'allée.

4. Tassez le produit avec un 4 x 4 ; saupoudrez de sable. Passez lentement en voiture jusqu'à ce que le produit soit de niveau avec l'allée.

Maçonnerie

Blocs de béton, brique et pierre

La maçonnerie est un art fort ancien qui consiste à édifier, avec ou sans mortier, des ouvrages en brique, en pierre, en blocs de béton ou en tuile. Peu de matériaux ont la résistance et le caractère de la brique ou de la pierre. Par ailleurs, les blocs de béton s'obtiennent désormais en diverses couleurs, et leur fini en masque l'origine utilitaire.

Le présent chapitre vous apprendra à gâcher le mortier et à le poser, à construire, étape par étape, divers ouvrages de maçonnerie, ainsi qu'à réparer et à nettoyer de vieux ouvrages.

Il renferme, en outre, un petit lexique du maçon et vous propose, entre autres projets intéressants, une allée de brique, un dallage en pierre, un mur de brique, un barbecue pour le jardin, une cloison en blocs de verre, un mur de pierres sèches et un mur de blocs de béton avec parement de pierre.

Maçonnerie / Briques et mortiers

Faite d'argile réfractaire, la brique se présente sous une multitude de formes, de dimensions, de couleurs et de textures. Elle est pleine, à trous ou à rainures. Aujourd'hui, la plupart des briques appartiennent à la catégorie des *briques de parement* et sont conçues pour résister aux intempéries. Elles ont des couleurs et des dimensions plus uniformes que la brique ordinaire, des angles mieux définis, des coins plus carrés et moins de défauts. L'expression « brique à construire » est ordinairement réservée à des briques de parement légèrement imparfaites et de qualité inférieure. La *brique réfractaire* jaune sert à daller les âtres et les foyers. Le mortier réfractaire qui la retient résiste aux hautes températures. Le *pavé*, posé avec ou sans mortier sur un lit de sable, de concassé ou de béton, sert à daller les allées et les patios. Il est plus résistant que la brique ordinaire. La *vieille brique* donne à un ouvrage un air rustique. Il convient cependant de la nettoyer et de s'assurer de sa qualité avant de s'en servir à l'extérieur. On pourra par ailleurs se procurer une brique d'apparence rustique, spécialement traitée et résistante.

Les briques sont classées selon leur résistance au gel et au dégel. Les briques très résistantes (SW) entrent dans la construction des fondations, des murs de soutènement et de tout ouvrage en contact ou non avec le sol. Toutes les briques fabriquées au Canada appartiennent à cette catégorie. On ne fabrique plus les briques à résistance moyenne employées autrefois en cli-

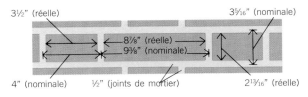

La dimension nominale comprend le joint de ⅜ ou de ½ po.

mat tempéré. Cette catégorie, de même que la catégorie à résistance nulle réservée aux travaux d'intérieur et que l'on trouve encore aux États-Unis, ne se vend plus au Canada.

Les briques sont aussi classées selon leurs dimensions réelles (il s'agit plutôt d'une moyenne, car les briques d'une même série ne sont jamais parfaitement identiques). Leurs dimensions nominales, qui comprennent l'espace de ⅜ ou de ½ po (env. 1 cm) qui sera comblé tout le tour par le mortier, servent à évaluer les quantités nécessaires à un projet donné. En dimensions réelles, la brique standard mesure 3½ po (9 cm) de largeur x 2¹³⁄₁₆ po (7,4 cm) de hauteur x 8⅞ po (22,5 cm) de longueur. La brique métrique modulaire mesure 88 x 57 x 190 mm ou 3½ x 2¼ x 7½ po. Les dimensions d'une brique varient cependant d'une région à l'autre (en Ontario : 4 x 2⅜ x 8⅜ po ; au Québec : 3¾ x 2¼ x 8 po).

Le mortier est le mélange qui sert à lier les éléments (briques, pierres, etc.) d'un ouvrage de maçonnerie. Bien gâché, il assure la solidité de l'ensemble. Il résiste au vent et à l'eau, retient les attaches métalliques ou l'armature d'acier et compense les défauts des briques. Il peut être façonné (p. 168) et coloré.

Le mortier se compose de ciment portland (p. 146) pour la résistance, de chaux pour la maniabilité, de sable pour le volume et d'eau pour la plasticité. La chaux se vend en sacs de 50 lb (23 kg), équivalant à 1 pi³ (0,03 m³). Le sable, un sable à maçonnerie, se vend humide, en vrac ou en sacs de 100 lb (45 kg). L'eau doit être propre. N'employez ni eau de mer ni sable de plage, qui contiennent du sel.

Types et dimensions

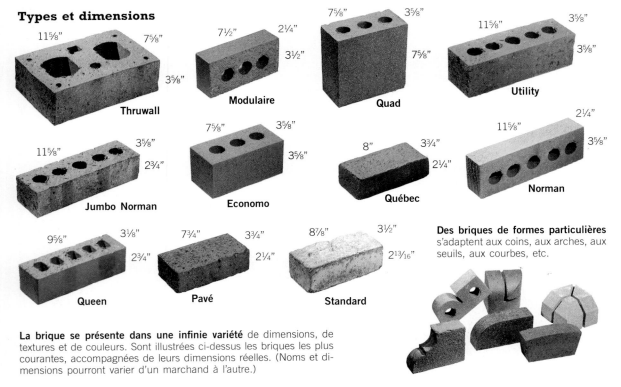

La brique se présente dans une infinie variété de dimensions, de textures et de couleurs. Sont illustrées ci-dessus les briques les plus courantes, accompagnées de leurs dimensions réelles. (Noms et dimensions pourront varier d'un marchand à l'autre.)

Des briques de formes particulières s'adaptent aux coins, aux arches, aux seuils, aux courbes, etc.

Vous pourrez préparer le mortier avec du ciment à maçonnerie, mélange dosé de ciment portland, de chaux et d'autres éléments qui en facilitent la maniabilité et auquel il suffit d'ajouter le sable et l'eau. Ce type de ciment se vend en sacs de 66 lb (30 kg), équivalant à 1 pi^3 (0,03 m^3).

Le mortier préparé est le plus facile à employer, mais aussi le plus cher. Il suffit d'y ajouter l'eau. Moins résistant que le mortier à base de ciment à maçonnerie, il se révèle pourtant bien pratique quand vient le temps d'effectuer de petits travaux. Il se vend en sacs de 66 lb (30 kg), ce qui permet de poser une cinquantaine de briques.

La résistance d'un mortier dépend des proportions de ciment, de chaux et de sable qu'il contient. Moins il contient de chaux et de sable par volume de ciment, plus il est résistant. Dans le tableau ci-dessous, à gauche, figurent quatre types de mortiers, leurs applications et les proportions d'ingrédients secs qu'ils contiennent par volume.

Coloration du mortier. Le mortier ordinaire est gris. Vous pourrez cependant employer un mortier blanc ou de couleur pour mettre en valeur les joints ou pour les estomper. On fabrique le mortier blanc à l'aide de ciment et de sable blancs, auxquels on ajoute un pigment minéral. Mélangez parfaitement le pigment et les ingrédients secs (p. 165), ajoutez de l'eau et mêlez jusqu'à ce que la couleur soit uniforme. Pour vérifier la couleur, préparez une petite quantité de mélange et laissez-la sécher. (Mesurez bien et notez les quantités.)

Le mortier liquide, mélange clair de ciment portland, de sable et d'eau, renferme parfois de petites quantités de chaux ou de la pierre concassée. On l'utilise comme matériau de renforcement dans les murs portants, comme matériau de remplissage dans les murs de brique à deux épaisseurs, comme matériau d'ancrage des tiges d'acier dans les murs armés et comme matériau de réfection de façon générale.

Évaluation des quantités. Pour déterminer le nombre de briques nécessaires à la construction d'un mur, mesurez la superficie du mur (p. 148) et soustrayez-en la surface des portes et des fenêtres. Pour 100 pi^2 (9,3 m^2), prévoyez 520 briques standard, 700 briques métriques modulaires ou de type Québec ou 620 briques de type Ontario. Doublez ou triplez les quantités si vous construisez un mur à double ou à triple épaisseur. Prévoyez toujours un surplus de 5 p. 100 en cas de bris ou de perte.

Ainsi, pour un mur de 4 po (10 cm) d'épaisseur (une seule épaisseur) et de 100 pi^2 (9,3 m^2), vous aurez besoin d'environ 12 pi^3 (0,34 m^3) de mortier si vous employez des briques métriques modulaires ou des briques de type Québec, et d'un peu moins si vous employez des briques standard ou de type Ontario. Le tableau ci-dessous vous permettra d'évaluer les quantités de ciment et de sable nécessaires à la préparation de la quantité de mortier dont vous aurez besoin.

Choix du mortier

Application	Type	Ciment portland	Chaux hydraulique	Ciment à maçonnerie	Sable humide
		Proportions par volume			
Ouvrages au niveau du sol ou au-dessous (fondations, murs de soutènement, murs portants). Mortier résistant.	M	1	¼		3
Murs renforcés et murs exposés aux grands vents. Mélange gras. Mortier tout usage résistant.	S	1	½		4½
Assemblages courants et ouvrage au-dessus du sol. Mélange normal.	N			1	3
	N	1	1		6
Murs intérieurs et murs non portants.	O	1	2		9

Quantités de briques et de mortier (pour 100 pi² de mur)

Épaisseur du mur	Nombre de briques	Mortier (en pi³)	Nombre de sacs de ciment	Sable (en pi³)
			Mélange par volume (1:3)	
4"	675	12	4	12
8"	1 350	30	10	30
12"	2 025	48	16	48

Ces chiffres s'appliquent aux briques modulaires métriques ou aux briques de type Québec. Ils tiennent compte d'un joint de ⅜ po et prévoient 20 % de pertes. Le sable est humide ; 1 pi³ (environ six pelletées) équivaut à 80 lb de sable sec.

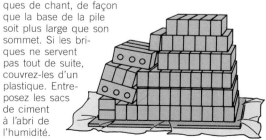

Maçonnerie / Outils

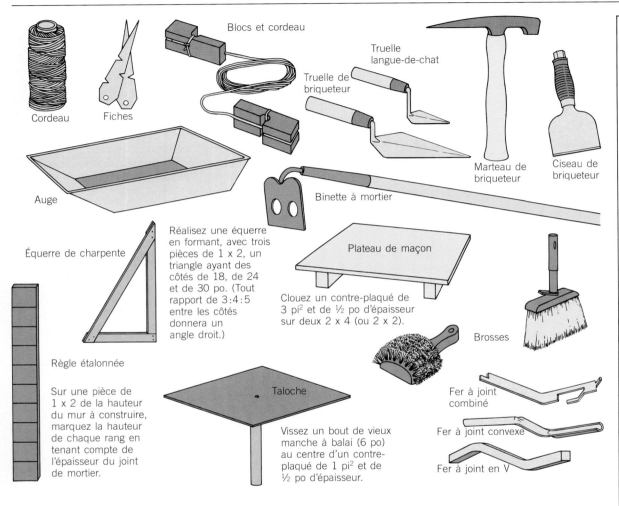

Blocs et cordeau

Truelle langue-de-chat

Truelle de briqueteur

Cordeau

Fiches

Marteau de briqueteur

Ciseau de briqueteur

Auge

Binette à mortier

Équerre de charpente

Plateau de maçon

Réalisez une équerre en formant, avec trois pièces de 1 x 2, un triangle ayant des côtés de 18, de 24 et de 30 po. (Tout rapport de 3:4:5 entre les côtés donnera un angle droit.)

Clouez un contre-plaqué de 3 pi^2 et de ½ po d'épaisseur sur deux 2 x 4 (ou 2 x 2).

Brosses

Règle étalonnée

Sur une pièce de 1 x 2 de la hauteur du mur à construire, marquez la hauteur de chaque rang en tenant compte de l'épaisseur du joint de mortier.

Taloche

Fer à joint combiné

Vissez un bout de vieux manche à balai (6 po) au centre d'un contre-plaqué de 1 pi^2 et de ½ po d'épaisseur.

Fer à joint convexe

Fer à joint en V

Petit lexique du maçon

Appareil : motif formé par l'agencement des briques.

Boudin : truellée de mortier que l'on dépose d'un mouvement sec avant de l'étaler.

Boutisse : dans un mur, brique disposée de manière qu'un de ses bouts soit en parement.

Briqueton : segment de brique coupée dans le sens de la largeur.

Chant : côté étroit d'une brique ou d'une pierre.

Claustra : bloc de béton ajouré qui sert à monter des cloisons décoratives.

Couronnement : dernier rang de briques, de blocs ou de pierres couvrant toute l'épaisseur d'un mur. Pour couronner une cloison de claustras, il se vend des pièces de couronnement préfabriquées.

Face : côté large d'une brique ou d'une pierre.

Graisser : enduire de mortier le bout ou le chant d'une brique avant de la poser.

Joint horizontal : couche de mortier qui lie, à l'horizontale, deux rangs de briques ou de pierres.

Joint vertical : couche de mortier qui lie, à la verticale, les briques ou les pierres d'un mur.

Rejointoiement : mode de réfection des joints qui suppose d'abord le dégarnissage du mortier instable, ensuite le remplissage avec du mortier frais.

Jointoyer : introduire un nouveau mortier entre des briques déjà posées.

Liaison : adhésion du mortier à la brique ou à la pierre.

Panneresse : dans un mur, brique posée sur une de ses faces, chant en parement.

Parement : 1. face extérieure d'un mur revêtue de briques ou de pierres ; 2. côté visible d'une brique.

Rang : assise de briques.

Tête : coin d'un mur de maçonnerie construit en premier pour déterminer l'alignement.

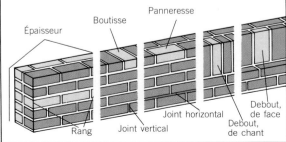

Panneresse

Boutisse

Épaisseur

Joint horizontal

Rang

Joint vertical

Debout, de face

Debout, de chant

La plupart des outils employés en maçonnerie (p. 147) ne coûtent pas cher ; vous pourrez même en fabriquer quelques-uns. Pour mesurer, vous aurez besoin d'un niveau à bulle et d'un ruban de 50 pi (15 m) ; pour gâcher le mortier et le transporter, de deux ou trois seaux, d'une pelle à bout carré et d'une bonne brouette.

Vous aurez aussi besoin d'un cordeau et de blocs (ou de fiches) pour aligner les rangs, d'un marteau de briqueteur pour couper et tailler la brique, d'un ciseau de briqueteur et d'une petite masse pour couper la brique, de brosses pour nettoyer les surfaces, d'une auge et d'une binette pour gâcher le mortier, d'une truelle de briqueteur pour appliquer et étaler le mortier, d'une truelle langue-de-chat pour finir ou réparer les joints de mortier, de fers à joint pour finir les joints, d'un plateau de maçon pour contenir le mortier en réserve, d'une taloche pour contenir le mortier prêt à servir, d'une équerre de charpente pour vérifier les angles et d'une règle étalonnée pour mesurer et vérifier la hauteur de chaque rang.

Gâchage et pose du mortier

Pour préparer de grandes quantités de mortier, servez-vous d'un malaxeur à mortier (p. 150); pour en préparer de petites quantités, servez-vous d'une auge ou d'une brouette.

Procédez de la même façon que pour le béton. Employez des pelles ou des seaux distincts pour mesurer chacun des ingrédients secs (p. 162-163). Versez-les dans l'auge ou la brouette et mélangez-les bien à l'aide d'une pelle à bout carré ou d'une binette à mortier. Si le mortier est à base de ciment portland et de chaux, mélangez le sable et le ciment avant d'ajouter la chaux. Mélangez de nouveau.

Une fois les ingrédients secs bien mélangés, creusez le centre du mélange et versez-y un peu d'eau. À la binette, attirez les ingrédients secs vers le centre et mêlez-les à l'eau. Continuez à ajouter de l'eau, toujours un peu à la fois, jusqu'à ce que le mélange soit lisse et homogène. Pour en vérifier la consistance, entaillez-le à la binette. Le mortier est prêt s'il se détache bien de la binette et si l'entaille garde sa forme. Attendez cinq minutes et mélangez-le de nouveau avant de le poser.

Servez-vous de produits frais (p. 147) et ne mélangez que la quantité de mortier que vous prévoyez utiliser dans l'heure et demie qui suit. Après ce temps, le mortier est inutilisable et doit être jeté. S'il commence à sécher pendant que vous travaillez, ajoutez-y un peu d'eau et mélangez bien. Ne faites cela qu'une seule fois. S'il sèche de nouveau, jetez-le. Ne retrempez jamais un mortier coloré.

Savoir manier la truelle est la clé du succès en maçonnerie. Exercez-vous à poser des boudins de mortier sur une pièce de 2 x 4 (qui a à peu près la largeur d'une brique).

Quand le mortier est prêt, mettez-en deux pelletées sur le plateau de maçon que vous aurez placé tout près. Tenant la truelle près de la base, le pouce sur le dessus de la poignée, ramassez une truellée de mortier et posez-le de la façon indiquée à droite.

1. Dans le mortier que vous avez versé sur un plateau de maçon, découpez, par un léger mouvement de va-et-vient, une tranche de la longueur et de la largeur de la truelle.

2. Ramassez la tranche de mortier par-derrière, d'une torsion du poignet vers l'avant. Ramenant la truelle à votre hauteur, stabilisez-y le mortier en faisant un mouvement sec vers le bas.

3. Tenant la truelle à plat, faites-la pivoter de 180°, en la ramenant vers vous. Le mortier tombera en roulant sur lui-même. Étalez-le en formant une couche de 1 po d'épaisseur et de 16 po de long.

4. Du bout de la truelle tenue à l'envers, entaillez légèrement le mortier en son centre. Le mortier s'étalera uniformément au moment de la pose de la brique et formera un joint solide.

5. Graissez les briques avant de les poser. Tenez-les debout, légèrement inclinées, et enduisez de mortier un des bouts. Tapotez-le pour que les quatre coins soient couverts.

6. Posez la brique, bout graissé sur la brique précédente. Appuyez jusqu'à ce que les joints, vertical et horizontal, aient la même épaisseur. Enlevez le surplus de mortier avec le bord de la truelle.

Coupe de la brique

Le maçon réussit à couper la brique en quelques petits coups de marteau. On conseille cependant au néophyte de se servir d'un ciseau de briqueteur et d'une massette. Si vous voulez vous servir d'une scie circulaire, voyez la page 60. Portez des lunettes de protection.

Tracez au crayon la ligne de coupe sur les quatre côtés. Posez la brique sur le sable et entaillez-la au ciseau : frappez légèrement le manche avec une massette.

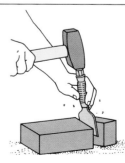

Tenez le ciseau légèrement incliné dans l'entaille, face au bout à rejeter. D'un bon coup sec, fendez la brique. La cassure devrait être nette.

Maçonnerie / Pose de la brique

La construction d'un mur de jardin en brique est un projet simple si le mur est bas et qu'il est formé d'une seule épaisseur de briques montées *à la grecque*. (D'autres types d'appareils sont décrits aux pages 168-169.) Les techniques de base illustrées ici s'appliquent également aux projets plus complexes décrits aux pages 170-172.

Semelle. Le mur de brique doit reposer sur une semelle en béton (p. 156) coulée sous le niveau du gel. L'épaisseur de la semelle ne doit pas être inférieure à celle du mur qu'elle supporte et sa largeur doit être en général le double de l'épaisseur du mur, selon les dimensions du mur, la qualité du sol et le climat. Assurez-vous que votre ouvrage est conforme aux règlements municipaux (p. 193). Si le sol est spongieux ou si le mur à construire a plus de 7 pi (2 m) de haut, consultez un ingénieur. S'il doit s'élever aux limites de votre propriété, parlez-en à vos voisins. Faites en sorte de ne pas travailler par des températures inférieures à 4°C (40°F) ; par temps froid, laissez le travail à des briqueleurs professionnels.

Laissez la semelle sécher plusieurs jours. Rassemblez les outils et les matériaux (p. 162-164) près de l'emplacement du mur et empilez les briques à des intervalles commodes, le long de la semelle.

Rang à sec. Marquez les extrémités et le devant du mur sur la semelle (étape 1) ; disposez ensuite un rang de briques sans mortier (étape 2). Vous pourrez ainsi vérifier vos plans et estimer le nombre de briques coupées qu'il vous faudra. Vous ne devriez avoir qu'un briqueton à chaque extrémité du mur, tous les deux rangs. Espacez les briques en conséquence.

Préparation des briques. Une brique sèche absorbe l'humidité du mortier et le rend moins efficace. Pour vérifier le degré de sécheresse de la brique, tracez, au crayon gras, un cercle de 1 po (2,5 cm) de diamètre sur la surface d'une brique qui sera en contact avec le mortier. Laissez tomber 20 gouttes d'eau dans le cercle. Si l'eau se voit encore 90 secondes plus tard, utilisez les briques telles quelles. Si elle a été entièrement absorbée, arrosez les briques jusqu'à ce que l'eau reste en surface. Attendez ensuite 15 minutes pour que l'eau s'évapore. (Ne montez pas le mur avec des briques si de l'eau en dégoutte encore.)

Construction du mur. Si le rang à sec vous donne satisfaction, retirez les briques et, après avoir étalé une couche de mortier, disposez-les comme avant (étapes 3 à 6). Montez ensuite les extrémités du mur sur cinq rangs (étapes 7 et 8) et remplissez l'espace vide (étape 9) en vérifiant constamment le niveau et l'alignement du mur, dans tous les sens. Tapotez doucement avec la poignée de la truelle les briques mal alignées pour les faire entrer dans le rang. Enlevez le surplus de mortier (étape 11). Façonnez les joints au fer à joint (étape 12). Laissez-les durcir une semaine, puis brossez le mur avec un produit de nettoyage spécial (p. 186).

1. Mesurez la semelle pour bien centrer le mur. Marquez les angles avant du mur sur la semelle avec un crayon gras ou un clou. Installez un cordeau de maçon entre ces deux points ; il vous servira de guide pour poser le premier rang de briques.

2. Alignez le premier rang de briques bout à bout, sans mortier et le long du cordeau, en les espaçant de ⅜ po ou de l'épaisseur de l'auriculaire. S'il reste un peu d'espace, introduisez un briqueton au centre du rang ou espacez un peu plus les briques.

7. Vérifiez le niveau et l'alignement du premier rang. À une extrémité, étalez du mortier pour 2½ briques. Commencez le second rang par la demi-brique pour que les joints forment une ligne brisée. Posez deux briques et vérifiez l'épaisseur des joints.

8. Ne terminez pas le second rang. Montez cinq rangs en les diminuant chacun d'un briqueton. Rainez le mortier entre les rangs. Vérifiez le niveau et l'alignement de chaque rang au niveau à bulle et l'épaisseur des joints à la règle étalonnée.

3. Marquez l'espace à laisser entre les briques sur la semelle et retirez-les. Étalez une couche de mortier de 1 po d'épaisseur sur 1½ brique le long du cordeau. (Voir p. 165 sur le maniement de la truelle. Ne rainez pas le mortier pour le moment.)

4. Posez une brique et appuyez pour que le mortier n'ait plus que ⅜ po d'épaisseur. Avec le niveau, vérifiez l'assiette de la brique sur le long et sur le large ; avec la règle étalonnée, vérifiez la hauteur ; ajustez en tapotant avec la poignée de la truelle.

5. Refaites la même chose à l'autre bout du mur. Sur chacune des briques, posez une brique dans l'autre sens ; vous vous en servirez pour tendre un cordeau, aligné sur la face supérieure des briques déjà posées, à ¹⁄₁₆ po devant.

6. Travaillez des extrémités vers le centre en suivant le cordeau. Enduisez de mortier l'une des extrémités de chaque brique (p. 165). Au besoin, coupez une brique pour terminer le rang ; graissez ses deux extrémités et celles des briques adjacentes. Encastrez.

9. Faites de même à l'autre bout. Tendez un cordeau à chaque rang pour que les deux bouts du mur soient absolument identiques. Pour assujettir le cordeau, insérez des tiges dans les joints (voir l'illustration) ou fixez des blocs à cordeau (étape 3, p. 165).

10. Remplissez le centre du mur en vérifiant l'alignement et l'assise des briques. Le bord du niveau vous permet de vérifier l'alignement vertical. Si vous ne pouvez rectifier la position d'une brique en la tapotant, retirez-la, enlevez le mortier et recommencez.

11. Avec l'expérience, vous arriverez à étaler une couche de mortier pour trois ou quatre briques. Raclez le bord du joint à la truelle pour enlever le surplus de mortier. Quand un rang est terminé, retirez les tiges et remplissez sur-le-champ les petits trous.

12. De temps à autre, vérifiez la dureté du mortier avec le pouce. Quand il en garde l'empreinte, façonnez-le au fer à joint ou avec une tige de métal, en allant des extrémités vers le centre. (Voir p. 168 sur la finition des joints.)

Maçonnerie / Finition des joints de mortier — Types d'appareils

La finition d'un joint à la truelle, au fer ou autrement donne à un ouvrage une belle apparence, car elle crée un effet décoratif. Mais son but premier est de comprimer le mortier pour consolider l'ouvrage et l'hydrofuger.

Sept des types de joints les plus courants sont illustrés à droite ; certains sont cependant plus hydrofuges que d'autres. Les *joints à fleur, obliques* et *en sifflet* sont finis à la truelle, tandis que les *joints concaves, en V, en saillie* et *plats en retrait* sont façonnés au fer à joint (p. 164) ou à l'aide d'outils improvisés (morceau de bois ou pièce de métal courbe).

Finissez d'abord les joints verticaux quand le mortier est assez dur pour garder l'empreinte du pouce. N'attendez toutefois pas qu'il soit trop pris ; vérifiez-en la dureté de temps en temps (étape 12, p. 167). Cette démarche sera d'autant plus importante que le temps est chaud et sec, car le mortier durcit alors plus rapidement. Si vous attendez trop longtemps, il risquera de noircir au contact d'un outil métallique.

Une fois les joints finis, raclez tous les petits surplus de mortier avec le bord de la truelle. S'il en reste, enlevez-les à la brosse douce après avoir laissé durcir les joints un peu plus longtemps. Laissez sécher l'ouvrage environ une semaine avant d'enlever les taches de mortier qui maculent la brique. Faites-les alors disparaître avec une faible solution d'acide chlorhydrique (p. 186) ou tout autre produit conçu pour nettoyer la brique.

Raclez les joints verticaux, puis les joints horizontaux.

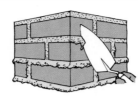

Joint à fleur : réalisé en enlevant le surplus de mortier avec le bord de la truelle. Mais, comme le mortier n'est pas tassé, la liaison n'est pas sûre et résiste mal aux intempéries.

Joint oblique : façonné en biseau, c'est le plus hydrofuge de tous les joints. Réalisé en passant le bout de la truelle à un angle de 30° et en prenant appui sur la brique du dessous.

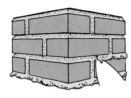

Joint en sifflet : contraire du joint oblique, il retient l'eau. Convient à un mur protégé du gel et des intempéries.

Joint concave : ne retient pas l'humidité, car le mortier est fortement tassé à l'aide d'un fer à joint ou d'un objet convexe. L'un des joints les plus courants.

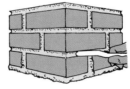

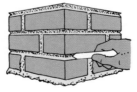

Joint en V : comme le joint concave, il est très résistant et facilite l'évacuation de l'eau. Façonné à l'aide d'un fer à joint en V ou d'un morceau de bois taillé.

Joint plat en retrait : réalisé en enlevant ¼ ou ½ po de mortier à l'aide d'un fer à joint à bout plat et carré. Retient l'humidité. Devrait être réservé aux murs intérieurs.

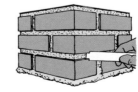

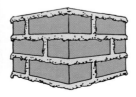

Joint en saillie : donne au mur un aspect rustique. Une fois posé, le mortier n'est pas façonné. Il forme donc une liaison peu résistante et ne devrait pas être exposé au gel.

Types d'appareils

L'agencement des briques sert à conférer à un ouvrage sa solidité, mais il aboutit aussi à la formation de motifs intéressants. La plupart des appareils illustrés ici ont des joints verticaux décalés les uns par rapport aux autres, ce qui contribue à répartir la charge du mur sur toute sa longueur.

Les appareils *à la grecque* et *à joints alignés* conviennent aux murs simples puisque toutes les briques sont disposées chant en parement, sauf aux angles. La construction de murs à double épaisseur exige que l'on pose, entre les parois et à intervalles réguliers, des attaches métalliques (p. 172). Les appareils *à l'américaine, à l'anglaise* et *à l'anglaise modifié* présentent, plus ou moins en alternance, des rangs de boutisses et des rangs de panneresses qui servent à consolider l'ouvrage. L'appareil *à la flamande* présente panneresses et boutisses alternant sur un même rang. Si le mur est simple, on pourra se servir d'une demi-brique en boutisse pour obtenir le même effet.

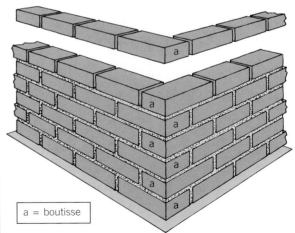

a = boutisse

Appareil à la grecque : le plus simple des agencements traditionnels. Courant dans les murs extérieurs simples et comme motif de parement. Il n'est constitué que de rangs de panneresses. Pour décaler les joints verticaux d'un mur rectiligne, on commence tous les deux rangs par une demi-brique.

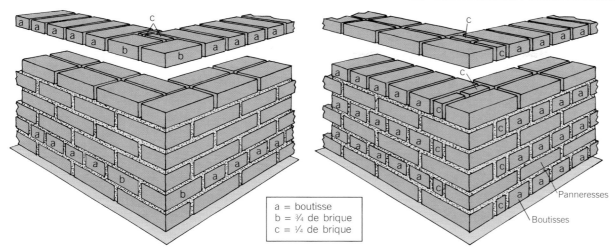

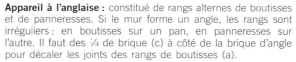

a = boutisse
b = ¾ de brique
c = ¼ de brique

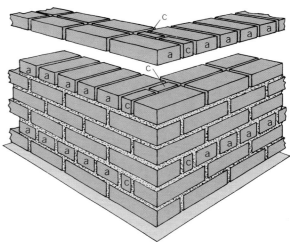

Appareil à l'américaine : variante à double épaisseur de l'appareil à la grecque. Il est constitué tous les cinq, six ou sept rangs d'un rang de boutisses qui consolide le mur. Ce rang comprend, à l'angle, un briqueton (¾ de brique) (b) et, à l'intérieur de l'angle, pour le fermer, des ¼ de brique (c).

Appareil à l'anglaise : constitué de rangs alternes de boutisses et de panneresses. Si le mur forme un angle, les rangs sont irréguliers : en boutisses sur un pan, en panneresses sur l'autre. Il faut des ¼ de brique (c) à côté de la brique d'angle pour décaler les joints des rangs de boutisses (a).

Appareil à l'anglaise modifié : variante dans laquelle trois rangs de panneresses alternent avec un rang de boutisses. Comme dans le cas précédent, les rangs sont irréguliers. Les boutisses sont posées au-dessus des panneresses et le rang se termine par ¼ de brique (c) qui assure le décalage des joints.

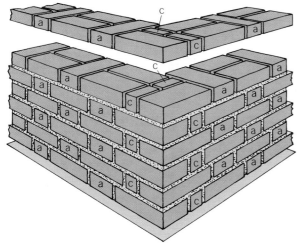

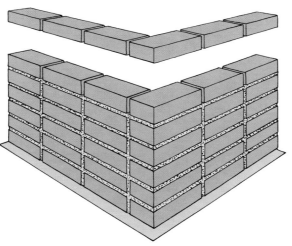

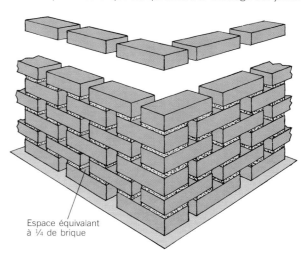

Appareil à la flamande : constitué de rangs identiques où deux panneresses chant sur chant alternent avec une boutisse. Tous les deux rangs, les boutisses sont posées au-dessus des panneresses. Des ¼ de brique (c), juxtaposés aux briques d'angle, sont posés tous les deux rangs pour décaler les joints.

Appareil à joints alignés : convient aux murs simples. Les briques sont parfaitement posées les unes au-dessus des autres, sans décalage. Comme les joints verticaux sont alignés, l'ouvrage n'est pas très résistant. Sert essentiellement de motif de parement (p. 172).

Appareil ajouré : variante décorative de l'appareil à la grecque. On laisse entre les panneresses un espace équivalant à ¼ de brique. Pour obtenir une plus grande stabilité, on réduit légèrement cet espace de part et d'autre des briques d'angle. Forme une jolie cloison dans un jardin.

Maçonnerie / Murs de brique

Semelles et fondations 156
Pose de la brique 166

Mur simple. Tout *mur rectiligne* ayant plus de 2½ pi (0,8 m) de hauteur doit être à double épaisseur. D'autre part, un *mur curviligne*, auquel les courbes donnent une résistance latérale suffisante, pourra être construit à simple épaisseur jusqu'à une hauteur de 8 pi (2,4 m) ; son rayon de courbure ne devra pas excéder le double de sa hauteur, et sa largeur (distance entre deux lignes parallèles tangentes aux courbes) devra correspondre au moins à la moitié de sa hauteur. Quant au *mur à piliers*, il se compose de pans simples, pouvant atteindre 8 pi (2,4 m) de hauteur, et de piliers renforcés, érigés tous les 8 à 16 pi (2,5 à 5 m) sur des semelles installées sous la ligne de gel.

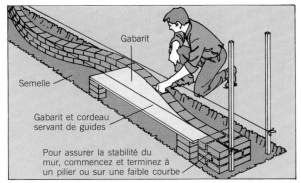

Pour construire un mur curviligne, utilisez un gabarit en contre-plaqué couvrant deux demi-arcs et allant d'un point médian à un autre.

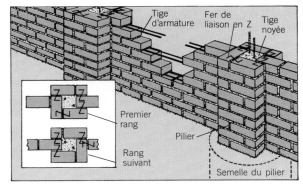

Le mur à piliers est renforcé par des tiges d'armature enfoncées dans la semelle et noyées dans le mortier (p. 163). Chaque rang est différemment ancré aux piliers.

Mur double à angles. Le mur simple décrit plus haut exige une planification serrée. Par comparaison, le mur double à angles est relativement simple. Dans l'exemple, à droite, les briques sont disposées à l'américaine.

Le *joint médian* (joint vertical entre les deux épaisseurs d'un mur) doit être maçonné. Si vous montez les deux épaisseurs en même temps, graissez le chant intérieur de chaque brique. Mais si le type d'appareil le permet, montez d'abord l'épaisseur en façade. Appliquez, peu à la fois, du mortier sur ½ po (1,2 cm) d'épaisseur à l'intérieur du mur ; appuyez-y les briques.

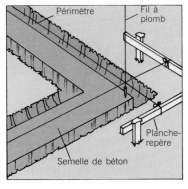

1. Creusez la tranchée destinée à recevoir la semelle (p. 156). Installez des planches-repères aux angles et aux bouts du mur. Coulez la semelle ; reliez le cordeau marquant le périmètre aux planches-repères. À l'aide d'un fil à plomb, marquez sur la semelle les angles et les bouts du mur.

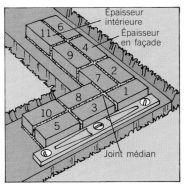

2. Posez le premier rang à sec, le rang intérieur ½ po derrière le rang en façade. Ajustez les joints médians (étape 3) pour que les boutisses couvrent parfaitement les deux épaisseurs. Maçonnez le premier rang de la tête dans l'ordre indiqué. Graissez les bouts et les chants des briques intérieures.

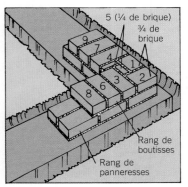

3. Avec un niveau et une règle étalonnée, assurez-vous que le premier rang est de niveau, bien aligné et d'aplomb ; avec une équerre, assurez-vous que l'angle est droit. Posez d'abord le rang de boutisses dans l'ordre illustré. Mettez des ¾ de brique à l'angle et des ¼ de brique pour combler les vides.

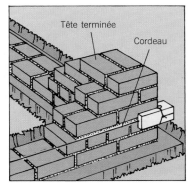

4. Terminez la tête avec trois rangs de panneresses (boutisses et panneresses alternent aux angles). Montez les autres têtes (angles et extrémités). Montez le mur entre les têtes. S'il est haut, montez les têtes sur les sections terminées, avec un rang de boutisses tous les cinq ou six rangs.

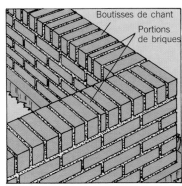

5. La façon la plus simple de couronner un mur est de poser de chant un rang de boutisses. Commencez exactement à un angle et posez le rang à sec. Coupez des briques au besoin ; intégrez des briquetons à trois ou quatre boutisses des extrémités. Étalez le mortier ; graissez la face des briques.

Construction d'un barbecue

Avant de fabriquer un barbecue, consultez les règlements municipaux. Décidez ensuite où vous allez l'installer, en tenant compte des vents dominants, tant pour vous que pour vos voisins. La fumée ne devra incommoder personne.

Grils et cendriers se trouvent dans les quincailleries et les centres de bricolage. Achetez-les d'abord puisqu'ils détermineront les dimensions du barbecue.

Si la dalle de béton de votre patio est en bon état, utilisez-en une partie comme base. Sinon, faites une dalle selon les instructions des pages 152 et 153. Elle devra reposer sur un lit de concassé de 6 po (15 cm) d'épaisseur, être renforcée d'un treillis métallique (p. 157), avoir 6 po (15 cm) d'épaisseur et déborder le barbecue d'au moins 2 po (5 cm) tout le tour.

Le barbecue, à droite, est en briques SW (il n'est pas nécessaire d'employer des briques réfractaires), à trois épaisseurs et monté sur 13 rangs. Les briques de la façade sont disposées à la grecque ; celles des deux autres épaisseurs sont à joints alignés (p. 168-169). Tous les deux rangs, des boutisses retiennent les épaisseurs intérieures, mais le lien principal est assuré par des fers de liaison en Z pris dans le mortier tous les deux rangs et décalés à la verticale.

Les grils et le cendrier s'appuient sur des tiges d'armature de 7 po (18 cm) prises dans les joints et qui dépassent de 4 po (10 cm) entre les rangs 7 et 8 (cendrier), 9 et 10 (gril) et 12 et 13 (gril). Couronnez l'ensemble d'un rang de briques pleines ou bien de dalles taillées aux dimensions voulues.

4. Couronnez de panneresses, à l'intérieur, et de boutisses, à l'extérieur. Si vous le désirez, fixez des supports et une tablette. Voyez les instructions de la page 86 pour fixer des attaches à la maçonnerie.

Gril

3. Avant de monter le rang 8 de la paroi intérieure, introduisez de chaque côté, dans le joint de mortier, quatre tiges métalliques de 7 po de longueur. Laissez-les dépasser de 4 po. Faites de même au-dessus des rangs 9 et 12.

Fer de liaison en Z

1. Avec un cordeau enduit de craie, délimitez le barbecue sur la dalle de béton. Disposez les deux premiers rangs à sec, en prévoyant ½ po pour les joints de mortier. Enlevez les briques. Étalez le mortier ; posez le premier rang.

2. Aux angles, montez les têtes (page ci-contre) trois ou quatre rangs à la fois. Vérifiez l'angle à l'équerre. Posez les briques entre les têtes. Vérifiez souvent l'aplomb et le niveau. Posez des fers de liaison en Z dans le mortier tous les deux rangs, en les décalant à la verticale.

Barbecue de briques sans mortier

Le barbecue de briques sans mortier est facile à monter, mais il lui faut une base stable et de niveau, de préférence une dalle de béton.

Utilisez des briques standard de catégorie SW pour construire l'âtre et le plan de travail. Faites alterner deux par deux les boutisses et les panneresses, et ressortir les briques intérieures des rangs 4 et 7 pour soutenir les grils.

Maçonnerie / Parement de brique

Il existe deux autres types de murs de maçonnerie : le mur creux et le mur de parement. Le *mur creux* consiste en deux parois de maçonnerie séparées par un espace de 2 à 4½ po (de 5 à 11 cm), mais assemblées par des attaches métalliques ondulées, non corrosives. La paroi en façade peut être en briques de parement, celle de derrière en brique ou en blocs de béton. Le *mur de parement* consiste en une seule épaisseur de briques montée devant un mur. Il y est retenu par des attaches métalliques laissant un espace de 1 po (2,5 cm) entre les deux. Le parement, même s'il n'est pas portant, doit être bien assis (étape 1, ci-dessous). Si la semelle n'est pas assez large pour le recevoir, élargissez-la ou boulonnez aux fondations des angles en acier. Obtenez un permis avant d'effectuer des travaux de cette envergure. Vous auriez même avantage à les confier à des professionnels.

Dans les deux cas, l'espace entre les parois permet à l'eau de s'échapper par l'intermédiaire des solins et des chantepleures (étape 2). Dans le cas du mur creux, l'espace fait aussi fonction d'isolant.

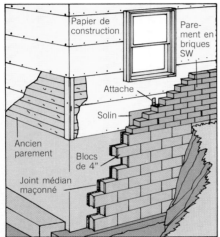

1. On monte le parement sur une semelle, sur son prolongement ou sur des angles en acier boulonnés aux fondations, 1 pi sous le niveau du sol. Du papier de construction recouvre le mur sous-jacent. La base du parement est en blocs de béton maçonnés aux fondations. Au-dessus du sol, on relie le parement et le mur, à 1 po l'un de l'autre, par des attaches.

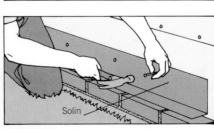

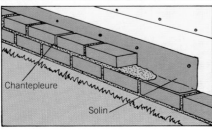

2. Solins et chantepleures évacuent l'eau. On installe le solin (polythène, métal, feuille goudronnée ou combinaison des trois) au bas du mur, un rang au-dessus du niveau du sol. Le rang suivant, posé sur le mortier étalé sur le solin, comporte des chantepleures tous les 2 pi. Des joints verticaux sans mortier ou encore des mèches ou des tubes de plastique font office de chantepleures.

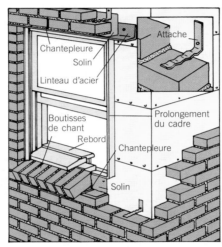

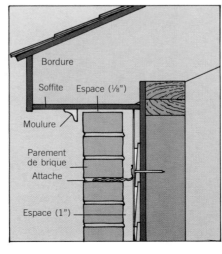

3. Des attaches métalliques de 6 po, en forme de L, retiennent le parement au mur. On en cloue une patte à un montant, dans le mur (l'autre est prise dans un joint de mortier). Sous le rebord des fenêtres, on pose des boutisses de chant et inclinées ; au-dessus des portes et fenêtres, des linteaux d'acier soutiennent les briques. Il faut prévoir des solins et des chantepleures.

4. À mesure que l'on monte le parement, il faut s'assurer que l'espace derrière reste libre de mortier ou de débris qui pourraient être à l'origine de problèmes d'humidité. Il faut un espace d'au moins ⅛ po entre le haut du parement et le soffite, que dissimule la bordure du toit ou une moulure. Si l'avant-toit ne couvre pas toute l'épaisseur du parement, il faudra le prolonger.

Parement à l'intérieur

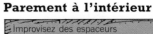
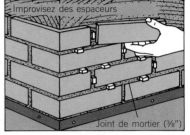

Le parement d'un mur intérieur avec de la brique standard suppose des travaux majeurs ; mais avec des tuiles qui imitent la brique, les choses sont plus simples. Ces tuiles se vendent en paquets pouvant couvrir environ 4 pi². On les pose sur un mortier spécial, vendu prémélangé en quantités pouvant couvrir de 10 à 15 pi², que l'on applique à la truelle dentée de ¼ po.

La surface doit être propre, sèche et en bon état. Conformez-vous au mode d'emploi. Travaillez à partir des angles extérieurs. Faites alterner les bouts longs et les bouts courts des tuiles d'angle. Finissez les joints au fer à joint.

Allées de brique sans mortier

Les briques, avec ou sans mortier, confèrent aux patios et allées un charme certain. Si vous les posez sans mortier, achetez des briques SW à paver de 4 po (10 cm) de largeur, de 8 po (20 cm) de longueur et d'environ 2 po (5 cm) d'épaisseur. Il vous en faudra 475 pour couvrir 100 pi^2 (9 m^2). Il y a plusieurs possibilités d'agencement (ci-dessous). Les briques posées sans mortier ont tendance à se déplacer ; il faut donc les contenir sur tout le périmètre de l'allée ou du patio (ci-contre). Pour assurer le drainage, aménagez une pente de $\frac{1}{4}$ po (6 mm) au pied (30 cm) (p. 152). L'assise la plus économique consiste en une couche de sable de 2 po (5 cm) d'épaisseur, recouverte d'un feutre à toiture. Sur un sol mal drainé, préparez une assise composée de 4 po (10 cm) de pierre concassée, de 1 po (2 cm) de pierre fine et d'un feutre à toiture.

Motif en épi   Motif à damier

Motif à la grecque   Motif en échelon

Bordures

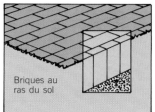

La bordure de brique est la plus facile à réaliser. Dans une petite tranchée, juxtaposez les briques, chant contre chant.

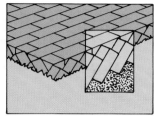

La bordure en dents de scie est constituée de briques debout, bien alignées et inclinées à 45°, posées sur un sable bien tapé.

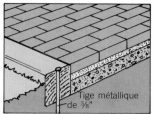

La bordure en traverses de bois traité est ancrée à l'aide de tiges de 3 pi enfoncées au centre et aux bouts des traverses.

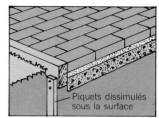

La bordure en planches de cèdre ou en pièces de 2 x 4 traitées sous pression est ancrée par des piquets.

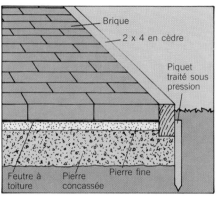

Brique — 2 x 4 en cèdre — Piquet traité sous pression — Feutre à toiture — Pierre concassée — Pierre fine

1. Délimitez l'allée à l'aide de piquets et de ficelles (étape 1, p. 152). Faites des essais de motifs. Ôtez la brique. Creusez la surface destinée à recevoir l'assise, de l'épaisseur de la brique plus 2 po si elle est en sable, de l'épaisseur de la brique plus 5 po si elle est en pierre concassée. Installez la bordure.

Planche à régaler

2. L'assise de sable a 2 po d'épaisseur. Nivelez-la avec une planche à régaler de la largeur de l'allée et ne s'enfonçant que de l'épaisseur de la brique. Humectez le sable et tassez-le (p. 153). Ajoutez du sable ; nivelez-le et humectez-le. L'assise de pierre concassée a 4 po d'épaisseur. Nivelez-la ; ajoutez 1 po de pierre fine.

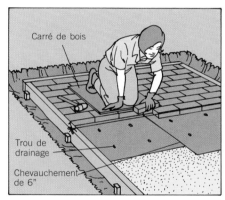

Carré de bois — Trou de drainage — Chevauchement de 6"

3. Couvrez l'assise d'un feutre à toiture (15 lb) ; percez-le pour assurer le drainage. Posez les briques en commençant par l'un des angles ; appuyez-les bien sur l'assise et les unes contre les autres. Alignez-les à l'aide d'une pièce de 2 x 4 ou d'une ficelle. Égalisez la surface en la frappant légèrement avec un maillet.

4. Remplissez les vides avec des briquetons (p. 165) ; égalisez la surface. Versez-y du sable sec et, avec un balai, comblez les interstices. Recommencez tous les deux jours jusqu'à ce que les interstices soient tous comblés et que les briques soient stables. Vous pourriez utiliser un mortier sec (p. 184-185).

Maçonnerie / Réfection

Rejointoiement. Les joints les mieux faits finissent par se détériorer s'ils sont soumis aux intempéries. Des joints en mauvais état permettront à l'eau de s'infiltrer dans un mur où le gel aura des conséquences néfastes. Inspectez vos murs extérieurs tous les deux ou trois ans, à l'automne, et effectuez les réparations qui s'imposent.

On appelle rejointoiement la technique qui consiste à refaire les joints de mortier. Si vous le faites vous-même, enlevez le vieux mortier à l'aide d'un petit maillet et d'un ciseau. Remplissez le joint de mortier à l'aide d'une truelle langue-de-chat et finissez-le au fer à joint. Si les travaux de réfection doivent être effectués en hauteur, louez des échafaudages (p. 383).

Le nouveau joint, par sa texture, sa couleur et sa forme, devrait être le plus semblable possible à l'ancien. Cela se révélera particulièrement important sur les vieux ouvrages de maçonnerie dont le mortier n'avait pas la résistance et la souplesse des mortiers d'aujourd'hui. Consultez une agence locale ou provinciale de conservation des bâtiments. Si vous ne connaissez pas la composition du mortier de constructions plus récentes, effectuez les réparations avec un mortier tout usage de type N (p. 162-163).

Vérifiez la couleur. Préparez un peu de mortier et refaites un joint peu apparent. Laissez-le sécher : le mortier pâlit en séchant. S'il le faut, ajoutez du colorant et recommencez votre essai.

Efflorescences

On appelle efflorescence la couche blanche et pulvérulente qui se forme parfois sur les ouvrages de maçonnerie ou de béton. Elle est causée par l'humidité de l'intérieur qui dissout certains sels contenus dans le béton ou le mortier. La solution salée parvient à la surface où l'eau s'évapore, laissant des dépôts sous forme de cristaux.

L'humidité que contient le mortier frais rend donc possible l'apparition d'efflorescences. Les murs de maçonnerie laissés à découvert et exposés à la pluie pendant leur construction risquent d'être sujets à ce phénomène par ailleurs plus inesthétique que dommageable. Il finira par disparaître de lui-même. Cependant, s'il persiste, c'est peut-être le signe que l'eau est mal évacuée au niveau des solins (p. 172) ou ailleurs. Réglez le problème à la source avant de traiter l'efflorescence.

Brossez à l'aide d'une brosse à poils rigides ou faites disparaître à l'eau. (Autres types de taches sur la brique et le béton, p. 186.)

1. Piquez au ciseau le vieux mortier sur une profondeur d'au moins 1 po. Tenez le ciseau incliné et dégarnissez la brique sans l'endommager. Nettoyez bien le joint. **ATTENTION !** Portez des lunettes de protection.

2. Nettoyez les joints à l'air comprimé ou avec une brosse à poils rigides. Arrosez les joints au tuyau d'arrosage réglé en pluie. Pour éviter que les briques n'absorbent l'humidité du nouveau mortier, il faut les humecter (sans les saturer d'eau) avant de remplir les joints.

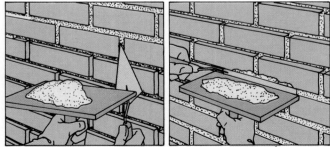

3. Faites un mortier (p. 165) plus ferme que d'ordinaire. Étalez-en ½ po sur une taloche. Avec le dos d'une truelle langue-de-chat, prélevez-en un peu et bourrez-en d'abord les joints verticaux. Autre possibilité : bourrez le joint avec un fer à joint, à partir de la taloche.

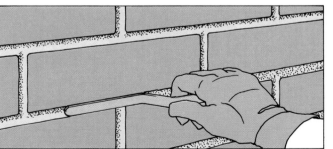

4. Bourrez le joint par couches successives ; laissez légèrement durcir le mortier entre les couches. Une fois le joint rempli, attendez que le mortier garde l'empreinte du pouce ; comprimez-le et façonnez-le avec un fer à joint.

Outils 164
Gâchage et pose du mortier 165
Finition des joints de mortier 168

Briques endommagées. Les briques fissurées ou en voie de désagrégation contribuent à affaiblir un mur, car elles laissent pénétrer l'humidité. Remplacez-les donc le plus tôt possible (ci-dessous). Si les dommages affectent un mur à joints alignés, ou se trouvent au-dessus d'une porte ou sous une fenêtre, consultez un maçon.

Si vous devez réparer de grandes surfaces, travaillez de haut en bas. Enlevez le mortier au ciseau et retirez les briques une à une.

Enlevez le mortier autour de la brique (étape 1, page ci-contre). Portez des lunettes. Déchaussez la brique ; enlevez le reste du mortier. Nettoyez et humectez la cavité.

Graissez le plancher de la cavité, le dessus et les bouts de la brique de remplacement préalablement humectée. Poussez la brique dans la cavité à partir de la taloche.

Pavement endommagé. Les briques lâches, brisées ou soulevées d'un patio ou d'une allée représentent un risque. Les briques posées sur un lit de sable (p. 173) se déplacent davantage que les briques scellées au mortier, mais elles se remplacent ou se réparent plus facilement. Enlevez la brique inégale avec un pied-de-biche ; enlevez les autres briques à la main. Entaillez le feutre à toiture, et enlevez ou ajoutez du sable. Tapez-le bien, nivelez-le et remettez les briques.

1. Dégarnissez la brique endommagée avec un ciseau de briqueteur. S'il le faut, brisez la brique.

2. Ôtez la brique avec un pied-de-biche. Nettoyez la cavité. Humectez la cavité et la brique de remplacement.

3. Graissez le plancher et les parois de la cavité. Posez la nouvelle brique et mettez-la de niveau.

Comblement d'une lézarde

Les longues fissures verticales résultent du jeu structurel normal d'une maison neuve. Une fois la maison stabilisée, la lézarde cesse de s'allonger. C'est alors qu'on peut la réparer. Mais une lézarde qui réapparaît après avoir été réparée révèle des mouvements du sol ou un vice des fondations. Dans le cas d'une lézarde qui réapparaît toujours au même endroit, consultez un ingénieur ou le constructeur pour savoir où se situe le problème et y trouver une solution.

Pour réparer une longue lézarde dans un mur de béton, utilisez un mélange à mortier liquide composé de 1 partie de ciment portland et de 2 parties de sable à maçonnerie. Ajoutez-y assez d'eau pour qu'il ait la consistance de la peinture. (Il doit être assez liquide pour passer dans un entonnoir.)

Enlevez au ciseau le béton instable et les débris ; brossez la fissure avec une brosse à poils rigides et humectez-en les parois. Travaillez de bas en haut par sections de 3 pi (0,9 m) au maximum. Recouvrez la section à travailler de papier adhésif imperméable à bande large. Versez-y le mortier liquide à l'aide d'un entonnoir. Attendez au moins quatre heures (le temps que le mortier durcisse) avant d'entreprendre une nouvelle section.

Pour réparer une fissure parallèle aux joints, voyez la page ci-contre. Si la fissure traverse aussi la brique, comblez-la au mortier liquide ou à la pâte à calfeutrer. La réparation sera visible dans les deux cas.

1. Nettoyez et humectez la lézarde. Couvrez les trois premiers pieds de papier adhésif à bande large. Introduisez un entonnoir dans le haut ; versez-y le mortier liquide.

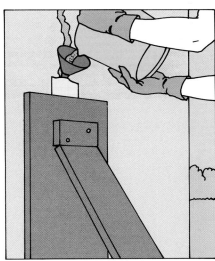

2. Si le papier adhère mal, appuyez-y un morceau de bois. Laissez durcir le mortier pendant quatre heures. Ôtez le bois et le papier adhésif. Recommencez plus haut.

Maçonnerie / Pose des blocs de verre

Briques et mortiers 162
Gâchage et pose du mortier 165
Finition des joints de mortier 168

Le bloc de verre, constitué de deux morceaux de verre pressé fusionnés sur leur pourtour, laisse entrer la lumière tout en préservant l'intimité. Il assure par ailleurs une bonne isolation thermique et acoustique.

Le bloc de verre standard, d'environ $3\frac{1}{8}$ à $3\frac{7}{8}$ po d'épaisseur (environ 8 cm) est transparent, à surface réfléchissante ou à motifs. Il est carré ou rectangulaire. Le bloc de verre hexagonal est utilisé pour former des angles. Le bloc d'angle sert aussi de bloc de couronnement et d'extrémité.

Contrairement à la brique, le bloc de verre n'absorbe pas l'humidité du mortier. Le durcissement s'en trouve ralenti, et le bloc de verre a tendance à écraser le mortier des rangs inférieurs. Il est donc conseillé de poser entre les blocs des espaceurs de plastique spécialement conçus. Le mortier durci, on retire les espaceurs et on comble les trous.

Les cloisons en blocs de verre ne supportent aucune charge. Elles devraient être montées sur une base de béton et s'appuyer à une structure à leurs deux extrémités, ou en haut et à une ex-

trémité. Le mur de la cabine de douche illustré ci-dessous devrait normalement être soutenu, à l'entrée, par un poteau allant du plancher au plafond, mais une armature (étape 7), un bord bien scellé et un évier bien ancré au mur (non illustré) suffisent à le soutenir. Si la surface a plus de 25 pi² (2,3 m²), on doit ménager des joints de dilatation sur le dessus et les côtés, et enduire le seuil ou le rebord d'une émulsion d'asphalte. Préparez un mortier plus sec que pour la brique. Avant d'entreprendre les travaux, consultez les règlements municipaux.

1. Indiquez sur le mur la hauteur des rangs, plus ¼ po pour les joints, avec une règle étalonnée.

2. Posez un rang d'essai sur la base de béton. Indiquez l'emplacement des joints.

3. Avec une truelle, étalez uniformément sur le béton une couche de mortier de ¾ po d'épaisseur.

4. Graissez un bout de chacun des blocs et appuyez-le contre le bloc précédent.

5. Alignez les blocs et ajustez-les. Vérifiez le niveau, l'aplomb et l'alignement de chaque rang.

6. Tous les deux rangs, noyez dans le mortier des armatures d'ancrage. Fixez-en l'extrémité au mur.

7. Mettez des tiges de renforcement dans le mortier des rangs qui ne sont pas ancrés.

8. Finissez les joints au fer. Avant que le mortier durcisse, essuyez les blocs avec un chiffon doux.

Panneaux

Les panneaux en blocs de verre sont faits sur mesure, et il est préférable d'en confier l'installation à des professionnels. Si un panneau est destiné à remplacer une fenêtre, il faut enlever le cadre et mesurer la largeur et la hauteur de l'ouverture (du rebord au linteau).

Clouez d'abord une pièce de 2 x 4 au linteau. Mettez deux coins sur le rebord ; glissez le panneau dans l'ouverture (quelqu'un devra vous aider). Pour le centrer et le mettre de niveau, tapotez les coins. Vérifiez le niveau et l'aplomb. Remplissez de mortier le dessous et les côtés. Calfeutrez le haut (¼ po), à l'intérieur comme à l'extérieur.

Blocs de béton

Plus grossier que la brique ou la pierre, et plus lourd que la brique, le bloc de béton n'a guère de concurrent quand il s'agit du prix, de la polyvalence et de l'efficacité. Comme les murs en blocs de béton n'ont habituellement qu'une épaisseur, ils coûtent moins cher que les murs de brique et se construisent plus rapidement. Les blocs creux pourront être armés (p. 179) ou remplis d'isolant. Si l'apparence compte, on emploiera des blocs décoratifs ; on pourra aussi ajouter à un mur de blocs un parement de brique ou de pierre. Les blocs de béton servent à construire des fondations, des murs, des murs de soutènement et des murets de jardin.

Types de blocs. Le bloc standard est moulé avec précision et composé d'un mélange de ciment portland et de gravier ou de pierre concassée. Le bloc léger renferme de la pierre ponce ou encore de l'ardoise, du schiste, de l'argile ou des scories. Il se manipule plus facilement que le bloc standard, mais il est un peu plus cher. Le bloc de béton a des formes, des dimensions, des styles et des finis variés ; il est plein ou creux.

Le plus commun est le *bloc panneresse*. Il a 8 po (20 cm) de largeur, 8 po (20 cm) de hauteur et 16 po (40 cm) de longueur (dimensions nominales prévoyant $3/8$ po [1 cm] pour les joints de mortier) et pèse environ 40 lb (18 kg). Une variante plus légère ne pèse environ que 25 lb (10 kg). Le bloc panneresse comporte ordinairement deux ou trois cavités séparées par des parois qui en facilitent la manipulation. Le *bloc d'angle*, variante du bloc ordinaire, a une extrémité lisse ou les deux. Pour réaliser un appareil à la grecque (p. 168) dans un mur sans angle, on finit par un *demi-bloc* de 8 x 8 po (20 x 20 cm) tous les deux rangs. (La plupart des murs en blocs de béton sont montés à la grecque.) Le *bloc de cloison*, de 4 ou 6 po (10 ou 15 cm) de largeur et lisse aux deux extrémités, sert de noyau ; on le revêtira d'un parement de pierre ou de brique. Il y a des blocs pour tout : seuils, linteaux, chambranles.

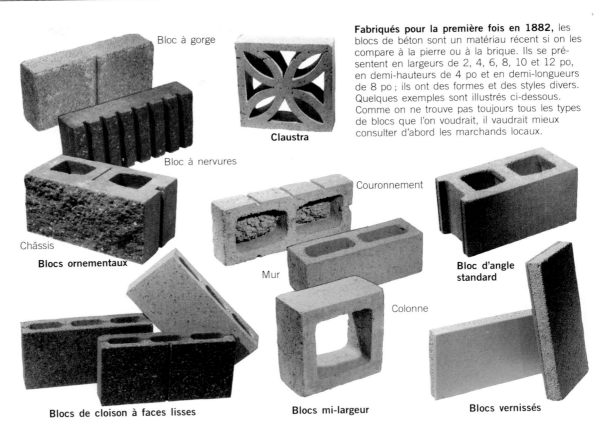

Bloc à gorge

Bloc à nervures

Claustra

Châssis

Blocs ornementaux

Couronnement

Mur

Colonne

Bloc d'angle standard

Blocs de cloison à faces lisses

Blocs mi-largeur

Blocs vernissés

Fabriqués pour la première fois en 1882, les blocs de béton sont un matériau récent si on les compare à la pierre ou à la brique. Ils se présentent en largeurs de 2, 4, 6, 8, 10 et 12 po, en demi-hauteurs de 4 po et en demi-longueurs de 8 po ; ils ont des formes et des styles divers. Quelques exemples sont illustrés ci-dessous. Comme on ne trouve pas toujours tous les types de blocs que l'on voudrait, il vaudrait mieux consulter d'abord les marchands locaux.

Blocs décoratifs. Le *bloc à tailler* imite sur une de ses faces la texture de la pierre ; le *bloc mi-largeur* est couleur de sable ; le *bloc ornemental* présente des motifs divers (gorges, nervures, etc.) ; le *claustra* forme des cloisons, à l'intérieur comme à l'extérieur (p. 179) ; le *bloc à faces lisses* est poli.

Estimation des quantités. Pour calculer la quantité de blocs standard nécessaires à la construction d'un mur, utilisez les formules suivantes : hauteur du mur (en pieds) x $1^1/2$ = nombre de rangs (A) ; longueur du mur (en pieds) x $3/4$ = nombre de blocs par rang (B) ; A x B = quantité de blocs. Pour avoir à tailler le moins de blocs possible, il est préférable que toutes les dimensions soient des multiples de blocs entiers ou de demi-blocs.

Si vous avez prévu une ouverture dans un mur, calculez le nombre de blocs qu'il faudrait pour la remplir et, tenant compte des pertes, soustrayez du total la moitié de ce nombre.

Faites livrer les blocs le plus près possible du chantier. Rangez-les sur une plate-forme (p. 163) et couvrez-les d'une feuille de plastique. Contrairement aux briques, les blocs de béton doivent être secs quand on les pose.

On monte un ouvrage en blocs de béton comme un ouvrage en brique. Avant d'entreprendre la construction d'un mur ou de fondations, n'oubliez pas de consulter les règlements municipaux (p. 193).

Un mur de blocs doit reposer sur une semelle assise sous la ligne de gel. Sur la semelle, délimitez à la craie le devant du mur. Posez ensuite le premier rang à sec, en laissant ³⁄₈ po (1 cm) entre les blocs. Après avoir ajusté les blocs et marqué l'emplacement des joints sur la semelle, enlevez les blocs et posez le premier rang après avoir étalé une couche de mortier (étape 1). (Ce rang terminé, n'enduisez plus de mortier que le bord des blocs.) Posez les blocs à l'horizontale pour donner plus de prise au mortier. Préparez un mortier plus ferme que pour les briques (p. 165).

Montez d'abord les têtes, ensuite les rangs entre les têtes. Utilisez un cordeau à chaque rang (étapes 3 et 4). Enlevez le surplus de mortier et façonnez les joints au fer à joint convexe ou en V (p. 168). Vérifiez souvent le niveau et l'aplomb. Pour ajuster un bloc, frappez-le doucement avec le manche de la truelle avant que le mortier durcisse.

Pour éviter les fissures dues aux écarts de température, prévoyez des joints verticaux continus tous les 40 pi (12 m), ainsi qu'aux ouvertures et aux jonctions. Il est inutile de prévoir ce type de joints pour les petits projets, mais ils sont essentiels pour les murs très longs. Un exemple (il y a plusieurs façons de les faire) en est donné à l'étape 5.

1. Sur la semelle, étalez 1 po de mortier sur la longueur de trois blocs ; striez le mortier. Enfoncez le bloc d'angle dans le mortier pour obtenir un joint de ³⁄₈ po d'épaisseur.

2. Mettez quelques blocs debout et graissez-en les parties saillantes. Prenez les blocs un à un et, les tenant légèrement inclinés, enfoncez-les contre le bloc adjacent.

3. Montez les têtes en faisant alterner aux angles les boutisses et les panneresses (appareil à la grecque). Vérifiez souvent le niveau, l'aplomb et l'alignement.

4. Tendez un cordeau d'une tête à l'autre pour vous guider à chaque rang. Avant de poser le dernier bloc, graissez-en les deux bouts ; graissez les parois de l'ouverture.

5. Utilisez des blocs ou des demi-blocs spécialement conçus pour faire un joint vertical continu. Un joint de caoutchouc s'adapte à la rainure qu'ils forment.

6. Deux murs seront interreliés par des tiges d'acier posées tous les six rangs, à leur intersection, ou par un treillis métallique tous les deux rangs.

Pour renforcer le dernier rang des fondations, qui devra supporter les solives du plancher, intégrez un treillis métallique au joint qui le scellera.

Pour fixer la lisse, ancrez des boulons de 18 po de longueur et de ½ po de diamètre dans le mortier qui comble les cavités des blocs des deux derniers rangs.

Des blocs de couronnement coiffent un mur de jardin en blocs de béton. Mettez-les en place ; assurez-vous que les joints verticaux qui les lient sont bien remplis.

Semelles et fondations 156-158
Gâchage et pose du mortier 165
Pose de la brique 166-167

Renforcement d'un mur de blocs

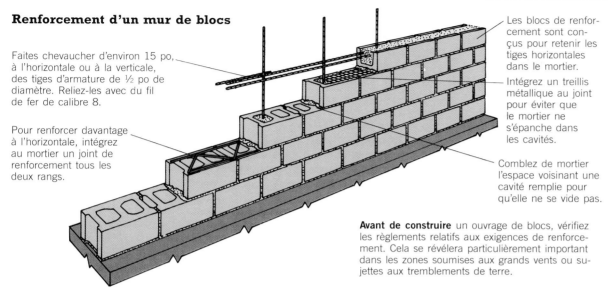

Faites chevaucher d'environ 15 po, à l'horizontale ou à la verticale, des tiges d'armature de ½ po de diamètre. Reliez-les avec du fil de fer de calibre 8.

Pour renforcer davantage à l'horizontale, intégrez au mortier un joint de renforcement tous les deux rangs.

Les blocs de renforcement sont conçus pour retenir les tiges horizontales dans le mortier.

Intégrez un treillis métallique au joint pour éviter que le mortier ne s'épanche dans les cavités.

Comblez de mortier l'espace voisinant une cavité remplie pour qu'elle ne se vide pas.

Avant de construire un ouvrage de blocs, vérifiez les règlements relatifs aux exigences de renforcement. Cela se révélera particulièrement important dans les zones soumises aux grands vents ou sujettes aux tremblements de terre.

S'il faut un mur très solide, renforcez-le à la verticale et à l'horizontale. Installez des tiges d'armature dans la semelle, à la verticale. À mesure que vous montez le mur, remplissez d'un mortier à base de ciment portland (p. 163) les cavités des blocs traversés par les tiges. Des blocs spécialement conçus, les *blocs de renforcement*, retiennent les tiges à l'horizontale. Finissez un mur de blocs par un rang de blocs de ce type pour le consolider davantage.

Finition d'un mur de blocs

Quand le mortier a durci (au moins trois jours), le mur de blocs peut être peint, revêtu de brique ou de pierre ou enduit de stuc.

On met ordinairement trois couches de stuc, mais sur un mur de maçonnerie neuf, deux couches suffisent. Humectez d'abord le mur. Avec un plâtroir métallique, enduisez-le d'une couche de stuc de ³⁄₈ po (1 cm) d'épaisseur. Cette première couche partiellement durcie, rayez la surface. Humectez le mur pendant deux jours. Enduisez-le d'une nouvelle couche moins épaisse. Pour hydrofuger de nouvelles fondations, appliquez à l'extérieur deux couches d'un enduit composé de 1 partie de ciment et de 2½ parties de sable. Au contact de la semelle, donnez à l'enduit une forme concave. Imperméabilisez les murs (p. 158); assurez un bon drainage (p. 340).

Construction sans mortier. L'enduit renforcé de fibre de verre, appliqué sur les deux côtés d'un mur monté sans mortier, assure une meilleure cohésion que le mortier. Les ouvrages construits sans mortier doivent être extrêmement bien faits et ont avantage à être simples.

Murs de claustras

Comme ils sont d'ordinaire disposés à joints alignés, appareil peu robuste, les murs de claustras doivent être bien pensés et bien montés.

Assurez au mur un appui vertical, en construisant des piliers au maximum tous les 10 pi (3 m). Les piliers sont en blocs comportant une cavité centrale et deux rainures, ou une seule, où viennent s'encastrer les claustras. (Pour renforcer les piliers, noyez-y une tige d'armature.) Ils doivent reposer sur une semelle ayant le double de leur largeur et assise sous la ligne de gel. Commencez par construire les piliers à une hauteur équivalant à deux rangs de claustras; posez les claustras dans le mortier. Dans un mur élevé, faites des joints de renforcement (ci-dessus).

Graissez la paroi verticale du claustra

Joint de mortier (³⁄₈")

1. Faites un essai à sec; délimitez le mur sur la semelle. Maçonnez les blocs des piliers; alignez-en les rainures sur le trait de craie. Posez les deux premiers rangs; alignez bien les joints verticaux.

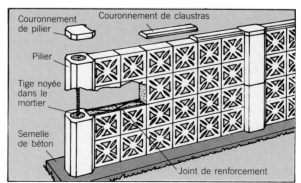

Couronnement de pilier

Couronnement de claustras

Pilier

Tige noyée dans le mortier

Semelle de béton

Joint de renforcement

2. Si le mur est élevé (il ne devrait pas avoir plus de 6 pi), mettez des joints de renforcement tous les deux rangs. (Faites chevaucher le fil de fer.) Finissez par des blocs de couronnement.

179

La pierre, le plus ancien des matériaux de construction, est aussi le plus résistant, le plus beau et le plus agréable à travailler. Cependant, construire un ouvrage en pierre suppose beaucoup de travail.

Types de pierres. Les termes *pierre* et *roche* sont souvent employés l'un pour l'autre ; mais le matériau est la pierre, elle-même issue de la roche. Le granit, le calcaire, le grès, le marbre et l'ardoise sont les pierres les plus utilisées en maçonnerie. Le *granit*, dur, résistant et cher, est essentiellement une pierre de construction ; le *calcaire* et le *grès*, plus tendres et plus faciles à travailler, servent aussi de pierres à parement. Tous se prêtent à la construction d'un mur (p. 181-183). D'autre part, le *marbre* est une pierre ornementale recherchée pour sa beauté et les possibilités qu'elle offre au polissage. Quant à l'*ardoise*, qui se détache facilement en feuilles minces, elle sert à faire des bardeaux de toiture et des dalles.

On divise les pierres en deux grandes catégories : les *pierres des champs* et les *pierres de carrière*. Les premières, détachées de la roche mère, sont dispersées au hasard dans la nature et sont émoussées ; les deuxièmes, extraites de la roche mère, sont anguleuses. La pierre de carrière la moins chère est le *moellon* : résidu de l'extraction, il n'est ni taillé ni trié ; la *pierre semi-taillée* est triée et grossièrement taillée ; les *dalles*, utilisées pour le pavage (p. 184-185), sont de minces tranches de pierre ; enfin, la *pierre de taille*, la plus chère des pierres de carrière, est équarrie et dressée conformément aux désirs de l'acheteur. La pierre de taille se pose en rangs horizontaux réguliers ; les pierres grossières sont disposées au hasard, en rangs irréguliers.

Où trouver les pierres. Dans les régions pierreuses ou rocailleuses, vous trouverez les pierres qu'il vous faut, sans qu'il vous en coûte un sou. Cependant, si elles se trouvent sur des propriétés privées, demandez auparavant la permission de les prendre. Assurez-vous que vous pourrez aller les chercher et ne surchargez pas votre véhicule. Déchargez-les le plus près possible du chantier.

Choisissez des pierres ayant une bonne base, un sommet plat et au moins un côté plat et droit. Si vous construisez un mur à angles, vous aurez besoin de pierres à deux faces plates formant un angle droit. Vous réaliserez certes votre projet plus rapidement si vous employez de grosses pierres, mais attention à la fatigue si elles sont trop lourdes. En soulevant des pierres lourdes, pliez les genoux, gardez le dos droit et laissez vos jambes faire l'essentiel de l'effort.

Si vous ne trouvez pas de pierres, achetez-les à la carrière la plus proche ou chez un marchand. Voyez-en plusieurs et comparez les qualités et les prix.

Évaluation des quantités. Les dalles destinées au pavage sont vendues au pied carré. Pour déterminer la superficie d'un patio ou d'une allée, voyez la page 148 ; ajoutez 10 p. 100 pour les pertes. Les pierres de construction sont vendues à la tonne ou à la verge cube. Calculez le volume du mur en multipliant sa hauteur par sa longueur par sa largeur en pieds ; divisez par 27 pour convertir en verges cubes. Le marchand déterminera la quantité de pierres nécessaire. Si vous achetez de la pierre taillée, prévoyez un surplus de 10 p. 100 pour les pertes. Si vous achetez des moellons, prévoyez-en 25 p. 100 de plus (dans une charge, l'air occupe le tiers du volume ou plus).

Quatre types de murs de pierre

Mur de pierres sèches, en pierres des champs montées sans mortier et disposées au hasard, selon la forme.

Mur de soutènement, en pierres des champs disposées de façon irrégulière. Bel exemple de mur maçonné (p. 182).

Des moellons bruts, dont certains sont très gros, ont servi à construire ce mur irrégulier et maçonné.

Une variété de textures et de couleurs rehaussent l'apparence de ce mur régulier, en pierres semi-taillées et maçonnées.

Mur de pierres sèches

Le mur de pierre a ordinairement deux épaisseurs ; l'espace entre les grosses pierres est comblé par des pierres plus petites. Pour retenir l'ensemble, on met à intervalles réguliers des pierres de liaison, longues et plates, de la largeur du mur.

Les éléments d'un mur de pierres sèches, c'est-à-dire sans mortier, sont retenus par inertie et par gravité. Pour éviter que l'ouvrage ne s'écroule, il faut que chaque pierre repose de tout son poids sur deux des pierres du dessous. Pour que le mur soit stable, ses extrémités et ses parois doivent s'incliner vers le centre à raison de 1 po (2,5 cm) par pied (30 cm) de hauteur.

On dispose les pierres d'un mur de pierres sèches dans une tranchée peu profonde à fond plat. Si le mur a plus de 3 pi (0,9 m) de hauteur, il faudra probablement l'asseoir sous la ligne de gel. Consultez les règlements municipaux. Sauf si vous avez une longue habitude de la pierre, limitez-vous à 3 pi (0,9 m). La largeur de la base doit correspondre aux deux tiers de la hauteur du mur.

Taille de la pierre

Pour dresser une pierre, utilisez un marteau de maçon ; pour la fendre, un ciseau de maçon et une petite masse. Portez des gants de cuir et des lunettes de protection. Si vous en avez l'occasion, voyez d'abord comment s'y prend un maçon.

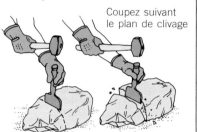

Coupez suivant le plan de clivage

Avant de tailler une pierre des champs, tracez la ligne de coupe au crayon gras ; mettez la pierre sur le sol (sable ou terre). Placez le ciseau sur la ligne tracée ; frappez fort avec la masse.

Base

3" 3'

Calez la base

1. Pour vérifier l'inclinaison du mur, fabriquez un indicateur de pente avec trois pièces de 1 x 2. Sa hauteur devrait être celle du mur, et sa base avoir 1 po par pied de hauteur.

Pierre de liaison

2. Délimitez le mur à l'aide de piquets et de cordeaux ; faites une tranchée à fond plat. Posez les pierres de liaison ; utilisez les plus grosses pierres pour faire le premier rang.

3. Posez le premier rang de niveau, la surface plate des pierres en haut et leur chant le plus intéressant en façade. Remplissez le centre de petites pierres.

Avec un niveau, gardez l'indicateur de pente d'aplomb

4. Guidé par le cordeau et l'indicateur de pente, posez le rang suivant, légèrement rentré par rapport au premier. Orientez la face inclinée des grosses pierres vers l'intérieur.

5. Montez le mur un rang à la fois. Chaque rang devrait servir de base stable au rang suivant. Introduisez de petites pierres pour stabiliser les grosses et pour combler les vides.

6. Gardez les pierres les plus larges et les plus plates pour le couronnement. Pour protéger le mur contre le gel, posez les pierres du couronnement sur un lit de mortier (p. 182).

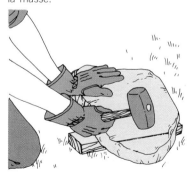

Avant de tailler une dalle, tracez la ligne de coupe des deux côtés. Mettez la pierre sur une pièce de 2 x 4, la ligne de coupe débordant de 1 po. À petits coups, ôtez le surplus.

181

Maçonnerie / Murs de pierres maçonnées

Contrairement aux murs de pierres sèches, qui ont une relative souplesse et suivent les mouvements du sol, les murs de pierres maçonnées sont rigides. Pour éviter le fissurage causé par le soulèvement du sol en hiver, il faut une semelle de béton, de préférence renforcée (p. 158), dont la base repose sous la ligne de gel, sur de la pierre concassée ou de la terre compactée.

La semelle d'un mur de pierre a d'ordinaire 6 po (15 cm) d'épaisseur et 12 po (30 cm) de plus que la largeur de la base du mur. Consultez les règlements municipaux pour connaître les exigences de construction d'un mur de ce type.

On construit les murs maçonnés de la même façon que les murs de pierres sèches (p. 181), les plus grosses pierres à la base, les plus larges et les plus plates au sommet et les petites au centre. Posez chaque pierre de façon que sa surface s'incline vers l'intérieur. Décalez les joints verticaux et posez chaque pierre sur au moins deux pierres. Mettez des pierres de liaison à intervalles réguliers, à chaque rang.

Les murs de pierres maçonnées peuvent être verticaux ou légèrement inclinés (1/2 po [1 cm] par pied [30 cm] de hauteur). Pour les murs de plus de 3 pi (0,9 m), consultez les règlements municipaux.

On utilise ordinairement un mortier composé de 1 partie de ciment portland et de 3 ou 4 parties de sable, plus épais que celui que l'on prépare pour la brique. Les pierres doivent être propres et sèches avant d'être posées dans le mortier.

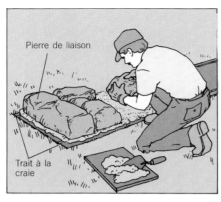

Pierre de liaison

Trait à la craie

1. Sur la semelle, délimitez le mur. Posez un premier rang à sec, après avoir mis des pierres de liaison aux extrémités, puis tous les 4 pi. En commençant à une extrémité, ôtez les pierres et posez-les dans 2 po de mortier. Avec une truelle, poussez le mortier dans les joints verticaux. Remplissez le centre du mur.

2 x 4 servant d'appui

Coin

3. Pour empêcher les grosses pierres d'écraser le mortier, introduisez dans les joints des coins de bois. Le mortier durci, ôtez les coins et bouchez les trous. Utilisez une pièce de 2 x 2 pour retenir les grosses pierres irrégulières jusqu'à ce que le mortier durcisse. N'ajoutez pas plus de 2 pi par jour à la hauteur.

2. Montez le mur un rang à la fois ; servez-vous de cordeaux comme guides. Chaque pierre doit chevaucher au moins deux pierres. Faites un essai à sec. Choisissez des pierres qui s'imbriquent ; remplissez les vides de petite pierre et de mortier. Vérifiez l'alignement, l'aplomb et l'inclinaison.

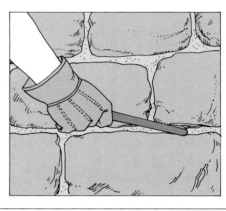

4. À mesure que vous montez le mur, raclez le surplus de mortier ; essuyez les pierres avec une éponge mouillée. Quand le mortier retient l'empreinte du pouce (après environ 30 minutes), façonnez-le avec un bâton ou un fer à joint. Avec une brosse à poils rigides, adoucissez les joints et enlevez le mortier sur la pierre.

Parement de pierre

On imitera facilement et à peu de frais un mur de pierre en posant un parement de pierres naturelles ou synthétiques sur un mur de blocs renforcé (p. 177-179). Reposant sur la semelle même du mur, les pierres sont maçonnées, les plus grosses à la base, joints verticaux décalés. Les attaches (p. 172), mises tous les 2 pi (60 cm) à l'horizontale et décalées d'un rang à l'autre, renforcent la liaison entre le parement et le mur.

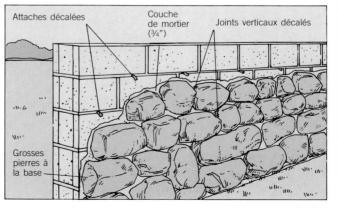

Attaches décalées

Couche de mortier (3/4")

Joints verticaux décalés

Grosses pierres à la base

Fixez les attaches au mur de blocs avec des fixations à maçonnerie (p. 86-87) ou introduisez les attaches dans le mortier à mesure que vous montez le mur. Avec un plâtroir métallique (p. 147), étalez une couche de mortier de 3/4 po d'épaisseur. Posez les pierres de parement, en repliant les attaches dans les joints.

Murs de soutènement

Conçus pour retenir le sol sur un terrain en pente, les murs de soutènement freinent l'érosion et permettent d'aménager des terrasses. Comme ils doivent résister à la pression du sol et de l'eau, leur construction est rigoureusement réglementée par les municipalités. Obtenez les permis nécessaires.

Les murs de soutènement sont en béton, en blocs de béton, en brique, en traverses de bois traité ou en pierres (sèches ou maçonnées). Les plus simples sont en pierres « liées » par de la terre, technique qui remonte à l'Empire romain. La première étape, dans la construction d'un mur de ce type, consiste à dégager, dans une pente, une terrasse dont la paroi verticale s'incline légèrement dans le sens de la pente. Si le mur doit avoir plus de 3 pi (0,9 m) de hauteur, creusez une tranchée à fond plat. Posez le premier rang de pierres en laissant 6 po (15 cm) entre le mur et la paroi derrière. Le premier rang posé, comblez l'espace avec de la pierre concassée pour assurer le drainage, tassez de la terre dans les joints et recouvrez les pierres d'une couche de terre bien tassée.

À mesure que vous montez le mur, décalez les joints verticaux, recouvrez de terre chaque rang et comblez l'espace à l'arrière avec de la pierre concassée. Disposez chaque rang de façon que le mur s'incline de 2 po (5 cm) au pied (30 cm). Pour un coup d'œil intéressant, coiffez le mur d'une motte gazonnée et plantez de la végétation dans les joints.

Le mur de soutènement en pierres maçonnées (à droite) repose sur une semelle de béton sous la ligne de gel. On le construit comme le mur de la page 182, sauf que sa façade doit s'incliner de 1 po (2,5 cm) au pied (30 cm). Qu'il soit en pierre, en béton ou en brique, le mur de soutènement exige un bon drainage. Derrière, laissez toujours un espace de 1 pi (30 cm) que vous remplirez de pierraille et de pierre concassée.

Pour que l'eau souterraine puisse s'écouler, prévoyez des chantepleures tous les 2 pi (60 cm) à la base du mur. Entre les deux premiers rangs, mettez du tuyau de plastique faisant toute l'épaisseur du mur et ayant une pente vers l'avant.

Laissez durcir le mortier 48 heures. Installez derrière un drain perforé de 4 po (10 cm) à 6 po (15 cm) sous le niveau du sol ; recouvrez-le d'au moins 1 pi (30 cm) de pierraille. Recouvrez la pierraille d'une pellicule géotextile ; remplissez de pierre concassée et couvrez le tout de 15 po (40 cm) de bonne terre.

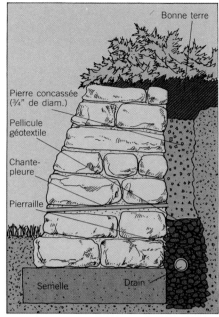

Un bon drainage assure la stabilité d'un mur de soutènement en pierres maçonnées.

Déplacement de gros blocs

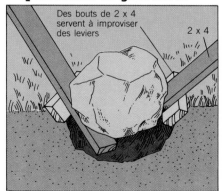

Deux 2 x 4 forment des leviers permettant de déloger un bloc. Dégagez le bloc au pic et à la pelle ; soulevez-le avec un 2 x 4, puis avec l'autre, jusqu'à ce que l'un des deux lui serve de rampe permettant de le sortir.

Déplacez un gros bloc sur une courte distance à l'aide d'une chaîne robuste retenue à un véhicule ou à un treuil. Après y avoir attaché la chaîne, faites basculer le bloc. La traction l'empêchera de s'enfoncer.

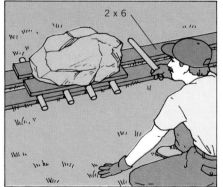

Deux 2 x 6 posés sur quelques rouleaux permettront de déplacer un gros bloc sur une courte distance. À mesure que l'ensemble avance, prenez le dernier rouleau et mettez-le en premier.

Pour placer un gros bloc au haut d'un mur en construction, faites-le rouler sur de longues planches formant un plan incliné. Glissez dessous des coins de bois pour l'empêcher de revenir sur lui-même.

183

Maçonnerie / Construction d'un patio

Choisissez les matériaux du patio en fonction du style de votre maison. Les dalles de béton sont les moins chères, l'ardoise et les tuiles parmi les plus chères. Quant aux tuiles de céramique, elles ont diverses textures et se présentent dans toute une gamme de couleurs ; elles coûtent cher et sont très glissantes quand elles sont mouillées. Un patio ne durera que le temps de sa base. Pour aménager un patio simple, il suffit de poser les dalles à même le sol. Un lit de sable, ou de pierre concassée et de sable (p. 173), constituera aussi une base souple. Mais les dalles posées sur le sable sont soumises au soulèvement par le gel et devront être mises de niveau tous les printemps. Le dallage sur base de béton est le plus durable, mais il coûte cher et exige qu'on prenne le temps de bien le faire.

L'une des bases courantes consiste en 4 po (10 cm) de pierre concassée bien tassée, couverte de 1/2 po (1,2 cm) de farine de pierre non tassée sur laquelle on pose ensuite des pavés ou des dalles. On y verse du sable qu'on balaie vers les interstices pour les remplir. Un papier asphalté étendu sur la farine de pierre inhibera la croissance de mousses entre des pavés d'argile. Une autre possibilité allie la souplesse du lit de sable à la permanence de la maçonnerie. Sur une base constituée de 3 à 6 po (de 8 à 15 cm) de pierre concassée, on verse 3 po (8 cm) de mortier sec (cinq sacs de ciment portland par verge cube de sable à maçonnerie) sur lequel on pose les pavés. On remplit les joints du même mélange et on mouille la surface pour faire prendre le mortier.

Planification du patio. Faites une esquisse sur papier quadrillé. Prévoyez des joints de 1/2 po (1,2 cm) entre les dalles ou les pavés. Prévoyez aussi au moins 18 po (45 cm) entre la maison et le patio où aménager une plate-bande, et un espace où planter un arbre. Pour assurer un bon drainage, donnez au

Matériaux de dallage

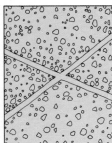

Les dalles à agrégats exposés sont constituées de cailloux noyés dans le béton. On les achète en formats divers dans les centres de jardinage et de bricolage. On les pose sur un lit de sable ou de mortier.

Les pavés font des patios résistants. Comme les briques, on les pose sur une couche de farine de pierre reposant elle-même sur un lit de sable ou de gravier. Ils s'imbriquent les uns dans les autres et risquent peu de se déplacer.

Les dalles irrégulières coûtent moins cher que les régulières illustrées ci-contre. Elles sont cependant plus difficiles à poser et risquent d'être moins résistantes. On les pose à même le sol ou dans le mortier.

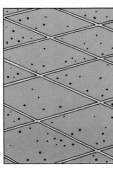

Les dalles de béton peuvent peser jusqu'à 80 lb chacune. On les pose sur le sable ou sur un lit de gravier couvert de farine de pierre ; on remplit les interstices de sable. On ne doit pas les utiliser dans une entrée de garage.

Trottoirs 152-153
Briques et mortiers 162-163
Ouvrages en pierre 180-181

patio une pente qui s'éloigne de la maison. Aplanissez le terrain : délimitez le patio avec un cordeau relié aux quatre coins à des piquets ; suspendez-y un niveau (p. 47) et ajustez le cordeau jusqu'à ce qu'il soit de niveau. Abaissez ensuite le cordeau (de ¼ po [6 mm] au pied [30 cm] dans le sens de la largeur)

sur les piquets les plus éloignés de la maison. Ainsi, un patio de 12 pi (3,7 m) aura une dénivellation de 3 po (8 cm).

Commande des matériaux. Consultez les Pages Jaunes pour connaître les fournisseurs de pierres, de briques et d'autres matériaux de maçonnerie. Laissez au

fournisseur le soin de calculer le nombre de briques, pavés, dalles ou pierres nécessaire. Calculez la superficie de votre patio et le volume nécessaire de pierre concassée, de sable ou de mélange sec (voyez les formules à la page 148).

Avant de faire livrer les matériaux, libérez un espace près du

chantier. Si le camion peut se rendre jusqu'à l'emplacement (déjà prêt) du futur patio, demandez au chauffeur d'y décharger directement la pierre concassée. Protégez le gazon avec des feuilles de plastique si l'on doit y décharger du sable ou de la pierre. Ne vous attaquez pas seul à ce projet.

Dallage de patio posé dans le mortier sec

1. Délimitez le patio ; assurez-vous qu'il est parallèle à la maison ; vérifiez-en les coins à l'équerre. Mettez le cordeau de niveau ; abaissez-le sur les deux piquets les plus éloignés de la maison (voir texte).

2. Creusez sur une profondeur de 8 à 11 po (de 3 à 6 po pour le gravier, 3 po pour le mortier, 2 po pour les pavés). Ameublissez un sol dur avec une pioche. Mettez la terre dans une brouette pour la transporter ailleurs.

3. Versez de 3 à 6 po de pierre concassée et étendez-la uniformément au râteau. Vérifiez-en l'épaisseur en plusieurs endroits ; une fois nivelée, la surface devrait se trouver à 5 po sous le niveau du sol.

4. Remplissez de sable à maçonnerie une brouette de 3 pi³ et ajoutez-y la moitié d'un sac de ciment. Mélangez. Étendez 3 po de ce mélange sec sur la pierre concassée ; nivelez-le au râteau.

5. Mettez en place les lourdes dalles : pour les déplacer, roulez-les sur le chant, à la verticale, d'un coin à un autre, jusqu'à l'endroit voulu. Alignez-les sur le cordeau et laissez-les tomber sur le mélange sec.

6. Couchez un 2 x 4 sur la dalle ; vérifiez si elle est de niveau. Pour la mettre de niveau ou pour la stabiliser, frappez doucement sur un 1 x 1 (jamais sur la pierre elle-même). Tassez le mélange sec tout le tour.

7. Après avoir posé une première rangée, plantez des piquets à chaque extrémité et tendez un cordeau de l'un à l'autre de façon qu'il touche la surface des dalles. Voyez si la surface est égale.

8. Avec une truelle de briqueteur (p. 164), remplissez les joints de mélange sec et tassez-le. Enlevez au balai le surplus de mortier pour éviter qu'il ne tache les dalles. Arrosez doucement le patio pour que le mortier prenne.

Maçonnerie / Nettoyage du béton, de la brique et de la pierre

Les surfaces de béton ou de maçonnerie exigent peu d'entretien. Les efflorescences qui apparaîtront sur les constructions neuves sont des dépôts poudreux qui s'enlèvent bien à la brosse ou à l'eau (p. 174). Les taches de mortier sur la brique ou les blocs de béton se lavent à l'acide chlorhydrique à faible concentration.

Le moyen le plus sûr de nettoyer de vieilles constructions est à l'eau avec une brosse à poils rigides. Si cela ne suffit pas, ajoutez à l'eau un détergent doux. N'employez pas de brosses d'acier : elles égratignent et pourraient laisser des taches de rouille. Sur une surface très sale, prenez les grands moyens : faites nettoyer à la vapeur, au jet d'eau ou au jet de sable.

De nombreux produits chimiques enlèvent la saleté et les taches. Ils se présentent sous forme liquide et s'appliquent au pinceau, à la brosse ou au vaporisateur. Dans certains cas, les agents nettoyants sont mélangés à un matériau inerte et absorbant (talc, argile, blanc d'Espagne, etc.) et appliqués en pâte sur les taches.

▶**ATTENTION !** Les produits de nettoyage sont corrosifs et toxiques ; les solvants sont explosifs en mélange. Soyez prudent. Conformez-vous toujours au mode d'emploi. Portez des gants de caoutchouc et des lunettes de protection. Aérez, si vous travaillez à l'intérieur. Faites l'essai du produit sur une surface peu apparente. Saturez d'eau la surface avant et après l'application du produit. Couvrez portes et fenêtres. N'utilisez aucun produit à base d'acide sur la pierre ou sur la brique de couleur.

Détachage des blocs et du béton
• **Bitume (asphalte, goudron).** Raclez le bitume (mettez de la glace sèche sur le goudron mou pour qu'il se détache). Frottez la tache avec de la poudre à récurer ordinaire et de l'eau. Rincez. Si la tache est profonde, appliquez-y une pâte composée de talc ou de blanc d'Espagne et de kérosène ou de diluant à peinture. La pâte séchée, enlevez-la avec une brosse à poils rigides. Frottez avec de la poudre à récurer ; rincez bien.
• **Cuivre ou bronze.** Mélangez 1 partie d'ammoniaque liquide à 4 parties de talc ou de blanc d'Espagne ; ajoutez assez d'ammoniaque pour faire une pâte épaisse. Appliquez la pâte sur la tache. La pâte séchée, enlevez-la à la brosse. Rincez.
• **Fumée.** Frottez avec de la poudre à récurer et rincez. Couvrez les taches persistantes d'une pâte composée de talc ou de blanc d'Espagne et d'eau de Javel ordinaire. Puis, rincez.
• **Gomme à mâcher.** Raclez-la. Appliquez une pâte composée d'alcool dénaturé et de talc ou de blanc d'Espagne. La pâte séchée, enlevez-la avec une brosse à poils rigides. Frottez avec de la poudre à récurer ; rincez.
• **Graffiti.** Utilisez un décapant à peinture.
• **Huile et graisse.** Raclez le surplus. Frottez avec de la poudre à récurer ou un détergent à maçonnerie. Rincez bien. Si la tache paraît encore, utilisez un dégraissant du commerce ou un émulsif (vendu chez les marchands d'accessoires d'automobiles et les fournisseurs spécialisés).
• **Moisissure.** Avec une brosse douce, appliquez une solution composée de 1 oz de savon à lessive, 3 oz de phosphate trisodique, 1 pinte d'eau de Javel et 3 pintes d'eau. Rincez.

• **Peinture (fraîche).** Absorbez la peinture avec un linge doux ou du papier essuie-tout ; essayez de ne pas l'étendre. Frottez avec de la poudre à récurer et de l'eau. Attendez trois jours ; traitez comme la peinture sèche (ci-dessous).
• **Peinture (sèche).** Raclez tout le surplus possible. Utilisez un décapant du commerce, en suivant le mode d'emploi. Frottez tout résidu avec de la poudre à récurer et de l'eau. Si la couleur a pénétré la surface, essayez de la faire disparaître avec une faible solution d'acide chlorhydrique (voir *Taches de mortier,* ci-dessous).
• **Rouille.** Brossez avec une solution composée de 1 lb d'acide oxalique en cristaux et de 1 gal d'eau. Laissez agir trois heures ; frottez et rincez.
• **Taches de mortier.** Même traitement que pour la brique.

Détachage de la brique
• **Bitume.** Même traitement que pour le béton.
• **Cuivre ou bronze.** Même traitement que pour le béton.
• **Fumée.** Même traitement que pour le béton.
• **Graffiti.** Même traitement que pour le béton.
• **Huile et graisse.** Même traitement que pour le béton.
• **Mousse.** Utilisez un herbicide du commerce en suivant le mode d'emploi. Pour enlever les taches résiduelles, ayez recours au traitement recommandé ci-dessus contre la moisissure du béton.
• **Peinture.** Même traitement que pour le béton.
• **Rouille.** Même traitement que pour le béton.
• **Taches brunes.** Elles apparaissent quand la brique renfermant des agents colorants à base de bioxyde de manganèse est nettoyée avec une solution acide. Mouillez à l'eau ; avec une brosse, appliquez une solution composée de 1 partie d'acide acétique, de 1 partie de peroxyde d'hydrogène et de 6 parties d'eau. La réaction terminée, arrosez la surface.
ATTENTION ! Cette solution est dangereuse. Mélangez et manipulez avec prudence. Portez des lunettes et des vêtements protecteurs. Aérez. Au lieu d'utiliser des produits à base d'aci-

de, utilisez ceux qui sont conçus pour nettoyer la brique renfermant du manganèse ; suivez le mode d'emploi.
• **Taches vertes.** Les sels de vanadium qui entrent dans la composition de certaines briques occasionnent parfois des efflorescences jaunes ou vertes, surtout après nettoyage avec une solution acide. Mouillez la surface à l'eau. Appliquez à la brosse une solution composée de ½ lb d'hydrate de soude par pinte d'eau. Laissez agir deux ou trois jours ; rincez bien.
ATTENTION ! L'hydrate de soude est un composé caustique et toxique. Soyez prudent. Les fournisseurs spécialisés en maçonnerie vendent des produits conçus pour enlever les taches vertes ; suivez le mode d'emploi.

• **Taches de mortier.** Finissez les joints dès qu'ils gardent l'empreinte du pouce et brossez la brique dès que le mortier est sec. Au bout d'environ une semaine, enlevez les grosses particules avec un grattoir non métallique. Pour laver les taches, préparez une solution composée de 1 partie d'acide chlorhydrique à 10 % et de 9 parties d'eau. Ajoutez l'acide à l'eau dans un contenant non métallique. Ne faites jamais l'inverse. Saturez d'eau la surface à nettoyer ; appliquez la solution au pinceau. Laissez agir de 5 à 10 min ; rincez généreusement.

Nettoyage de la pierre
• **Ardoise.** Lavez avec un savon à lessive liquide, doux et sans phosphates. Rincez ; polissez avec de la poudre de ponce.
• **Calcaire et grès.** Frottez avec une brosse à poils rigides et de l'eau. N'utilisez aucun savon.
• **Granit.** Lavez avec un savon à lessive liquide, doux et sans phosphates. Rincez ; essuyez ; polissez avec un chamois.
• **Marbre.** Enlevez les taches rebelles avec du borax sec et un linge humide ; rincez à l'eau chaude et essuyez. Enlevez l'huile ou la graisse avec une pâte composée de talc ou de blanc d'Espagne et d'acétone (produit qui enlève le vernis à ongles). Laissez agir la pâte toute une nuit ; enlevez-la avec une éponge et polissez.
• **Pierre synthétique.** Essayez un savon à lessive liquide, doux et sans phosphates. En cas d'échec, frottez avec de la poudre de ponce moyennement fine ; rincez généreusement.

Votre maison

Charpentes et travaux de rénovation

Si l'on voulait faire un rapprochement entre une maison et le corps humain, on dirait que la partie visible, l'« épiderme », recouvre un « squelette », c'est-à-dire une structure, ossature ou charpente, que masquent des planchers ou des éléments de revêtement (placoplâtre, plâtre ou panneaux de bois). Entre l'épiderme et l'ossature circulent, un peu à la façon des vaisseaux sanguins, des tuyaux, des câbles et des fils protégés des températures extérieures par un isolant.

Avant d'entreprendre des travaux destinés à retoucher la structure, vous devez savoir ce que cachent les murs, les planchers et les plafonds. Le présent chapitre est précisément conçu pour vous guider. Il renferme aussi des conseils d'ordre général sur la planification et le financement des travaux et sur le choix d'un entrepreneur. Il conclut avec une série de trucs qui vous permettront d'adapter votre maison aux besoins de personnes âgées ou handicapées.

Charpente à plate-forme

La charpente à plate-forme, en bois et très courante, est un système dans lequel les solives de plancher d'un étage reposent sur la sablière de l'étage inférieur. Les murs (montants, lisses et plaques) s'appuient sur le sous-plancher et sont assemblés avant d'être mis en place.

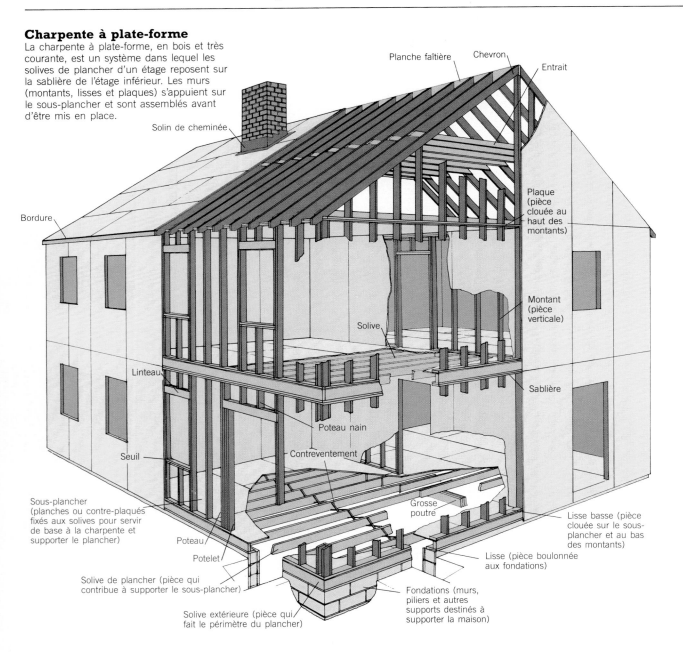

Planche faîtière

Chevron

Entrait

Solin de cheminée

Bordure

Plaque (pièce clouée au haut des montants)

Montant (pièce verticale)

Solive

Linteau

Sablière

Poteau nain

Seuil

Contreventement

Sous-plancher (planches ou contre-plaqués fixés aux solives pour servir de base à la charpente et supporter le plancher)

Grosse poutre

Poteau

Potelet

Lisse basse (pièce clouée sur le sous-plancher et au bas des montants)

Lisse (pièce boulonnée aux fondations)

Solive de plancher (pièce qui contribue à supporter le sous-plancher)

Fondations (murs, piliers et autres supports destinés à supporter la maison)

Solive extérieure (pièce qui fait le périmètre du plancher)

Avant d'entreprendre des travaux, et même si vous ne touchez pas la structure, vous devez connaître votre maison. Ainsi, avant de pratiquer une ouverture dans un mur, ne serait-ce que pour installer une boîte d'interrupteur, vous devez savoir ce qu'il renferme.

Il existe divers types de charpentes (structures ou ossatures), en bois tendre pour la plupart, mais aussi en acier. Les maisons de brique, de pierre ou de blocs de béton n'ont pas vraiment d'ossature, mais leurs murs sont renforcés à l'aide de pièces d'armature.

La dimension des matériaux est régie par le code du bâtiment. Avant de remplacer des éléments structuraux ou d'en ajouter, renseignez-vous auprès de votre municipalité (p. 193).

Charpente à plate-forme. Dans ce type de charpente, qui est le plus courant, le sous-plancher du rez-de-chaussée s'appuie sur toute l'épaisseur des fondations et forme la base sur laquelle reposent les murs. L'ossature est principalement constituée de pièces de 2 x 4 (38 x 89 mm), de 2 x 6 (38 x 140 mm) et d'autres pièces plus larges, qui servent de montants, de poteaux, de solives et de plaques (voir l'illustration, à gauche).

Ossature à claire-voie. Beaucoup de maisons construites entre 1830 et 1950 sont dotées de ce type d'ossature. Les murs sont cloués à des montants de 2 x 4 (38 x 89 mm) qui font toute la hauteur de la charpente, de la lisse à la plaque du toit, quel que soit le nombre d'étages. À chaque étage, à mi-chemin entre les planchers et entre les solives, à leurs extrémités, des coupe-feu en bois de même largeur et de même épaisseur que les montants empêchent les espaces libres d'alimenter le feu en cas d'incendie. Les longues pièces de bois nécessaires à ce type d'ossature sont devenues rares et coûteuses : c'est pourquoi on ne construit à peu près plus de maisons de ce type.

Charpente à poteaux et à poutres. Ce type de charpente, encore plus ancien que le précédent, est revenu à la mode parce qu'il permet de créer de grandes aires ouvertes. Les poutres horizontales, qui supportent les sous-planchers et le toit, sont retenues à des poteaux verticaux par un assemblage à tenons et à mortaises (p. 104-105) ou par un autre mode d'assemblage également robuste.

Autres types de charpentes. Comme dans le cas précédent, l'ossature d'acier, dont les éléments sont soudés ou boulonnés, est assez robuste pour à la fois permettre d'aménager dans la maison de grandes aires ouvertes et supporter de lourdes masses, par exemple un mur de béton. Les constructions en blocs de béton ou en brique n'ont pas d'ossature. Les murs en blocs de béton sont d'habitude armés de barres d'acier. Pour les maisons préfabriquées, c'est sur le revêtement extérieur, les cloisons, les poteaux et les montants, ainsi que sur la nature des matériaux (aggloméré, planche, bois brut) que repose la robustesse de la charpente.

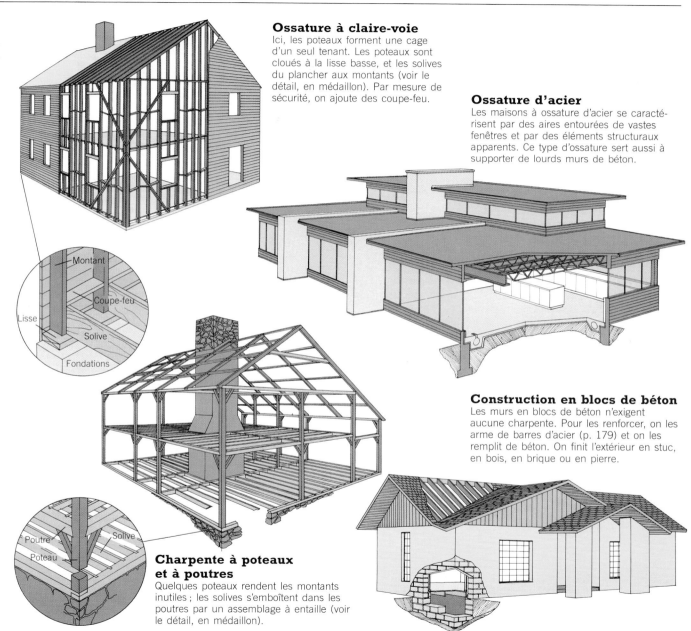

Ossature à claire-voie
Ici, les poteaux forment une cage d'un seul tenant. Les poteaux sont cloués à la lisse basse, et les solives du plancher aux montants (voir le détail, en médaillon). Par mesure de sécurité, on ajoute des coupe-feu.

Ossature d'acier
Les maisons à ossature d'acier se caractérisent par des aires entourées de vastes fenêtres et par des éléments structuraux apparents. Ce type d'ossature sert aussi à supporter de lourds murs de béton.

Construction en blocs de béton
Les murs en blocs de béton n'exigent aucune charpente. Pour les renforcer, on les arme de barres d'acier (p. 179) et on les remplit de béton. On finit l'extérieur en stuc, en bois, en brique ou en pierre.

Charpente à poteaux et à poutres
Quelques poteaux rendent les montants inutiles ; les solives s'emboîtent dans les poutres par un assemblage à entaille (voir le détail, en médaillon).

Votre maison / Murs extérieurs

Le parement ne constitue que la partie visible d'un mur. En bois, en vinyle, en aluminium, en bardeau, en brique, en pierre ou en stuc, il masque sans doute un revêtement de contre-plaqué recouvert de papier de construction.

Dans la plupart des cas (surtout dans celui des maisons neuves), les murs extérieurs sont isolés. Il peut y avoir, entre les montants, un isolant en matelas, fixé ou non ; ou encore, dans les vides, de l'isolant soufflé ou vaporisé qu'on aura ajouté après la construction.

Maisons hyperisolées. Certaines maisons sont très isolées, ce qui réduit le coût du chauffage ou de la climatisation. Sur le plan structural, elles se distinguent des maisons standard, car elles sont conçues pour garder la chaleur en dedans l'hiver et dehors l'été. En général, elles comportent non seulement des matelas d'isolant entre les montants, mais aussi de l'isolant rigide derrière les montants et jusqu'aux fondations. Il existe aussi des murs préfabriqués que l'on installe tels quels ; tout y est prévu pour que puissent passer les fils électriques et les tuyaux.

Avant de poser le placoplâtre, on recouvre normalement les montants et les matelas d'un pare-vapeur. Le pare-vapeur est une membrane

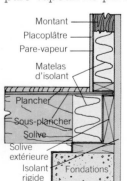

de plastique qui coupe l'air et empêche l'humidité de s'attaquer à la structure. Si vous habitez une maison hyperisolée, ne percez surtout pas les murs : vous risqueriez alors d'endommager le pare-vapeur et d'en perdre tous les avantages. Les maisons hyperisolées étant très hermétiques, elles doivent souvent être dotées d'un système de ventilation (p. 463) qui permet d'éliminer le surplus d'humidité et les polluants (fumée de cigarette, gaz de la cuisinière, ou autres).

Bardeaux — cèdre et autres bois

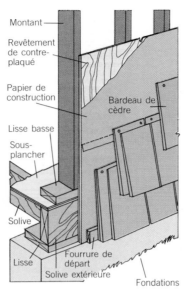

À peu près tous les bardeaux de bois, y compris les bardeaux de fente (fendus dans le sens du grain du bois et non sciés) et même les bardeaux d'asphalte, peuvent servir de parement. Clouez d'abord aux montants un revêtement de contre-plaqué ou de planche de 1 po d'épaisseur, sur lequel vous fixez du papier de construction ou des fourrures. Clouez-y ensuite les bardeaux en rangs chevauchants, simples ou doubles.

Vinyle, aluminium et bois

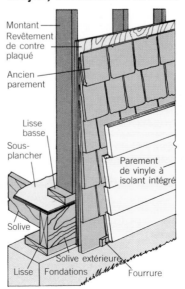

Le vinyle, l'aluminium et le bois ayant de faibles propriétés isolantes, on y intègre souvent de l'isolant. Ces matériaux, emboîtants ou chevauchants, se clouent sur les montants mêmes. S'ils ne sont pas isolés, installez auparavant des panneaux d'isolant. Vous pourrez aussi couvrir de vinyle, d'aluminium ou de bois un ancien parement (voir l'illustration).

Brique

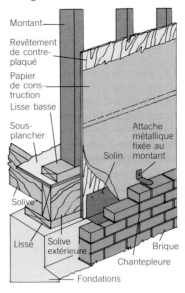

Un mur de brique (environ 4 po d'épaisseur) couvrira une maison à ossature de bois préalablement revêtue de contre-plaqué et de papier de construction. Posez la brique sur le retrait des fondations, à 1 po du revêtement ; ménagez des chantepleures à la base du mur pour évacuer l'eau de condensation. Fixez le parement au revêtement à l'aide d'attaches métalliques espacées de 24 po le long du joint de mortier, tous les quatre ou cinq rangs. Installez un solin au niveau de la lisse.

Stuc

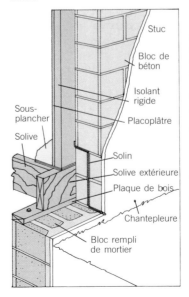

Le stuc, composé de ciment Portland, de chaux et de sable, s'applique en deux ou trois couches sur des blocs de béton. À l'intérieur, posez un isolant rigide derrière le placoplâtre. Au bas du mur, entre l'isolant et les blocs, un solin doit aboutir à l'extérieur ; le mur sera percé de chantepleures pour que s'évacue l'eau de condensation. Si la charpente est en bois, fixez aux montants un revêtement de contre-plaqué recouvert de papier de construction et d'un lattis métallique. Appliquez ensuite trois couches de stuc.

Intérieur

Les murs intérieurs sont d'habitude recouverts de panneaux, de placoplâtre ou de plâtre. Les murs périphériques et ceux qui donnent sur un espace non chauffé, comme un garage, sont probablement isolés.

Les panneaux muraux, placoplâtre ou autres, sont cloués aux montants ou, si le mur est en blocs de béton, aux fourrures qui y sont fixées. Les fourrures créent un espace destiné à empêcher les dommages liés à la condensation.

Plafonds et planchers. Le placoplâtre ou le plâtre recouvrent aussi les plafonds. Au-dessus du plafond situé sous le grenier, il y a parfois un pare-vapeur et de l'isolant. Le contre-plaqué ou les planches cloués aux solives forment le sous-plancher sur lequel on construit ensuite le plancher.

Murs porteurs. Les solives n'étant pas assez longues pour faire toute la largeur d'une maison, on installe une grosse poutre centrale, en bois ou en acier. Les solives, à extrémités chevauchantes ou placées bout à bout, reposent à une extrémité sur cette poutre, et à l'autre sur la lisse. Les murs périphériques ainsi que les cloisons qui se trouvent au-dessus de la poutre (qui sont elles-mêmes surmontées de solives semblablement disposées) supportent la charge de la maison et ne peuvent être enlevés ou modifiés sans que la charge ne soit auparavant déplacée. Confiez ce travail à des spécialistes. Les cloisons et les murs qui ne sont pas porteurs peuvent être abattus sans que la structure en soit affaiblie.

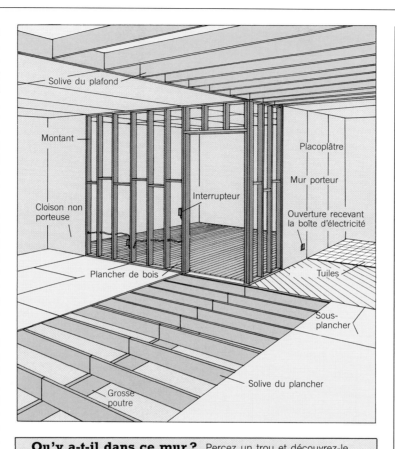

Solive du plafond

Montant

Placoplâtre

Mur porteur

Cloison non porteuse

Interrupteur

Ouverture recevant la boîte d'électricité

Plancher de bois

Tuiles

Sous-plancher

Solive du plancher

Grosse poutre

Qu'y a-t-il dans ce mur ? Percez un trou et découvrez-le.

Vide ou résistance	Débris	Matériau
Vide	Poussière blanche	Plâtre ou placoplâtre
Quelque résistance	Poussière blanche, puis grise	Plâtre sur lattes de bois
Résistance	Poussière blanche	Épaisse couche de plâtre
Résistance moyenne	Petits copeaux de bois	Montant de bois
Grande résistance	Rognures argentées	Montant de métal
Très grande résistance	Poussière gris-brun	Béton ou bloc de béton
Grande résistance	Poussière rouge	Brique ou tuile
Résistance moyenne	Poussière grise	Mortier

Repérage des montants

Vous effectuez des réparations ? Vous voulez suspendre un grand tableau ? Quoi qu'il en soit, vous devrez auparavant repérer, dans le mur, un des montants. Frappez légèrement le mur, avec les doigts ou un marteau entouré d'un chiffon, et laissez-vous guider au son, ou encore cherchez les marques de clous sur le mur.

Le détecteur électronique, moyen plus sûr encore, évalue les changements de densité du mur. Appuyez sur le bouton et déplacez le détecteur jusqu'à ce que sa lumière clignote. Marquez au crayon la largeur du montant et mesurez pour en déterminer le centre.

Détecteur

Le détecteur magnétique repère bien les clous qui retiennent aux montants le placoplâtre ou d'autres panneaux ; mais il repère aussi les câbles à gaines métalliques et les tuyaux galvanisés. Dernière méthode : percez obliquement un petit trou et introduisez-y un fil de métal (un cintre redressé, par exemple) jusqu'à ce qu'il touche un montant. Il suffit de repérer un montant pour repérer tous les autres, car ils sont espacés de 16 ou 24 po (40 ou 60 cm) ; ils sont doubles près des portes, des fenêtres ou d'une cloison.

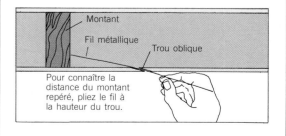

Montant

Fil métallique

Trou oblique

Pour connaître la distance du montant repéré, pliez le fil à la hauteur du trou.

Il y a des toits plats et des toits en pente. Le plus commun est le *toit en pignon* dont les deux pentes vont du faîte aux murs les plus longs. On appelle pignons les triangles qu'il forme sur deux côtés. Ce type de toit est souvent orné de lucarnes, qui favorisent l'aération et laissent entrer la lumière. Le *toit en croupe* a quatre pentes et le *toit plat* se termine en porte-à-faux. Les autres toits sont des variantes de ces trois types.

Toit en pignon. Dans un toit en pignon, les éléments principaux, les *chevrons,* sont, à leur extrémité supérieure, taillés en diagonale ; ils s'adaptent à la *poutre faîtière,* qui couvre toute la longueur du toit. Leur extrémité inférieure, en-

taillée, s'adapte à la sablière. Sous le faîte, les *entraits retroussés* servent d'appui intermédiaire aux chevrons opposés.

On fixe ensuite aux chevrons un revêtement (contre-plaqué, panneau d'aggloméré ou planche embouvetée) qu'on recouvre partiellement d'un feutre saturé d'asphalte et d'une membrane de polyéthylène. Le feutre et le polyéthylène débordent d'au moins 39 po (1 m) sur l'avant-toit. Puis, on couvre le toit de bardeaux d'asphalte ou d'un autre matériau. En climat humide ou froid, on a avantage à monter les bardeaux de cèdre sur un revêtement de planches pourvu, aux joints, d'un solin de métal afin d'arrêter l'eau.

Toit plat. Ce type de toit se caractérise par l'absence de chevrons. À leur place, les solives du plafond du dernier étage, fabriquées avec des 2 x 10 (38 x 235 mm) ou des 2 x 12 (38 x 273 mm), supportent la toiture. Si le toit se termine en surplomb du côté parallèle aux solives, on ajoute des *chevrons en porte-à-faux,* que l'on fixe à une solive doublée ; la distance entre cette solive et le mur extérieur est d'habitude le double de la largeur du bord en surplomb. Dans une charpente à poteaux et à poutres (p. 189) surmontée d'un toit plat, on remplace les solives par des poutres ou des pièces doublées, triplées ou, mieux, renforcées de plaques d'acier.

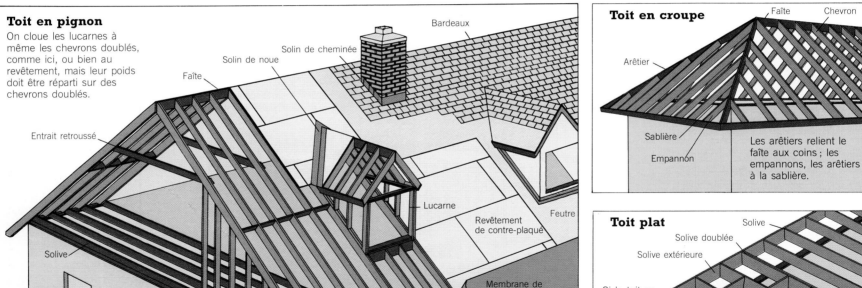

Toit en pignon

On cloue les lucarnes à même les chevrons doublés, comme ici, ou bien au revêtement, mais leur poids doit être réparti sur des chevrons doublés.

Bardeaux

Solin de cheminée

Solin de noue

Faîte

Entrait retroussé

Solive

Montant

Lucarne

Revêtement de contre-plaqué

Feutre

Membrane de polyéthylène

Chevron

Entaille

Sablière

Toit en croupe

Faîte

Chevron

Arêtier

Sablière

Empannón

Les arêtiers relient le faîte aux coins ; les empannons, les arêtiers à la sablière.

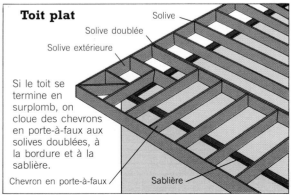

Toit plat

Solive

Solive doublée

Solive extérieure

Si le toit se termine en surplomb, on cloue des chevrons en porte-à-faux aux solives doublées, à la bordure et à la sablière.

Chevron en porte-à-faux

Sablière

Planification des travaux

Rarement y a-t-il des réparations à effectuer dans une maison neuve. Mais vous pourriez avoir envie d'y apporter des améliorations : installer des détecteurs de fumée, par exemple, ou finir le sous-sol ? Une vieille maison, au contraire, a souvent besoin de réparations : une fenêtre se coince, un robinet fuit, les murs se défraîchissent... Quel que soit l'âge de votre maison, vous devez planifier les travaux avant de les entreprendre, calculer combien ils coûteront et prendre la décision de les exécuter vous-même ou de les confier à un spécialiste.

Réparations et entretien. Réparez d'abord tout ce qui risque d'entraîner des dommages (remplacez un carreau brisé, colmatez une fuite dans la toiture). Passez ensuite aux travaux moins urgents. Si vous manquez d'expérience, commencez par les travaux les plus simples.

Quelle que soit votre dextérité, vous trouverez dans les pages qui suivent des solutions simples à la plupart de vos problèmes. Pour trouver rapidement les renseignements qu'il vous faut, consultez la table des matières ou l'index. Reportez-vous aussi aux renvois donnés en haut des pages. Même si le travail est trop complexe pour vous, ces rubriques vous éclaireront, et vous serez mieux en mesure de négocier avec l'entrepreneur.

Pour effectuer des réparations, n'attendez évidemment pas qu'il y ait des dégâts. Un entretien régulier, à l'intérieur (p. 272) comme à l'extérieur (p. 382), vous évitera bien des maux de tête.

Petites améliorations. Une fois terminés tous les travaux de réparation et d'entretien, vous mijoterez sans doute de petits projets : rafraîchir la peinture, remplacer les moquettes ou les tapis, installer de nouveaux robinets, transformer une garde-robe en petite salle de bains ou même remplacer les placards de la cuisine.

Pour vous permettre de planifier vos rénovations, faites le tour de la maison, à l'intérieur comme à l'extérieur, et notez ce que vous voudriez améliorer. Bien sûr, tout ne pourra pas être fait dans l'immédiat, mais, après avoir tout noté, vous serez mieux en mesure de décider des priorités. N'entreprenez qu'une chose à la fois, faites-la à votre propre rythme et prévoyez une pause après chaque projet.

Jusqu'où aller. Parmi les gros travaux qui non seulement feront de votre maison un lieu plus confortable, mais encore lui ajouteront de la valeur, l'on peut mentionner : l'ajout de placards, de comptoirs et de tuiles de céramique dans la cuisine et la salle de bains, la construction d'une terrasse ou d'un patio, l'installation d'un lanterneau, la construction d'un foyer et l'aménagement du sous-sol ou du grenier (pour plus de détails, voir les chapitres qui suivent). Si vous ajoutez une ou deux pièces, assurez-vous que la valeur de votre maison ne sera pas supérieure à la valeur moyenne des maisons de votre quartier. À la vente de votre maison, votre profit sera d'autant plus élevé que vous aurez effectué les travaux vous-même.

Permis et règlements de construction

Certes, il s'agit de votre maison, mais vous ne pouvez pas entreprendre à votre gré n'importe quelle rénovation en vous servant de n'importe quel matériau. Par mesure de sécurité publique (et pour protéger les droits des voisins), les municipalités disposent de règlements relatifs à la construction de maisons neuves et à la réalisation des travaux d'amélioration d'envergure.

Ainsi existe-t-il des règlements de zonage qui limitent les dimensions et la forme des maisons dans un quartier donné et précisent la distance à laquelle elles doivent se trouver de la route ou de la maison voisine. Ils déterminent aussi les lieux propres à l'installation de commerces ou d'entreprises. Dès que les travaux entraînent des changements à la structure, à l'intérieur ou à l'extérieur, vous devez vous procurer un permis. Vous devez aussi savoir que des travaux comme la mise en place de fondations ou d'une charpente et l'installation de la plomberie ou de l'électricité seront vérifiés à diverses étapes par un inspecteur municipal.

D'autres règlements imposent des normes minimales quant aux types de travaux et quant à la qualité et à la résistance des matériaux. En matière de construction, d'électricité et de plomberie, les provinces ont chacune leur propre code qui s'inspire du Code national du bâtiment. Il couvre tous les aspects du travail et précise même les types de clous et le diamètre des fils électriques à utiliser.

La plupart des municipalités adoptent, en tout ou en partie, le code en vigueur dans leur province mais l'adaptent à leurs exigences. Par conséquent, certains détails pourront différer d'une municipalité à l'autre. Et comme le code subit des modifications en fonction des nouveaux matériaux ou des nouvelles normes, renseignez-vous auprès de votre municipalité avant de planifier vos rénovations.

Conformez-vous au code tout en sachant qu'il vous donne les normes minimales de construction : il vise à assurer la sécurité d'un bâtiment. Il ne prescrit pas nécessairement les matériaux les plus efficaces ou les plus résistants. À vous, donc, d'employer de meilleurs matériaux.

Si vous négligez d'obtenir un permis ou de vous conformer aux règlements locaux, vous risquez d'avoir à détruire tout ce que vous avez fait et d'être accusé de délit, avec une amende à payer pour chaque jour où vous vous serez trouvé en infraction.

Ne vous fiez pas à votre seul jugement. Vérifiez toujours, avant de commencer, si les travaux que vous projetez vont nécessiter l'obtention d'un permis.

Votre maison / Aspects financiers

Pour bien évaluer le coût d'un travail, il faut d'abord savoir exactement ce que l'on veut. Ce n'est qu'après que l'on pourra déterminer la nature des travaux, des matériaux et des outils.

Évaluation du coût. Faites d'abord un croquis ou un schéma et notez-y les mesures précises. Vous fondant sur ces données, dressez une liste des matériaux nécessaires et tenez compte de 10 p. 100 de pertes.

Dans le cas d'une cloison, par exemple, vos mesures vous serviront à évaluer le nombre de montants et de plaques nécessaires, et leurs dimensions, ainsi qu'à évaluer le nombre de panneaux de placoplâtre et de clous qu'il vous faudra (p. 80). Votre croquis vous permettra également de savoir combien de prises, d'interrupteurs, de fils et de connecteurs vont être requis pour votre projet. Notez, par ailleurs, tous les outils que vous devrez acheter ou louer et calculez la superficie du mur (la hauteur multipliée par la largeur) pour savoir quelle quantité de peinture acheter (p. 361).

Votre liste doit être complète. Assurez-vous que tous les matériaux ont été énumérés. Notez-en les prix et calculez la somme.

Prix. Surveillez les soldes et notez les prix des divers centres de bricolage, des entreprises de démolition, des marchands de bois et des quincailliers.

Les catalogues sont d'excellents guides quand l'on veut choisir des accessoires ou des éléments décoratifs. Le prix des articles y est souvent moins élevé que chez les marchands locaux. Mais il vaut mieux se procurer les matériaux de base (poutres, montants, planches, panneaux et placoplâtre) chez un marchand de la région.

Matériaux. Familiarisez-vous avec les matériaux de façon à pouvoir bien vous faire comprendre du marchand ou de l'entrepreneur. Les revues de rénovation et de bricolage, comme *Rénovation bricolage,* sont d'excellentes sources de renseignements en matière de nouveautés. Écrivez aux entreprises qui y font leur publicité ; leur documentation vous aidera à évaluer les produits et les matériaux les plus récents.

Dans le domaine de la rénovation, les produits sont de plus en plus conçus pour être utilisés par le bricoleur amateur. Peu coûteux, ils donnent aussi des résultats rapides. Ainsi, les panneaux de préfini s'installent beaucoup plus facilement, et pour moins cher, que les planches qu'il faudra ensuite traiter.

Si vous modernisez votre cuisine ou votre salle de bains, allez voir des salles d'exposition chez les marchands. Les placards, plans de travail et comptoirs à évier intégré qu'ils proposent sont fabriqués en série et coûtent souvent moins cher que si vous les fabriquiez vous-même.

Le financement des rénovations. Pour l'exécution de travaux mineurs, vous serez peut-être en mesure de puiser dans vos économies ou d'étirer votre budget. Mais s'il s'agit de rénovations considérables, vous devrez peut-être négocier un emprunt.

Ordinairement, les banques, sociétés de fiducie et caisses populaires consentent des prêts à la rénovation. Mais on peut également effectuer un emprunt sur sa police d'assurance-vie à un taux intéressant. Le montant de la police est alors diminué du montant emprunté jusqu'à remboursement complet.

Renseignez-vous sur les prêts auxquels vous êtes admissible et choisissez celui qui vous convient. Tenez compte du taux d'intérêt annuel (qui varie d'un établissement à l'autre), mais aussi des frais d'administration, des frais prévus en cas de non-paiement ou de paiement différé, du coût de l'assurance-vie (s'il y a lieu), du montant des versements et de leur nombre.

Les prêts de la SCHL. Par l'intermédiaire de la Société canadienne d'hypothèques et de logement (SCHL), le gouvernement fédéral garantit certains prêts à la rénovation. Dans la plupart des provinces, ces prêts font partie du programme de remise en état des logements. Y sont admissibles les propriétaires à faible revenu et quiconque (propriétaire ou locataire) réaménage un logement en fonction d'une personne handicapée. Ce prêt n'est parfois remboursable qu'en partie.

Autres conditions : le bâtiment doit se trouver sur un territoire déterminé par la SCHL et être dûment enregistré comme ne répondant pas aux normes en vigueur. Un inspecteur de la SCHL évalue les travaux admissibles (la SCHL ne consent de prêts que pour la réalisation de travaux de base : plomberie, chauffage, électricité ou structure) ; il revient inspecter les lieux après les rénovations. Les travaux doivent être effectués conformément aux normes de la SCHL.

Prêts personnels. Si vous êtes solvable, on pourra vous accorder, sur simple signature, un prêt personnel peu élevé. Il est cependant plus probable que vous ayez à mettre des biens en garantie. Les taux d'intérêt d'un prêt personnel sont souvent plus élevés que ceux d'un prêt à la rénovation.

Prêts hypothécaires. Si vous mettez la maison en gage à titre de garantie, envisagez une deuxième hypothèque pour financer vos rénovations. Dans l'ensemble, les taux d'intérêt sont plus élevés sur une deuxième hypothèque que sur une première, mais plus faibles que ceux d'autres types de prêts. Une deuxième hypothèque a normalement un terme de 15 ans. Ensemble, les première et deuxième hypothèques ne dépassent généralement pas 75 p. 100 de la valeur de la maison.

Le prêt sur la valeur nette de la maison est une variante de la deuxième hypothèque. Si vous négligez vos versements, vous risquez la saisie de l'hypothèque et la perte de votre maison. Ce type de prêt se fait à des taux rajustables et se présente comme des blocs de crédit renouvelable, ce qui vous permet de retirer de l'argent au besoin pendant 5 à 10 ans.

Enfin, il est possible de refinancer une première hypothèque. Mais sachez que la plupart des transactions sur hypothèque entraînent des frais de clôture et une réévaluation de votre maison.

Choix de l'entrepreneur

Malgré votre expérience et votre bonne volonté, vous devrez peut-être confier certains gros travaux à un professionnel. Quelle que soit la nature du travail, sachez d'abord exactement ce que vous voulez et notez les étapes à prévoir. Tenez compte de votre aptitude à faire le travail (à l'aide du présent ouvrage) et du temps qu'il vous faudra y consacrer. Supposez, par exemple, que vous êtes capable de rénover votre cuisine, mais que vous ne pourrez le faire que les week-ends : le travail ne sera pas terminé avant des mois. Ne vaudra-t-il pas mieux, dans ces conditions, vous en remettre à un spécialiste ?

Si vous décidez de ne pas faire le travail vous-même, à combien de personnes devrez-vous faire appel ? L'installation d'un évier, par exemple, suppose l'intervention du plombier, mais peut-être aussi du menuisier, du plâtrier et du peintre. Peut-être vous chargerez-vous de la menuiserie ou de la peinture ou des deux ? À vous d'y aller selon vos moyens.

Si vous devez faire appel à plusieurs corps de métier, ayez recours à un entrepreneur. L'entrepreneur compétent connaît bien la construction ; il a l'habitude d'engager de la main-d'œuvre et d'en coordonner le travail. Il se peut qu'il puisse obtenir main-d'œuvre et matériaux à meilleur compte. Il réalise un bénéfice, mais les travaux ne coûtent finalement pas plus cher que si vous les aviez coordonnés vous-même.

Choisir son entrepreneur. Il faut choisir judicieusement son entrepreneur. Fiez-vous aux recommandations d'amis ou de voisins satisfaits et, si possible, demandez-leur de vous laisser voir les travaux exécutés chez eux. À l'aide des questions énumérées dans l'encadré (à droite), faites un premier tri. Rencontrez les candidats retenus, présentez-leur, par écrit, votre projet détaillé et demandez-leur un devis. Étudiez les devis et comparez-les. Si vous relevez de grandes différences de prix, demandez des précisions. N'engagez pas tout de suite l'entrepreneur dont le devis est le plus bas.

Le contrat. Avant de signer un contrat, consultez un avocat. Le contrat doit préciser tout ce que vous attendez de l'entrepreneur et comprendre les garanties et une clause de responsabilité si les travaux ne sont pas conformes aux normes locales de construction. Ne tenez jamais quoi que ce soit pour acquis et ne faites aucune entente verbale.

Le contrat doit stipuler la nature exacte des travaux, leur durée et la nature des matériaux (qualité, quantité, poids, couleur, dimensions et marques, s'il y a lieu). Il doit préciser les dates du début et de la fin des travaux, et tout ce dont l'entrepreneur devra s'occuper, depuis l'obtention du permis jusqu'au nettoyage. Faites aussi inscrire une clause vous mettant à l'abri des réclamations de sous-traitants que l'entrepreneur n'aurait pas payés.

Vérifiez toutes les conditions d'ordre financier. Le premier versement ne devrait pas être supérieur au tiers du total à payer. Le reste devrait être versé à des dates déterminées. Vous n'êtes pas tenu de payer un travail qui n'est pas fini. Par mesure de précaution, retenez un pourcentage (jusqu'à 20 p. 100) du prix total jusqu'à ce que les travaux soient terminés et aient été inspectés.

Dernières considérations. Surveillez les travaux au fur et à mesure qu'ils avancent. N'apportez pas de modifications au projet initial : dans certains cas, cela pourrait vous coûter très cher. Par exemple, vous demandez à l'entrepreneur d'installer un compresseur à déchets, mais vous n'êtes pas au courant des travaux d'électricité que cette installation implique : votre budget de dépenses risque de tripler. Avant d'apporter des modifications au projet initial, faites-vous expliquer par l'entrepreneur la nature et le coût des travaux supplémentaires qu'elles entraîneront. Ajoutez le tout en détail au contrat.

N'effectuez le dernier versement qu'une fois les travaux terminés. Si les règlements exigent une inspection, retenez le versement jusqu'après l'inspection.

Engager un entrepreneur

Vous voulez être à l'abri de toute déconvenue ? Quelques vérifications s'imposent :

- Cet entrepreneur détient-il un permis en bonne et due forme ?
- A-t-il une véritable adresse et pas seulement un numéro de casier postal ?
- Depuis combien de temps pratique-t-il le métier ? (D'après les statistiques, la plupart des nouveaux entrepreneurs ne restent pas en affaires plus de trois ans.)
- A-t-il fait l'objet de plaintes auprès de l'Office de la protection du consommateur ? (À vous de vous renseigner.)
- Est-il prêt à vous donner le nom de clients satisfaits ?
- Est-il prêt à vous montrer une copie de ses polices d'assurance, y compris sa police d'assurance-responsabilité ?
- Une compagnie de cautionnement ferait-elle face à ses obligations en cas d'incapacité de terminer les travaux ?
- L'entrepreneur connaît-il les normes et règlements locaux de construction ? S'occupera-t-il lui-même d'obtenir les permis ? Vous en donnera-t-il copie ?
- Est-il prêt à garantir matériaux et main-d'œuvre ?
- Demandera-t-il votre approbation écrite avant toute modification ou tout remplacement des matériaux ou de la main-d'œuvre ?
- S'occupera-t-il d'enlever les débris et de nettoyer les lieux ?
- S'engage-t-il à payer une amende si les travaux ne sont pas terminés à la date prévue ? (La plupart des entrepreneurs accepteront cette clause s'il s'agit de travaux considérables et si vous leur avez offert une prime pour des travaux terminés avant la date prévue.)

Votre maison / Aménagements particuliers

La maison est un lieu qui doit convenir à tous ses habitants, grands ou petits, personnes âgées ou handicapées. Des accessoires, appareils et plans de travail accessibles et faciles à utiliser feront de la maison un lieu où tout le monde pourra confortablement vaquer à ses occupations.

Voici quelques suggestions. Remplacez les boutons de porte par des poignées à levier ou adaptez-y des poignées de ce type (p. 438). Elles sont plus faciles à manipuler, que vous souffriez d'arthrite ou que vous ayez simplement les mains pleines. Installez des interrupteurs lumineux, aisément repérables, et des minuteries ou des prises à photocellule qui règlent automati-

quement l'éclairage. Installez aussi des thermostats programmables (p. 474) qui réduisent et augmentent la chaleur aux heures convenues.

Pour ne pas perdre pied. Collez directement au plancher une moquette à thibaude intégrée (p. 319), à poil dense et uniformément bouclée (il vaut mieux que les boucles soient très courtes). Pour ne pas risquer de trébucher, enlevez tapis et meubles bas. Assurez-vous que les seuils ont moins de ¼ po (8 mm) de hauteur.

Dans les escaliers de bois, soulignez le bord des marches à l'aide de ruban antidérapant. Installez, de chaque côté, une main courante qui s'incurve vers l'extérieur à la dernière marche. Si

vous aménagez un nouvel escalier, prévoyez des marches peu hautes, faciles à monter.

Vivre en fauteuil roulant. Les déplacements en fauteuil roulant exigent beaucoup d'espace. Évitez donc d'encombrer les pièces où une personne circule en fauteuil roulant. Si la porte d'entrée n'est pas au niveau de la rue, aménagez une rampe ayant une pente de 1 po (2,5 cm) tous les 12 po (30 cm), ou mieux, de 1 po (2,5 cm) tous les 20 po (50 cm). Assurez-vous que les interrupteurs, robinets et autres accessoires essentiels sont assez bas pour être accessibles d'un fauteuil roulant. Éliminez les seuils. Il se peut que vous ayez à élargir le cadre des portes.

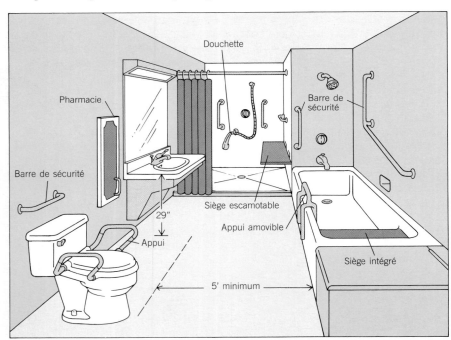

Douchette
Pharmacie
Barre de sécurité
Barre de sécurité
29"
Appui
Siège escamotable
Appui amovible
Siège intégré
5' minimum

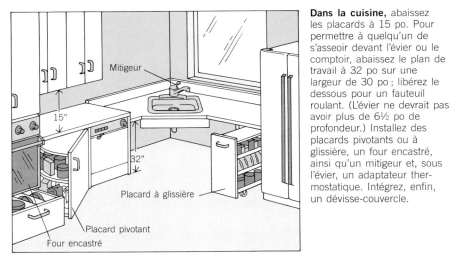

Mitigeur
15"
32"
Placard à glissière
Placard pivotant
Four encastré

Dans la cuisine, abaissez les placards à 15 po. Pour permettre à quelqu'un de s'asseoir devant l'évier ou le comptoir, abaissez le plan de travail à 32 po sur une largeur de 30 po ; libérez le dessous pour un fauteuil roulant. (L'évier ne devrait pas avoir plus de 6½ po de profondeur.) Installez des placards pivotants ou à glissière, un four encastré, ainsi qu'un mitigeur et, sous l'évier, un adaptateur thermostatique. Intégrez, enfin, un dévisse-couvercle.

Dans la salle de bains, installez une baignoire à siège moulé ou un siège escamotable dans la cabine de douche, des mitigeurs (p. 211), une douchette (p. 212) et des barres de sécurité, bien fixées aux mon-

tants. Ménagez l'espace d'un fauteuil roulant à côté des toilettes. Installez la pharmacie à côté du lavabo, assez bas pour être accessible. Verrouillez-la si vous avez des enfants. Posez un carrelage antidérapant.

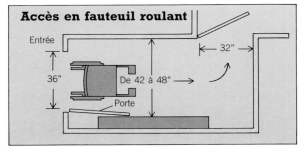

Accès en fauteuil roulant

Entrée
36"
De 42 à 48"
32"
Porte

Dans les vestibules, il faut une largeur libre de 42 po au moins, et mieux, de 48 po. Le cadre des portes devrait avoir au moins 32 po de largeur et celui de la porte d'entrée 36 po. Les charnières en porte-à-faux permettent d'élargir l'espace de passage (p. 435).

Plomberie
Installation
et réparations

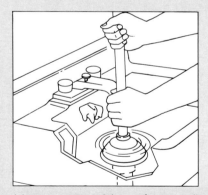
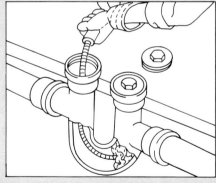

Vous pouvez bien sûr contribuer au bon entretien de la plomberie de votre maison. La première section de ce chapitre offre un aperçu de la plomberie résidentielle. La deuxième section aborde les notions essentielles de réparation et d'entretien. Vous y verrez comment résoudre l'ensemble des problèmes de plomberie, du robinet qui fuit à la cuvette qui déborde. La troisième section est consacrée aux tuyaux et aux raccords. Vous y apprendrez comment couper et raccorder tous les types courants de tuyaux.

La dernière section porte sur l'installation de tuyaux et d'appareils (évier, toilette ou baignoire). Les connaissances acquises ici faciliteront vos relations avec le plombier.

Plomberie / Plomberie résidentielle

La plomberie comprend un *circuit d'alimentation* et un *circuit de drainage et d'aération* (CDA).

Circuit d'alimentation. Une conduite principale, reliée souvent à un compteur, alimente la maison. La mise sous pression de l'eau assure un débit suffisant. Des conduites parallèles, dont une part du chauffe-eau, conduisent l'eau chaude et l'eau froide vers les appareils. Entre les étages, l'eau circule dans des conduites verticales, les *colonnes montantes*. Les conduites horizontales sont un peu inclinées vers un ou plusieurs robinets de purge. Des colonnes d'air (p. 214) servent de tampons sur lesquels l'eau sous pression bute quand cesse un appel d'eau.

Les robinets d'arrêt, près du chauffe-eau, de la chaudière, des appareils et parfois des colonnes montantes, règlent le débit. Le robinet de sectionnement, à l'intérieur ou à l'extérieur, jouxte l'entrée de la conduite principale. Dans un circuit privé, il est près du réservoir de stockage, d'où sort la conduite d'alimentation.

CDA. Les eaux-vannes et les eaux ménagères sont dirigées vers les égouts, une fosse septique ou un puisard par deux circuits de drainage. Les *tuyaux de descente* évacuent les eaux ménagères ; les *tuyaux de chute*, celles des toilettes. L'évacuation se faisant par gravité, la pente des tuyaux est calculée avec soin, soit ¼ po par pied (6 mm par 30 cm). Des regards sont ménagés sur chaque portion horizontale.

Sous chaque appareil se trouve généralement un siphon en U, qui retient un peu d'eau. Cela empêche la remontée d'odeurs. La toilette a un siphon intégré.

L'aération de la plomberie permet de laisser s'échapper les gaz d'égouts, d'uniformiser la pression d'air dans les conduites et d'empêcher tout refoulement entre les appareils. Parmi les *évents*, il y a une colonne de chute centrale qui traverse le toit et relie le collecteur principal à l'air libre. Des évents unitaires peuvent mettre les appareils en contact avec l'atmosphère, ou des *évents secondaires* les relier à un évent principal.

Circuit d'alimentation

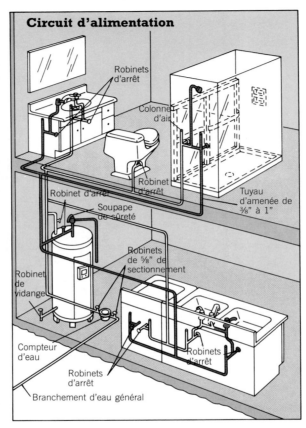

CDA

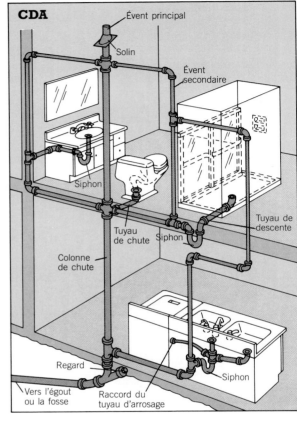

Robinets d'isolement

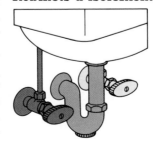

Lavabo. Deux robinets règlent l'amenée.

Toilette. Un robinet, sous le réservoir, règle l'amenée.

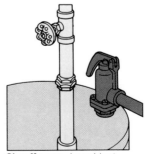

Chauffe-eau. Le robinet supérieur règle l'amenée.

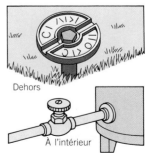

Robinets de sectionnement. Règlent l'alimentation en eau.

Adduction

Provenance de l'eau

Les réseaux municipaux alimentent les maisons des villes et de quelques banlieues. Bien des maisons ont toutefois un circuit privé ; le plus usité comporte un puits et une pompe assurant une mise sous pression adéquate, généralement entre 40 et 60 lb/po^2 (275 et 413 kPa).

Le plus souvent, l'eau doit être épurée. En tombant, l'eau de pluie se charge d'infimes poussières et impuretés ainsi que de gaz carbonique. Dans les réservoirs, les citernes, les lacs, les cours d'eau, les sources et les puits, l'eau absorbe bactéries, impuretés, minéraux et composés chimiques issus de réactions avec le sol. La plupart des impuretés sont éliminées à la station d'épuration ; il est possible d'en éliminer encore à la maison (p. 224-225).

Intercommunication

Une intercommunication existe quand l'eau du CDA passe dans le circuit d'alimentation et souille l'eau potable. Pour isoler ces circuits de façon sécuritaire, veillez à l'absence d'intercommunication.

Souvent, l'intercommunication vient de l'immersion du bec d'un robinet d'évier, de lavabo ou de baignoire. L'eau souillée est alors aspirée par le bec, même quand le robinet est fermé, s'il existe une dépression dans le circuit d'alimenta-

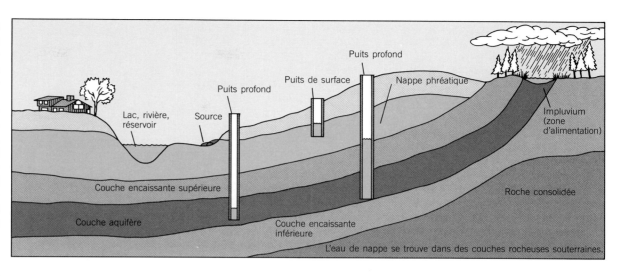

Puits profond

Puits de surface

Puits profond

Nappe phréatique

Puits profond

Source

Impluvium (zone d'alimentation)

Lac, rivière, réservoir

Couche encaissante supérieure

Roche consolidée

Couche aquifère

Couche encaissante inférieure

L'eau de nappe se trouve dans des couches rocheuses souterraines.

tion. Un fort appel d'eau ou une baisse de pression (ouverture d'une borne-fontaine) peuvent causer une dépression. Vissé à un robinet, un tuyau (d'arrosage communiquant avec un appareil) peut aussi créer ce phénomène.

Les entrées d'eau de certaines vieilles toilettes intercommuniquent. Veillez à ce que le robinet du réservoir dépasse le niveau d'eau maximal. Sinon, posez un disconnecteur (p. 207).

Vous avez décelé une fuite ?

La fuite est le problème de plomberie le plus fréquent. Si vous en décelez une, consultez l'index suivant pour trouver rapidement la solution.

Fuite :	Page :	Fuite :	Page :
Baignoire (pourtour)	232-233	Renvoi d'évier	203
Robinet	209-212	Joint soudé	220
Tuyau	11, 215	Clapet	213
Cabine de douche	234	Cabinet	206-208

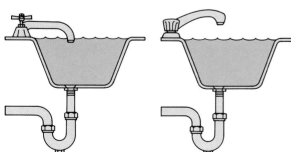

Un bec submergé aspire l'eau souillée.

Un bec surélevé ne touche pas l'eau.

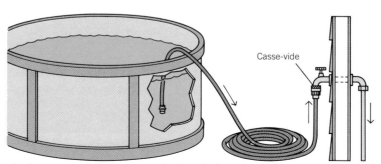

Casse-vide

Le tuyau permet l'intercommunication de l'eau de piscine et de l'eau potable. Solution : posez un casse-vide.

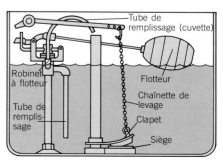

Tube de remplissage (cuvette)

Robinet à flotteur

Flotteur

Chaînette de levage

Tube de remplissage

Clapet

Siège

Le robinet à flotteur doit dépasser le niveau d'eau maximal.

En raison du danger de contamination, les puits d'eau potable doivent être creusés aux profondeurs prescrites dans les codes. Engagez un foreur dûment accrédité. Un puits foré atteindra une nappe d'eau potable beaucoup plus probablement qu'un puits ordinaire ou qu'un puits instantané (créé en enfonçant un tuyau dans le sol). Contrôlez la qualité de l'eau et faites une analyse bactériologique une fois l'an.

Forage d'un puits. La profondeur est déterminée par les codes (p. 193), la nature du sol et la profondeur de la couche aquifère (p. 199). Pour une alimentation suffisante, même en l'absence de pluie, un puits doit descendre suffisamment sous la nappe phréatique. Les codes prescrivent une distance minimale par rapport à une éventuelle source de contamination, comme une fosse septique.

Engagez un foreur fiable, qui connaît la géologie de votre région.

Du puits à la maison. Une fois le puits foré, une pompe y est installée. L'eau refoulée passe dans les conduites du puits avant d'arriver au réservoir sous pression dans la maison. Les conduites d'alimentation sont raccordées à ce réservoir.

Deux types de pompes sont couramment utilisés. La pompe submersible (à droite), descendue dans le tubage du puits, refoule l'eau dans le réservoir sous pression ; elle convient à toute profondeur. La pompe hydroéjecteur est posée hors du puits, d'où elle aspire l'eau ensuite refoulée dans le réservoir. Elle convient plus aux puits de sur-face (50 pi [15 m] ou moins) et n'est généralement pas utilisée dans un puits de plus de 120 pi (36 m).

Dans un réservoir sous pression ordinaire, l'eau refoulée pousse l'air dans le tiers supérieur, où il forme un tampon. Quand la pression d'air atteint un niveau préréglé normalement entre 50 et 60 lb/po^2 (344 et 413 kPa), le tampon déclenche un manostat, qui arrête la pompe. La pression décroît ensuite à mesure que le niveau d'eau baisse. Quand la pression atteint un niveau de 30 à 40 lb/po^2 (de 206 à 275 kPa), le manostat lance la pompe. Le réservoir doit être assez gros pour que le niveau d'eau baisse au moins 9 gal (40 litres) entre chaque cycle.

Il existe aussi de petits réservoirs sous pression à tampon permanent. Plutôt que de fonctionner grâce à l'action directe de la pression d'air, un *réservoir à diaphragme* doté d'une membrane élastique isole le tampon. Pour une capacité accrue, un même circuit peut compter deux réservoirs ou plus.

Réparation d'un réservoir plein d'eau. Quand le réservoir perd sa pression, l'eau s'y accumule ; la pompe fonctionne plus souvent. Débranchez-la et adaptez un tuyau d'arrosage au robinet de vidange. Ouvrez le robinet et laissez-le ouvert jusqu'à ce que le réservoir ne soit plus sous pression. Ensuite, ouvrez un robinet dans la maison et vidangez le réservoir. Cela fait, fermez les robinets, ôtez le tuyau et lancez la pompe.

Examinez périodiquement l'enveloppe du réservoir. Le signe avant-coureur d'une fuite est une tache de rouille suintante. Changez le réservoir dès que possible.

Élimination de l'air. Si vous entendez des coups de bélier intermittents à l'ouverture d'un robinet, le réservoir contient de l'air. Débranchez la pompe et adaptez un tuyau au robinet de vidange du réservoir. Ouvrez le robinet et laissez-le ouvert jusqu'à ce que le réservoir ne soit plus sous pression. Changez le manostat. Fermez le robinet et relancez la pompe.

Si un réservoir à diaphragme présente ce problème, il y a probablement une fuite dans la plomberie allant du puits à la maison, ou dans le puits. Faites appel à un foreur.

Défectuosité de la pompe. Si la pompe s'arrête, vérifiez les fusibles, le disjoncteur (p. 237) ou les connexions.

Fermeture d'un puits. Un puits ne sert plus ? Faites-le condamner conformément aux codes. Confiez ce travail à un spécialiste.

Manostat à flotteur

Réservoir sous pression

La boîte de coupure règle la mise sous tension de la pompe.

Chapeau de puits

Manomètre

Soupape de sûreté

Robinet d'arrêt

Manostat

Robinet d'arrêt
Robinet de vidange

Conduite d'alimentation

Raccord-union

Le reniflard élimine le surplus d'air.

Vanne de retenue

Le coulisseau de raccordement, en forme de L, a une bride coulissante ; un tuyau peut être vissé sur le dessus pour le retirer de la conduite d'alimentation et remonter la pompe.

Le té de purge laisse sortir l'eau et entrer l'air pour que, quand la pompe démarre, de l'air soit poussé dans le réservoir afin de conserver un tampon.

La vanne de retenue empêche l'eau de refluer.

Le fil électrique est fixé sur la colonne avec du chatterton.

Le tubage (de 4 à 6" de diamètre) chemise le puits. Il est bouché pour garder l'eau propre. Il devrait saillir du sol d'au moins 12", et le sol devrait s'abaisser d'au moins 6" tous les 10' à partir du puits.

La pompe submersible est habituellement à 10' au-dessus du fond du puits. Comme elle fonctionne loin sous terre, il y a peu de bruit ou de vibration.

Installation septique

Vous ne réaliserez probablement pas vous-même une installation septique. Cependant, vous devriez savoir comment fonctionne le circuit pour bien l'entretenir. Dans le champ d'épuration d'une résidence, les eaux usées sont évacuées dans un bassin de rétention étanche, ou fosse septique, où des bactéries anaérobies décomposent les rejets en matières solides (boues) et liquides (effluents), et en écume. Les boues se déposent au fond de la fosse, l'écume flotte et les effluents s'écoulent dans un équirépartiteur qui les dirige dans des drains posés en divers points d'un champ d'épandage fait de gravier.

Emplacement et taille. L'installation septique doit être à bonne distance de la maison et du puits, et assez grande pour offrir un bon rendement. L'emplacement et la capacité minimale sont prescrits par les codes. La capacité est fonction du nombre de chambres à coucher. L'étendue du champ d'épandage dépend de la nature du sol. Avant d'aménager une installation septique, l'entrepreneur creuse des trous en divers points du terrain pour savoir à quel rythme le sol absorbe l'eau.

Inspection et vidange. La fosse devrait être inspectée tous les deux ans et vidangée tous les trois ou quatre ans, selon sa capacité et le nombre d'utilisateurs. Les proportions de boues, d'effluents et d'écume doivent être équilibrées pour assurer un bon rendement. Le passage de sédiments dans les effluents et le champ d'épandage constitue un danger pour la santé. La vidange élimine les boues et une partie de l'écume, et rétablit l'équilibre nécessaire. L'entrepreneur vous dira à quelle fréquence faire inspecter la fosse. La négligence peut causer de graves problèmes.

Pour faciliter la vidange et l'inspection, indiquez l'emplacement des conduites et des regards. Si vous ne savez pas où ils se trouvent, revoyez les plans de votre terrain ou consultez le cadastre. Tracez un diagramme de votre terrain, en indiquant les conduites, la fosse septique et le champ d'épandage.

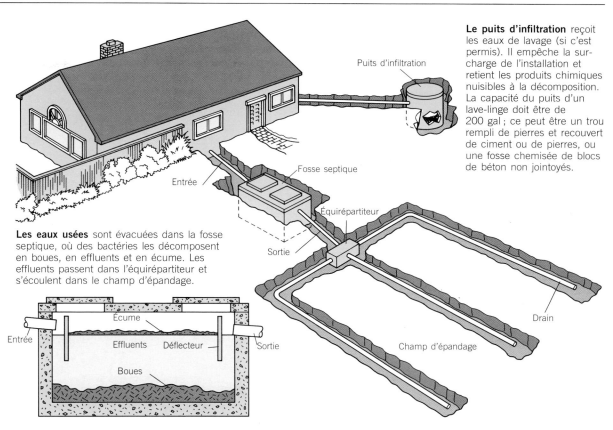

Le puits d'infiltration reçoit les eaux de lavage (si c'est permis). Il empêche la surcharge de l'installation et retient les produits chimiques nuisibles à la décomposition. La capacité du puits d'un lave-linge doit être de 200 gal ; ce peut être un trou rempli de pierres et recouvert de ciment ou de pierres, ou une fosse chemisée de blocs de béton non jointoyés.

Les eaux usées sont évacuées dans la fosse septique, où des bactéries les décomposent en boues, en effluents et en écume. Les effluents passent dans l'équirépartiteur et s'écoulent dans le champ d'épandage.

Entretien de l'installation septique

- Faites vidanger la fosse septique tous les trois ou quatre ans.
- Espacez les bains et les lavages pour ne jamais surcharger l'installation.
- Ne jetez pas de diluant, de pesticides ou de produits chimiques dans les renvois.
- Ne jetez jamais de gras, de marc de café ou de mouchoirs en papier dans les renvois.
- N'utilisez que du papier hygiénique blanc.
- Utilisez rarement : déboucheurs chimiques, nettoyants pour la cuvette ou eau de Javel.
- N'utilisez pas de broyeur d'ordures.
- Dirigez l'écoulement de l'eau de pluie loin du champ d'épandage.
- Ne stationnez pas sur le champ d'épandage.
- Appelez un spécialiste si de l'eau nauséabonde remonte à la surface.
- N'utilisez pas de produits commerciaux pour activer la décomposition : les boues pourraient colmater les drains. Utilisez, tous les six mois, ½ lb (225 g) de levure de bière dissoute dans de l'eau chaude.

Si vous bricolez, vous possédez déjà beaucoup d'outils utiles en plomberie. Marteaux, burins, tournevis, pinces, scie à métaux, outils de soudage et clés diverses sont des outils indispensables. Au besoin, vous pouvez acheter des outils ou les louer.

Clés. Plusieurs clés spéciales peuvent être nécessaires. La plus importante est la *clé à tuyau*, dotée de mâchoires crénelées à ouverture variable. Vous devrez en avoir deux, l'une pour bloquer un tuyau ou un raccord et l'autre pour faire tourner la pièce qui s'y ajuste. Si vous placez cette clé sur une surface chromée, mettez du ruban sur les mâchoires ou enroulez un chiffon ou du carton ondulé autour du tuyau pour le protéger. Ne l'utilisez pas sur un tuyau à parois minces ; vous risqueriez de l'écraser.

Les *clés à crémaillère* s'adaptent aux gros écrous plats. Pour serrer ou desserrer les soupapes de robinets, vous aurez besoin de *clés à douille*. Les *clés à chaîne* et les *clés à courroie* n'ont pas de mâchoires. Utilisez-les sur les gros tuyaux et sur les raccordements difficilement ac-

cessibles. (La clé à courroie n'endommagera pas un fini brillant.) La *clé coudée à tuyau* comporte des mâchoires à ouverture variable fixées perpendiculairement sur un long manche. On s'en sert pour atteindre les raccordements difficiles d'accès.

La *clé hexagonale* permet de retirer le siège d'un robinet qui fuit ; s'il ne peut être retiré, procurez-vous un *rodoir* pour en égaliser la surface.

Outils de coupe et d'évasement. Vous pouvez couper les petits tuyaux avec une scie à métaux ; sa lame devrait comporter 24 ou 32 dents au pouce (9 ou 12 dents au centimètre). Il y a des *coupe-tube* pour les tuyaux en cuivre, en acier ou en plastique. L'*alésoir* à main ou insérable dans un mandrin de perceuse permet d'ébarber un tuyau. Si vous installez des tuyaux en laiton ou en acier, un ensemble de *filières* et un *porte-filière* vous serviront à les fileter (p. 222). Les outils d'évasement servent à façonner les tuyaux en métal souple ou en plastique avant de les placer dans un raccord à collets. Vous pouvez vous pourvoir de *toupies* ou d'un *étau à collets*, outil

plus complet qui convient à tous les diamètres (p. 218 et 221).

Outils de dégorgement. La *ventouse* est indispensable pour éliminer les obstructions. Choisissez-en une en forme d'entonnoir. Le tube servant à déboucher la cuvette se rabat, ce qui permet d'adapter la ventouse à un renvoi.

Si une obstruction ne peut être éliminée avec une ventouse, il faut utiliser un *dégorgeoir*, long câble métallique doté d'un crochet spiralé et d'une poignée pouvant être bloquée. Il y a aussi des dégorgeoirs mécaniques servant à déboucher les drains collecteurs. Le dégorgeoir à cuvette est plus court, et possède une poignée excentrique.

Mastic, rubans et garnitures. Vous devrez appliquer de la pâte à joints ou même parfois du ruban sur le filetage des tuyaux pour empêcher les fuites et faciliter le démontage. Le mastic adhésif est utile pour sceller les joints sous les renvois ou les robinets d'évier, de lavabo ou de baignoire. Pour réparer les robinets, vous aurez peut-être aussi besoin de filasse.

Principaux outils de plombier

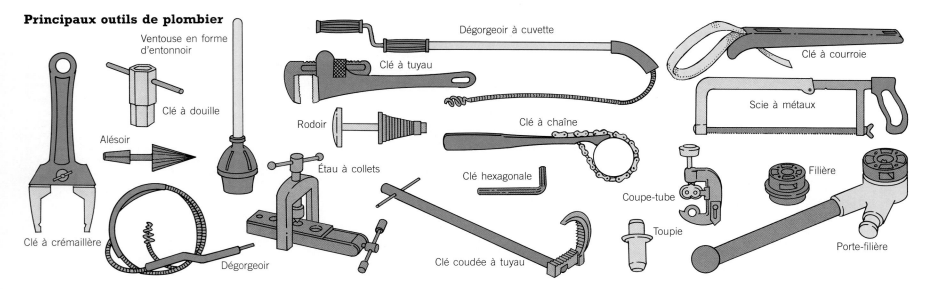

Renvois d'évier, de lavabo et de baignoire

Si un renvoi est bouché, enlevez tout surplus d'eau. Ôtez la bonde (p. 213) et retirez tout débris. Essayez ensuite les méthodes de dégorgement exposées à droite. Si l'une échoue, passez à l'autre. Évitez d'employer des produits chimiques ; ils sont corrosifs et nocifs. Si vous devez en utiliser, soyez très prudent (p. 13).

Réparation d'une fuite. S'il y a une fuite dans le siphon d'un évier ou d'un lavabo, resserrez les écrous-raccords du siphon ; pour protéger le fini chromé, mettez du ruban autour des mâchoires de la clé. Si la fuite persiste, remplacez les rondelles du siphon. Retirez le siphon et enlevez les vieilles rondelles. Si le filetage est rouillé, nettoyez-le avec une brosse d'acier et enduisez-le de pâte à joints ; installez de nouvelles rondelles et remontez le siphon. Procédez de la même manière si le regard du siphon fuit.

Parfois la fuite résulte du bris de la garniture se trouvant entre le renvoi et l'évier ou le lavabo. Si c'est le cas, enlevez le renvoi (voir ci-dessous), puis nettoyez-le. Remplacez la garniture, ou appliquez une bande de $1/4$ po (0,6 cm) de mastic adhésif sous l'épaulement du renvoi. Remettez celui-ci en place.

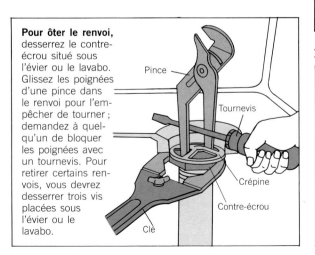

Pour ôter le renvoi, desserrez le contre-écrou situé sous l'évier ou le lavabo. Glissez les poignées d'une pince dans le renvoi pour l'empêcher de tourner ; demandez à quelqu'un de bloquer les poignées avec un tournevis. Pour retirer certains renvois, vous devrez desserrer trois vis placées sous l'évier ou le lavabo.

Déboucher un évier ou un lavabo

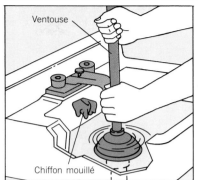

1. Ôtez la bonde ou la crépine et obstruez l'orifice du trop-plein avec un chiffon mouillé. Placez la ventouse sur le renvoi, immergez-la et inclinez-la pour chasser l'air ; pompez une dizaine de fois et ôtez-la brusquement. Recommencez.

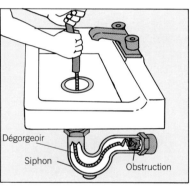

3. Poussez un dégorgeoir dans le renvoi en tournant la poignée ; l'obstruction atteinte, vous sentirez une résistance molle. (Une résistance dure correspond à un coude.) Éliminez l'obstruction par un mouvement de va-et-vient. Rincez à l'eau chaude.

Déboucher une baignoire

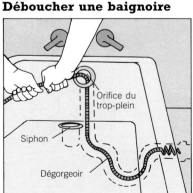

Enlevez l'applique du trop-plein, la bonde et sa tringlerie (p. 213) ; introduisez un dégorgeoir dans le trop-plein. Faites-en avancer le crochet dans le siphon, sous le plancher, et éliminez l'obstruction.

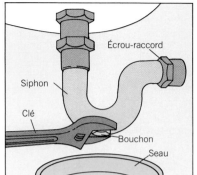

2. Placez un seau sous le siphon, desserrez le bouchon du regard et laissez l'eau s'écouler. (Un siphon sans regard doit être retiré complètement.) Utilisez un dégorgeoir pour éliminer l'obstruction.

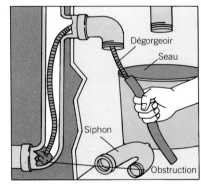

4. Placez un seau sous le siphon. Le siphon en place, desserrez-en les écrous-raccords. Retirez-le, videz-le et nettoyez-le ; remplacez les rondelles au besoin. Utilisez un dégorgeoir pour éliminer l'obstruction.

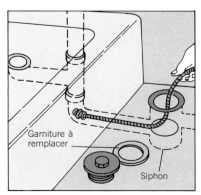

Dans les vieilles maisons, la baignoire peut être dotée d'un siphon cylindrique avoisinant, sur le plancher. Quelquefois, un regard donne accès au tuyau de renvoi. Dans les deux cas, débouchez le renvoi avec un dégorgeoir.

Ôtez le surplus d'eau d'une cuvette bloquée et utilisez une ventouse dont le tube est déployé. N'actionnez pas la chasse, l'eau déborderait. N'utilisez pas de déboucheurs chimiques, corrosifs et nocifs : ils ne pénètrent pas assez loin pour être efficaces. Si cette technique échoue, utilisez un crochet fabriqué avec un cintre ou éliminez l'obstruction manuellement (placez la main dans un sac à ordures).

Coupez ici

Utilisation d'un dégorgeoir. Si la toilette demeure bouchée, utilisez un dégorgeoir. Son coude en facilite l'insertion et en protège le fini. Si le câble passe mal dans le siphon (ce qui se produira probablement), poussez-le manuellement (placez le bras dans un sac).

Obstruction dans le circuit de drainage.
L'eau peut refluer ou être évacuée lentement à cause d'une obstruction dans un tuyau de renvoi. Rappelez-vous que l'eau s'écoule par gravité ; l'obstruction sera donc entre l'appareil bouché le plus bas et l'appareil non bouché le plus haut. Si seuls les appareils du dernier étage sont bouchés, la colonne est bouchée dans le haut. Si tous les appareils sont bouchés, le collecteur principal est sans doute bouché. Si l'eau s'écoule lentement et que les appareils sentent mauvais, l'évent est peut-être bouché.

Si un tuyau de renvoi est bouché, dévissez partiellement le tampon du regard le plus près des appareils touchés ; s'il s'écoule de l'eau, l'obstruction est entre ce regard et l'égout. Sinon, voyez le regard en amont (à l'opposé de l'égout). En général, des regards sont ménagés là où une dérivation dévie brusquement. Cependant, certaines vieilles maisons ont un seul regard, près de la base de la colonne de chute.

Si le problème persiste, vérifiez le siphon principal de la maison. Ses deux regards sont probablement au niveau du sol, près de l'endroit où le collecteur principal sort de la maison. Étendez sur le sol du papier absorbant. Pendant ce temps, personne ne devra prendre d'eau ni actionner la chasse. Quand l'eau ne s'écoule pas et que le regard le plus proche de l'égout est ouvert, l'obstruction est dans le siphon ou le collecteur principal, entre le siphon et le regard ; s'il s'écoule de l'eau, elle est probablement entre le siphon et l'égout ; appelez un plombier.

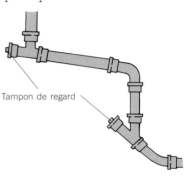

Tampon de regard

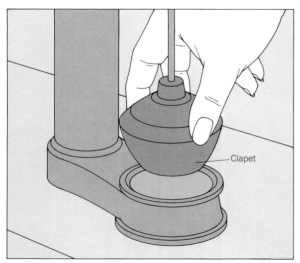

Si la toilette semble bouchée, n'actionnez pas la chasse. Soulevez le clapet pour qu'un peu d'eau coule dans la cuvette. Si le niveau d'eau ne baisse pas dans le réservoir, ou s'il monte dans la cuvette, rabaissez le clapet. Ôtez le surplus d'eau.

Clapet

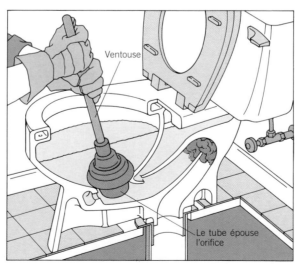

Ventouse

Le tube épouse l'orifice

Calez la ventouse sur l'orifice du siphon ; immergez-la. Placez-vous au-dessus du manche pour une pression maximale et déprimez rapidement la ventouse 10 fois, puis ôtez-la brusquement. Cela devrait dégager l'obstruction.

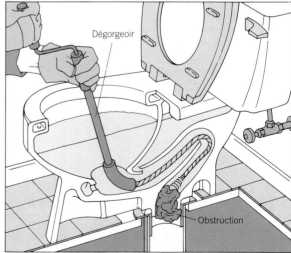

Dégorgeoir

Obstruction

Tournez le dégorgeoir lentement vers la droite en faisant avancer le câble. S'il y a une grande résistance, tirez un peu sur le câble pour le dégager, et faites-le avancer de nouveau. L'obstruction atteinte, éliminez-la d'un mouvement de va-et-vient.

Dégorgement du collecteur principal

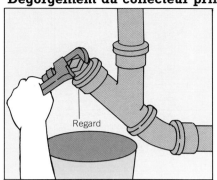

1. Placez un seau sous le regard ; avec une clé à tuyau et en tournant vers la gauche, dévissez partiellement le tampon, juste assez pour que l'eau s'écoule. Quand le seau est plein, revissez le tampon. Éliminez ainsi toute l'eau.

Regard

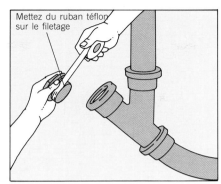

Mettez du ruban téflon sur le filetage

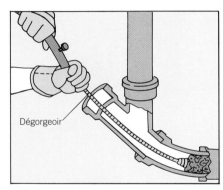

Dégorgeoir

2. Ôtez le tampon. Utilisez un dégorgeoir dont le câble a un diamètre de ¼ po et une longueur de 25 à 100 pi. Faites avancer lentement le câble jusqu'à ce que vous sentiez une résistance molle. En tournant, éliminez l'obstruction d'un mouvement de va-et-vient vigoureux.

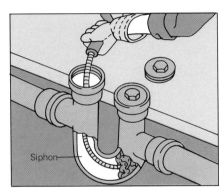

Siphon

3. Avant de revisser le tampon, nettoyez-en le filetage, puis mettez-y du ruban téflon ou de la pâte à joints. Le tampon en place, actionnez deux fois la chasse de toutes les toilettes pour éliminer les débris. Si vous n'avez pas trouvé l'obstruction, essayez de l'atteindre par le siphon du collecteur principal.

4. Repérez le siphon et ouvrez le regard le plus proche de l'égout. Avec le dégorgeoir, éliminez l'obstruction. S'il n'y en a pas, ouvrez l'autre regard et sondez le collecteur principal entre le siphon et le regard. Nettoyez le siphon et les tampons et recouvrez le filetage de ruban téflon ou de pâte à joints ; refermez.

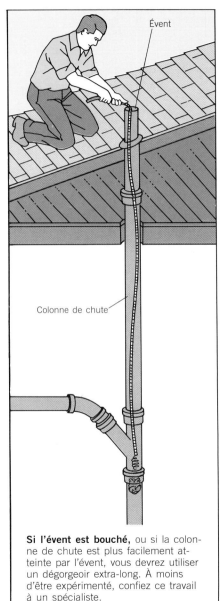

Évent

Colonne de chute

Si l'évent est bouché, ou si la colonne de chute est plus facilement atteinte par l'évent, vous devrez utiliser un dégorgeoir extra-long. À moins d'être expérimenté, confiez ce travail à un spécialiste.

Si une racine bloque la conduite de drainage, utilisez un dégorgeoir mécanique doté d'un coupe-racines. La racine atteinte, dirigez un jet d'eau dans la conduite pour ôter les débris et éliminez l'obstruction d'un mouvement lent de va-et-vient. Ôtez le câble, nettoyez le filetage et remettez en place le tampon.

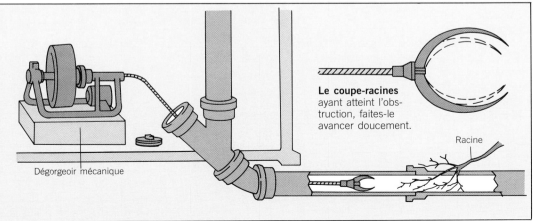

Dégorgeoir mécanique

Le coupe-racines ayant atteint l'obstruction, faites-le avancer doucement.

Racine

Remplacement d'un siège 208
Toilettes à jet automatique 208
Remplacement d'une toilette 228

Plomberie / Défectuosités du réservoir de toilette

Les réservoirs de toilettes fonctionnent générale-ment tous de la même façon. La manette de chasse soulève le clapet par l'intermédiaire du levier de déclenchement, et l'eau s'écoule alors dans la cuvette par le tuyau de vidange. Quand le réservoir est presque vide, le clapet retombe sur son siège et la chasse cesse.

Le flotteur s'abaisse avec le niveau de l'eau et ouvre le robinet à flotteur quand le tuyau de vi-dange est fermé. L'eau arrive par les tubes de remplissage du réservoir et de la cuvette, et par le trop-plein. Le flotteur remonte au fur et à me-sure que le réservoir se remplit. À un niveau donné, le levier de flotteur ferme le robinet.

Entretien et réparation. Même si l'eau est propre, le réservoir s'entartre, et les pièces en métal peuvent rouiller. Nettoyez-les avec de la laine d'acier ou du papier de verre.

Si un réservoir est défectueux, essayez les solutions proposées ci-dessous, dans l'ordre de présentation. Si vous avez besoin d'une pièce de rechange, notez le nom du fabricant et le numé-ro de modèle gravés à l'intérieur du couvercle ou apportez la vieille pièce chez le marchand.

Toilette qui fuit ou suinte. Si le réservoir ou la cuvette fuit, vérifiez les tuyaux et les raccords. Un tuyau rouillé, un réservoir ou une cuvette cra-qué doivent être changés. Si la fuite jouxte un raccordement, ôtez toute trace de rouille, chan-gez joints ou rondelles et resserrez (pas trop, car la porcelaine pourrait se fendre).

Quand l'eau froide de remplissage entre en contact avec l'air chaud ambiant, le réservoir et même parfois la cuvette suintent. Videz et as-séchez l'intérieur du réservoir et chemisez-le avec ½ po (1,25 cm) de polystyrène ou de caoutchouc mousse. Utilisez une trousse ou taillez vos propres doublures aux dimensions du réservoir (parois et fond). Collez-les avec de la silicone ; laissez sécher au moins 24 heures avant de remplir le réservoir. Vous pouvez aussi faire poser un robinet chauffant à l'entrée du réser-voir, mais ceci est un travail long et coûteux.

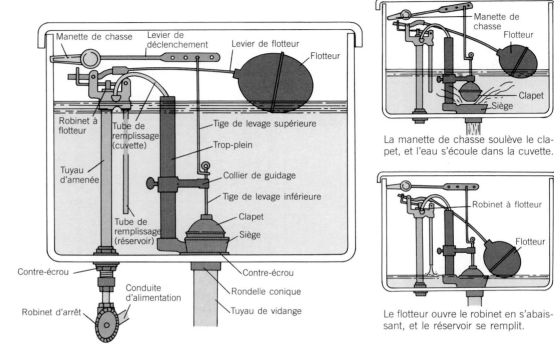

La manette de chasse soulève le cla-pet, et l'eau s'écoule dans la cuvette.

Le flotteur ouvre le robinet en s'abais-sant, et le réservoir se remplit.

Tableau de dépannage

Défectuosité	Solution
Écoulement continuel	Réglez les tiges ou la chaînette pour que le clapet tombe droit. Nettoyez le flotteur et le siège. Si le trop-plein est rouillé, posez-en un autre.
Écoulement dans le trop-plein	Pliez le levier de flotteur vers le bas.
Écoulement après la chasse	Pliez le levier de flotteur vers le haut ou changez-le s'il est rouillé. Récurez le siège ou changez-le (p. 208) s'il est rouillé.
Sifflements	Posez de nouvelles rondelles dans le boisseau. Posez un robinet à cylindre.
Clapotements	Orientez le tube de remplissage pour que l'eau tombe dans le trop-plein. Posez de nouvelles rondelles dans le boisseau.
Chasse incomplète	Raccourcissez les tiges ou la chaînette pour que le flotteur remonte plus haut. Soulevez le collier de guidage de ½ po. Pliez le levier de flotteur vers le haut.
Suintement	Isolez le réservoir. Faites poser un robinet chauffant.
Fuite du réservoir	Resserrez les raccords du tuyau d'amenée. Changez la rondelle conique. Installez un nouveau réservoir (p. 228).
Fuite à la base de la cuvette	Resserrez les écrous sous les capuchons. Refaites le joint de cire (p. 228).

206

Améliorations aisées et peu coûteuses

Si les réparations « à la pièce » sont inefficaces, changez le robinet à flotteur ou le dispositif à flotteur. Les deux se vendent en trousses. S'il y a intercommunication (p. 199), achetez une trousse contenant un disconnecteur.

Pour installer le dispositif, fermez le robinet d'arrêt. Actionnez la chasse, épongez le réservoir. Enlevez les pièces défectueuses et remplacez-les conformément au mode d'emploi. Rouvrez le robinet d'arrêt.

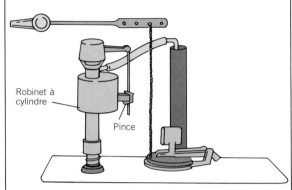

Robinet à cylindre

Pince

Le robinet à cylindre a une pince coulissante pour régler le niveau d'eau. Les pièces en plastique et en inox ne rouillent pas.

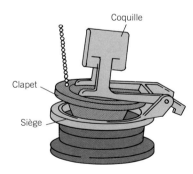

Coquille

Clapet

Siège

Le clapet articulé est beaucoup plus étanche et plus stable que le clapet coulissant. Une coquille règle la durée de la chasse.

Réparation de la toilette

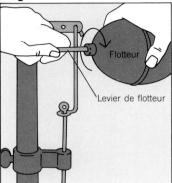

Flotteur

Levier de flotteur

1. Vérifiez le niveau d'eau du réservoir ; il devrait être environ à ½ po sous l'orifice du trop-plein. S'il est plus bas, le flotteur ne remontera peut-être pas assez haut. Dévissez le flotteur en le tournant vers la gauche. Secouez-le ; s'il contient de l'eau ou s'il est spongieux, changez-le.

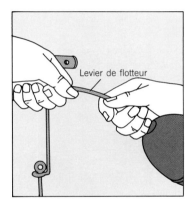

Levier de flotteur

2. Si le flotteur est utilisable, réorientez son levier. Pour hausser le niveau d'eau, pliez le levier vers le haut, pour l'abaisser, vers le bas. S'il ne se plie pas à la main, utilisez une pince de chaque côté du centre. Actionnez la chasse. Si le niveau d'eau est bas, pliez davantage le levier.

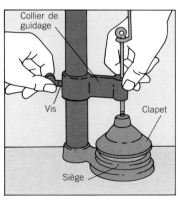

Collier de guidage

Vis

Clapet

Siège

3. Vérifiez le centrage du clapet. Coupez l'eau et actionnez la chasse. Si le clapet ne tombe pas droit, desserrez la vis du collier de guidage et réorientez celui-ci pour que le clapet se trouve directement au-dessus du siège. Resserrez la vis, remplissez le réservoir et actionnez la chasse.

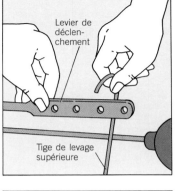

Levier de déclenchement

Tige de levage supérieure

4. Si le clapet ne ferme toujours pas bien, videz le réservoir, placez la tige de levage supérieure dans un autre trou et redressez ou pliez les tiges pour que le clapet tombe droit. Si une chaînette le retient, placez-la dans un autre trou. Allongez-la si elle est trop tendue quand le siège est fermé.

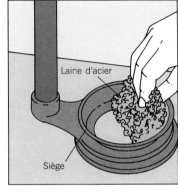

Laine d'acier

Siège

5. Si l'eau fuit quand le siège est fermé, le clapet et le siège sont peut-être entartrés. Asséchez le réservoir, dévissez le clapet et lavez-le à l'eau chaude savonneuse. Récurez le siège avec de la laine d'acier fine. Reposez le clapet, remplissez le réservoir et actionnez la chasse.

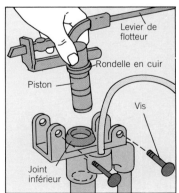

Levier de flotteur

Rondelle en cuir

Piston

Vis

Joint inférieur

6. Si le flotteur et son levier sont en bon état, mais que l'eau goutte, changez les rondelles du piston du robinet à flotteur. Coupez l'eau et ôtez les goupilles ou les vis fixant le levier. Tirez le piston vers le haut. Enlevez la rondelle de cuir et le joint inférieur. Nettoyez les rainures et posez de nouvelles rondelles.

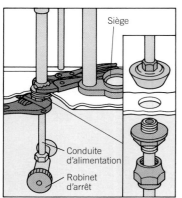

1. Coupez l'eau et actionnez la chasse. Ôtez le couvercle et épongez l'eau. Desserrez la vis ; déposez l'assemblage du clapet (p. 206). Ôtez le tuyau d'amenée (dévissez l'écrou de la conduite d'alimentation avec une clé à molette). Simultanément, bloquez l'écrou à six pans, dans le réservoir, avec une pince-étau.

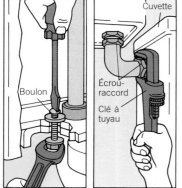

2. Si le réservoir est sur la cuvette, déboulonnez-le. Placez-le dos contre le sol. (Pour ne pas l'égratigner, déposez-le sur une vieille serviette.) S'il s'agit d'un réservoir mural, desserrez les deux écrous-raccords du coude équerre avec une grosse clé à tuyau.

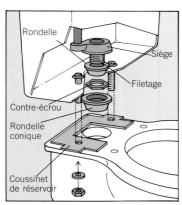

3. Dévissez le contre-écrou du siège ; retirez celui-ci et changez-le ; placez les pièces dans le bon ordre. Réinstallez le réservoir (serrez les écrous en croisé pour qu'il soit bien droit) et raccordez-y le tuyau d'amenée ou reposez le coude équerre au besoin. Remettez en place l'assemblage du clapet. Ouvrez le robinet d'arrêt.

La toilette à jet automatique n'a pas de réservoir, mais un robinet et une valve qui règle la pression de l'eau et la durée de la chasse. Bien qu'économe d'eau, elle requiert une conduite d'alimentation de grand diamètre de 1 à 1½ po (de 2,5 à 3,8 cm). Elle est aussi plus bruyante qu'une toilette à réservoir. La toilette à jet automatique peut comporter un robinet à diaphragme ou un robinet à piston. Ce dernier est préférable si l'eau est dure.

Dans les deux cas, le volume d'eau de chasse peut être réglé en tournant une vis (sur la valve, parfois sous un bouchon décoratif) : vers la droite pour réduire le débit, vers la gauche pour l'augmenter.

Si la vis est tournée complètement à gauche, et que la chasse est insuffisante, il faut réparer le robinet. Si la chasse est plus longue que d'ordinaire ou si l'eau ne cesse de couler, l'orifice de dérivation est probablement colmaté. Curez-le avec un fil de fer. Il existe des trousses de réparation. Notez le nom du fabricant ou apportez la vieille pièce au magasin.

Réparation de la manette

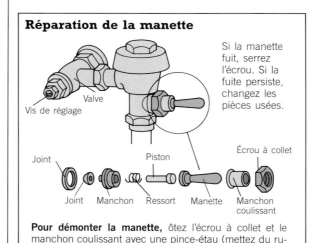

Si la manette fuit, serrez l'écrou. Si la fuite persiste, changez les pièces usées.

Pour démonter la manette, ôtez l'écrou à collet et le manchon coulissant avec une pince-étau (mettez du ruban sur les mâchoires). Changez le joint ou toutes les pièces, au besoin.

Robinet à diaphragme   **Robinet à piston**

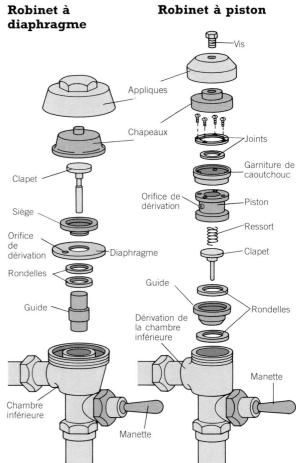

Avant de changer un robinet à diaphragme, coupez l'eau et ôtez l'applique avec une pince à tuyau (mettez du ruban sur les mâchoires). Ôtez le chapeau et démontez l'assemblage. Changez le diaphragme, le siège et les pièces usées du guide. Pour y accéder, tenez-le avec une clé à tuyau, dévissez le siège avec une autre clé.

Dans un robinet à piston, changez la garniture de caoutchouc ou, pour ne pas devoir le remplacer plus tard, changez tout l'assemblage du clapet. Coupez l'eau. Dévissez l'écrou, ôtez l'applique, le chapeau et l'assemblage du clapet. Pour changer la garniture de caoutchouc, ôtez les vis qui la retiennent au piston.

Robinets à clapet

Il existe plusieurs types de robinets à clapet qui, tous, fonctionnent de façon semblable. Quand vous tournez la poignée pour couper l'eau, une tige descend et la rondelle qui y est fixée obture le siège et empêche l'eau d'y passer. La filasse autour de la tige empêche l'eau de s'écouler le long de celle-ci.

Ce type de robinet fuit si la rondelle est érodée, le siège endommagé ou la filasse usée. Si le bec goutte, la rondelle ou le siège est usé. Si vous ne savez quelle poignée fuit, fermez l'un des robinets d'arrêt ; si la fuite cesse, vous en avez trouvé la source. Touchez le siège avec le doigt ; si sa surface est inégale, changez-le. Si vous ne pouvez l'ôter, rodez-le. L'usure de la filasse cause des fuites sous les poignées. Parfois, il faut changer la tige.

Même si votre robinet diffère de celui qui est illustré, les étapes de réparation sont semblables. Certaines rondelles sont vissées, d'autres posées sous pression. Certains robinets ont de la filasse autoformante ; d'autres, des joints toriques. Le siège des tiges en cartouche amovible peut être aisément changé.

Avant de démonter un robinet, fermez les robinets d'arrêt et purgez-le. Fermez le renvoi pour évitez que les petites pièces n'y tombent ; mettez une vieille serviette dans l'évier. Alignez les pièces dans l'ordre de démontage ; mettez sur les pièces internes une graisse hydrofuge et résistant à la chaleur.

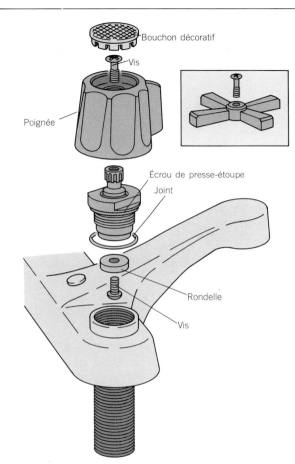

Bouchon décoratif
Vis
Poignée
Écrou de presse-étoupe
Joint
Rondelle
Vis

Robinets résistant au gel

Certains robinets d'extérieur résistent au gel. La poignée, le bec et la filasse sont dehors ; le siège et la rondelle, dans la maison. La tige est inclinée pour que l'eau s'écoule. On les répare comme un robinet à clapet, mais le rodage du siège requiert un rodoir à long manche ; il peut être plus facile de changer le robinet que de trouver l'outil.

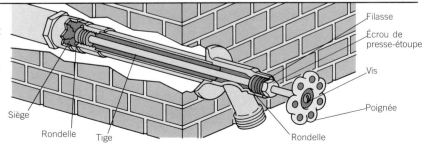

Filasse
Écrou de presse-étoupe
Vis
Poignée
Rondelle
Siège
Rondelle
Tige

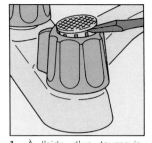

1. À l'aide d'un tournevis, ôtez le bouchon décoratif, la vis qui fixe la poignée à la tige, puis la poignée elle-même.

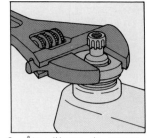

2. Ôtez l'écrou de presse-étoupe avec une clé à molette, en tournant vers la gauche. Tirez la tige doucement.

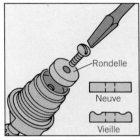

Rondelle
Neuve
Vieille

Remplacement de la rondelle. Si la rondelle neuve ne convient pas, installez la vieille à l'envers temporairement, avec une vis de laiton.

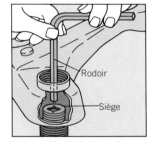

Rodoir
Siège

Si le robinet fuit toujours, changez le siège. Dévissez-le (vers la gauche) avec une clé hexagonale. Enduisez le nouveau de pâte à joints.

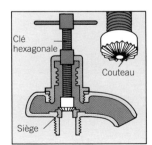

Clé hexagonale
Couteau
Siège

Pour roder un siège, vissez le rodoir dans le robinet de façon que le couteau repose sur le siège. Tournez de gauche à droite. Rincez.

Écrou de presse-étoupe
Filasse
Joint torique

Si une poignée goutte, serrez l'écrou de presse-étoupe. Si la fuite persiste, mettez de la filasse neuve (une fois et demie la quantité).

Plomberie / Robinets sans rondelle

Mitigeur à bille creuse

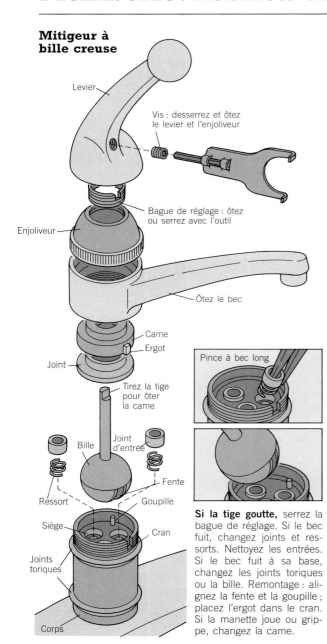

Levier

Vis : desserrez et ôtez le levier et l'enjoliveur

Bague de réglage : ôtez ou serrez avec l'outil

Enjoliveur

Ôtez le bec

Came

Ergot

Joint

Tirez la tige pour ôter la came

Bille

Joint d'entrée

Fente

Ressort

Goupille

Siège

Cran

Joints toriques

Corps

Pince à bec long

Si la tige goutte, serrez la bague de réglage. Si le bec fuit, changez joints et ressorts. Nettoyez les entrées. Si le bec fuit à sa base, changez les joints toriques ou la bille. Remontage : alignez la fente et la goupille ; placez l'ergot dans le cran. Si la manette joue ou grippe, changez la came.

Les pièces des robinets peuvent différer, mais pas leur fonction. Quand vous tournez la poignée, une pièce se déplace et découvre le trou où l'eau passe. Il y a quatre types de mécanismes de robinets : à bille, à disque en céramique, à cartouche, mitigeur. Certains robinets ont deux poignées, d'autres une. Parfois, il faut tirer la poignée vers le haut pour ouvrir le robinet. La poignée ou la manette des mitigeurs d'évier règle aussi la température.

Mitigeur à disque en céramique

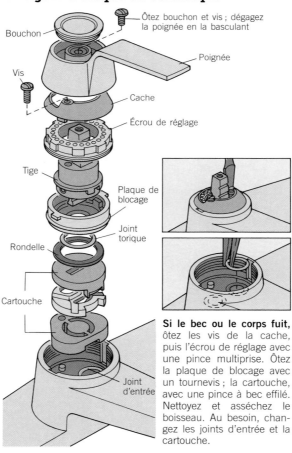

Bouchon

Ôtez bouchon et vis ; dégagez la poignée en la basculant

Poignée

Vis

Cache

Écrou de réglage

Tige

Plaque de blocage

Joint torique

Rondelle

Cartouche

Joint d'entrée

Si le bec ou le corps fuit, ôtez les vis de la cache, puis l'écrou de réglage avec une pince multiprise. Ôtez la plaque de blocage avec un tournevis ; la cartouche, avec une pince à bec effilé. Nettoyez et asséchez le boisseau. Au besoin, changez les joints d'entrée et la cartouche.

Si un robinet goutte, un joint torique ou une pièce, comme une cartouche ou le siège, peut être usé. Si l'eau coule faiblement, nettoyez le brise-jet.

Avant une réparation, fermez les robinets d'arrêt et purgez le robinet. Fermez le renvoi pour empêcher les pièces d'y tomber ; protégez l'appareil avec une serviette. Trouver la vis bloquant la poignée peut être difficile ; elle est parfois sous le bouchon décoratif ou la poignée.

Robinet à cartouche

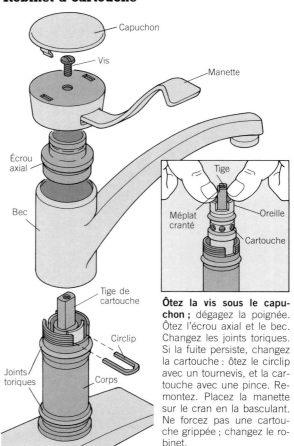

Capuchon

Vis

Manette

Écrou axial

Bec

Tige

Méplat cranté

Oreille

Cartouche

Tige de cartouche

Circlip

Joints toriques

Corps

Ôtez la vis sous le capuchon ; dégagez la poignée. Ôtez l'écrou axial et le bec. Changez les joints toriques. Si la fuite persiste, changez la cartouche : ôtez le circlip avec un tournevis, et la cartouche avec une pince. Remontez. Placez la manette sur le cran en la basculant. Ne forcez pas une cartouche grippée ; changez le robinet.

Pour faciliter le remontage, alignez les pièces dans l'ordre de démontage. Les pièces de rechange sont faciles à trouver. Choisissez-les identiques aux vieilles ; elles diffèrent un peu d'une marque à l'autre. Les mitigeurs n'étant plus fabriqués, leurs pièces sont rares ; vous devrez peut-être changer le robinet.

Certains robinets ont un raccord de douchette. Si l'eau coule lentement, le tuyau est peut-être tordu ; détordez-le. Un brise-jet ou un inverseur colmaté peut également être à l'origine du problème. Pour démonter le brise-jet, ôtez la vis sous le capuchon.

Pour déboucher un tuyau, faites-y couler de l'eau après avoir ôté la douchette.

Douchette qui fuit. Vous voulez réparer une douchette qui fuit à sa base ? Dégagez-la d'abord du manchon, puis retirez celui-ci du tuyau en forçant le circlip. Changez ensuite la rondelle avec une du même calibre.

Réparation d'un mitigeur

Avec une clé aux mâchoires recouvertes de ruban, dévissez la bague moletée ; ôtez le bec. Si le bec fuit à sa base, changez le joint torique ; s'il goutte, changez le siège. Ôtez bouchon et pièces. Nettoyez le tamis. Si la manette branle, serrez la vis d'un quart de tour.

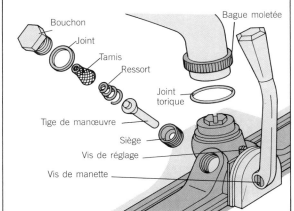

Brise-jet et inverseur

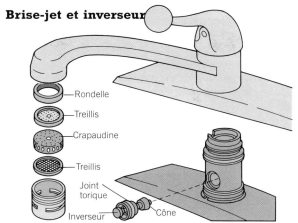

Débit lent. Dévissez le brise-jet ; trempez les pièces dans du vinaigre et nettoyez-les. Si le débit reste lent, ôtez le bec (p. 210). Retirez l'inverseur ou dévissez-le partiellement et ôtez-le en le tirant par le dessus avec une pince. Nettoyez les pièces. Si le cône joue, changez l'inverseur. Remontez.

Raccord de douchette

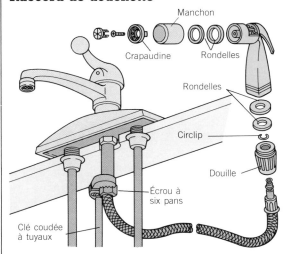

Pour changer un tuyau, dévissez le raccord avec une pince ou une clé coudée à tuyaux. Le tuyau neuf devrait être de même diamètre que l'ancien et en vinyle renforcé de nylon. S'il ne s'ajuste pas sur le raccord du bec, apportez l'écrou à six pans au magasin pour trouver un raccord convenable.

Fermez les robinets d'arrêt ; purgez. Ôtez les tuyaux d'amenée avec une clé coudée à tuyaux ou une clé à molette. Si les contre-écrous sont rouillés, utilisez de l'huile de décalage. Dévissez la tringlerie du clapet. Trouvez l'entre-axe en mesurant la distance entre le centre des deux trous.

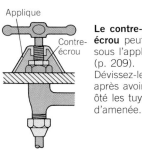

Le contre-écrou peut être sous l'applique (p. 209). Dévissez-le après avoir ôté les tuyaux d'amenée.

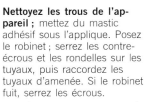

Nettoyez les trous de l'appareil ; mettez du mastic adhésif sous l'applique. Posez le robinet ; serrez les contre-écrous et les rondelles sur les tuyaux, puis raccordez les tuyaux d'amenée. Si le robinet fuit, serrez les écrous.

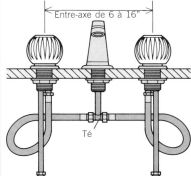

La plupart des nouveaux robinets de lavabo ont un entre-axe de 4 po. Si le vôtre est plus long, achetez-en un doté d'un té et d'un tuyau flexible.

211

Les pièces internes d'un robinet de baignoire se réparent comme celles des autres robinets. Certaines sont posées derrière le carrelage ; brisez les tuiles et ôtez l'écrou de chapeau pour y accéder. Vérifiez aussi l'inverseur. Si le robinet de baignoire n'est pas raccordé à un robinet d'arrêt, fermez le robinet de sectionnement de l'étage ou de la maison entière avant de commencer.

Robinet de baignoire sans rondelle

Si un robinet sans rondelle fuit, nettoyez ou changez ses pièces internes : joints toriques, ressorts ou cartouche (p. 210). Dévissez au besoin l'inverseur pour ôter l'applique.

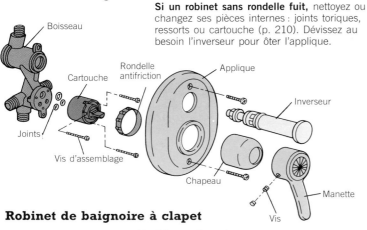

Boisseau
Cartouche
Joints
Rondelle antifriction
Vis d'assemblage
Chapeau
Applique
Inverseur
Manette
Vis

Robinet de baignoire à clapet

Inverseur
Vis
Rondelle
Tige
Écrou de presse-étoupe
Capuchon

Les pièces d'un robinet à clapet sont montées dans le même ordre que celles d'un robinet de lavabo (p. 209). Au besoin, ôtez l'écrou de chapeau pour nettoyer ou changer des pièces, ou roder le siège.

Dépose d'un écrou de chapeau

Pour atteindre un écrou de chapeau encastré, vous devrez buriner la tuile. Pratiquez une ouverture pour placer une clé à douille sur l'écrou ; dévissez-le en tournant vers la gauche. Réparez le mur avec du coulis ou de la tuile (p. 315).

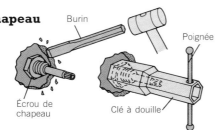

Burin
Poignée
Écrou de chapeau
Clé à douille

Pommes de douche

Détartrez une pomme de douche en la faisant tremper dans du vinaigre ; curez-en les trous avec un cure-dents. Réparez une fuite en serrant les raccords. Pour poser une nouvelle douchette, ôtez la vieille avec une clé à molette. Vissez le tuyau sur la crosse.

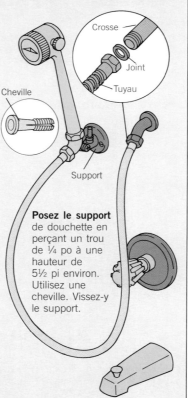

Crosse
Joint
Tuyau
Cheville
Support

Posez le support de douchette en perçant un trou de ¼ po à une hauteur de 5½ pi environ. Utilisez une cheville. Vissez-y le support.

Inverseur

L'inverseur dirige l'eau vers le bec ou la pomme de douche. Intégré au bec, il dérive l'eau vers la pomme de douche lorsqu'un bouton tiré vers le haut soulève une vanne. Ce modèle ne peut être réparé ; en cas de bris, le bec doit être changé. L'inverseur non intégré fonctionne comme un robinet à clapet : quand on tourne la poignée vers la droite, une tige va buter contre le siège et l'eau va vers la pomme de douche. Une rotation vers la gauche ramène l'eau vers le bec.

Si le robinet goutte pendant la douche, démontez l'inverseur comme si c'était un robinet à clapet (p. 209). Changez rondelles, joints toriques et filasse. Si le bâti est usé et que l'eau n'est toujours pas dérivée, changez l'inverseur.

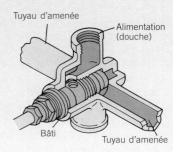

Tuyau d'amenée
Alimentation (douche)
Bâti
Tuyau d'amenée

Pour changer un inverseur, placez un manche de marteau ou de clé dans le bec ; dévissez-le en tournant vers la gauche. Posez un nouveau bec de la même longueur, sinon insérez-y un mamelon ; vissez-le manuellement.

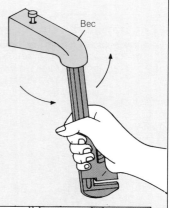

Bec

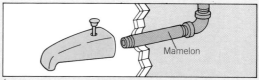

Mamelon

Étanchez le filetage avec de la pâte à joints.

Réparation d'une bonde à clapet

La plupart des lavabos et des baignoires ont une bonde à clapet. Son réglage est simple, mais il peut nécessiter plusieurs essais.

Sur les robinets de lavabo, un bouton commande une tringlerie à triple articulation : une tirette ; une tige plate verticale percée de trous ; et un levier qui, s'articulant perpendiculairement sur une rotule en plastique logée dans la bonde, ouvre ou ferme le clapet. On peut habituellement enlever le clapet en le tirant vers le haut, directement ou après l'avoir tourné. Un type de clapet est lié à un levier horizontal, vissé dans un œil à la base du clapet ; ôtez d'abord le levier.

Si l'eau fuit quand le clapet est fermé, ôtez-le. S'il y a des cheveux ou des débris, enlevez-les. Vérifiez le joint torique du clapet (les modèles lourds n'en ont pas) ; changez-le au besoin. Si l'eau fuit toujours, le clapet n'est pas bien calé ; réglez la tringlerie.

Commencez par la tirette. Ce réglage simple est compliqué par le manque d'espace sous l'évier. Servez-vous d'une lampe de poche. La tirette est liée au bouton, sur le robinet ; elle traverse le lavabo. Si vous ne pouvez desserrer la vis avec les doigts ou une pince (recouvrez les mâchoires de ruban), mettez de l'huile de décalage sur le filetage, puis attendez 30 minutes. Si le clapet résiste un peu après le réglage, déplacez le levier.

Si l'eau fuit par l'écrou de fixation, l'assemblage de la rotule est en cause ; changez les pièces usées, remontez pince et levier d'un trou.

Dispositif de vidange de la baignoire

Pour réparer une fuite, ôtez le clapet ; le culbuteur suivra. Nettoyez clapet, culbuteur et platine. Changez le joint torique au besoin. Pour régler le clapet, dévissez l'applique du trop-plein et ôtez la tringlerie (il peut y avoir un ressort ou un piston). Nettoyez-la avec une brosse à poils rigides ; faites-la tremper dans du vinaigre pour la détartrer. Desserrez les écrous de réglage de la tige d'attaque en tournant l'articulation centrale. Si la baignoire se vide, glissez l'articulation un peu vers le haut ; si l'eau s'écoule trop lentement, abaissez-la.

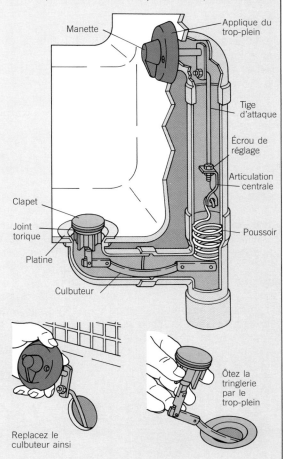

Clapets

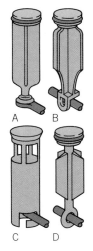

Dépose : tirez (A, B) ; tournez d'un quart de tour à gauche et tirez (C) ; ôtez l'écrou de fixation et le levier et tirez.

Dispositif de vidange du lavabo

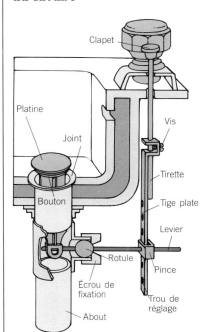

Réglage de la tirette

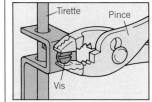

Desserrez la vis avec les doigts ou une pince. Tirez le bouton et appuyez sur le clapet ; resserrez la vis.

Réglage du levier

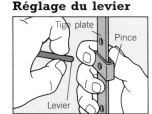

Appuyez sur la pince et dégagez le levier ; placez pince et levier dans le trou du dessus. Répétez si nécessaire.

Fuite près de la rotule

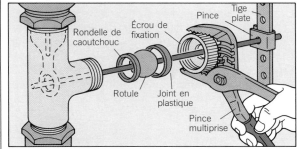

Serrez l'écrou de fixation. Si la fuite persiste, dévissez-le et changez rondelle ou joint. Nettoyez la rotule ou changez-la.

Coups de bélier et sifflements

Les coups de bélier sont provoqués par un robinet qu'on ferme : l'eau circulant sous pression est soudainement arrêtée et la pression fait trembler la conduite. Cela peut être dommageable. Si la plomberie ne comporte pas d'antibéliers ou de colonnes d'air, installez-en. L'air contenu dans la colonne servira de tampon et empêchera les coups de bélier.

Il y a plusieurs types d'antibéliers : les tuyaux dont le diamètre est le double de celui d'une conduite d'alimentation et d'une longueur pouvant atteindre 2 pi (60 cm) ; les serpentins de cuivre souple pouvant être posés sans qu'on ait à percer un mur ; et les dispositifs dotés d'un diaphragme. Les deux premiers se remplissent d'eau ? Fermez le robinet de sectionnement et ouvrez tous les robinets. Le diaphragme du dernier se rompt ? Changez l'antibélier.

Le réducteur de pression, à l'entrée du tuyau d'alimentation, empêche les coups de bélier, mais il peut réduire le débit et nuire au fonctionnement des appareils aux étages supérieurs. Il élimine les sifflements, signes d'une pression élevée. (Si vous possédez une pompe à eau, vérifiez-en d'abord la pression.) Les sifflements peuvent aussi provenir d'un étranglement ; tous les robinets d'alimentation doivent être ouverts.

Autres bruits dans la plomberie

Des tuyaux mal fixés peuvent se cogner quand on ferme un robinet. Examinez-en les colliers ou les supports, et refixez-les bien solidement ou ajoutez-en au besoin. Si un tuyau cogne contre un poteau ou une lisse qu'elle traverse, agrandissez le trou.

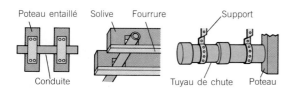

Poteau entaillé   Solive   Fourrure   Support

Conduite   Tuyau de chute   Poteau

Antibéliers

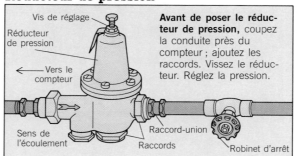

Diaphragme

Colonne d'air   Serpentin

Réducteurs

Mamelon

Té

Robinet

Conduite d'alimentation

Avant de poser un antibélier, coupez l'eau et purgez le robinet. Coupez la conduite. Posez un té, un petit mamelon et un réducteur. Mettez du ruban téflon sur le filetage de l'antibélier ; vissez-le dans le réducteur.

Réducteur de pression

Vis de réglage

Réducteur de pression

Vers le compteur

Sens de l'écoulement

Raccord-union

Raccords

Robinet d'arrêt

Avant de poser le réducteur de pression, coupez la conduite près du compteur ; ajoutez les raccords. Vissez le réducteur. Réglez la pression.

Le tuyau doit glisser un peu sur ses supports. Quand vous ouvrez l'eau chaude, le tuyau se dilate ; un cliquetis indique qu'il est trop solidement retenu. Localisez la source du bruit. Desserrez le support et séparez-le du tuyau par un morceau de caoutchouc.

Les gargouillements viennent d'un robinet mal fermé, d'une toilette qui fuit (p. 206), d'un humidificateur de chaudière raccordé à une conduite d'eau froide ou d'un adoucisseur d'eau qui se rince. Une mauvaise aération, un évent bouché ou un trop petit diamètre peuvent causer des bruits dans le circuit de drainage.

Calorifugez les tuyaux exposés au froid. Voici quelques mesures à prendre par grands froids : laisser s'écouler un filet d'eau ; diriger un radiateur, une lampe chauffante ou une ampoule de 100 W sur le tuyau ; garder les portes ouvertes entre les pièces, chauffées ou non ; envelopper les tuyaux de papier journal.

L'isolant n'empêchera pas les tuyaux de geler durant une vague de froid, mais il sera efficace pendant une courte période. Il réduira aussi les déperditions de chaleur des tuyaux d'eau chaude et la condensation sur les tuyaux d'eau froide. Il est vendu en gaines ou en bandes. Le ruban électrique chauffant enroulé autour des tuyaux est également efficace.

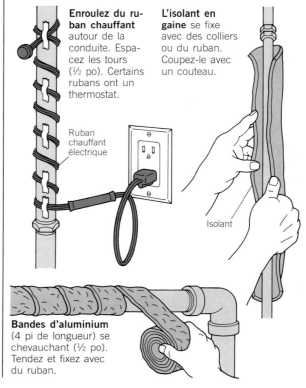

Enroulez du ruban chauffant autour de la conduite. Espacez les tours (½ po). Certains rubans ont un thermostat.

L'isolant en gaine se fixe avec des colliers ou du ruban. Coupez-le avec un couteau.

Ruban chauffant électrique

Isolant

Bandes d'aluminium (4 pi de longueur) se chevauchant (½ po). Tendez et fixez avec du ruban.

Tuyaux gelés ou crevés

Dégeler une conduite prend du temps. L'eau se dilate en gelant ; les tuyaux ou les raccords risquent donc de crever ou de fuir. Réparez tout dommage avant de dégeler le tuyau (sèche-cheveux, torche à propane (p. 11) ou autre). Si le tuyau est encastré, dirigez-y une lampe chauffante fixée à un siège (p. 11) ou laissez s'écouler

l'eau. L'eau courante, plus chaude, contribuera à faire fondre la glace.

Réparation d'un tuyau percé ou crevé. Coupez l'eau et ouvrez un robinet. S'il s'agit d'une petite fuite dans un tuyau de drainage, bloquez-la avec un cure-dents (l'eau fera gonfler le bois). Une fois la surface sèche, scellez-la avec

du chatterton ; tendez-le, en le faisant chevaucher au moins la moitié de sa largeur ; mettez-en une triple épaisseur. Si un joint fuit, serrez les raccords ou rebrasez le joint (p. 217-223).

Si vous coupez le tuyau, retenez les deux extrémités. Le sciage peut défaire les joints ; le tuyau pourra s'arquer et se détacher du mur.

Élimination d'un bouchon de glace

Avant de commencer, coupez l'eau. Ouvrez un robinet pour laisser s'écouler l'eau de fusion et pour éviter la formation de vapeur sous pression quand le tuyau sera chauffé (mesure très importante si vous utilisez une torche à propane). Allez du robinet ouvert vers le bouchon de glace. Au fur et à mesure que la glace fond, voyez s'il y a des fuites.
ATTENTION ! Ne chauffez jamais un tuyau de plastique avec une torche à propane.

Allez du robinet vers le bouchon de glace

Utilisez un sèche-cheveux, une lampe chauffante ou une torche à propane munie d'un bec plat. La source de chaleur ne doit pas être fixe : le tuyau ne doit pas devenir trop chaud. Il pourrait éclater.

Enveloppez le tuyau de chiffons (métal seulement) ; versez-y de l'eau bouillante. Laissez refroidir et recommencez.

Enroulez un coussin, une couverture ou du ruban chauffant (tous mis à la terre et imperméables) autour de la conduite.

Réparation d'un tuyau crevé

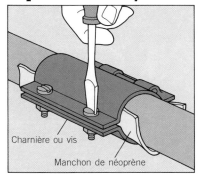

Charnière ou vis

Manchon de néoprène

Posez une bride (excédant la fente de 1 po) sur une plaquette de caoutchouc ou de néoprène.

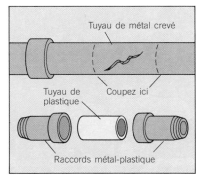

Tuyau de métal crevé

Tuyau de plastique

Coupez ici

Raccords métal-plastique

Remplacez la partie crevée par un tuyau de plastique. Utilisez un raccord métal-plastique (p. 216).

ÉPOXYDE

Avec de l'époxyde, réparez les joints qui fuient (sur les tuyaux de drainage seulement).

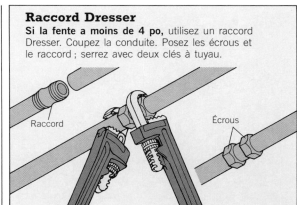

Raccord Dresser
Si la fente a moins de 4 po, utilisez un raccord Dresser. Coupez la conduite. Posez les écrous et le raccord ; serrez avec deux clés à tuyau.

Raccord

Écrous

Le type et le diamètre des tuyaux sont prescrits par les codes. Avant de faire un choix ou tout gros travail de plomberie, prenez-en connaissance (p. 193) et consultez un expert. Sachez aussi qu'il faut un permis pour tout travail en plomberie. Dans certains endroits, un plombier dûment accrédité doit effectuer certains travaux ou les inspecter.

En général, les tuyaux d'alimentation sont en plastique, en cuivre, en acier galvanisé ou en laiton ; les tuyaux de drainage et d'aération, en fonte, en cuivre, en plastique ou en acier. Le tuyau en polyéthylène est utilisé à l'extérieur, pour l'eau froide.

Raccords. Il existe un grand nombre de raccords servant à unir des tuyaux de types ou de diamètres différents, à former un coude avec un tuyau rigide ou à unir des tuyaux posés en ligne droite ou formant des dérivations.

Les raccords existent en deux modèles : standard ou à parois affleurées. Les premiers sont utilisés dans les circuits d'alimentation ; les seconds, dans les circuits de drainage (leurs joints internes lisses ne freinent pas l'écoulement des eaux).

Mesure d'un tuyau. Les tuyaux étant désignés par leur diamètre intérieur, les cotes réelles d'un tuyau diffèrent parfois beaucoup des cotes nominales. Ainsi, un tuyau dont le diamètre nominal est de $1/4$ po (6 mm) pourra être plus gros ou plus petit. Si vous achetez un tuyau pour le raccorder à un circuit existant, apportez un bout de tuyau ou mesurez-en le diamètre intérieur ; consultez ensuite le tableau de conversion au magasin. Si vous ajoutez une conduite d'alimentation, utilisez du tuyau de la dimension recommandée par le fabricant.

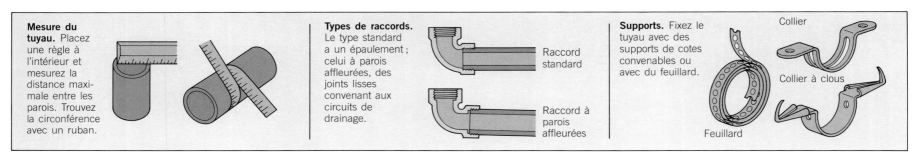

Mesure du tuyau. Placez une règle à l'intérieur et mesurez la distance maximale entre les parois. Trouvez la circonférence avec un ruban.

Types de raccords. Le type standard a un épaulement ; celui à parois affleurées, des joints lisses convenant aux circuits de drainage.

Raccord standard

Raccord à parois affleurées

Supports. Fixez le tuyau avec des supports de cotes convenables ou avec du feuillard.

Collier

Collier à clous

Feuillard

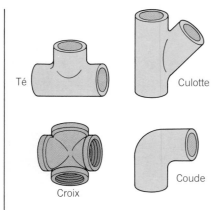

Té

Culotte

Croix

Coude

Dérivations et coudes. Tés, culottes et croix unissent les tuyaux à 45° ou à 90°. Les coudes dévient les tuyaux rigides. Tés, culottes et coudes de réduction joignent des diamètres différents.

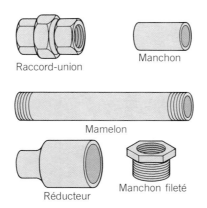

Raccord-union

Manchon

Mamelon

Réducteur

Manchon fileté

Joints en ligne. Le raccord-union défait un raccordement. Manchons et mamelons unissent les tuyaux en ligne droite ; réducteurs et manchons filetés joignent tuyaux et raccords de cotes différentes.

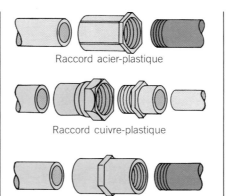

Raccord acier-plastique

Raccord cuivre-plastique

Raccord diélectrique cuivre-acier

Raccords diélectriques et de transition. Les raccords de transition unissent des tuyaux en plastique ou en métal. Les manchons diélectriques unissent des tuyaux de métaux différents.

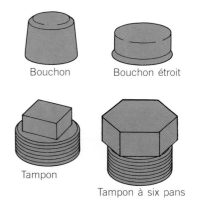

Bouchon

Bouchon étroit

Tampon

Tampon à six pans

Bouchons et tampons. Les bouchons sont vissés sur le bout des tuyaux ; les tampons, au bout des tuyaux ou des raccords. Les regards de nettoyage comportent souvent des tampons.

Tuyau de plastique rigide

Le tuyau de plastique rigide, facile à façonner, durable, moins cher et plus léger que le tuyau de métal, est très utilisé. Il répond à toutes les normes. Mais comme certaines villes peuvent l'interdire, consultez les codes.

Types. Le tuyau en CPVC (chlorure de polyvinyle chloré) convient aux circuits d'alimentation d'eau chaude et d'eau froide. Il se vend en barres de 10 ou 20 pi (3 ou 6 m), d'un diamètre de ½ ou ¾ po (1,25 ou 1,90 cm) ; son taux de pression nominale est de 100 lb/po² (690 kPa). Le tuyau de plastique supportant mal les brusques changements de pression, il est recommandé de poser des antibéliers (p. 214).

Le tuyau en PVC (polychlorure de vinyle) est utilisé surtout dans les circuits de drainage parce qu'il résiste aux produits chimiques. Il s'achète en barres de 10 ou 20 pi (3 ou 6 m), de diamètre varié.

Le tuyau en ABS (acrylonitrile-butadiène-styrène) est seulement utilisé dans les circuits de drainage. Il est vendu en barres de 10 ou 20 pi (3 ou 6 m), de diamètres convenant aux colonnes et aux collecteurs principaux.

Raccordements. Les tuyaux de plastique sont assemblés par soudage chimique : une colle à solvant dissout les surfaces à coller et les fusionne. Chaque type de tuyau nécessite une colle spéciale, et le CPVC et le PVC doivent être apprêtés avant l'encollage. Suivez les instructions, travaillez dans un lieu bien aéré et ne fumez pas. La colle à solvant est très inflammable.

Vous pouvez unir un tuyau de plastique rigide et un tuyau de métal avec un raccord de transition. Mais n'utilisez pas différents types de tuyaux de plastique dans un même circuit.

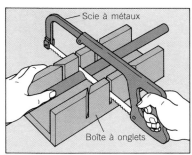

1. Coupez le tuyau avec une lame à 24 ou 32 dents au pouce, ou utilisez un coupe-tube et faites comme si c'était du cuivre (p. 220).

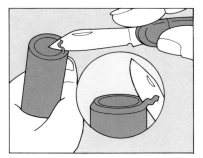

2. Ébarbez l'intérieur du tuyau avec un couteau ou une lime, et l'extérieur avec un papier de verre fin (120). Chanfreinez le bord externe pour retenir la colle.

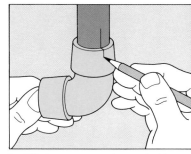

3. Effectuez un montage « à blanc ». Marquez tout d'abord le tuyau et le raccord pour les orienter rapidement une fois encollés.

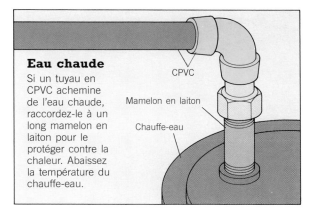

Eau chaude

Si un tuyau en CPVC achemine de l'eau chaude, raccordez-le à un long mamelon en laiton pour le protéger contre la chaleur. Abaissez la température du chauffe-eau.

CPVC
Mamelon en laiton
Chauffe-eau

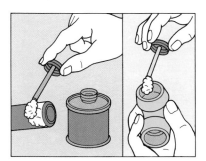

4. Encollez généreusement les surfaces. (Pour le CPVC ou le PVC, mettez de l'apprêt, attendez 15 secondes, puis encollez les surfaces.)

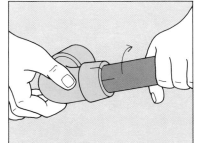

5. Faites le raccordement, à un quart de tour près. Tournez le raccord pour étendre la colle et alignez les marques. La colle sèche en 60 secondes.

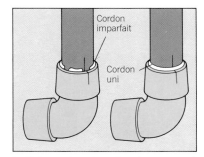

6. Si le cordon de colle n'est pas uni, recommencez. Tenez 30 secondes ; attendez 3 minutes avant de réencoller, 12 heures avant de mettre en service.

Cordon imparfait
Cordon uni

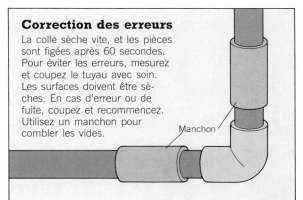

Correction des erreurs

La colle sèche vite, et les pièces sont figées après 60 secondes. Pour éviter les erreurs, mesurez et coupez le tuyau avec soin. Les surfaces doivent être sèches. En cas d'erreur ou de fuite, coupez et recommencez. Utilisez un manchon pour combler les vides.

Manchon

217

Plomberie / Tuyau de plastique souple

Le tuyau de plastique souple est très utile dans les endroits difficiles d'accès. Il requiert peu de raccords, il est facile à façonner, peu coûteux et freine peu l'écoulement de l'eau.

Types. Le tuyau en PB (polybutylène) convient aux circuits d'eau chaude et froide. Il supporte une pression de 100 lb/po² (690 kPa) et des températures jusqu'à 82°C (180°F). Il se vend en rouleau de 25 ou 100 pi (7,6 ou 30 m), dans des diamètres intérieurs de ³/₈, ¹/₂ ou ³/₄ po (9,5, 12,5 ou 19 mm).

Le tuyau en PE (polyéthylène) est seulement utilisé dans les circuits d'eau froide (puits ou système d'arrosage). Il se vend en rouleau de 100 pi (30 m), dans des diamètres de ¹/₂, ³/₄ ou 1 po (12,5, 19 ou 25,4 mm). Son taux de pression nominal peut atteindre 100 ou 125 lb/po² (690 ou 860 kPa). La qualité dite « d'usage général » ne convient pas aux circuits d'eau potable sous forte pression.

Raccords. Le tuyau de plastique souple est raccordé avec des mamelons non filetés, insérés et bloqués par un collier, ou avec des raccords « express », un peu plus chers. Les raccords à bagues ou à collets utilisés sur le tuyau de cuivre peuvent l'être sur le tuyau de plastique, particulièrement pour le raccorder aux robinets et aux appareils.

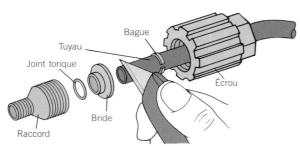

Raccords « express » et mamelons. Coupez le tuyau d'équerre, et insérez-le dans le raccord de façon à le bloquer, ou glissez sur le tuyau un collier à crémaillère en inox, introduisez le mamelon dans le tuyau et serrez le collier. Pour défaire, desserrez le collier, versez de l'eau chaude et tirez.

Raccords à bague. Coupez d'abord le tuyau d'équerre pour qu'il bute bien en fond de raccord. Glissez l'écrou, puis la bague, ensuite le joint torique et enfin la bride sur le tuyau. Vissez manuellement l'écrou sur le raccord ; finalement, serrez avec deux clés.

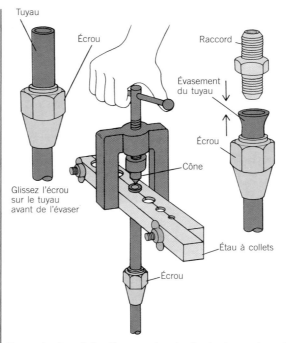

Raccords à collets. Trempez les bouts du tuyau (coupés d'équerre) dans de l'eau chaude pour les amollir. Glissez l'écrou sur le tuyau ; bloquez le tuyau dans l'étau à collets. Évasez le tuyau, débloquez-le, poussez l'écrou sur l'évasement et vissez-le sur le raccord ; serrez avec deux clés. (Voir p. 221.)

Réparation ou remplacement d'un ajutage

La terre, le tartre ou les minéraux qui colmatent les petits trous de l'ajutage d'un système d'arrosage s'enlèvent facilement. S'il survient d'autres problèmes, il est d'ordinaire plus facile de changer l'ajutage que de le réparer. Achetez-en un nouveau. Il est préférable de prendre avec vous l'original au magasin pour vous assurer que le filetage du nouvel ajutage soit le bon pour votre système d'arrosage.

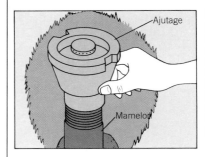

Avec une truelle, dégagez l'ajutage et dévissez-le ; le mamelon pourrait suivre. S'il tombe de la terre dans le tuyau, faites couler l'eau quelques secondes ou utilisez un aspirateur eau-poussière (p. 76).

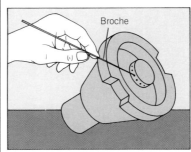

Curez les trous de l'ajutage avec une broche. Si le problème persiste, changez l'ajutage. Si le mamelon s'est enlevé avec l'ajutage, nettoyez-en le filetage. Posez l'ajutage (nettoyé ou neuf) et revissez le mamelon.

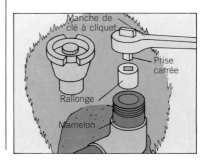

Haussez un ajutage enfoncé dans le sol en posant un mamelon plus long. Si le vieux est difficile à dévisser, insérez-y une rallonge de clé à cliquet (¹/₂ po), mettez le manche en place et dévissez.

Déplacement d'un ajutage

Si vous réaménagez les plates-bandes, les arbustes du jardin, ou la rocaille, ou si vous construisez un patio qui couvrira une partie de votre pelouse, il suffira, pour déplacer un ajutage, d'utiliser une rallonge faite d'un tuyau de plastique souple de ½ po (1,25 cm), que vous poserez après avoir coupé et soulevé avec soin une tranche de gazon à l'endroit même du nouvel ajutage.

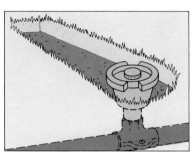

1. Découpez et ôtez soigneusement la tranche de gazon située entre l'ancien emplacement et le nouveau. Creusez sur 4 po de profondeur ; dégagez l'ajutage et retirez-le ainsi que son mamelon.

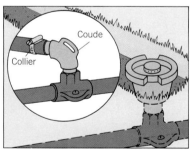

Coude

Collier

2. Vissez un coude dans le raccord déterré. Au besoin, ôtez plus de terre pour l'atteindre. Placez le coude dans le tuyau de rallonge et posez un collier. Installez le tuyau et coupez-le à la longueur voulue.

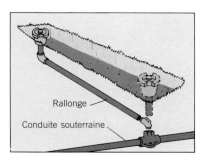

Rallonge

Conduite souterraine

3. Posez un coude au bout de la rallonge. Vissez le mamelon (l'ajutage en place) dans le coude. Si l'ajutage est trop haut, ôtez plus de terre sous le coude ; s'il est trop bas, posez un mamelon plus long.

Pose d'une pompe d'assèchement

Si la cave est souvent inondée ou si son plancher est sous le niveau des égouts, installez un puisard et une pompe d'assèchement. Quand l'eau atteint une certaine hauteur dans le puisard, un interrupteur à flotteur allume la pompe. Utilisez de préférence une pompe à pied (voir illustration). La position du flotteur de la pompe à pied peut être modifiée. En cas d'absence prolongée, vous pouvez donc régler le flotteur pour que la pompe s'allume et s'éteigne à des niveaux d'eau plus bas que d'habitude.

Le puisard vendu par les marchands de bois est un cylindre en métal galvanisé ou en plastique, aux parois ondulées, d'un diamètre de 18 po (45,70 cm). Pour le poser, ménagez dans le plancher un trou de 2 pi (60 cm) de profondeur. Recouvrez le fond du trou d'une couche de gravier (de 2 à 3 po [de 5 à 7,60 cm]), posez le puisard, installez la pompe et fermez le puisard.

Utilisez un tuyau en plastique de 1¼ po (3,15 cm) pour refouler l'eau vers l'égout. Pour empêcher l'eau de refluer, posez une vanne de retenue de 1¼ po (3,15 cm) en plastique. Branchez la pompe sur une prise équipée d'un disjoncteur différentiel et placée au moins à 4 pi (1,20 m) au-dessus du sol (p. 240).

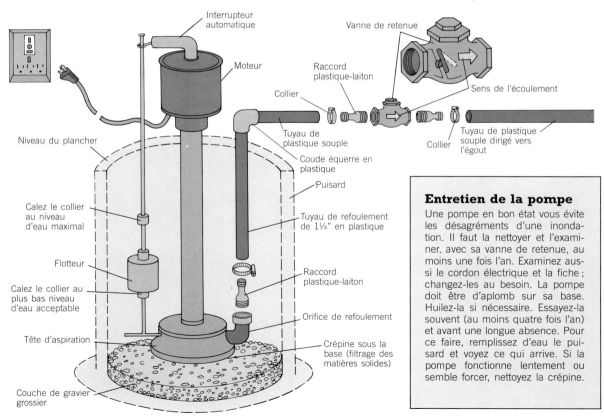

Interrupteur automatique

Vanne de retenue

Moteur

Raccord plastique-laiton

Collier

Sens de l'écoulement

Tuyau de plastique souple

Niveau du plancher

Coude équerre en plastique

Collier

Tuyau de plastique souple dirigé vers l'égout

Calez le collier au niveau d'eau maximal

Puisard

Tuyau de refoulement de 1¼" en plastique

Flotteur

Calez le collier au plus bas niveau d'eau acceptable

Raccord plastique-laiton

Tête d'aspiration

Orifice de refoulement

Crépine sous la base (filtrage des matières solides)

Couche de gravier grossier

Entretien de la pompe

Une pompe en bon état vous évite les désagréments d'une inondation. Il faut la nettoyer et l'examiner, avec sa vanne de retenue, au moins une fois l'an. Examinez aussi le cordon électrique et la fiche ; changez-les au besoin. La pompe doit être d'aplomb sur sa base. Huilez-la si nécessaire. Essayez-la souvent (au moins quatre fois l'an) et avant une longue absence. Pour ce faire, remplissez d'eau le puisard et voyez ce qui arrive. Si la pompe fonctionne lentement ou semble forcer, nettoyez la crépine.

Plomberie / Tuyau de cuivre rigide

L'emploi du tuyau de cuivre rigide comporte de nombreux avantages. Léger et durable, il résiste à l'entartrage et est utilisé avec des raccords à visser ou à souder. Il est facile à façonner et à réparer. Mais il est cher.

Ce tuyau se vend en section de 10 ou 20 pi (3 ou 6 m). Il en existe trois types : K, le plus lourd, sert aux canalisations souterraines extérieures ; L, d'un poids moyen, convient le mieux aux circuits intérieurs ; et M, le plus léger, convient à l'intérieur, selon les codes en vigueur.

Les raccordements de tuyaux de cuivre rigides, faits par brasage capillaire, sont résistants et fuient moins que les raccordements vissés ; utilisez une graisse décapante sans acide (p. 134) et du métal d'apport en fil plein. Sur les tuyaux d'alimentation en eau potable, utilisez de la brasure à l'argent ou un matériau contenant au plus

0,2 p. 100 de plomb, limite recommandée par le Code canadien de la plomberie. Utilisez une torche au propane pour braser un raccordement.

Les surfaces à braser doivent être propres et sèches : la soudure doit s'écouler également et y adhérer fermement. Même une empreinte digitale peut être nuisible. Si un robinet fuit, bouchez le tuyau avec de la mie de pain pour absorber l'eau. Le raccordement brasé, retirez le brise-jet du robinet le plus proche et ouvrez le robinet ; la mie de pain sera emportée par l'eau.

Quand vous faites un brasage près d'un ancien raccordement, enroulez un chiffon humide autour de ce dernier pour empêcher sa soudure de fondre. Si vous brasez un raccord où s'insère plus d'un tuyau, brasez tous les tuyaux en même temps. Pour réparer un raccordement, faites-en fondre la soudure, défaites-le, puis rebrasez-le.

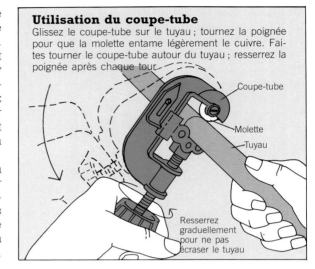

Utilisation du coupe-tube
Glissez le coupe-tube sur le tuyau ; tournez la poignée pour que la molette entame légèrement le cuivre. Faites tourner le coupe-tube autour du tuyau ; resserrez la poignée après chaque tour.

Coupe-tube
Molette
Tuyau
Resserrez graduellement pour ne pas écraser le tuyau

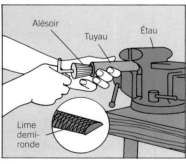

Alésoir
Tuyau
Étau
Lime demi-ronde

Brasage
1. Coupez le tuyau (voir ci-dessus et à la p. 224) au coupe-tube ou à la scie à métaux pourvue de 24 ou 32 dents au pouce. Ébarbez-le à l'alésoir ou à la lime demi-ronde : les surfaces doivent être lisses.

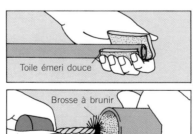

Toile émeri douce
Brosse à brunir

2. Brunissez l'intérieur du raccord et la face externe du tuyau avec une toile émeri douce ou une brosse, jusqu'à ce que le cuivre brille. Ne pas trop abraser. Le tuyau doit reposer sur une base stable. Ne touchez plus les surfaces nettoyées.

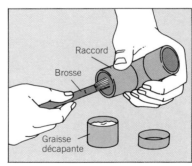

Raccord
Brosse
Graisse décapante

3. Appliquez une légère couche de graisse décapante sur le tuyau et dans le raccord. *Note :* s'il y a un raccordement, coupez l'eau et ouvrez un robinet, car la pression d'air augmenterait, et la soudure serait rejetée.

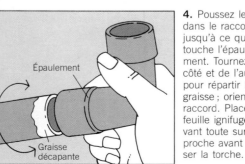

Épaulement
Graisse décapante

4. Poussez le tuyau dans le raccord jusqu'à ce qu'il en touche l'épaulement. Tournez d'un côté et de l'autre pour répartir la graisse ; orientez le raccord. Placez une feuille ignifugée devant toute surface proche avant d'utiliser la torche.

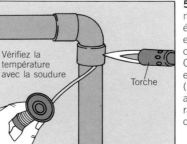 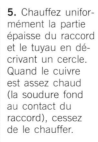

Vérifiez la température avec la soudure
Torche

5. Chauffez uniformément la partie épaisse du raccord et le tuyau en décrivant un cercle. Quand le cuivre est assez chaud (la soudure fond au contact du raccord), cessez de le chauffer.

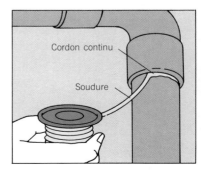

Cordon continu
Soudure

6. Présentez le métal d'apport contre le raccord (il y entrera par capillarité) ; appliquez-le autour du tuyau pour former un cordon continu ; ne laissez pas d'espace. Laissez refroidir le métal avant de le manipuler.

Tuyau de cuivre souple

Comme on peut le cintrer, ce qui élimine certains raccords, le tuyau de cuivre souple s'installe facilement et l'eau s'y écoule mieux que dans le tuyau rigide. Cependant, son apparence est moins belle dans les longues courses que celle du tuyau rigide ; aussi l'utilise-t-on surtout là où il ne peut être vu. Il est surtout utile dans les travaux de réfection, car il peut être glissé derrière les murs, dans les plafonds et dans de petites ouvertures.

L'on en trouve deux types : L, d'un poids moyen, qui convient surtout à la plomberie résidentielle ; et K, plus lourd, qui est réservé aux canalisations souterraines. Les deux types sont vendus en couronnes de 15, 30, 60 ou 100 pi (4, 9, 18 ou 30 m).

Cintrage. Vous pouvez le faire à la main en plaçant le tuyau contre le genou ou sur une cintreuse artisanale (p. 138), ou en l'insérant dans un ressort spécial. Pour éviter les voilures, remplissez de sable le tuyau avant de le cintrer et lavez-le ensuite. Évitez les cintrages très prononcés : ils réduisent le volume et le débit d'eau dans le tuyau. Si le tuyau doit décrire une courbe de 90°, le cintrage doit être large et graduel.

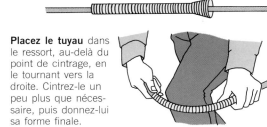

Placez le tuyau dans le ressort, au-delà du point de cintrage, en le tournant vers la droite. Cintrez-le un peu plus que nécessaire, puis donnez-lui sa forme finale.

Raccordement. Le tuyau de cuivre souple peut s'insérer dans des raccords à collets ou à bagues ; il peut aussi être brasé. Un joint bien brasé est plus résistant et plus durable qu'un raccordement fait avec un raccord, mais un raccord s'installe plus facilement et se démonte en tout temps avec deux clés.

Avant d'utiliser un raccord, coupez à angle droit les bouts du tuyau. Ébarbez-les soigneusement et suivez les instructions données ci-dessous. Les raccordements par collets peuvent fuir s'ils sont mal faits ; la moindre inégalité risque d'entraîner des problèmes. Vous pouvez utiliser une toupie (de diamètre approprié) ou un étau à collets.

Si vous brasez un tuyau souple, faites comme s'il s'agissait d'un tuyau rigide (voir à la page précédente).

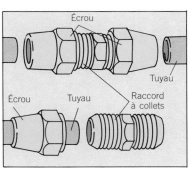

Raccords à collets
1. Coupez le tuyau en ajoutant 2 po à la longueur requise. S'il y a fuite, vous pourrez le recouper et l'évaser sans problème. Ébarbez-le avec une lime ou une toile émeri. Glissez l'écrou sur le bout du tuyau.

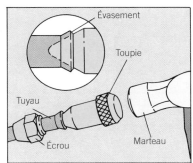

2. Si vous utilisez une toupie, bloquez le tuyau en laissant dépasser son extrémité. Avec un marteau, frappez doucement sur la toupie jusqu'à évasement du tuyau.

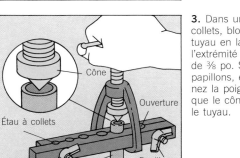

3. Dans un étau à collets, bloquez le tuyau en laissant l'extrémité dépasser de ⅜ po. Serrez les papillons, et tournez la poignée pour que le cône évase le tuyau.

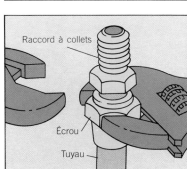

4. Appuyez le raccord dans l'évasement du tuyau. Vissez l'écrou avec deux clés, l'une pour tenir la partie non filetée du raccord, l'autre pour tourner l'écrou. Si le raccordement fuit, coupez le bout évasé et recommencez.

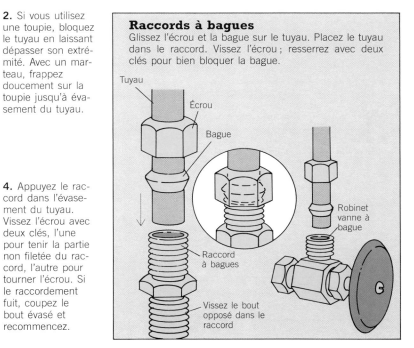

Raccords à bagues
Glissez l'écrou et la bague sur le tuyau. Placez le tuyau dans le raccord. Vissez l'écrou ; resserrez avec deux clés pour bien bloquer la bague.

Plomberie / Tuyaux de laiton et d'acier

Les tuyaux de laiton et en acier galvanisé supportent de très fortes pressions ; ils conviennent donc aux circuits d'alimentation. Ils sont vendus dans les mêmes cotes et prennent les mêmes raccords. Il y a trois types de parois dans les diamètres supérieurs à ½ po (1,25 cm) : standard, extra-lourd et double extra-lourd.

Les faces internes et externes du tuyau en acier galvanisé sont revêtues d'une couche antirouille de zinc, sauf le filetage, qui finit par rouiller. Les parois internes n'étant pas lisses, le tartre forme à la longue un bouchon.

Le tuyau de laiton dure plus longtemps que celui en acier, mais il coûte cher. Pour unir du laiton et de l'acier, utilisez des raccords diélectriques pour éviter la rouille causée par les réactions électrochimiques.

Raccordement. Il est facile d'unir des tuyaux de laiton et d'acier avec des raccords filetés. Il se vend des tuyaux déjà filetés ou que le marchand peut fileter. Sinon, coupez le tuyau d'équerre, ébarbez-le, bloquez-le dans un étau et filetez-le avec une filière et un porte-filière. Avant d'unir des tuyaux filetés, mettez de la pâte à joints ou du ruban téflon sur les filetages.

Raccords-unions. Un tuyau inséré dans des raccords vissés ne peut être ôté : en le dévissant d'un côté, vous le visseriez de l'autre. Coupez-le donc et posez un raccord-union. Ce type de raccord facilitera d'éventuelles réparations.

Filetage d'un tuyau

Placez la filière sur le tuyau. En poussant, tournez le porte-filière vers la droite de façon à entamer le métal. Versez de l'huile de coupe dans la fenêtre ; continuez de tourner sans pousser. Si la filière grippe, dévissez-la d'un quart de tour, ôtez les copeaux et ajoutez de l'huile.

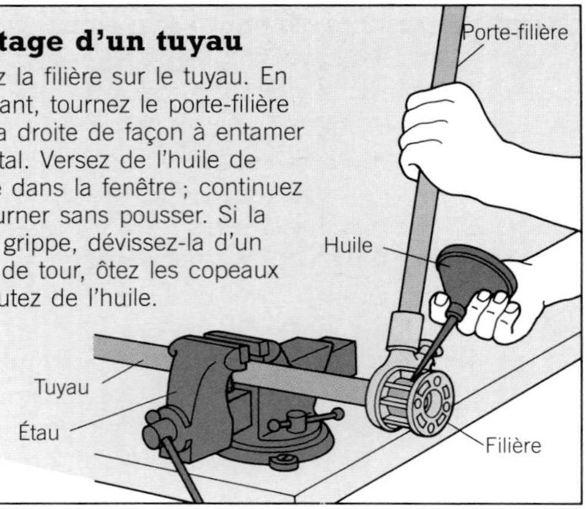

Calcul de la longueur d'un tuyau

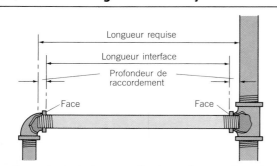

Pour calculer la longueur d'un tuyau de raccordement, mesurez la distance entre les faces des raccords. Ajoutez-y la profondeur de raccordement (portion des filetages pénétrant dans les raccords).

Diamètre (po)	Profondeur de raccordement (po)	
	Standard	Drainage
½	½	(s.o.)
¾	½	(s.o.)
1	⅝	⅝
1¼	⅝	⅝
1½	⅝	⅝
2	¾	⅞
3	(s.o.)	1
4	(s.o.)	(s.o.)

Remplacement d'une conduite crevée

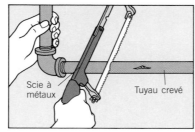

1. Coupez l'eau. Enlevez la partie crevée. Si la conduite est longue, fixez-la pour réduire la vibration et éviter le bris de joints.

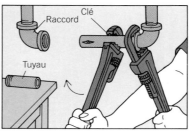

2. Défaites le raccordement avec deux clés, l'une pour tenir le raccord, l'autre pour tourner la conduite. Faites-le délicatement pour ne pas briser de joints.

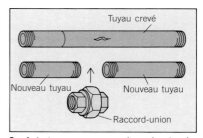

3. Achetez ou coupez deux bouts de tuyau qui, unis avec un raccord-union, auront la même longueur que la partie crevée. Filetez-les au besoin.

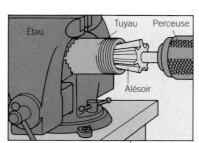

4. Ébarbez l'intérieur de la conduite avec un alésoir ou une lime demi-ronde ; limez l'extérieur. Mettez de la pâte à joints ou du ruban téflon sur le filetage.

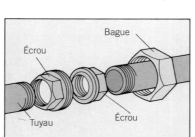

5. Vissez l'écrou du raccord-union sur un tuyau. Glissez la bague sur l'autre et vissez-y le second écrou. Serrez avec deux clés.

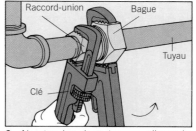

6. Aboutez les deux tuyaux, glissez la bague au centre du raccord-union et vissez-la sur l'écrou fileté extérieurement. Serrez avec deux clés.

Tuyau de fonte

Étanchéité et raccordement

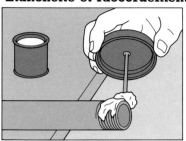

Mettez une couche égale de pâte à joints sur le filetage (remplissez-le, sans plus) : le raccordement sera lubrifié, étanché, protégé de la rouille et facile à défaire. Ne mettez pas de pâte dans les pièces.

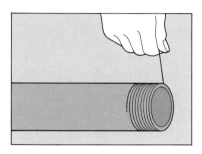

Pour plus de protection contre les fuites, enroulez de la filasse sur le filetage avant d'y mettre de la pâte à joints, surtout si vous refaites un vieux raccordement.

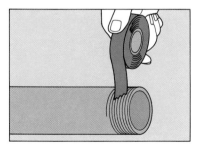

Le ruban téflon remplace avantageusement la pâte à joints. Faites une fois et demie le tour du tuyau en tournant vers la droite. Enroulez le ruban fermement (le filetage doit transparaître).

Insérez le tuyau dans le raccord, vissez manuellement, puis serrez avec deux clés à tuyau ; les trois derniers filets doivent rester hors du raccord. Serrer davantage serait dommageable.

En raison de sa durabilité et de son bas prix, la fonte a longtemps été le premier choix dans les conduits de drainage et d'aération (CDA). Tuyaux et raccords viennent en deux poids : lourd et très lourd, les parois du second étant plus épaisses. Le premier, facile à utiliser, est interdit par certains codes. Le tuyau de fonte se coupe à la scie à métaux et au burin ou, ce qui est plus facile, au coupe-tube à chaîne. Le tuyau de fonte se présente en diamètres de 1½, 2, 3 et 4 po (3,8, 5, 7,6 et 10,15 cm) et en barres de 5 ou 10 pi (1,5 ou 3 m).

Le tuyau dit à emboîtement a des raccorde-

Raccord à bouts unis   Raccord à emboîtement

Tore   Emboîture

ments au plomb fondu, faits par un spécialiste. Le tuyau à bouts unis est plus facile à façonner : les raccordements sont faits avec du néoprène, une gaine en inox et des colliers. Ces deux types de tuyau se raccordent à des tuyaux en fonte à bouts unis ou en plastique, sous réserve des codes.

En raison de son poids, le tuyau de fonte doit être soutenu. Utilisez des colliers pour soutenir horizontalement les tuyaux à bouts unis à tous les raccordements et tous les 4 pi (1,20 m).

Raccordement sans emboîtement

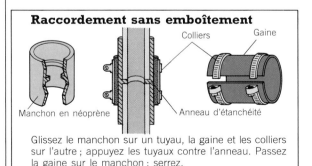

Colliers   Gaine

Manchon en néoprène   Anneau d'étanchéité

Glissez le manchon sur un tuyau, la gaine et les colliers sur l'autre ; appuyez les tuyaux contre l'anneau. Passez la gaine sur le manchon ; serrez.

Trait de coupe

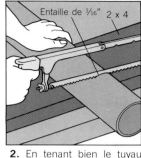

Entaille de ⅟₁₆"   2 x 4

Coupe : 1. Faites un trait de coupe autour du tuyau avec une craie ou un crayon ; placez la partie à couper sur une planche.

2. En tenant bien le tuyau, faites une entaille profonde de ⅟₁₆ po avec une scie à métaux le long du trait de coupe. Ce faisant, tournez le tuyau.

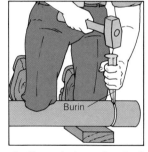

Burin

Chaîne   Poignée

3. Placez la lame d'un burin dans l'entaille. Frappez le burin avec un marteau pour fendre le tuyau, que vous devez tourner lentement.

Pour utiliser le coupe-tube, placez la chaîne autour du tuyau, serrez la poignée pour mordre le métal, faites un mouvement de va-et-vient.

Fixations

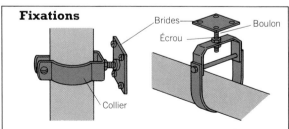

Brides   Boulon
Écrou
Collier

Vissez la bride sur une solive ou un poteau. Glissez le collier sur le tuyau et fixez-le sur la bride avec le boulon et l'écrou.

C'est surtout en milieu rural que se posent les problèmes reliés à l'eau dure. Cette eau ne mousse pas, cerne la baignoire, donne une teinte grisâtre aux vêtements blancs et, plus dommageable encore, entartre les électroménagers et les tuyaux. Le plus souvent, le calcium et le magnésium en sont la cause.

La pose d'un adoucisseur échangeur d'ions est un moyen simple d'y remédier. L'eau, en passant sur un lit de résine, « échange » le calcium et le magnésium contre du sodium. Quand la réserve de sodium du lit est épuisée, on la refait en le rinçant avec une solution saline. Vous pouvez louer un adoucisseur ou acheter et poser vous-même un modèle « sans entretien ».

L'adoucissement de l'eau protège la plomberie, mais il en résulte un taux sodique élevé. L'eau est alors nocive pour ceux dont le régime doit être pauvre en sodium. Un compromis : n'adoucissez que l'eau chaude ou posez des robinets distincts pour l'eau potable et de cuisson.

Dans l'eau, il peut aussi y avoir des contaminants : des micro-organismes (bactéries, protozoaires et virus) ; des matières organiques (produits chimiques de synthèse) ; et des matières inorganiques (mercure, arsenic, fluorure, nitrate, argent et plomb).

La plupart des matières inorganiques sont aisément décelées et éliminées des réseaux publics et des puits privés. Le plomb, cependant, peut provenir des tuyaux ou de la soudure.

Dans les réseaux publics, la plupart des micro-organismes sont neutralisés par chloration et filtration. Les propriétaires de puits devraient faire une analyse bactériologique annuellement et, au besoin, poser un dispositif de chloration.

Les matières organiques (pesticides et déchets industriels) sont souvent toxiques. S'il y en a beaucoup dans votre région, faites analyser votre eau. Les analyses visant les matières organiques sont coûteuses ; soyez donc précis. Un groupe de composés organiques, celui des trihalométhanes (THM), inquiète parce qu'ils pourraient être cancérigènes et qu'ils sont des sous-produits de la chloration.

Avant d'acheter un dispositif d'épuration, faites analyser votre eau ; consultez un spécialiste de la qualité de l'eau. Dans votre région, les activités d'une industrie ou la forte incidence d'une maladie pourront vous faire soupçonner la présence d'autres contaminants dans l'eau potable. Votre CLSC ou les ministères fédéral ou provincial de la Santé ou de l'Environnement sauront vous diriger vers un laboratoire d'analyse dans votre région ou votre municipalité.

La plupart des dispositifs d'épuration n'éliminent qu'un nombre limité d'impuretés. Un dispositif installé au point d'entrée (PE) de l'eau dans la maison épure l'eau de tous les circuits. Vous pouvez en installer un aux points d'utilisation (PU) (évier, comptoir, robinet).

Problèmes d'eau et solutions

Symptôme	Cause	Solution
Le savon cerne baignoires et lavabos. Des dépôts blancs s'accumulent dans les robinets, les pommes de douche et les cafetières. Savons et détergents ne moussent pas bien ; les vêtements lavés sont grisâtres.	Composés de magnésium et de calcium. Eau dure.	Posez un adoucisseur échangeur d'ions dans le circuit d'eau chaude ou au point d'entrée de l'eau dans la maison. Nettoyez les tuyaux colmatés, le chauffe-eau, le lave-linge et les autres appareils touchés.
Il y a de la rouille autour des renvois d'éviers, de baignoires et de cuves de lavage. Les vêtements sont tachés de rouille après le lavage. L'eau est rougeâtre. Il y a du limon rouille dans le réservoir des toilettes.	Composés ferreux ou ferrobactéries.	Posez un adoucisseur échangeur d'ions conçu pour éliminer de faibles concentrations de fer. Si le problème persiste, posez un filtre à oxydation ou un dispositif de chloration et un filtre à charbon actif.
L'eau sent les œufs pourris. L'argenterie ternit au lavage. L'eau semble noire.	Hydrogène sulfuré.	Posez un filtre à oxydation. Si le problème persiste, posez un dispositif de chloration, un filtre à particules et un filtre à charbon actif. Changez les tuyaux, les électroménagers et les appareils très rouillés.
Taches rouille ou vertes autour des renvois. Tuyaux de métal rouillés.	Eau acide (pH faible).	Posez un filtre neutralisant à particules. Si le problème persiste, posez un groupe de dosage combiné à une solution alcaline. Voyez si les tuyaux sont rouillés.
L'eau a mauvais goût et est jaunâtre ou brunâtre.	Algues ou autres matières organiques en suspension.	Posez un filtre à particules. Dans les cas plus graves, posez un groupe de dosage combiné à une solution chlorée. Enfin, ajoutez un filtre à charbon actif.
L'eau semble brouillée ou sale.	Particules en suspension de limon, de vase ou de sable.	Posez d'abord un filtre à particules. Utilisez ensuite un filtre à charbon actif pour éliminer la coloration causée par les micro-organismes.
Cas de dysenterie, de diarrhée ou d'hépatite dans la famille.	Bactéries pathogènes ou virus dans l'eau.	Vérifiez d'abord l'existence de coliformes. La présence de ces micro-organismes non pathogènes révèle un risque de contamination par des excréments humains ou animaux, dont on peut trouver la provenance. Un spécialiste ne pourra vous recommander un traitement que si le contaminant est connu.

Types de dispositifs d'épuration de l'eau

Les dispositifs les plus simples sont les *filtres à particules*. Ils contiennent divers matériaux (granules synthétiques ou sable) qui éliminent les grosses particules. Posés au PE et au PU, ils filtrent bien les gros sédiments, mais sont inefficaces contre de nombreux micro-organismes et matières inorganiques ou organiques.

Les *filtres à oxydation* renferment des matières enduites de manganèse qui éliminent des polluants comme le fer et l'hydrogène sulfuré. Souvent combinés aux adoucisseurs, ils sont posés au PE et requièrent un entretien périodique.

Les *filtres à charbon actif*, posés au PE ou au PU, retiennent divers composés chimiques indésirables. La fréquence de remplacement des filtres dépend du débit de l'eau et de la quantité de contaminants retenus. Les *osmoseurs* laissent passer les molécules d'eau, mais pas les molécules inorganiques (fer, sel et calcium) ni les grosses molécules organiques. On les pose au PU, mais ils gaspillent beaucoup d'eau. Leur membrane doit être changée périodiquement. Santé et Bien-Être social Canada ne recom-mande filtres et osmoseurs que si l'eau ne présente aucun risque microbiologique.

Les *distillateurs* purifient l'eau par ébullition, évaporation et condensation. Ils éliminent les bactéries et les matières inorganiques, mais ils sont chers et doivent être débarrassés souvent des sels qu'ils retiennent.

Les *groupes de dosage*, surtout utilisés près des puits privés, ajoutent dans l'eau des désinfectants ou des neutralisants chimiques.

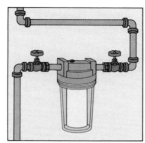

Pour poser un filtre ou un adoucisseur sur une conduite verticale, coupez l'eau. Ôtez 4 po de tuyau et faites une boucle dont la partie basse recevra le filtre. Certains filtres ont un robinet d'arrêt intégré ; lisez la notice avant de poser le vôtre.

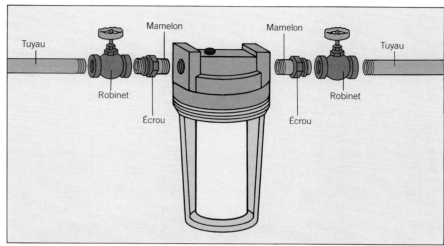

Posez filtres et adoucisseurs horizontalement, et les pièces dans l'ordre indiqué.

Moyens d'économiser l'eau

La modification des habitudes peut, en un an, permettre d'économiser plus d'eau que l'achat d'électroménagers économiseurs d'eau. Se doucher pendant trois minutes requiert moins d'eau qu'un bain ; se brosser les dents ou se raser le robinet fermé peut épargner 3,3 gal (15 litres) d'eau; attendre que le lave-vaisselle ou le lave-linge soit plein avant de l'utiliser peut économiser entre 11 et 33 gal (50 à 150 litres) d'eau.

Quelques articles sur le marché permettent d'économiser l'eau. Le régulateur de débit réduit le débit d'un robinet tout en ne causant qu'une baisse minimale de la pression ; l'économiseur d'eau, dans la pomme de douche, réduit aussi le débit.

Beaucoup de nouveaux produits électroménagers sont dotés d'économiseurs d'eau. Les robinets de douche à poignée unique permettent un réglage préalable de la température, ce qui économise l'eau normalement gaspillée en dosant l'eau chaude et l'eau froide avec deux poignées.

Toutefois, un bon entretien de la plomberie est le point essentiel quant à l'économie de l'eau. Un robinet qui goutte ou des toilettes qui fuient gaspillent d'énormes quantités d'eau en une semaine ou en un mois ; il est donc recommandé de faire les réparations sans tarder.

Rondelle

Pomme de douche

L'économiseur d'eau posé dans la pomme de douche peut être une simple rondelle. D'autres types réduisent à 2½ gal un débit de 4 à 6 gal par minute. Certaines pommes intègrent un régulateur. Tous économisent eau et énergie.

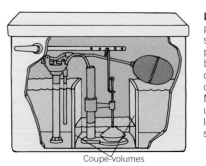

Coupe-volumes

Le coupe-volume peut faire économiser 1½ gal d'eau par chasse. Une bouteille en plastique de 1 pinte ou ½ gal convient aussi. Mettez-y de l'eau et un bouchon. Évitez les briques : elles se désagrègent.

L'ajout d'une salle de bains, d'une cuisine ou d'une douche nécessite l'installation de tuyaux d'alimentation et d'évacuation dans les murs, les planchers et les plafonds en vue du raccordement des appareils. Ce travail requiert habileté et expérience. L'information de base donnée ici vous aidera à planifier le nouvel aménagement d'après le code de la plomberie. Vous devez en effet confier le travail à un plombier dûment accrédité.

Planification. Quand vous planifiez des ajouts majeurs, assurez-vous que la pression de l'eau, le chauffe-eau et l'installation septique peuvent satisfaire une demande accrue. Faites un plan des circuits en place (alimentation, aération, drainage, dérivations et regards accessibles). Notez les types de tuyaux et leurs cotes : vous saurez où les raccordements sont possibles et si

les conduites de drainage et les évents conviennent à vos projets. Faites vérifier vos plans par un expert en construction et en plomberie.

Avant d'installer les tuyaux (alimentation, drainage) destinés à un nouvel appareil, marquez leur position sur le mur. Bien des appareils sont vendus avec des gabarits ; si vous n'en avez pas, mettez l'appareil temporairement en place. Préparez ensuite le trajet du tuyau de drainage, en lui donnant une pente de 1 po (2,5 cm) pour 4 pi (1,2 m) afin d'assurer un bon écoulement.

Le raccordement de nouveaux tuyaux pourra nécessiter l'enlèvement de parties de murs, de plafonds, de planchers et de sous-planchers. Au rez-de-chaussée, il est possible de passer par le sous-sol et de soutenir les tuyaux avec du feuillard. Dans un grenier non aménagé mais chauffé, les tuyaux traversent les solives de plan-

cher. Ailleurs, mieux vaut les placer parallèlement aux poteaux et aux solives. Si les tuyaux doivent traverser la charpente, observez les règles exposées au bas de la page suivante.

L'installation de tuyaux exige aussi que vous teniez compte du dégagement. Les tuyaux de drainage et d'aération en cuivre, ayant jusqu'à 3 po (7,6 cm) de diamètre, peuvent être encastrés à la verticale dans un mur standard. Les tuyaux de plastique et de fonte ne peuvent être placés que dans un mur fait avec des 2 x 6 ; dans un mur fait avec des 2 x 4, dont le dégagement n'est que de seulement 3½ po (9 cm), ils peuvent faire bomber le revêtement. Les tuyaux filetés exigent plus de dégagement à cause du serrage. Il est très important donc que vous teniez aussi compte de l'isolant quand vous calculez l'espace nécessaire pour vos installations.

Circuit d'alimentation d'une maison à un étage (schéma)

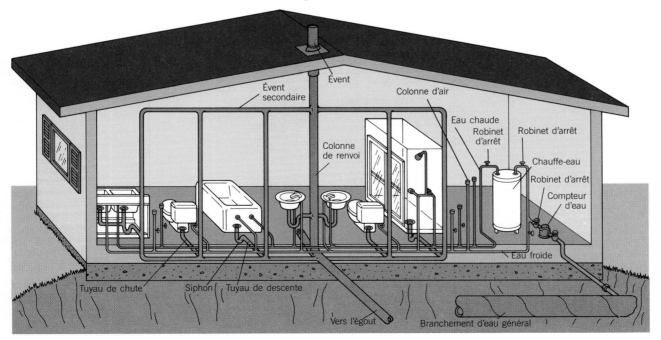

Schématisez la plomberie pour choisir la plus courte voie ; évitez les obstacles. Les tuyaux d'alimentation peuvent être placés parallèlement aux conduites de drainage et d'aération, mais sans pente. Si possible, adossez les nouveaux appareils aux vieux déjà reliés à la colonne de renvoi. Dans une maison à plusieurs étages, vous pouvez installer les appareils les uns au-dessus des autres ; vous devrez ajouter des évents distincts pour les appareils du dessous. Un évier, une baignoire ou une douche pourront être raccordés à une dérivation ; c'est la méthode la plus simple et la plus rentable. Conformez-vous cependant aux règlements municipaux.

Raccordez les nouvelles conduites aux vieilles avec des tés ou des culottes. Raccordez les évents de nouveaux éviers, baignoires ou toilettes à la colonne de renvoi principale ou à d'autres évents. Consultez les règlements pour connaître les méthodes d'aération prescrites et la distance appareil-évent maximale. Il n'y a généralement aucune restriction quant à la distance entre un appareil et les conduites principales d'alimentation. Si la nouvelle plomberie est loin de l'ancienne, faites passer un évent secondaire au travers du toit et raccordez une nouvelle dérivation à la colonne de renvoi ou au collecteur principal par un regard existant. S'il y a un sous-sol, vous pouvez y faire passer les nouvelles conduites.

Si le dégagement est insuffisant, élargissez le mur avec des 1 x 1, 2 x 2 ou 2 x 4 sur toute sa surface, ou seulement à sa base pour faire une traverse au-dessus des tuyaux.

Fixation des conduites. Les conduites doivent être bien fixées, sinon elles vibreront et les joints finiront par fuir. Les tuyaux galvanisés devraient être fixés tous les 10 pi (3 m) ; les tuyaux de plastique, tous les 4 à 6 pi (1,2 à 1,8 m) ; les tuyaux de cuivre, tous les 6 pi (1,8 m) avec des colliers et des vis de cuivre ou des entretoises de bois ou de plastique. Enfin, les tuyaux de cuivre ou de plastique encastrés près de la paroi devraient être protégés par une bande de métal.

Conduits de drainage et d'aération. Commencez par les conduits de drainage et d'aération. Si vous installez une toilette, le coude de renvoi doit d'abord être installé et uni par un té

à la colonne de renvoi. Cette colonne et tout autre évent vertical a des raccords de dérivation pour recevoir des collecteurs et des évents secondaires. Conformez-vous aux règlements. Installez un solin (p. 391).

Installez ensuite le collecteur et les évents secondaires ; aménagez des regards sur chaque collecteur horizontal, en gardant entre eux la distance minimale prescrite. Enfin, tous les tuyaux de descente et de chute devraient sortir du mur et être fermés avec un bouchon jusqu'à ce que les appareils soient installés.

Conduits d'alimentation. Les tuyaux d'eau chaude et d'eau froide sont posés parallèlement et espacés de 6 à 8 po (de 15 à 20 cm) pour empêcher l'interaction eau chaude–eau froide. Allongez les tuyaux et installez des réducteurs en té pour recevoir les dérivations. Installez ensuite

dérivations et tuyaux d'alimentation. Au point d'entrée dans une pièce, munissez chaque tuyau d'un té et d'un branchement d'appareil qui saille d'au moins 4 po (10 cm) du mur. Installez un antibélier (p. 214) sur le té.

Épreuve de l'eau. Une fois tous les tuyaux installés, vérifiez les raccordements. Mettez des bouchons de caoutchouc sur le coude de renvoi et la conduite d'égout (vous pouvez les louer). Ouvrez le robinet de sectionnement et assurez-vous qu'il n'y a aucune fuite. Vérifiez de nouveau plusieurs heures plus tard. Avec un tuyau d'arrosage, remplissez d'eau la colonne de renvoi principale. Attendez 20 minutes, puis voyez si les conduits de drainage et d'aération fuient ; s'ils sont étanches, ôtez les bouchons et refaites murs, plafonds ou planchers ; votre système est maintenant fonctionnel.

Tuyaux traversant la charpente

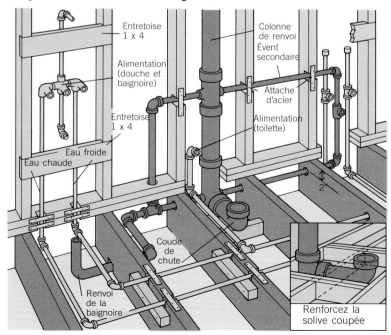

Entretoise 1 x 4
Colonne de renvoi
Évent secondaire
Alimentation (douche et baignoire)
Attache d'acier
Entretoise 1 x 4
Alimentation (toilette)
Eau froide
Eau chaude
Coude de chute
2'
Renvoi de la baignoire
Renforcez la solive coupée

Pour installer des tuyaux dans les murs, les planchers ou les plafonds, il faut percer la charpente, parfois même l'entailler. Pour ne pas l'affaiblir, observez les règles suivantes.

Trous. Percez une solive en son centre au moins à 2 po des chants ; le diamètre du trou ne doit pas dépasser le tiers de l'épaisseur de la solive. Dans les poteaux, les trous peuvent en représenter 40 p. 100 de la largeur si le mur est porteur (p. 191) ou 60 p. 100 si le mur ne l'est pas.

Entailles. N'entaillez jamais les solives dans le tiers central. L'entaille ne doit pas représenter plus du quart de la hauteur de la solive. N'entaillez jamais un poteau sur plus des deux tiers. N'entaillez pas la moitié inférieure d'un poteau sur plus du tiers sans poser une attache d'acier. Dans un mur non porteur, vous pouvez entailler la portion supérieure d'un poteau jusqu'à la moitié s'il se trouve entre deux poteaux non entaillés.

Coude de renvoi. Si le coude de renvoi est parallèle aux solives, appuyez-le sur une entretoise et fixez-le avec des cales. S'il faut couper un bout de la solive, renforcez-la avec des planches jumelées et vissées.

Fixations

Tous les tuyaux doivent être bien fixés. Utilisez les méthodes illustrées ou d'autres. Une pièce de 2 x 2 peut remplacer les attaches d'acier.

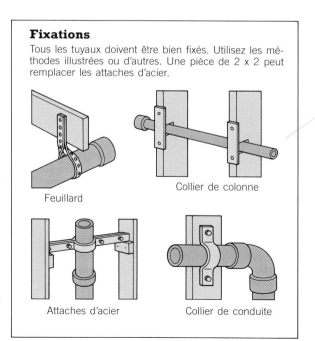

Feuillard
Collier de colonne
Attaches d'acier
Collier de conduite

Plomberie / Remplacement d'une toilette

Avant d'acheter une toilette, mesurez le centrage (distance entre le mur derrière la toilette et le centre des deux boulons de la cuvette). Si la cuvette a quatre boulons, partez des boulons arrière. Le centrage d'une nouvelle toilette pourra être plus court que celui de l'ancien, mais pas plus long.

Consultez les codes avant d'acheter pour vous assurer que le mécanisme est permis dans votre région. Choisissez une toilette dont le dispositif de chasse est intégré. Recherchez un modèle économe d'eau et à chasse efficace.

Achetez deux boulons et un joint de cire ; ils ne sont habituellement pas vendus avec la toilette. Il y a deux types de boulons. Le plus résistant comporte un filetage de vis à bois à un bout et un filetage de vis mécanique à l'autre bout ; vous devez l'utiliser si le plancher est en bois. L'autre type a une tête plate qui glisse dans la rainure de la bride. Choisissez les boulons en fonction de la bride. Achetez aussi du plâtre de Paris pour sceller la base de la cuvette, et du mastic adhésif pour fixer le capuchon des boulons.

Manipulez la toilette avec soin. Ne la laissez pas tomber : elle pourrait s'ébrécher ou fendre. Vous aurez peut-être besoin d'aide.

Si la vieille bride est fendue, faites-en installer une neuve par un plombier. Si elle est trop basse (elle devrait saillir du plancher de ¼ po [6 mm]), vous devrez probablement la changer aussi. Toutefois, si la base de la vieille toilette ne fuyait pas, vous pouvez poser un joint de cire doté d'un manchon de plastique à insérer dans la bride.

Si le vieux tuyau d'alimentation ne rejoint pas la nouvelle toilette, remplacez-le par du tuyau souple ; s'il est souple et qu'il est bosselé, usé ou rouillé, remplacez-le (p. 218). Installez un robinet d'arrêt (p. 230-231) s'il n'y en a pas.

Si vous voulez une toilette au sous-sol, installez une pompe dilacératrice dans un puits ménagé dans le plancher. C'est un travail difficile, à confier au plombier.

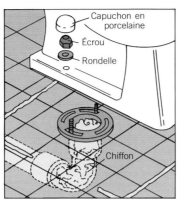

Capuchon en porcelaine
Écrou
Rondelle
Chiffon

1. Coupez et chassez l'eau ; épongez. Ôtez le tuyau d'amenée et le réservoir (p. 208). Ôtez la cuvette : ôtez les capuchons, les écrous et les rondelles. Basculez la cuvette pour briser le joint ; soulevez-la bien droit. Recueillez dans un seau l'eau qui reste. Bouchez le coude de renvoi avec un chiffon.

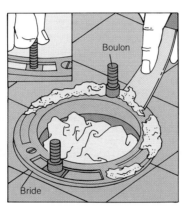

Boulon
Bride

2. Grattez la cire du vieux joint et le vieux mastic adhésif, sur la bride et le plancher. Dévissez les vieux boulons ou tournez-les de un quart de tour, puis retirez-les. Mettez du mastic adhésif sur les nouveaux boulons et posez-les. Si la bride a des fentes, alignez soigneusement les boulons sur le centre de l'ouverture de la bride et placez-les parallèlement au mur.

Joint de cire
Douille

3. Placez la nouvelle cuvette à l'envers sur une boîte ou une caisse couverte de vieilles serviettes. (Vous pourriez avoir besoin d'aide.) Mettez délicatement le nouveau joint de cire sur la douille : il scelle le raccordement. Retirez le chiffon du renvoi.

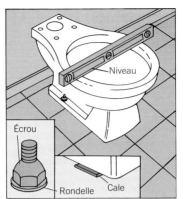

Niveau
Écrou
Rondelle
Cale

4. Mettez la cuvette à l'endroit ; déposez-la sur les boulons. Appuyez dessus en la tournant un peu jusqu'à ce qu'elle soit stable. Vérifiez-en le niveau ; mettez-la de niveau à l'aide de cales en métal. Installez le réservoir (p. 208). Alignez la toilette sur le mur. Mettez les rondelles et les écrous ; serrez-les en croisé pour ne pas fendre la cuvette.

5. Versez de l'eau dans la cuvette ; voyez si elle fuit. Sciez les boulons s'ils sont trop longs. Remplissez les capuchons de mastic adhésif ; enfoncez-les sur les boulons. Scellez la base de la cuvette avec du plâtre de Paris ; étendez-le avec les doigts. Il sèche vite ; ôtez tout surplus avec un chiffon humide.

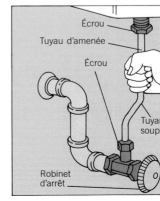

Écrou
Tuyau d'amenée
Écrou
Tuyau souple
Robinet d'arrêt

6. Remettez en place le tuyau d'amenée. Remplacez-le par un tuyau de plastique souple au besoin. Mettez du ruban téflon ou de la pâte à joints sur le filetage ; serrez les écrous à fond. Ouvrez le robinet et voyez si les nouveaux raccordements fuient. Installez le siège. Mettez le couvercle du réservoir.

Remplacement d'un lavabo

On peut intégrer un lavabo à un meuble-lavabo comme un évier à un comptoir (p. 230-231) ou l'installer au mur.

Si vous remplacez un lavabo mural, achetez-en un qui puisse s'adapter à la console de l'ancien. Pour assurer une plus grande solidité, posez dessous deux pieds réglables. Vous en trouverez plusieurs modèles.

Les lavabos sont fabriqués en fonte émaillée, en porcelaine vitrifiée ou en marbre synthétique. Pour ne pas les ébrécher ou les égratigner, ma-nipulez-les avec soin. Achetez en même temps le lavabo et les robinets. Veillez à ce que l'entre-axe convienne (p. 211).

Si vous installez un lavabo dans une nouvelle pièce, installez d'abord les conduits (p. 226-227). Installez ensuite le lavabo selon les étapes exposées ci-dessous. Mettez des robinets d'arrêt (p. 230-231) sur les tuyaux d'alimentation pour faciliter toute réparation ultérieure.

Avant d'enlever un vieux lavabo sur piédestal, coupez l'eau. Purgez les deux robinets, puis dé-connectez les tuyaux d'alimentation et le conduit de renvoi. Enlevez le lavabo après l'avoir débou-lonné. Brisez le plâtre de Paris à la base du pié-destal en remuant celui-ci de tous les côtés.

Si cela ne marche pas, enveloppez le piédes-tal dans une vieille serviette et dégagez-le avec un marteau et un burin. (Portez des lunettes pro-tectrices pour effectuer ce genre de travail.) En-fin, avec un tampon à récurer ou du papier de verre, enlevez le reste du plâtre qui pourrait être encore collé sur le plancher.

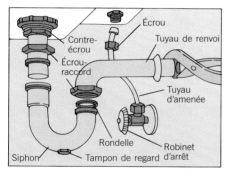

1. Coupez l'eau ; purgez le robinet. Ôtez les tuyaux d'alimentation ; enlevez les écrous avec une clé coudée à tuyaux (p. 211). Enlevez le siphon avec une clé à tuyaux.

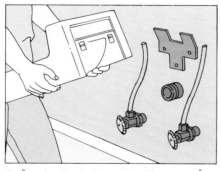

2. Ôtez les tirants taraudés, s'il y en a. Ôtez le lavabo, puis la console et bouchez les trous. Si vous réutilisez le robinet, ôtez-le (p. 211) et nettoyez-le.

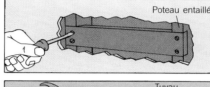

3. Sur un panneau mural, posez une pièce d'appui (2 x 4) à 31 po du sol. Ouvrez le mur et vissez la pièce. Dans un mur de plâtre, uti-lisez des boulons à ailettes.

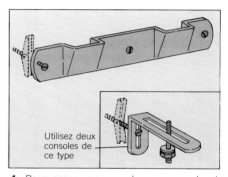

4. Pour poser une console, marquez de ni-veau l'emplacement des boulons ou des vis. (Percez des trous de guidage dans la planche d'appui.) Fixez la console.

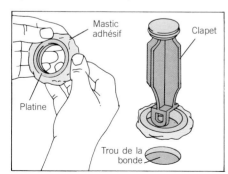

5. Posez le robinet (p. 211), sans y raccorder les tuyaux d'alimentation, et installez le dispo-sitif de vidange en suivant les indications du fabricant. Fixez le lavabo au mur.

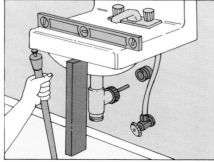

6. Pour poser des pieds, appuyez le lavabo sur une pièce de 2 x 4. Mettez un niveau sur le lavabo et serrez le dispositif de réglage des pieds.

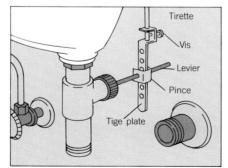
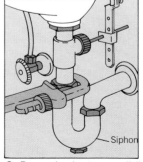

7. Pour poser le dispositif de vidange, passez la tirette dans le trou du robinet. Bloquez la tige plate et la tirette avec la vis. Pincez ; glis-sez le levier dans un des trous.

8. Raccordez les tuyaux d'alimentation au ro-binet avec une clé coudée ou à molette ; po-sez un robinet d'arrêt au besoin. Raccordez le siphon à l'about et au tuyau de renvoi.

Plomberie résidentielle 198-199
Remplacement d'un robinet 211
Tuyaux et raccords 216-223, 226-227

Plomberie / Remplacement d'un évier

Éviers et lavabos sont souvent encastrés. Achetez un appareil neuf dont le dégagement est identique ou supérieur à l'ancien, car, si vous pouvez agrandir l'ouverture (voir l'étape 2), vous ne pouvez la rétrécir. Éviers et lavabos encastrables s'installent de la même façon, sauf dans le cas d'appareils à double cuve : vous devez alors raccorder deux renvois d'eau au siphon au moyen d'un té. Certaines municipalités ne permettent pas l'installation de broyeurs. Conformément aux règlements donc, vous installerez un broyeur (ci-dessous) après avoir enlevé l'un des deux collets du renvoi (p. 231).

Si la tuyauterie des nouveaux appareils est légèrement différente de l'ancienne, utilisez des tuyaux flexibles pour l'alimentation et des pièces de plastique pour les renvois et le siphon. Les raccords se font en cuivre, en cuivre plaqué chrome ou en plastique souple et se présentent en différentes longueurs. On les branche aux robinets d'arrêt au moyen de bagues de serrage ou d'écrous à collet (p. 218 et 221). Si la tuyauterie ne comporte pas de robinets d'arrêt, profitez-en pour en installer un. Il se vend des ensembles prêts à monter comportant toutes les pièces nécessaires à ces travaux.

Avant d'installer un nouvel appareil, assemblez les brides de montage, le renvoi et le robinet, ainsi que les raccords pour vous éviter de devoir plonger sous l'appareil une fois qu'il sera en place. Toutefois, si vous réutilisez l'ancien robinet, débarrassez-le des débris de mastic qui y adhèrent. Si vous installez un broyeur, ne posez ni bride ni renvoi de son côté.

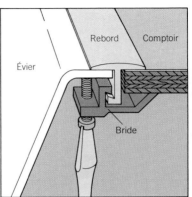

1. Coupez l'arrivée de l'eau à l'évier et ouvrez les robinets pour vider les tuyaux. Débranchez tuyaux d'alimentation et siphons ; dévissez les brides de montage. Glissez un couteau à mastic entre le rebord de l'évier et le comptoir. Retirez l'évier pendant que quelqu'un pousse dessous.

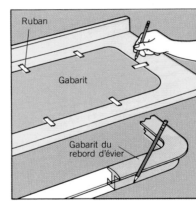
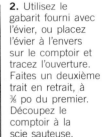

2. Utilisez le gabarit fourni avec l'évier, ou placez l'évier à l'envers sur le comptoir et tracez l'ouverture. Faites un deuxième trait en retrait, à ⅜ po du premier. Découpez le comptoir à la scie sauteuse.

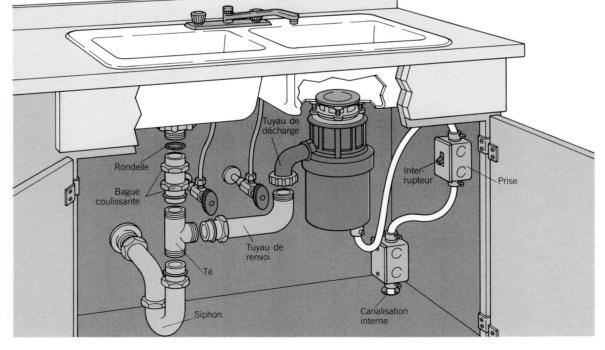

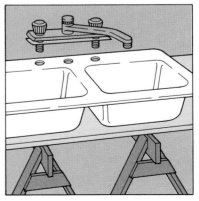

3. Avant d'installer l'évier, posez les robinets. Enduisez-les de mastic adhésif, mettez-les en place et appuyez fermement dessus. Vissez dessous les écrous de fixation et les rondelles. Posez les flexibles d'arrivée d'eau dans le prolongement des abouts ; laissez-les pendre.

Installation d'un broyeur

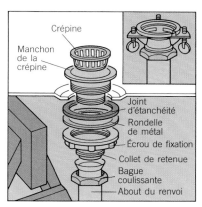

- Crépine
- Manchon de la crépine
- Joint d'étanchéité
- Rondelle de métal
- Écrou de fixation
- Collet de retenue
- Bague coulissante
- About du renvoi

4. Étalez du mastic adhésif sur le rebord du renvoi et pressez-le dans l'ouverture. Dessous, posez toutes les pièces selon le mode d'emploi. Serrez-les avec une clé ; bloquez la crépine avec les poignées d'une pince et un tournevis (p. 203) ou serrez les vis ou les écrous à ailettes (médaillon).

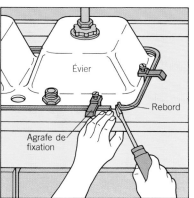

- Évier
- Rebord
- Agrafe de fixation

5. Mettez l'évier à l'envers. Avec un tournevis, vérifiez le rebord. Enduisez-le d'une mince couche de mastic adhésif. Sur le pourtour de l'ouverture, étalez un mince ruban d'un enduit d'étanchéité ; si l'évier est en acier, employez un mastic pour acier.

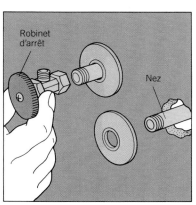

- Robinet d'arrêt
- Nez

6. Mettez l'évier en place et appuyez dessus pour que l'enduit s'étale bien. Faites basculer les agrafes et resserrez-les. Raccordez les tuyaux de renvoi aux siphons. Posez un robinet d'arrêt sur le nez des tuyaux d'alimentation. Raccordez les flexibles.

Avant d'entreprendre l'installation d'un broyeur, assurez-vous que les règlements le permettent, que le diamètre du renvoi est normalisé et que vous avez à proximité un circuit électrique autonome doté d'un interrupteur. Soyez sûr que le circuit correspond aux prescriptions du code (p. 238). Autrement, faites venir un électricien. Il est dangereux de travailler en même temps dans la plomberie et l'électricité quand on n'en a pas l'expérience. Avant d'enlever un vieux broyeur, coupez le courant à l'appareil ou au tableau de distribution (p. 237) et débranchez-le.

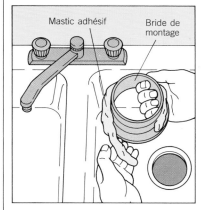

- Mastic adhésif
- Bride de montage

1. Détachez la bride de montage du broyeur. Elle s'ajuste à l'orifice du renvoi ; les autres pièces vont dessous. Roulez entre vos mains un cordonnet de mastic adhésif et insérez-le sous le rebord de la bride du broyeur. Installez la bride et appuyez fermement dessus.

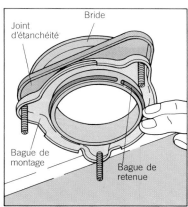

- Joint d'étanchéité
- Bride
- Bague de montage
- Bague de retenue

2. Dessous, faites glisser le joint d'étanchéité sur la bride ; vissez la bague d'appui et la bague de montage. Tout en maintenant la bride, faites entrer la bague de retenue sur la bride de montage. Serrez-en les vis jusqu'à ce que presque tout le mastic sorte. Nettoyez.

Préparation. Retirez la crépine et enlevez tout débris de mastic. Avec un double évier, enlevez le té qui réunit les deux renvois au siphon. Suivez ensuite les instructions du fabricant. Certains broyeurs se branchent à une prise ; d'autres nécessitent un branchement spécial (étape 3). La plupart ont un raccord qui accepte le renvoi du lave-vaisselle. Si vous voulez installer ce raccord, dégagez la débouchure avec un tournevis. Une fois le broyeur installé, faites glisser le tuyau de renvoi du lave-vaisselle par-dessus le raccord et assujettissez-le avec un collier de serrage.

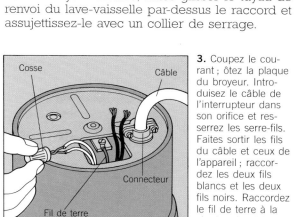

- Cosse
- Câble
- Fil de terre
- Connecteur

3. Coupez le courant ; ôtez la plaque du broyeur. Introduisez le câble de l'interrupteur dans son orifice et resserrez les serre-fils. Faites sortir les fils du câble et ceux de l'appareil ; raccordez les deux fils blancs et les deux fils noirs. Raccordez le fil de terre à la vis de mise à la terre. Remettez la plaque.

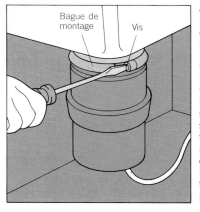

- Bague de montage
- Vis

4. Installez l'appareil sur la bride de montage de l'évier selon les instructions du fabricant. Tournez la bague de montage jusqu'à ce que l'appareil soit fixé ; serrez les vis de suspension avec le tournevis. Certains modèles ont des écrous de fixation. Raccordez les tuyaux (voir page précédente).

Plomberie / Installation d'une baignoire

Les baignoires émaillées en fonte ou en acier ont la même apparence et la même durabilité. En fonte, elles sont très lourdes. Les baignoires en fibre de verre, légères et à hautes parois, sont pratiques et cachent les murs en mauvais état. La plupart ont trois panneaux ou plus, vendus avec la baignoire ou séparément. Il existe aussi des ensembles monoblocs intégrant baignoire et

panneaux, mais on ne peut les installer que dans une nouvelle salle de bains, avant la pose des murs.

À l'achat d'une baignoire, vérifiez-en les dimensions ; si vous modifiez celles de l'espace baignoire, faites-le de façon à pouvoir garder la même plomberie. Pour réduire l'espace, épaississez le mur ; pour l'agrandir un peu, coupez le

mur, à condition qu'il ne soit pas porteur (p. 191). Modifiez l'emplacement des tuyaux s'il le faut.

Avant d'enlever une baignoire, coupez l'eau ; ôtez l'applique du trop-plein, la bonde (p. 231), les robinets, le bec, la pomme de douche et l'inverseur. Avec une barre-levier, ôtez les vieux panneaux, ou les tuiles sur plusieurs pouces ; portez des gants et des lunettes protectrices.

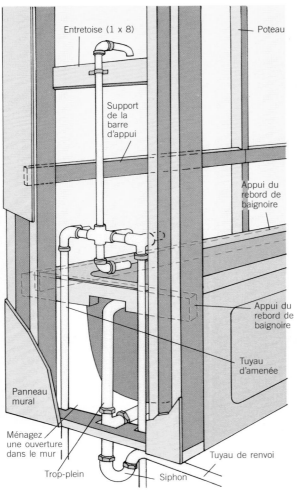

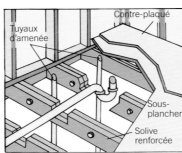

1. Si la baignoire est lourde ou si les tuyaux traversent les solives, doublez les solives. Posez ensuite le sous-plancher prêt à recevoir les tuyaux. Pour consolider davantage, fixez-y un contre-plaqué découpé aux dimensions de la baignoire.

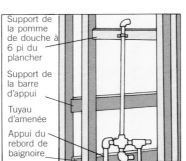

2. Aménagez ou modifiez un espace baignoire ; prévoyez un panneau d'accès. Clouez des 2 x 4 aux poteaux pour supporter le rebord de la baignoire. Entaillez les poteaux et clouez des 2 x 4 pour retenir la pomme de douche et la barre d'appui.

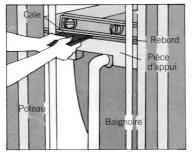

3. Installez la baignoire. Mettez-la de niveau à l'aide de cales de bois clouées de biais ou collées. Vissez-en le rebord aux supports. Pour bien asseoir une baignoire en fibre de verre, mettez dessous une mince couche de coulis.

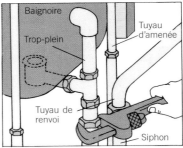

4. Raccordez les tuyaux d'amenée ; installez le tuyau de renvoi et le trop-plein sur l'entrée du siphon pour empêcher la remontée des gaz d'égouts. Ouvrez le robinet d'arrêt ; voyez si le renvoi ou les tuyaux d'amenée fuient.

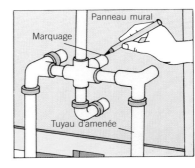

5. Clouez aux poteaux une planche de fixation hydrofuge à base de ciment. Placez le panneau de finition et marquez le contour des tuyaux au dos. Percez les trous par derrière à l'emporte-pièce. Clouez le panneau.

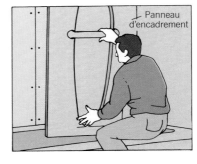

6. Couvrez le mur de tuiles ou de panneaux ; percez le panneau de finition comme vous l'avez fait pour la planche de fixation, mais couvrez-en d'abord le devant avec du ruban-cache pour le protéger. Installez la robinetterie.

Découpez le panneau mural autour de la vieille baignoire et défaites tous les raccordements. Ôtez les vis ou les clous du rebord supérieur de la baignoire. Faites-vous aider pour enlever la vieille baignoire et poser la nouvelle. Pour installer des portes de baignoire, coupez, mettez à niveau et fixez les profilés, posez ensuite les portes en suivant les indications.

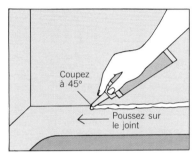

7. Calfeutrez les joints à la silicone. Taillez le bec du tube à 45° de façon à obtenir un cordon uniforme et assez épais. La surface doit être propre et sèche. Laissez sécher toute une nuit.

Coupez à 45°

Poussez sur le joint

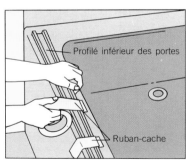

8. Installez les portes selon la notice. Découpez le profilé inférieur avec une scie à métaux. Mettez une bonne couche de silicone sur le dessous du profilé et fixez-le bien avec du ruban-cache.

Profilé inférieur des portes

Ruban-cache

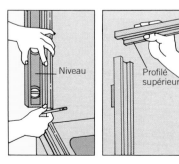

9. Aplombez les profilés latéraux avec un niveau. Marquez l'emplacement des vis ; percez les trous au foret à béton. Fixez les profilés avec des vis à bois de 2 po. Coupez le profilé supérieur à la longueur voulue ; installez-le.

Niveau

Profilé supérieur

Cabine de douche en fibre de verre

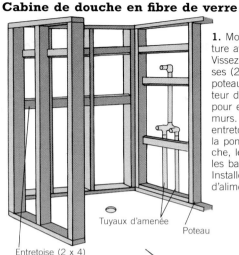

Entretoise (2 x 4)

Tuyaux d'amenée

Poteau

1. Montez la structure avec des 2 x 4. Vissez des entretoises (2 x 4) entre les poteaux, à la hauteur de la cabine, pour en soutenir les murs. Posez d'autres entretoises pour fixer la pomme de douche, les robinets et les barres d'appui. Installez les tuyaux d'alimentation.

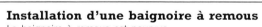

3. Marquez la position du renvoi sur le plancher ; ôtez le bac. Percez le trou du renvoi ; raccordez le tuyau de renvoi ; replacez le bac. Posez le joint de bonde.

Joint de bonde

2. Installez le bac ; mettez-le de niveau avec de grosses cales de bois vissées. Marquez la position exacte du bac sur le plancher et sur les poteaux.

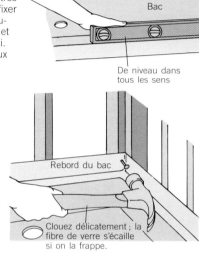

Bac

De niveau dans tous les sens

Cale

Rebord du bac

Clouez délicatement ; la fibre de verre s'écaille si on la frappe.

4. Fixez le rebord du bac aux poteaux avec des clous à toiture ; calfeutrez les joints. Raccordez la plomberie. Posez une planche de fixation à base de ciment ; fixez les panneaux de la cabine dans les rainures du bac.

Installation d'une baignoire à remous

La baignoire à remous est pourvue de quatre injecteurs ou plus, de tuyaux posés en usine et d'une pompe qui propulse l'eau. Les raccordements des tuyaux d'amenée et de renvoi sont ceux d'une baignoire ordinaire, mais il faut prévoir un panneau d'accès pour faciliter toute réparation ultérieure de la pompe. (La pompe est d'ordinaire à l'opposé du renvoi.) Installez la baignoire conformément aux instructions ; demandez à l'électricien de brancher la pompe et de la mettre à la terre.

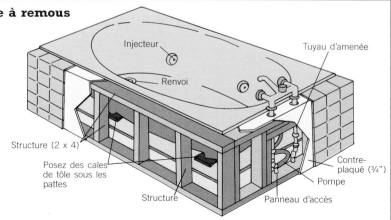

Injecteur

Tuyau d'amenée

Renvoi

Structure (2 x 4)

Posez des cales de tôle sous les pattes

Structure

Contre-plaqué (¾")

Pompe

Panneau d'accès

233

Dans la douche, l'eau glisse sur les tuiles et s'écoule dans le renvoi, mais il s'en infiltre une certaine quantité dans le coulis et dans le lit de mortier, sous les tuiles du plancher. Le bac étanche placé sous le plancher recueille l'eau, mais il rouille à la longue. Cela cause des fuites qui risquent d'endommager la structure. La plupart des vieux bacs sont en plomb ou en asphalte goudronné ; on peut les remplacer par des membranes de polyéthylène chloré, vendues dans la plupart des quincailleries.

Avant d'installer un nouveau bac, vous devez changer tout le plancher de la douche. C'est là un travail long et salissant ; vous aurez besoin de ciment, de tuiles et de planches de fixation hydrofuges. Assurez-vous auparavant que la fuite provient bien du bac et non d'un tuyau ou d'un raccord. Faites le test suivant : ôtez la crépine, bouchez le renvoi et remplissez la base de la douche d'environ 2 po (5 cm) d'eau. Laissez l'eau pendant deux heures. Vérifiez. Si le niveau a baissé, le bac fuit ; sinon, la fuite est ailleurs.

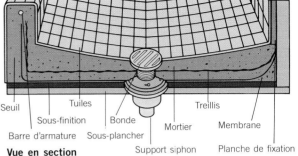

Seuil — Tuiles — Treillis — Sous-finition — Bonde — Mortier — Membrane — Barre d'armature — Sous-plancher — Support siphon — Planche de fixation

Vue en section

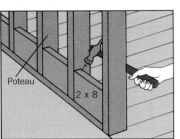

1. Dégagez la base des poteaux. Brisez les tuiles du plancher et le mortier avec un burin ; portez des gants et des lunettes protectrices. À la base des poteaux, clouez des 2 x 8 ; vous y agraferez la membrane.

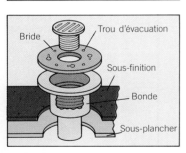

2. Découpez une sous-finition dans un contre-plaqué ; percez le trou du renvoi et un plus petit dans le sous-plancher ; posez-y la bonde, la platine un peu enfoncée dans la sous-finition pour que l'eau passe par les trous d'évacuation de la bride.

3. Taillez et posez la membrane, en laissant un chevauchement de 2 po sur les murs et de 8 po à l'entrée. Agrafez-la aux 2 x 8. Percez la membrane à l'endroit du drain.

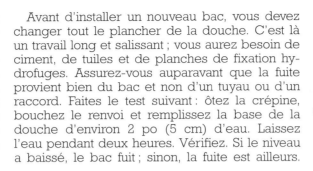

4. Taillez un treillis métallique aux dimensions de la membrane. Clouez temporairement des 2 x 2 en travers du plancher. Étendez-y le treillis et agrafez-le aux 2 x 8. Posez un second 2 x 2 sur l'autre. Découpez-y le trou du renvoi.

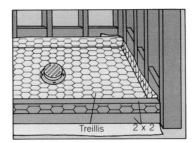

5. Gâchez le mortier (p. 165) jusqu'à consistance de sable mouillé ; versez-le et égalisez-le pour qu'il affleure le 2 x 2 du dessus, mais qu'il descende vers le renvoi. Laissez sécher 12 heures. Ôtez les 2 x 2.

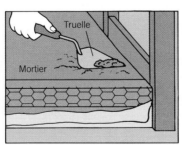

6. Coupez membrane et treillis à 1 po du mortier ; agrafez-les au devant de la structure. Près de l'entrée, percez la structure et posez une barre d'acier de ⅜ po.

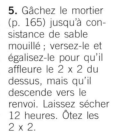
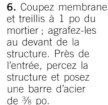

Courbez la barre pour la poser

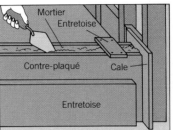

7. Faites un coffrage avec du contre-plaqué. Posez des cales de l'épaisseur du panneau mural entre les poteaux et le coffrage. Remplissez le coffrage de mortier (consistance plus claire qu'avant). Frappez pour tasser.

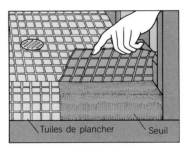

8. Le mortier doit sécher au moins 24 heures ; ôtez ensuite le coffrage. Posez le carrelage (p. 315) ; ajustez bien les tuiles autour du renvoi. Laissez sécher la colle à tuiles au moins 24 heures ; jointoyez avec du coulis.

9. Clouez aux murs de la planche de fixation hydrofuge (avec des clous galvanisés). Posez les tuiles murales (p. 314) ou tout autre type de revêtement étanche sur au moins 6 pi de hauteur.

Chapitre 11

Électricité

Installation, câblage et réparations dans la maison

Les travaux d'électricité ne sont ni difficiles ni dangereux — si l'on comprend ce qu'est l'électricité et si l'on prend les précautions requises. Dans les pages qui suivent, vous apprendrez comment fonctionne une installation électrique, comment en estimer la puissance, comment la prolonger et comment la réparer. Le présent chapitre vous permettra aussi de planifier les travaux et de déterminer si vous devez ou non les confier à un maître électricien.

Si vous en êtes à vos premières armes, lisez attentivement la première moitié du chapitre et pénétrez-vous bien des mesures de sécurité décrites à la page 243. Le reste du chapitre vous indique les moyens d'améliorer l'éclairage de la maison et d'en assurer la protection et la sécurité.

L'électricité se définit comme un courant de particules de charge négative, les *électrons*, en mouvement dans un *conducteur*, à l'image de l'eau qui s'écoule dans un tuyau. Ce conducteur est fait d'une matière, le cuivre, qui résiste peu au passage de l'électricité ; l'*isolant* qui l'entoure (caoutchouc ou plastique) lui oppose de la résistance. La résistance se calcule en *ohms (Ω)* ; l'intensité du courant, en *ampères (A)*.

La force du courant électrique qui circule dans le conducteur s'exprime en *volts (V)*. Lampes et petits appareils se contentent d'un courant de 120 V ; les gros électroménagers exigent du 240 V.

La puissance du courant s'évalue en *watts (W)*. Pour calculer le wattage d'un courant, on multiplie le voltage par l'ampérage. Ainsi, un courant de ½ A et de 120 V dégagera une puissance de 60 W. Et comme 1 *kilowatt (kW)* équivaut à 1 000 watts, 1 *kilowattheure (kWh)* correspond au travail effectué pendant 1 heure par un moteur d'une puissance de 1 kW.

Circuit. Le *circuit* est un ensemble de conducteurs en boucle fer-mée. Le courant part d'une source, se rend jusqu'à un appareil et revient à sa source. Lorsque le circuit est ouvert — par le jeu d'un interrupteur, par exemple —, l'électricité ne passe pas.

Dans un circuit d'éclairage résidentiel typique (p. 238), un courant de 120 V émane d'une *barre collectrice sous tension* située dans le *tableau de distribution*, circule dans un *fil sous tension* (noir) et parvient à une ampoule où il se transforme en chaleur et en lumière. De là, il emprunte un *fil neutre* (blanc) pour revenir, dépourvu de voltage, à la *barre collectrice neutre et de mise à la terre* du tableau de distribution. Dans le cas d'une défectuosité, un *fil de mise à la terre* (en cuivre nu ou codé vert), parallèle au conducteur sous tension et au conducteur neutre, permet à la charge électrique anormale de se perdre dans le sol (p. 240).

De la centrale à la maison. L'électricité parvient par des lignes à haute tension à des sous-stations où des *transformateurs* primaires et secondaires — ces derniers fixés au sommet des poteaux, près des maisons — réduisent le voltage aux tensions utiles de 120 et 240 V. L'électricité entre dans la maison sous la forme d'un *courant alternatif (c.a.)*, ainsi nommé parce qu'il fonctionne alternativement dans un sens et dans l'autre à raison de 60 cycles par seconde, contrairement aux piles qui, quant à elles, produisent un *courant continu (c.c.)*.

Les maisons construites après 1960 ont un câble de branchement de 240 V à trois fils : un neutre et deux de 120 V d'une intensité de 100 à 200 A ou plus. Dans les vieilles maisons, on peut trouver des câbles à deux fils, un neutre et un de 120 V dont l'intensité fournit de 30 à 60 A.

L'électricité pénètre dans la maison par un câble de branchement venu du poteau électrique le plus proche. Ce câble entre par une *tête de branchement* fixée au sommet d'un mât tubulaire. Ses conducteurs, reliés aux *conducteurs du câble de branchement* ou introduits dans un *câble d'alimentation* (p. 244), parviennent au compteur, qui enregistre la consommation, et, de là, au tableau de distribution.

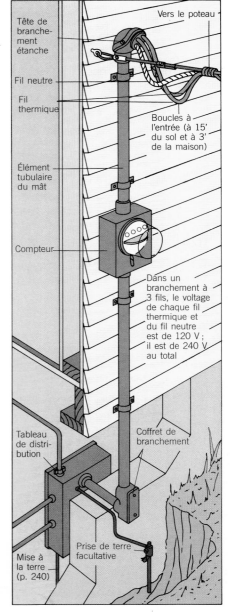

Tête de branchement étanche

Vers le poteau

Fil neutre

Fil thermique

Boucles à l'entrée (à 15' du sol et à 3' de la maison)

Élément tubulaire du mât

Compteur

Dans un branchement à 3 fils, le voltage de chaque fil thermique et du fil neutre est de 120 V ; il est de 240 V au total

Tableau de distribution

Coffret de branchement

Mise à la terre (p. 240)

Prise de terre facultative

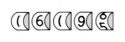

Barre sous tension

Tableau de distribution

Fil sous tension

Disjoncteur

Interrupteur fermé

Fil neutre

Prise de terre

Barre neutre et de mise à la terre

Fil de mise à la terre

Circuit en boucle fermée : de la source à l'appareil, et de retour à la source. L'interrupteur étant ouvert, l'électricité ne passe pas.

Savoir lire un compteur. La lecture du compteur numérique (à gauche) ne pose aucune difficulté. Le compteur analogique (à droite) est plus compliqué : il compte quatre ou cinq cadrans numérotés de 0 à 9, de droite à gauche et de gauche à droite alternativement. Commencez la lecture par le cadran de gauche. Si l'aiguille pointe entre deux chiffres, notez le plus bas des deux. Si elle a dépassé 0, notez le chiffre suivant. Ici, les deux compteurs indiquent 16 195 kWh.

Disjoncteurs et fusibles

Distribution de l'électricité 238
Répartition des circuits 239
Outils, contrôles, sécurité 242-243

Les circuits dérivés ont une capacité se limitant à 15 ou 20 A. Quand la demande dépasse cette capacité, il y a surchauffe des conducteurs et risque d'incendie. Chaque circuit est donc protégé par un *coupe-circuit* (disjoncteur ou fusible). L'ampérage du coupe-circuit doit correspondre à celui du circuit. En cas de surcharge, le disjoncteur se déclenche ou le fusible grille, ce qui a pour effet de couper le courant.

Les pannes sont le plus souvent imputables à une *surcharge du circuit* (trop de lampes ou d'appareils branchés sur un même circuit) ou à un *court-circuit* (défectuosité qui met en cause les fils du circuit ou des appareils qui y sont branchés). Le court-circuit, surtension brusque et de grande intensité, se produit quand un fil sous tension dont la gaine est abîmée entre en contact avec un fil neutre ou un autre fil sous tension, lui aussi en mauvais état. Il faut identifier et corriger le problème avant d'enclencher le disjoncteur ou de remplacer le fusible.

▶ **ATTENTION !** N'entreprenez aucun travail en électricité sans avoir lu les conseils et mises en garde de la page 243.

Si un circuit tombe en panne au moment où vous allumez un appareil, c'est qu'il est surchargé. Débranchez des appareils et branchez-les à d'autres circuits. Remplacez *toujours* un fusible par un autre de *même* ampérage.

Si le circuit retombe en panne immédiatement, pensez à un court-circuit. Coupez le courant et débranchez tous les appareils reliés au circuit ; enclenchez le disjoncteur ou remplacez le fusible et remettez le courant. Si la panne persiste, le circuit est défectueux : faites venir un électricien. Si le circuit fonctionne bien, rebranchez les appareils un à un. L'un d'eux causera sans doute une nouvelle panne de circuit : examinez son cordon d'alimentation et la prise de courant.

Contrairement aux disjoncteurs, les fusibles permettent de deviner la cause d'une panne : une surcharge brise la languette de métal ; un court-circuit décolore ou noircit le mica.

Pour couper l'alimentation

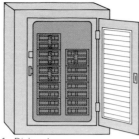 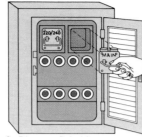 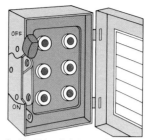

1. Disjoncteurs   2. Blocs enfichables   3. Fusibles à interrupteur

Le tableau des disjoncteurs (1) a, en haut, un ou plusieurs disjoncteurs principaux ; déclenchez-les. (À défaut, déclenchez tous les disjoncteurs.) Ou retirez les blocs principaux du tableau des fusibles cartouches (2). Ou abaissez le levier (3) en position fermée *(Off)*. Pour couper l'alimentation d'un circuit, neutralisez le disjoncteur ou le fusible correspondant (p. 239).

Disjoncteurs

Disjoncteur unipolaire. Il protège les petits appareils qui utilisent du 120 V.

Disjoncteur bipolaire. Il protège les gros appareils qui utilisent du 240 V.

Pour enclencher un disjoncteur, mettez-le en position *On*. Dans certains cas, vous devez d'abord passer par la position *Off* ou *Reset.*

Un disjoncteur est défectueux s'il refuse de s'enclencher ou s'il est déformé. Coupez l'alimentation et faites un essai avec le vérificateur de continuité (p. 243)

pour vous assurer que le courant ne passe pas. Faites sortir le disjoncteur de son étui, débranchez les fils et remplacez-le par un autre de même ampérage et de même marque.
ATTENTION ! La réparation d'un tableau de distribution est délicate. Il vaut mieux s'adresser à un électricien.

Fusibles à culot et coupe-circuit

Fusible à culot. Ampérage : 15, 20, 25 et 30.

Fusible à retardement. Il supporte les surtensions de départ de moteurs puissants.

Fusible de type S. Sa douille enfichable n'accepte que le fusible de l'ampérage voulu.

Coupe-circuit à douille. Il remplace le fusible ordinaire et comporte un bouton-poussoir.

Pour remplacer un fusible à culot, lisez les instructions de la page 243. Tenez-vous sur une surface sèche ; coupez le courant ; tenez le fusible grillé d'une seule main par sa bordure en verre et dévissez-le. Remplacez-le par un fusible neuf de même ampérage. (Les logements munis de rondelles filtres assurent un bon contact.)

Fusibles cartouches

  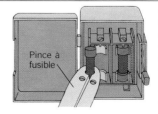

Fusible à cartouche ronde (jusqu'à 60 A). Il protège les circuits des gros appareils.

Fusible cartouche à lames (jusqu'à 600 A). Il protège les circuits principaux.

Pince à fusible

Pour remplacer un fusible cartouche logé dans un bloc enfichable, retirez le bloc. S'il est maintenu par des agrafes, coupez le courant ; enlevez le fusible avec une pince à fusible. Identifiez le fusible grillé avec un vérificateur de continuité (p. 243).

Électricité / Distribution dans la maison

Tableau de distribution. À sa sortie du compteur, le câble de branchement à trois fils (120 / 240 V, 100 à 200 A) pénètre dans le tableau de distribution. Les deux fils thermiques (noirs), de 120 V chacun, sont reliés au disjoncteur principal. Deux pièces métalliques, les barres collectrices, y sont branchées ; elles reçoivent le courant et le distribuent aux circuits par l'intermédiaire des disjoncteurs ou des fusibles. (Un circuit de 120 V est alimenté par une seule barre ; un circuit de 240 V, par deux barres.) Le fil neutre (blanc) est relié à la barre collectrice neutre et de mise à la terre, laquelle est à son tour reliée à un fil de terre. Dans certains cas, la barre neutre est distincte de la barre de terre.

Circuits dérivés. Ce sont eux qui distribuent l'électricité aux prises de courant et aux interrupteurs. Un circuit de 120 V comporte un fil thermique, noir et isolé, un fil neutre, blanc et isolé, et, dans un système bien conçu, un fil de terre en cuivre nu ou vert et isolé. Le premier est relié à un disjoncteur unipolaire ou à un fusible ; le fil neutre et le fil de terre sont reliés à la barre collectrice neutre et de mise à la terre. (Comme ils doivent parvenir à la terre sans rupture de continuité, on ne les relie jamais à des disjoncteurs, à des fusibles ou à des interrupteurs.) Un circuit de 240 V comporte deux fils thermiques, l'un noir, l'autre rouge, reliés à un disjoncteur bipolaire ou à un fusible cartouche.

Il existe trois types de circuits dérivés. Le *circuit d'éclairage,* de 120 V et 15 A, alimente les luminaires, ainsi que les prises murales de toutes les pièces sauf celles de la cuisine, de la salle de lavage et de l'atelier. Le code canadien de l'électricité limite à 12 sorties un circuit de 15 A. Sa capacité est de 1 500 W et supporte l'utilisation simultanée de 80 p. 100 de ses sorties. Dans les diverses pièces d'habitation, le code recommande la pose d'une prise murale tous les 12 pi (4 m) ; en outre, un interrupteur à l'entrée de chaque pièce devrait commander un luminaire ou une prise murale.

Le *circuit divisé,* de 15 A et 120 V, alimente les prises murales doubles de la cuisine : la prise du haut et celle du bas ne sont jamais reliées à un même circuit et chaque circuit ne doit desservir que deux prises. Aucun point d'un comptoir adossé à un mur ne devrait se trouver à plus de 3 pi (1 m) de distance d'une prise murale double.

Les *circuits individuels pour gros électroménagers,* de 15 à 50 A, fournissent un courant de 120 V, de 240 V ou une combinaison des deux. Le code exige des circuits autonomes de 15 A et de 120 V dans la salle de séjour, la salle de lavage, l'atelier et le garage, ainsi que pour alimenter l'aspirateur central et les prises de courant extérieures. Comme les ordinateurs sont sensibles aux variations de voltage et que les fours à micro-ondes en créent souvent, il est recommandé de leur réserver des circuits distincts.

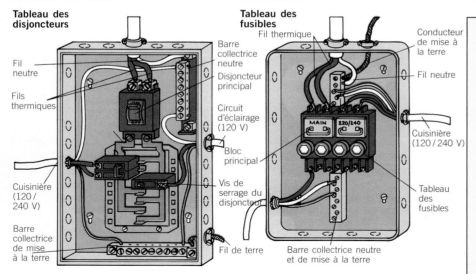

Tableau des disjoncteurs

Fil neutre

Fils thermiques

Cuisinière (120 / 240 V)

Barre collectrice de mise à la terre

Barre collectrice neutre

Disjoncteur principal

Circuit d'éclairage (120 V)

Bloc principal

Vis de serrage du disjoncteur

Fil de terre

Tableau des fusibles

Fil thermique

Conducteur de mise à la terre

Fil neutre

Cuisinière (120 / 240 V)

Tableau des fusibles

Barre collectrice neutre et de mise à la terre

L'électricité est distribuée dans les constructions neuves à partir d'un tableau à disjoncteurs (à gauche). Dans les maisons anciennes, on trouve encore le tableau à fusibles (à droite) raccordé à un ou à plusieurs sous-tableaux (p. 241). Les modèles varient.

Codes, permis et normes

Toute installation électrique doit être conforme aux exigences du code canadien de l'électricité ou à celles des codes provinciaux, généralement plus rigoureux. Il est donc primordial, avant d'entreprendre des travaux, de se renseigner sur les prescriptions du code en vigueur.

Pour remplacer une prise de courant (p. 246), vous n'avez pas besoin de permis ; mais vous devrez vous en procurer un si vous décidez de modifier ou d'ajouter un circuit. On pourra vous demander de présenter une description des travaux projetés ou de passer un test mettant votre compétence à l'épreuve. Vous devrez aussi vous soumettre à des inspections périodiques.

Certaines réglementations locales exigent que tous vos travaux d'électricité soient confiés à un électricien. Ailleurs, on vous autorise à installer des circuits en aval du tableau de distribution, mais les travaux doivent être vérifiés par un électricien, qui fera aussi le raccord final.

ACNOR. N'achetez aucune fourniture électrique qui ne porte pas le sceau officiel de l'ACNOR (Association canadienne de normalisation ; CSA, en anglais), un organisme à but non lucratif.

Répartition des circuits

Commencez par découvrir si votre câble de branchement comporte deux conducteurs (120 V) ou trois (240 V) : voyez combien de fils entrent par la tête de branchement ou vérifiez le voltage indiqué sur le compteur. Vérifiez ensuite l'ampérage du branchement ; il est indiqué sur le disjoncteur ou le bloc principal. Les exigences minimales du code sont de 100 A, mais dans les vieilles maisons, il est parfois de 60 et même de 30 A.

Faites ensuite le tracé des circuits.
1. Numérotez les coupe-circuit (disjoncteurs ou fusibles).
2. Faites un plan séparé de chaque étage de la maison.
3. En utilisant les symboles du plan ci-contre, indiquez l'emplacement des prises de courant, des interrupteurs et des luminaires. Vérifiez le fonctionnement de toutes les prises.
4. Débranchez le premier circuit au moyen du disjoncteur ou du fusible. Parcourez toute la maison, du soussol au grenier ; vérifiez les interrupteurs et les prises, celles-ci avec un voltmètre (p. 243) ou une petite lampe. Vérifiez le haut et le bas des prises doubles, ainsi que l'éclairage et les prises extérieures et du garage. Tout ce qui ne répond pas se révèle être relié au circuit débranché.
5. Identifiez ces sorties sur le plan par le chiffre 1 (circuit 1), puis sur une étiquette autocollante que vous apposerez à l'intérieur de la porte du tableau de distribution.
6. Rebranchez le circuit. Répétez l'opération pour tous les autres circuits. Sur le plan, identifiez chacun d'eux par une couleur différente.

Symboles

⊖ Prise double
⊜ Prise de la cuisinière
⊜ Prise de la sécheuse
⊜ Prise du chauffe-eau

S Interrupteur
○ Luminaire
╱ Fils de la prise
H Plinthe électrique

Répartition des circuits

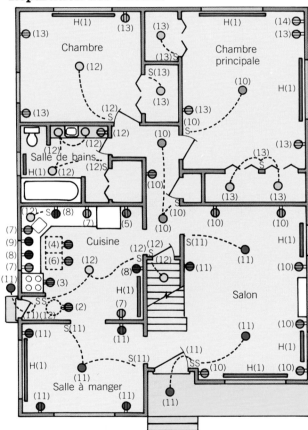

Un circuit d'éclairage de 15 A ne doit pas alimenter plus de 10 prises et luminaires. Les petits appareils de cuisine exigent des circuits divisés. Chaque électroménager de 1 000 W ou plus (p. 241) doit avoir son propre circuit. Faites passer au moins deux circuits dans une pièce.

Tableau principal de distribution

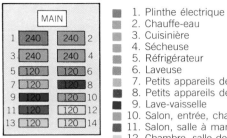

MAIN	
1	240	240	2
3	240	240	4
5	120	120	6
7	120	120	8
9	120	120	10
11	120	120	12
13	120	120	14

■ 1. Plinthe électrique
■ 2. Chauffe-eau
■ 3. Cuisinière
■ 4. Sécheuse
■ 5. Réfrigérateur
■ 6. Laveuse
■ 7. Petits appareils de cuisine
■ 8. Petits appareils de cuisine
■ 9. Lave-vaisselle
■ 10. Salon, entrée, chambre principale
■ 11. Salon, salle à manger, sorties extérieures
■ 12. Chambre, salle de bains, cuisine, sous-sol
■ 13. Chambres et placards
■ 14. Ordinateur

Identification des circuits. Numérotez les circuits au moyen d'étiquettes autocollantes ; reportez les numéros sur un plan.

Les prises d'un circuit divisé (7) alternent avec celles d'un autre (8) ; cela évite les surcharges quand plusieurs appareils fonctionnent en même temps.

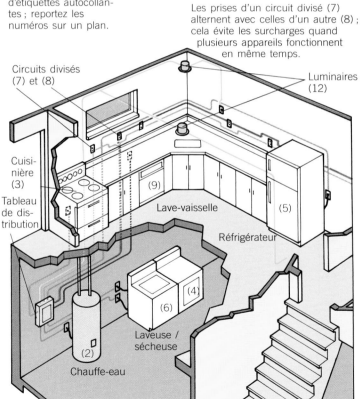

239

Outils, contrôles, sécurité 242-243
Fils et câbles 244
Prises de courant 247

Électricité / Mise à la terre du système

Disjoncteurs et fusibles sont les premiers dispositifs à intervenir en cas de surcharge. Mais il ne faut pas sous-estimer l'utilité du système de mise à la terre qui ne transporte de courant que s'il se produit des surtensions anormales.

Les principes sur lesquels se fonde ce système sont simples. L'électricité prend toujours le chemin le plus facile pour se rendre à la terre : elle circulera plus facilement dans un fil de cuivre que dans tout autre conducteur, y compris le corps humain.

Dans une installation mise à la terre, un fil de terre en cuivre nu ou à isolant vert, vissé à la boîte, dirige en toute sécurité la charge électrique accidentelle vers la barre collectrice neutre et de mise à la terre du tableau de distribution. De là, la charge se rend par un fil de terre à une électrode fichée dans le sol (en général une conduite d'eau froide en métal).

Mise à la terre des prises. Le code canadien de l'électricité exige que dans les maisons neuves un réseau ininterrompu de mise à la terre relie les prises de courant et les boîtes à la barre collectrice neutre et de mise à la terre. Les prises doivent être à trois lames ; les appareils munis de fiches à deux lames sont ainsi mis à la terre. On ne remplacera les prises à deux lames par des prises à trois lames que si la boîte elle-même peut être mise à la terre (fil de terre, gaine métallique sans rupture de continuité d'un câble armé ou conduite d'eau en métal). Pour vérifier si une prise de courant est mise à la terre, mettez-la hors tension (p. 237), ôtez la plaque, retirez la prise et vérifiez s'il s'y trouve un fil nu ou un fil vert ou un connecteur de câble armé (p. 245). (Le câble armé seul ne suffit pas ; il doit être renforcé par un élément de liaison.) Vérifiez la mise à la terre d'une prise avec un voltmètre.

Si la maison est desservie par un câble non métallique qui n'est pas mis à la terre, vous ne pouvez pas installer de prises à trois lames sans changer l'installation.

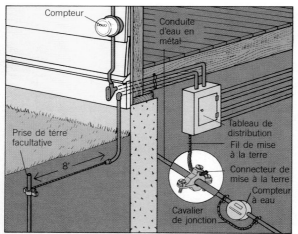

Tableau de distribution. On le relie à une conduite d'eau souterraine en métal au moyen d'un cavalier retenu par des brides de part et d'autre du compteur à eau. Vu la popularité du plastique, on peut enfoncer dans le sol une tige de cuivre de 8 pi de long et de ½ po de diamètre en guise d'électrode supplémentaire. Consultez le code de l'électricité.

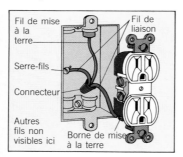

Prise de courant mise à la terre. Un serre-fils et deux fils de liaison relient le fil de mise à la terre du câble à la boîte et à la prise. Dans le cas d'un câble armé sans fil de mise à la terre, un fil de liaison relie la prise à la boîte.

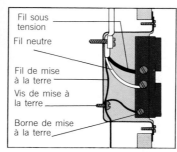

Pour mettre à la terre une prise double, posez un fil allant à la borne, à la vis de mise à la terre et, au choix, à une conduite d'eau en métal, un caniveau métallique mis à la terre, une gaine de câble armé ou au fil de terre près du tableau de distribution.

Disjoncteur de fuite de terre (GFCI)
Quand un fil sous tension en mauvais état entre en contact avec la boîte d'un interrupteur ou le boîtier d'un outil mécanique, il se produit une *fuite de terre*. Contrairement aux surtensions engendrées par un *court-circuit* (p. 237), le courant n'est pas assez puissant pour couper le circuit, mais il pourrait vous donner un choc grave et même mortel si vous avez les pieds dans l'eau.

Modèle portable

On recommande donc d'installer pour les salles de bains, la cuisine, le garage, l'atelier et à l'extérieur de la maison des disjoncteurs de fuite de terre. En temps normal, le courant du fil sous tension est le même que celui du fil neutre. Mais il suffit d'une légère différence entre les deux pour que le disjoncteur, identifiant une fuite de terre, coupe le courant qui alimente la prise.

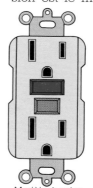

Il existe trois modèles de disjoncteurs de fuite de terre : le *modèle portable* se fixe dans une prise à trois lames ; le *modèle à prise* remplace la prise de courant classique et, selon le câblage (p. 247), protège toute l'installation en aval ; le *modèle fixe* protège tout le circuit.

Modèle à prise

On recommande d'appuyer une fois par mois sur le bouton *Test*. Si cela ne coupe pas le courant, remplacez le disjoncteur. Pour rétablir le courant, appuyez sur le bouton *Reset*.

Amélioration de l'installation

Si votre installation électrique (p. 236) est à deux conducteurs (120 V), ou si elle est à trois conducteurs (120 / 240 V) mais qu'elle fait moins de 100 A, renseignez-vous auprès de la société hydroélectrique sur la meilleure façon d'augmenter le voltage et l'ampérage. Si le circuit de mise à la terre est défectueux, ou s'il n'y en a pas, votre installations électrique est potentiellement dangereuse : faites appel à un électricien.

Fils d'aluminium. Les maisons antérieures à 1975 sont parfois équipées de fils d'aluminium ; on sait maintenant qu'ils peuvent présenter un danger dans certaines conditions. Examinez les fils à découvert dans la cave ou le grenier ou ceux qui se trouvent dans la boîte d'une prise de courant : la gaine des fils d'aluminium porte la mention AL ou ALUMINUM. En cas de doute, consultez un électricien. Si les fils sont en aluminium, n'utilisez que des prises et des interrupteurs marqués CO/ALR ; remplacez ceux qui portent la mention CU ou CU CLAD ONLY.

Estimation de vos besoins. Même une installation de 100 A à trois conducteurs peut s'avérer insuffisante. Si les disjoncteurs se déclenchent souvent ou si les fusibles grillent, si la lumière vacille ou si l'image de la télévision est distordue quand vous allumez un autre appareil, si les électroménagers ne donnent pas leur plein rendement ou si vous utilisez beaucoup de rallonges (par manque de prises murales), évaluez vos besoins en utilisant le plan des circuits, le tableau ci-dessous et la formule suivante :

1. Additionnez le wattage respectif : a) des circuits d'éclairage (3 W par pied carré d'espace habitable) ; b) des circuits divisés (1 500 W chacun) ; et c) des gros appareils (vous en trouverez le wattage sur la plaque signalétique), à l'exception de ceux de la climatisation et du chauffage.

2. Imaginons que vous arriviez à un total de 31 000 W pour une maison de 2 000 pi². Soustrayez 10 000 W et multipliez par 0,4 (31 000 − 10 000 x 0,4 = 8 400 W).

3. À cela, ajoutez 10 000 W, plus le wattage du système de chauffage ou de climatisation (le plus élevé des deux). Reprenant l'exemple, ajoutez 5 000 watts pour un climatiseur central (8 400 + 10 000 + 5 000 = 23 400 W au total).

4. Pour connaître l'ampérage, divisez la somme des watts par 240 V (23 400 W ÷ 240 V = 97,5 A). Un tableau de 100 A suffirait donc, mais tout juste. Un électroménager de plus et vous serez obligé de porter la capacité de votre installation à 125 A ou mieux, à 150 ou à 200 A.

Extension de l'installation. Tant que vous respectez la capacité du tableau de distribution, vous pouvez prolonger des circuits ou en installer de nouveaux. Dans le premier cas, attention aux surcharges ; dans le second, vérifiez qu'il reste des bornes libres dans le tableau de distribution. Sinon, voyez avec un électricien si vous pouvez combiner des circuits sous-utilisés, remplacer des disjoncteurs complets par des demi-disjoncteurs ou ajouter un tableau d'appoint.

Wattage de certains appareils*

Appareil	Watts	Appareil	Watts	Appareil	Watts
Aspirateur	720 – 1 300	Four à micro-ondes	1 450	Réfrigérateur sans givre	615
Batteur	127	Grille-pain	1 146	Robot culinaire	200
Broyeur à ordures	400-900	Lave-vaisselle	1 200	Rôtissoire	1 140
Cafetière	1 200	Laveuse	512	Scie circulaire	1 200
Chauffe-eau	2 000 – 5 000	Machine à coudre	75	Sèche-cheveux	600
Climatiseur (pièce)	800 – 1 800	Mélangeur	300	Sécheuse	4 856
Climatiseur central	5 000	Ordinateur	300	Soufflerie (chauffage)	500
Congélateur ordinaire	400	Perceuse	360	Surface de cuisson	4 000 – 5 000
Congélateur sans givre	500	Plinthe électrique	1 600	Téléviseur couleur (transistorisé)	145
Coussin chauffant	65	Radiateur d'appoint	1 322	Tourne-disque	300
Couverture chauffante	200	Radio, horloge	71	Ventilateur de fenêtre	200
Fer à repasser	1 100	Réchaud (deux éléments)	1 650	Ventilateur de table	171
Four	4 000 – 8 000	Réfrigérateur ordinaire	325		

*Ces chiffres sont des moyennes. Le wattage de votre appareil peut être différent. Vérifiez-le sur la plaque signalétique.
Si c'est l'ampérage qui y figure, multipliez-le par le voltage (120 V ou 240 V) pour obtenir le wattage.

Attention aux surtensions

Ordinateurs, fours à micro-ondes, magnétoscopes et téléviseurs sont sensibles aux crêtes de tension, c'est-à-dire aux ondes électriques brusques et brèves qui se produisent dans le voltage du circuit.

Ces surtensions surviennent quand la société hydro-électrique passe d'une installation à une autre, quand la foudre s'abat sur un pylône ou quand un moteur électrique s'allume ou s'éteint. Même l'électricité statique peut produire des ondes de surtension. Ces ondes endommagent les transistors, causent des pannes d'ordinateur ou font perdre des données, et dérèglent les fours à micro-ondes.

Le *dispositif écrêteur* est conçu pour réagir aux surtensions avant que l'appareil qu'il protège puisse être endommagé. Il est commercialisé sous forme d'adaptateur enfichable, de prise de courant murale ou de bloc multiprise (ci-dessus).

Électricité / Outils, vérifications, sécurité

Vous aurez besoin d'outils de base pour vos petits travaux : marteau, tournevis variés (ordinaire, d'ébéniste, cruciforme), pince à long bec, pince à joint coulissant, scie à guichet, scie à métaux, couteau universel, ruban à mesurer, perceuse munie d'une mèche à bois à trois pointes et de forets à maçonnerie (p. 52). Les tournevis à pointe aimantée, tournevis coudé et tourne-écrous (p. 30) sont pratiques dans les endroits peu accessibles.

Des travaux plus élaborés exigeront l'emploi d'un *dénudeur de câble* pour fendre la gaine de câbles non métalliques, d'une *pince à usages multiples* pour dénuder, couper et calibrer les fils, pour sertir les marettes et pour couper et fileter les vis à métaux, et d'un *dénudeur de fil*. Il existe divers modèles de pinces spéciales. Choisissez une *pince à méplat* pour couper les fils de calibre 6 ou moindre ; une *pince universelle* à mâchoires plates en dents de scie et à tranchant latéral pour torsader et cisailler les fils ou pour enlever les débouchures des boîtes électriques (p. 245).

Vous vous servirez d'une *pince à fusible* pour retirer et insérer un fusible cartouche, d'une *cintreuse* (louez-en une au besoin) pour courber les tuyaux en métal souple, et d'un *câble de traction* (il vous en faudra souvent deux), vendu en différentes longueurs, pour faire courir les fils dans les murs et les plafonds.

Autres accessoires. Pour raccorder des fils, on utilise des marettes de différentes dimensions et du ruban isolant imperméable.

Outils d'électricien

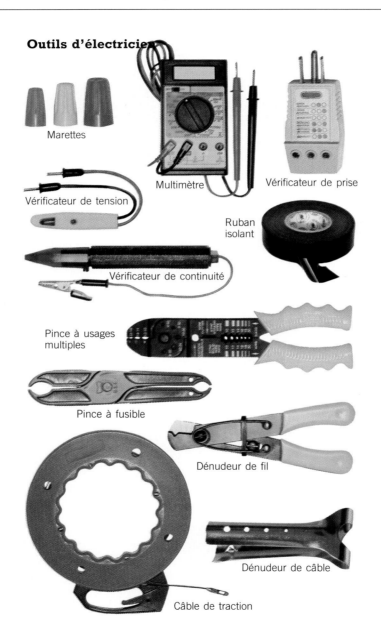

Marettes

Vérificateur de tension

Multimètre

Vérificateur de prise

Ruban isolant

Vérificateur de continuité

Pince à usages multiples

Pince à fusible

Dénudeur de fil

Dénudeur de câble

Câble de traction

Vérifications

Le *vérificateur de continuité* est pourvu d'une ampoule qui s'allume lorsque la sonde et la pince sont branchées. On l'utilise après avoir coupé le courant pour repérer les courts-circuits et les circuits ouverts dans les prises de courant, interrupteurs, appareils et rallonges (p. 259), ainsi que pour vérifier l'état des fusibles.

Le *vérificateur de tension* comporte aussi une ampoule qui s'allume quand le circuit est sous tension. Il sert à repérer les fils thermiques lorsqu'il y en a plus d'un dans la boîte et à vérifier l'état de la prise de terre. On s'en sert aussi pour s'assurer qu'il n'y a pas de courant dans le tableau avant d'entreprendre des travaux (non recommandés aux débutants), une fois le courant coupé (p. 237). Appliquez l'une des sondes sur la barre collectrice neutre (p. 238), l'autre sur l'une des barres collectrices thermiques, puis sur l'autre. Si l'ampoule s'allume, communiquez avec un électricien.

▶**ATTENTION !** Avant de vous mettre au travail, assurez-vous, à l'aide du vérificateur de tension, qu'interrupteurs, prises, circuits ou appareils sont bien hors tension.

Polarité. Le *vérificateur de prise* signale que la dérivation alimentant la prise est ouverte ou qu'une prise polarisée a été mal montée. Celle-ci accueille une fiche polarisée à deux lames, l'une plus large que l'autre, qui n'entre dans la prise que dans un sens. Si les fils de la prise sont inversés, on risque de prendre un choc. Si le vérificateur de prise signale ce genre de défectuosité, coupez le courant et refaites les connexions (p. 247). Si, en revanche, la prise est correctement branchée, c'est qu'il y a un problème d'un autre ordre : appelez l'électricien.

Le *multimètre* vérifie la continuité, la puissance et la mise à la terre d'un courant, et mesure son voltage et sa résistance. Choisissez un appareil gradué de 0 à 250 V en courant alternatif et offrant les réglages suivants : R x 1, R x 10 et R x 100.

Vérification de la continuité

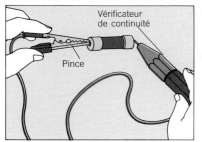

Vérificateur de continuité

Pince

Fusibles. Fusible cartouche : touchez un bout de la cartouche avec la pince, l'autre avec la sonde. Fusible à culot : placez la sonde sur le plot central, la pince sur le filetage. Le vérificateur s'allume si le fusible est bon.

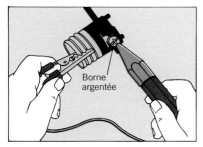

Borne argentée

Douille de lampe. Débranchez la lampe, enlevez la douille (p. 259). Placez la pince sur le petit filetage, la sonde sur la borne argentée. Refaites l'opération en touchant la borne centrale et la borne en laiton. Le vérificateur s'allume si la douille est bonne. (Sinon, vérifiez l'interrupteur de la lampe.)

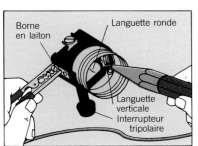

Borne en laiton

Languette ronde

Languette verticale Interrupteur tripolaire

Interrupteur de lampe. Fixez la pince à la borne en laiton. *Interrupteur tripolaire :* au premier *On*, mettez la sonde sur la languette verticale ; au second *On*, sur la languette circulaire ; au troisième *On*, sur les deux à la fois. *Interrupteur unipolaire :* à *On*, posez la sonde sur la languette circulaire.

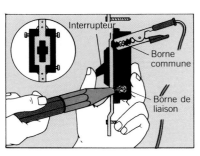

Interrupteur

Borne commune

Borne de liaison

Interrupteur mural. *Unipolaire :* coupez le courant ; débranchez l'interrupteur ; mettez la pince sur une borne, la sonde sur l'autre. L'ampoule s'allume à *On*. *Tripolaire :* sonde sur une borne de liaison, pince sur la borne commune. L'ampoule s'allume à *On* ou à *Off*.

Vérification de la tension

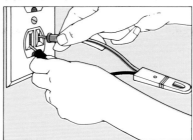

Courant coupé. Pour vous en assurer, introduisez les sondes : l'ampoule ne doit pas s'allumer. Vérifiez les deux prises d'une prise double. Ôtez la plaque murale ; appliquez les sondes aux extrémités dénudées de chaque paire de fils blancs et noirs. L'ampoule ne doit pas s'allumer.

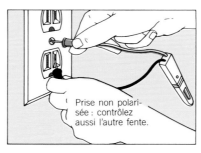

Prise non polarisée : contrôlez aussi l'autre fente.

Mise à la terre d'une prise. Ne coupez pas le courant. Introduisez une sonde dans la petite fente ; tenez l'autre sur la plaque métallique ou sur sa vis. Si le vérificateur s'allume faiblement ou pas du tout, la mise à la terre est défectueuse. Coupez le courant et vérifiez le raccord du fil de terre.

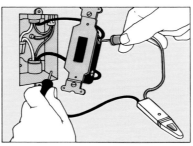

Interrupteur. Coupez le courant au circuit ; ôtez la plaque. Tenez une sonde sur la boîte métallique ou sur le fil de terre nu, si la boîte est en plastique ; touchez chaque borne avec l'autre sonde. Si l'ampoule s'allume, l'interrupteur est sous tension ; débranchez au tableau le circuit correspondant.

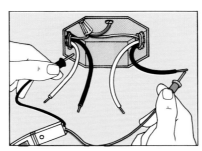

Fil thermique. Coupez le courant. Ôtez l'interrupteur, la prise (p. 247) ou le plafonnier (p. 254). Écartez les fils lâches. Remettez le courant. Tenez une sonde sur la boîte ou sur le fil de terre ; touchez de l'autre chacun des fils. L'ampoule s'allume au contact du fil thermique.

Électricité / Fils et câbles

Distribution dans la maison 238
Mise à la terre du système 240
Raccordement des fils 247

Le fil le plus couramment utilisé en électricité est le fil de cuivre gainé d'isolant. Il porte un code numérique de l'AWG (American Wire Gauge) en identifiant le calibre. Plus le chiffre est élevé, plus le fil est petit. Le calibre détermine l'*ampérage,* c'est-à-dire la quantité de courant qu'un fil peut transporter. Plus le fil est gros, plus il peut transporter d'ampères.

Le fil de maison est généralement de type TW ou de type TW 75. La gaine isolante porte un code de couleur auquel il ne faut pas se fier ; il vaut mieux vérifier avec un vérificateur de tension (p. 243). D'ordinaire, le fil thermique est noir (s'il y en a deux, l'autre est rouge ou bleu), le fil neutre est blanc et le fil de terre est vert, vert rayé de jaune ou en cuivre. Sauf pour les fils de petit calibre, le type du fil et le code de l'AWG sont imprimés sur la gaine. Les fils de calibre 8 et plus sont toronnés pour être plus souples. Le fil de calibre 12 (20 A) remplace de plus en plus le fil standard de calibre 14 (15 A).

On pourra faire courir les fils dans des conduits de métal ou de plastique (p. 260). Mais le plus souvent, ils sont réunis pour former des câbles gainés d'acier ou d'un matériau non métallique. Les câbles portant le sceau de l'ACNOR (CSA) n'ont ni gaine de papier ni ruban métallique de mise à la terre.

Calibres, ampérages et usages

1TW — N° 1/0 125 A
Branchement

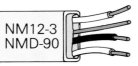

2TW — N° 2 95 A
Branchement

4TW — N° 4 70 A
Branchement ; fil de terre principal

6TW — N° 6 55 A
Fil de terre principal ; appareil de 240 V

8TW — N° 8 40 A
Appareil de 120 V

10TW — N° 10 30 A
Appareil de 120 V

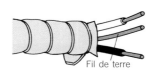

12TW — N° 12 20 A
Petits appareils ; éclairage

14TW — N° 14 15 A
Éclairage

16 — N° 16 10 A
Faible tension ; sonnettes

18 — N° 18 7 A
Faible tension

Câbles

Fil de terre

NM12-2
NMD-90

NM12-3
NMD-90

NM. Câble à gaine non métallique : standard. À deux fils, il comporte deux fils (un thermique et un neutre) et un fil de terre, tous gainés de plastique. À trois fils, il comporte deux fils thermiques, un fil neutre et un fil de terre. La gaine indique le type de câble, le calibre des fils, le nombre de fils et la présence d'un fil de terre.

NMD-90

NMD. Câble gainé de polychlorure de vinyle (PVC) résistant et hydrofuge. S'emploie dans les endroits humides, mais pas sous terre.

NMWU

NMWU. Câble polyvalent. S'emploie en lieu sec ou humide ; peut être enfoui. Le câble de branchement (non illustré) fait entrer l'électricité dans la maison (p. 236).

Fil de terre

Câble armé. S'emploie à l'intérieur seulement, en lieu sec. Il comporte deux, trois ou quatre fils isolés, en cuivre ou en aluminium, et un fil de terre nu.

Pour dénuder un câble

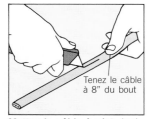

Tenez le câble à 8" du bout

Mettez le câble à plat. Incisez-le au centre, sur la longueur. Coupez la gaine le long de l'incision ; n'entamez pas l'isolant des fils.

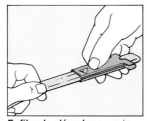

Enfilez le dénudeur sur le câble ; resserrez les deux parties de l'outil pour que sa lame perce la gaine. Tirez jusqu'au bout du câble.

Dénudez le câble. Sans endommager l'isolant des fils, ébarbez la gaine avec un couteau universel ou une pince coupante.

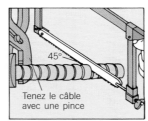

45°

Tenez le câble avec une pince

Pour dénuder un câble armé, entamez le dessus de la gaine à 6 po du bout avec une scie à métaux ; n'entamez pas l'isolant.

Pour dénuder un fil

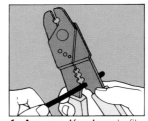

1. Avec un dénudeur de fil ou une pince à usages multiples, dénudez 1 po de fil. Introduisez le fil dans l'un des trous ; fermez la pince.

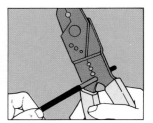

2. Faites jouer le fil dans le trou jusqu'à ce que l'isolant cède. Enlevez-le en le faisant glisser.

Boîtes et accessoires

Sécurité 243
Installation de boîtes 248-249
Installation de circuits électriques 250-251

Là où les fils électriques sont épissés ou raccordés aux bornes d'un interrupteur, d'une prise ou d'un plafonnier, il faut une boîte spéciale thermoplastique ou en acier galvanisé pour les isoler des matériaux inflammables environnants. Le nombre de fils à entrer dans une boîte dépend du format de celle-ci. (Voir le tableau ci-dessous.)

Les boîtes des interrupteurs et des prises sont rectangulaires ou carrées ; pour les appareils d'éclairage, elles sont octogonales ou rondes. La *boîte de dérivation*, carrée ou octogonale, sert aux fils et aux câbles et non aux appareils. Elle est munie d'une plaque robuste. Toutes les boîtes doivent être accessibles.

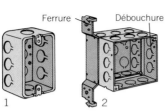
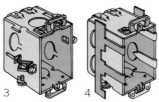

Boîtes en métal (1) pour interrupteurs et prises doubles. Contours arrondis. Les ferrures (2) se clouent à un montant ; les débouchures permettent de doubler la capacité.

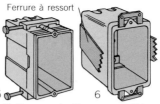
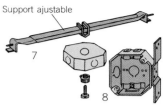

Boîtes de modèle ancien. Languettes ajustables et agrafes latérales (3) ou ferrures latérales (4) fixées au mur. Les boîtes d'interrupteur à parois amovibles peuvent être jumelées.

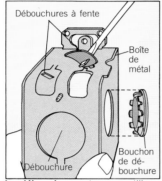

Boîtes en plastique pour câbles NM ; n'exigent pas de mise à la terre. Vérifiez les règlements municipaux. Modèle récent (5) : se cloue au montant ; modèle ancien (6) : se fixe au mur.

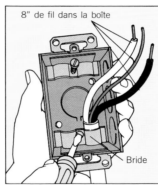

Boîte de plafonnier se montant sur un support ajustable entre les solives (7). Boîte à languettes (8) se clouant sur le côté d'une solive.

Nombre de fils par boîte*

Dimensions	Calibre du fil			
	N° 14	N° 12	N° 10	N° 8
Boîtes octogonales				
4" (côté) x 1½"	10	8	6	5
4" (côté) x 2⅛"	14	12	9	7
Boîtes carrées				
4" (côté) x 1½"	14	12	9	7
4" (côté) x 2⅛"	20	17	13	10
Boîtes rondes				
4" x ½"	3	2	2	1
Boîtes pour interrupteurs				
3" x 2" x 2¼"	6	5	4	3
3" x 2" x 2½"	8	7	5	4
3" x 2" x 3"	10	8	6	5

*Chacun des éléments suivants comptent pour deux fils : interrupteur ou prise ; fil isolé thermique ou neutre entrant dans une boîte ; tous les fils de terre isolés d'une boîte.

Raccordement d'un câble NM à une boîte

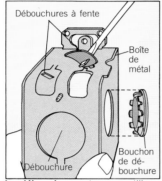

La débouchure est une pastille amovible par où passe le câble. Si elle est à fente, enlevez-la avec un tournevis. Autrement, frappez-la et ôtez-la d'un mouvement de torsion.

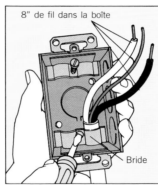

Introduisez un câble NM dans une boîte de métal à connecteur intégré par une débouchure près de la bride. Desserrez la bride, engagez le câble et resserrez la bride.

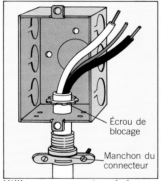

Utilisez un connecteur à écrou à défaut de connecteur intégré. Faites glisser le manchon du connecteur sur le câble ; resserrez les vis. Introduisez les fils et le manchon ; resserrez l'écrou.

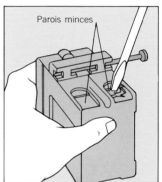

Boîte de plastique. Enfoncez les débouchures là où la paroi est mince. Si le câble est fixé au montant à moins de 8 po de la boîte, il ne sera pas nécessaire de l'agrafer à la boîte.

Pose d'un câble armé

1. Seule une boîte de métal convient au câble armé. Après l'avoir dénudé (page ci-contre), glissez-y un manchon isolant.

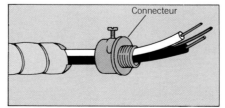

2. Enfilez le connecteur sur le câble armé ; resserrez la vis. Le fil de terre est branché comme s'il s'agissait d'un câble NM.

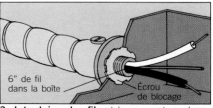

3. Introduisez les fils et le connecteur dans la boîte par une débouchure. Fixez le connecteur avec un écrou de blocage.

La prise de courant murale de même que l'interrupteur se raccordent aux fils du circuit par des bornes à vis ou des bornes autobloquantes situées sur le côté ou à l'arrière de leur boîtier. Les prises sont raccordées aux fils thermique et neutre du circuit. Les interrupteurs ne sont raccordés qu'au fil thermique.

L'interrupteur le plus commun est *unipolaire* ; il commande un seul appareil ou une seule prise. Il comporte deux bornes à vis en laiton ou deux bornes autobloquantes. Le rupteur bascule vers le haut pour fermer le circuit, vers le bas pour l'ouvrir. Si l'on jumelle deux unipolaires pour commander le même appareil de deux endroits différents, on obtient l'interrupteur *tripolaire* ; il comporte deux bornes *de liaison* en laiton pour les fils entre les interrupteurs et une borne noire *commune* qui reçoit le fil thermique de la prise ou de l'appareil. Diverses raisons peuvent motiver le remplacement d'un interrupteur : bris, fonctionnement bruyant, etc. Il faut que le nouvel interrupteur ait le même ampérage et le même voltage que l'ancien, et qu'il soit ou unipolaire ou tripolaire comme lui.

Fiche signalétique d'un interrupteur

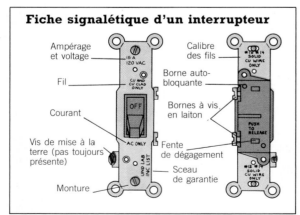

Ampérage et voltage — Calibre des fils — Fil — Borne autobloquante — Courant — Bornes à vis en laiton — Vis de mise à la terre (pas toujours présente) — Fente de dégagement — Monture — Sceau de garantie

Sur la prise ou l'interrupteur figurent l'ampérage et le voltage, et le sceau de garantie de l'ACNOR (CSA). Les bornes autobloquantes ne conviennent qu'au fil en cuivre. CO-ALR veut dire pour fils en aluminium.

Remplacement d'un interrupteur unipolaire

ATTENTION ! Avant tout, débranchez le circuit (p. 237). Retirez les vis et la plaque ; desserrez les vis de montage. Retirez doucement la pièce. Avec un vérificateur de tension, assurez-vous qu'il n'y a pas de courant (p. 243). Desserrez les bornes ; débranchez les fils. Vérifiez l'interrupteur avec un vérificateur de continuité (p. 243). Placez le nouvel interrupteur en position de circuit ouvert, rupteur abaissé. Raccordez les fils thermiques. Si l'appareil a une vis de mise à la terre, reliez l'interrupteur aux fils de terre de la boîte ; dans le cas d'un système à câbles armés, reliez le fil à la boîte métallique (p. 240). Vissez les bornes. Placez fils et interrupteur dans la boîte. Vissez l'interrupteur en position. Posez la plaque. Rétablissez le courant.

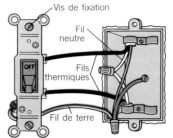

Vis de fixation — Fil neutre — Fils thermiques — Fil de terre

L'interrupteur intermédiaire a deux fils noirs reliés à des bornes en laiton. Les fils neutres sont à dérivation.

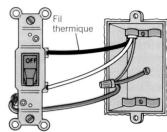

Fil thermique

Dans un circuit en boucle (p. 252), le fil relié à l'interrupteur est thermique ; reliez le fil de terre à l'interrupteur.

Remplacement d'un interrupteur tripolaire

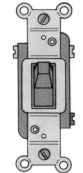

Lorsqu'un des deux interrupteurs tombe en panne, il faut d'abord l'identifier. Débranchez le circuit. Retirez un premier interrupteur de son logement. Vérifiez-le avec le vérificateur de tension. Marquez le fil relié à la borne commune avec du ruban. Débranchez les fils ; faites un essai avec le vérificateur de continuité. Si l'interrupteur fonctionne, replacez-le et vérifiez le second. Pour brancher un interrupteur, reliez le fil garni de ruban à la borne commune, puis procédez comme ci-dessus.

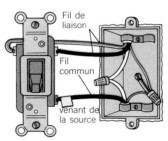

Fil de liaison — Fil commun — venant de la source

Le câblage des tripolaires n'est pas toujours le même. Ici, un câble à deux fils alimente l'autre interrupteur.

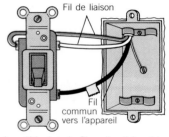

Fil de liaison — Fil commun vers l'appareil

Le câble à trois fils relie d'abord le premier interrupteur à l'appareil puis au second interrupteur (voir p. 253).

Interrupteurs quadripolaires

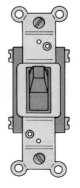

Le *quadripolaire* comporte deux tripolaires et commande un appareil de trois endroits. Le *bipolaire* pour appareils de 240 V a quatre vis en laiton et un rupteur. Certains rupteurs émettent une lueur quand la lumière est éteinte. L'*interrupteur à clé* se commande avec une clé. La *minuterie* coupe le courant au bout de 45 secondes. L'*interrupteur à mouvement d'horlogerie* allume et éteint une lumière à des intervalles réglés d'avance. Enfin le *rhéostat* fait varier l'intensité d'une lampe — à incandescence seulement.

Installation d'un rhéostat

Rhéostat unipolaire

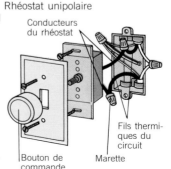

Conducteurs du rhéostat — Fils thermiques du circuit — Bouton de commande — Marette

Les rhéostats sont unipolaires ou tripolaires. À bouton, leur capacité est de 600 W ; à rupteur, de 300 W. **Rhéostat unipolaire.** Débranchez le circuit de l'interrupteur et retirez celui-ci (voir ci-dessus). Raccordez les fils du rhéostat aux fils thermiques de l'interrupteur avec des marettes. Montez le rhéostat ; fixez la plaque et le bouton. **Rhéostat tripolaire.** Raccordez le fil noir du rhéostat au fil commun, les rouges aux fils de liaison. Ne posez qu'un seul rhéostat sur un circuit tripolaire.

Outils, vérifications, sécurité 242-243
Fils et câbles 244
Boîtes et accessoires 245

Prises de courant

Connexion des fils

Il ne doit pas y avoir de jeu. Choisissez les marettes en fonction du nombre et de la grosseur des fils. Pour raccorder un fil plein à un fil torsadé, dépouillez-les de leur isolant, le fil torsadé sur 1 po (2,5 cm) et le fil plein sur ½ po (1,5 cm). Tenez les bouts des deux fils côte à côte ; enroulez vers la droite le fil torsadé autour du fil plein.

Pour épisser deux fils, dénudez ¾ po au bout de chaque fil. Tenez les deux fils côte à côte ou torsadez-les avec une pince à long bec. Vissez-y une marette en serrant.

La marette doit couvrir les bouts dénudés

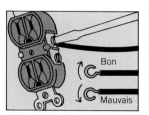

Pour attacher un fil à une borne à vis, dénudez-le sur ¾ po. Avec une pince, repliez-le vers la droite en crochet. Dégagez la borne ; glissez ce crochet autour et vissez.

Bon
Mauvais

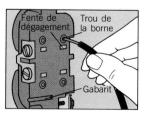

Le gabarit des bornes autobloquantes donne la longueur du fil à dénuder. Insérez le bout dénudé dans la borne. Pour retirer le fil, coupez le courant ; entrez un tournevis dans la fente de dégagement.

Fente de dégagement
Trou de la borne
Gabarit

Le fil de liaison est un petit fil reliant deux fils de circuit ou plus à une borne. Raccordez les fils et le fil de liaison avec une marette. Raccordez le fil de liaison à la borne.

Fil de liaison

Une prise de courant double de 120 V et de 15 ou 20 A peut recevoir deux fiches de 120 V. Les nouvelles prises de courant, à trois lames, sont polarisées (p. 242). Les prises de courant comportent des bornes à vis ou des bornes autobloquantes. La prise double présente deux vis argentées auxquelles on raccorde les fils neutres, deux vis en laiton auxquelles on raccorde les fils thermiques et une vis verte pour le fil de terre. (Les bornes autobloquantes pour les fils neutres sont marquées WHITE.) On peut couper la liaison électrique entre les bornes en laiton pour transformer une prise ordinaire en prise à circuit divisé (p. 252).

Remplacement d'une prise

Une prise défectueuse peut causer un court-circuit. Pour la remplacer, débranchez le circuit (p. 237) et vérifiez-le avec un vérificateur de tension (p. 243). Retirez les vis et la plaque ; relâchez les vis de montage de la prise et retirez-la. Débranchez les fils. Si la prise défectueuse était à circuit divisé (p. 252), convertissez la nouvelle en circuit divisé en brisant la languette. Raccordez les fils noirs aux vis de laiton, les blancs aux vis argentées, la mise à la terre à la vis verte. Testez avec le vérificateur de tension après avoir remonté la prise.

Installation d'un disjoncteur de fuite de terre (GFCI)

Parmi les dispositifs de sécurité, on remarque le couvercle autofermant et des mécanismes de blocage de la fiche. Les disjoncteurs de fuite de terre (GFCI) (p. 240) s'installent dans les endroits humides. Avant de poser un GFCI, lisez les instructions du fabricant ; débranchez le circuit (p. 243). Raccordez les fils des câbles d'arrivée aux vis ou aux conducteurs marqués LINE, les fils de sortie aux vis ou aux conducteurs marqués LOAD (les fils noirs aux vis en laiton ou aux conducteurs noirs, les fils blancs aux vis argentées ou aux conducteurs blancs).

Prise à trois lames étalonnée 120/240 V et 30 A pour sécheuse

Les prises de courant sont étalonnées (page ci-contre). Si vous devez en remplacer une, assurez-vous que la nouvelle est de même ampérage et de même voltage, qu'elle ne dépasse pas la capacité du disjoncteur ou du fil, et qu'elle se relie à la masse si le circuit comporte une mise à la terre (p. 240).

Les gros appareils exigent des prises de 240 V ou de 120/240 V étalonnées 30 A ou plus. Le dessin des fentes ne convient qu'à un seul type d'appareils.

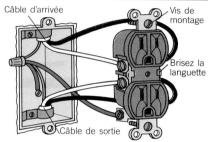

Câble d'arrivée
Vis de montage
Brisez la languette
Câble de sortie

La prise de courant intermédiaire se raccorde à un câble d'arrivée et à un câble de sortie.

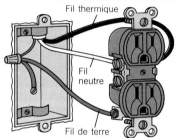

Fil thermique
Fil neutre
Fil de terre

Câblage de la prise terminale. (Certains codes exigent que le fil neutre ou tous les fils soient raccordés à la prise par des fils de liaison.)

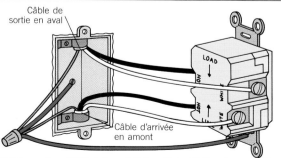

Câble de sortie en aval
Câble d'arrivée en amont

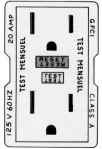

Câblage d'un GFCI intermédiaire. Si le GFCI est en position terminale, encapuchonnez les conducteurs marqués LOAD avec des marettes.

Avant d'ajouter une dérivation au tableau central ou de prolonger un circuit, examinez la capacité de votre installation électrique et la répartition des circuits. Voyez si votre consommation actuelle (p. 241) permet d'installer un circuit sans surcharger le système et si le tableau de distribution accepte un disjoncteur ou un fusible de plus. (Pour augmenter la capacité d'un tableau de distribution, voir p. 241.)

Ne prolongez un circuit que s'il est mis à la terre (p. 240) et ne risque pas d'être surchargé (p. 239) ; partez d'une boîte de dérivation. Au point de jonction, le câble doit être constamment sous tension ; cela élimine d'emblée les interrupteurs, les appareils en position terminale ainsi que les prises commandées par interrupteur. La boîte de dérivation doit comporter une débouchure libre et être assez grande pour loger les nouveaux fils (p. 245). Vous trouverez à droite d'autres options.

▶ **ATTENTION !** Coupez le courant (p. 237) avant de commencer le travail et faites le test avec le vérificateur de tension (p. 243).

Pour calculer la longueur du câble, suivez le plus court chemin entre la source de courant et les nouvelles prises (p. 250-251). Ajoutez 12 po (30 cm) pour les épissures et 20 p. 100 pour les erreurs. Anciens et nouveaux fils doivent être de même calibre et de même type. Le fil n° 12 (20 A) convient aux circuits de 15 et de 20 A ; le n° 14 (15 A), aux circuits de 15 A seulement. Avant tout, consultez les règlements (p. 238).

Extension d'un circuit

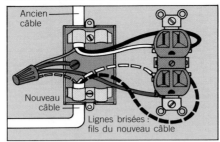

Ancien câble — Nouveau câble — Lignes brisées : fils du nouveau câble

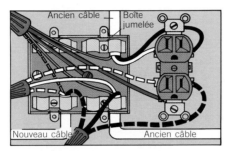

Ancien câble — Boîte jumelée — Nouveau câble — Ancien câble

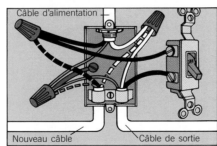

Câble d'alimentation — Nouveau câble — Câble de sortie

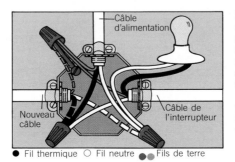

Câble d'alimentation — Nouveau câble — Câble de l'interrupteur

● Fil thermique ○ Fil neutre ●● Fils de terre

Par une prise terminale. C'est la solution idéale si la prise n'est pas commandée par un interrupteur. Coupez le courant, retirez la prise de son logement. Insérez le nouveau câble (p. 245). Branchez le fil noir à la borne en laiton, le fil blanc à la borne argentée. Raccordez les nouveaux fils de terre aux anciens.

Par une prise intermédiaire à deux câbles. Pour un troisième, il faut agrandir la boîte ou jumeler deux boîtes. Coupez le courant. Dégagez un fil blanc et un fil noir. Insérez le nouveau câble. Reliez avec des fils de liaison (p. 247) les fils noirs à la borne en laiton, les fils blancs à la borne argentée. Épissez les fils de terre.

Par un interrupteur. Repérez le fil thermique avec un vérificateur de tension (p. 243). Coupez le courant ; débranchez le fil thermique. Insérez le nouveau câble. Avec un fil de liaison, reliez les fils noirs à la borne de l'interrupteur. Épissez les fils blancs et les fils de terre.

Par un plafonnier intermédiaire. Coupez le courant ; ôtez la boîte octogonale (p. 254). Remettez le courant ; repérez le fil thermique avec un vérificateur de tension. Coupez le courant. Raccordez les fils noirs au fil thermique blanc du câble de l'interrupteur ; raccordez les trois fils blancs ; et épissez les fils de terre.

Le choix de la boîte électrique et de ses accessoires de montage dépend de la nature du mur : placoplâtre, bois, plâtre. Découpez d'abord le mur pour y loger la boîte. Placez-la à la hauteur des autres (d'habitude, interrupteur à 4 pi [1,2 m] du sol, prise à 12-18 po [environ 40 cm]).

Repérez ensuite les montants, les solives ou les tuyaux (p. 191). Ils ne doivent pas faire obstacle. Pour vous en assurer, percez un petit trou dans le mur ; introduisez-y un fil métallique rigide de 8 po (20 cm), plié à angle droit, et faites-lui décrire un cercle complet. Si le fil bute contre un obstacle, recommencez un peu plus loin.

Murs de placoplâtre ou de bois

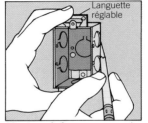
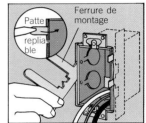

Languette réglable — Patte repliable — Ferrure de montage

Montage à ferrures pour placoplâtre. Tracez le contour de la boîte (à gauche) sans les languettes. Découpez au couteau. Introduisez le câble dans la boîte. Réglez les languettes pour que la boîte affleure. Mettez-la en place. Insérez les ferrures entre le mur et la boîte (à droite). Avec une pince à long bec, repliez les pattes par-devant.

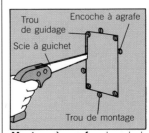
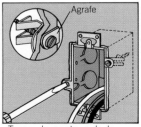

Trou de guidage — Encoche à agrafe — Scie à guichet — Trou de montage — Agrafe

Montage à agrafes dans le bois. Tracez le contour de la boîte en tenant compte des encoches mais pas des languettes. Percez les trous de guidage et de montage ; découpez avec une scie à guichet. Insérez le câble dans la boîte ; réglez les languettes pour qu'elle affleure. Resserrez les vis des agrafes jusqu'à ce que les languettes plaquent au mur.

Installation de boîtes de plafonnier

Outils, vérifications, sécurité 242-243
Boîtes et accessoires 245
Connexion des fils 247

Dans du plâtre sur lattes

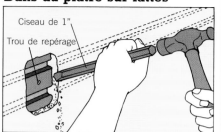

1. Avec un ciseau, dégagez la latte sur toute sa largeur autour du trou de repérage. Posez la boîte au centre de la latte ; tracez son contour sans les languettes. Mettez du ruban cache sur le tracé ; découpez.

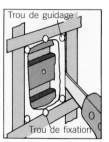
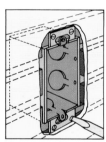

2. Percez des trous de ⅜ po pour les pattes de fixation. Découpez avec une scie à guichet. Ôtez le ruban. Introduisez le câble dans la boîte. Fixez la boîte au ras du mur avec des vis à bois.

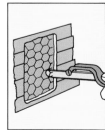

Si le plâtre est appliqué sur un treillis métallique, utilisez une boîte sans languette. Posez du ruban-cache sur le tracé ; découpez. Dégagez le treillis ; découpez-le avec une petite scie à métaux. Fixez la boîte.

À partir du grenier

1. Repérez les solives, marquez le contour de la boîte ; vérifiez qu'il n'y a aucun obstacle (page ci-contre). Percez un trou avec une mèche de 18 po. Repérez-le dans le grenier et découpez avec une scie à guichet.

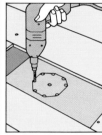

2. Dans le grenier, centrez la boîte sur le trou. Tracez son contour. Percez des trous de ¾ po aux angles (à gauche). Au plafond, découpez avec une scie à guichet (à droite). Sur du plâtre, mettez du ruban-cache.

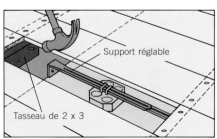

3. Vissez la boîte au support. Installez-la au ras du plafond. Introduisez le câble. Vissez le support aux solives. Clouez des tasseaux aux solives ; fixez la planche du grenier sur les tasseaux.

Dans le plafond

Dans le placoplâtre. 1. Repérez les solives (p. 191). Vérifiez qu'il n'y a pas d'obstacle (page ci-contre). Découpez un carré de 8 po. Mesurez l'espace entre un coin de l'ouverture et la solive. Ajoutez ¾ po ; marquez.

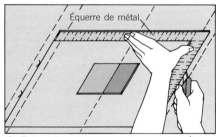

2. Faites de même aux autres angles. À l'équerre, tracez au plafond une ligne reliant les points. Obtenez un carré de 16 ou 24 po de côté. Découpez avec un couteau et une scie à placoplâtre. Fixez le support.

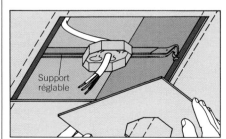

3. Enlevez ⅛ po tout le tour de la découpe ; tracez-y le contour de la boîte ; découpez. Centrez et montez la boîte sur son support. Introduisez le câble. Fixez la découpe avec des vis à placoplâtre. Scellez les joints.

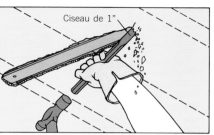

Dans le plâtre sur lattes. 1. Faites un trou au plafond avec un ciseau et un marteau pour exposer la largeur d'une latte. Dégagez la latte en longueur (un clou indiquera une solive).

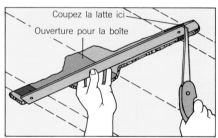

2. Tracez le contour de la boîte à égale distance des solives. Percez des trous de ⅜ po aux angles. Mettez du ruban cache sur le tracé. Découpez avec une scie à guichet. Coupez la latte à l'extrémité des solives.

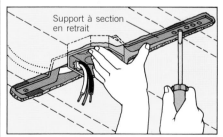

3. Fixez la boîte à un support à section en retrait ; installez-la. Marquez l'emplacement des vis sur les solives ; percez des trous de guidage. Introduisez le câble dans la boîte. Fixez le support. Masquez (p. 280).

Électricité / Installation de câbles

Construction d'une maison 188-191
Outils, vérifications, sécurité 242-243
Fils et câbles 244

Dans une maison neuve

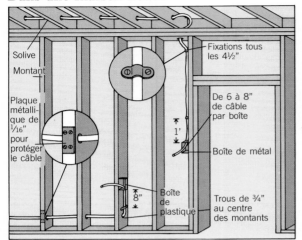

Fixez le câble NM aux montants et aux solives ou à travers. Si le trou est à moins de 1¼ po du bord, vissez une plaque métallique au montant. Fixez le câble à 8 po d'une boîte de plastique, à 1 pi d'une boîte de métal.

Dans une maison ancienne

À moins de faire courir les câbles en surface, le mieux est de passer par une cave ou un grenier non finis. Pour repêcher le câble, si vous n'avez d'accès ni par le plafond, ni par le plancher, vous devrez percer des trous.

▶ **ATTENTION !** Coupez le courant (p. 237); assurez-vous avec un vérificateur de tension qu'il est bien coupé (p. 243).

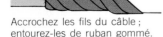

Accrochez les fils du câble; entourez-les de ruban gommé.

Pour faire courir un câble derrière des parois finies, vous aurez besoin d'un câble de traction et de l'aide de quelqu'un. Composé d'un fil métallique plat terminé par un crochet, ce câble sert à repêcher le câble électrique et à le faire courir entre les montants et les solives. Il se vend en longueurs de 25 à 100 pi (7 à 30 m), avec ou sans dévidoir.

Par le sous-sol

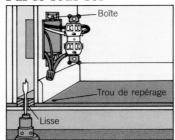

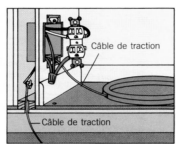

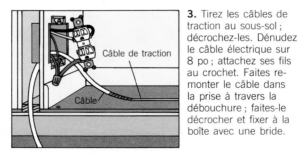

1. Coupez le courant; sortez la prise. Enlevez une débouchure du dessous. Percez un trou de ¹⁄₁₆ ou ⅛ po dans le plancher, près de la plinthe. Introduisez un fil dans le trou. Repérez-le au sous-sol. À 2 po du fil, percez la lisse avec une mèche à trois pointes.

2. Faites passer par un assistant un câble de traction dans la débouchure de la boîte, à l'intérieur du mur. Du sous-sol, introduisez un autre câble de traction dans le trou percé dans la lisse. Faites-le jouer jusqu'à ce qu'il s'accroche à l'autre.

3. Tirez les câbles de traction au sous-sol; décrochez-les. Dénudez le câble électrique sur 8 po; attachez ses fils au crochet. Faites remonter le câble dans la prise à travers la débouchure; faites-le décrocher et fixer à la boîte avec une bride.

4. Découpez une ouverture pour loger la nouvelle boîte. Amenez-y le câble par-dessous, le long d'une solive. Répétez les étapes 1, 2 et 3. Installez la boîte; reliez le câble aux deux prises. (À partir du grenier : percez la sablière plutôt que la lisse.)

Par le plafond (avec accès au-dessus)

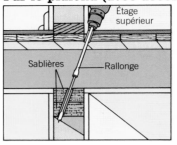

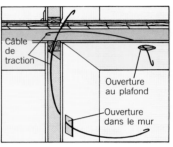

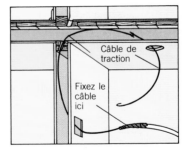

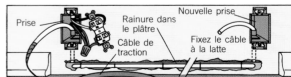

1. Ôtez la plinthe dans la pièce à l'étage pour faire courir un câble d'une boîte de plafonnier à un interrupteur mural. Avec une mèche à trois pointes de ⅜ po et une rallonge de 18 po, percez un trou en diagonale à travers le plancher et les sablières.

2. Introduisez dans le trou un câble de traction de 12 pi muni d'un crochet aux deux bouts. Faites-le sortir par le trou de la boîte de l'interrupteur. Faites descendre un autre câble de traction par l'ouverture de la boîte du plafonnier. Faites-les s'accrocher.

3. Tirez le câble de traction du plafond jusqu'à ce qu'apparaisse celui du mur. Pendant que vous le tenez, faites attacher le câble électrique au câble introduit dans le mur. Amenez le câble de traction et le câble électrique par le trou du plafond.

Derrière une plinthe. Ôtez la plinthe (p. 293). Dans le plâtre : percez un trou sous des boîtes; découpez une rainure allant de l'un à l'autre; faites-y courir le câble; agrafez-le à la latte. Dans le placoplâtre : ouvrez le bas du mur sur 2 po; entaillez les montants; installez le câble; couvrez les entailles de métal.

Boîtes et accessoires 245
Pose de circuits et de boîtes 248-249
Réparation du placoplâtre 278-279

Par le plafond (sans accès au-dessus)

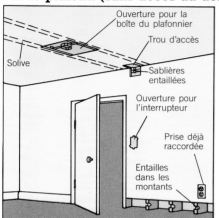

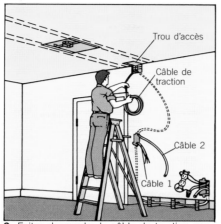

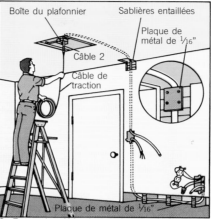

1. Découpez le plafond et le mur. Installez la boîte du plafonnier (p. 249). Pratiquez un trou de 4 po à la jonction du plafond et du mur, aligné sur la boîte. Entaillez les sablières ; faites un trou pour faire passer le câble.

2. Faites descendre le câble de traction par l'interrupteur ; repêchez le câble 1. Faites courir l'autre bout de ce câble vers la prise, dans les entailles des montants. Par le trou d'accès, repêchez le câble 2.

3. Entrez le câble de traction par la boîte du plafonnier et sortez-le par le trou d'accès. Faites-y attacher le câble 2 et sortez-le par le plafond. Installez le câble dans les sablières ; couvrez avec des plaques de métal.

Autour d'une porte

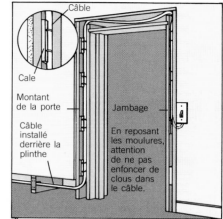

Ôtez les moulures du cadre de la porte.
Faites courir le câble autour de la porte entre les montants et les jambages (p. 434). Si des cales vous gênent, entaillez-les. Agrafez le câble aux cales ou aux montants.

Câblage apparent

Pour éviter de faire courir les câbles dans les murs et les plafonds, on peut recourir à une solution simple, mais peu esthétique : les poser en surface, dans des tubes. Les tubes monobloc obligent à repêcher les câbles ; ce n'est pas le cas des tubes à couvercle à pression. Certains codes en défendent l'usage : renseignez-vous.

Les tubes se vendent avec un mode d'emploi illustré. Voici les principales étapes des travaux :
1. Partez d'une prise.
2. Indiquez au mur et au plafond par où passeront les tubes et l'emplacement des boîtes de sortie.
3. Déterminez la quantité de tubes, ainsi que le nombre et le type de boîtes et d'accessoires nécessaires.

4. Coupez le courant. Sortez la prise. Posez sur la boîte l'étrier d'une boîte de dérivation. Posez les étriers de toutes les nouvelles boîtes.
5. Coupez les tubes à la longueur voulue avec une scie à métaux. Assujettissez les tubes monobloc tous les 2½ pi (1 m) avec des brides de montage. Vissez dans le mur les étriers des tubes à couvercle.
6. Introduisez les câbles avec un câble de traction dans les tubes monobloc. Utilisez des porte-câbles pour fixer le câble électrique aux étriers des tubes à couvercle.
7. Câblez et installez les boîtes.
8. Recâblez et installez la boîte de départ dans la boîte de dérivation.
9. Fermez les couvercles des tubes et de leurs coudes, s'il y a lieu.

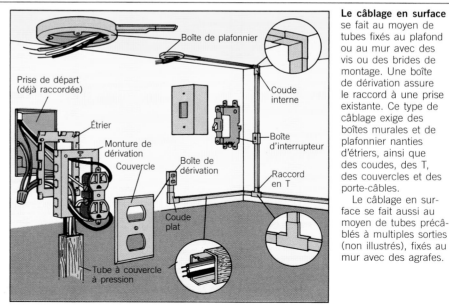

Le câblage en surface se fait au moyen de tubes fixés au plafond ou au mur avec des vis ou des brides de montage. Une boîte de dérivation assure le raccord à une prise existante. Ce type de câblage exige des boîtes murales et de plafonnier nanties d'étriers, ainsi que des coudes, des T, des couvercles et des porte-câbles.

Le câblage en surface se fait aussi au moyen de tubes précâblés à multiples sorties (non illustrés), fixés au mur avec des agrafes.

Électricité / Câblages variés

Voici neuf diagrammes combinant interrupteurs, plafonniers et prises de courant. À partir de ces exemples, vous serez en mesure de câbler différents circuits selon vos besoins.

▶ **ATTENTION !** Coupez toujours le courant avant d'entreprendre les moindres travaux en électricité (p. 237) ; assurez-vous avec un vérificateur de tension qu'il est bien coupé (p. 243).

Dans le diagramme 1, l'électricité passant par un interrupteur unipolaire se rend à une prise de plafonnier terminale. Les diagrammes 2 et 3 illustrent ce qu'on appelle un *circuit en boucle*. Le câblage des prises intermédiaire et terminale est illustré dans le diagramme 4 ; celui d'une prise divisée, dans le diagramme 5. À la page ci-contre sont illustrés schématiquement des interrupteurs tripolaires et quadripolaires permettant d'allumer un plafonnier de deux ou de trois endroits. Le fil thermique d'un câble à deux fils est noir ; le deuxième d'un câble à trois fils est rouge. Un fil thermique blanc sera marqué noir.

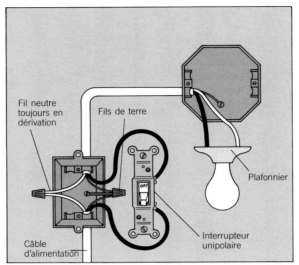

1. Plafonnier et interrupteur. Le câble d'alimentation pénètre dans la boîte d'un interrupteur unipolaire puis dans celle du plafonnier. (L'interrupteur peut ne pas être mis à la terre.)

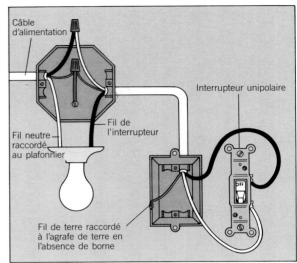

2. Circuit en boucle. Le câble d'alimentation entre dans la boîte du plafonnier. Le fil thermique blanc est acheminé vers l'interrupteur. Il est marqué noir.

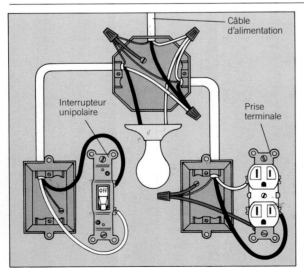

3. Circuit en boucle avec prise de courant. Dans ce diagramme, le circuit en boucle alimente le plafonnier, mais pas la prise de courant.

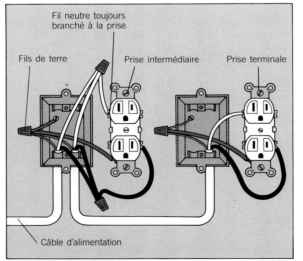

4. Prises de courant en série. Le câble d'alimentation passe dans une ou plusieurs prises intermédiaires avant d'atteindre la prise terminale. Elles doivent toutes être mises à la terre.

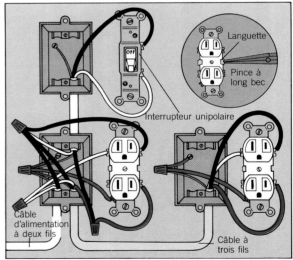

5. Prise de courant divisée. Pour diviser une prise, brisez la languette entre les bornes sous tension. La moitié supérieure est toujours sous tension ; l'autre est reliée à un interrupteur.

252

Fils et câbles 244
Interrupteurs et prises de courant 246-247
Pose des plafonniers 254

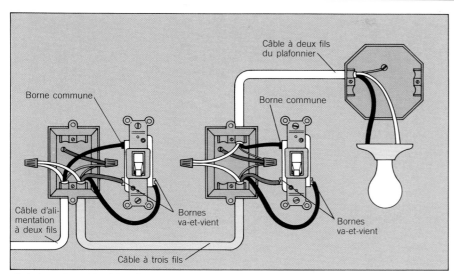

6. Interrupteur tripolaire (interrupteurs avant plafonnier). Le fil thermique du câble se raccorde à la borne commune du premier interrupteur ; les deux fils thermiques du câble à trois fils se raccordent aux bornes va-et-vient de chaque interrupteur.

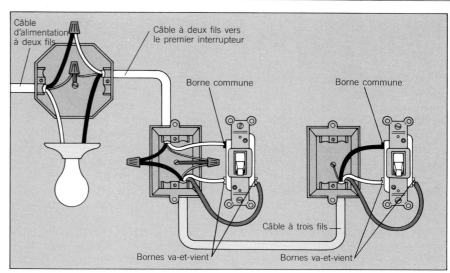

7. Interrupteur tripolaire (plafonnier avant interrupteurs). Le câble d'alimentation entre dans la boîte du plafonnier ; le fil thermique est relié à la borne commune du premier interrupteur ; les fils rouge et blanc du câble à trois fils sont reliés aux bornes va-et-vient des interrupteurs.

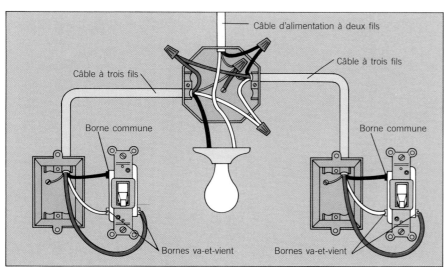

8. Interrupteur tripolaire (plafonnier entre interrupteurs). Le câble d'alimentation entre dans la boîte du plafonnier. Le fil thermique est relié à la borne commune du premier interrupteur. Deux longueurs de câble partant du plafonnier relient les interrupteurs et le plafonnier.

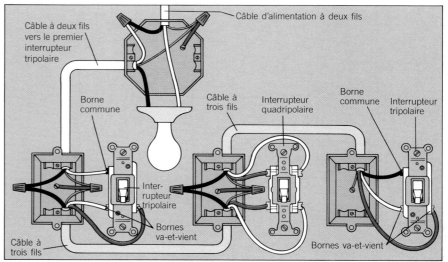

9. Interrupteur quadripolaire. Le fil thermique du câble d'alimentation est relié à la borne commune du premier interrupteur tripolaire. Un câble à trois fils relie les deux tripolaires au quadripolaire. Le fil noir de la borne commune du deuxième tripolaire revient au plafonnier.

Électricité / Plafonniers

Pour poser un plafonnier, il suffit dans la plupart des cas de raccorder avec des marettes (p. 247) ses fils à ceux de la boîte (le fil noir au fil noir, le fil blanc au fil blanc). La quincaillerie nécessaire dépend de la taille et du modèle du plafonnier. On peut le fixer à un support métallique (ci-dessous) vissé aux pattes de la boîte du plafonnier ou assujetti par un écrou de blocage au goujon fileté que comportent certaines boîtes. On monte un plafonnier en position centrale sur une boîte à goujon plutôt que sur un support. Il faut parfois prolonger la tige au moyen d'un manchon et d'un écrou de réglage.

Pour poser une suspension, on relie le manchon au goujon de la boîte au moyen d'un raccord fileté. Si la boîte est dépourvue de goujon, on monte le manchon sur le support et on visse ce dernier à la boîte.

▶**ATTENTION !** Coupez toujours le courant au tableau de distribution avant d'entreprendre des travaux en électricité (p. 237). Lorsque les fils sont exposés, assurez-vous avec un vérificateur de tension que le courant est bel et bien coupé (p. 243). Utilisez un escabeau robuste. Ne laissez pas pendre le plafonnier au bout de ses fils. Demandez qu'on le soutienne ; s'il est léger, accrochez-le à la boîte avec un cintre recourbé.

Remplacement d'un plafonnier. Coupez le courant. Enlevez le diffuseur. Dégagez les vis de serrage ou la vis de fixation du plafonnier. Abaissez le plafonnier pour découvrir la monture et les fils. (S'il s'agit d'une suspension, dégagez la bague ou les vis de réglage de la garniture et abaissez-la.) Enlevez le support ou le manchon. Débranchez les fils ; ôtez le plafonnier.

Pour poser un nouveau plafonnier, assujettissez ses ferrures de montage à la boîte, au plafond. Demandez à quelqu'un de le soutenir pendant que vous raccordez les fils. Vissez le plafonnier aux ferrures. Dissimulez-les sous une garniture. Vissez les ampoules et installez le diffuseur, s'il y a lieu.

Plafonnier encastré

Les plafonniers encastrés sont généralement câblés et reliés au préalable à une boîte de dérivation. (On fait pénétrer le câble d'alimentation directement dans cette boîte.) Il faut laisser au moins 3 po entre l'isolant et le plafonnier. Cependant, certains modèles (non illustrés), approuvés par l'ACNOR (CSA), peuvent entrer en contact avec l'isolant.

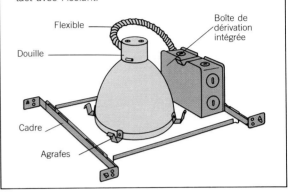

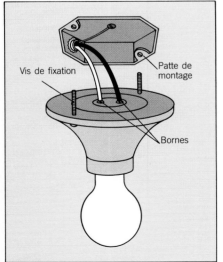

Plafonnier à une ampoule. On visse le plafonnier aux pattes de montage de la boîte. Il est généralement doté de bornes à vis.

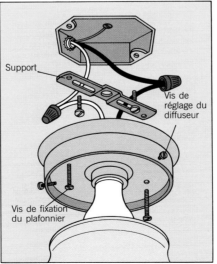

Plafonnier à support. On fixe le support par des vis aux pattes de la boîte (illustrée) ou par un goujon fileté, au centre de la boîte.

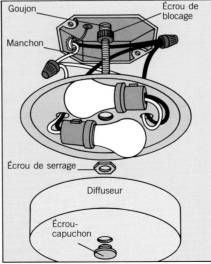

Montage central. On monte le plafonnier sur un manchon fixé par un écrou de blocage à un goujon.

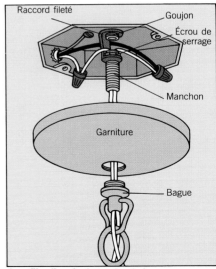

Les fils d'un lustre entrent dans un manchon couplé à un raccord fileté. (On fixe un lustre de plus de 25 lb à une solive.)

Ventilateurs de plafond

Boîtes et accessoires 245
Interrupteurs et prises de courant 246-247
Câblages variés 252-253

En hiver comme en été, un ventilateur de plafond améliore le confort de votre maison. Les pales, lorsqu'elles tournent en sens contraire au mouvement d'une montre, font circuler l'air frais ; dans l'autre sens, elles rabattent l'air chaud vers le plancher. Le ventilateur est souvent couplé à un plafonnier. Les pales doivent se trouver au moins à 1 pi (0,3 m) du plafond, 7 pi (2 m) du sol et 2 pi (0,6 m) du mur le plus proche. La plupart des ventilateurs sont à deux ou trois vitesses et à moteur inversé, commandé par un interrupteur mural ou par une chaînette.

Si vous posez un ventilateur à la place d'un plafonnier, raccordez-le aux fils déjà en place. Sinon, il va vous falloir d'abord poser une boîte et faire courir un nouveau circuit ou prolonger un circuit existant (p. 248-251). Vous pourriez aussi recourir au câblage apparent (p. 251) ou installer un nécessaire de suspension consistant en un fil de rallonge inséré dans une chaîne décorative, qu'on accroche à des supports vissés au plafond et qui descend le long du mur jusqu'à une prise de courant.

▶**ATTENTION !** Avant de remplacer un plafonnier par un ventilateur, coupez le courant au tableau de distribution (p. 237). Enlevez le plafonnier (page ci-contre) sans toucher aux fils. Avec un vérificateur de tension, assurez-vous qu'il n'y a pas de courant (p. 243).

Le mode d'assemblage d'un ventilateur de plafond varie selon les modèles. Conformez-vous aux directives du fabricant.

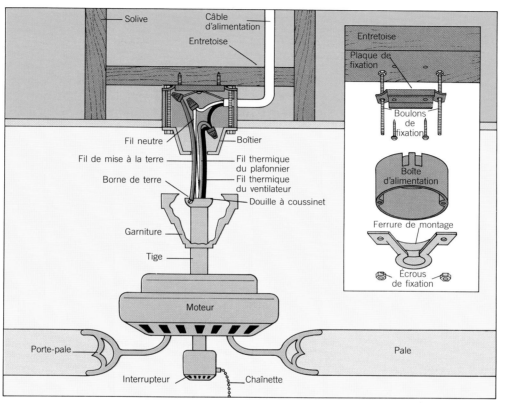

- **La fixation à coussinet** illustrée ici est la plus courante. Le code canadien de l'électricité interdit de monter un ventilateur de plafond sur les pattes de fixation ordinaires d'une boîte de plafonnier. Utilisez une boîte approuvée ; vissez-la à une solive, à une entretoise ou à un support métallique monté entre deux solives.

- Vissez le boîtier du ventilateur sur la boîte. Introduisez la tige dans la garniture ; faites passer les fils du ventilateur dans la tige. Fixez la tige au moteur et mettez-le en place. Introduisez la douille à coussinet dans le boîtier.

- Raccordez les fils du câble à ceux du ventilateur : le noir au noir, le blanc au blanc, le fil de terre à la borne de terre.

- Le ventilateur qui peut recevoir un plafonnier présente un second fil thermique, habituellement bleu. Branchez-le aux fils noirs du câble et du ventilateur. La chaînette commandera et le ventilateur et le plafonnier.

- Remontez la garniture et fixez-la. Installez les pales. Pour éliminer les vibrations, installez-les bien de niveau (voyez les instructions).

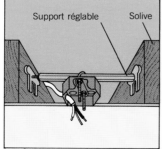

Si vous n'avez pas d'accès au-dessus, pratiquez au plafond un trou de 4½ po (p. 249) et posez un support réglable.

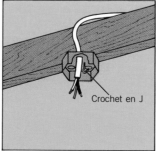

Certains ventilateurs sont fixés à un crochet en J qui traverse la boîte et se visse dans la solive ou une entretoise.

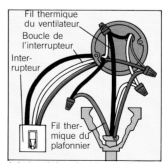

Ici, le plafonnier du ventilateur est commandé par un interrupteur mural, et le ventilateur lui-même par une chaînette.

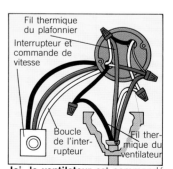

Ici, le ventilateur est commandé par un interrupteur et une commande de vitesse combinés, et le plafonnier par une chaînette.

Le tube fluorescent produit environ quatre fois plus de lumière par watt qu'une lampe normale à incandescence. Il ne donne plus l'éclairage blafard d'autrefois : on le trouve désormais en tailles, en formes et en couleurs variées.

La lampe fluorescente classique comporte un régulateur de puissance et un tube logé dans un support métallique. Hermétiquement fermé et en verre, le *tube* est muni de cathodes aux extrémités. Il renferme de l'argon et de la vapeur de mercure et il est gainé de phosphore. Le *régulateur de puissance* est un transformateur qui porte le courant domestique de 120 à 300 V au moment de l'allumage et le réduit ensuite. (Voilà

pourquoi, à les allumer et à les éteindre fréquemment, on abrège la durée des tubes.) Quand on allume, le courant passe entre les cathodes et chauffe les gaz et le phosphore du tube, produisant la fluorescence.

Les anciennes lampes au néon — et quelques nouvelles — comportent un démarreur qui réchauffe les gaz. On trouve également des lampes à allumage instantané, préférées des commerçants pour leur faible coût d'entretien ; cependant le tube ne dure que 9 000 heures, tandis que les tubes plus courants d'usage domestique, dotés d'un allumage rapide, ont une durée de vie d'environ 20 000 heures.

Les problèmes sont rares et faciles à régler (page ci-contre). Le démarreur coûte peu cher, ce qui n'est pas le cas du régulateur de puissance. S'il tombe en panne, il sera peut-être plus économique de remplacer la lampe. Avec le temps, la lumière devient moins intense. Remplacez toujours un tube par un tube identique et de même wattage.

Ne jetez pas les vieux tubes n'importe où. Ils éclatent en petits fragments quand on les brise. Ne les jetez jamais au feu ni dans un incinérateur.

Les tubes éclairent moins à des températures inférieures à 10°C (50°F). Il faut dans ce cas installer un régulateur de puissance spécial.

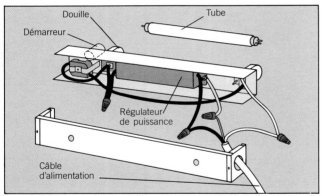

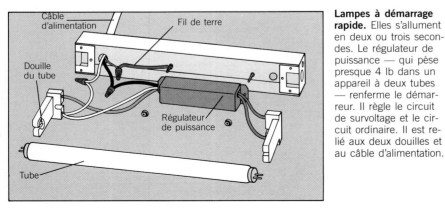

Lampes à démarreur. Elles ont deux circuits, un pour survolter le courant au moment de l'allumage, l'autre pour fournir un courant constant. Ce procédé en deux temps exige 15 à 20 secondes. Le démarreur est relié aux douilles qui retiennent le tube. Elles sont reliées au régulateur de puissance, qui, lui, est relié au câble d'alimentation.

Lampes à démarrage rapide. Elles s'allument en deux ou trois secondes. Le régulateur de puissance — qui pèse presque 4 lb dans un appareil à deux tubes — renferme le démarreur. Il règle le circuit de survoltage et le circuit ordinaire. Il est relié aux deux douilles et au câble d'alimentation.

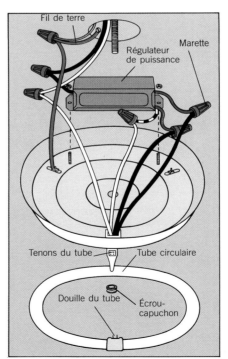

Lampe circulaire à démarreur ou à démarrage rapide. D'un côté, des tenons s'adaptent à la douille reliée au régulateur de puissance. De l'autre, des agrafes retiennent le tube.

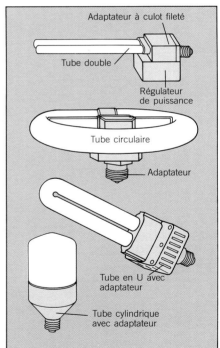

Tubes compacts se vissant dans les douilles ordinaires. Ils sont doubles ou circulaires avec adaptateurs autonomes, en U ou cylindriques avec adaptateurs intégrés.

Outils, vérifications, sécurité 242-243
Plafonniers 254
Rails d'éclairage 258

Problèmes et solutions

ATTENTION ! Coupez le courant au tableau de distribution avant de réparer un tube fluorescent (p. 237).

Problème	Solution
Le tube ne s'allume pas	**1.** Vérifiez la prise ou l'interrupteur, puis le fusible ou le disjoncteur (p. 237). **2.** Nettoyez les tenons. **3.** À démarrage rapide : remplacez le tube. À démarreur : ôtez et remettez le démarreur. Si échec, remplacez le démarreur. **4.** Remplacez le régulateur de puissance (p. 256).
La lumière tremblote	**1.** Laissez le tube allumé pendant plusieurs heures. **2.** S'il fait froid, laissez le tube se réchauffer. **3.** Remplacez un vieux tube. **4.** Remplacez le démarreur. **5.** Remplacez le régulateur. **6.** Clignotement orange? Remplacez le tube avant que le régulateur ne surchauffe.
La lumière clignote	**1.** Remplacez un vieux tube. **2.** S'il est neuf, ôtez-le et remettez-le en place. **3.** Examinez les tenons : redressez-les avec une pince à long bec et poncez-les. **4.** Redressez les contacts de la douille avec une pince ; poncez-les. Nettoyez avec une brosse à dents avant de remettre le tube. **5.** Vérifiez les fils et la mise à la terre avec un vérificateur de tension. Resserrez les raccords. **6.** Remplacez le démarreur. **7.** Remplacez le régulateur.
Le tube brûle rapidement	**1.** Vous allumez et éteignez la lampe trop souvent. Remplacez le tube. **2.** Ôtez et remettez le démarreur ; au besoin, remplacez-le. **3.** Resserrez les raccords. **4.** Remplacez le régulateur.
Les extrémités du tube changent de couleur	**1.** Si un tube neuf présente des anneaux noirs, remplacez le démarreur ; si le tube est vieux, remplacez-le. **2.** Vérifiez les raccords. **3.** Si une seule extrémité change de couleur, inversez le tube. **4.** Si le tube est neuf et qu'il noircit à un bout, inversez-le. **5.** Vérifiez la prise, l'interrupteur et le fusible.
La lampe bourdonne	**1.** Si le régulateur dégage une odeur marquée, remplacez-le. **2.** Si le bruit est le seul problème, resserrez les raccords du régulateur. **3.** Remplacez la lampe par un modèle A, le plus silencieux.

Principes d'éclairage

Lampes et plafonniers déterminent l'ambiance d'une maison. Ils rehaussent ou atténuent les coloris, créent une atmosphère de fête ou de recueillement, mettent des objets en valeur, constituent un facteur de sécurité ou invitent à la détente.

L'éclairage d'une maison est de trois types. Il y a l'éclairage *général*, qui éclaire toute la pièce, indistinctement (plafonniers et lampes), ainsi que les éclairages *d'accentuation* et de *travail*, qui sont sélectifs (lampes mobiles, lampes fluorescentes fixes, rails d'éclairage, spots encastrés).

Aux aires d'utilisation réduite comme le hall d'entrée ou la salle de lavage, il suffira d'un seul jeu de lampes et d'un seul niveau de lumière. Les pièces à usages multiples auront besoin d'un éclairage plus diversifié.

On calcule ordinairement 1 W de lumière incandescente par pied carré (0,1 m²) dans les salles de séjour et les chambres, et 2 W dans la cuisine et l'atelier. Avec des lampes fluorescentes, le wattage tombe à ⅓ W dans les salles de séjour et à ¾ W dans la cuisine. Une ampoule « R » de 50 W vaut une ampoule « A » de 100 W.

L'éclairage d'accentuation se fait au moyen de spots isolés et encastrés ou montés sur rails, posés de 12 à 24 po (30 à 60 cm) du mur à éclairer. Ils ne doivent pas éblouir.

L'éclairage de travail doit produire de 150 à 225 W de lumière à incandescence, de 22 à 32 W de lumière fluorescente. Les lampes de bureau seront à 15 po (40 cm) de la surface de travail. Dans la cuisine, les lampes peuvent être à 24 po (60 cm) des comptoirs.

Suspension placée au moins à 30 po au-dessus de la table.

Lambrequin d'éclairage dissimulé derrière une cantonnière.

Projecteur semi-encastré : éclairage d'accentuation.

Rail d'éclairage : spots orientables montés sur rotule, qui éclairent des objets de valeur.

Éclairage ascendant : spot autonome qui éclaire une plante.

Addition ou extension d'un circuit 248
Installation de câbles 250-251
Plafonniers 254

Électricité / Rails d'éclairage

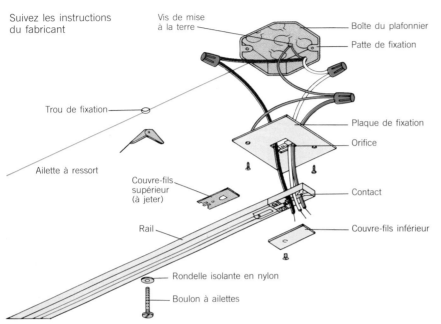

Suivez les instructions du fabricant

Vis de mise à la terre

Boîte du plafonnier

Patte de fixation

Trou de fixation

Plaque de fixation

Ailette à ressort

Orifice

Couvre-fils supérieur (à jeter)

Contact

Rail

Couvre-fils inférieur

Rondelle isolante en nylon

Boulon à ailettes

Spots

Le rail d'éclairage se vend en longueurs de 2, 4 ou 8 pi (0,6, 1,2 ou 2,5 m) qu'on peut combiner en L, en U, en V ou en X avec des ferrures appropriées. On le monte au plafond ou on l'adapte à des surfaces de niveaux différents avec des attaches. Son faible poids permet de le fixer avec des boulons à ailettes. On peut aussi l'encastrer.

Fixés au rail par des montures à pression ou à agrafe, les spots sont orientables. Certaines installations utilisent des ampoules de faible voltage à halogène. Des adaptateurs spéciaux permettent d'accrocher des tubes fluorescents.

Le rail d'éclairage, très léger, se fixe avec de simples boulons. Pour l'alimenter, on a le choix entre une boîte de plafonnier ou une prise de courant. Certains rails non permanents se branchent dans n'importe quelle prise.

Les rails sont précâblés ; on les raccorde au câble d'alimentation par des fils de liaison (p. 247). Une plaque de fixation ou une garniture dissimule les fils. D'ordinaire, on effectue les raccords à un bout du rail. Certains modèles permettent le raccordement n'importe où sur le rail.

Installation d'un rail d'éclairage

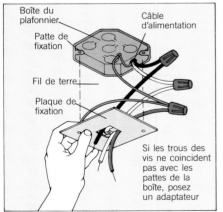

Boîte du plafonnier

Câble d'alimentation

Patte de fixation

Fil de terre

Plaque de fixation

Si les trous des vis ne coïncident pas avec les pattes de la boîte, posez un adaptateur

Coupez le courant. Fixez des fils de liaison de 6 po aux fils noir, blanc et de terre de la boîte du plafonnier. Raccordez le fil de cuivre de la plaque de fixation à la boîte.

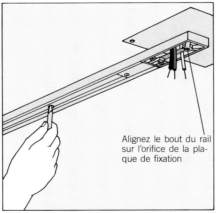

Alignez le bout du rail sur l'orifice de la plaque de fixation

Faites une ligne à la craie au centre du rail, à partir du centre de la plaque de fixation. Marquez les trous des boulons. Percez des avant-trous.

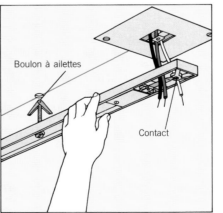

Boulon à ailettes

Contact

Mettez les rondelles isolantes sur les boulons ; introduisez les boulons dans le rail, les ailettes à ressort sur les boulons et les boulons dans les trous, au plafond.

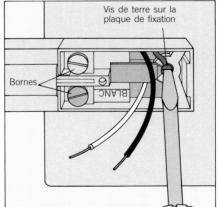

Vis de terre sur la plaque de fixation

Bornes

BLANC

Raccordez les fils de liaison : le noir à la borne en laiton, le blanc à la borne argentée, le fil de terre à la borne verte. Vissez la vis de terre dans l'orifice de la plaque de fixation.

Réparation de lampes et de cordons

Lorsqu'une lampe clignote ou ne s'allume pas, commencez par remplacer l'ampoule. Si le problème persiste, assurez-vous que les lames de la fiche ne sont ni pliées ni corrodées. Si la fiche a perdu sa rondelle isolante, remplacez-la.

Examinez le cordon. Remplacez-le si la gaine est effilochée ou fendillée ou si les fils sont à découvert. Si le cordon a été tiré abruptement, il est peut-être encore bon, mais il a été tout bonnement arraché de la fiche ; il va falloir remonter la fiche.

Vérifiez l'interrupteur et la douille avec un vérificateur de continuité (p. 243). Comme l'interrupteur fait ordinairement partie de la douille, s'il est défectueux, il faudra remplacer l'ensemble.

Le cordon d'une lampe est soit plat soit rond ; la fiche doit y correspondre. Pour l'installer, séparez le fil thermique du fil neutre (fil cannelé). Dénudez-les en partie ; faites un nœud d'électricien et raccordez-les aux bornes de la fiche (peu importe à laquelle, sauf dans le cas des fiches polarisées [p. 242]). Avec les fiches autobloquantes, on n'a pas à dénuder les fils.

Nœud d'électricien

Les cordons d'outils, de gros appareils et d'ordinateurs comportent un troisième fil, le fil de terre. Si vous utilisez temporairement une rallonge (ce qui n'est pas toujours possible), assurez-vous qu'elle est aussi à trois fils et branchez-la dans une prise de mise à la terre (p. 240).

Fiches

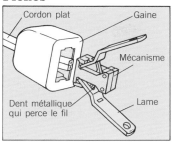

Cordon plat — Gaine
Mécanisme
Dent métallique qui perce le fil — Lame

Fiche autobloquante à fil plat. Pincez les lames pour dégager le mécanisme. Faites passer le fil par le trou. Si la fiche est polarisée, raccordez le fil neutre, cannelé, à la lame large. Pincez les lames pour faire rentrer le mécanisme.

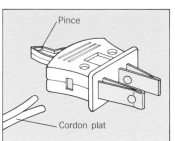

Pince
Cordon plat

Fiche à fil plat et à pression. Séparez les fils du cordon sur ¼ po. Relevez la pince. Introduisez le fil dans le trou de la fiche. Abaissez la pince.

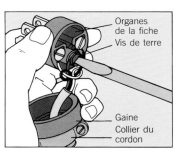

Organes de la fiche
Gaine du cordon
Gaine
Collier du cordon

Fiche à fil rond et à deux lames. Ouvrez la fiche avec un tournevis. Introduisez le cordon ; dénudez-le sur 1¼ po ; faites un nœud. Tordez les fils nus ; enroulez-les autour des bornes à vis. Refermez la fiche.

Fiche à fil rond et à trois lames. Ouvrez la fiche. Introduisez le cordon ; dénudez-le sur 1¼ po. Nouez les fils blanc et noir. Reliez le blanc à la vis argentée, le noir à la vis en laiton, le dernier à la vis verte.

Organes de la fiche
Vis de terre
Gaine
Collier du cordon

Lampes

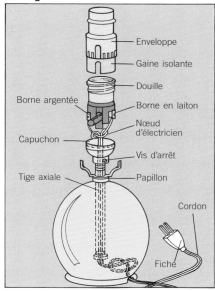

Enveloppe
Gaine isolante
Douille
Borne argentée — Borne en laiton
Nœud d'électricien
Capuchon
Vis d'arrêt
Tige axiale — Papillon
Cordon
Fiche

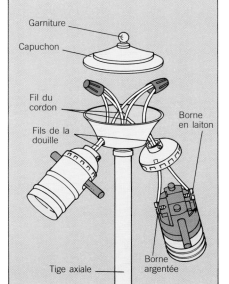

Garniture
Capuchon
Fil du cordon
Fils de la douille
Borne en laiton
Borne argentée
Tige axiale

Lampe à une douille
1. Débranchez-la. 2. Enlevez le dessous. 3. Dévissez l'écrou qui retient la tige axiale.
4. Tirez un peu sur la tige. 5. Dévissez la douille ; ôtez l'enveloppe et la gaine.
6. Dévissez les bornes ; ôtez la douille. 7. Coupez la fiche. Attachez le nouveau cordon au vieux. Enfilez-le dans la tige. 8. Séparez-en les fils sur 2 po. Enlevez l'isolant sur ½ po. Repliez en boucle.
9. Vissez la nouvelle douille.
10. Faites un nœud d'électricien. 11. Reliez chaque boucle à une borne : fil thermique à la vis en laiton, fil neutre cannelé à la vis argentée. 12. Remettez la gaine isolante et l'enveloppe.
13. Resserrez l'écrou à la base. 14. Posez une nouvelle fiche. 15. Montez la lampe.

Lampe à deux douilles
1. Débranchez-la. 2. Dévissez le capuchon et la garniture.
3. Ôtez l'enveloppe et la gaine des douilles. Dévissez les bornes. 4. Dégagez les fils qui relient les douilles au cordon de la tige. 5. Ôtez les marettes. 6. Ôtez la vieille fiche.
7. Enlevez le dessous de la lampe. 8. Dévissez l'écrou qui retient la tige axiale. 9. Attachez le nouveau cordon au vieux ; enfilez-le dans la tige.
10. Séparez les fils sur 4 po ; enlevez l'isolant sur ½ po.
11. Raccordez son fil neutre à celui des deux douilles ; raccordez les fils thermiques. 12. Introduisez les fils ; remettez la garniture et le capuchon. 13. Posez enveloppes et gaines. 14. Vissez la tige axiale. 15. Posez une fiche.

Électricité / Câblage extérieur

Cintrage des tuyaux de métal 138
Outils, vérifications, sécurité 242-243
Fils et câbles 244

L'éclairage extérieur donne du charme à la terrasse, prolonge le temps de travail au jardin et accroît la sécurité. Prises, interrupteurs et appareils d'éclairage doivent cependant tous être à l'épreuve des intempéries. Les prises doivent être équipées d'un disjoncteur de fuite de terre (GFCI) (p. 240). Ordinairement sous terre, le câblage extérieur peut être constitué de fils TW, introduits dans des tuyaux de métal ou de plastique, ou de câbles NMWU.

Certains codes d'électricité permettent d'enfouir les câbles NMWU dans une tranchée de 2 pi (60 cm) de profondeur ; d'autres exigent que câbles et fils souterrains circulent dans des tuyaux. La plupart stipulent que le câblage hors sol doit courir dans des conduits.

Les tuyaux en chlorure de polyvinyle (PVC) se coupent facilement avec une scie à métaux et se raccordent avec de la colle, mais ils doivent être enfouis à 18 po (45 cm). Les tuyaux de métal sont aboutés avec des raccords filetés et sont difficiles à couper et à cintrer (p. 138) ; ils peuvent être couchés dans une tranchée de 6 po (15 cm) seulement. À cause des risques de rouille, il faut les vérifier périodiquement.

Avant d'entreprendre les travaux, consultez les codes d'électricité et de construction et obtenez les permis requis. Déterminez d'où viendra l'électricité et comment vous effectuerez le branchement. Vous pouvez vous raccorder à un circuit ou en installer un nouveau, protégé par un disjoncteur de fuite de terre. (Dans ce cas, consultez un électricien.) Dessinez le parcours du circuit extérieur (p. 239). Assurez-vous que l'éclairage n'éblouira ni les voisins ni les passants. Utilisez des appareils étanches et posez-les en retrait.

▶**ATTENTION !** Avant d'entreprendre le travail, coupez le courant (p. 237). Avec un vérificateur de tension, vérifiez qu'il est bien coupé (p. 243).

Il est préférable d'adosser une nouvelle boîte à une boîte intérieure (à droite). Pour alimenter une prise autonome, voyez la page ci-contre.

Boîtes et accessoires étanches

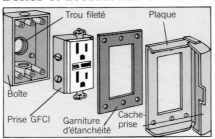
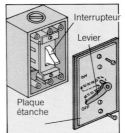
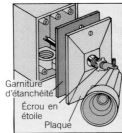
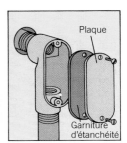

La boîte extérieure pour prise GFCI comporte un cache-prise, un trou fileté pour le conduit et une garniture d'étanchéité.

Dans la boîte extérieure, un levier actionne l'interrupteur.

Il faut des ampoules qui n'éclatent pas au contact de l'eau.

Une boîte de type LB reçoit le câble qui sort de la maison.

Prise extérieure murale

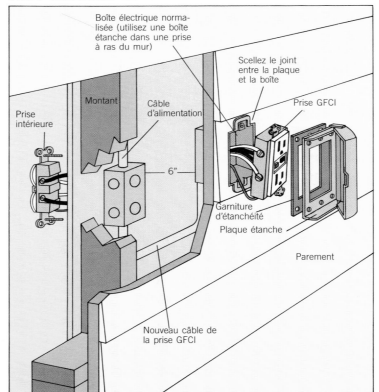

- **Partez d'une prise** murale intérieure placée presque vis-à-vis de la future prise GFCI extérieure. Repérez les montants de chaque côté de la prise (p. 191).

- Coupez l'alimentation de la prise au tableau de distribution. Retirez la plaque ; vérifiez avec un vérificateur de tension que le courant ne passe pas. Débranchez-la ; libérez une débouchure sous la boîte ou à l'arrière.

- À partir d'un repère accessible de l'intérieur et de l'extérieur, précisez l'emplacement de la prise intérieure ; faites une marque sur le mur extérieur. Marquez l'emplacement des montants. Faites une marque entre les montants, à 6 po de la prise intérieure. Centrez la boîte extérieure sur cette marque ; dessinez-en le contour. Aux angles, percez des trous de ⅜ po dans le parement. Découpez avec une scie alternative.

- Dans le béton, percez plusieurs trous, avec une mèche appropriée, le long du tracé. Dégagez avec un ciseau et un marteau.

- Faites entrer le câble de la boîte intérieure dans le trou de la boîte extérieure (repoussez l'isolant). Introduisez-le dans le connecteur et vissez la boîte sur le parement. Sur le béton (p. 162), fixez-la avec du mortier.

- Raccordez les fils des câbles (anciens et nouveaux) à la prise intérieure (p. 248) ; fixez les fils du nouveau câble à la prise extérieure (p. 247). Remontez la prise intérieure. Fixez la prise extérieure.

Interrupteurs et prises 246-247
Dérivation d'un circuit 248-249
Installation de câbles 250-251

Prise extérieure autonome

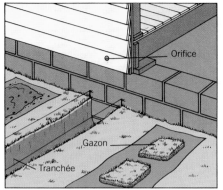

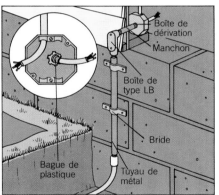

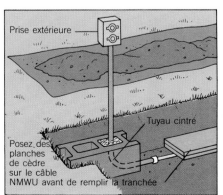

Ajoutez un circuit protégé par un disjoncteur de fuite de terre (GFCI) au tableau de distribution. De la cave, percez un orifice dans la solive extérieure (p. 188-189) avec une mèche à trois pointes, de ½ po. À l'extérieur, vis-à-vis ce trou, creusez une tranchée d'au moins 6 po de largeur. Découpez le gazon à 3 po de profondeur ; posez-le sur un morceau de plastique. Creusez la tranchée à la profondeur stipulée par le code. Coupez le courant ; amenez le câble.

Percez la débouchure ; fixez la boîte de dérivation. Vissez la partie supérieure d'une boîte de type LB dans un manchon fileté ayant l'épaisseur du mur. Vissez-y un tuyau assez long pour entrer de 4 po dans la tranchée. Dans la cave, fixez le manchon à la boîte avec un écrou en étoile. Insérez une bague de plastique sur le manchon et l'extrémité du tuyau. Fixez le tuyau au mur. Ôtez la plaque arrière de la boîte de type LB ; introduisez un câble NMWU.

Si le code le permet, faites courir le câble dans la tranchée jusqu'à la prise (sinon, mettez-le dans un tuyau). À l'emplacement de la prise, élargissez la tranchée pour y mettre un bloc de béton. Cintrez le tuyau pour former un L de 1 pi de longueur à la base et de 18 po de hauteur. Introduisez-y le câble. Posez la base dans la tranchée ; installez le bloc de béton ; versez du béton prémélangé autour du tuyau (p. 149). Posez la prise.

Minuterie

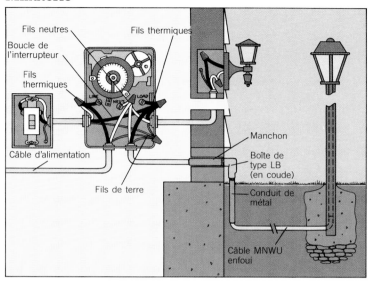

Fixez la minuterie près du trou aménagé pour le circuit extérieur ; fixez à proximité un interrupteur. Le courant coupé, raccordez la boîte de dérivation à un circuit. Faites courir un câble entre la boîte de dérivation et celle de l'interrupteur. Introduisez les câbles du circuit extérieur dans la boîte de dérivation. Raccordez le fil thermique du câble d'alimentation et le fil noir de l'interrupteur à la borne de la minuterie (*Line*), le ou les fils thermiques du câble extérieur et le fil blanc de l'interrupteur (marqué noir) à la borne *Load*, et les fils neutres à la borne *Neutral*.

Lampe au soffite

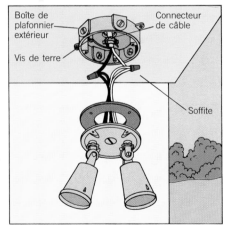

Percez un trou dans le soffite. Le courant étant coupé, amenez-y un circuit commandé par interrupteur. Raccordez le câble avec un connecteur à la boîte de plafonnier. Vissez la boîte. Raccordez les fils ; attachez le fil de mise à la terre à la boîte.

Lampe extérieure raccordée à une boîte

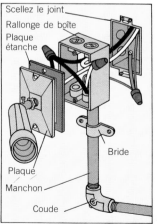

Coupez le courant ; défaites la boîte. Vissez un manchon (petit tuyau) au coude ; vissez l'autre bout à une rallonge de boîte dans le bas ; attachez la rallonge à la boîte de la lampe, et le manchon au mur. Introduisez le câble. Faites courir l'autre bout du câble dans le tuyau pour rejoindre d'autres boîtes ou une tranchée. Raccordez le câble.

261

Électricité / Éclairage extérieur sous faible tension

L'éclairage extérieur sous faible tension coûte moins cher à installer que le 120 V. Ses éléments sont amovibles et demandent des ampoules de 7 à 35 W qui consomment peu d'énergie. Un ensemble prêt à monter comprend généralement de 4 à 14 lampes, un câble (faible tension) et un transformateur qui se branche dans une prise classique de 120 V pour abaisser le courant à 12 V. (Si vous achetez les lampes séparément, assurez-vous que le total de leur wattage ne dépasse pas la capacité du transformateur.) On enfouit le câble dans une tranchée de 2 po (5 cm) de profondeur ou de 1 pi (30 cm) s'il risque d'être endommagé par une tondeuse.

L'appareil se compose d'une lampe montée sur un piquet et se présente sous diverses formes : projecteur, globe ou lanterne (illustrée ci-dessous). Un transformateur est muni de commandes manuelles ou d'une minuterie programmable dotée ou non d'une photocellule qui allume automatiquement la lampe au crépuscule et l'éteint à l'aube. Le transformateur peut se brancher indifféremment à l'intérieur ou à l'extérieur, pourvu qu'il soit à proximité d'une prise mise à la terre ; mais s'il est doté d'une photocellule, il faut qu'il soit branché dehors.

Faites d'abord un plan de l'installation ; suivez ensuite les instructions du fabricant.

Un éclairage bien conçu met en valeur une allée.

1. Le câblage de lampes sous faible tension est simple. Placez le câble sur les contacts dans la rainure à la base de la lampe. Appuyez bien pour que le câble reste en place.

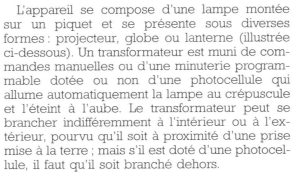

2. Faites glisser le piquet replié dans la rainure du câble ; la pression qu'il exerce fait entrer les contacts dans le câble. Ouvrez les pieds du piquet.

3. Pressez les deux bouts du câble l'un sur l'autre et faites-les entrer dans un des pieds. Alignez le câble sur les entailles de chaque côté du piquet. Refermez les pieds.

4. Creusez un trou de 8 po de profondeur. (Si vous enfoncez le piquet directement dans la terre, vous risquez d'endommager la lampe.) Introduisez le piquet dans le trou ; remplissez de terre.

5. Couvrez le câble d'un paillis ou enfouissez-le dans une petite tranchée. S'il risque d'être endommagé par la tondeuse, enfouissez-le dans une tranchée de 1 pi.

6. Montez le transformateur et la photocellule, s'il y a lieu, près d'une prise mise à la terre. Si le transformateur n'est pas précâblé, raccordez le câble aux bornes ; branchez le cordon. Réglez la minuterie ou ajustez la sensibilité de la photocellule.

Sonnettes et carillons

Répartition des circuits 239
Outils, vérifications, sécurité 242-243
Installation de câbles 250-251

Sonnettes et carillons comprennent un dispositif sonore, un ou deux boutons et un transformateur qui abaisse le courant à 24 V ou moins. Un fil de calibre 18 ou 20 relie les éléments. Le transformateur est raccordé au câble d'alimentation par une boîte de dérivation placée au sous-sol ou près du tableau de distribution ; aucun interrupteur ne doit intervenir dans le jeu du transformateur (p. 239). On place le dispositif sonore sur le mur, au moins à 6 pi (1,8 m) du plancher, et on repère une boîte de dérivation.

▶ **ATTENTION !** Coupez le courant au tableau de distribution (p. 237). Retirez la plaque de la boîte de dérivation ; assurez-vous avec un vérificateur de tension que le courant est bel et bien coupé (p. 243).

Déterminez la quantité de fil nécessaire en mesurant la distance entre les éléments ; ajoutez 15 pi (5 m) pour les raccords et les angles. Suivez les instructions du fabricant. Les fils peuvent être apparents ; là où c'est possible, faites-les néanmoins courir dans les murs (p. 250-251).

Si vous remplacez un dispositif sonore, assurez-vous que le transformateur fournit la tension nécessaire. Sinon, remplacez-le. Si la sonnette ne fonctionne pas, vérifiez d'abord le disjoncteur ou le fusible (p. 237) avant de vous atteler à sa réparation (à droite).

Problèmes et solutions

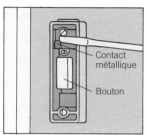

1. Si la sonnerie ne fonctionne pas, ôtez la plaque ; poncez les contacts et redressez-les. En cas d'échec, desserrez les vis et ôtez le bouton. Débranchez les fils et mettez-les en contact ; si la sonnerie fonctionne, c'est le bouton est qui défectueux : remplacez-le.

Contact métallique
Bouton

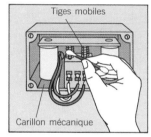

2. Quand les sonnettes et les carillons tombent en panne, la faute en est souvent au marteau ou aux tiges mobiles. Nettoyez-les avec un coton-tige trempé dans l'alcool. Ne nettoyez pas les carillons électroniques.

Tiges mobiles
Carillon mécanique

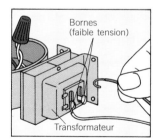

3. Resserrez tous les raccords. Mettez du ruban isolant autour des fils usés. Dénudez les extrémités de fils cassés et raccordez-les avec des marettes. **ATTENTION !** Tenez les fils par l'isolant. Coupez toujours le courant avant de réparer le transformateur.

Bornes (faible tension)
Transformateur

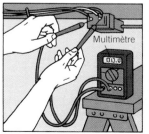

4. Pour vérifier le transformateur, remettez le courant. Réglez le multimètre sur l'échelle de 50 V c.a. Touchez avec les sondes les bornes du transformateur. Si l'appareil n'enregistre rien, le transformateur est défectueux : remplacez-le.

Multimètre

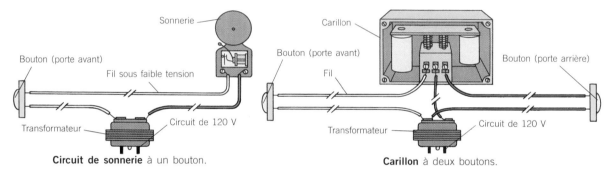

Sonnerie
Bouton (porte avant)
Fil sous faible tension
Transformateur
Circuit de 120 V

Circuit de sonnerie à un bouton.

Carillon
Bouton (porte avant)
Fil
Bouton (porte arrière)
Transformateur
Circuit de 120 V

Carillon à deux boutons.

Installation d'une sonnette ou d'un carillon

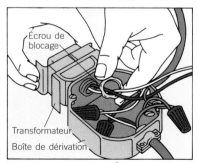

Écrou de blocage
Transformateur
Boîte de dérivation

1. Coupez le courant. Ôtez une débouchure sur la boîte de dérivation. Introduisez les fils du transformateur. Avec des marettes, raccordez un des fils au fil noir du câble, l'autre au fil blanc.

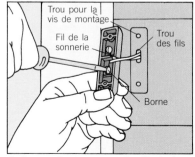

Trou pour la vis de montage
Fil de la sonnerie
Trou des fils
Borne

2. Percez des trous pour les fils du bouton et les vis de montage à la hauteur de la poignée de porte, à 4½ po du cadre. Raccordez un fil du transformateur et un de la sonnerie aux bornes du bouton.

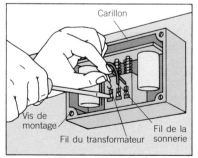

Carillon
Vis de montage
Fil du transformateur
Fil de la sonnerie

3. Percez des trous pour les fils et pour les vis de montage du carillon. Fixez le carillon ; raccordez les fils (transformateur et bouton) aux bornes appropriées (voir le mode d'emploi).

Électricité / Systèmes antivol

Avant d'acheter un système antivol, demandez-vous s'il ne serait pas aussi efficace de bien éclairer les abords de la maison. Votre décision prise, examinez divers systèmes et optez pour celui qui vous convient le mieux. Pour qu'il vous coûte moins cher, installez-le vous-même.

Les plus simples s'installent avec un tournevis ; les plus complexes sont pourvus de fils devant passer dans les murs (p. 250-251). Quel que soit votre choix, suivez fidèlement les instructions.

Les systèmes antivol sont de deux natures : avec ou sans fil. Le *système à fil* fonctionne sous faible tension et en *circuit fermé*. Le tableau central de commande comporte un transformateur raccordé à un circuit et il est relié à des interrupteurs et à des détecteurs. Lorsqu'il y a rupture du circuit (sectionnement des fils par un cambrioleur, par exemple), une alarme se déclenche. Pour permettre la mise en marche et l'arrêt du système quand vous entrez et sortez de la mai-

son, il faut installer les télécommandes (digitales ou à clé) près des portes principales ; pour l'activer ou le désactiver pendant la nuit, mettez-en une dans la chambre à coucher principale. Le *système sans fil* se compose de détecteurs qui fonctionnent et déclenchent individuellement une alarme. Les éléments sont actionnés par piles ou branchés dans une prise de courant ; ils fonctionnent aussi en circuit fermé ou se raccordent à un poste de commande par fréquences radio.

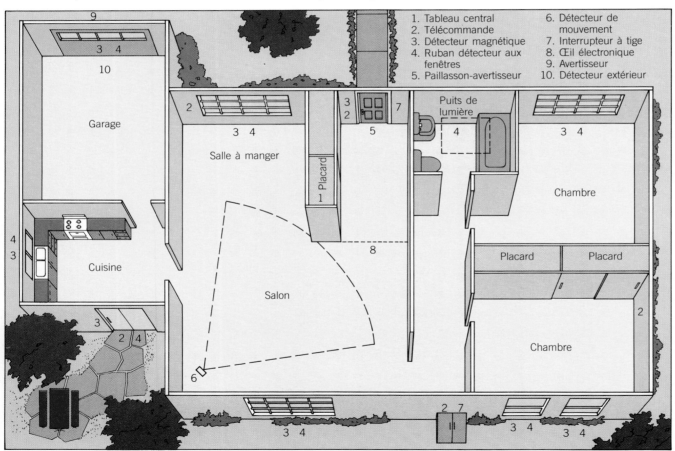

1. Tableau central
2. Télécommande
3. Détecteur magnétique
4. Ruban détecteur aux fenêtres
5. Paillasson-avertisseur
6. Détecteur de mouvement
7. Interrupteur à tige
8. Œil électronique
9. Avertisseur
10. Détecteur extérieur

Il y a dans cette maison des dispositifs de sécurité de plusieurs types (voir légende).

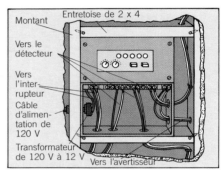

Dissimulez entre les montants le tableau central d'un système câblé. Suivez les instructions du fabricant pour raccorder les éléments. Boutons et lampes témoins permettent de vérifier le bon fonctionnement du système.

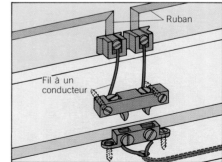

Le ruban détecteur déclenche l'alarme dès qu'on brise la vitre. Collez-le d'un seul tenant tout autour du carreau ; raccordez-en les extrémités à un connecteur, lui-même raccordé au tableau central de commande.

Système périmétrique. Divers types de détecteurs signalent toute activité importune aux portes et aux fenêtres. L'*interrupteur magnétique* se compose de deux éléments, l'un fixé au cadre (porte ou fenêtre), l'autre à la porte ou à la fenêtre même. Un intrus qui pénètre par effraction dans la maison rompt le circuit et déclenche l'avertisseur. L'*interrupteur à tige* comporte un bouton qui se désengage quand on ouvre la porte ou la fenêtre et déclenche l'alarme. Au cas où le cambrioleur s'aviserait de casser la vitre plutôt que d'ouvrir la fenêtre, le ruban détecteur, posé sur les vitres, et un détecteur de sons à proximité constituent des atouts supplémentaires.

Détecteurs de mouvement. Pour faire échec aux intrus qui auraient déjoué les systèmes précédents, installez des détecteurs de mouvement ou de chaleur, avec ou sans fil. Ils fonctionnent à l'infrarouge (œil électronique), aux ultrasons ou à l'infrarouge passif (qui détecte la chaleur du corps). Les meilleurs systèmes comportent les deux types de détecteurs, qui doivent tous deux être déclenchés. Cela évite les fausses alarmes. Vous pourriez aussi installer des paillassons-avertisseurs (sensibles à la pression) dans les entrées et les escaliers.

L'avertisseur pourra être silencieux, mais relié à un poste de surveillance contre paiement d'une mensualité ; il pourra aussi émettre un son strident et des signaux lumineux.

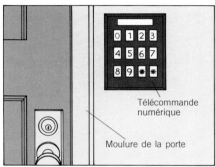

Placez les télécommandes près des portes principales. Pour vous permettre de sortir en toute quiétude, prévoyez un délai de 30 secondes. Si les commandes sont digitales, changez périodiquement le code.

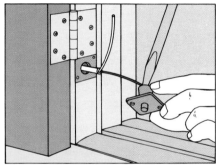

Installez l'interrupteur à tige dans le jambage de la porte ; alimentez-le avec des fils à faible tension. L'alarme se déclenche dès que la porte s'ouvre. (La couleur des fils à faible tension diffère des fils ordinaires.)

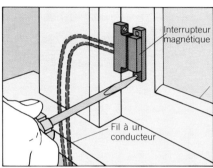

L'interrupteur magnétique garde le circuit inactif tant que la fenêtre est fermée. Qui ouvre la fenêtre ouvre le circuit et déclenche l'avertisseur. On peut installer plusieurs interrupteurs sur un seul fil.

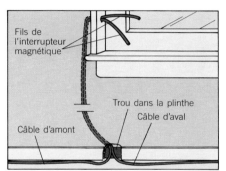

Dissimulez le fil à faible tension sous les plinthes ou sous les moulures (p. 293) de portes et de fenêtres. Faites-le courir dans les murs ; fixez-le avec des agrafes ou du ruban.

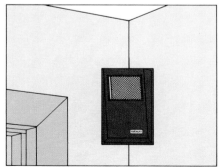

Placez les détecteurs de mouvement dans les coins, près du plafond, et orientez-les vers la pièce. Avec les modèles à piles, vous pouvez régler l'amplitude du signal et le déclenchement de l'avertisseur.

L'œil électronique doit être dissimulé ; installez-le dans un corridor ou une entrée. Il comporte un émetteur et un récepteur. L'intrus qui passe devant ouvre le circuit et déclenche l'alarme.

Installez l'avertisseur extérieur dans le pignon de la maison pour qu'il soit difficilement accessible. Faites courir le fil dans le grenier pour éviter qu'un cambrioleur le coupe de l'extérieur.

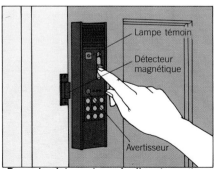

Posez les interrupteurs à piles, à avertisseur intégré, dans les portes et les fenêtres, mais aussi dans les armoires à médicaments ou à produits de nettoyage que vous voulez tenir à l'abri des jeunes enfants.

Le câblage téléphonique fonctionne à faible tension et comporte des raccords *modulaires* qui font de l'installation un jeu d'enfant. Le câble se termine par une petite fiche de plastique qu'on introduit dans une prise. On peut transformer les appareils antérieurs à 1974 en appareils modulaires grâce à des adaptateurs qui convertissent les prises, modernisent les fiches, permettent d'avoir jusqu'à cinq lignes et prolongent les cordons sans épissure.

Quel que soit le système téléphonique, l'entreprise qui fournit le service est responsable d'une partie de ses éléments. Vous ne devez pas y toucher. La ligne de démarcation se trouve parfois dans une *interface de réseau* logée là où le câble entre dans la maison. Si le système est vieux, elle est dans le *protecteur*, placé près du tableau de distribution. Renseignez-vous.

Addition d'une rallonge. Déterminez le chemin à suivre vers le nouvel appareil. Si vous partez d'un protecteur extérieur, agrafez le câble au parement, percez un trou dans le mur à l'endroit de la prise et, à l'intérieur, couvrez le trou avec une prise pour que le câble ne se voie pas.

Calfeutrez le trou extérieur. Dans la maison, faites courir le câble dans les murs ou le long des solives du plancher, dissimulez-le dans une rainure, faites-le passer sous la moquette (pourvu que ce soit près d'une plinthe), fixez-le à même une plinthe avec des agrafes isolantes, ou pratiquez une rainure au dos de la plinthe et mettez-y le câble.

▶**ATTENTION !** Ne posez pas de prise dans les endroits humides. Si vous portez un stimulateur cardiaque, ne faites jamais de travaux de ce genre.

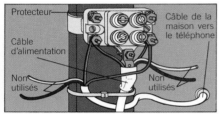

Le câble du téléphone comporte six fils ou plus identifiés par un code de couleur. Voyez dans le protecteur ceux qui sont branchés. Utilisez les fils de même couleur.

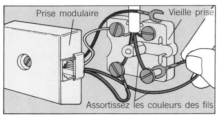

Appareil neuf sur vieille prise : utilisez un adaptateur. Coupez les fils du vieil appareil aux bornes ; ne touchez pas au câble d'alimentation. Fixez les connecteurs aux bornes.

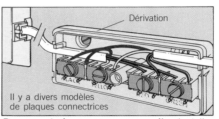

Deux ou trois nouveaux appareils. Installez une dérivation sur une prise ou une plaque déjà en place. Raccordez les fils selon les instructions du fabricant.

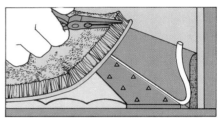

Dissimulez le câble sous la moquette. Avec une pince à long bec, dégagez la moquette près de la plinthe. Insérez le câble entre la baguette cloutée et la plinthe.

Installation d'une prise murale affleurante

1. Découpez le mur. Voyez si la boîte de la prise s'adapte au trou ; ôtez-la. Laissez tomber un fil à plomb.

2. Percez un trou de ¼ po au-dessus de la plinthe. Avec un cintre, repêchez le fil à plomb.

3. Enroulez les bouts dénudés du câble autour du fil ; fixez-les avec du ruban isolant.

4. Remontez le câble par le trou de la prise ; introduisez-le dans la boîte. Installez la boîte.

5. Vissez la prise dans la boîte. Raccordez les fils ; mettez la plaque. Remplissez le trou et repeignez.

Réparation de téléphones

En cas de panne, il faut examiner systématiquement chaque pièce de l'installation. La cause peut se trouver dans un câblage mal fait, deux fils dénudés qui se touchent, un fil qui a sauté, ou bien un fil dénudé qui touche un objet mis à la terre. Ou encore la panne provient d'un téléphone défectueux.

Débranchez d'abord les accessoires, haut-parleurs ou répondeurs. Branchez l'appareil dans la prise. Il fonctionne ? Examinez les accessoires. Il ne fonctionne pas ? Allez faire l'essai de l'appareil chez un voisin. S'il fonctionne, le câble d'alimentation est défectueux.

Branchez ensuite un appareil qui fonctionne bien dans chaque prise, à tour de rôle, après avoir débranché tous les autres appareils ; composez un numéro. Vous découvrirez la prise ou la ligne en panne.

Poste téléphonique. Échangez le cordon de combiné des appareils ; essayez les appareils. Vous pourrez réparer les appareils à cadran ou à clavier, mais pas les appareils électroniques : remettez-les au fournisseur ou remplacez-les. Débranchez un appareil avant de l'ouvrir : un appel venant de l'extérieur vous ferait prendre un choc. Pour enlever le boîtier, ôtez deux vis sous l'appareil. (Ne démontez jamais un appareil loué.)

Vis, connecteurs, ressorts ou contacts peuvent être des causes de panne. Pour bien assurer le contact, resserrez les bornes, appuyez sur les connecteurs ou nettoyez les surfaces avec de la toile émeri, et raccrochez les ressorts du crochet commutateur. Si le combiné est à l'origine de la panne, dévissez l'embouchure du microphone et le pavillon du récepteur. Remplacez le microphone ou le récepteur ou nettoyez les contacts avec du papier de verre très fin (120).

Problèmes	Causes	Solutions
Pas de tonalité	Cordon ou câble défectueux	Remplacez le cordon
	Prises modulaires défectueuses	Réparez ou remplacez. Resserrez les raccords des prises murales.
	Crochet commutateur défectueux	1. Nettoyez les plongeurs 2. Remplacez un ressort brisé 3. Nettoyez les contacts
	Récepteur défectueux	Remplacez
La tonalité persiste	Cadran défectueux	Nettoyez les contacts
Compose de mauvais numéros	Cadran défectueux	1. Poncez les contacts 2. Remplacez le cadran
Tonalité, mais aucune sonnerie	Marteau du timbre coincé	Ajustez le marteau du timbre
	Crochet commutateur défectueux	Nettoyez les contacts
Sonnerie faible	Marteau coincé	Ajustez le marteau du timbre
L'interlocuteur n'entend rien	Cordon de combiné ou microphone défectueux	Remplacez le cordon ou le microphone
Vous n'entendez rien	Crochet commutateur défectueux	Nettoyez les contacts
	Récepteur défectueux	Remplacez le récepteur
L'interlocuteur entend mal	Raccords de cordon ou de câble lâches	Examinez les raccords ; remplacez ou réparez cordons ou câbles
	Microphone défectueux	Remplacez le microphone

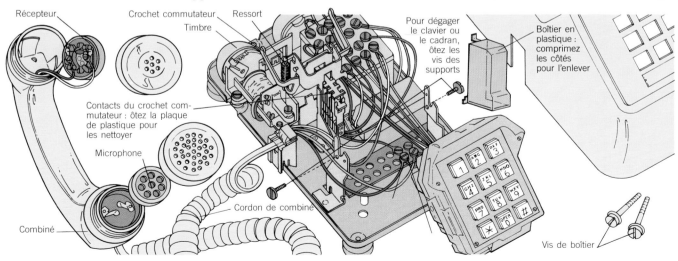

Récepteur — Crochet commutateur — Ressort — Timbre

Pour dégager le clavier ou le cadran, ôtez les vis des supports

Boîtier en plastique : comprimez les côtés pour l'enlever

Contacts du crochet commutateur : ôtez la plaque de plastique pour les nettoyer

Microphone

Combiné

Cordon de combiné

Vis de boîtier

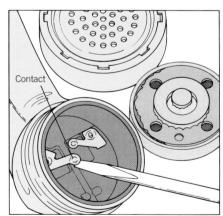

Contact

Pour améliorer la transmission, dévissez l'embouchure et enlevez le microphone. Poncez et redressez légèrement les contacts.

Codes et permis 193
Mise à la terre 240
Échelles et sécurité 383

Électricité / Antennes de télévision

L'antenne améliore la réception du signal de la télévision. Il existe des antennes distinctes pour capter les signaux VHF et UHF et des antennes combinées qui permettent de les capter tous les deux, ainsi que les signaux FM de la radio.

Les antennes sont classées d'après leur *portée* ou leur *gain*. La portée est la distance maximale du signal que l'antenne peut capter ; le gain précise la capacité de l'antenne à augmenter la puissance du signal reçu.

Le type d'antenne dépend de l'endroit où vous habitez. En ville, où les signaux sont nombreux et puissants, la réception peut souffrir de distorsion : il faut une antenne directionnelle de gain moyen. Là où les signaux sont moins nombreux et plus faibles, mieux vaut une antenne modérément directionnelle à gain élevé. En milieu rural, on ajoutera un amplificateur.

Installez l'antenne de télévision sur le côté de la maison ou sur un pignon ; ne la fixez jamais à la cheminée. Un mât de 10 pi (3 m) suffit habituellement, à moins que vous ne soyez en région montagneuse ou loin de la station émettrice. Il faut le consolider avec des haubans.

Reliez l'antenne au téléviseur par le plus court chemin possible au moyen d'un fil plat ou gainé

Câble coaxial

Fil gainé de 300 Ω à deux fils

Fil plat de 300 Ω à deux fils

de 300 Ω ou d'un câble coaxial de 75 Ω. Au moyen de pitons, maintenez ce fil ou ce câble loin des câbles électriques, gouttières, tuyaux et autres objets métalliques. Ménagez une boucle là où le fil entre dans la maison pour empêcher l'eau de pénétrer par le mur.

▶**ATTENTION !** Si l'antenne ou l'échelle touche un câble électrique, vous pouvez vous faire électrocuter. La distance à laisser entre l'antenne et le câble électrique le plus proche doit être au moins égale à deux fois la hauteur de l'antenne plus celle du mât. Travaillez un jour sans vent.

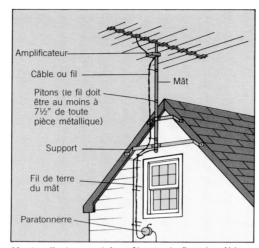

Amplificateur
Câble ou fil
Mât
Pitons (le fil doit être au moins à 7½" de toute pièce métallique)
Support
Fil de terre du mât
Paratonnerre

Montez l'antenne et le mât au sol ; fixez le câble avant de monter l'antenne. Posez deux rangées de pitons tous les 2 pi sur le mur. Scellez à la silicone. Installez le support et le mât. Élaguez les grands arbres à proximité.

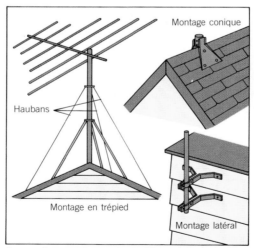

Montage conique
Haubans
Montage en trépied
Montage latéral

Le montage conique est adapté aux toits à double versant, le montage en trépied aux toits plats ou à pignon et le montage latéral au bord du toit. Pour fixer les haubans, vous devrez vous faire aider. Fixez-les au toit ; scellez avec du goudron à toiture.

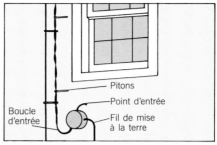

Pitons
Point d'entrée
Boucle d'entrée
Fil de mise à la terre

Câble ou fil de l'antenne
Orienteur
Câble de l'orienteur

UHF
VHF
Séparateur de signaux

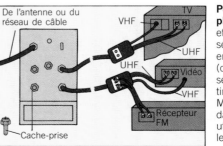

De l'antenne ou du réseau de câble
VHF
TV
UHF
UHF
Vidéo
VHF
Récepteur FM
Cache-prise

Percez un trou dans le mur pour faire entrer le fil. Faites-le courir dans des pitons ; ménagez une boucle ; installez un paratonnerre. Fixez un fil AWG en cuivre de calibre 10 au mât ; faites-le passer à quelques pouces du fil et reliez-le à une prise de terre.

L'orienteur permet de faire tourner l'antenne vers la station à capter et d'éliminer les images fantômes. Un câble rattaché à l'orienteur permet de modifier la position de l'antenne depuis un poste de commande dans la maison.

Raccordez le fil d'entrée au téléviseur ou au séparateur de signaux qui fera la distinction entre les signaux VHF, UHF et FM. Si le signal n'aboutit qu'à un seul poste, mettez le séparateur près de la télévision.

Pour commander plusieurs téléviseurs et appareils, installez le séparateur de signaux en un point central (cave ou grenier) ; il sépare les signaux destinés aux divers postes. Mettez un cache-prise dans les prises non utilisées pour éliminer les interférences.

Antennes paraboliques

Avec une antenne parabolique, la distance ne présente plus de problème dans la réception des signaux. Si vous pensez en installer une, votre choix de collecteur sera fonction du nombre de signaux que vous désirez recevoir (18 au minimum), de leur qualité et de la compatibilité de l'antenne avec votre téléviseur. La taille des collecteurs s'est considérablement réduite depuis quelques années : ils ne mesurent plus guère que 6 à 8 pieds (1,50-2 m) de diamètre.

L'antenne parabolique est toujours orientée vers le sud ; aucun arbre, aucun câble à haute tension, aucune tour à micro-ondes ne doivent obstruer son champ. Il est d'ailleurs préférable de laisser à des spécialistes le soin de l'installer.

La syntonisation est un travail de patience, d'autant que chaque fabricant propose une méthode différente. Il est plus commode et plus sûr d'installer l'antenne parabolique au sol. Pour protéger le collecteur des méfaits du vent, ancrez-le dans une bonne base de béton. Les installations sur le toit doivent être laissées aux spécialistes.

Le foyer de l'antenne doit être réglé sur le satellite le plus à l'ouest ; puis on ajuste l'angle de manière à capter l'arc le plus bas des signaux de divers satellites. La syntonisation s'effectue par le truchement du *bras de commande*. Les réglages une fois faits, le bras de commande oriente automatiquement l'antenne quand vous passez d'un canal à un autre.

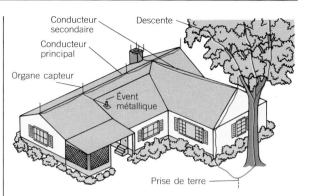

Le terme *paratonnerre* désigne l'ensemble des dispositifs destinés à protéger une construction des effets de la foudre. Le paratonnerre est particulièrement utile dans les régions où les orages sont violents, surtout depuis qu'on tend à remplacer les tuyaux de métal par des tuyaux de plastique. Il vaut mieux, pour l'installation, s'adresser à un spécialiste qui respectera les normes de l'ACNOR. Disposez tous les 20 pi (6 m), le long du faîte, des *organes capteurs*. Des *conducteurs*, en cuivre ou en aluminium, les relient les uns aux autres. Les capteurs naturels en métal — évents, gouttières, parements, climatiseurs, plomberie, électricité et téléphone — sont raccordés au conducteur principal ou aux conducteurs secondaires. Si à moins de 10 pi (3 m) de la maison se dresse un arbre dont la cime dépasse le toit, installez-y des *descentes*. Enfoncez dans le sol, en deux points opposés, au moins deux *prises de terre* en cuivre pour diffuser en toute sécurité la décharge dans le sol.

Chaque année, examinez l'état des organes capteurs, des prises de terre et des conducteurs.

Protection supplémentaire. Pour protéger les appareils électriques des effets de la foudre sur les lignes de transmission même éloignées, il est prudent de faire installer un *disjoncteur de fuite de terre* fixe dans le tableau de distribution ou de brancher un modèle portable conçu pour les prises de courant (p. 241).

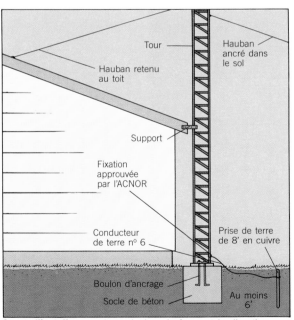

Avant d'installer une tour, évaluez la force et la direction du vent durant un orage. La tour doit être dressée dans un socle en béton, consolidée par trois haubans d'acier retenus au toit, ancrés dans le sol et assujettis à la bordure du toit. Elle doit être mise à la terre.

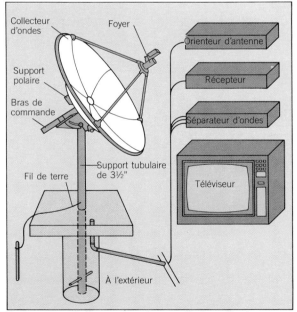

L'antenne parabolique comporte un collecteur d'ondes, un mécanisme de commande motorisé, un orienteur d'antenne, un récepteur et un séparateur d'ondes. Dans certaines antennes, le récepteur, l'orienteur et le séparateur sont réunis dans un même appareil.

Le détecteur de fumée est un dispositif de sécurité indispensable. Dans les constructions neuves, les règlements exigent la plupart du temps la mise en place d'un réseau de détecteurs de 120 V. Dans les maisons déjà construites, les appareils autonomes donnent satisfaction pourvu qu'on les dépoussière périodiquement et qu'on s'assure du fonctionnement des piles.

Le détecteur à *ionisation* émet de faibles radiations détectées par un senseur ; la fumée bloque cette émission et déclenche l'alarme. Le détecteur à *cellule photoélectrique* déclenche l'alarme quand la fumée bloque le rayon lumineux. Le premier type détecte les feux vifs (papier, bois, huile), le second les feux qui couvent (matelas, meubles) et réagit moins aux fumées émanant

de la cuisine. Un autre type de détecteur, d'une efficacité maximale, réunit les deux précédents. Enfin, le détecteur de chaleur, sensible aux variations de température, est utile dans la cuisine et la salle de lavage, ainsi que près du système de chauffage.

Les détecteurs de fumée ont différentes caractéristiques. Certains sont dotés d'une lampe qui facilite l'évacuation des lieux. D'autres sont fixés dans une prise de courant (et ne doivent pas être commandés par un interrupteur). D'autres encore sont munis d'un témoin lumineux qui clignote à intervalles préréglés pour indiquer que la pile fonctionne, ou d'un senseur à vérifier avec une lampe de poche. D'autres, enfin, émettent un signal sonore quand la pile est faible.

Emplacement des détecteurs de fumée

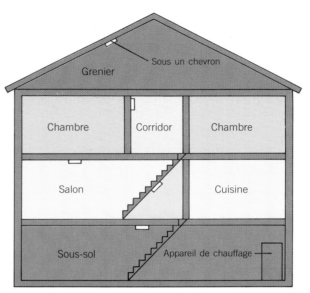

Il doit y avoir au moins un détecteur de fumée par étage, sous-sol et grenier compris : un au-dessus de chaque escalier et un dans chacun des corridors menant aux chambres. Ce dernier emplacement est d'une importance primordiale et recommandé par le code national des incendies. Installez les détecteurs loin des bouches d'aération, des fenêtres et des portes. Évitez les coins isolés et les extrémités de corridor, où l'air stagne. Fixez-les au plafond, à 4 po au moins du mur. Fixez un détecteur mural à une distance de 4 à 12 po du plafond.

Détecteur de fumée à pile

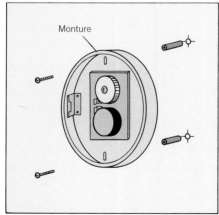

1. Posez la monture sur le mur ; marquez les trous des vis au crayon. Percez des trous pour les chevilles (p. 85). Introduisez-les dans les trous. Vissez-y la monture.

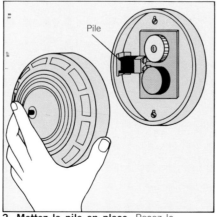

2. Mettez la pile en place. Posez le couvercle sur la monture. Vérifiez la pile tous les mois ; remplacez-la systématiquement tous les ans, à date fixe.

Détecteur relié à un circuit

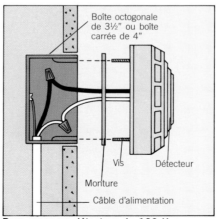

Pour poser un détecteur de 120 V, prolongez un circuit (p. 248-249). Raccordez les fils noirs et les fils blancs ; reliez le fil de terre à la boîte.

Entretien et vérification

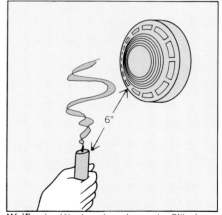

Vérifiez le détecteur tous les mois. S'il n'y a pas de bouton de vérification, soufflez une bougie à 6 po : il devrait réagir. Une fois l'an, nettoyez-le à l'aspirateur.

Chapitre 12

Intérieurs
Réparations et améliorations

Rénover une maison, c'est insuffler une vie nouvelle à son environnement. Le présent chapitre traite de la réparation et de l'installation des murs, des plafonds et des planchers ; de l'élimination des craquements ; de l'ajout d'armoires, de tablettes, de placards ; de l'aménagement du grenier ou du sous-sol. Vous y trouverez réponse à la plupart des questions reliées à la rénovation intérieure ; vous y apprendrez comment éliminer la moisissure et les insectes nuisibles et comment vous débarrasser des animaux indésirables et des matières dangereuses.

L'une des préoccupations premières de tout propriétaire est de garder sa maison en bon état pour en maintenir la valeur de revente et aussi parce qu'une maison bien entretenue est synonyme de confort et de qualité de vie.

« Mieux vaut prévenir que guérir ». Le fait d'en inspecter régulièrement les divers éléments vous fera économiser tout en vous évitant des ennuis.

L'inspection périodique est chose simple et ne prend en général que quelques heures par année. Vous pourrez faire vous-même la plupart des petites réparations, mais adressez-vous à un spécialiste pour les travaux importants que sont la réparation de la toiture et l'installation de nouveaux circuits électriques. Faites inspecter et vider votre fosse septique par un professionnel tous les deux ou trois ans, selon sa taille et son volume d'utilisation.

Il est facile de faire une bonne inspection lorsque les systèmes sont au repos. Au printemps, vérifiez l'extérieur de la maison (p. 382), le déshumidificateur et le système de climatisation. L'été ou l'automne, assurez-vous du bon état du système de chauffage et de l'humidificateur.

Il est parfois préférable de remplacer les pièces trop usées plutôt que de les réparer. En cas de doute, adressez-vous à un spécialiste.

L'automne, nettoyez le filtre du système de climatisation et passez ses composantes à l'aspirateur. Assurez-vous qu'il n'y a pas de poussière accumulée dans le déshumidificateur. Ce temps de l'année est également idéal pour vous assurer qu'aucun insecte ou animal indésirable n'a élu domicile chez vous. Si oui, adressez-vous à la Société protectrice des animaux ou bien téléphonez à la fourrière municipale, où l'on vous indiquera comment vous débarrasser d'hôtes comme les écureuils ou les ratons laveurs.

Certains éléments de la liste doivent être vérifiés régulièrement à une saison donnée ; d'autres peuvent être passés en revue à n'importe quelle période de l'année, tous les deux ou trois ans, ou seulement au besoin.

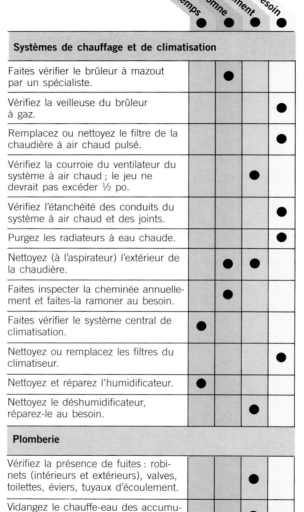

	Au printemps	L'automne	Annuellement	Au besoin
Systèmes de chauffage et de climatisation				
Faites vérifier le brûleur à mazout par un spécialiste.		●		
Vérifiez la veilleuse du brûleur à gaz.				●
Remplacez ou nettoyez le filtre de la chaudière à air chaud pulsé.				●
Vérifiez la courroie du ventilateur du système à air chaud ; le jeu ne devrait pas excéder ½ po.			●	
Vérifiez l'étanchéité des conduits du système à air chaud et des joints.				●
Purgez les radiateurs à eau chaude.				●
Nettoyez (à l'aspirateur) l'extérieur de la chaudière.	●	●		
Faites inspecter la cheminée annuellement et faites-la ramoner au besoin.		●		
Faites vérifier le système central de climatisation.	●			
Nettoyez ou remplacez les filtres du climatiseur.				●
Nettoyez et réparez l'humidificateur.	●			
Nettoyez le déshumidificateur, réparez-le au besoin.			●	
Plomberie				
Vérifiez la présence de fuites : robinets (intérieurs et extérieurs), valves, toilettes, éviers, tuyaux d'écoulement.			●	
Vidangez le chauffe-eau des accumulations calcaires (enlevez 1 gal).			●	
Réglez le thermostat du chauffe-eau à 140°F, ou à 120°F si le lave-vaisselle a son élément chauffant.				●

	Au printemps	L'automne	Annuellement	Au besoin
Demandez à un plombier de vérifier la soupape de sûreté du chauffe-eau.			●	
Installation électrique				
Vérifiez l'état des prises et des fils.	●	●	●	
En cas de pannes fréquentes, faites vérifier le tableau de fusibles.				●
Vérifiez si les prises, les interrupteurs et les plafonniers sont desserrés ou défectueux.				●
Déclenchez/réenclenchez l'interrupteur principal pour éviter toute corrosion.			●	
Vérifiez la fuite de terre.				●
L'intérieur de la maison				
Recherchez les fissures dans les murs.				●
Faites vérifier par un entrepreneur ou un plombier les écaillures, les taches noires et les bosses sur les plafonds et les murs.	●			
Vérifiez l'étanchéité des tuyaux, des douches et des carreaux.				●
Nettoyez les taches sur le coulis.	●	●		
Fondations et sous-sol				
Vérifiez qu'il n'y a pas de termites ni de fourmis charpentières.				●
Recherchez les traces d'humidité, les fuites et les fissures.				●
Planchers				
Vérifiez l'état des carreaux et des surfaces de plastique.				●
Vérifiez l'usure des parquets de bois.				●

Placoplâtre

Le placoplâtre, ou panneau de gypse, est utilisé pour la construction de murs et de plafonds, et sert de sous-finition aux carreaux. Le placoplâtre est une planche murale faite de gypse comprimé entre deux feuilles de papier kraft, et muni d'un coupe-vapeur d'aluminium pour les murs extérieurs. Ignifuge, il possède aussi des qualités insonorisantes posé en double épaisseur.

La pose en est relativement facile, mais faites-vous aider pour la manipulation des panneaux. Ils ont entre $\frac{1}{4}$ po (6 mm) et $\frac{5}{8}$ po (16 mm) d'épaisseur ($\frac{1}{2}$ po [13 mm] est l'épaisseur standard en construction résidentielle) ; ils font en général 4 pi (1,2 m) sur 8 à 12 pi (2,4 à 3,6 m).

Types de placoplâtres. Les panneaux *ordinaires* présentent une face rugueuse et une face lisse, sur laquelle on applique le papier peint ou

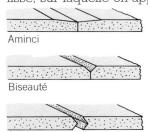

Aminci

Biseauté

À languette et rainure

la peinture. Le pourtour de la face lisse est effilé ; le fini est régulier sur la longueur et rugueux sur la largeur. Il en va de même des panneaux *hydrofuges*, utilisés comme sous-finition pour la pose de carreaux dans la cuisine et la salle de bains. Autour de la baignoire ou de la douche, servez-vous de *panneaux à*

base de ciment. Les panneaux *prédécorés* sont offerts en une variété de couleurs, de textures et de motifs. D'entretien facile, leur surface peut être recouverte de vinyle, imprimée ou enduite. Les panneaux *à languette et rainure* sont utilisés sous le parement extérieur, la maçonnerie de parement, le stuc et les bardeaux. Ils augmentent la résistance à l'eau et au vent et solidifient la charpente. Comme les panneaux hydrofuges, ils s'affaisseront s'ils sont posés au plafond. Utilisez du placoplâtre ordinaire pour les plafonds de cuisine et de salle de bains et appliquez un apprêt à l'alkyde (p. 361) pour les imperméabiliser.

Installation. Le placoplâtre doit être soigneusement mesuré et taillé, et fixé à des montants ou à des solives de bois ou de métal. Masquez les joints (p. 276-277).

Outils et matériaux. Pour les mesures et la taille : té de 4 pi (1,2 m) ou règle, couteau universel et scie à placoplâtre. Pour la pose : marteau à face bombée et clous annelés de $1\frac{3}{8}$ ou $1\frac{5}{8}$ po (3,5 ou 4,2 cm), ou tournevis (sans fil), et vis à placoplâtre de $1\frac{1}{4}$ ou $1\frac{7}{8}$ po (3,2 ou 4,8 cm), selon l'épaisseur. Calculez 1 lb (450 g) de clous ou $\frac{1}{2}$ lb (225 g) de vis pour couvrir une surface de 200 pi^2 (18,5 m^2) et 5 lb (2,2 kg) de clous ou $2\frac{1}{2}$ lb (1,25 kg) de vis pour 1 000 pi^2 (93 m^2). Pour la pose au plafond, utilisez un étai en T pour maintenir les panneaux.

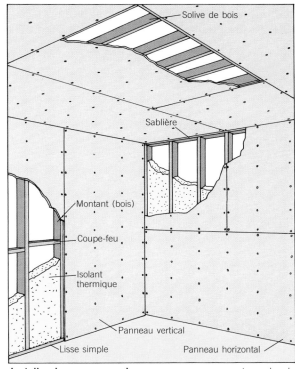

Installez les panneaux de gypse en commençant par le plafond et le haut des murs. De cette façon, les panneaux risquent moins de se rompre et les joints entre le plafond et les murs sont mieux ajustés.

Ruban et pâte à joints nécessaires

Surface à couvrir (en pi^2)	Pâte à joints (en gal)	Ruban (en pi)
100 à 200	1	120
300 à 400	2	180
500 à 600	3	250
700 à 800	4	310
900 à 1 000	5	500

Clous et vis

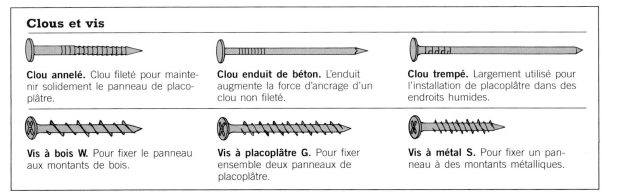

Clou annelé. Clou fileté pour maintenir solidement le panneau de placoplâtre.

Clou enduit de béton. L'enduit augmente la force d'ancrage d'un clou non fileté.

Clou trempé. Largement utilisé pour l'installation de placoplâtre dans des endroits humides.

Vis à bois W. Pour fixer le panneau aux montants de bois.

Vis à placoplâtre G. Pour fixer ensemble deux panneaux de placoplâtre.

Vis à métal S. Pour fixer un panneau à des montants métalliques.

Les préparatifs sont simples, les erreurs de mesurage ou de coupe faciles à corriger et le matériel bon marché. Manipulez le placoplâtre avec soin pour éviter d'abîmer le papier kraft. Si les panneaux sont humides, le gypse s'effritera.

Stockage. Empilez les panneaux à plat ou sur le côté dans un endroit aéré et frais. Si vous en avez un grand nombre, faites plusieurs piles, sinon les solives risqueraient de crouler.

Estimation des besoins. Mesurez la surface des murs (y compris la surface des portes et fenêtres standards mais non celle des portes-fenêtres), additionnez et ajoutez 15 p. 100 de marge d'erreur. Pour connaître la surface du plafond, mesurez le plancher. Divisez le total par 32, soit le nombre de pieds carrés dans un panneau de 4 x 8, pour obtenir le nombre de panneaux nécessaires. Ou tracez le plan à l'échelle sur du papier quadrillé.

Généralement, les murs ont moins de 8 pi 1 po (2,6 m) de haut ; il est alors préférable d'installer les panneaux horizontalement. Une fois le nombre de panneaux nécessaires calculé, consultez le tableau (p. 273) pour connaître la quantité de pâte à joints et de ruban nécessaire.

▶ **ATTENTION !** Portez des lunettes protectrices et un masque pendant la coupe : le gypse peut irriter les yeux et les voies respiratoires.

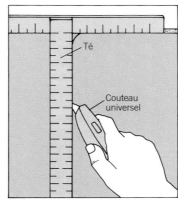

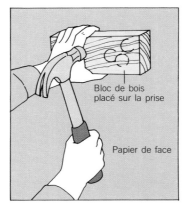

Pour tailler le panneau, placez un té de 4 pi ou une règle contre la ligne marquée. Maintenez de la main et du pied, puis taillez à travers le papier de surface avec un couteau universel.

Pour la découpe, placez le panneau comme pour l'installer. Avec un bloc de bois, martelez légèrement pour marquer l'emplacement. Ou dessinez sur le panneau la forme à découper. (Découpez les portes intérieures après la pose si le chambranle est à moins de ½ po derrière les montants. Sinon, faites-le avant la pose.)

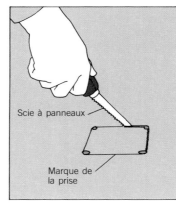

Pour casser le panneau, placez-vous derrière et tenez-le solidement, une main de chaque côté de l'entaille. Soulevez le genou et appuyez-le contre le tracé tout en ramenant le panneau vers vous, jusqu'à ce qu'il se casse.

Sciez à partir d'un coin, en commençant par l'un des quatre trous de coin de ¼ po, avec une scie à guichet ou à panneaux et en suivant les lignes tracées lors de l'étape précédente. Si nécessaire, lissez les bords irréguliers avec du papier abrasif à grain moyen (80) ou une râpe.

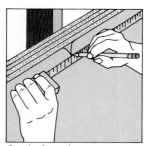

Sur la face du panneau, tracez les dimensions en haut et en bas (ou sur les côtés pour une coupe verticale).

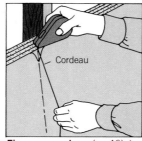

Fixez un cordeau (p. 46) à la marque du bas, déroulez-le et tirez-le jusqu'à la marque du haut. Faites-le claquer.

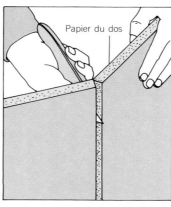

Coupez le papier du dos avec le couteau universel, le long de la cassure. Si le bord est irrégulier, lissez-le avec un papier abrasif à grain moyen (80).

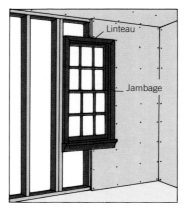

Sur les fenêtres et les portes, positionnez les joints non pas en ligne avec les coins, mais près du milieu du linteau. Au besoin, refaites la coupe des panneaux adjacents. L'expansion ou la contraction du linteau peut faire fendre le placoplâtre. Il est préférable que le panneau entoure la fenêtre (voir page suivante).

Pose du placoplâtre

L'installation se fait à plusieurs en raison des poids à soulever. Commencez par le plafond ; utilisez un étai en T pour soutenir les panneaux. Pour le façonner, clouez un 1 x 4 (16 x 89 mm) d'une longueur de 2 pi (61 cm) au bout d'un 2 x 4 (38 x 89 mm) plus long d'environ 1 po (2,5 cm) que la hauteur des murs des pièces de la maison.

Posez d'abord le panneau de coin, sa rive longue perpendiculaire aux solives et sa rive courte coïncidant avec le centre d'une solive, où elle formera un joint avec celle du panneau adjacent. Ne faites pas coïncider les joints.

Sur les murs d'une hauteur supérieure ou d'une largeur inférieure à celles des panneaux, installez-les verticalement, et clouez leur rive longue aux montants. Travaillez de haut en bas. Aboutez-les bien en longueur et en largeur. Sur un mur de maçonnerie ou sur du plâtre dont la surface est inégale, vous devrez d'abord monter des fourrures (p. 283).

Fixation. Fixez les panneaux aux montants avec des vis à placoplâtre, de l'adhésif et des clous annelés, ou des clous seulement. (Contrairement aux clous, cependant, les vis permettent d'enlever le placoplâtre sans l'endommager.)

Avant de clouer les panneaux, appliquez de l'adhésif à placoplâtre sur les montants. Protégez les coins extérieurs avec des baguettes d'angle métalliques (p. 276). Ajoutez les portes, les plinthes et les moulures du plafond (p. 99).

Adhésif à placoplâtre

Pour une meilleure adhérence, encollez les montants avant de clouer les panneaux. Environ à 48 po du plafond, enfoncez à demi deux gros clous dans les montants ; vous pourrez y appuyer le panneau supérieur pendant que vous le visserez. À l'aide d'un marteau à panne fendue, enfoncez des clous tous les 8 po, à ⅜ po des rives des panneaux et des montants de porte. Sans briser le papier, donnez un coup supplémentaire (en médaillon) pour bien fixer le panneau au montant.

Gros clou

Creux

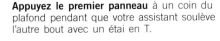

Étai en T

Appuyez le premier panneau à un coin du plafond pendant que votre assistant soulève l'autre bout avec un étai en T.

Avec un tournevis sans fil (à bout magnétique), enfoncez des vis à placoplâtre tous les 12 po, et à ⅜ po de la rive pour la fixer aux solives. Ne faites pas coïncider les joints.

Ouverture, haut

Ouverture, côté

À l'aide d'une scie, découpez l'entrée de porte, de bas en haut le long du montant. Arrivé en haut, sciez à l'horizontale, tout en soutenant le panneau.

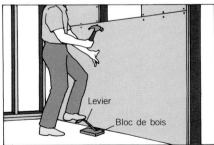

Levier

Bloc de bois

Déposez le panneau du bas sur un levier ; le pied sur celui-ci, élevez le panneau jusqu'à ce qu'il touche le panneau supérieur. Maintenez-le pendant que vous le fixez aux montants. Découpez.

Intérieurs / Joints et coins

La patience est la mère du succès. Observez le temps de séchage requis (24 heures) après chacune des trois applications de pâte à joints. Les professionnels consacrent jusqu'à trois jours à ce travail.

La finition des joints aux rives amincies est facile à réaliser en raison de la rainure formée à la rencontre des rives, au contraire des joints d'about, pour lesquels il faut appliquer de minces couches de pâte.

Outils et matériaux. Il va vous falloir : trois couteaux à mastic (lames de 4, 6 et 10 po [10, 15 et 25 cm]), pâte à joints tout usage, ruban perforé (voir tableau, p. 273), tôle ou taloche, truelle de 10 po (25 cm), rouleau, papier abrasif fin (150) à grain serré (ou éponge abrasive de polyuréthane) et seaux d'eau pour rincer les outils.

Préparatifs. Mélangez la pâte avec un bâton jusqu'à consistance de beurre ramolli (ajoutez de l'eau au besoin). Versez-en le quart sur une tôle. Pour éviter la formation de mottes, couvrez la pâte réservée de 1 po (2,5 cm) d'eau et fermez le contenant. Fabriquez-vous un dévidoir à ruban perforé à l'aide d'un cintre métallique que vous accrocherez à votre ceinture. Couvrez les parquets d'une pellicule de plastique. Commencez par le plafond et travaillez de haut en bas.

▶**ATTENTION !** Portez des lunettes protectrices et un respirateur antivapeurs. Aérez la pièce.

Coins. Avant de finir la surface, protégez les coins extérieurs avec des baguettes d'angle métalliques.

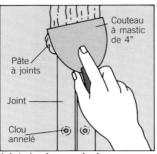

Joint de rives amincies.
1. Avec un couteau à mastic de 4 po, étalez généreusement la pâte sur le joint. Couvrez-le de ruban perforé.

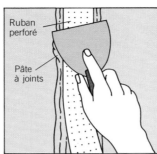

2. La lame à 45° sur le ruban, éliminez les bulles et expulsez l'excès de pâte. Essuyez avec une éponge humide ; appliquez une mince couche de pâte. Laissez sécher 24 heures.

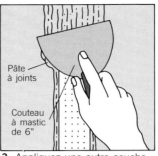

3. Appliquez une autre couche de pâte au couteau de 6 po ; amincissez ; dépassez de 2 po la première couche. Laissez sécher 24 heures ; étalez une dernière couche au couteau de 10 po.

4. Poncez légèrement avec du papier abrasif fin (150) à grain serré ou avec une éponge abrasive humide ; évitez d'érafler le papier du panneau.

Joint d'about. Avec le couteau à mastic de 10 po, enduisez le joint d'une mince couche de pâte. Couvrez-le de ruban perforé.

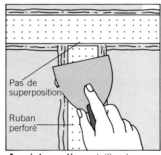

Aux intersections, taillez le ruban perforé de façon à éviter les superpositions (visibles, sous la finition).

Creux

Remplissez de pâte les creux des clous. Laissez sécher 24 heures. Recommencez au besoin (deux ou trois applications peuvent être nécessaires). Poncez comme à l'étape 4.

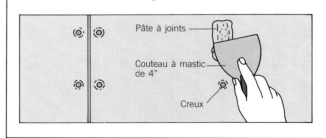

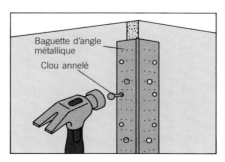

Fixez les baguettes d'angle au montant avec des clous annelés ou des vis à placoplâtre tous les 5 po par les petits trous étroits (les gros sont réservés à la pâte), à travers le panneau.

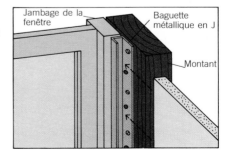

Baguette en J. Fixez les vis au montant tous les 5 po par les petits trous (boucle du J contre le jambage). Glissez le panneau dans la baguette ; vissez le panneau au montant.

Autres méthodes

1. Coins intérieurs. Appliquez une couche généreuse de pâte à joints dans l'angle à l'aide d'un couteau de 6 po ; couvrez entièrement le joint. Amincissez l'excédent de pâte de chaque côté.

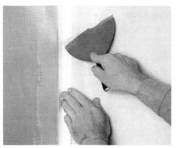

2. Posez le ruban plié à la verticale dans l'angle ; au couteau, appliquez-lui une pression uniforme pour le faire adhérer à la pâte. Amincissez l'excédent vers les bords. Laissez sécher complètement (24 heures).

Couteau de 10"

3. Appliquez une deuxième couche mince, d'un côté puis de l'autre. (Ne laissez aucune accumulation de pâte.) Amincissez l'excédent de pâte ; laissez sécher 24 heures. Appliquez une troisième couche ; poncez une fois sec.

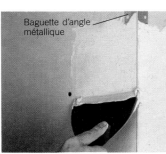

Baguette d'angle métallique

Recouvrez les baguettes d'angle de pâte à joints à l'aide d'un couteau de 6 po. Amincissez les bords et laissez sécher 24 heures. Appliquez deux autres couches de pâte, comme pour les joints (page précédente), mais ne mettez pas de ruban.

Finition décorative

Assurez-vous que la finition des joints est lisse et de niveau : appuyez votre joue, à 12 po (30 cm) du joint, et vérifiez à l'aide d'une lampe de poche. Poncez à l'éponge humide (rincez souvent).

Avant de poser du papier peint, appliquez une couche d'apprêt au latex. Laissez sécher complètement (plusieurs heures). Avant de peindre, enduisez la surface d'une couche de pâte à joints diluée (de la consistance d'une crème glacée molle) avec une truelle de 10 po (25 cm) ; lissez. Portez une combinaison de peintre, une casquette et des lunettes protectrices ; couvrez planchers et fenêtres d'une pellicule plastique. Une fois la couche de finition séchée (24 heures), enduisez d'un apprêt au latex. Laissez sécher ; peignez.

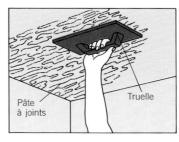

Pâte à joints — Truelle

Finition décorative. Pour donner au plafond la texture du brocart, appuyez-y légèrement une truelle enduite de pâte à joints. Aplatissez les pointes de pâte. Allez du coin vers le centre, par petits segments. Égalisez. Laissez sécher 48 heures.

Brosse à texturiser

Pâte à joints

Avec une brosse, tapotez la pâte à joints appliquée au rouleau. Les soies dures imprimeront un motif décoratif. Faites chevaucher les marques. (Exercez-vous d'abord sur une pièce de rebut.) Laissez sécher 48 heures.

Comment courber une planche murale

Il existe plusieurs méthodes pour courber un panneau de placoplâtre. Le panneau de ¼ po (6,3 mm) d'épaisseur est assez mince pour être courbé sans traitement préalable ; cependant, les panneaux plus épais doivent être humectés ou traversés de traits de scie.

Mais attention ! Un panneau trop humide sera difficile à transporter et risquera de se désagréger ; en revanche, un panneau insuffisamment humecté pourra se casser. Vaporisez 5½ tasses (1,4 litre) d'eau sur un panneau de 4 x 8 pi (1,2 x 2,4 m), d'une épaisseur de ½ po (1 cm). Avec précaution, fixez-le aux montants avec des clous annelés (sans endommager le papier kraft). Laissez sécher 24 heures ; finissez à la pâte à joints.

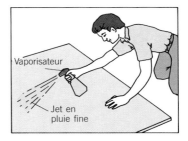

Vaporisateur — Jet en pluie fine

Vaporisez la surface à plier. Posez-la entre deux panneaux secs ; laissez reposer quelques heures. Servez-vous d'un panneau sec pour transporter le panneau humecté. Dressez-le contre les montants, retirez le panneau sec ; fixez (p. 275).

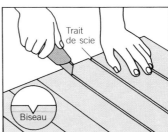

Trait de scie

Biseau

Traits de scie. La planche posée sur du contre-plaqué, sciez des traits tous les 3 po en suivant les lignes. Faites des traits de ⅛ po de largeur et d'au plus ¼ po de profondeur sur un rayon de 4 pi. Posez comme indiqué ci-dessus.

Il est facile de réparer du placoplâtre. Utilisez les surplus comme matériaux de réparation : pâte à joints prête à l'emploi, ruban perforé, vis ou clous annelés. (L'excédent de pâte se conserve bien : enfermez-le dans un sac de plastique et rangez-le dans un contenant hermétique ; il se conservera pendant deux ans.)

Si vous n'avez plus de retailles de panneau, faites le tour d'un bâtiment en construction à la recherche de bonnes pièces propres ou encore procurez-vous un ensemble à réparation de placoplâtre, vendu dans la plupart des quincailleries ou chez certains marchands de bois. Choisissez-en un qui convient à vos besoins ; suivez scrupuleusement les instructions sur l'emballage.

Dommages. En raison de son poids et de sa composition, le placoplâtre est vulnérable aux coups et s'abîme facilement dès l'installation (accrocs, brèches et coins cassés). Certains dommages ne deviennent apparents qu'au fil des ans. Une poignée de porte heurtant souvent un mur y laissera une marque. Par ailleurs, le tassement de la maison pourra éventuellement fissurer le placoplâtre.

Si le placoplâtre n'est pas fermement fixé aux montants ou aux solives lors de la pose, les clous annelés pourront ressortir et déchirer le papier kraft du panneau. Le même problème surgira si les montants et les solives se contractent sous l'effet des variations du taux d'humidité.

Outils. Voici le matériel dont vous aurez besoin pour la réparation des panneaux : une règle de métal pour mesurer la partie abîmée et la pièce de remplacement ; un couteau universel pour tailler la pièce de remplacement aux mesures précises et adoucir les rugosités autour des trous ; trois couteaux à mastic (de 4, 6 et 10 po [10, 15 et 25 cm]) pour appliquer la pâte à joints ; du papier abrasif fin (150) à grain serré ou une éponge de polyuréthane humide pour poncer les surfaces.

Laissez sécher 24 heures après chaque couche de pâte. Enduisez la surface d'apprêt et laissez sécher complètement pendant plusieurs heures avant de peindre ou de mettre le papier peint.

Brèche ou éraflure de surface

Pâte à joints

1. Poncez la partie abîmée, remplissez de pâte à joints au couteau de 6 po et laissez sécher complètement (24 heures). La pâte se rétracte en séchant ; appliquez une deuxième couche et égalisez avec une éponge humide. Laissez sécher 24 heures.

Clous sortis

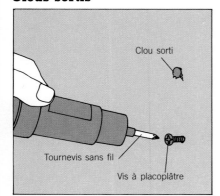

Clou sorti

Tournevis sans fil

Vis à placoplâtre

1. Faites une marque à 2 po au-dessus ou au-dessous du clou ; enfoncez-y une vis à placoplâtre ou un clou annelé et fixez le panneau au montant ou à la solive.

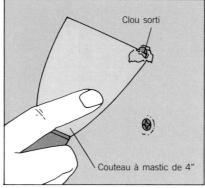

Clou sorti

Couteau à mastic de 4"

2. Grattez le papier détaché et la pâte effritée autour du clou à l'aide d'un couteau de 4 po ; prenez soin de ne pas abîmer le papier tout autour.

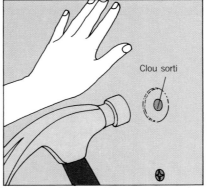

Clou sorti

3. Enfoncez le clou à 1/32 po sous la surface. Lissez avec du papier abrasif fin (150) à grain serré. Appliquez trois couches de pâte (laissez sécher 24 heures après chaque couche). Passez une éponge humide.

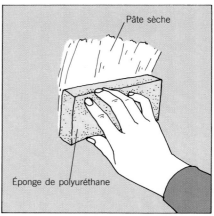

Pâte sèche

Éponge de polyuréthane

2. Poncez avec une éponge de polyuréthane humide (bien essorée). Lissez doucement la surface ; rincez et essorez souvent l'éponge. Ou encore, lissez légèrement la surface au papier abrasif fin (150) à grain serré pour qu'elle soit uniforme. Prenez soin de ne pas abîmer le papier tout autour.

Petit trou

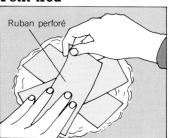

Ruban perforé

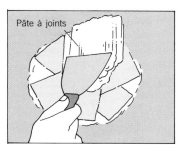

Pâte à joints

1. Appliquez une mince couche de pâte autour du trou ; superposez des bandes de ruban, en appuyant sur les extrémités pour bien les faire adhérer. (Le ruban auto-adhésif se pose directement sur le trou.)

2. Recouvrez de pâte avec un couteau à mastic de 6 po ; lissez. Laissez sécher 24 heures. Si la pâte se fendille, appliquez une autre couche. Poncez ou lissez avec une éponge humide (p. 278).

Trou gros comme un poing

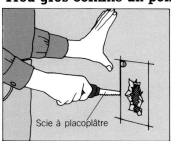

Scie à placoplâtre

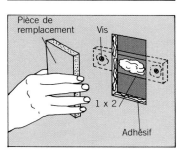

Pièce de remplacement
Vis
1 x 2
Adhésif

1. Découpez un rectangle autour du trou à l'aide d'une scie à placoplâtre. Enduisez d'adhésif les extrémités d'une planchette de 1 x 2 po ayant 4 po de plus que le trou. Vissez-la à l'horizontale.

2. Collez la pièce (⅛ po de moins que le trou) à la planchette. Enduisez le contour de pâte à joints. Scellez avec du ruban ; recouvrez de pâte ; laissez sécher 24 heures. Lissez avec une éponge humide (p. 278).

Grand trou

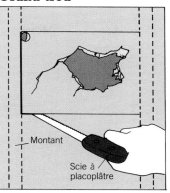

Montant
Scie à placoplâtre

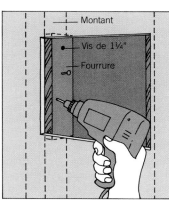

Montant
Vis de 1¼"
Fourrure

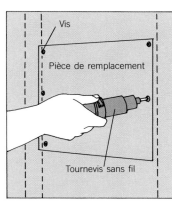

Vis
Pièce de remplacement
Tournevis sans fil

1. Localisez les montants de part et d'autre du trou (p. 191). Tracez tout autour un rectangle qui rejoigne les montants de chaque côté. Découpez-le. Dans une retaille, taillez une pièce de remplacement mesurant ⅛ po de moins.

2. Taillez des fourrures de 1 x 3 po plus longues (½ po) que la partie visible des montants. Placez-les contre les côtés intérieurs des montants de manière qu'elles dépassent de ¼ po les bords supérieur et inférieur du trou. Percez des avant-trous. Fixez avec des vis de 1¼ po.

3. Vissez la pièce aux fourrures. (Attention aux clous !) Enduisez le pourtour de pâte avec un couteau de 10 po ; scellez avec du ruban perforé. Enduisez encore de pâte ; lissez. Laissez sécher 24 heures ; poncez légèrement ou lissez avec une éponge humide (p. 278).

Remplacement d'un panneau

Il est parfois préférable de remplacer un panneau plutôt que de le réparer. Videz la pièce et décrochez dans les pièces voisines tout ce qui est suspendu aux murs (en raison des vibrations). Scellez les portes au ruban, recouvrez le sol d'une pellicule plastique. Ôtez les moulures (p. 293).

▶ **ATTENTION !** Coupez d'abord l'eau et l'électricité (p. 10). Portez des lunettes protectrices, un respirateur antivapeurs, des gants, des chaussures de travail et un casque de sécurité.

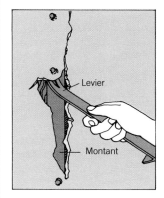

Levier
Montant

Repérez les montants (p. 191). Avec un ciseau à froid et un marteau, enlevez la pâte à joints. Avec un levier, enlevez les clous de fixation, puis démontez les panneaux, un à la fois. Gardez-les : ils pourront servir plus tard.

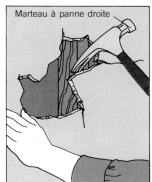

Marteau à panne droite

Si vous ne pouvez pas démonter les panneaux avec un levier, sectionnez-les avec un marteau à panne droite ou une barre. Vaporisez souvent dans la pièce pour que la poussière en suspension se dépose.

Il suffit d'une préparation plâtre/perlite et de pâte à joints pour réparer le plâtre. Ces matériaux peu coûteux se vendent en contenants de 15 à 59½ lb (6,8 à 27 kg) dans la plupart des quincailleries et chez certains marchands de bois. Choisissez de préférence le mélange de plâtre/perlite *tout usage*.

Le plâtre est posé sur des lattes — fixées aux montants ou aux solives — de bois, de placoplâtre ou de métal.

Selon la grosseur du trou à obturer, on applique deux ou trois couches de plâtre, de pâte à joints pour la dernière. Le mélange plâtre/perlite sèche en 2 à 4 heures. Confiez les réparations complexes à un plâtrier professionnel.

Le plâtre est essentiellement constitué de gypse pulvérisé ; la perlite, d'origine volcanique, sert à alléger le composé. Lorsqu'on lui ajoute de l'eau, le mélange prend la consistance d'une crème glacée molle ; une fois sec, il devient dur comme du roc.

Avant de plâtrer, il faut réparer toutes les fuites (p. 199 et 384) ; attendez que tout soit sec. Si vous réparez de grands trous, préparez d'abord la pièce (p. 279). Le plâtre sèche convenablement lorsque la température est maintenue entre 12°C et 21°C (55°F-70°F) au cours des 24 heures qui précèdent et qui suivent le plâtrage.

Outils. Cuve de plastique, trois couteaux à mastic (4, 6 et 10 po [10, 15 et 25 cm]), couteau universel, truelle rectangulaire, taloche (p. 164), papier abrasif fin (150) à grain serré, ciseaux à froid et à bois, marteau à panne ronde, maillet, perceuse électrique, éponge de polyuréthane.

Mélange. Conformez-vous au mode d'emploi. Versez le plâtre dans une cuve de plastique contenant de l'eau propre et mélangez (portez des gants de caoutchouc). Pour les grands trous, augmentez la proportion de plâtre.

▶ **ATTENTION !** Portez des lunettes protectrices, des manches longues, des gants de coton. Un masque antipoussière s'impose aussi si vous abattez un mur.

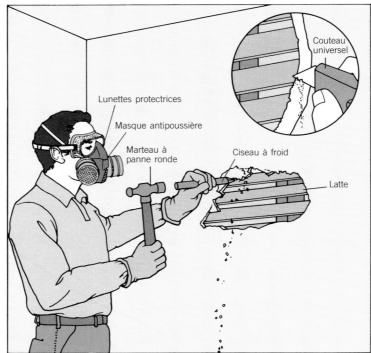

Grands trous. 1. Émiettez le plâtre abîmé avec un ciseau à froid et un marteau à panne ronde ; prenez soin de ne pas endommager les lattes sous-jacentes. Élargissez la cavité avec un couteau universel.

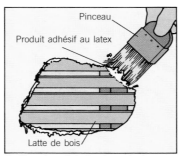

2. Vaporisez à la hauteur du trou ou enduisez de produit adhésif la latte et les bords du trou pour rendre la surface moins absorbante.

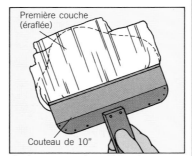

3. Avec un couteau (10 po), appliquez une couche de plâtre de ⅜ po. Quand le plâtre commence à prendre, éraflez-en la surface.

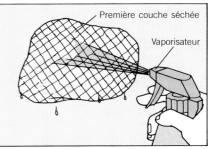

4. Attendez 24 heures ; vaporisez sur la couche éraflée. Appliquez une deuxième couche (brune) de la même épaisseur ; éraflez. Laissez sécher jusqu'au lendemain.

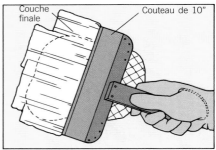

5. Appliquez la pâte à joints sur la deuxième couche. Lissez. Laissez sécher entièrement (24 heures). Lissez avec une éponge humide (p. 278).

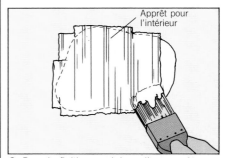

6. Pour la finition, enduisez d'un apprêt pour l'intérieur. Lorsqu'il aura séché complètement (plusieurs heures), peignez ou posez du papier peint.

Réparation des fissures

Les fissures et les petits trous se réparent en général avec une simple couche de plâtre ou une bande de ruban autoadhésif en fibre de verre qu'on recouvre de pâte à joints (p. 278). Les fissures sont en général causées par le tassement, les conditions atmosphériques ou un vice de construction : il faut résoudre le problème à la source.

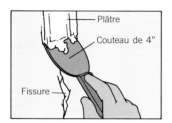

1. À l'aide d'un couteau de 4 po, élargissez la cavité sous la fissure ; vaporisez. Remplissez-la de plâtre ; laissez sécher 24 heures.

Plâtre
Couteau de 4"
Fissure

2. Poncez avec du papier abrasif fin (150). Appliquez un apprêt pour l'intérieur. Laissez sécher complètement avant de peindre ou de poser du papier peint.

Papier abrasif

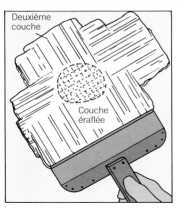

Trous de la taille d'une balle de tennis. Appliquez une couche de pâtre à joints, éraflez-la. Avec un couteau de 10 po, étalez une autre couche mince, à partir du centre et en débordant de 1 pi. Laissez sécher 24 heures. Lissez avec une éponge humide. Appliquez un apprêt pour l'intérieur.

Deuxième couche
Couche éraflée

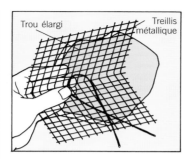

Trou élargi
Treillis métallique

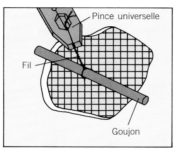

Pince universelle
Fil
Goujon

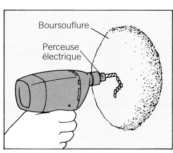

Boursouflure
Perceuse électrique

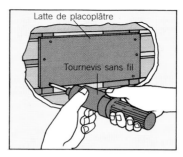

Latte abîmée. 1. Avec un ciseau à bois et un maillet, découpez la latte de bois abîmée. (Découpez une latte de placoplâtre avec une scie à placoplâtre.) Enfilez un fil de fer au centre d'un treillis métallique ; introduisez le treillis dans la cavité, tirez sur le fil.

2. Nouez le fil à un goujon pour retenir le treillis. Appliquez une couche de plâtre ; éraflez-la. Laissez sécher 24 heures. Sectionnez le fil ; enlevez le goujon. Appliquez de la pâte à joints ; lissez. Laissez sécher 24 heures ; lissez avec une éponge humide.

Boursouflure. 1. À la perceuse électrique, faites des trous qui se chevauchent avec une mèche de ⅜ po pour obtenir un diamètre de 1 po. Si la latte et le plâtre se sont détachés du montant, brisez le plâtre avec un ciseau à froid et un marteau à panne ronde.

2. Appuyez la latte contre le montant et fixez-la avec des clous annelés. Appliquez le produit adhésif dans la cavité. Mettez une première couche de plâtre, puis une seconde et finissez avec de la pâte à joints (p. 280). Laissez sécher 24 heures ; lissez.

Latte de bois
Montant
Clou annelé

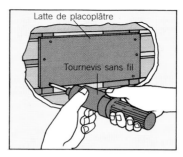

Latte de placoplâtre
Tournevis sans fil

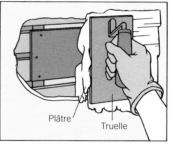

Plâtre
Truelle

Trou sans latte.
1. À l'aide d'une scie à placoplâtre, taillez une latte de placoplâtre ou un panneau de ⅜ po d'épaisseur aux dimensions de la partie abîmée. Utilisez un tournevis sans fil pour en fixer les coins.

2. Avec une truelle, remplissez la cavité de plâtre. Laissez sécher 24 heures ; appliquez une mince couche de pâte à joints au couteau de 10 po ; lissez. Laissez sécher jusqu'au lendemain ; lissez. Mettez un apprêt.

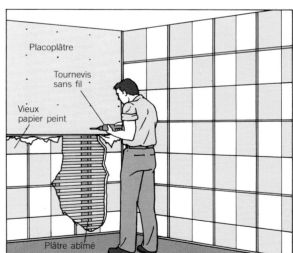

Placoplâtre
Tournevis sans fil
Vieux papier peint
Plâtre abîmé

Recouvrir du vieux plâtre de placoplâtre. Repérez les montants (p. 191) et marquez leur emplacement. Placez les rives du panneau sur les montants ; enfoncez des vis de 2¼ po jusqu'aux montants. Faites les joints (p. 275-277).

Si le lambris évoque l'apparence luxueuse du bois ou du contre-plaqué, le revêtement mural, en planches ou en panneaux, rehausse n'importe quelle pièce. Posées sur du placoplâtre (p. 273), les planches de bois massif ont la propriété d'absorber le bruit.

Les planches sont en bois massif. Quant aux panneaux, leur surface plaquée bois ou synthétique imite tous les matériaux : carreaux de salle de bains, papier peint ou bois. Le revêtement mural dure plus longtemps que la peinture ou le papier peint ; choisissez-le soigneusement.

Pour nettoyer des planches pénétrées d'un fini à l'huile, employez un savon diluant, laissez sécher et refaites le fini. Si le revêtement est verni ou enduit de gomme-laque, nettoyez-le avec un chiffon humide (et un détergent doux). Les réparations sont faciles à exécuter (p. 288).

Types de revêtement. Les planches, aussi esthétiques que coûteuses, sont offertes en bois dur ou tendre et sont identifiées par classes (p. 94). Le contre-plaqué de qualité a l'apparence du bois et coûte moins cher. Les panneaux sur substrat de contre-plaqué, d'aggloméré ou de fibres de bois (p. 98) sont considérablement moins coûteux, suivis en cela des panneaux imitant le bois, les carreaux ou le marbre. En bas de gamme se trouve le revêtement prédécoré, dont la surface présente l'avantage, si vous vous en lassez, de pouvoir être repeinte ou recouverte de papier peint.

Modes d'installation. Montez les planches ou les panneaux verticalement, horizontalement, diagonalement ou en chevrons. Un seul mur pourra suffire à mettre une pièce en valeur.

▶ **ATTENTION !** Le revêtement mural accroît les risques d'incendie, sauf s'il est installé directement contre du plâtre (ou du placoplâtre, si l'isolant est de plastique mousse). L'espace entre les montants et les fourrures (page suivante) permet à l'air de circuler et au feu de se propager. Évitez les finis laqués, trop volatiles. Installez un détecteur de fumée dans la pièce.

Substrat	Surface	Épaisseur	Coupe*	Fixation
Panneau mural	Imitation du grain du bois ; motifs décoratifs ; vinyle décoratif	¼ po, ⅜ po, ½ po, ⅝ po ou ¾ po	Couteau universel	Colle et clous à panneaux de la couleur assortie
Panneau d'aggloméré	Imitation du grain du bois ; motifs décoratifs	⁵⁄₃₂ po ou ¼ po	Scie manuelle ou mécanique avec lame à dents fines	Colle et clous à panneaux de la couleur assortie
Panneau de fibres de bois	Imitation du grain du bois ; motifs décoratifs ; vinyle décoratif	⅛ po ou ¼ po	Scie manuelle ou mécanique avec lame à dents fines	Colle et clous à panneaux de la couleur assortie, ou clous seulement
Panneaux de carreaux	Imitation de carreaux et de marbre	Habituellement ¼ po	Scie manuelle ou mécanique avec lame à dents fines	Colle et clous à panneaux de la couleur assortie
Contre-plaqué	Imitation du grain du bois ; motifs décoratifs ; vinyle décoratif	⁵⁄₃₂ po, ³⁄₁₆ po ou ⅛ po	Couteau universel ; scie manuelle ou mécanique avec lame à dents fines	Colle et clous à panneaux de la couleur assortie, ou clous seulement

*Coupez les panneaux face en haut si vous utilisez un couteau universel, une scie manuelle ou un plateau de sciage ; coupez face en bas si vous utilisez une scie circulaire ou une scie sauteuse.

Combien de panneaux vous faut-il ?

Sur du papier quadrillé ou millimétré, tracez le plan de la pièce à l'échelle (un carré par pied carré), les murs couchés, comme s'il s'agissait d'une boîte à plat. Dans le cas d'un panneautage à motifs, placez le premier motif en évidence comme pour du papier peint (p. 377). Mesurez la hauteur des murs et reproduisez-les sur le plan, comme les côtés d'une boîte. Les panneaux standard font 4 x 8 pi. Mesurez le périmètre de la pièce (ici, 76 pi), en arrondissant à l'unité supérieure. Divisez par 4, soit la largeur d'un panneau, pour obtenir le nombre de panneaux nécessaires (ici, 19). Si les murs font plus de 8 pi de hauteur, vous devrez commander assez longtemps à l'avance des panneaux de 4 x 10 ou de 4 x 12 pi chez le marchand de bois, ou masquer le pied du mur avec des moulures. Cette dernière solution est la moins coûteuse et la plus expéditive. Là où la chose est possible, utilisez les retailles au-dessus des portes et au-dessous des fenêtres. Gardez-en aussi pour effectuer les réparations (p. 288).

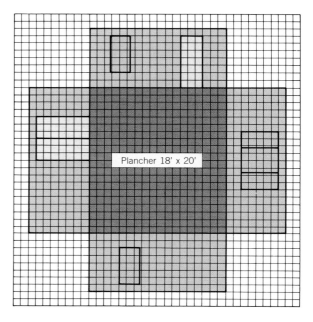

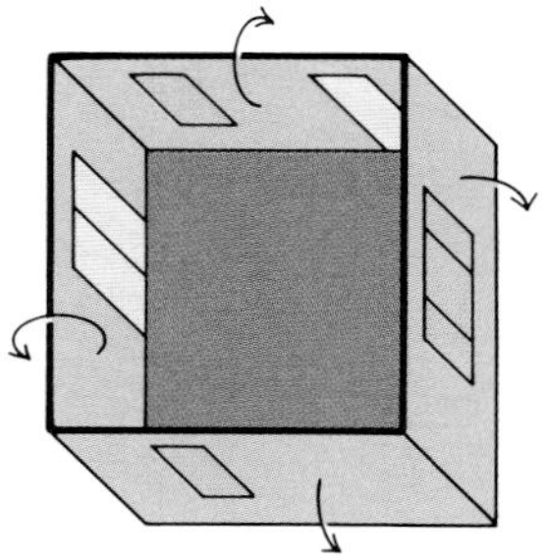

Plancher 18' x 20'

Préparatifs

À l'aide d'un niveau, repérez les inégalités de la surface murale. Si elle n'est pas d'aplomb, installez des fourrures de 1 x 2 po (16 x 38 mm), puis insérez des cales au besoin. Si la surface est plane, enlevez le papier peint (p. 376) et grattez les écaillures de peinture. Obturez les entailles, les fissures et les cavités du panneau mural ou du plâtre (p. 278-281).

Vous pouvez coller et clouer, ou clouer seulement, les panneaux et les planches sur une surface propre et plane, sur une ossature de bois ou sur des fourrures. Commencez par marquer sur le mur l'emplacement de tous les montants (p. 191), y compris ceux autour des fenêtres et des portes.

Moulures. Enlevez les moulures et les plinthes (p. 293). Libérez les garnitures des fenêtres et des portes à l'aide d'une cale, d'un levier et d'un pied-de-biche. Si le bois tend à se fendiller, coupez les clous avec une scie à métaux. Au revers des plinthes réutilisables, marquez leur emplacement. Lorsque vous les replacerez, vous devrez les tailler de nouveau, compte tenu de l'épaisseur des panneaux sur chaque mur adjacent.

Installation électrique. Mettez hors tension tous les circuits de la pièce (p. 237) au tableau de fusibles ou de coupe-circuit. Enlevez les plaques murales des interrupteurs et des prises. Étant donné l'épaisseur du panneau, vous devrez peut-être ajouter un collet, pièce ajustable (p. 285) qu'on trouve dans la plupart des quincailleries.

Pose des fourrures

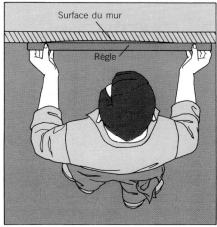

1. Vérifiez en plusieurs endroits du mur si la surface est plane. Si elle ne l'est pas, érigez une structure avec des fourrures d'une longueur égale à la largeur du mur et clouez-la aux montants.

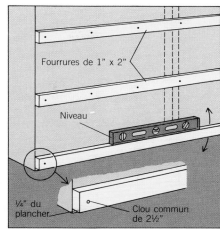

2. Placez la première fourrure à ¼ po du plancher et fixez l'une de ses extrémités avec un clou commun de 2½ po. Mettez la fourrure de niveau, puis clouez-en l'extrémité. Clouez-la ensuite à tous les montants intermédiaires.

3. Vérifiez si les fourrures horizontales sont de niveau. Là où elles ne le sont pas, insérez des cales jusqu'à ce que la bulle du niveau soit centrée. Cela fait, posez les planches sur la structure.

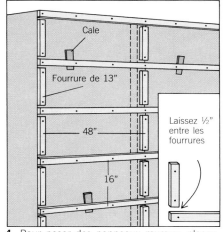

4. Pour poser des panneaux muraux, placez tous les 48 po des fourrures perpendiculaires de 1 x 2 x 13 po sans qu'elles ne touchent aux fourrures horizontales. Clouez leurs extrémités aux montants.

Bâti

Si une clause de votre bail vous interdit de clouer aux murs, montez un bâti avec des 2 x 2. Vous le fixerez en le maintenant sous pression entre le plancher et le plafond avec un boulon-niveleur. Une structure semblable, faite de 2 x 4, peut servir de cloison.

Mesures. Taillez deux traverses de 2 x 2 d'une longueur égale à la largeur du mur, et les montants 3 po plus courts que la hauteur du mur. Alignez les traverses et marquez l'emplacement des montants tous les 16 po.

Fixation. Fixez les montants aux traverses avec des clous communs de 2½ po. Assurez-vous que le bâti est d'équerre (p. 47). Percez des trous de ⁵⁄₁₆ po dans le haut, tous les 4 pi et enfoncez-y les écrous à dents (p. 84). Vissez ensuite les boulons-niveleurs. Érigez le bâti et ajustez les boulons-niveleurs de manière à les mettre d'aplomb et à les maintenir en place au plafond et au plancher.

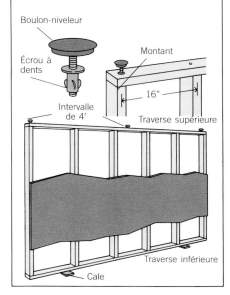

Avant de procéder à la pose, laissez les panneaux s'acclimater à la pièce durant deux jours, appuyés chacun contre un mur ou empilés, séparés les uns des autres par des fourrures posées aux quatre coins.

Le grain ou la teinte peuvent varier considérablement d'un panneau à l'autre. Disposez les panneaux de façon à minimiser les différences. Pour éviter toute confusion, inscrivez sur l'envers de chaque panneau un numéro l'identifiant et sa position sur le mur.

Outils et matériaux. Ayez toujours à portée de la main les outils suivants : ruban à mesurer, niveau de menuisier, compas à pointe munie d'un crayon, scie mécanique ou manuelle à lame fine, perceuse, scie sauteuse (pour le découpage), couteau universel, marteau, levier, chasse-clou, maillet de caoutchouc, adhésif en tube (prévoyez environ 3 à 4 oz [100 g] par panneau), craie blanche et, de la couleur assortie, clous à panneaux (de 1 po [2,5 cm] sur fourrures, de $1^5/_8$ po [4 cm] sur murs), bâton de pâte de bois pour couvrir les clous et crayon-feutre.

Retrait des moulures. Pour faire un travail soigné, enlevez les moulures. À l'aide d'un levier et d'un coin, retirez-les doucement du cadre des portes, des fenêtres, du plafond et du plancher (p. 283, 293). Si vous prévoyez les réutiliser, identifiez-les sur le revers. Il se peut que leur style ne se marie guère à celui des panneaux.

Emplacement des montants. Marquez l'emplacement des montants (p. 191) au bas du mur. L'espacement, habituellement de 16 ou de 24 po (de 40 ou 60 cm), peut être modifié par la présence de fenêtres ou de portes. Si vous installez les panneaux sur des fourrures, placez des fourrures verticales sur tous les montants, quel que soit leur espacement, et taillez les panneaux pour que leurs côtés coïncident avec les montants. Si vous installez les panneaux directement sur les murs, vérifiez que leurs côtés coïncident avec le milieu des montants.

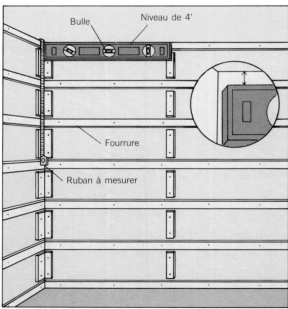

1. Mesures. Taillez les panneaux à la hauteur moyenne entre le plafond et le plancher, moins ½ po. Vous masquerez les écarts avec des moulures. Ou encore, placez un niveau contre le plafond, centrez la bulle et mesurez l'écart. S'il est du côté gauche, marquez-le sur le côté droit du panneau et tracez une ligne jusqu'au coin opposé. Taillez toujours le panneau ½ po de moins que la hauteur du mur.

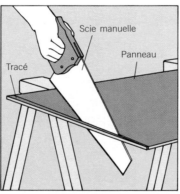

2. Coupe. Posez le panneau, face en haut, sur un établi ou deux tréteaux. Avec une scie manuelle, taillez-le soigneusement en suivant le tracé. Si vous vous servez d'une scie circulaire ou d'une scie sauteuse, faites le tracé et la coupe sur l'envers.

3. Montage. Appliquez l'adhésif sur les fourrures. Placez un panneau et insérez dessous des cales de ¼ po. À l'aide d'un niveau, vérifiez si le côté du panneau est d'aplomb et ajoutez des cales au besoin. Au sommet du panneau, enfoncez à moitié des clous à panneaux, espacés également.

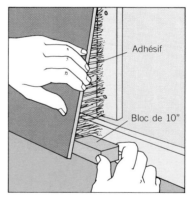

4. Éloignez la base du panneau à 10 po des fourrures et retenez-la de chaque côté avec des blocs. Après 10 minutes, le temps que la colle sèche, retirez les blocs et frappez avec un maillet de caoutchouc. Clouez à intervalles de 6 po.

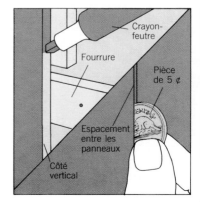

5. Colorez le côté du panneau posé avec un crayon-feutre de couleur assortie ainsi que le côté du panneau suivant, que vous installerez en laissant un espace de l'épaisseur d'une pièce de 5 ¢ pour l'expansion reliée à l'humidité.

Les coins. Si vous devez couper un panneau pour faire un coin, prenez la retaille pour commencer le mur adjacent si elle est assez large pour couvrir l'espace jusqu'au montant suivant. Sinon, taillez un autre panneau de façon qu'il se rende jusqu'au centre d'un montant.

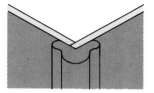

Coin extérieur

Coin intérieur

Mesures et coupe. Les panneaux doivent être de ½ po (1,2 cm) inférieurs à la hauteur du mur. Sciez les panneaux de ¼ po (6,4 mm) face en haut avec une scie manuelle ou sur un plateau de sciage. Rayez la surface des panneaux plus minces à l'aide d'un couteau universel et pliez-les pour les casser net. Vérifiez l'ajustage et le niveau. Si vous posez les panneaux sur des fourrures, encollez celles-ci, puis clouez les panneaux avec des clous de 1 po (2,5 cm). Si vous les posez directement sur les murs, encollez ceux-ci en traçant le périmètre du panneau et en faisant un X au centre. Enfoncez des clous à panneaux de 1⅝ po (4 cm) tous les 12 po (30 cm) sur les montants intermédiaires, et tous les 6 po (15 cm) sur les côtés. Posez les moulures.

Courbures. Les panneaux de ⁵⁄₃₂ po (4 mm) ou moins, dont la surface de bois repose sur un substrat de contre-plaqué ou de fibres de bois peuvent épouser la courbure d'un mur, comme celui d'un escalier circulaire. La surface du panneau ne doit pas comporter de rainure, car le panneau risquerait toujours de se casser le long de cette rainure. Avant de choisir un panneau, testez sa flexibilité sans le forcer. S'il craque ou résiste, choisissez un panneau plus mince. Demandez à quelqu'un de le tenir en place pendant que vous le posez.

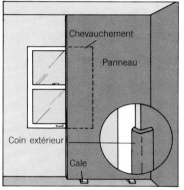

Ouverture sans boiserie. Placez le panneau sur des cales sans découper l'ouverture. Tracez ensuite les mesures de l'ouverture sur sa surface ; sciez. Installez le panneau et couvrez-en le bord avec un coin extérieur.

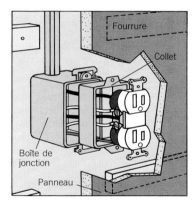

Collet. Coupez le courant (p. 237), enlevez la plaque et dévissez l'interrupteur ou la prise. Faites glisser le collet sur la boîte et ajustez-le au ras de la surface du panneau. Fixez l'interrupteur ou la prise avec des vis plus longues. Remettez la plaque.

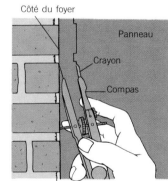

Côté irrégulier. Coupez le panneau ½ po plus grand que l'espace à combler. Placez-le contre le mur (ici un foyer) ; ouvrez le compas à ½ po et tracez le contour sur le panneau. Taillez à la scie à chantourner ou à la scie sauteuse.

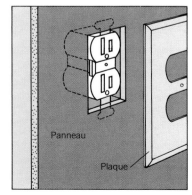

Ouverture avec boiserie. Mesurez les distances séparant d'une part la boiserie et d'autre part le dernier panneau, le plafond et le plancher ; mesurez la largeur de la portion d'ouverture recouverte par le panneau. Tracez l'ouverture. Pour les prises électriques, procédez de même.

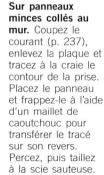

Sur panneaux minces collés au mur. Coupez le courant (p. 237), enlevez la plaque et tracez à la craie le contour de la prise. Placez le panneau et frappez-le à l'aide d'un maillet de caoutchouc pour transférer le tracé sur son revers. Percez, puis taillez à la scie sauteuse.

Panneautage d'une porte. Enlevez la porte. Placez le panneau contre l'ouverture, mais sans l'installer. Tracez l'ouverture sur le revers. Taillez, collez à la porte, poncez les côtés avec du papier abrasif à grain fin (120). Replacez la porte.

Intérieurs / Revêtement de planches

Les planches de bois massif (en pin ou en chêne) sont offertes en longueurs de 8 à 16 pi (2,4 à 4,9 m), en largeurs de 3³⁄₁₆ à 12 po (8,1 à 30,5 cm) et en épaisseurs de ⁵⁄₁₆, ³⁄₈ et ³⁄₄ po (8, 9 et 19 mm) ; elles sont parfois préfinies. Les planches bouvetées (illustrées) sont reconnaissables à leur assemblage en V, plus courant que l'assemblage à feuillure (avec chevauchement) ou à joints vifs (avec ou sans baguettes).

Évaluation. Le nombre de planches nécessaires dépend du motif (p. 282) et de la largeur de la planche. Donnez les mesures de la pièce au marchand pour qu'il vous conseille.

Stockage. Appuyez chaque planche contre un mur ou empilez-les en les séparant par des blocs de bois. Gardez-les deux semaines au sec.

Installation. Couvrez d'un coupe-vapeur de polyéthylène la paroi intérieure des murs qui donnent sur l'extérieur ; scellez la surface et les côtés des planches avec un produit hydrofuge (le vernis ou la teinture devront être compatibles). Si les murs de la pièce sont inégaux, il faudra installer des fourrures horizontales (p. 283). Prolongez une embrasure avec des bandes de bois de 1 po (2,5 cm), d'une épaisseur égale à celles de la planche et de la fourrure combinées. Ajoutez des collets (p. 285) aux boîtes de sortie.

Installation verticale

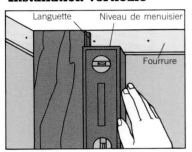

1. Commencez par un coin, en plaçant la rainure côté mur et la languette côté droit. Mettez de niveau. Au besoin, ajoutez des cales sous les fourrures.

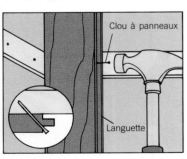

2. Clouez en biais la base de la languette à chaque fourrure. Si les planches font plus de 6 po de largeur, enfoncez des clous de couleur assortie au tiers de la distance entre la rainure et la languette.

3. Enfoncez doucement la planche suivante à l'aide d'un maillet et d'un morceau de bois. Clouez comme pour la première planche.

Coins

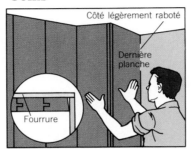

Coins intérieurs. Coupez la languette ou, si nécessaire, une partie de la dernière planche ; rabotez en biais le côté droit. Placez les deux dernières planches ; appuyez pour les emboîter. Clouez de face dans les fourrures.

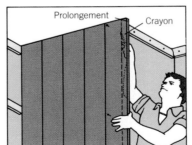

Coins extérieurs.
1. Placez et fixez provisoirement la dernière planche. Marquez le chevauchement sur l'envers. Détachez la planche et coupez à la scie à main ou à la scie circulaire ; enfoncez des clous de face.

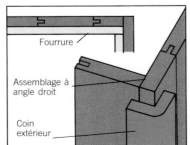

2. Coupez la languette de la planche faisant le coin ; placez la planche de façon qu'elle couvre le bord de la planche précédente. Couvrez avec un coin extérieur.

Plafond inégal

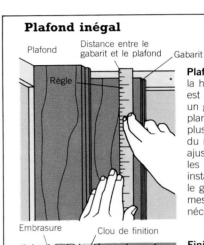

Plafond inégal. Si la hauteur du mur est inégale, faites un gabarit d'une planche taillée à la plus courte hauteur du mur. Taillez et ajustez à mesure les planches à installer, en utilisant le gabarit pour mesurer la hauteur nécessaire.

Finition. Pour l'embrasure, taillez des bandes dont la largeur correspond à l'épaisseur de la fourrure et de la planche réunies. Collez à l'embrasure et clouez à intervalles de 1 pi. Installez les planches à niveau pour qu'elles arrivent au ras du prolongement, puis posez les moulures.

Lambris d'appui   Réparation des planches

Vous pouvez lambrisser un mur avec des planches de 5/16 po (8 mm) ou des panneaux muraux posés directement sur les parois d'un mur plan — à condition d'en avoir préalablement préparé la surface (p. 376). Mais si les murs sont endommagés, installez d'abord des panneaux (p. 275) ou encore des fourrures s'ils ne sont pas du tout d'aplomb (p. 283). Installez un coupe-vapeur sur la paroi interne des murs donnant sur l'extérieur, et suivez les instructions de la page précédente.

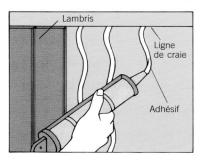

1. Claquez le cordeau à la hauteur voulue, soit entre 30 et 36 po. Appliquez en zigzaguant assez d'adhésif pour trois planches. Installez-les en suivant les instructions de la page ci-contre.

2. Marquez l'emplacement des montants (p. 191) au bas des planches. Placez la plinthe apprêtée et finie contre le lambris et le plancher. Clouez-la aux montants avec des clous à panneaux de couleur assortie.

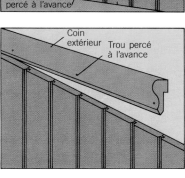

3. Placez la lèvre ou le coin extérieur apprêtés et finis contre le haut des planches et le mur. Enfoncez des clous de couleur assortie tous les 1 pi — pour les moulures de fibres de bois, percez d'abord les trous.

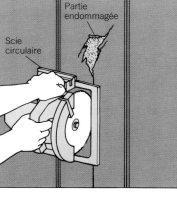

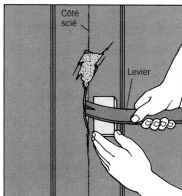

1. Enlevez la plinthe (p. 293). Tracez, pleine hauteur, une ligne traversant la partie endommagée. Utilisez une scie sans fil, la lame ajustée à l'épaisseur de la planche (commencez à 5/16 po). Portez des lunettes protectrices. **ATTENTION !** Coupez d'abord le courant dans toute la maison (p. 237).

2. Insérez l'extrémité plate d'un levier sous le côté scié et commencez à le détacher. Insérez le levier sous la planche adjacente et soulevez les deux parties de la planche endommagée.

3. Placez la moitié de la planche sciée sur la planche de remplacement, en alignant le bas et la rainure. Avec une équerre à combinaison, marquez la longueur de la planche de remplacement. Taillez à l'aide d'une scie manuelle ou circulaire.

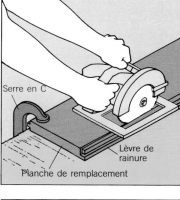

4. À l'aide d'une serre en C, immobilisez la planche, face en bas. Marquez la profondeur de la rainure aux deux extrémités ; tracez une ligne entre les deux marques. Ajustez la lame de la scie circulaire à l'épaisseur de la lèvre supérieure. Coupez celle-ci, tout en laissant l'autre lèvre intacte.

5. Insérez la planche de remplacement de biais, en introduisant la languette dans la rainure de la planche adjacente. Poussez la planche en place contre les fourrures, en appuyant la lèvre non sciée sur la languette de la planche suivante.

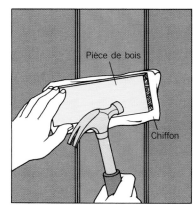

6. Frappez doucement une pièce de bois enveloppée d'un chiffon, en la déplaçant sur la planche de remplacement. Enfoncez un clou à panneaux de couleur assortie dans le haut et dans le bas de la planche, de façon à la fixer aux fourrures.

Intérieurs / Réparations de panneaux

Assujettissement d'un panneau lâche

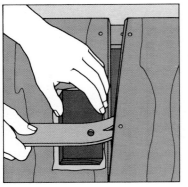

1. Placez un bloc de bois enroulé dans un chiffon sur le panneau adjacent au panneau lâche. Insérez l'extrémité plate du levier sous le panneau retroussé et, en utilisant le bloc de bois comme appui, soulevez doucement tout le côté.

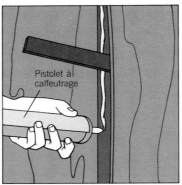

2. Maintenez le panneau soulevé avec un morceau de bois. Collez généreusement le substrat (fourrure, plâtre ou panneau). Après 10 minutes, retirez le coin et remettez le panneau en place.

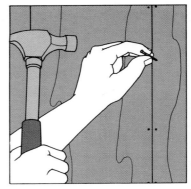

3. Placez le bloc de bois enveloppé dans un chiffon sur la surface collée et martelez-le. Enfoncez des clous à panneaux de couleur assortie tous les 5 po le long du côté encollé, ou utilisez des clous à tête perdue et noyez-les. Remplissez les trous avec de la pâte de bois de couleur assortie.

Rapiéçage d'un panneau

1. Choisissez une retaille dont les rainures et le fil s'harmonisent à ceux du panneau endommagé. Placez-la face en haut sur du bois de rebut. Avec un couteau universel, tracez une pièce légèrement plus grande que le trou à masquer, puis recommencez, en enfonçant le couteau de plus en plus profondément.

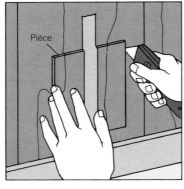

2. Centrez la pièce sur la partie endommagée, en prenant soin d'aligner les rainures. Fixez-la avec du ruban cache. Avec un couteau universel bien affûté, refaites le tracé de la pièce sur la surface du panneau.

3. Repassez le couteau, toujours plus profondément, le long du contour. Avec un couteau à mastic, retirez la partie endommagée et, si le panneau est collé au mur, appuyez sur la partie adjacente pour éviter de l'arracher en même temps.

4. Si le panneau est collé à des fourrures, fabriquez un cadre avec quatre bandes de 1 x 3 po. Collez-les et placez-les tout autour du trou, moitié exposées, moitié sous le panneau. Laissez sécher (4 heures, ou selon les instructions du fabricant).

5. Encollez l'envers de la pièce sur tout son contour ainsi que les surfaces exposées des bandes. Attendez que la colle commence à prendre (environ 10 minutes) pour replacer la pièce.

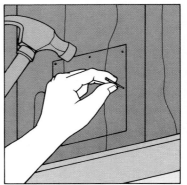

6. Appuyez la pièce sur le cadre, en alignant le fil et les rainures. Enfoncez des clous à panneaux tous les 3 po tout le long du contour. Noyez les clous et remplissez les trous avec de la pâte de bois de couleur assortie.

Carreaux de plafond

Les plafonds en carreaux de fibre minérale ou de bois masquent les imperfections et insonorisent une pièce. Collez-les directement ou posez d'abord des fourrures et fixez-y les carreaux avec des agrafes.

Laissez les matériaux à la température de la pièce pendant 24 heures. Prévoyez les éléments suivants : fourrures (1 x 3 po [19 x 64 mm]), clous 8d ou vis à planches murales de 2½ po (6,3 cm), clous à planches murales de 1⅛ po (2,8 cm), marteau (ou tournevis électrique), agrafeuse, agrafes de ⁹⁄₁₆ po (15 mm), couteau universel, cordeau enduit de craie, niveau ou règle, ruban à mesurer, outils à couper et à mesurer, large couteau à mastic, adhésif recommandé par le fabricant. Portez des lunettes protectrices, un masque antipoussière, des gants et des manches longues.

▶ **ATTENTION !** Ne couvrez jamais un plafond dans lequel passent des serpentins.

Tracez le plan de pose sur du papier quadrillé ; vérifiez les dimensions en plusieurs endroits du plafond. Choisissez comme angle de départ celui qui est le plus près de 90°. Repérez les solives (p. 191). Calculez la largeur de la bordure, ajoutez 12 po à tout excédent et divisez par 2. Puis, localisez le centre du plafond à partir des mesures initiales. Marquez les lignes de bordure et ajustez les lignes de centre pour qu'elles concordent avec les joints. Si les carreaux sont bridés, déplacez encore la ligne de centre de ½ po du coin de départ. Claquez le cordeau de craie. Revérifiez les mesures avant de poser les carreaux.

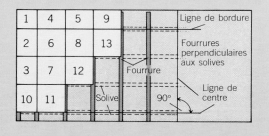

1. Placez la première fourrure au centre, à angle droit avec les solives. Fixez-la aux solives. Servez-vous de l'espaceur.

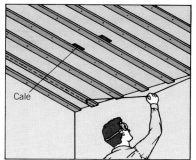

2. À une distance égale au carreau de bordure, claquez un cordeau de craie sur la longueur et la largeur du plafond.

3. Taillez les carreaux de bordure face en haut, sans toucher aux brides. Coupez la languette du carreau du coin.

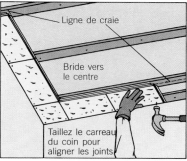

4. Alignez les brides du carreau de bordure sur la ligne. Clouez le côté non fini ; agrafez les brides. Suivez l'ordre illustré.

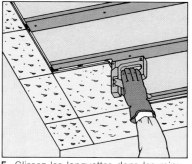

5. Glissez les languettes dans les rainures en ajustant bien, mais sans forcer. Agrafez les brides aux fourrures.

À l'adhésif. À l'endos du carreau, appliquez de la colle à 2½ po des coins. Mettez en place en appuyant.

Remplacement des carreaux endommagés

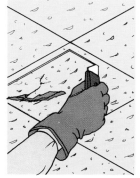

1. À l'aide d'un couteau universel, taillez le plus près possible des bords du carreau endommagé ; utilisez un couteau à mastic pour soulever les parties rebelles. Grattez les fourrures ou enlevez le vieil adhésif de la sous-finition.

2. Avec un couteau universel, taillez le nouveau carreau aux mesures appropriées. Encollez-le aux quatre coins, à 2½ po environ des bords.

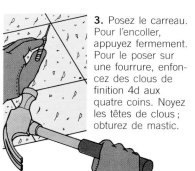

3. Posez le carreau. Pour l'encoller, appuyez fermement. Pour le poser sur une fourrure, enfoncez des clous de finition 4d aux quatre coins. Noyez les têtes de clous ; obturez de mastic.

Les plafonds suspendus offrent les mêmes avantages que les plafonds en carreaux. Ils sont faits de panneaux emboîtés dans une armature métallique qu'on suspend au plafond existant ou aux solives. Les panneaux ont une épaisseur de ¹/₂ à ³/₄ po (1 à 2 cm), des dimensions de 2 x 2 pi (60 x 60 cm) ou de 2 x 4 pi (60 cm x 1,2 m), et sont en fibre de bois, en fibre de verre ou en fibre minérale, de couleurs et de modèles divers.

Matériaux. L'armature comprend : des profilés centraux d'une longueur de 8 ou 12 pi (2,4 ou 3,6 m) traversant toute la pièce et posés perpendiculairement aux solives, des coulisseaux porteurs de 2 ou 4 pi (60 cm ou 1,2 m) s'adaptant aux profilés centraux, et des profilés muraux d'une longueur de 10 pi (3 m). Pour évaluer le nombre de panneaux requis, divisez la surface du plafond par celle d'un carreau et ajoutez 5 p.

100 (marge d'erreur). Munissez-vous de : pitons, fil de calibre 18, ficelle, clous 6d et cisailles.

Préparatifs. Laissez les panneaux à la température de la pièce pendant 24 heures. Repérez les montants du mur (p. 191) et marquez leur emplacement, à la hauteur du nouveau plafond. Repérez les solives et marquez-les au cordeau. Sur papier, faites un diagramme à l'échelle du plafond et dessinez-y l'armature (à gauche).

Sur le diagramme, tracez les lignes du milieu ; tracez le profilé central sur la ligne la plus longue et les autres profilés, tous les 2 ou 4 pi. Les panneaux de bordure doivent tous être de mêmes dimensions, soit d'au moins 2 pi pour les panneaux de 4 pi, ou de 1 pi pour ceux de 2 pi. Si le diagramme n'est pas symétrique, recommencez-le en centrant une rangée de panneaux sur la ligne du milieu.

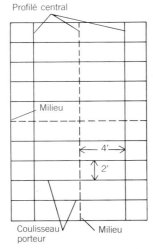

1. Claquez sur le mur un cordeau de craie pour marquer la hauteur du nouveau plafond. La marque doit être de niveau.

2. Taillez les profilés à la cisaille (à angle droit pour coins intérieurs, à onglet pour extérieurs) et fixez-les aux montants.

3. Claquez le cordeau de craie perpendiculairement aux solives. Tirez des ficelles en travers de la pièce à la hauteur du nouveau plafond pour marquer l'emplacement des profilés centraux et des coulisseaux porteurs. Taillez les profilés pour que leurs encoches soient au croisement des ficelles.

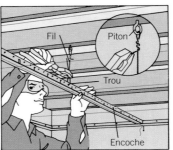

4. Vissez les pitons toutes les quatre solives (reportez-vous aux instructions données avec les profilés). Passez un fil de 1 pi dans chaque piton et tordez-en le bout (gros plan). Passez-en l'extrémité libre dans le trou du profilé. Ajustez la hauteur des profilés, puis tordez l'extrémité du fil.

5. Si la pièce fait plus de 12 pi de longueur, taillez d'autres profilés. Emboîtez-en les extrémités. Les encoches doivent toujours coïncider avec les intersections. Placez les coulisseaux. Vérifiez l'ajustage.

6. Une fois l'armature posée, assurez-vous qu'elle est de niveau ; ajustez les fils au besoin. Ôtez les ficelles. Taillez les panneaux de bordure (p. 289). Installez les panneaux en rangée : inclinez-les, glissez-les en place, puis abaissez-les. Posez des moulures (p. 99).

Installation de plafonniers encastrés

Outils électriques, essais et sécurité 242-243
Ajout ou rallonge d'un circuit 248-249
Câblage 252-253

Les plafonds suspendus facilitent l'installation des plafonniers. Les panneaux translucides, qui remplacent les panneaux standard, filtreront agréablement la lumière dans la pièce. Les modèles sont variés, comme les panneaux à lames dont les petites ouvertures carrées illuminent et permettent la ventilation. Lorsque vous montez le grillage du plafond, prévoyez à quels endroits les plafonniers seront installés.

Les plafonniers fluorescents de la grandeur d'un panneau (vendus avec les pièces d'assemblage) reposent sur les profilés centraux du grillage d'un plafond suspendu. Le modèle mesurant 12 x 12 po (30 x 30 cm) est souvent utilisé à la place d'un carreau (p. 289) et fixé aux fourrures ; il peut être posé dans une ouverture de 12 po (30 cm) percée dans un des panneaux du plafond. Certains modèles sont vendus avec

des supports ; s'il n'y en a pas, fixez le plafonnier aux fourrures.

▶**ATTENTION !** Assurez-vous que le plafonnier ne présente aucun danger dans un plafond en fibre de bois. Choisissez des éléments d'éclairage approuvés par l'Association canadienne de normalisation (ACNOR). Respectez toujours les recommandations du fabricant quant à la puissance des ampoules.

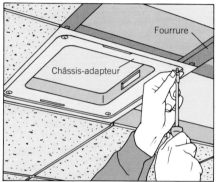

Lampe à incandescence. 1. Elle doit avoir les mêmes dimensions que les carreaux du plafond, soit 12 po x 12 po. Vissez le châssis-adapteur aux fourrures.

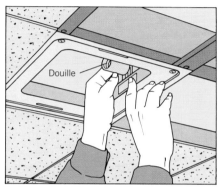

2. Placez la boîte de jonction et la douille sur le châssis-adapteur. Coupez le courant (p. 237). Reliez l'appareil à une boîte électrique à interrupteur (p. 254).

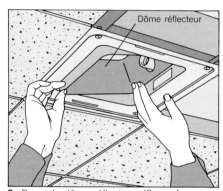

3. Posez le dôme réflecteur. (Sa surface polie amplifie la lumière de l'ampoule.) Nettoyez les marques de doigts avec un chiffon doux.

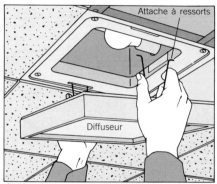

4. Vissez une ampoule. Glissez les attaches à ressorts du diffuseur dans les fentes du châssis-adapteur. Le plafonnier fera saillie de quelques pouces.

Lampe fluorescente. 1. Pour l'installer dans un plafond suspendu, attachez les supports de montage à mi-chemin sur les brides des profilés centraux opposés et vissez.

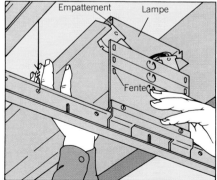

2. Fixez la lampe aux supports de montage, en faisant glisser les deux empattements de chaque bout dans les fentes des supports auxquelles ils correspondent.

3. Coupez le courant (p. 237). Raccordez à la lampe un câble de circuit contrôlé par interrupteur. Posez les panneaux réflecteurs, puis les tubes fluorescents (p. 256-257).

4. Retirez le panneau adjacent pour pouvoir glisser le panneau translucide sous la lampe. Replacez le panneau.

Des plinthes et des moulures bien posées masquent les imperfections d'une pièce tout en lui donnant un cachet certain.

Les moulures sont en bois ou en polystyrène. Pour calculer la longueur requise, mesurez le périmètre de la pièce et arrondissez au chiffre supérieur (voir plus bas). Achetez de longues pièces pour réduire le nombre de joints et de retailles. Dans le cas du bois naturel (p. 118-124), faites coïncider le fil

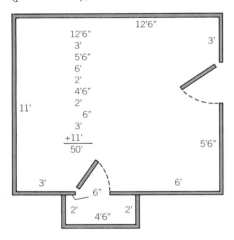

du bois. Si vous devez réunir deux moulures, assurez-vous que le fil et la couleur du bois s'harmonisent. Faites un joint en sifflet (p. 111) pour dissimuler l'aboutement.

Le travail des moulures exige de la précision ; exercez-vous sur du bois de rebut. Commencez par raccorder les onglets extérieurs (p. 109), puis ajustez les coins intérieurs et profilez les joints (ci-contre). Enfin, aux embrasures, faites un joint à angle droit (p. 100).

Les moulures prennent diverses formes : couronne, cimaise, appui-chaise, lambris, plinthe et quart-de-rond. Il est possible de les combiner pour embellir une pièce et lui donner un style particulier, qu'il soit victorien ou art déco (p. 99). Les plinthes (ci-dessous) sont fixées à la lisse et au montant par des clous de finition. Pratiques et décoratives, elles cachent l'écart entre le parquet et le mur.

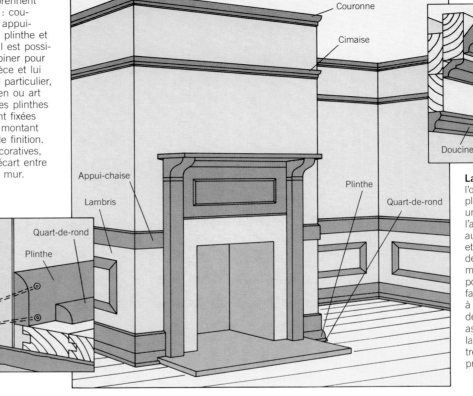

La couronne était à l'origine composée de plusieurs pièces formant un profil complexe ; l'assemblage était taillé aux mesures de la pièce et solidifié à la base (ci-dessus). Aujourd'hui, les moulures préfabriquées en polystyrène sont légères, faciles à tailler, à poser et à peindre. Elles se vendent avec les coins préassemblés, ce qui élimine la taille d'onglets. Calfeutrez les joints avec un produit pouvant être peint.

Joint profilé

L'*assemblage profilé* consiste à raccorder deux plinthes en un coin intérieur de manière que le contour de l'une des moulures épouse celui de l'autre. Ce type d'assemblage résiste mieux aux fissures que les joints à onglets et dissimule mieux les défauts. Pour les coins extérieurs, on fera des joints à onglets.

1. Avec un crayon bien affûté, tracez avec précision le profil d'une moulure sur l'autre.

2. Découpez l'excédent à l'aide d'une scie à chantourner (p. 26) ou d'une scie sauteuse (p. 57).

3. Vérifiez l'ajustement avec du bois de rebut. À la lime ou à la râpe fine, ajustez et biseautez.

La pose d'une plinthe

1. Taillez les plinthes (en essayant de placer les joints aux endroits les moins visibles) et disposez-les tout autour de la pièce. Si le plancher est inégal, tracez-en le contour sur la plinthe à l'aide d'un compas (p. 49). Taillez à la scie sauteuse.

2. Ajustez d'abord les coins extérieurs en marquant minutieusement les onglets. Pour vous guider, prolongez la ligne du mur sur le plancher. Pour plus de précision, servez-vous d'une boîte à onglets métallique et coupez la plinthe à l'aide d'une scie à dossière (p. 25).

3. Fixez la plinthe avec quatre clous de finition 6d. Enfoncez le clou du haut dans le montant, et celui du bas dans la lisse (page ci-contre). Pour plus de précaution, faites un trou avec une mèche d'un diamètre légèrement plus petit que le clou. Noyez les têtes au chasse-clou.

4. Pour les coins intérieurs, taillez une plinthe à angle droit (de manière à bien l'appuyer au mur) et l'autre, de façon qu'elle épouse le profil (avec une scie à chantourner). Pour ajuster parfaitement, profilez le joint avec une râpe de cordonnier (p. 43).

5. Aux embrasures, marquez la coupe en maintenant la plinthe contre l'extrémité profilée adjacente. Prévoyez $\frac{1}{16}$ po pour l'ajustage.

6. Courbez légèrement la plinthe entre la porte et le mur adjacent, puis relâchez. Une plinthe légèrement plus longue donne un ajustage parfait. Clouez. Faites la même chose avec le quart-de-rond. Fixez les plinthes avec des clous.

Enlever les plinthes

Pour installer un appareil électrique ou repérer des montants, vous devrez peut-être enlever une plinthe en faisant attention de ne pas l'abîmer afin de pouvoir la reposer.

La plinthe est souvent associée à d'autres éléments d'ornement, tels que quart-de-rond et tasseau. Chacun s'enlève aisément avec un levier-barre, mais sur une plinthe très longue, les joints de ces éléments ne seront pas tous au même endroit.

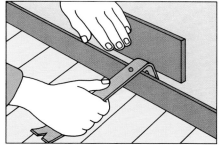

1. Insérez l'extrémité du levier-barre entre le mur et la plinthe, puis écartez doucement en vous appuyant sur un montant et un bloc.

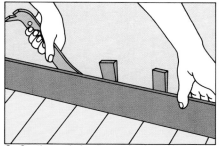

2. Continuez à écarter en insérant des cales, jusqu'à ce que la plinthe se détache facilement du mur.

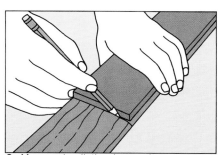

3. Mesurez la plinthe de remplacement en vous servant de la vieille ; faites un joint en sifflet (p. 111) et clouez.

Intérieurs / Escaliers

L'escalier est la dernière structure à installer dans une maison. Aussi est-il conçu ou ajusté en fonction de l'espace disponible. Essentiellement, l'escalier se compose de deux *limons* supportant les *marches* (horizontales) et les contremarches (verticales). Il y a deux principaux types d'escaliers : l'escalier à *limons découpés,* où le chant supérieur des limons est taillé en dents de scie sur lesquelles s'appuient les marches et les contremarches ; et l'escalier à *limons droits,* dont les chants rectilignes sont munis d'entailles dans lesquelles sont insérées les marches.

Les marches peuvent être engagées dans un limon droit côté mur et reposer sur les chants d'un limon découpé de l'autre. Dans le cas d'escaliers très larges, les marches sont parfois supportées par une ou plusieurs poutres fixées sous l'escalier, les *faux limons.*

Quand le limon est dégagé sur un côté, il est facile d'effectuer des réparations. Mais si l'escalier monte entre deux murs, les réparations doivent se faire par en dessous. Vous allez devoir briser — et remplacer — le revêtement ou suffisamment de marches pour accéder à la structure. Si l'escalier a déjà fait l'objet de réparations, vérifiez attentivement comment chacune des marches a été installée, pour pouvoir les remplacer de la même façon. Heureusement, il est rarement nécessaire de réparer un escalier au complet. Le plus souvent, il s'agit d'en éliminer les craquements.

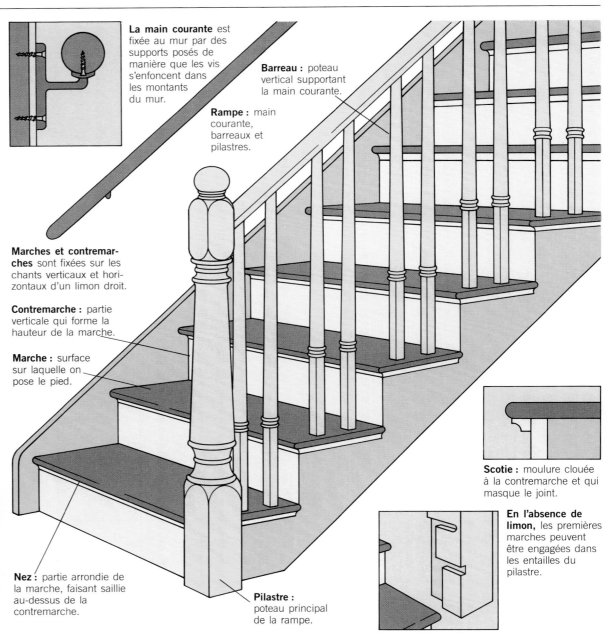

La main courante est fixée au mur par des supports posés de manière que les vis s'enfoncent dans les montants du mur.

Barreau : poteau vertical supportant la main courante.

Rampe : main courante, barreaux et pilastres.

Marches et contremarches sont fixées sur les chants verticaux et horizontaux d'un limon droit.

Contremarche : partie verticale qui forme la hauteur de la marche.

Marche : surface sur laquelle on pose le pied.

Scotie : moulure clouée à la contremarche et qui masque le joint.

En l'absence de limon, les premières marches peuvent être engagées dans les entailles du pilastre.

Nez : partie arrondie de la marche, faisant saillie au-dessus de la contremarche.

Pilastre : poteau principal de la rampe.

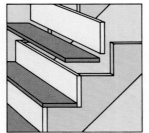

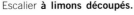

Escalier **à limons découpés.**

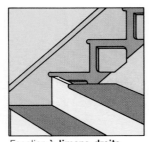

Escalier **à limons droits.**

Élimination des craquements

La plupart des grincements proviennent du frottement de pièces lâches. Les éléments faciles à réparer sont les marches, les contremarches, les limons et les moulures. Vérifiez les clous et la colle, ainsi que les cales enfoncées entre les marches et les contremarches, puis resserrez ou remplacez au besoin. Vous pouvez vous procurer chez le marchand de bois des cales préfabriquées, ou vous pouvez en façonner vous-même à partir de bois de rebut (p. 105) ou de retailles de bardeaux.

Les lubrifiants secs (graphite en poudre) suppriment ou étouffent temporairement certains craquements. Quand vous serez parvenu à identifier l'origine du craquement, suivez l'une des méthodes décrites ci-dessous. Si le dessous de l'escalier est accessible, vous pourrez effectuer une réparation invisible.

Consolidation d'un barreau

Le tassement de la maison entraîne parfois l'affaissement ou le gauchissement d'un escalier et, par conséquent, le relâchement des barreaux. Renforcez-les par des cales de bois. Faites ce travail le soir ; la colle séchera pendant la nuit.

Localisez le craquement. S'il provient du devant de la marche, clouez-la à la contremarche. Noyez les clous.

Enfoncez des clous à angles opposés

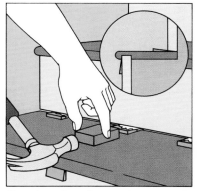

Supprimez les grincements provenant de l'arrière de la marche en insérant de minces cales de bois encollées.

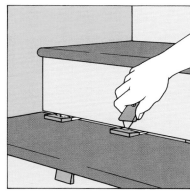

Découpez au ras des contremarches les cales qui dépassent. Recouvrez d'un quart-de-rond ou d'une moulure de ½ po.

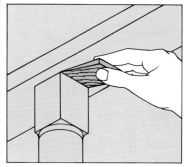

1. Taillez une languette de bois (le fil dans le sens de la longueur) légèrement plus épaisse que le plus grand interstice entre le barreau et la main courante. Faites-en des cales que vous poncerez au papier abrasif.

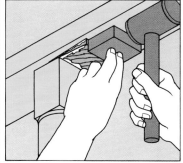

2. Encollez la cale et enfoncez-la au dessus du barreau, par petits coups, avec un maillet et un bloc de bois. Une fois la colle séchée, découpez au ras du barreau.

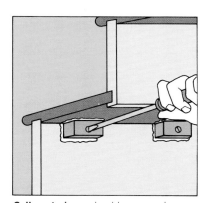

Collez et vissez des blocs sous la marche pour éliminer les grincements entre la marche et la contremarche.

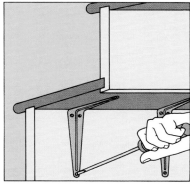

Posez des équerres métalliques sous les marches pour corriger les craquements généralisés.

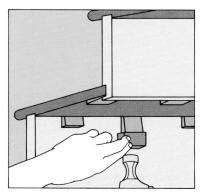

Enfoncez les cales déjà posées pour resserrer marches et contremarches. Au besoin, installez-en d'autres.

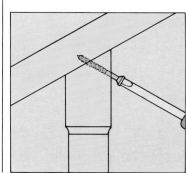

Une autre solution consiste à percer un trou (p. 53) de biais dans le barreau et la main courante. Posez une vis pour bien fixer les deux éléments.

La rampe est composée de *barreaux* soutenant une main courante. Chaque barreau est solidement fixé à une marche, son pied épousant la forme d'un goujon ou d'une queue d'aronde. De minces languettes de bois (*filets*) sont clouées entre les barreaux pour les consolider.

Le *pilastre* est le premier poteau de la rampe ; plus gros que les barreaux, il fait partie de la structure de l'escalier tout en étant décoratif.

Malgré la diversité de ses pièces, la rampe a une structure simple et stable. Tout au plus, les réparations se résument à renforcer ou à changer les barreaux. On renforce les barreaux à l'aide de cales de bois ; on remplace les barreaux cassés. Les barreaux se trouvent dans les centres de rénovation et chez les marchands de bois.

Renforcement d'un pilastre

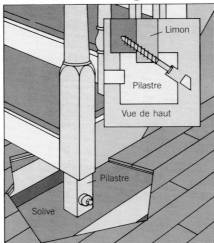

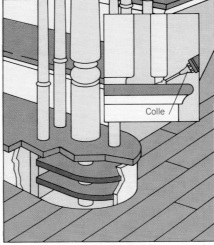

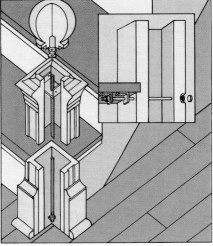

Certains pilastres sont boulonnés à une solive. Resserrez les boulons ou, mieux, percez un trou en travers de la base du pilastre et du limon, posez des tire-fond et boulonnez.

Pour renforcer un pilastre fixé à une marche arrondie, soulevez le pilastre et les barreaux, injectez de la colle autour de leur base et replacez-les. Consolidez par des clous de biais.

Une tige filetée traverse parfois le centre ou la base du pilastre et la première marche. Pour renforcer un pilastre de ce type, il faut resserrer la tige.

Remplacement des barreaux

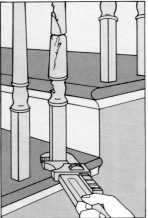

1. Pour enlever un barreau à goujon, sciez-le. Avec une clé à tuyau, donnez un coup sec pour décoller le joint.

2. Taillez le nouveau barreau. Encollez le trou. Insérez d'abord le haut du barreau sous la main courante.

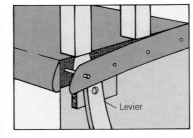

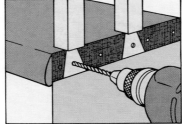

1. Pour enlever un barreau à queue-d'aronde, ôtez la moulure extérieure sans l'endommager. Sciez le barreau au ras de la marche. Nettoyez l'évasement au ciseau.

2. Taillez le nouveau barreau. Mettez-le en place à l'aide d'un marteau et d'un bloc de bois. Percez un avant-trou jusqu'à la marche ; clouez. Reposez la moulure.

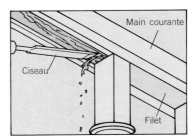

1. Dans les escaliers fermés, les barreaux sont tenus en place par des filets. Pour remplacer un barreau, enlevez au ciseau le filet qui le retient. Enlevez le barreau ; grattez la colle.

2. Taillez le nouveau barreau. Vérifiez l'ajustage. Appuyez le barreau contre le filet intact ; clouez de biais. Faites un nouveau filet, encollez-le et clouez-le de l'autre côté du barreau.

Réparation des marches

Pour remplacer une marche usée ou endommagée, il suffira peut-être de la retourner ; sinon, enlevez-la avec soin pour pouvoir l'utiliser comme modèle. Vous trouverez des marches à nez prétaillées chez les marchands de bois.

Le tassement de la maison pourra occasionner la séparation des marches et du limon. Dans ce cas, et si l'écart est inférieur à ½ po (1 cm), enfoncez des cales, découpez-les au ras du limon et recouvrez d'une moulure. Si l'écart est supérieur à ½ po (1 cm), consultez d'abord un spécialiste et, surtout, n'enfoncez pas de cales : cela pourrait fendre le limon. Vous devrez peut-être poser de nouvelles marches, plus larges. Mais auparavant, assurez-vous qu'il ne s'agit pas d'un problème de charpente.

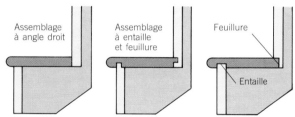

Divers types d'assemblages permettent de réunir les marches.

Remplacement d'une marche

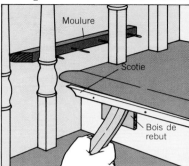

1. À l'aide d'un levier, ôtez délicatement la moulure et la scotie. Intercalez un mince morceau de bois de rebut sous le levier pour ne pas abîmer la contremarche.

2. Démontez les barreaux (page ci-contre). Ôtez la marche avec un levier. Si un joint la réunit à la contremarche, sciez-le.

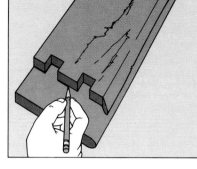

3. Tracez le profil de la vieille marche (y compris les encoches des barreaux) ; découpez. Si l'envers de la marche est en bon état, posez la marche à l'envers au lieu de la remplacer.

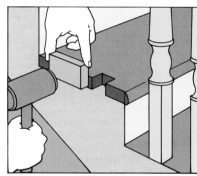

4. Mettez la marche en place à l'aide d'un maillet et d'un bloc de bois. Vérifiez l'ajustage. Au besoin, râpez les barreaux. Fixez les barreaux, la moulure extérieure et la scotie.

Remplacement d'une contremarche

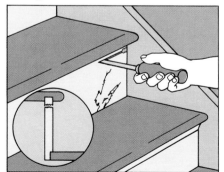

1. Enlevez les moulures et les barreaux. Si la marche et la contremarche sont assemblées, percez des trous sous la marche supérieure, puis sciez. Enlevez la marche.

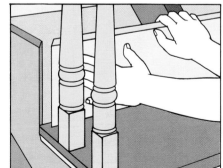

2. Taillez la nouvelle contremarche. Posez-la contre les limons. Vérifiez l'ajustage entre le côté chanfreiné et le limon découpé. Râpez ou rabotez la contremarche au besoin.

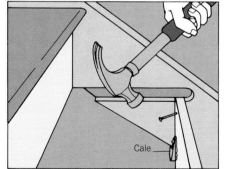

3. Du côté du limon droit, collez d'abord une cale, puis la contremarche. (Achetez des cales toutes prêtes.) Enfoncez les clous de biais dans la contremarche et le limon.

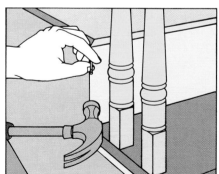

4. Collez et clouez l'assemblage à onglet du coin extérieur. Essuyez les bavures et noyez les têtes de clous au chasse-clou. Replacez la marche, les barreaux et les moulures.

Intérieurs / Réparation d'un escalier à limons droits

L'escalier à limons droits se compose de supports de bois (*limons*) munis d'entailles dans lesquelles s'engagent les marches. L'escalier est renforcé par des cales insérées dans les entailles sous les marches et les contremarches. Pour le réparer, vous devez enlever une ou deux marches et effectuer les réparations à partir de là ou, si l'escalier est accessible par-dessous, enlever le revêtement.

La sous-face d'un escalier pourra être revêtue de lattes et de plâtre, de panneaux muraux ou de planches. N'enlevez que le strict minimum : de 1 à 2 po (2,5 à 5 cm) de plus que la marche endommagée. Dans des panneaux muraux ou des planches, percez un trou aux quatre coins et découpez le morceau. À l'aide d'un ciseau à froid, enlevez le plâtre ; remplacez-le par du placoplâtre. Pour remplacer des marches, procurez-vous des marches et des contremarches (cales incluses) chez le marchand de bois.

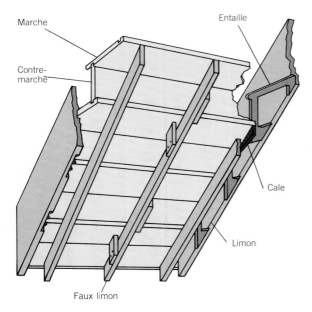

Marche

Entaille

Contremarche

Cale

Limon

Faux limon

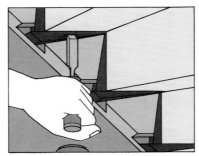

1. S'il y a déjà des cales dans les entailles du limon, il faut les enlever avec un ciseau à bois et un maillet, sans rien endommager.

4. Taillez la marche sur le modèle de la vieille ou mesurez d'une entaille à l'autre. Du dessous, glissez le giron à sa place. Du dessus, passez à l'étape 8.

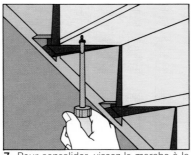

7. Pour consolider, vissez la marche à la contremarche : percez des avant-trous tous les 6 ou 8 po et posez des vis à travers la contremarche.

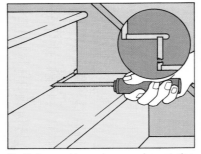

2. Si l'assemblage des marches et des contremarches est à rainure, percez un trou par-devant, insérez une lame et sciez. Sinon, enlevez les clous ou les vis.

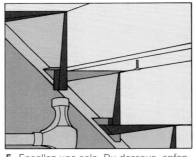

5. Encollez une cale. Du dessous, enfoncez-la derrière la contremarche avec un marteau. Au besoin, posez une cale plus épaisse ou ajoutez-en une autre.

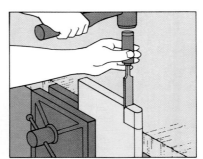

8. Si vous travaillez du dessus, taillez dans le nez de la marche une encoche de l'épaisseur de la contremarche. Gardez la retaille.

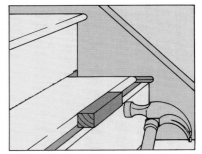

3. À l'aide d'un marteau et d'un bloc de bois, martelez la marche par le nez pour la faire passer sous la contremarche. Dégagez-la par-derrière.

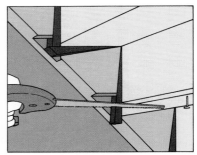

6. Brisez ou sciez la partie de la cale qui dépasse de la contremarche. Reprenez les étapes 5 et 6 pour enfoncer une cale sous la marche.

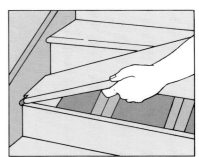

9. Insérez la partie encochée dans le limon, puis mettez la marche en place. Glissez-la sous la contremarche, recollez la retaille et clouez.

Parquets de bois

Sous forme de bois massif ou de stratifié, en lattes, en planches ou en carreaux, le bois convient bien aux planchers. Les parquets sont généralement faits de bois dur (érable, cerisier ou chêne). Les lattes, d'une largeur maximale de 3¼ po (8,3 cm), et les carreaux se vendent avec languette et rainure préfabriquées ; les planches de bois massif, parfois de bois tendre, mesurent jusqu'à 9 po (23 cm) et se vendent finies ou non.

Le bois stratifié consiste en une épaisseur de bois dur de ⅛ po (3 mm) sur du pin massif ou en plusieurs épaisseurs de bois dur collées ensemble (comme du contre-plaqué). Les stratifiés sont offerts en divers modèles et couleurs, en lames ou en carreaux. On les fixe avec un adhésif à toutes sortes de sous-planchers (y compris du béton, d'abord nettoyé et bien asséché).

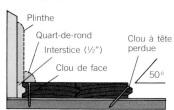

Installation d'une sous-finition

Avant de poser un plancher, assurez-vous que la surface de soutien est stable, résistante, propre et plane. La base d'un plancher comporte souvent deux éléments : un sous-plancher en planches ou en contre-plaqué posé parallèlement, perpendiculairement ou diagonalement sur les solives et, dessus, une *sous-finition* en contre-plaqué ou en panneau dur. Si le plancher n'a pas de défauts et que son épaisseur est d'au moins ¾ po (20 mm), clouez les lattes qui bougent ou qui craquent et nettoyez-les avant de poser le plancher.

Ajoutez au sous-plancher une sous-finition s'il n'est pas assez épais pour recevoir le revêtement final. Une bonne sous-finition élimine les craquements et évite l'usure irrégulière des planchers de vinyle. La plupart des planchers de bois ou de vinyle doivent reposer sur une assise de contre-plaqué d'une épaisseur de ⅛ à ¼ po (3 à 6 mm). Dans le cas de carreaux, on recommande que l'épaisseur du sous-plancher et de la sous-finition réunis soit à tout le moins de 1⅛ po (3 cm). Le béton est la meilleure assise pour une finition de céramique (p. 312-313), le contre-plaqué ou le panneau n'étant ni assez durs ni assez résistants à l'humidité.

Si le nouveau plancher est plus élevé, ajoutez un seuil ou une moulure pour finir les chants.

Types de revêtements

Matériau	Formes	Avantages	Inconvénients	Voir p.
Bois	Massif, stratifié	Entretien facile, résistant	Perméable	300-307
Vinyle	Rouleau, carreau	Peu coûteux, facile à poser	Sujet au bris, à l'usure, aux déchirures	308-311
Céramique	Lustré ou mat	Entretien facile, très durable	Cassante, décoloration du mortier	312-315

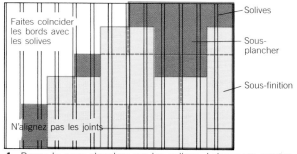

1. Posez le sous-plancher sur les solives. Laissez un espace de ¹⁄₃₂ po autour de chaque panneau de 4 x 8 et de ½ po près du mur. Scellez et clouez. Posez la sous-finition perpendiculairement au sous-plancher.

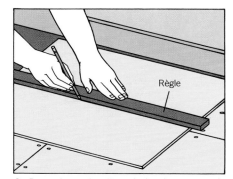

2. Pour ajuster la pièce de bordure, posez-la sur le sol et poussez-la à ½ po du mur. Alignez la règle sur le panneau du dessous et tracez la ligne de coupe.

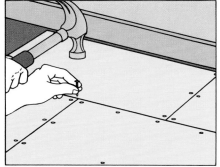

3. Découpez la partie excédentaire et vérifiez l'ajustage. Enduisez le sous-plancher d'adhésif et fixez-le avec des clous 8d. Noyez les têtes de clous.

4. Tracez le contour approximatif des portes et des autres éléments sur le contre-plaqué (le plancher sera découpé pour un ajustage parfait). Découpez à la scie sauteuse.

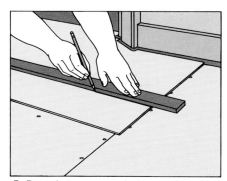

5. Posez le panneau, puis dégagez-le de ½ po du mur pour l'expansion. Marquez les portions chevauchantes, puis coupez-les. Appliquez de l'adhésif et clouez.

Entre le moment de l'achat et celui de la pose, il est essentiel de bien entreposer le bois massif, car il s'abîme facilement. Laissez-le dans un endroit bien aéré, à l'abri de la moisissure. Par temps sec, laissez-le dans la pièce où il sera

posé, le temps (au moins quatre jours) que les dernières traces d'humidité s'évaporent. Ne posez pas le parquet par temps humide. L'humidité de l'air fait gonfler le bois. Les planches posées dans ces conditions rétrécissent une fois

l'eau évaporée, laissant des fentes qu'on pourra difficilement masquer. (*N.B.* : Certaines planches gauchiront malgré tous vos soins.)

Posez les planches dans le sens de la longueur de la pièce. Prévoyez un jeu de dilatation égal à

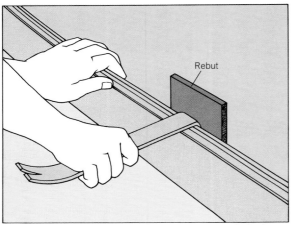

1. Enlevez le quart-de-rond et la plinthe avec un levier-barre, en appuyant sur une pièce de bois pour éviter d'endommager le mur. Le travail fini, reposez ces éléments.

2. Commencez la pose des planches aux endroits irréguliers. Près d'un foyer, marquez au cordeau de craie pour prolonger les lignes droites et assurer l'alignement.

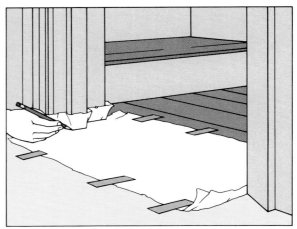

3. Dans une embrasure, taillez les planches presque aux longueurs voulues. Tracez le contour du cadre sur du papier, reportez-le sur les planches et sciez.

7. À chaque rangée, enfoncez les clous à 45° dans les languettes jusque dans le sous-plancher (p. 299) : tous les 12 po pour les lames, tous les 8 po pour les planches.

8. Redressez une planche gauchie : clouez une planche de rebut au sous-plancher ; forcez un morceau de bois entre elle et la planche gauchie.

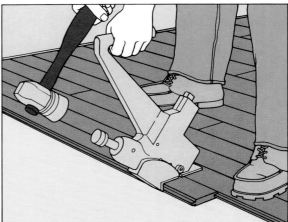

9. Avec une cloueuse : chaque coup de marteau resserre les planches et enfonce les clous aux angles appropriés. Rechargez la machine en suivant les directives du fabricant.

l'épaisseur du bois tout autour de la pièce ; les moulures le recouvriront. Exercez-vous à disposer les planches de façon à en décaler les extrémités les unes par rapport aux autres et à bien répartir les planches courtes.

Recouvrez le sous-plancher (p. 299) d'un feutre asphalté de 15 lb (6,8 kg) et faites chevaucher les joints de 3 po (8 cm). Commencez la pose des planches aux endroits difficiles, autour des portes par exemple.

Louez une cloueuse pour accélérer la pose. Si vous vous servez d'un marteau, utilisez des clous 7d pour éviter de faire éclater le bois. Enfoncez les têtes au ras de la languette pour que la planche glisse facilement.

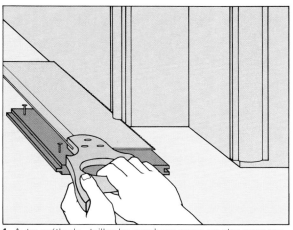

4. Autre méthode : taillez les moulures assez courtes pour pouvoir glisser les planches dessous. La lame couchée sur du bois de rebut, sciez la moulure.

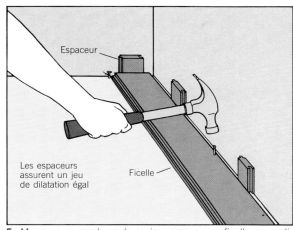

5. Marquez au cordeau de craie ou avec une ficelle pour aligner la première rangée. Placez la planche la plus droite rainure contre le mur. Clouez près du mur, à partir du centre.

6. Avec un marteau, resserrez les planches les unes contre les autres. Protégez la languette extérieure en vous servant d'une retaille.

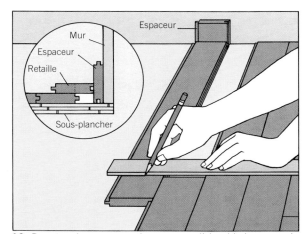

10. Pour terminer une rangée, mesurez d'abord la longueur de la planche, puis taillez. Si l'espace est trop étroit, coupez la planche sur la longueur (conservez le côté rainure).

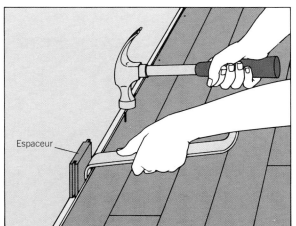

11. La dernière rangée ne pouvant être clouée sur la languette, resserrez-la avec un levier-barre et clouez-la sur la face près du mur. Noyez les têtes. Remettez plinthes et moulures.

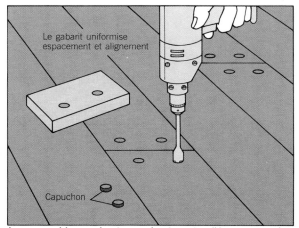

Les assemblages chant sur chant sont collés au sous-plancher. Pour obtenir une apparence ancienne, percez des trous et posez des capuchons taillés à même des goujons.

301

Intérieurs / Parquets en panneaux lamellés

Plinthes et moulures 292-293
Parquets de bois 299
Parquets de bois massif 300-301

Le panneau lamellé, formé de minces couches de bois collées ensemble, est fabriqué avec languette et rainure et sert à recouvrir tout type de sous-plancher. La pose en est simple : enduisez le sous-plancher de l'adhésif recommandé par le fabricant et posez-y les panneaux. Sur un parquet de bois massif, il est préférable de poser les panneaux lamellés à un angle de 45° ou de 90° par rapport aux joints de l'ancien parquet.

Commencez par les endroits difficiles. Taillez d'abord les planches irrégulières, devant l'âtre ou une porte (p. 300), puis les longues à diverses longueurs pour qu'en soient décalées les extrémités.

1. Ajustez les endroits irréguliers (p. 300) ; faites une ligne pour vous guider. Étalez l'adhésif en appuyant le côté denté d'une truelle contre le plancher ; suivez la ligne.

2. Disposez les planches avec leurs extrémités en quinconce. Glissez-les doucement en place. Emboîtez languettes et rainures. Laissez un jeu de ½ po autour de la pièce.

3. Passez un rouleau de 100 lb, pressez fermement sur une roulette ou marchez sur la surface. Mettez sous poids les parties qui n'adhèrent pas.

Pose d'un parquet flottant

Ce type de parquet repose sur une sous-finition de mousse de haute densité d'une épaisseur de ⅛ po (3 mm). Les languettes et les rainures sont encollées, éliminant l'utilisation de clous. La mousse (vendue avec les planches) absorbe les petits défauts de la sous-finition et constitue un bon isolant. Sur une assise de béton, étendez d'abord un coupe-vapeur de polyéthylène de 6 mil sous la mousse.

Ajustez les planches (voir p. 300-301). Le plancher jouera sous l'effet de l'humidité et des changements de température. Laissez un espace de ½ po (1 cm) tout autour de la pièce ; les moulures le masqueront. Décalez les pièces les unes par rapport aux autres.

1. Les matériaux doivent être à la température de la pièce. Taillez la sous-finition le long des murs et autour des portes. Scellez les joints avec du ruban séparateur (p. 90).

2. Réservez un espace entre le mur et les planches en disposant des espaceurs (bois de rebut) tous les 18 po. Posez le premier panneau, languette côté mur.

3. Posez, si possible, des planches couvrant toute la longueur de la pièce. Collez-les les unes aux autres avec de la colle jaune. N'encollez que le dessous de la rainure.

4. Frappez les planches pour bien emboîter languettes et rainures. Interposez un morceau de rebut pour ne pas endommager la languette avec le marteau.

Parquet de bois sur béton

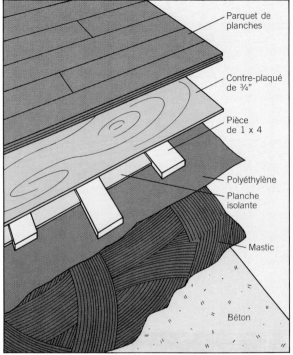

Illustration montrant l'ordre de superposition des matériaux.

Avant de poser le bois, assurez-vous que le béton est bien sec : étendez-y une feuille de polyéthylène de 18 x 18 po (45 x 45 cm) et collez-la avec du ruban. Attendez de 24 à 48 heures ; si la feuille est sèche, le béton est sec.

La sous-finition diffère selon le matériau employé. On pose les lames de bois sur des pièces de 1 x 4 toutes longueurs, et les planches sur une sous-finition de contre-plaqué de ³/₄ po (19 mm) ;

on pose les panneaux lamellés directement sur le béton ou sur la sous-finition.

Avant de poser le plancher, obturez les fissures avec un mastic autonivelant à base de ciment. Apprêtez la surface, puis enduisez-la du mastic (qu'il faudra aplanir, malgré ses propriétés autonivelantes). Les adhésifs à séchage rapide sèchent en 24 heures, les autres mettent jusqu'à deux semaines.

1. Étalez uniformément le mastic autonivelant. Lorsqu'il est entièrement sec, appliquez du mastic d'asphalte sur toute la surface avec une truelle dentée. Laissez sécher deux heures.

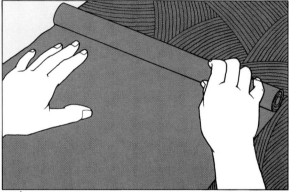

2. Étendez des pellicules coupe-vapeur de polyéthylène de 6 mil sur le mastic, en les faisant chevaucher sur 4 po, puis scellez avec du ruban. Crevez les bulles d'air.

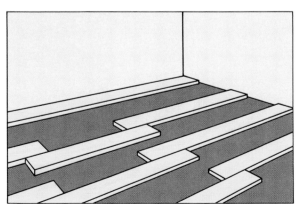

3. Taillez les 1 x 4 à une longueur maximale de 48 po pour éviter qu'ils ne gauchissent. Fixez-les avec des clous à 12 po les uns des autres.

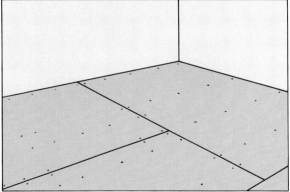

4. Pour obtenir une meilleure isolation, mettez des panneaux isolants (polystyrène extrudé) entre les 1 x 4. Clouez la sous-finition de contre-plaqué (p. 299).

5. Posez le parquet, en vous conformant aux directives du présent manuel (p. 299-302, 308-313, 315) ou selon les recommandations du fabricant.

Dans le cas de lames endommagées ou de défauts majeurs, il faudra se résoudre à remplacer une partie du parquet. Le bois de remplacement devra être du même type et s'harmoniser avec le fil et la teinte. Si les lames étaient entreposées dans un endroit humide (le sous-sol, par exemple), faites-les sécher une ou deux semaines avant de les poser, sans quoi elles rétréciront et laisseront des fentes. De toute façon, il est toujours bon de les laisser s'acclimater au moins 24 heures dans la pièce où elles sont destinées à être posées.

Réparez le plus vite possible une lame fissurée. Plus vous attendrez, plus le défaut sera difficile à camoufler, ce qui finira par rendre le remplacement inévitable. Obturez les trous de clous avec de la pâte de bois mélangée à un colorant universel d'une teinte assortie (p. 119) ; faites le mélange avant que la pâte de bois ne sèche, sans quoi la teinture ne prendra pas.

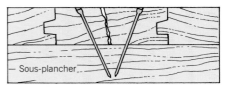

Pour réparer une petite fente, percez des avant-trous à angle, tous les 1 ou 2 po de chaque côté. Clouez, noyez les têtes et masquez avec de la pâte de bois.

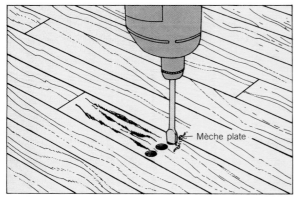

1. Percez de grands trous sur la largeur avec une mèche plate. Ne percez pas le sous-plancher. S'il n'y en a pas, percez au-dessus des solives pour avoir un point d'appui.

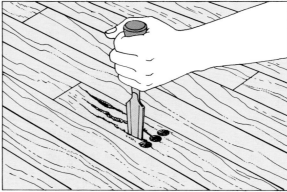

2. Fendez au ciseau la lame endommagée en son milieu ou sur le bord pour enlever la languette. Enlevez la partie endommagée avec un levier-barre. Équarrissez les bords.

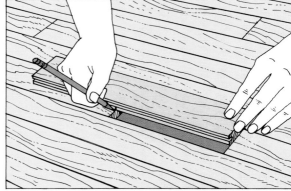

3. Mesurez bien la longueur de l'ouverture et découpez la lame de remplacement légèrement plus longue (1/32 po). Vérifiez l'ajustage. Au besoin, rabotez ou râpez.

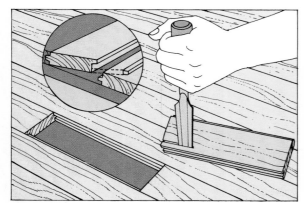

4. Retournez la lame. Au besoin, taillez au ciseau la lèvre inférieure de la rainure de la lame de remplacement. Glissez la lame en place (médaillon).

5. Appliquez de la colle jaune des deux côtés du joint. Insérez la lame de remplacement ; enfoncez-la à l'aide d'un maillet et d'un bloc de bois.

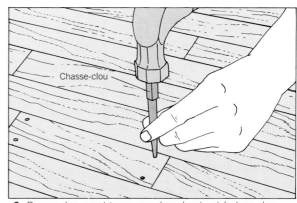

6. Percez des avant-trous aux deux bouts et le long des chants ; leur diamètre doit être plus petit que celui des clous. Noyez les têtes (p. 23). Teignez et refinissez.

Élimination des craquements et affaissements

Déterminez d'abord l'origine des craquements. En général, un plancher est formé de solives, d'un sous-plancher et d'un parquet. Les craquements sont dus au frottement de ces éléments.

La poudre de graphite ou du talc saupoudrés entre les lames d'un parquet en étoufferont temporairement les craquements. Mais pour les éliminer de façon permanente, il faut resserrer les éléments qui frottent les uns contre les autres. Si les solives du sous-sol sont apparentes, consolidez-les avec des entretoises d'acier ou de bois, des blocs de soutien ou des cales. Si les lames ont gauchi, vissez-les bien au sous-plancher.

Si le plancher n'est pas accessible du dessous, vous aurez à effectuer la réparation à la surface même du parquet. Aux endroits où les planches se soulèvent, enfoncez des clous ou des vis jusqu'à 1½ po (3,8 cm) dans les solives. Obturez les trous avec de la pâte de bois de couleur assortie.

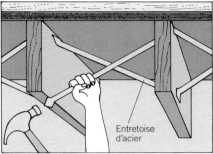

Posez des entretoises d'acier. Enfoncez une extrémité dans une solive, et l'autre dans la solive adjacente. Formez des croix.

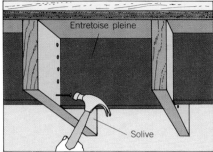

Faites des entretoises de bois de l'épaisseur des solives et décalez-les les unes par rapport aux autres pour pouvoir les clouer.

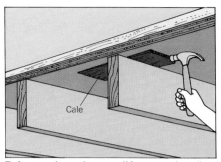

Enfoncez des cales encollées entre la solive et le sous-plancher, en prenant soin de ne pas soulever les lames du parquet.

Solive gauchie. Forcez un 2 x 6 sous le sous-plancher ; clouez à la solive. Au besoin, soulevez avec un vérin.

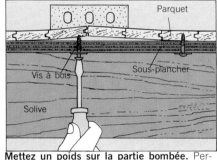

Mettez un poids sur la partie bombée. Percez des avant-trous. Fixez les lames avec des vis à bois dotées d'une rondelle.

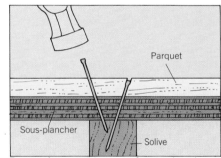

Percez des avant-trous, enfoncez des clous de finition galvanisés dans le sous-plancher et la solive, noyez les têtes et bouchez.

Redressement des planchers affaissés

L'affaissement du plancher est un problème grave qui provoque l'affaissement des autres étages et cause le coincement des portes et fenêtres, et l'apparition de fissures. Avant d'entreprendre les travaux décrits ici, et destinés à vous aider à corriger un faible affaissement, consultez un entrepreneur ou un ingénieur en inspection de bâtiment (p. 195).

Posez deux vérins ou de petits vérins à vis sur une grosse poutre. Les petits vérins à vis supportent chacun un poteau de 4 x 4 (89 x 89 mm) portant une poutre de 4 x 8 (89 x 184 mm). Tournez *lentement* le levier des vérins jusqu'à résistance. Arrêtez le levage pendant 24 heures, puis tournez d'un quart de tour. Recommencez jusqu'à ce que le plancher soit de niveau.

▶ **ATTENTION !** Ne jamais donner plus d'un quart de tour par 24 heures.

Consultez le bureau régional de la Régie du bâtiment pour savoir comment rendre la réparation permanente. Certains règlements permettent de laisser les vérins en place, mais à certaines conditions ; d'autres exigent la pose d'un vérin télescopique (en acier et rempli de béton) sur une assise de béton (p. 156) à chaque extrémité de la poutre de soutien.

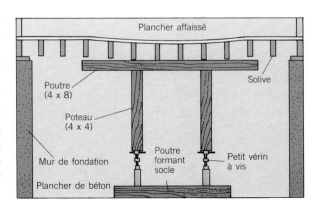

Un bon produit de finition protégera les planchers de bois contre la poussière, les éraflures et l'humidité. Il en existe deux catégories : les *finis de surface* (polyuréthane, vernis), qui forment une pellicule résistante, et les *finis pénétrants,* qui sont absorbés par le bois et en renforcent les fibres. Suivez les instructions et les recommandations du fabricant.

Tous les produits, sauf la laque, foncent le bois ; certains sont offerts en plusieurs couleurs. On peut aussi teindre un plancher, avant la finition. Faites toujours un essai complet sur une surface cachée ou du bois de rebut.

Poncez d'abord toute la surface (page suivante). Il existe toute une variété de ponceuses, mais les modèles ci-dessous sont les plus populaires. Avant d'en louer une, assurez-vous de bien en comprendre le mécanisme. Trois types de papier abrasif sont fournis avec les machines. Commencez par l'abrasif à gros grain et finissez par l'abrasif à grain fin.

Produit	Apparence	Durabilité	Application	Remarques
Polyuréthane à l'huile à l'eau suédois (2 parties, à base d'eau)	Du mat au lustré ; fini plastique. **À base d'huile** ou **à base d'eau :** fonce ou jaunit ; **suédois :** reste transparent.	Excellente. Convient bien aux cuisines et aux salles de bains. Résiste à l'eau, à l'alcool et aux éraflures. Les écaillures sont toutefois difficiles à réparer.	Facile. Suivez les instructions du fabricant. Sur un vieux fini, sablez avec du papier abrasif fin. **À l'huile**, sèche lentement. **À l'eau,** sèche vite, mais requiert plusieurs couches pour former la même épaisseur qu'à l'huile. Ne jamais passer à la laine d'acier ; les filaments laissés pourraient rouiller et moucheter la finition.	Fini le plus courant. Teindre (p. 119), blanchir (p. 118) ou décaper au brut (p. 307) avant de finir. Toujours utiliser les produits du même fabricant. **Suédois :** faites appel à un professionnel pour l'appliquer sur une surface non finie. Nettoyez avec une éponge humide ; ne cirez pas.
Vernis	Du mat au lustré.	Très bonne. Moins résistant que le polyuréthane. Le fini brillant est plus résistant que le mat.	Facile. Sèche assez rapidement. Utilisez un chiffon à dépoussiérer avant d'appliquer le fini. La pièce doit être dépoussiérée.	Fonce avec le temps. Les vernis de mauvaise qualité s'effritent. Les petits défauts se réparent au vaporisateur. Cirez (facultatif).
Fini pénétrant	Patine naturelle, non lustrée. Souligne le grain du bois ; peut foncer avec le temps. Se présente en plusieurs couleurs.	Bonne. A avantage à être ciré.	Extrêmement facile. Sèche lentement. Imbibez le bois et laissez pénétrer le temps prescrit par le fabricant. Essuyez avec un chiffon propre.	Facile à réparer : ajoutez une application ou retravaillez à la machine. Cirez tous les ans ; frottez les éraflures.

Ponceuse à tambour

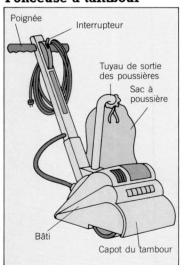

Ponceuse

Poignée
Interrupteur
Tuyau de sortie des poussières
Sac à poussière
Bâti
Capot du tambour

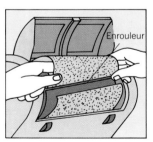

Enrouleur

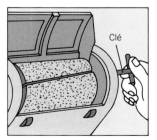

Clé

1. Avant de poser le papier, débranchez l'appareil et relevez le capot. Avec une clé, desserrez le tambour. Enroulez la feuille de papier autour du tambour ; insérez-en l'extrémité dans l'enrouleur.

2. Resserrez le tambour avec la clé. Branchez et mettez en marche. Assurez-vous que le ponçage est uniforme, sans quoi il faudra débrancher et remonter l'abrasif sur le tambour.

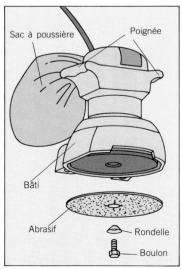

Ponceuse de chant

Sac à poussière
Poignée
Bâti
Abrasif
Rondelle
Boulon

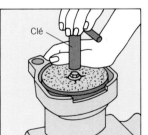

Clé

1. La ponceuse de chant sert dans les endroits moins accessibles (marches, le long des plinthes). Avant de poser ou de remplacer le papier abrasif, débranchez l'appareil et retournez-le. Desserrez le boulon.

2. Centrez le papier abrasif. Replacez et resserrez le boulon. Commencez par le papier à gros grain et finissez par celui à grain fin.

Refinition des parquets de bois

Poncez la parqueterie avec du papier toujours plus fin, dans le sens indiqué. Poncez les lames dans le sens du fil, par chevauchement.

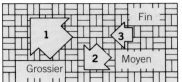

Pour refaire un plancher très abîmé, l'épaisseur des planches doit être d'au moins 1/4 po (6 mm). Préparation : enlevez meubles et quarts-de-rond. Scellez portes et fenêtres avec de la pellicule plastique. Examinez le plancher : noyez les clous, obturez les trous avec de la pâte de bois, réparez les fissures et reclouez les lames branlantes (p. 304). Portez des lunettes protectrices, un masque antipoussière, des protège-oreilles et des chaussures à semelles de caoutchouc.
▶ **ATTENTION !** Poussière, produits de finition et vapeurs sont inflammables. Ne fumez pas.

Ponçage

Soulevez la ponceuse, mettez-la en marche ; redéposez-la. Suivez le fil du bois. Si vous arrêtez, faites basculer la ponceuse. Poncez lentement, en un mouvement uniforme ; recouvrez une portion du passage précédent.

La ponceuse de chant sert à poncer les endroits difficiles d'accès (marches, plinthes, cadres de porte, intérieurs de placards). Maintenez le disque à plat pour ne pas strier le plancher. Commencez par le papier grossier, finissez par le fin.

Un bloc enveloppé de papier abrasif (p. 50) ou un grattoir (p. 356) nettoieront aussi les endroits difficiles d'accès. Poncez là où la ponceuse de chant n'a pu aller, dans le sens du fil.

Finition

Après le ponçage, passez le plancher et les murs à l'aspirateur. Essuyez moulures, appuis de fenêtre et cadres de porte. Attendez une nuit ; passez de nouveau l'aspirateur (avec la brosse). Essuyez le plancher au chiffon à dépoussiérer (p. 118).

Appliquez le polyuréthane, au pinceau ou au rouleau, à contre-fil puis dans le sens du fil. Appliquez le scelleur avec un chiffon ; laissez sécher 15 minutes ; essuyez. Travaillez de petites surfaces à la fois.

Sablez, entre les couches, avec du grillage de moustiquaire ou un papier à grain fin fixé à une meule à polir. Passez l'aspirateur. Appliquez deux couches de cire en pâte, s'il y a lieu, après avoir laissé sécher 24 heures.

Brut de décapage

Le brut de décapage change la couleur et accentue le grain du bois. Assurez-vous que le plancher est propre, sec et libre de tout fini. Préparation : diluez de 30 à 40 p. 100 la peinture. Faites un essai. Appliquez, en partant du mur le plus éloigné de la porte.

Laissez agir la solution de 20 à 60 minutes. Plus vous attendrez, plus la finition sera opaque. (La peinture au latex sèche plus rapidement ; travaillez par petites sections.) Essuyez la surface dans le sens du fil. Faites toute la surface.

Une fois la peinture séchée (jusqu'à une semaine pour les peintures à l'huile), poncez au papier fin ; laissez la peinture incrustée. Scellez avec trois couches de vernis, de laque ou de polyuréthane à base d'eau.

Contrairement au linoléum (fait d'huile de lin), le vinyle en rouleau est laminé et se vend en largeurs de 6 pi (1,8 m) ou de 12 pi (3,6 m). Faites d'abord un plan de la pièce, en incluant les dimensions et les emplacements des portes et des placards. Le marchand vous aidera à déterminer les dimensions exactes du revêtement pour éviter les joints ou faire coïncider les motifs.

Il y a trois façons de poser du vinyle : sans adhésif, avec adhésif sur toute la surface ou avec adhésif sur le pourtour. La première est la plus facile : on pose et on taille à l'aide d'un couteau universel. La deuxième suppose des outils particuliers. La troisième exige de faire appel à un professionnel.

Le vinyle se pose sur une surface propre, plane et saine. Si le plancher est inégal ou endommagé, posez une sous-finition. Laissez le revêtement dans la pièce où il sera installé pendant au moins 24 heures. Videz la pièce ; ôtez les moulures. Déroulez le vinyle en laissant un excédent de 3 po (8 cm) de tous les côtés pour l'ajustage final. Sur les joints, superposez les bandes et faites coïncider le motif. Mettez des poids pour maintenir en place. Taillez.

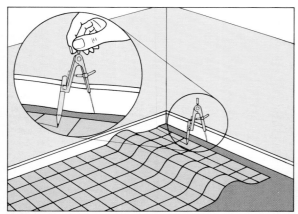

Le long d'un mur inégal, alignez le motif le mieux possible ; tirez le vinyle à 1 po du mur. Reportez la ligne du mur au compas sur le vinyle.

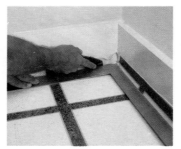

Commencez l'ajustage par le mur le plus long et le plus droit. Entaillez peu à peu le coin intérieur jusqu'à ce que la bande soit à plat. Appuyez sur le matériau avec une règle et taillez l'excédent avec un couteau. Prévoyez un jeu de 1/8 po sur les bords.

Aux coins extérieurs, l'alignement change à mesure que le revêtement s'étale. Pour une plus grande précision, taillez juste un peu à la fois et le plus droit possible. **ATTENTION !** Le revêtement peut se déchirer sous son propre poids.

Ajustez le revêtement au cadre de porte et taillez de façon à recouvrir le seuil ; incisez verticalement en suivant bien les contours, puis horizontalement pour couper l'excédent.

Avant d'ajuster le vinyle autour d'un élément fixe, tracez-en les contours au compas sur un morceau de papier. Fixez ce papier au vinyle et taillez ; entaillez le bord du vinyle jusqu'au tracé ; posez. Ajustez au besoin.

Posez des lattes de métal pour protéger le vinyle à l'endroit des seuils. Vissez-les ou clouez-les au plancher, mais pas au travers du vinyle. S'il n'y a pas de seuil, taillez au centre de l'espace qu'occupe la porte lorsqu'elle est fermée.

Pour former un joint invisible, faites chevaucher d'au moins 1/2 po, en prenant soin de faire coïncider les motifs. Mettez des poids ; ajustez. En prenant appui sur une règle posée au centre de l'arête, taillez les deux pièces et fixez-les par-dessous.

Surface entièrement encollée.
1. Ajustez le vinyle. Repliez-en une moitié sur l'autre. À l'aide d'une truelle dentée, étalez l'adhésif en travaillant des coins vers le centre. Rabattez délicatement le vinyle sur la surface enduite ; ajustez-le.

2. Passez un rouleau de 100 lb pour éliminer les bulles d'air. À défaut de rouleau, appliquez une forte pression avec un rouleau portatif. Travaillez du centre vers les coins.

Choix des carreaux

Les carreaux se présentent dans une infinie variété de couleurs, de motifs, de formes et de matériaux (voir ci-dessous). En choisissant des carreaux, rappelez-vous que plus ils sont marbrés et texturés, mieux ils dissimulent la saleté, les joints et les éraflures. Si vous les choisissez blancs ou noirs, ils seront difficiles à entretenir. Évitez les finis lisses : ils sont glissants.

Pour évaluer le nombre de carreaux qu'il vous faut, tracez le plan de la pièce sur du papier quadrillé ou millimétré ; indiquez-y toutes les mesures. Si la pièce est vaste ou de forme irrégulière, divisez-la (en deux rectangles, ou un carré et un triangle, par exemple) pour faciliter les calculs de superficie. Avant d'acheter vos carreaux, demandez au détaillant de vérifier vos calculs. Achetez-en un peu plus que prévu, en cas d'erreur. Gardez l'excédent pour les réparations.

Les carreaux de bois ou de vinyle se vendent en dimensions de 9 et 12 po (23 et 30 cm) ; les carreaux de céramique sont de dimensions plus variées. Avec des carreaux de 12 po (30 cm), la surface totale (en pieds carrés) équivaut au nombre total de carreaux nécessaire pour couvrir tout le parquet. Pour des carreaux de 9 po (23 cm), reportez-vous au tableau de droite. Vous trouverez chez les détaillants des tableaux de ce type, qui vous aideront à faire vos calculs pour toutes autres formes ou dimensions.

Si vous faites alterner des carreaux ou des rangs de deux couleurs, achetez une égale quantité de chacune. Pour élaborer des motifs, servez-vous de papier quadrillé ou millimétré, chaque carré représentant un carreau. Coloriez-les et comptez le nombre de carreaux pour chaque couleur.

Longueur de la pièce en pieds

Largeur de la pièce en pieds	6	7	8	9	10	11	12	13	14	15
6	71	83	95	107	118	130	142	152	165	176
7	83	97	110	125	138	152	165	179	193	206
8	95	110	126	142	158	173	189	205	220	236
9	107	125	142	160	178	195	213	230	248	266
10	118	138	158	178	196	216	236	256	275	294
11	130	152	173	195	216	238	259	281	303	324
12	142	165	189	213	236	259	283	306	330	353

Il y a deux façons de calculer le nombre nécessaire de carreaux de 9 po. Calculez la surface (largeur x longueur) de la pièce en pieds carrés ; multipliez-la par 144, puis divisez par 81. Ou encore, multipliez-la par 1,78. Le tableau présente quelques résultats, avec une marge de 10 p. 100.

Type	Apparence	Durabilité	Entretien	Adhésif	Remarques
Bois ou parqueterie	Lamellé ou massif ; motifs, essences et épaisseurs variés	Durable. Scellez au polyuréthane à proximité d'une source d'eau	Nettoyez régulièrement pour éviter que la poussière s'incruste	Mastic à bois	Chaud pour les pieds ; certains lamellés se posent sur le béton
Vinyle	Motifs, couleurs, textures variés ; imitation de pierre, de bois et d'autres matériaux	Résistant à l'eau, à la graisse et aux produits chimiques d'entretien ménager	Lavez et cirez régulièrement ; il existe des produits destinés aux carreaux sans cirage	Adhésif à carreaux tout usage ou carreaux autocollants	Souple ; extrêmement facile à poser
Liège	Naturelle ; offert en plusieurs couleurs et motifs	Se désagrège. Parfois enduit d'une couche protectrice de vinyle	Traitez au polyuréthane ; passez une éponge humide	Adhésif à carreaux tout usage	Souple, isolant, insonorisant, chaud pour les pieds
Céramique, lustrée	Motifs, couleurs, dimensions, formes variés ; comprend la mosaïque. Formes toujours régulières	Extrêmement durable, hydrofuge	Très facile. Lavez au détergent doux	Adhésif ou mortier à céramique	Dure et froide ; cassante ; glissante lorsqu'elle est mouillée
Céramique, non lustrée	Formes et dimensions variées. Attention ! les carreaux d'un même lot peuvent ne pas avoir les mêmes dimensions	Extrêmement durable, hydrofuge	Lavez au détergent doux ; traitez périodiquement avec un produit commercial pour surface poreuse ; ne cirez pas	Adhésif ou mortier à céramique	Dure et froide ; cassante ; ses formes rendent l'ajustage difficile ; rarement posée à l'intérieur
Brique et pavé	Tons couleur de terre ; les pavés d'argile ont l'apparence de la brique, mais sont moins épais	Extrêmement durable	Traitez avec un produit pour surface poreuse	Mortier	Durs et froids ; cassants ; conviennent bien aux entrées extérieures
Ardoise et dallage	Textures diverses ; formes parfois irrégulières	S'égratignent facilement. Enduisez-les d'un produit protecteur	Lavez à grande eau ; traitez au besoin	Mortier	Durs et froids ; cassants ; parfois coûteux ; leurs formes rendent l'ajustage délicat ; conviennent aux entrées extérieures

Intérieurs / Pose d'un carrelage

La méthode ci-dessous s'applique à la pose de carreaux de vinyle ou de bois. La céramique exige une technique différente. Dans tous les cas, suivez les instructions du fabricant.

Laissez les carreaux s'acclimater au moins 24 heures à la pièce où ils seront posés. Pour les carreaux de bois, suivez les consignes relatives à l'humidité. Videz la pièce ; enlevez les plinthes et les quarts-de-rond (p. 293). Taillez les moulures des portes (p. 301) à cause de la nouvelle épaisseur du plancher ; vérifiez l'ouverture des portes.

▶ **ATTENTION !** Portez un respirateur si vous enlevez un vieux revêtement, car il pourrait contenir de l'amiante. Faites-le vérifier et enlever au besoin (p. 348).

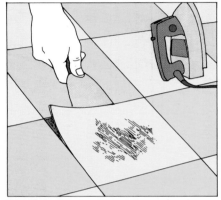

1. Les carreaux se posent sur une surface plane et propre. Posez la sous-finition sur le vieux carrelage. Sinon, chauffez-le au sèche-cheveux ou au fer réglé à intensité moyenne pour l'enlever.

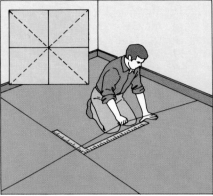

2. Marquez au cordeau à craie. Dans certains cas, les lignes se croisent au centre apparent. Pour une pose en diagonale, marquez à la craie d'un coin à l'autre. Les lignes doivent se croiser à angle droit.

3. Pour obtenir une bordure égale, déposez à sec les carreaux le long des lignes. Recentrez pour laisser la largeur d'un demi-carreau en bordure. Vérifiez à l'équerre ; marquez de nouveau.

4. Travaillez par sections. Étalez une couche d'adhésif. Posez les carreaux en suivant les lignes ; progressez de façon symétrique. Posez les carreaux délicatement, à la verticale.

5. Ne posez les carreaux de bordure qu'à la fin. Marquez-les à l'envers sur le dernier rang collé, en vous aidant d'un second carreau appuyé au mur. Taillez avec un couteau universel.

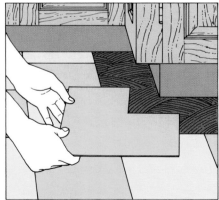

6. Reportez au compas (p. 49) les formes irrégulières. Taillez les moulures (p. 301) pour que les carreaux soient parfaitement ajustés. Pour l'ajustage autour des appareils fixes, voir en page 308.

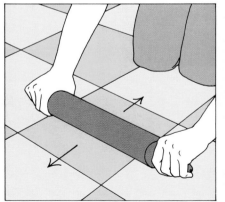

7. Avec un rouleau ou un rouleur de 100 lb, éliminez les bulles d'air. Passez dans les deux sens de la pièce. Ne marchez pas sur le plancher avant le temps prescrit par le fabricant.

Carreaux de bois. Insérez la languette dans la rainure. Déposez le carreau ; ne le faites pas glisser. Pour protéger la languette du dernier carreau posé, appuyez-y la rainure d'un carreau de rebut ; frappez.

Réparation de revêtements souples

Aplanissement d'un carreau

1. Recouvrez le carreau de papier aluminium. Ramollissez au fer réglé à intensité moyenne. Soulevez la partie décollée. Grattez l'adhésif sur le plancher et le carreau.

2. Enduisez d'adhésif l'envers du carreau. Essuyez tout excédent avec le diluant recommandé par le fabricant (généralement, des essences minérales).

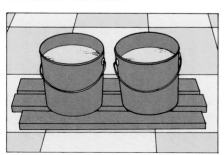

3. Rabattez le carreau ; essuyez les bavures. Mettez sous poids pendant la durée du séchage. Utilisez du bois de rebut pour répartir uniformément la pression.

Remplacement d'un carreau

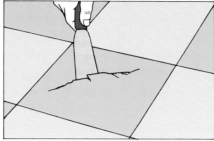

1. Recouvrez le carreau de papier aluminium, chauffez-le au fer et soulevez-le. Pour ne pas endommager les carreaux adjacents, entaillez-le en son centre ; retirez-le.

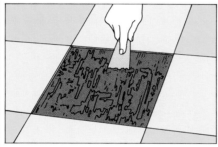

2. Grattez les traces d'adhésif qui subsistent sur le plancher. Vérifiez l'ajustage du nouveau carreau ; taillez au besoin, peu à la fois, et vérifiez de nouveau.

3. Recouvrez le nouveau carreau de papier aluminium et chauffez-le au fer ; enduisez d'adhésif et posez. Essuyez les bavures avec du solvant. Mettez sous poids.

Cloques et éraflures

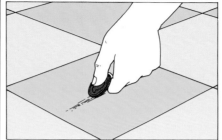

Réparez une petite éraflure en la frottant avec une pièce de monnaie ou un chiffon doux enduit de cire en pâte ; essuyez l'excédent.

Obturez un petit trou avec une pâte d'époxyde (suivez les recommandations du fabricant) et de la peinture acrylique après avoir entouré le trou de ruban.

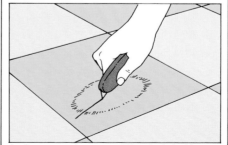

Incisez une cloque en débordant de ½ po. Couvrez de papier aluminium ; chauffez au fer. Infiltrez de l'adhésif ; aplatissez. Essuyez les bavures. Mettez sous poids.

Rapiéçage du vinyle

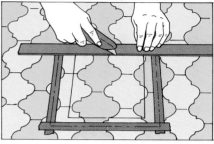

1. Taillez un morceau de vinyle pour qu'il excède la partie endommagée. Faites coïncider le motif ; fixez avec du ruban. Découpez à travers les deux épaisseurs.

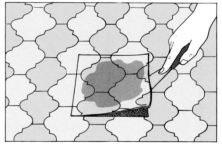

2. Enlevez. Servez-vous d'un couteau à mastic pour soulever le vieux revêtement : au besoin, couvrez de papier aluminium et ramollissez au fer. Enlevez tout adhésif.

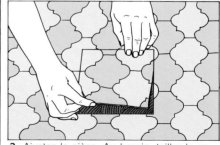

3. Ajustez la pièce. Au besoin, taillez-la ou poncez-la. Enduisez-la d'adhésif et appuyez. Essuyez les bavures. Mettez sous poids pendant le séchage.

Intérieurs / Carreaux de céramique

Choisissez les carreaux en fonction du matériau, de la couleur et de la forme. Les carreaux de céramique sont classés selon leur degré de porosité : les non-vitrifiés sont très poreux, les semi-vitrifiés le sont modérément, tandis que les vitrifiés le sont peu. Ces derniers conviennent bien aux endroits exposés aux éclaboussures. Il y a des carreaux destinés à couvrir les murs, les planchers, ou les deux ; demandez des précisions à votre détaillant. Par souci d'équilibre, ornez une grande pièce de grands carreaux, et une petite de carreaux plus discrets.

Posez les carreaux de préférence sur du mortier, du béton ou des panneaux à base de béton. Semblables aux panneaux muraux, ces derniers, recouverts d'un filet de fibre de verre, sont offerts en panneaux de 4 x 8 pi (1,2 x 2,4 m) et de 3 x 5 pi (0,9 x 1,5 m).

Mesures de sécurité. Assurez-vous que le sous-plancher est assez solide pour supporter le poids d'un parquet de carreaux. Ne posez jamais les carreaux directement sur du bois (y compris le contre-plaqué) : il se contracte et se gonfle, et les fait fendre. Posez d'abord une membrane hydrofuge qui protégera l'installation et absorbera les mouvements du bois.

Si vous devez poser des carreaux sur du vinyle, recouvrez-le d'une sous-finition recommandée par le fabricant. S'il est trop endommagé et doit être enlevé, demandez à un démolisseur de vérifier sa teneur en amiante et, au besoin, de l'enlever.

Préparatifs. La surface, quelle qu'elle soit, doit être plane, propre et libre de poussière, de graisse et de cire ; la moindre irrégularité pourra faire fendiller les carreaux ou le coulis.

Équerrage d'une pièce

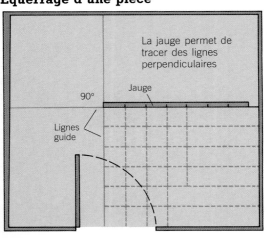

La jauge permet de tracer des lignes perpendiculaires

90°

Jauge

Lignes guide

1. Faites une jauge à partir d'un morceau de bois d'une longueur de 6 à 8 pi. Subdivisez-la en segments de la longueur d'un carreau, en tenant compte du coulis.

2. Marquez au cordeau de craie des lignes guide à angle droit, à partir d'un centre (entre deux murs ou centre d'une porte ou d'une fenêtre).

3. Avec la jauge, mesurez du centre jusqu'aux murs, en vous assurant que la bordure est de même dimension et égale au moins à la moitié d'un carreau.

4. Alignez la jauge sur une ligne guide, puis marquez la position des lignes perpendiculaires. Claquez le cordeau de craie entre les marques. Travaillez par sections de 3 x 3 pi.

Plans de pose

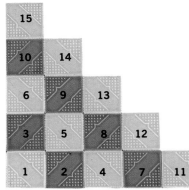

La pose simple est facile à réaliser. Commencez par un coin à angle droit et posez les carreaux en diagonale.

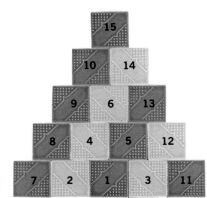

La pose alternée exige une plus grande précision que la précédente. Divisez la pièce par petits segments.

Carreaux de bordure

Les carreaux de bordure donnent un air fini à une pièce et en facilitent le nettoyage. Certains fabricants de carreaux n'ont pas une gamme complète de moulures assorties. Si vous n'en trouvez pas qui se marient aux carreaux posés, essayez une couleur complémentaire.

La cimaise épouse parfaitement un coin à angle droit.

Des moulures de formes diverses donnent une belle finition, arrondissent les coins ou font office de plinthe. Étant donné la profondeur de son arc, la moulure en quart-de-cercle (en bas, à gauche) peut même recouvrir un carreau.

La doucine est concave et peut faire office de plinthe. Ses multiples formes conviennent à la finition des coins et des extrémités. Les moulures du bas couvrent les coins extérieurs, celles du haut les coins intérieurs.

Installation d'une sous-finition 299
Choix des carreaux 309
Pose d'un carrelage 310

Le plancher doit être de niveau, et la couche d'adhésif uniforme. Comme sous-finition, optez les panneaux à base de béton.

Imperméabilisation. Les carreaux vitrifiés particulièrement recommandés dans les endroits exposés à l'eau, mais toute infiltration sous carreaux pourra causer de graves problèmes structuraux. Recouvrez donc d'abord le plancher d'un produit étanche — du polyéthylène chloré (CPE), par exemple — avant d'appliquer l'adhé- Pour obtenir une plus grande étanchéité, incorporez à l'adhésif et au coulis non pas de l'eau

mais du latex ou de l'acrylique ; assurez-vous que le produit ne décolorera pas les carreaux. Vérifiez périodiquement les carreaux et faites les réparations sans tarder (p. 315).

Adhésifs. Il existe deux types d'adhésifs : l'*adhésif en couche mince* et le *mastic organique*. Le premier, à base de poudre de ciment que l'on mélange à l'eau, au latex, à l'acrylique ou à l'époxyde, résiste à l'eau et à la chaleur. Moins souple et moins résistant à la chaleur ou à l'eau, le mastic organique se vend prémélangé à du solvant ou à du latex. Avant de choisir, lisez bien

les étiquettes ; conformez-vous ensuite aux instructions du fabricant.

Toutes les surfaces d'une pièce devraient être d'équerre, ce qui est rarement le cas. Il vous faudra sans doute biseauter le bord des carreaux aux endroits irréguliers (voir page précédente). Voyez les plans de la pose à la page 310. Tracez au cordeau de craie des lignes guide qui se croisent à angle droit, puis tracez les lignes transversales pour aligner les rangées. Si les carreaux sont de forme irrégulière, alignez leurs centres et non leurs côtés.

Outils de coupe

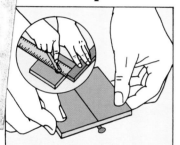 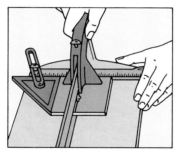 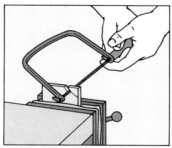 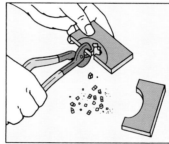 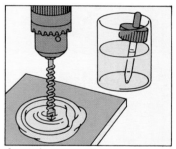

Le coupe-verre raye la surface du carreau. Alignez la rayure sur un clou et appuyez. Dissimulez les bords taillés.

Le coupe-carreau se loue là où l'on achète les carreaux. Alignez le carreau et abaissez le levier d'une pression uniforme.

La scie à chantourner sert à découper. Serrez un carreau dans un étau ; intercalez un morceau de bois.

Les pinces coupantes servent aussi à faire des courbes. Tracez le contour ; taillez par petits segments. Passez au papier abrasif n° 80.

Avant de percer un trou, pointez la surface. Faites un anneau de mastic ; emplissez d'eau. Utilisez une mèche au carbure.

Coulis et pâte à calfeutrer

Le coulis est une poudre de sable et de ciment que l'on mélange à l'eau ou à un additif qui en augmente la résistance. Offert en plusieurs couleurs, il se décolore parfois lorsqu'il est mal mélangé ou s'il n'a pas uniformément séché. Suivez les instructions du fabricant.

Laissez sécher l'adhésif le temps recommandé. Ne laissez pas le coulis sécher sur le carreau ; frottez ce dernier avec de l'étamine pour lui redonner son éclat.

Appliquez de la pâte à calfeutrer à la jonction de deux matériaux. Pour le coulis comme pour la pâte à calfeutrer, observez le temps de séchage recommandé par le fabricant.

 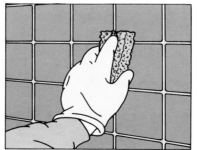 

1. Remplissez les joints avec une truelle à face caoutchoutée. Passez plusieurs fois, en diagonale. Enlevez l'excédent parallèlement aux joints.

2. Enlevez l'excédent de coulis avec une éponge humide. Sur les joints, enfoncez légèrement le doigt dans l'éponge. Rincez-la souvent.

Calfeutrage. Appliquez de la pâte à calfeutrer tout autour de la baignoire. Lissez avec une éponge humide ou avec un doigt légèrement savonné.

On peut poser des carreaux sur à peu près n'importe quelle surface, à condition qu'elle soit propre, plane, stable et suffisamment solide. Pour consolider ou imperméabiliser une surface, posez un panneau à base de béton d'une épaisseur de ½ po (1 cm).

On pose les carreaux des murs d'abord, des planchers ensuite. Faites un plan de pose sur papier (p. 310, 312). Taillez des carreaux de bordure pour les endroits qui ne sont pas de niveau.

Qu'il s'agisse de feuilles de carreaux préencollés ou de carreaux simples, la méthode de pose proposée ci-dessous est la même : il suffit de considérer la feuille de carreaux comme un simple carreau. Complétez la pose sur 10 pi² (1 m²), puis nivelez la surface avec un maillet de caoutchouc ou du bois de rebut enroulé dans du papier journal ou un chiffon (voir page ci-contre).

1. Taillez les panneaux à base de béton avec une scie circulaire à lame de carbure. Mettez à l'extérieur le côté lisse si vous appliquez du mastic, le côté texturé si vous utilisez de l'adhésif en couche mince. Fixez avec des vis galvanisées.

2. Posez le ruban de fibre de verre recommandé par le fabricant sur tous les joints. Ne remplissez pas les joints : l'adhésif suffira. (Cependant, si vous utilisez du mastic, obturez les joints avec de l'adhésif en couche mince.)

3. Déterminez les lignes guide (p. 312) par segments de 3 x 3 pi. Vérifiez-en le niveau, l'aplomb et l'angle (90°). Une erreur faite sur la première rangée s'amplifiera sur les suivantes.

4. Étendez l'adhésif puis striez-le avec le côté denté d'une truelle. (Voir les instructions du fabricant quant à la taille des dents.) Étalez l'adhésif jusqu'aux lignes guide du premier carreau, sans aller au-delà.

5. Fixez solidement et précisément le premier carreau. (Il servira de guide pour la pose des suivants.) Avec un espaceur, posez les autres carreaux, en vous assurant que chaque rangée est de niveau. Conservez l'alignement des lignes de coulis.

6. Centrez le porte-savon entre deux carreaux. Taillez un carreau en prévoyant un coulis d'égale largeur de chaque côté. Pour ajuster un carreau autour d'un tuyau, percez un trou à l'aide d'une mèche (p. 313) ou découpez le carreau.

Touches décoratives

Choisissez soigneusement le motif des carreaux qui vont trancher sur l'ensemble et planifiez-en la disposition. Si vous n'arrivez pas à visualiser l'effet qu'ils produiront une fois posés, faites sur papier des copies du motif et apposez-les au mur. Disposez-les de façons diverses, jusqu'à ce que vous ayez trouvé l'arrangement qui vous plaît. Reportez-le ensuite sur papier quadrillé.

Les carreaux à motifs posés de façon aléatoire seront également répartis. Prévoyez où ils iront et ne les posez qu'à la fin.

Une bordure de couleur différente ajoute une touche décorative et se pose facilement en cours de route.

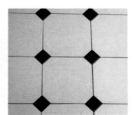

De petits losanges de couleur différente aux quatre coins permettent d'obtenir un effet de diagonale.

Posez les carreaux hexagonaux à l'horizontale sur les murs les plus longs. Une bordure rectangulaire les complète bien.

Les carreaux de bordure ont une belle apparence lorsque murs et parquets sur lesquels ils sont posés sont d'équerre.

Pose d'un carrelage (parquet)

Bien que le plan de pose et le mode d'installation soient essentiellement les mêmes pour la plupart des types de carreaux (p. 310, 312-313), des critères rigoureux régissent la pose d'un parquet de céramique.

L'assise doit être plane, de niveau et rigide. Toute inégalité finira par faire fendre les carreaux et le coulis.

Si la surface doit être exposée à l'eau, posez un coupe-vapeur — adhésif qu'on applique à la truelle ou polyéthylène chloré (CPE) — et une sous-finition à base de béton.

Enfin, si vous posez un carrelage sur les murs et les parquets, alignez bien tous les carreaux. La pièce aura belle apparence.

Remplacement d'un carreau

Portez gants et lunettes protectrices pour vous protéger des tessons. Avant de réparer le coulis, nettoyez le joint avec un ciseau ou une scie à coulis ; passez l'aspirateur pour enlever la poussière. Humectez le joint, puis mettez le nouveau coulis (p. 313).

Aux endroits exigus, posez deux rangées à sec en partant du mur ou de l'élément le plus long. Prévoyez l'espace du coulis. Marquez ; tracez à la règle les lignes parallèles.

Pour finir le quadrillage, alignez les carreaux le long d'une ligne, sans les coller. Marquez. Prolongez les lignes avec une équerre. Vérifiez que l'angle est droit.

Étalez l'adhésif en couche mince avec le côté lisse de la truelle, puis striez-le avec le côté denté. Travaillez par sections, à partir du mur et en direction de la porte.

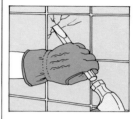

1. Enlevez le coulis avec un ciseau ou une scie à coulis. Retirez le carreau endommagé avec un ciseau à froid et un marteau. Grattez tout adhésif.

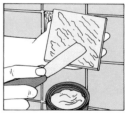

2. Passez l'aspirateur pour nettoyer les débris. Enduisez d'adhésif le mur et le dos du carreau en laissant autour ¼ po sans colle.

Alignez le premier carreau avec précision à l'intersection des lignes. Posez-le à plat, sans le faire glisser : cela ferait remonter l'adhésif le long des joints. Nettoyez les bavures.

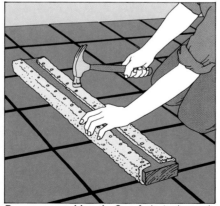

Recouvrez un bloc de 2 x 4 de tapis ou de papier journal entouré d'un chiffon. Frappez-le à petits coups pour niveler les carreaux. Laissez sécher l'adhésif ; mettez le coulis.

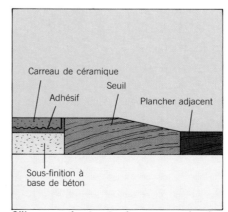

Carreau de céramique
Seuil
Adhésif
Plancher adjacent
Sous-finition à base de béton

S'il y a un écart entre le nouveau plancher et le plancher adjacent, remplacez le seuil par un seuil de marbre prétaillé ou de bois façonné au rabot.

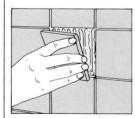

3. Posez le carreau ; appuyez légèrement pour qu'il soit au niveau des autres. Enlevez l'excédent d'adhésif ; fixez avec du ruban-cache.

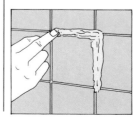

4. L'adhésif séché, humectez les joints ; mettez le coulis en le faisant pénétrer avec un doigt mouillé. Enlevez l'excédent avant qu'il ne sèche.

Intérieurs / Moquettes

Esthétiques, les moquettes apportent une bonne isolation thermique, insonorisent bien et augmentent le confort d'une pièce. Il faut donc tenir compte de l'apparence, de l'épaisseur et de la durabilité du tapis que l'on choisit.

Les tapis sont faits de fibres diverses. La *laine* est une fibre naturelle, d'une douceur et d'une souplesse que l'on ne retrouve pas dans les fibres synthétiques ; mais son approvisionnement étant limité, elle est coûteuse. Le *nylon* dure plus longtemps que les autres fibres synthétiques ; il est robuste et résiste aux taches. Les tapis de nylon les plus récents sur le marché ont les caractéristiques les plus intéressantes, mais ils coûtent cher. Le *polyester* a des couleurs vives et son poil est souple, sans l'être autant que la laine. L'*oléfine*, ou polypropylène, est une fibre robuste et très résistante à l'eau, mais offerte dans une gamme limitée de couleurs. On l'emploie à l'extérieur et dans les endroits très passants.

La plupart des moquettes sont fabriquées en grande quantité. Les moquettes tissées, telles l'Axminster et le Wilton, sont d'une fabrication plus élaborée. La façon dont un tapis a été fabriqué en détermine le poil et l'apparence.

Il existe divers types de poils (voir ci-dessous). Vérifiez-en la densité en pliant un coin de la moquette : moins vous voyez de canevas-dossier,

meilleure est la qualité du tapis. La densité des fibres détermine la durabilité du tapis. Comparez aussi la *torsion* des poils ; plus elle est serrée, plus le tapis gardera longtemps sa beauté. Vérifiez le sens du poil en passant la main dessus. S'il y a résistance, vous frottez dans le sens contraire des poils.

Thibaude. Toute moquette, sauf celle à dos coussiné (p. 319), devrait être posée sur une thibaude. Cela en diminue l'usure et l'empêche de glisser ; cela améliore aussi l'isolation thermique, contribue à insonoriser et ajoute au confort. Les thibaudes sont offertes en plusieurs largeurs ; n'en faites pas coïncider les joints avec ceux du tapis. Les thibaudes de *feutre* sont résistantes, mais elles finissent par s'étirer et sont sujettes à la moisissure. Les thibaudes *caoutchoutées* présentent les mêmes caractéristiques que les thibaudes de feutre, mais elles ont l'avantage additionnel de ne pas s'étirer. Celles qui sont fabriquées en *caoutchouc éponge* résistent bien à la moisissure. Dans les endroits passants, il est donc à conseiller de poser une thibaude éponge plate. Quant aux thibaudes en *mousse d'uréthane,* on peut les poser n'importe où et elles sont à l'épreuve de la moisissure. Lorsque vous les foulez, elles devraient conserver au moins la moitié de leur épaisseur.

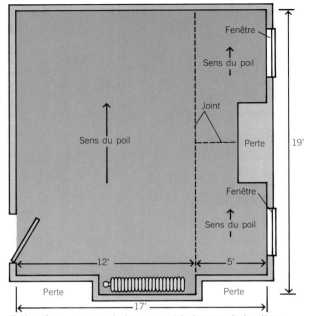

Estimation : mesurez la longueur et la largeur de la pièce (en incluant entrées de porte et alcôves), ajoutez 3 po à chaque mesure, multipliez, puis divisez par 9. Les tapis se vendent en largeurs de 12 et 15 pi. Évitez les joints ou placez-les aux endroits peu passants. Le sens du poil doit être le même partout ; faites coïncider les motifs. Prévoyez un surplus pour les petites sections de forme irrégulière.

Types de poils

Bouclé : le fil est cousu en boucles ; *coupé :* les boucles sont coupées ; *coupé bouclé :* certaines boucles ne sont pas coupées. Des fibres de longueurs variées donnent aussi divers motifs.

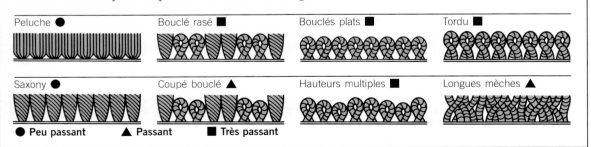

● **Peu passant**   ▲ **Passant**   ■ **Très passant**

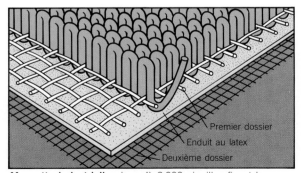

Moquette industrielle : jusqu'à 2 000 aiguilles fixent les fils à un premier dossier. Le tout est ensuite enduit d'un caoutchouc au latex et fixé à un deuxième dossier.

Pose d'une moquette standard

Préparez d'abord la surface. Enfoncez les têtes de clous ou enlevezles. Fixez les lames lâches ; rabotez les arêtes des lames gauchies. Obturez les fentes avec des lamelles ou de la pâte de bois. Si le parquet est irréparable, recouvrez-le de panneaux de contre-plaqué (p. 95-97) ou de fibres (p. 98). Pour ralentir l'usure de la moquette, nivelez les arêtes et les fissures d'un sol en pierre ou en béton avec du mastic.

Fixez la moquette au parquet avec des bandes (de bois) à griffes d'une longueur d'environ 4 pi (1 m), dont les griffes à angle de 60° font jusqu'à ¼ po (6 mm) de haut.

Louez l'équipement nécessaire chez un marchand de tapis : coup-de-genou et tendeur à levier pour la pose, et fer spécial pour les raccords. Vous aurez aussi besoin d'un coupe-tapis et d'un couteau universel pour tailler et découper.

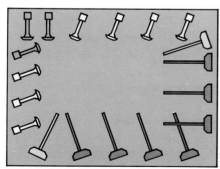

Pose de la moquette dans une grande pièce : placez la moquette dans un coin (bleu) avec le coup-de-genou et dans les coins adjacents (vert) avec le tendeur ; employez le coup-de-genou le long des murs adjacents au premier coin (jaune) ; le tendeur, le long des autres murs (rouge).

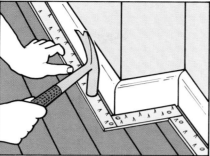

Clouez les bandes au parquet, bout à bout, à ¼ po de la plinthe, griffes face au mur. Enlevez d'abord le quart-de-rond.

Posez la thibaude et fixez-la au sol tous les 6 à 12 po avec un pistolet-agrafeur. Découpez l'excédent.

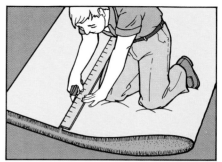

Taillez la moquette à poil coupé sur l'endos. Marquez les mesures au cordeau de craie ; taillez.

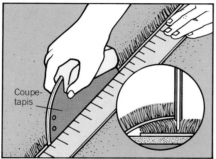

Taillez la moquette à poil bouclé à l'endroit, en faisant chevaucher de 1 po aux raccords. Appuyez le coupe-tapis sur une règle.

Assemblez avec du ruban à collage. Passez un fer chauffé à 250°F le long du ruban. Rabattez et mettez sous poids.

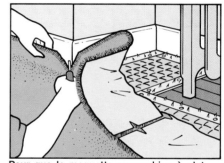

Pour que la moquette repose bien à plat, entaillez-la aux coins intérieurs et extérieurs et autour des éléments fixes.

Appuyez le coup-de-genou contre la moquette, poussez le genou contre le coussinet et ancrez la moquette aux griffes.

Découpez l'excédent en laissant un surplus de ¾ po. Avec un couteau à mastic, enfoncez le surplus.

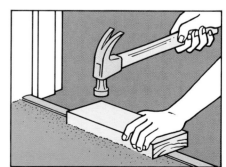

Fixez la bordure avec une barre de seuil métallique. Repliez la barre et martelez-la. Rabotez la porte au besoin (p. 437).

On peut recouvrir totalement les marches d'un escalier avec du tapis (ce qui nécessite l'intervention d'un professionnel), ou poser des lés, solution plus facile et économique à réaliser.

Les lés sont vendus à la verge ou au mètre, en largeurs de 27 ou 36 po (69 ou 92 cm). Pour évaluer le nombre de lés nécessaire, mesurez la profondeur d'une marche et la hauteur d'une contremarche ; additionnez-les et ajoutez 2 po (5 cm). Multipliez le total par le nombre de marches et ajoutez 18 po (45 cm). Divisez par 36 (92). Dans les escaliers tournants, mesurez séparément chaque marche à l'endroit le plus large.

Pour mesurer la thibaude nécessaire, ajoutez 2 po (5 cm) à la profondeur d'une marche et à la demi-hauteur d'une contremarche ; multipliez par le nombre de marches. La thibaude doit avoir 2 po (5 cm) de moins que le tapis. Taillez-la pour chacune des marches, suffisamment longue pour couvrir la marche et la moitié de la contremarche. Pour la dissimuler dans un escalier ouvert, fixez-en les coins inférieurs.

Choisissez un tapis et une thibaude robustes. Repliez l'excédent de 18 po (45 cm) au bas de l'escalier ; pour dissimuler l'usure, vous le déplierez et le déplacerez de quelques pouces.

Fixation. Retenez le tapis avec des broquettes tous les 3 po (8 cm). Vous pouvez également clouer deux bandes à griffes sur les bords de la thibaude ou poser du ruban de tapissier à l'intersection de la marche et de la contremarche, et sur le nez.

Avant de procéder à la pose, enlevez broquettes, clous et moulures. Au besoin, refaites la peinture ou la finition du bois visible. Marquez au crayon, sur chaque marche, l'emplacement du tapis et de la thibaude. Si les bordures de lés ne sont pas finies, rayez l'envers à 1¼ po (3 cm) des bords et repliez.

Escaliers droits

Appuyez une bande à griffes, pointes vers le bas, sur deux espaceurs et clouez-la à la contremarche. Clouez-en une à la marche, à ½ po, pointes vers la contremarche.

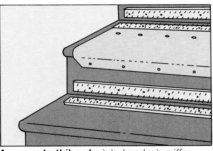

Appuyez la thibaude à la bande à griffes posée sur la marche. Clouez-la ou agrafez-la au fond et sous le nez de chaque marche, sauf à la marche inférieure, tous les 4 po.

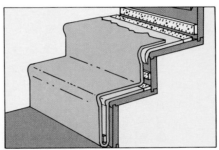

Posez le tapis à l'envers sur la marche inférieure ; clouez. Déroulez-le jusqu'au bas de la contremarche ; clouez une bande à griffes sur l'envers. Repliez le tapis sur la marche.

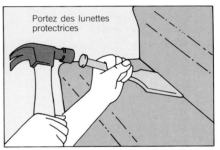

Portez des lunettes protectrices

Fixez le tapis aux bandes à griffes à l'aide d'un tendeur (p. 317). Assujettissez-le. Au palier supérieur, repliez l'excédent sous le nez ; clouez tous les 4 po.

Escaliers tournants

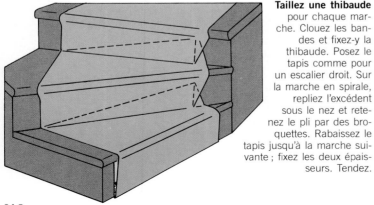

Taillez une thibaude pour chaque marche. Clouez les bandes et fixez-y la thibaude. Posez le tapis comme pour un escalier droit. Sur la marche en spirale, repliez l'excédent sous le nez et retenez le pli par des broquettes. Rabaissez le tapis jusqu'à la marche suivante ; fixez les deux épaisseurs. Tendez.

Rapiéçage du tapis

Découpez la partie endommagée en appuyant un couteau universel contre une règle. Taillez une pièce de remplacement, vous servant de la pièce abîmée comme modèle.

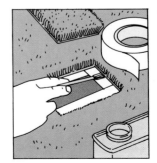

Glissez du ruban de tapissier à moitié sous le tapis ; enduisez les bords du tapis de colle de joints. Posez la pièce ; ajustez poils et motifs. Mettez sous charge le temps du séchage.

Moquette à dos coussiné

Remplacement de lames 304
Caves humides 338

La moquette à dos coussiné se pose plus facilement que les autres : avec elle, pas besoin de thibaude. Offerte en plusieurs styles et couleurs et fabriquée à partir d'une grande variété de fibres, elle peut être très touffue et résiste généralement bien aux taches.

On fixe la moquette avec de l'adhésif blanc au latex ou du ruban de tapissier. L'adhésif s'enlève difficilement, mais il fixe mieux la moquette et réduit l'usure. Le ruban de tapissier (ci-dessous) s'enlève plus facilement mais ne fixe pas aussi solidement la moquette.

Pour poser la moquette, il vous faudra une serpette, une règle, un marteau, un couteau à tapis et, pour étendre l'adhésif, une truelle dentée. Pour l'assemblage, procurez-vous l'adhésif recommandé par le fabricant ; étalez-en aux joints, le long du canevas. Pour connaître les dimensions que vous devez vous procurer, reportez-vous à la page 316.

Avant de procéder à la pose, enlevez les quarts-de-rond tout autour de la pièce ; passez l'aspirateur et lavez le plancher. Obturez les fentes et fixez les lames ou les carreaux branlants (p. 311). Si l'assise est en béton, assurez-vous qu'elle est bien sèche, sans quoi l'humidité pourrait faire décoller certains dos. La pose finie, remettez les moulures en place.

Ruban de tapissier.
Sans enlever le papier, collez un ruban de 2 po tout autour de la pièce. Taillez grossièrement la moquette ; enlevez le papier du ruban ; installez la moquette ; taillez-la. Aux joints, posez un large ruban à moitié sous chaque portion de tapis ; assemblez.

1. Taillez grossièrement la moquette à l'envers (au couteau de tapis), en laissant un excédent de 3 po. Marquez le joint à la craie sur le parquet s'il y a lieu ; taillez. Enduisez le parquet d'adhésif (étape 3) sur 3 pi de chaque côté de la ligne. Installez le tapis ; mettez de la colle à joints sur le bord.

2. Avant d'enduire le sol d'adhésif, repliez deux coins de la moquette et repliez encore ; la moitié de la surface sera dégagée. Fixez la première, puis la deuxième moitié.

3. Enduisez uniformément la partie dégagée d'un adhésif blanc au latex, à l'aide d'une truelle à dents de $\frac{3}{32}$ po. Laissez sécher l'adhésif juste assez pour qu'il soit collant (de 10 à 15 minutes) ; passez à l'étape suivante.

4. Dépliez lentement la moquette ; étendez-la uniformément avec les pieds, du centre vers les extrémités. Reprenez les étapes 2, 3 et 4 pour toute autre portion de moquette.

5. Pour éliminer les bulles d'air, passez sur la moquette un morceau de bois de 2 x 4 po tenu à un angle de 45° en appuyant. Faites la pièce d'une extrémité à l'autre. S'il y a des joints, faites une section à la fois, du joint vers le mur, puis faites l'autre section.

6. Pour finir au mur, marquez d'abord le pli au ras du mur avec le côté non tranchant d'une serpette. Taillez l'excédent avec un couteau à tapis. Aux portes, recouvrez les bords d'un seuil métallique (p. 317). Replacez les moulures.

Les stores servent d'isolant thermique et de pare-lumière tout en préservant l'intimité. Il en existe une grande variété de couleurs et de motifs. La toile, opaque ou translucide, est faite de vinyle ou de tissu. La largeur, de 37 à 120 po (1 à 3 m), est calculée d'une pointe à l'autre. La plupart des rouleaux sont en bois, les plus longs en acier.

Le rouleau, évidé à l'une de ses extrémités, loge un long ressort réglé par un rochet ; le store s'immobilise lorsqu'un cliquet bloque le cran du rochet. Abaissez le store, le cliquet libérera le rochet et le ressort se tendra. Relâchez le store, le ressort se détendra et la toile s'enroulera autour du rouleau.

Si la toile ne s'enroule pas complètement, augmentez la tension : abaissez le store de moitié. Retirez-le des supports ; enroulez-le à la main. Si, au contraire, la toile s'enroule violemment, diminuez la tension : déroulez le store en partie. Si le mécanisme d'arrêt ne fonctionne pas, huilez légèrement le cliquet.

Pour poser le store, insérez ses pointes plate et ronde dans les supports correspondants, fixés soit sur le cadre, soit dans l'encadrement de la fenêtre. L'emplacement des supports (ils doivent être de niveau) détermine le sens de l'enroulement (classique ou par-devant).

Si le store est trop large, enlevez la toile, le barillet métallique et la pointe. Sciez le rouleau à la largeur désirée ; taillez la toile, alignez-la sur le rouleau et fixez-la. Posez le barillet sur la partie coupée et enfoncez la pointe avec un marteau.

Composantes d'un store

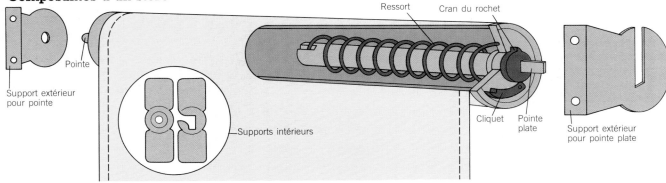

Enroulement classique

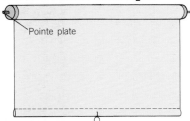

Support à pointe plate à gauche de la fenêtre : la toile se déroule par-derrière et frôle la fenêtre, ce qui diminue légèrement la perte de chaleur.

Enroulement par-devant

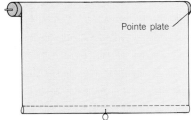

Support à pointe plate à droite de la fenêtre : la toile se déroule par-devant et cache le rouleau ; le store perd ses propriétés thermiques.

Comment mesurer les stores

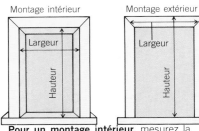

Pour un montage intérieur, mesurez la largeur et la hauteur entre les montants. **Pour un montage extérieur,** mesurez et ajoutez 3 po à chaque mesure.

Store décoratif

N'importe quel tissu à tissage serré, doublé d'une mousseline, peut devenir une toile de store. Servez-vous d'une ancienne toile comme modèle et ajoutez 1 po (2,5 cm) à la largeur des tissus et 2 po (5 cm) à leur longueur, pour l'ourlet.

Pour assembler, posez le tissu décoratif et la doublure dos à dos. Intercalez une bande thermocollante entre les deux et repassez au fer chaud.

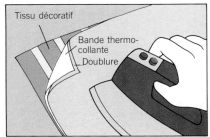

Passez un fer chaud sur les tissus par sections de 18 po, à l'endroit et à l'envers. Enlevez ½ po de chaque côté ; scellez à la colle blanche ou au point zigzag.

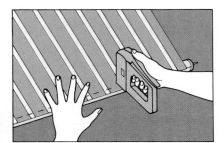

Faites un ourlet et insérez la latte de la vieille toile. Tracez une ligne repère le long du rouleau. Alignez le tissu sur la ligne, à l'endroit ; agrafez. Posez la tirette.

Stores vénitiens et à lamelles

Stores vénitiens de dimensions variées

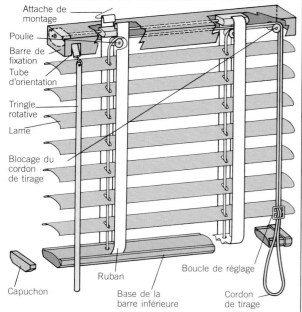

Stores à l'italienne et plissés

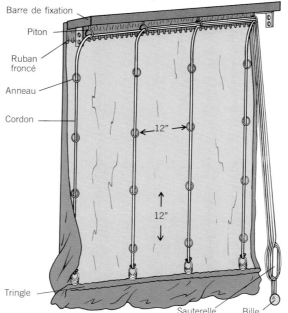

Stores à lamelles

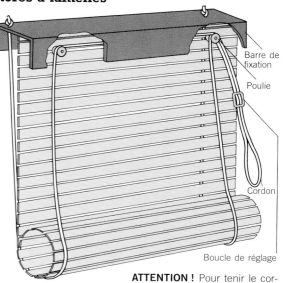

ATTENTION ! Pour tenir le cordon hors de la portée des enfants, fixez-le à une sauterelle ou à une attache, ou enroulez-le sur lui-même.

Les stores vénitiens présentent tous le même dispositif. Des rubans ou des ficelles fixés sur les côtés (parfois au centre) soutiennent les lames. Un cordon de tirage permet de régler les lames à la hauteur désirée. Un cordon d'orientation ou une tringle rotative fait pivoter le tube d'orientation qui règle l'angle des lames.

Pour remplacer un cordon usé, étendez le store sur une table, retirez les capuchons et faites glisser la base de la barre inférieure pour découvrir les nœuds du cordon. Dénouez ; attachez le nouveau cordon au bout du vieux avec du ruban et introduisez-le dans les poulies et le dispositif de blocage ; laissez une boucle pour l'ajustage. Pour remplacer un ruban, attachez l'extrémité supérieure du nouveau ruban au tube d'orientation ; remontez les lames ; enfilez le cordon de part et d'autre des échelons ; ajustez la boucle de réglage.

Confectionnez vous-même un store à l'italienne : suspendu à une barre de fixation, il s'abaisse et se replie grâce à l'action d'anneaux et de cordons dissimulés.

Alignez et assemblez les lés. (Pour les stores à l'italienne, ajoutez 3 po [8 cm] par feston à la largeur et 12 po [30 cm] à la longueur.) Ourlez ; cousez des anneaux sur la largeur et la longueur, tous les 12 po (30 cm). (Cousez un ruban froncé au haut du store à l'italienne.) Agrafez le tissu à la barre de fixation ; enfilez les cordons dans les anneaux et nouez-les à l'anneau du bas. (Pour faire bouffer le store, fixez au bas trois anneaux.) Glissez une tringle dans l'ourlet ; enfoncez des pitons (ou fixez un rouleau de store) à la barre de fixation et fixez-la au cadre de la fenêtre. Enfilez les cordons dans les pitons (ou enroulez-les au rouleau) ; réunissez-les dans une bille ; enroulez-les autour d'une sauterelle.

Les stores à lamelles, fabriqués en matériaux divers allant du bois au bambou, sont attachés à une barre de fixation et réglés par un mécanisme semblable à celui des stores vénitiens. Sur les modèles en bois ou à lamelles, le mécanisme est apparent ; sur les autres, il est recouvert d'un lambrequin plat.

Ces stores sont réglés par un cordon de tirage unique. S'il se rompt, déroulez le store complètement, ôtez l'ancien cordon et nouez un bout du cordon de remplacement à l'une des extrémités de la barre de fixation. Faites descendre le cordon derrière le store ; ramenez-le par-devant, passez-le sur la poulie de ce côté et de l'autre. Laissez suffisamment de cordon pour former la boucle de tirage. Repassez le cordon par-dessus la deuxième poulie, descendez-le devant et faites-le remonter par-derrière ; nouez-le à la barre de fixation ; enfilez la boucle de réglage.

Intérieurs / Tringles à coulisse

La tringle à coulisse est particulièrement utile lorsqu'il faut manœuvrer fréquemment les rideaux pour laisser pénétrer la lumière, aérer une pièce ou assurer l'intimité.

Les rideaux à action double s'ouvrent au centre et coulissent vers les côtés. Un cordon passe dans une *coulisse principale supérieure,* parcourt une tringle, contourne une poulie à une extrémité, repasse par la tringle dans une *coulisse principale inférieure,* contourne une autre poulie et revient à la coulisse supérieure. Le mécanisme à action simple, qui tire le rideau, vers la droite ou vers la gauche, ne comprend qu'une coulisse principale.

Les tringles étant télescopées, vous pouvez en ajuster la longueur. Suspendez-les à l'intérieur d'une fenêtre ou fixez-les au chambranle ou au mur, tout au-dessus de la fenêtre. Consolidez les tringles de plus de 48 po (122 cm) avec des ferrures supplémentaires.

Pour dissimuler une tringle classique, disposez les crochets assez bas sur le rideau pour que celui-ci remonte devant la tringle et accrochez-le aux deux bouts dans des trous prévus à cet effet. Il est évidemment inutile de chercher à cacher une tringle décorative.

Si le cordon se relâche, ou s'il faut le remplacer, enfilez-le comme il est illustré ci-dessous.

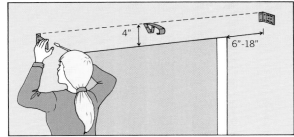

Fenêtre sans cadre : fixez la partie supérieure de la ferrure à 4 po au-dessus de la fenêtre et de 6 à 18 po de chaque côté. Sur un mur creux, servez-vous de boulons à ailettes (p. 85), de crampons de métal ou de boulons d'ancrage.

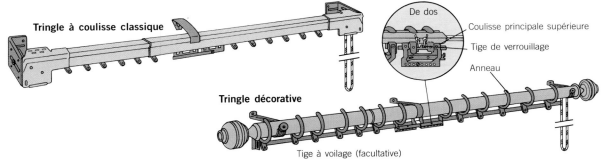

Tringle à coulisse classique

De dos
Coulisse principale supérieure
Tige de verrouillage
Anneau

Tringle décorative

Tige à voilage (facultative)

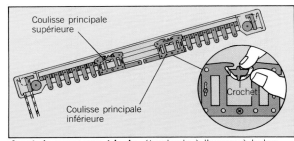

Coulisse principale supérieure
Coulisse principale inférieure
Crochet

Avant de poser une tringle, étendez-la à l'envers à la longueur voulue. Amenez la coulisse supérieure à l'extrême gauche, l'autre à l'extrême droite. Passez le cordon dans la coulisse inférieure ; fixez-le sous le crochet.

Fonctionnement d'une tringle à coulisse

Poulie   Coulisse principale supérieure   Rail   Coulisse principale inférieure   Coulisse   Fermeture

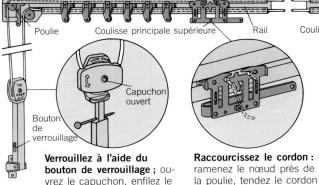

Capuchon ouvert
Bouton de verrouillage

Verrouillez à l'aide du bouton de verrouillage ; ouvrez le capuchon, enfilez le cordon et nouez-le (droite).

Raccourcissez le cordon : ramenez le nœud près de la poulie, tendez le cordon et renouez-le.

Coulisse
Fermeture abaissée

Ôtez les coulisses inutiles. Abaissez la fermeture du bout pour enlever les coulisses.

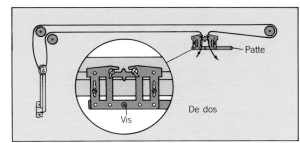

Patte
Vis
De dos

Transformation d'une tringle à action double en tringle à action simple de gauche à droite. Séparez les deux sections de la tringle ; enlevez la coulisse inférieure. Dévissez la patte de la coulisse supérieure et rabattez-la de l'autre côté ; revissez. Enlevez la coulisse supérieure, glissez les coulisses vers la gauche et remettez la coulisse supérieure. Refermez la tringle ; tendez le cordon à droite.

Stores verticaux

Comme les rideaux, les stores verticaux s'ouvrent au centre ou sur l'un des côtés. Ils sont faits de lamelles verticales qui pivotent sur 180° pour assurer l'intimité et mieux régler l'éclairage. Opaques ou translucides, les lamelles sont faites de tissu, d'aluminium ou de vinyle et font généralement 4 po (10 cm) de large.

On fixe les stores à l'intérieur du cadre d'une fenêtre, sur le mur ou au plafond. Leurs ferrures sont dissimulées par une boîte d'installation qui couvre un rail. Des chariots supportent des lamelles et glissent sur le rail lorsqu'on tire sur le cordon. Dans certains cas, il y a des poids au bas des lamelles.

Pour que des stores verticaux posés à l'intérieur d'une fenêtre ne fassent pas saillie lorsque vous les ouvrez, le cadre doit avoir au moins 4¹/₂ po (11,5 cm) de profondeur. Si vous n'avez pas d'objection à ce que les stores fassent saillie, un cadre de 3¹/₂ po (9 cm) de profondeur suffit à contenir la boîte et les ferrures. L'autre solution consiste à fixer les ferrures au mur ; dans ce cas, ajoutez au moins 1¹/₂ po (3,8 cm) à la longueur des lamelles (car la boîte devrait être fixée au-dessus du cadre de la fenêtre). Laissez au moins 1 po (2,5 cm) — mais pas plus de 2¹/₂ po (6,5 cm) — entre le mur et les lamelles.

Mécanisme des stores verticaux

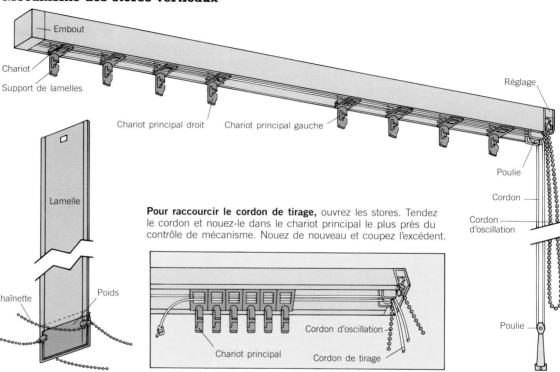

Pour raccourcir le cordon de tirage, ouvrez les stores. Tendez le cordon et nouez-le dans le chariot principal le plus près du contrôle de mécanisme. Nouez de nouveau et coupez l'excédent.

Pose de lamelles de tissu

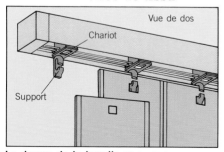

Le dessus de la lamelle vers vous, accrochez-la sur son support. Si elle est irrégulière ou endommagée, tordez-en le haut pour qu'elle s'insère correctement.

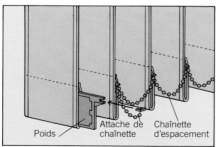

Insérez un poids dans l'ourlet de chaque lamelle ; attachez une chaîne d'espacement (un peu plus longue que la largeur d'une lamelle) à chacun. Coupez l'excédent de chaîne avec des ciseaux.

Pose de lamelles en vinyle ou en aluminium

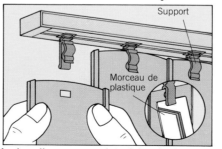

La lamelle vers vous, introduisez-la dans un support, empattement le plus court devant. (Pour la libérer, glissez un morceau de plastique derrière.)

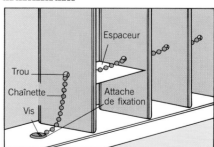

Enfilez une chaîne au bas des lamelles ; un espaceur vous guidera pour déterminer la distance entre elles. Coupez l'excédent de chaîne ; laissez 1 po pour la fixer avec une attache.

Intérieurs / Isolation des fenêtres

L'hiver, les pertes de chaleur par les fenêtres représentent de 15 à 35 p. 100 de la facture de chauffage ; l'été, c'est l'efficacité du climatiseur qui est affectée. Pour bien isoler une fenêtre, il faut la calfeutrer et l'entourer d'un coupe-bise.

Les stores et les rideaux dont la face donnant sur l'extérieur est blanche, pâle ou en métal, réfléchiront la lumière du soleil ; à l'inverse, les couleurs foncées absorbent les rayons. Pour mieux régler la chaleur et la circulation de l'air, fermez bien les côtés ou posez des volets (page suivante). Les contre-fenêtres (p. 432) ou du verre résistant à la chaleur (p. 426) permettront aussi de diminuer la déperdition de chaleur. Autre solution : les membranes de plastique (page suivante) que l'on pose à l'intérieur ou à l'extérieur.

Le tableau ci-dessous permettra d'évaluer la résistance thermique (valeur RSI) des divers matériaux ; plus elle est élevée, meilleure est la propriété isolante du matériau.

Valeur RSI des matériaux et surfaces

Matériau	Non scellé ou partiellement scellé	Scellé avec couche d'air de 1 à 4 po
Contre-fenêtre	RSI 0,16	RSI 0,32
Fenêtre (simple vitrage)	RSI 0,16-0,18	
Fenêtre (double vitrage)	RSI 0,32-0,35	
Membrane		RSI 0,05
Rideaux doublés	RSI 0,04	RSI 0,06
Rideaux non doublés	RSI 0,04	Difficile à sceller
Stores	RSI 0,02-0,04	Difficile à sceller
Stores (intérieur du cadre)	RSI 0,07	RSI 0,12
Stores en bois	RSI 0,05-0,09	Difficile à sceller
Stores à l'italienne	RSI 0,04	Difficile à sceller
Stores surpiqués		RSI 0,44-0,97
Volets en bois massif	RSI 0,35-1,23	RSI 0,53-1,59

Pour évaluer la valeur isolante des matériaux composant une fenêtre, additionnez leur valeur RSI respective. Une fenêtre simple recouverte à l'intérieur d'un store et de rideaux et, à l'extérieur, d'une contre-fenêtre aura une valeur RSI de 0,35 à 0,70. Si le store réfléchit la chaleur, ajoutez 0,14.

Effets de l'isolant

Hiver

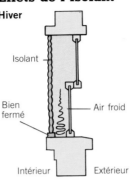

Isolant · Bien fermé · Air froid · Intérieur · Extérieur

Été (normal)

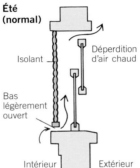

Isolant · Déperdition d'air chaud · Bas légèrement ouvert · Intérieur · Extérieur

Été (chaud et humide)

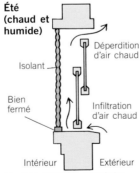

Isolant · Déperdition d'air chaud · Bien fermé · Infiltration d'air chaud · Intérieur · Extérieur

Un bas étanche empêche l'air froid de pénétrer l'hiver, le retient à l'intérieur l'été ; baissez le châssis du haut pour chasser l'air chaud.

Store surpiqué

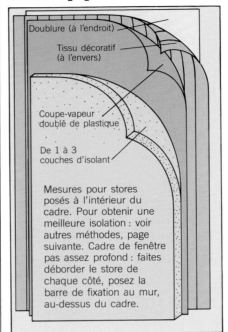

Doublure (à l'endroit) · Tissu décoratif (à l'envers) · Coupe-vapeur doublé de plastique · De 1 à 3 couches d'isolant

Mesures pour stores posés à l'intérieur du cadre. Pour obtenir une meilleure isolation : voir autres méthodes, page suivante. Cadre de fenêtre pas assez profond : faites déborder le store de chaque côté, posez la barre de fixation au mur, au-dessus du cadre.

Taillez aux dimensions de la fenêtre ; ajoutez 3 po à la largeur et 4 po à la longueur du tissu et 1 po à la largeur et 4 po à la longueur du coupe-vapeur et de la doublure. Assemblez ; cousez.

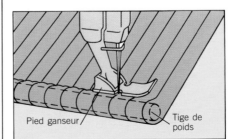

Pied ganseur · Tige de poids

Mettez le store à l'envers. Posez d'abord la bande aimantée (page suivante), ensuite la tige de poids au bas : piquez juste au-dessus avec le pied ganseur, repliez de ½ po et surpiquez à ½ po dessus et aux extrémités.

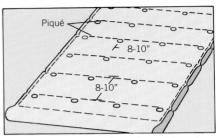

Piqué · 8-10" · 8-10"

Surpiquez le store horizontalement tous les 8 à 10 po. Cousez au moins trois rangées verticales pour les anneaux, tous les 8 à 10 po le long du piqué. Fixez les anneaux à travers toute l'épaisseur du store.

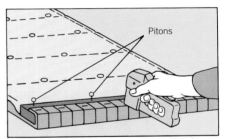

Pitons

Taillez une barre de fixation (1 x 2) à ¼ po de moins que le store. Repliez-y le store sur 4 po ; agrafez-le au dos. Alignez des pitons sur chaque rangée d'anneaux ; au bout, fixez une poulie.

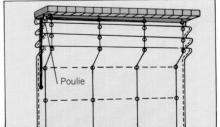

Poulie

Nouez un cordon à chaque anneau du bas ; enfilez-le dans les anneaux, les pitons et la poulie. (Fixez la bande aimantée au butoir.) Nouez les cordons et tirez-les pour remonter le store. Vissez la barre à l'intérieur du cadre.

Calfeutrage 411
Types de fenêtres 420
Coupe-bise aux fenêtres 452-453

Étanchéité des fenêtres

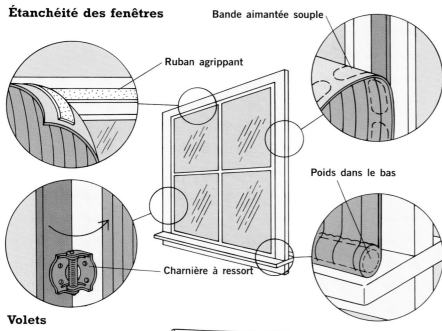

Bande aimantée souple

Ruban agrippant

Poids dans le bas

Charnière à ressort

Volets

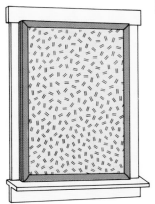

Volet à charnières à ressort : valeur RSI de 0,97. L'isolant de 1 po est recouvert des deux côtés d'un tissu et enserré dans un cadre fait de 1 x 2.

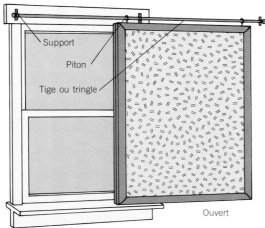

Support

Piton

Tige ou tringle

Ouvert

Volet coulissant : valeur RSI de 0,70. Cadre fait de 1 x 2 enserrant un panneau de fibre — peint, recouvert de papier peint ou autrement décoré — recouvrant un panneau de fibre de verre de 1 po. Des pitons permettent au cadre de coulisser sur une tige ou une tringle.

Membrane (intérieur)

Support

Nettoyez le cadre de la fenêtre avec de l'alcool dénaturé. Posez du ruban sur le cadre et sous l'appui de la fenêtre, bande protectrice vers vous.

Taillez la membrane de manière à déborder le cadre de 2 po. Enlevez la bande protectrice du ruban ; fixez-y bien la membrane. Commencez par le haut.

Sous l'effet de la chaleur d'un sèche-cheveux, réglé à haute puissance et tenu à ¼ po, la membrane se rétrécira et sera bien tendue. Découpez l'excédent au couteau universel.

Membrane (extérieur)

Taillez deux moulures à la fois

Nettoyez le cadre de la fenêtre avec de l'alcool dénaturé. Taillez la moulure aux dimensions requises. Avec des ciseaux, un couteau universel ou une scie à dossière, chanfreinez les coins à 45°, l'appui à 90°.

Taillez la membrane en calculant une marge de 4 po et fixez-la au-dessus de la fenêtre avec du ruban. Posez la moulure, en commençant par le haut, au centre.

Posez ensuite la moulure du bas et des côtés, du centre vers les extrémités. Taillez l'excédent de membrane. Laissez la membrane en place toute l'année (et réduisez vos coûts de climatisation).

325

Mesurage et traçage 46-57
Placoplâtre 274-277
Pose d'une porte 444-445

Intérieurs / Ajout d'un placard

Le bâti. Renforcez les coins par des montants jumelés. Des blocs espaceurs entre les montants permettront de fixer le placoplâtre. L'*ouverture brute* montre un cadre fait de montants jumelés prévus pour la pose d'une large *moulure* décorative. Des montants simples suffisent pour la pose de moulures ordinaires. Une fois le placoplâtre posé, fixez sur le bâti les pièces de bois qui supporteront les portes.

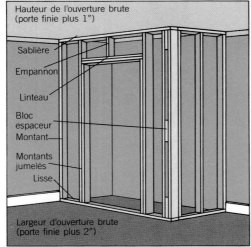

- Hauteur de l'ouverture brute (porte finie plus 1")
- Sablière
- Empannon
- Linteau
- Bloc espaceur
- Montant
- Montants jumelés
- Lisse
- Largeur d'ouverture brute (porte finie plus 2")

Prévoyez plusieurs jours pour l'exécution de ce projet. Le bâti n'est pas difficile à monter, mais la pose du placoplâtre et de la porte exigent un certain temps.

Planification. Un placard en coin ne requiert que deux murs ; son intérieur doit avoir une profondeur minimale de 24 po (60 cm) et, dans une chambre à coucher, une largeur de 48 po (122 cm). À l'extérieur, prévoyez 4½ po (11 cm) de plus sur la largeur en raison de l'épaisseur du bâti et des panneaux. Tracez d'abord un plan de la porte sur du papier quadrillé.

Repérez les montants dans le mur (p. 191) et les solives du plancher. Il est préférable de visser ou de clouer les extrémités du bâti aux montants, de même que la sablière et la lisse aux solives. Si cela est impossible, fixez le placard aux murs et au plafond avec de la colle à panneaux de construction. Enlevez tout papier peint (p. 376) ; enduisez de mastic les éléments du bâti qui touchent les murs et le plafond. Vérifiez l'équerrage, l'aplomb et le niveau ; calez au mur et au plafond.

Achetez la porte avant de commencer les travaux : les dimensions de l'ouverture varient selon le type choisi.

Outils et matériaux. Il vous faudra : un marteau, un tournevis, un levier, une scie circulaire, une scie à placoplâtre, un couteau universel, un ruban à mesurer métallique, un cordeau enduit de craie, un niveau, une équerre et un fil à plomb. Taillez les montants, la sablière et la lisse dans des pièces de 2 x 4 po

Pose du bâti

Équerre

1. Avec le ruban à mesurer, le cordeau de craie et l'équerre, mesurez le contour du placard et tracez-le sur le parquet. Reportez les coins au plafond avec un fil à plomb. Tracez le contour sur le plafond et les lignes repère sur les murs. Mesurez séparément la sablière et la lisse ; taillez-les. Enlevez la plinthe (p. 293) : elle servira à l'extérieur.

Sablière

Montant long

Montant court

2. Alignez la sablière et la lisse ; marquez d'un X l'emplacement des longs montants et d'un T les courts ; espacez-les (sauf à la porte et aux coins) de 16 po. Clouez les longs montants à la sablière et à la lisse. Façonner l'ouverture avec les montants courts auxquels vous clouerez le linteau. Centrez-y un empannon de 2 x 4 po.

Bâti

Ligne de craie

3. Alignez les pièces du bâti contre les lignes repère. Clouez ensemble les montants de coin. Vérifiez l'équerrage et l'aplomb ; calez le bas. Vissez tous les 2 pi aux montants et aux solives, ou fixez avec de la colle-mastic. Sciez le seuil à même la lisse. Installez les fils électriques et les panneaux.

(38 x 89 mm), les tasseaux dans des 1 x 4 po (19 x 89 mm), les tablettes et les cloisons dans du contre-plaqué de ³⁄₄ po (19 mm). Recouvrez de placoplâtre ; les composantes du jambage sont en pièces d'une largeur de 4⁵⁄₈ po (117 mm). Ajoutez une tringle, des fixations et des cales. Assemblez le bâti avec des clous 16d et le revêtement avec des vis à placoplâtre de 3 po (7,6 cm).

Mesurage et taille. Les montants longs auront 3¹⁄₂ po (9 cm) de moins que la hauteur du mur (soit l'épaisseur de la sablière et de la lisse, plus ¹⁄₂ po [1 cm]). Taillez les montants courts à 1¹⁄₂ po (3,8 cm) de moins que la hauteur recommandée par le fabricant de portes (pour tenir compte de la lisse).

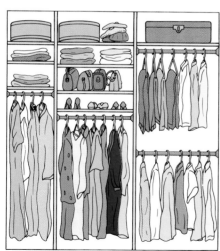

Dispositions possibles. Des tablettes (p. 328) et des tringles doubles maximiseront l'utilisation de l'espace. Vissez aux tablettes des cloisons de contre-plaqué (p. 97) et fixez-les avec de la colle ou des moulures.

Pose du jambage

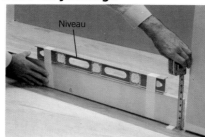

1. Si le seuil n'est pas d'aplomb, mesurez séparément les jambages latéraux et taillez-le. S'il s'agit d'une porte pliante (illustration), les dimensions du jambage doivent lui permettre de glisser librement.

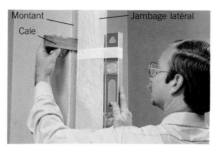

2. Fixez, avec du ruban, le niveau sur le jambage pour en vérifier l'aplomb ; au besoin, insérez des cales des deux côtés et fixez-les aux montants avec des clous de finition 8d. Enlevez le niveau.

3. Taillez le jambage supérieur aux dimensions appropriées. Clouez-le aux jambages latéraux avec des clous de finition 8d. Mettez les jambages en position dans l'ouverture brute ; clouez les jambages latéraux aux cales sur les montants.

4. Les mesures du seuil devraient correspondre à la portée du jambage supérieur ; calez au besoin. Centrez une cale entre le linteau et le jambage supérieur. Vérifiez-en le niveau ; fixez jambage, cale et linteau avec des clous 8d.

Portes et tringles

1. Suivez en tous points les instructions du fabricant. Vissez les rails et les pivots des portes coulissantes au jambage supérieur. Suspendez les portes ; posez les autres fixations.

2. Au besoin, enfoncez des cales pour aligner les jambages latéraux et supérieurs contre l'ouverture brute. Avec un couteau universel, rayez les bouts qui dépassent et cassez-les. Clouez un butoir aux jambages latéraux pour masquer les charnières. Posez la moulure.

3. À l'aide du niveau, tracez une ligne sur les murs du placard à 5¹⁄₂ pi du sol ou deux lignes, environ à 3 et 6 pi en prévision des tringles. Fixez un tasseau de 1 x 4 po le long des lignes ; clouez-le aux montants.

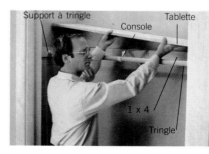

4. Vissez des supports à tringle préfabriqués sur le 1 x 4, aux extrémités. Mesurez, taillez et ajustez la tringle et la tablette de contre-plaqué. Pour plus de solidité, vissez les consoles aux montants.

327

Supports d'étagères

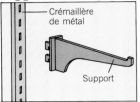

Supports de métal : s'accrochent aux crémaillères de métal.

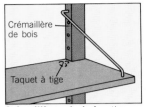

Crémaillères de bois : tiges métalliques par-dessus ; taquets à tige par-dessous.

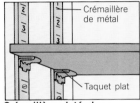

Crémaillères latérales : vissées à la surface ou engagées dans les rainures.

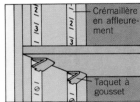

Taquets à gousset : supportent des charges plus lourdes que les taquets plats.

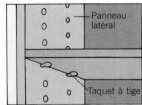

Taquets à tige : insérés dans des trous forés sur les panneaux latéraux.

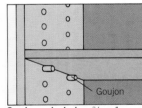

Goujons de bois : ⅜ x 1 po ; plus solides que les taquets à tige.

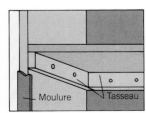

Tasseaux de bois de 1 x 2 : renforcent les tablettes et contrent le gauchissement.

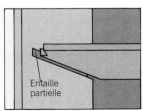

Entaille partielle (p. 102) : consolide la tablette ; est invisible de face.

Avant de choisir un système de montage, pensez à l'usage que vous en ferez ainsi qu'au poids et à la quantité des objets destinés à y être rangés. On installe les étagères au mur ou dans une armoire. Fixes ou mobiles, elles sont généralement soutenues à la verticale par des *crémaillères* et à l'horizontale par des *supports*, des *attaches*, des *goujons* ou des *taquets*. Elles sont parfois consolidées sur deux ou trois côtés par des *tasseaux* de bois.

Espacement. Le poids que peut supporter une tablette dépend de sa longueur, de sa largeur, du type de taquet et de la solidité de la planche. Pour supporter une charge légère (vêtements), il suffit d'appuyer une planche de contre-plaqué de 1 po (2,5 cm) sur des crémaillères vissées tous les deux montants.

Avec une charge moyenne (des livres, par exemple), utilisez le même type de planches, mais posez les crémaillères sur tous les montants. Pour les charges lourdes, il faudra des tablettes plus épaisses : collez ensemble deux pièces de contre-plaqué de ¾ po (20 mm) d'épaisseur, taillez-les de manière à laisser aux extrémités une saillie maximale de 8 po (20 cm) ; renforcez avec des 1 x 2 po (16 x 38 mm). Si le mur n'est ni en bois ni en placoplâtre, vérifiez le type de fixation requise aux pages 80-86.

Planification. Rangez les objets fréquemment utilisés à portée de la main (des genoux à 10 po [25 cm] au-dessus de la tête). Placez plus haut les objets plus légers ou moins utilisés, et plus bas les objets lourds.

Pose des crémaillères

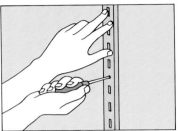

1. Placez les crémaillères sur les montants du mur. Faites une marque au poinçon au milieu du trou de vis. Percez un avant-trou. Vissez à demi.

2. Mettez un niveau contre la crémaillère et placez-la d'aplomb. Marquez ; percez les autres avant-trous. Enfoncez les vis et vissez la première à fond.

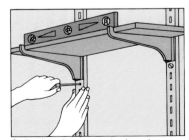

3. Insérez les supports dans les deux crémaillères, aux mêmes endroits. Installez l'étagère et mettez-la de niveau. Fixez la deuxième crémaillère.

Étagères d'un meuble

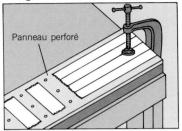

1. Sur un bout de panneau perforé, apposez du ruban toutes les deux rangées : cela servira de modèle. Avant d'assembler, enserrez le modèle sur l'avant d'un panneau latéral.

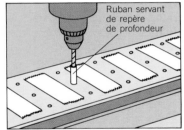

2. Percez des trous de ⅜ po au centre des rangées libres. (Placez un repère de profondeur sur la mèche.) Procédez de même à l'arrière et sur l'autre panneau.

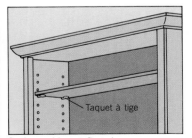

3. Assemblez et fixez les composantes du meuble (p. 113). Insérez des taquets à tige ou des goujons dans les trous, à la même hauteur. Posez les tablettes.

Armoires de cuisine

Rafraîchissez vos portes d'armoires en les revêtant d'un fini pour le bois (p. 121), de peinture ou d'un matériau adhésif. Si vous devez les remplacer, faites d'abord le tour des centres spécialisés dans la rénovation de cuisines et de salles de bains. Vérifiez bien votre plan et vos mesures.

Les armoires de plancher sont de largeurs variées (de 9 à 60 po [22 à 152 cm]) et augmentent par tranches de 3 po (8 cm). Elles font 24 po (60 cm) de profondeur et 34½ po (88 cm) de hauteur. Prévoyez 1½ po (3,8 cm) de plus pour le plan de travail. (Commandez-le en même temps.) Les armoires murales ont 12 po (30 cm) de profondeur et 30, 33 ou 36 po (76, 84 ou 91 cm) de hauteur. Il existe des modèles plus hauts qui touchent au plafond.

La largeur des armoires murales varie de 12 à 60 po (30 à 152 cm) ; une armoire large s'avérera plus utile et moins coûteuse que plusieurs armoires étroites.

Tracez un plan détaillé sur papier quadrillé ou millimétré ; indiquez-y les dimensions du plancher et de toute structure fixe ainsi que la profondeur et la largeur des armoires de plancher. Sur un autre plan, indiquez l'emplacement des montants, des fenêtres, des portes et des armoires et leurs dimensions. Prévoyez 18 po (45 cm) entre le plan de travail et les armoires murales.

Outils et matériaux. Il vous faudra : un marteau, une scie à guichet, une perceuse, un tournevis, un niveau, un ruban à mesurer, des serres en C, des vis à bois à tête plate, des vis à tête ronde de 1¾ et 2½ po (44 et 63 mm), des cales amincies (bardeaux de cèdre), de la moulure, des pièces de 2 x 4 po (38 x 89 mm), des triangles de contre-plaqué, un escabeau.

Préparatifs. Videz la cuisine et enlevez les armoires. Nettoyez et apprêtez les murs (p. 356). Marquez le centre des montants (p. 191) par des lignes pleine hauteur. Avec un niveau et un ruban à mesurer, repérez le point le plus élevé du parquet où seront les armoires de plancher. Si la dénivellation est inférieure à ½ po (1 cm), il suffira de caler les armoires aux endroits les moins élevés. Si elle est supérieure à ½ po (1 cm), faites niveler par un spécialiste. En suivant votre plan, tracez des lignes repère horizontales indiquant le bas et le haut de toutes les armoires ; vérifiez-en le niveau. Si les murs sont endommagés ou s'ils ne sont pas d'aplomb, fixez des fourrures horizontales (p. 283) aux endroits où seront posées les traverses.

Des moulures (p. 99) et des languettes masqueront les interstices.

Cuisine en L

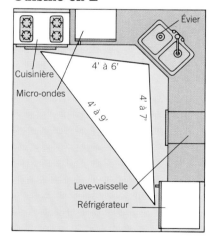

Évier, cuisinière, réfrigérateur doivent former un triangle et l'espace de travail entre les appareils être suffisant pour y préparer et y servir les plats, ou y ranger assiettes et casseroles. La distance entre les éléments ne doit pas être trop grande pour minimiser les déplacements.

Cuisine en U

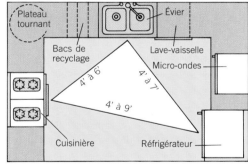

Cuisine corridor

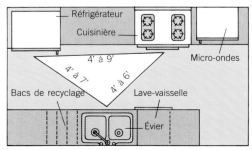

Plan du mur (avec armoires et montants)

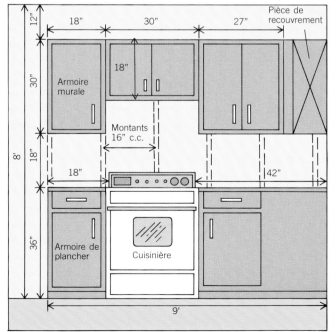

Commencez par un des coins et notez les dimensions des armoires. (Indiquez la position des charnières et le rayon de dégagement des portes sur le plan du plancher.) Si vous travaillez à partir d'un catalogue, identifiez chaque armoire par son numéro de modèle. À l'intérieur des armoires, il est plus pratique d'avoir des tablettes réglables que des tablettes fixes. S'il y a lieu, déterminez les dimensions et le nombre de couvre-joints. Apportez votre plan au moment d'acheter vos matériaux.

Pose d'armoires murales

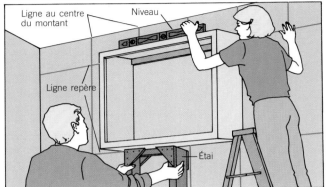

Ligne au centre du montant — Niveau — Ligne repère — Étai

1. Façonnez un étai assez haut pour soutenir l'armoire à la hauteur appropriée ; au besoin, calez-le pour le positionner à la hauteur exacte. Posez une première armoire sur l'étai, assurez-vous qu'elle est de niveau et que le haut s'aligne sur la ligne repère. Note : avant de rajuster l'étai, enlevez l'armoire.

Perceuse — Traverses

2. Percez des avant-trous dans la traverse supérieure et à travers les montants, près des côtés. Enfoncez des vis à tête ronde de 2½ po juste assez profondément pour tenir l'armoire en place. Vérifiez l'aplomb avec un niveau. Au besoin, insérez des cales derrière l'armoire. Fixez la traverse inférieure de la même façon.

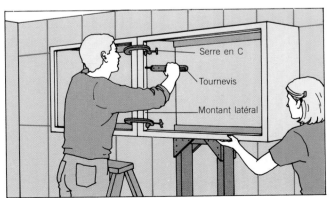

Serre en C — Tournevis — Montant latéral

3. Déplacez l'étai et déposez-y l'autre armoire ; mettez de niveau. Maintenez en place avec des serres en C aux montants latéraux. Alésez les trous ; enfoncez des vis à tête plate au moins de moitié dans le montant de la première armoire. Percez la traverse inférieure ; vérifiez l'aplomb et fixez aux montants dans le mur.

Les montants une fois repérés dans les murs et l'emplacement des armoires indiqué (page précédente), l'installation est simple. Vérifiez au fur et à mesure l'aplomb et le niveau des armoires, faute de quoi les portes et les tiroirs ne fonctionneront pas bien. Si les murs et les planchers ne sont pas d'aplomb ou de niveau, calez les armoires.

Préparatifs. Retirez les tiroirs, les portes et les tablettes amovibles. Étiquetez-les ; il sera plus facile de les replacer. Dans une pièce vide, installez d'abord les armoires murales (pour ne pas être gêné par les armoires de plancher) et commencez dans un coin. Maintenez l'armoire en place avec une barre en T (p. 275) ou un étai fait de 2 x 4 po (38 x 89 mm) et de triangles de contre-plaqué (à droite). Travaillez à deux : l'un qui tient l'armoire et l'autre qui visse. Vérifiez la composition des murs (p. 191) et utilisez les fixations appropriées (p. 86).

Installation d'armoires de plancher

Ligne repère
Cale
Bloc de bois

1. Placez une première armoire, selon le plan. Au besoin, utilisez des cales (ou des niveleurs, p. 116) pour la mettre de niveau et d'aplomb, et l'aligner sur la ligne repère du mur. Derrière l'armoire, mettez les cales contre les montants ; pour ne pas abîmer le parquet, enfoncez celles qui sont sous l'armoire avec un bloc de bois et un marteau.

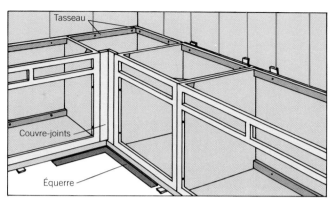

Tasseau
Couvre-joints
Équerre

4. Dans les coins, fixez au mur des tasseaux de 1 x 3 po pour soutenir le comptoir. Comblez l'espace mort dans les coins ou entre les armoires et le mur avec des couvre-joints taillés aux dimensions appropriées et fixés aux montants latéraux avec des vis à bois.

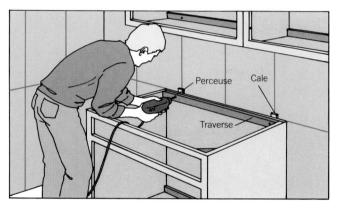

Perceuse
Cale
Traverse

2. Aux extrémités de la traverse, percez un avant-trou à travers la traverse, la cale (le cas échéant) et le montant. Enfoncez des vis à tête ronde de 2½ po pour maintenir l'armoire en place. Vérifiez l'aplomb et le niveau. Ajustez les cales au besoin.

Scie à guichet
Cale

5. Assurez-vous que toutes les armoires sont de niveau et d'aplomb ; au besoin, mettez des cales. Resserrez les vis. Avec une scie à guichet, poignée à l'envers, taillez de moitié les cales qui dépassent et cassez-les. Posez des quarts-de-rond (p. 99) ou des moulures de vinyle pour combler les espaces. Masquez les têtes de clous.

Ligne repère

3. Alignez l'armoire suivante sur la première et les lignes tracées sur le mur ; mettez des cales au besoin. Avec des serres, maintenez les montants latéraux ensemble. Alésez les trous ; enfoncez des vis à bois au moins de moitié dans le montant de la première armoire. Fixez au mur comme la première armoire.

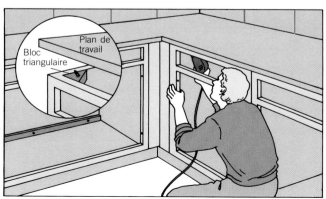

Plan de travail
Bloc triangulaire

6. Pour installer le plan de travail, percez des avant-trous de biais dans des triangles de bois fixés dans les coins. Mettez le plan de travail bien en place. Enfoncez la mèche de la perceuse dans chaque avant-trou et percez à mi-épaisseur. Fixez le plan de travail aux triangles avec des vis à tête ronde de 1¾ po.

Intérieurs / Aménagement d'un grenier

Décidez d'abord de la vocation du grenier. Faites appel à un entrepreneur ou à un architecte pour la conception du plan ; il vous conseillera sur les aménagements possibles, les coûts, les permis, les inspections, etc. En consultant les rubriques énumérées à la page suivante, vous serez mieux en mesure d'évaluer les travaux.

▶**ATTENTION !** Si le grenier est traversé par un réseau de membrures ou de fermes (p. 402), *vous ne pouvez y apporter aucune modification.*

Évaluation de l'espace. Les codes du bâtiment précisent les exigences minimales quant à la surface du plancher et à la hauteur du plafond. En général, 50 p. 100 de la pièce aménagée doit avoir une hauteur de plafond de 7½ pi (2,3 m). Demandez à un professionnel de vérifier les fondations et l'infrastructure de la maison. Un grenier aménagé constitue un étage supplémentaire, que la structure doit pouvoir supporter. (Selon certains codes du bâtiment, vous devrez renforcer les murs des étages inférieurs.) Si vous ajoutez une salle de bains, assurez-vous de pouvoir raccorder la nouvelle tuyauterie au système en place. (Avec une fosse septique, le fait d'ajouter une pièce, même sans salle de bains, exigera d'augmenter la taille de la fosse et de modifier le champ d'épuration.) Assurez-vous que vous pourrez chauffer la pièce additionnelle.

Planification. Les solives du plancher doivent pouvoir supporter la charge additionnelle (suivez les normes des codes du bâtiment). Renforcez-les : réparez-les, doublez-les ou ajoutez de nouvelles solives. Vous devrez peut-être installer un escalier permanent (les escaliers pliants ne conviennent pas à un usage quotidien). Prévoyez une sortie de secours.

En choisissant les fenêtres et en déterminant leur emplacement, ayez à l'esprit qu'elles peuvent servir de sorties de secours. Prévoyez un bon système d'isolation et de ventilation pour maintenir une température ambiante adéquate et éviter toute condensation. Au besoin, installez un

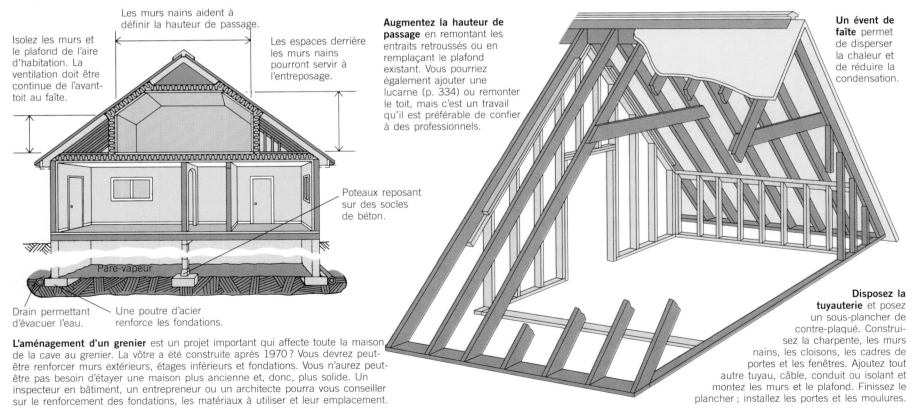

Les murs nains aident à définir la hauteur de passage.

Isolez les murs et le plafond de l'aire d'habitation. La ventilation doit être continue de l'avant-toit au faîte.

Les espaces derrière les murs nains pourront servir à l'entreposage.

Poteaux reposant sur des socles de béton.

Pare-vapeur

Drain permettant d'évacuer l'eau.

Une poutre d'acier renforce les fondations.

L'aménagement d'un grenier est un projet important qui affecte toute la maison, de la cave au grenier. La vôtre a été construite après 1970 ? Vous devrez peut-être renforcer murs extérieurs, étages inférieurs et fondations. Vous n'aurez peut-être pas besoin d'étayer une maison plus ancienne et, donc, plus solide. Un inspecteur en bâtiment, un entrepreneur ou un architecte pourra vous conseiller sur le renforcement des fondations, les matériaux à utiliser et leur emplacement.

Augmentez la hauteur de passage en remontant les entraits retroussés ou en remplaçant le plafond existant. Vous pourriez également ajouter une lucarne (p. 334) ou remonter le toit, mais c'est un travail qu'il est préférable de confier à des professionnels.

Un évent de faîte permet de disperser la chaleur et de réduire la condensation.

Disposez la tuyauterie et posez un sous-plancher de contre-plaqué. Construisez la charpente, les murs nains, les cloisons, les cadres de portes et les fenêtres. Ajoutez tout autre tuyau, câble, conduit ou isolant et montez les murs et le plafond. Finissez le plancher ; installez les portes et les moulures.

panneau de disjoncteurs supplémentaire et de nouveaux circuits. Posez plusieurs prises de courant ; elles se révéleront utiles. Installez des détecteurs de fumée (p. 270). Mesurez les meubles avant de les acheter : ils devront passer dans l'escalier et les cadres de portes.

Ordre de construction. Commencez par poser les tuyaux, fils électriques et conduits, l'isolant et le sous-plancher. Installez un coupe-vapeur entre l'isolant et le revêtement du plafond et des murs. Prévoyez l'inspection des installations électriques et de la plomberie avant de fermer le plancher, les murs et le plafond. Pour la finition, commencez par le plafond.

Érection de murs nains et de cloisons

1. La sablière du mur nain doit s'appuyer sur des chevrons de niveau. Vérifiez. Égalisez au besoin à l'aide de cales minces ou de chevrons secondaires.

2. Marquez au cordeau de craie le plancher et les chevrons. Taillez deux pièces de 2 x 4 d'une longueur équivalant à la distance entre les deux chevrons de bout.

3. Tracez l'angle du chevron sur un montant de 2 x 4 ; servez-vous de ce modèle pour tailler les autres ; clouez-les tous les 16 ou 24 po, quel que soit l'alignement des chevrons.

4. Installez le mur nain ; vérifiez-en l'aplomb ; posez des cales. Clouez-le au plancher et aux chevrons. La sablière s'appuiera entre les montants du bout.

5. Sablière : clouez des 2 x 4 entre les chevrons, à ¾ po de la rive, et tous les 48 po. Clouez-y une languette, parallèlement aux chevrons, puis un 2 x 4, au centre.

6. Alignez la lisse sur la sablière ; clouez-la au plancher. Marquez-y la position des montants (tous les 16 po). Reportez ces mesures sur la sablière avec un niveau et une équerre.

7. Placez le 2 x 4 le plus long ; vérifiez-en l'aplomb. Marquez le haut et taillez en biseau. Clouez les montants en biais à la sablière et à la lisse.

8. Ne doublez pas le montant du coin. Recouvrez de placoplâtre. (La pièce de 1 x 6 de la sablière et les montants du mur nain forment une surface de clouage dans les coins.)

La construction d'une lucarne exige du savoir-faire et de l'expérience. Renseignez-vous auprès d'un entrepreneur ou d'un architecte et confiez-lui les travaux si vous n'êtes pas un bricoleur accompli. Vous pourrez vous réserver la finition intérieure.

La lucarne doit posséder une hauteur de passage suffisante, s'agencer à l'architecture de la maison et soutenir le toit. Elle doit également être imperméabilisée, isolée et ventilée (p. 456-462) pour éviter tout dégât causé par l'humidité. Procurez-vous les permis (p. 193), l'équipement et les matériaux nécessaires. Comme l'ouverture sera assez grande, ayez sous la main suffisamment de toile goudronnée ou de plastique pour la recouvrir en cas de pluie. Supportez le toit pendant les travaux.

La page ci-contre illustre les principales étapes de la construction d'une lucarne. L'exemple qu'on en donne ici devra sans doute être adapté à vos besoins ; il pourra néanmoins vous servir de guide dans vos travaux et de référence auprès d'un entrepreneur.

▶**ATTENTION !** Si le toit se compose de fermes entrecroisées (p. 402), vous ne pourrez pas en modifier la structure : le simple fait d'ajouter un étage augmenterait suffisamment la charge pour que le toit s'effondre.

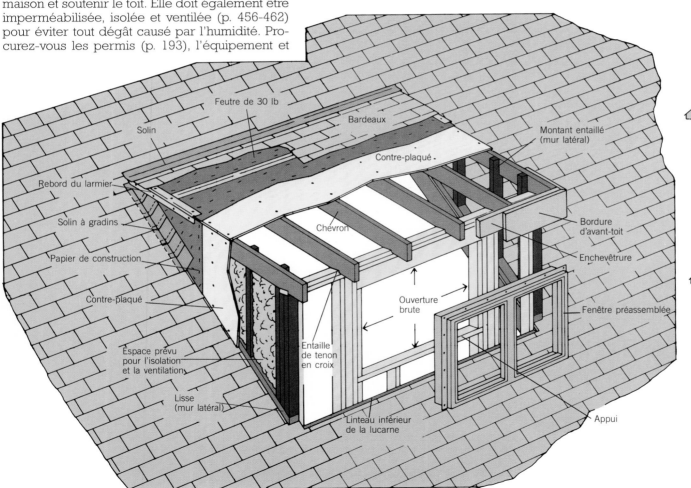

Feutre de 30 lb
Bardeaux
Solin
Contre-plaqué
Montant entaillé (mur latéral)
Rebord du larmier
Chevron
Bordure d'avant-toit
Solin à gradins
Enchevêtrure
Papier de construction
Contre-plaqué
Ouverture brute
Fenêtre préassemblée
Entaille de tenon en croix
Espace prévu pour l'isolation et la ventilation
Lisse (mur latéral)
Linteau inférieur de la lucarne
Appui

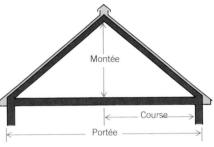

Montée
Course
Portée

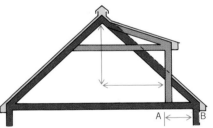

A B

Tout changement apporté à la forme du toit se répercute sur toute la structure. Comme les solives de plafond serviront de solives de plancher, il faudra les renforcer. La portée AB détermine s'il faut étayer les solives (compte tenu de leur dimension, de la portée des chevrons de la lucarne et de la largeur de celle-ci).

La portée du toit permet de calculer la pente du toit de la lucarne (p. 388) et, par conséquent, le type de revêtement à utiliser. Les termes pente et inclinaison sont considérés à tort comme des synonymes. Ainsi, la pente est le rapport de la montée sur la course ; l'inclinaison est le rapport de la montée sur la portée.

1. Installez un sous-plancher (p. 299). Tracez le contour de la lucarne au plafond selon le plan. Mesurez le long de la planche faîtière (A) et des chevrons (B et C). Comptez les chevrons et marquez.

Contour de la lucarne

2. Enfoncez un clou ou percez un trou à chaque coin pour délimiter la lucarne. Prenez des clous assez longs qui ressortiront de l'autre côté ou une mèche assez grosse pour percer un bon trou.

3. Façonnez un étai avec des 2 x 4 pour soutenir le toit. Installez-le 8 po au-dessus de l'ouverture prévue et clouez en biais. Si la portée AB (p. 334) fait plus de 4 pi, étayez aussi les chevrons inférieurs.

3½"   Ouverture brute de la fenêtre

4. Mur frontal : 2 x 4 ou 2 x 6. La sablière devrait dépasser les montants de 3½ ou 5½ po pour s'appuyer aux montants des murs latéraux et aux chevrons de bout. Prévoyez l'ouverture de la fenêtre.

5. Sur la surface extérieure du toit, marquez au cordeau de craie le contour de la lucarne. Avec une scie circulaire à lame au carbure, découpez le revêtement, mais pas les chevrons. (Voir échelles, p. 383.)

Les rives intérieures de l'ouverture doivent être de niveau et d'aplomb

6. De l'intérieur, dégagez le revêtement par sections. Découpez les chevrons. Au niveau, tracez la ligne de coupe finale du premier chevron ; reportez cette mesure sur les autres à l'aide d'une sauterelle en T.

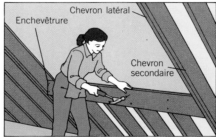

Enchevêtrure   Chevron latéral   Chevron secondaire

7. Fixez un chevron secondaire sur chaque chevron latéral, deux enchevêtrures en haut et une en bas (les enchevêtrures doivent être plus larges que les chevrons). Enlevez les étais une fois les chevrons fixés.

À l'aide d'un niveau, vérifiez l'aplomb

8. Le mur frontal doit être parallèle à l'enchevêtrure du haut. Assurez-vous qu'il reste toujours de niveau et d'aplomb. Fixez la lisse aux solives (clous 16d) et le mur aux chevrons (clous 8d ou 10d).

Entaille de tenon en croix   Chevron   Enchevêtrure

9. Taillez l'extrémité d'un chevron en suivant la pente du toit. Mesurez et faites une entaille de tenon en croix. Faites la même chose pour les autres chevrons. Clouez les chevrons à l'enchevêtrure et au toit.

Trois 2 x 4 dans les coins

10. Fixez la lisse aux chevrons latéraux doublés et montez les murs latéraux avec des 2 x 4. Mesurez les montants ; entaillez-les pour qu'ils supportent les chevrons (médaillon). Ajustez l'angle.

11. En commençant par le toit et en finissant par le devant, recouvrez la charpente de contre-plaqué, puis de papier de construction ou de feutre (30 lb). Installez les solins (p. 390-391) tout autour de la lucarne.

12. Installez la fenêtre (p. 427) selon les instructions du fabricant. Vous pourrez ensuite entreprendre les travaux intérieurs même si les travaux extérieurs de finition ne sont pas complètement terminés.

Semelles et fondations 156
Interrupteurs et réceptacles 246
Câblage 250-251

Intérieurs / Ajout d'une aire d'ensoleillement

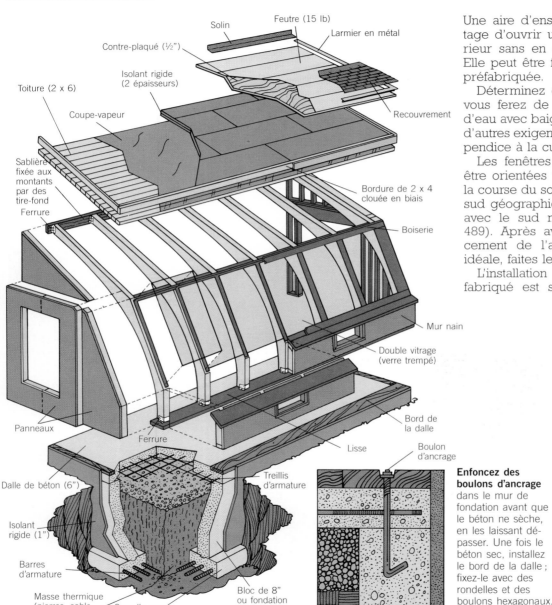

- Solin
- Feutre (15 lb)
- Larmier en métal
- Contre-plaqué (½")
- Isolant rigide (2 épaisseurs)
- Recouvrement
- Toiture (2 x 6)
- Coupe-vapeur
- Sablière fixée aux montants par des tire-fond
- Ferrure
- Bordure de 2 x 4 clouée en biais
- Boiserie
- Mur nain
- Double vitrage (verre trempé)
- Panneaux
- Ferrure
- Lisse
- Bord de la dalle
- Boulon d'ancrage
- Dalle de béton (6")
- Treillis d'armature
- Isolant rigide (1")
- Barres d'armature
- Masse thermique (pierres, sable, briquaillons)
- Semelle sous la ligne de gel
- Bloc de 8" ou fondation de béton

Une aire d'ensoleillement a l'avantage d'ouvrir une pièce sur l'extérieur sans en diminuer le confort. Elle peut être faite sur mesures ou préfabriquée.

Déterminez d'abord l'usage que vous ferez de la pièce : une salle d'eau avec baignoire à remous aura d'autres exigences qu'un simple appendice à la cuisine ou au salon.

Les fenêtres principales devront être orientées vers le sud. Vérifiez la course du soleil durant le jour ; le sud géographique ne coïncide pas avec le sud magnétique (p. 488-489). Après avoir repéré l'emplacement de l'aire d'ensoleillement idéale, faites les fondations.

L'installation d'un ensemble préfabriqué est simple, mais rensei-gnez-vous car les modèles, la qualité, la garantie, etc., varient considérablement. Si vous prévoyez monter vous-même une serre en kit, vérifiez si la garantie couvre les travaux effectués par des non-professionnels ; assurez-vous qu'il ne manque pas de composante.

D'autre part, les pièces de bois n'étant pas toutes uniformes, vous devrez vérifier la rectitude des montants et des poutres.

La charpente peut être composée d'arches lamellées (ci-dessous), de montants et de poutres de bois, ou de montants d'acier. Vous aurez peut-être besoin d'outils spéciaux qui ne sont pas mentionnés ici. N'hésitez pas à confier les travaux complexes à un professionnel.

Enfoncez des boulons d'ancrage dans le mur de fondation avant que le béton ne sèche, en les laissant dépasser. Une fois le béton sec, installez le bord de la dalle ; fixez-le avec des rondelles et des boulons hexagonaux.

Vérifiez toujours les clauses de la garantie ou du contrat relatives à l'imperméabilité et aux bris. Les panneaux de verre sont difficiles à sceller et coûteux à remplacer.

1. Marquez au cordeau de craie la longueur du mur (pour aligner la sablière). Vérifiez l'horizontalité de la ligne ; clouez provisoirement la sablière à la paroi de la maison. Posez des ferrures le long de la sablière, elles soutiendront les arches.

4. Posez les panneaux du mur nain et fixez-les. (Taillez, percez et identifiez préalablement chaque composante.) Cela fait, posez l'appui, puis les supports de fenêtre prétaillés.

7. Avec précaution, vérifiez l'ajustage du panneau de verre ; retirez-le. Étalez un large filet de pâte à calfeutrer à base de silicone sur le bord où reposera le panneau. Installez le panneau ; calfeutrez le joint du haut. Lissez la pâte avec un doigt mouillé. Masquez avec une moulure.

2. Fixez la lisse au bord de la dalle avec des tire-fond. (Posez le bord immédiatement après avoir versé le béton.) Alignez parfaitement les ferrures de la lisse avec celles de la sablière, à l'aide d'un fil à plomb, d'un long niveau à bulle, d'un té et d'un cordeau enduit de craie.

5. Le mur latéral est fait de trois panneaux préfabriqués. Mettez-les d'aplomb à l'aide d'un fil à plomb suspendu du côté extérieur de l'arche. Clouez les panneaux latéraux aux arches, et enfoncez des tire-fond à travers dans la lisse jusque dans le bord de la dalle. Pour l'instant, ne touchez pas à l'ouverture brute des fenêtres.

8. Appuyez les panneaux de toiture à la sablière. Alignez-les sur les arches et fixez-les avec des clous galvanisés. Si vous avez prévu un lanterneau, laissez une ouverture brute, selon les indications du fabricant. Finissez la toiture avec les matériaux appropriés (p. 334, 388).

3. Posez d'abord les arches des extrémités, puis celles du centre. Travaillez ensuite du centre vers les côtés. Fixez chaque arche aux ferrures de la lisse ; ajustez la sablière pour que les arches soient d'aplomb sur toute leur longueur. Fixez la sablière à la maison avec des tire-fond ; clouez les arches aux ferrures de la sablière.

6. Clouez les panneaux de la toiture aux arches, taillez-en les extrémités ; clouez (en biais) des 2 x 4 tout autour pour retenir l'isolant. Agrafez un coupe-vapeur de polyéthylène de 6 mil. Installez, sans faire coïncider les joints, deux couches d'isolant rigide, le contre-plaqué de ½ po, le feutre ; posez solins, larmiers et bordures.

9. Installez la fenêtre préassemblée (p. 427) dans l'ouverture prévue à cette fin ; mettez-la d'aplomb ; fixez-la au revêtement. L'installation terminée, posez le parement. Finissez l'intérieur : posez les fils électriques, les prises et les plafonniers ; finissez les murs ; posez le plancher et la porte préassemblée (p. 444) du mur communiquant.

Intérieurs / Caves humides

Même s'il n'y a pas de flaques d'eau dans la cave, il se peut que l'humidité traverse les murs et le plancher de béton et pénètre dans le sous-sol par un phénomène qu'on appelle *capillarité*. La plupart des maisons laissent entrer assez d'air pour que soit chassée cette humidité. Mais lorsque, pour économiser l'énergie, on bouche toutes les fentes, l'humidité reste coincée à l'intérieur. Conséquences : la peinture cloque ; moisissure et mousse font leur apparition ; il se forme une condensation excessive dans les fenêtres dont les cadres se mettent à pourrir. Consultez le tableau. Pour distinguer la condensation du suintement, faites le test ci-dessous.

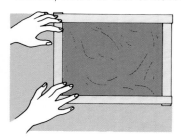

Test. Asséchez un carré de 12 po sur le plancher ou le mur avec un sèche-cheveux ; couvrez de plastique ou de papier d'aluminium. Découvrez après deux jours. Mouillé dessus : condensation ; mouillé dessous : suintement.

Peinture imperméabilisante. La peinture hydrofuge d'intérieur n'offre à peu près aucune protection contre l'humidité ; posée sur des murs en blocs de béton creux, elle peut l'accroître. Si les murs suintent, voyez-y avant de peindre.

Il existe trois types de peinture hydrofuge : en poudre, prémélangée ou à résines époxydes. La peinture à résines époxydes est chère, mais donne les meilleurs résultats. Viennent ensuite les poudres et les peintures prémélangées à base de ciment. Celle en poudre se dissout dans l'eau et doit être appliquée sans retard.

Avant de peindre, bouchez trous et fissures, enlevez la moisissure (p. 174) et appliquez une double couche de ciment-colle mouillé d'eau ou de latex pour obtenir un enduit qui ait la consistance de la peinture. Suivez les instructions du fabricant ; s'il y a lieu, traitez les murs à l'acide muriatique (p. 186) ou posez un isolant.

Humidité ou eau dans la cave

Problème	Causes	Solutions (à appliquer successivement)
Condensation	De l'air chaud et humide frappe une surface froide.	Aérez mieux ; utilisez un déshumidificateur (p. 498) ; mettez un conduit d'évacuation à la sécheuse (p. 342) ; isolez les tuyaux qui suintent (p. 214).
Fuites	L'eau sourd par des fissures, par le mortier entre les blocs de béton ou à la jonction des murs et du plancher.	Remplissez fissures, trous et joints (page suivante), sans boucher les drains utiles ; en dernier ressort, installez une pompe de puisard.
Suintement	Gouttières défectueuses ; pentes mauvaises ; égouttement insuffisant ; niveau hydrostatique trop haut.	Réparez gouttières et tuyaux de descente ; posez des déflecteurs (p. 399) ou raccordez les tuyaux de descente à l'égout pluvial ; enduisez les murs extérieurs de matière hydrofuge et posez des drains agricoles (p. 340).

Sources d'humidité dans la cave

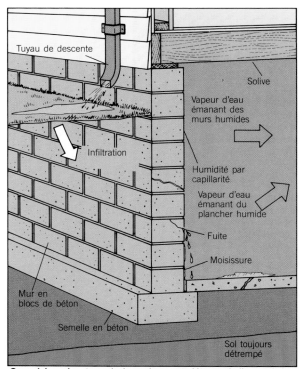

Quand le sol autour de la maison est détrempé, l'eau pénètre par les fissures et s'insinue dans le béton par capillarité.

Moyens de déshumidification

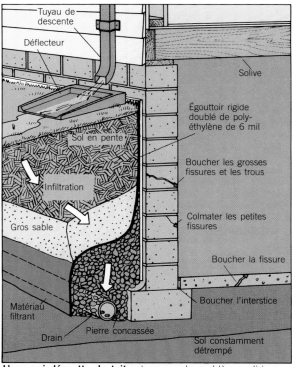

L'eau qui dégoutte du toit est source de problème : dirigez-la avec un déflecteur ou corrigez la pente du terrain.

Réparation des fuites

Il se peut que l'eau pénètre dans la cave par des fissures ou des trous dans les murs, par les joints de mortier entre les blocs de béton ou par le plancher. Quand les fondations ne sont pas parfaitement étanches, l'humidité monte par les joints qui se trouvent entre la semelle de béton et les murs. Si une grande quantité d'eau entre dans la cave par cette voie, il faut installer des drains sur tout le périmètre de la maison pour éliminer l'eau de surface (p. 340).

Fissures dans les murs et le plancher. Réparez le plus vite possible les fissures et les trous des fondations ou du plancher de la cave. L'eau peut y geler en hiver et aggraver la situation. Quand une fissure se reforme après avoir été réparée, c'est qu'il peut y avoir un vice structural : consultez un ingénieur.

Remplissez les fissures avec du ciment hydraulique vendu en quincaillerie. Ce ciment durcit en quelques minutes, même dans l'eau ; comme il se dilate en séchant, il bouche hermétiquement. Mouillez le ciment d'eau froide jusqu'à ce qu'il ait la texture de la pâte à modeler.

L'isolant à deux volumes de résines époxydes est encore plus efficace, mais plus cher et plus difficile à appliquer. Pour l'injection de résines époxydes, il faut recourir à un spécialiste.

Autres fuites. Calfeutrez les cadres des fenêtres et des portes pouvant laisser entrer l'eau ; scellez-les avec un isolant à la silicone ou au polyuréthane. Colmatez les structures extérieures, escalier ou balcon, en saillie sur les murs de béton, ainsi que les ouvertures comme celle du tuyau d'évacuation de la sécheuse (p. 342).

Coupe-vapeur

Dans les maisons neuves, le code de la construction oblige à étendre un coupe-vapeur en polyéthylène de 4 ou 6 mil sur un lit de plusieurs pouces de pierre concassée ou de gravier, sous le plancher de béton. Mais si votre cave est en terre battue, vous voudrez peut-être y faire couler une dalle de béton (p. 157).

Un coupe-vapeur posé sur le sol nu d'un vide sanitaire empêche l'humidité d'entrer dans la maison. Si vous ne pouvez pas creuser de tranchée, utilisez du petit gravier ou des briques pour ancrer le plastique.

Les vides sanitaires sont souvent percés d'orifices de ventilation dans des murs opposés. Mais s'il n'y a aucun dégagement de gaz (radon), un coupe-vapeur peut suffire. Respectez le code de la construction.

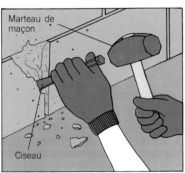

1. Avec un maillet et un ciseau, élargissez la fissure, le trou ou le joint vers l'intérieur ; le ciment tiendra mieux. Dans les murs en blocs de béton, n'enfoncez pas le ciseau à plus de ¾ po ; vous tomberiez sur la partie creuse.

Marteau de maçon
Ciseau

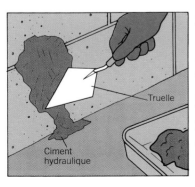

3. Remplissez la fissure de ciment hydraulique jusqu'à ½ po du bord. Quand le ciment a durci, finissez de boucher. Si l'eau entre, appuyez une truelle sur le ciment 3 à 5 minutes, le temps qu'il durcisse.

Truelle
Ciment hydraulique

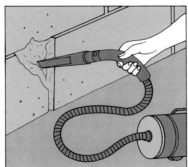

2. Dégagez les débris avec une brosse dure et enlevez-les à l'aspirateur. Mouillez l'intérieur avec une éponge ou un vaporisateur avant de colmater.

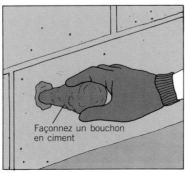

Pour remplir un trou, façonnez un bouchon en ciment de 4 po de long, plus gros à la base de 1 po que le diamètre du trou. Enfoncez-le par le petit bout et maintenez-le 3 à 5 minutes pour que le ciment durcisse. Lissez en surface avec la truelle.

Façonnez un bouchon en ciment

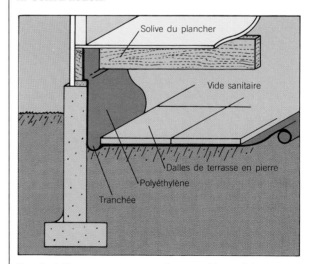

Solive du plancher
Vide sanitaire
Dalles de terrasse en pierre
Polyéthylène
Tranchée

Pour installer un coupe-vapeur dans un vide sanitaire, creusez en périmètre une tranchée de 2 po. Posez des membranes de polyéthylène de 6 mil sur le sol en les faisant chevaucher sur au moins 2 pi et de sorte qu'elles épousent la tranchée. Remettez la terre excavée dans la tranchée pour maintenir le coupe-vapeur en place. Fixez-le le long des murs au-dessus du niveau du sol, à l'aide de fourrures. Maintenez-le en place à l'aide de dalles.

339

La pente du terrain autour des fondations est à l'origine de la plupart des problèmes d'humidité dans les sous-sols. L'eau, près des murs, sature le sol et s'infiltre dans les fissures. Première solution : corriger le ruissellement pluvial provenant du toit. Assurez-vous que les gouttières et les descentes sont propres et en bon état ; posez des gouttières (p. 398-399) s'il n'y en a pas et si l'avant-toit fait moins de 2 pi (60 cm) ; posez des blocs parapluie sous le sabot des descentes ; assurez-vous que la pente du terrain s'incline à partir des murs.

Pente. Une mauvaise pente dans le terrain, ou l'inclinaison fautive d'une allée, d'un patio ou d'une entrée de garage, favorisent les infiltrations près des murs de fondation ; l'eau finit par pénétrer par les fissures. Aménagez donc une pente qui éloigne l'eau des murs : 2 po (5 cm) tous les pieds (30 cm) sur les premiers 3 pi (1 m), puis 1 po (2,5 cm) pour chaque pied (30 cm) supplémentaire sur au moins 6 pi (1,8 m). Refaites les murs, entrées et patios ou réparez-les pour que l'eau s'écoule loin des murs.

Les arbustes et les fleurs jettent de l'ombre et nuisent à la circulation de l'air ; le sol devient alors plus humide. Plantez-les donc environ à 4 à 6 pi (1,2 à 1,8 m) des murs de fondation (de la rue, ils sembleront être tout près de la maison) et semez un épais couvre-sol, gazon ou autre, dans l'espace ainsi ménagé.

Si le terrain descend vers les murs de fondation, creusez un fossé au moins à 6 pi (1,8 m) de la maison et refaites le terrassement pour évacuer l'eau vers le fossé. Remplissez-le de pierre concassée ; recouvrez de terreau et de gazon. Si le ruissellement est considérable, mettez un drain dans le fossé.

Imperméabilisation des fondations. En dernier recours, il vous faudra peut-être creuser un fossé autour des fondations jusqu'à la semelle pour hydrofuger les murs et installer des tuyaux d'écoulement. Les réparations faites à partir de l'extérieur et consistant à faire dévier le ruissellement sont plus efficaces que celles qui sont faites de l'intérieur (p. 338). Il existe divers matériaux hydrofuges : polyéthylène de 6 mil, isolant hydrofuge posé à l'extérieur ou isolant rigide (solution coûteuse qui oblige à faire appel à un professionnel). Avant de choisir un mode d'imperméabilisation, consultez un entrepreneur.

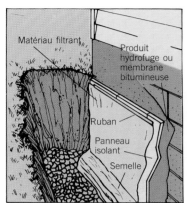

Matériau filtrant
Produit hydrofuge ou membrane bitumineuse
Ruban
Panneau isolant
Semelle

Pose des drains

1. Creusez autour de la maison jusqu'à la semelle des fondations. Enduisez de crépi et peignez les fondations et la semelle avec un produit hydrofuge pour l'extérieur. Couvrez de deux couches de polyéthylène de 6 mil, de la semelle jusqu'au-dessus du niveau du terrain ; fixez-les provisoirement avec du ruban. Ou posez de l'isolant rigide.

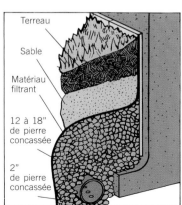

Tuyau perforé
Trous orientés vers le bas
2" de pierre concassée

2. Déversez ensuite 2 po de pierre concassée ; posez le tuyau de plastique de 4 po, les trous orientés vers le bas. Le tuyau doit amener l'eau à l'air libre au moins à 10 pi de la maison ou être raccordé à un égout pluvial ou à un champ d'épuration (p. 201) si la municipalité le permet.

Évacuation de l'eau

Si le terrain décline vers la maison et que l'eau s'écoule vers les murs, creusez un fossé (ou une rigole) au moins à 6 pi de la maison.

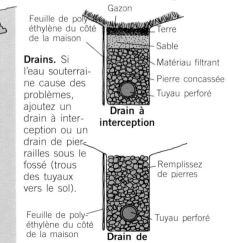

Fossé

Drains. Si l'eau souterraine cause des problèmes, ajoutez un drain à interception ou un drain de pierrailles sous le fossé (trous des tuyaux vers le sol).

Gazon
Feuille de polyéthylène du côté de la maison
Terre
Sable
Matériau filtrant
Pierre concassée
Tuyau perforé

Drain à interception

Remplissez de pierres
Feuille de polyéthylène du côté de la maison
Tuyau perforé

Drain de pierrailles

Terreau
Sable
Matériau filtrant
12 à 18" de pierre concassée
2" de pierre concassée

3. Mettez de 12 à 18 po de pierre concassée ; recouvrez du matériau filtrant ; ajoutez une couche de sable, puis du terreau. Assurez-vous que la pente éloignera l'eau du mur. Posez ou semez du gazon.

Réaménagement du sous-sol

Planification des travaux 193
Panneaux et placoplâtre 273-288
Structure des cloisons 343

Renseignez-vous d'abord sur les permis et règlements (p. 193). La plupart des codes exigent que les plafonds d'un sous-sol fini aient une hauteur minimale de 7½ pi (2,3 m). Si vous voulez aménager une chambre à coucher, vous devez songer à ajouter une porte extérieure ou une fenêtre. Si vous avez une fosse septique (p. 201), elle devra être conforme aux normes relativement au nombre de chambres à coucher.

Planchers. Moquette, carreaux de céramique, vinyle et certaines lames de bois (p. 302) peuvent être posés directement sur du béton en bon état. S'il est abîmé, refaites-le ou recouvrez-le d'un sous-plancher de bois (p. 303), si la hauteur du plafond le permet. Si le sous-sol est humide, réglez d'abord ce problème (p. 338-340) ; évitez, bien sûr, d'utiliser du bois ou des matériaux périssables.

Murs. Obturez toutes les fissures, de préférence à partir de l'extérieur. Creusez d'abord jusqu'à la semelle. Si les murs sont en béton, réparez-les ; hydrofugez avec un matériau bitumineux ; couvrez de panneau isolant (p. 340) et, dans les sols mal drainés, de deux couches d'un feutre bitumineux. Si les murs sont en blocs de béton, enduisez-les à hauteur de la semelle d'une solution d'eau, de ciment et de sable (1 portion de ciment pour 2½ de sable) ; recouvrez avec un matériau filtrant. Pour hydrofuger l'intérieur, suivez les étapes de la page 338, concernant les peintures imperméabilisantes ; posez les fourrures et l'isolant (p. 342) et couvrez de panneau mural de ½ po (1 cm).

Plafonds. Si la hauteur le permet, dissimulez tuyaux et conduits à l'aide d'un plafond suspendu (p. 290). Si vous prévoyez diviser le sous-sol, montez d'abord la structure des cloisons avant d'installer le plafond suspendu.

Si la hauteur est insuffisante, peignez les tuyaux apparents, entourez-les d'un boîtier (p. 342), ou encore faites-les passer entre les solives du plafond. Fixez les panneaux aux solives, les carreaux aux fourrures (p. 289).

Plomberie. Si vous prévoyez ajouter une salle de bains ou de lavage mais qu'aucun raccordement n'existe, consultez d'abord un plombier. Un sous-sol au-dessous du drain principal rend les travaux difficiles et coûteux ; révisez vos plans au besoin et conformez-vous aux règlements municipaux.

Électricité. Des circuits électriques (p. 248) peuvent être ajoutés en fonction des besoins nouveaux : luminaires, climatiseur, outils électriques. Prévoyez le câblage du téléphone (p. 266) et de la télévision. Demandez à un électricien de vérifier votre installation ; certains codes exigent qu'un électricien vérifie ou même qu'il fasse toute nouvelle installation.

Chauffage. Si la chaleur du sous-sol est insuffisante, installez des plinthes chauffantes, ou de nouveaux conduits pour les chauffages à air pulsé. Avec un système à eau chaude, vous pourriez prolonger les tuyaux. Consultez cependant un plombier ou un réparateur de chaudières avant d'entreprendre ce genre de travail.

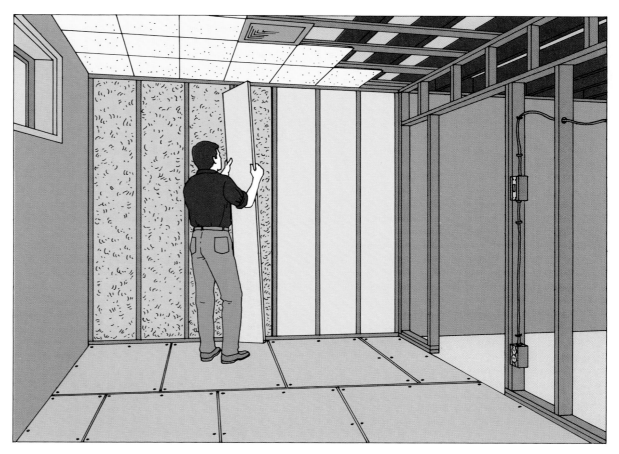

Intérieurs / Finition des murs du sous-sol

Permis et règlements 193
Panneaux et placoplâtre 273-288
Isolation 457-459

Avant de couvrir un mur de ciment ou de blocs de ciment, repérez et éliminez toute source d'humidité (p. 338-341). Reportez-vous aussi à la page précédente.

Une première méthode consiste à coller de l'isolant mousse de 1 po (2,5 cm) au mur, à fixer dessus des fourrures et à coller des panneaux d'isolant rigides entre les fourrures. Espacez les fourrures de 16 po (40 cm) si les panneaux sont minces, ou de 24 po (60 cm) s'ils ont ½ po (1 cm) d'épaisseur. Fixez les fourrures avec de l'adhésif à construction et des clous à maçonnerie (p. 86). Si les murs sont en blocs de béton,

clouez dans les joints. Calez les fourrures si les murs ne sont pas d'aplomb.

Une deuxième méthode consiste à dresser une structure de 2 x 3 po (38 x 64 mm) à 1 po (2,5 cm) du mur, puis à bourrer d'isolant de fibre de verre cet espace, à mettre des nattes de fibre de verre entre les montants et à recouvrir le tout de polyéthylène de 6 mil.

Quelle que soit la méthode, couvrez l'isolant d'un revêtement mural répondant aux exigences du code des incendies.

▶ **ATTENTION !** Portez des manches longues, des gants et un masque.

Isolation des murs du sous-sol

Enduisez d'adhésif les panneaux de 1 po et collez-les au mur ; fixez-y les fourrures. Collez des panneaux de mousse entre les fourrures.

Recouvrez le mur isolé de polyéthylène de 6 mil qui servira de coupe-vapeur. Agrafez-le aux fourrures, en le tendant bien sur l'isolant.

Si les murs ne sont pas d'aplomb, appuyez un bâti de 2 x 3 sur des bandes de fibre de verre (p. 341). Mettez de l'isolant entre les montants.

Dissimulation des conduits, poutres, colonnes et tuyaux

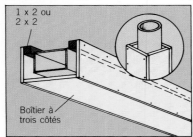

Faites un boîtier avec trois ou quatre planches. Fixez-le au plafond avec des 1 x 2 ou des 2 x 2. Teignez ou peignez le boîtier.

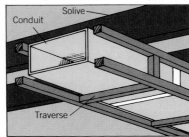

Pour cacher un gros conduit, faites une structure en 2 x 2 ; clouez-la aux solives. Recouvrez ensuite cette structure de panneau mural.

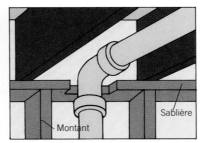

Cachez les tuyaux dans les murs non portants (p. 191) ou entre les solives du plafond. Faites-les passer dans la lisse et la sablière (p. 227).

Bouche d'évacuation de sécheuse

Raccordée à la sécheuse, la bouche d'évacuation, vendue prête à assembler, laisse s'échapper l'humidité et la charpie. Au sous-sol, posez la bouche d'évacuation dans la solive au-dessus du mur de fondation. Si possible, évitez les coudes. Si la bouche doit passer dans une fenêtre, remplacez le verre par un autre matériau.

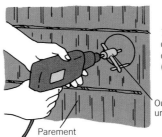

1. De l'extérieur, percez un trou à l'aide d'un outil pivotant (p. 56) ou d'une scie.

2. Insérez le conduit d'évacuation dans le trou et vissez l'évent au mur. (L'évent peut être fait d'un volet, d'un capot ou d'un clapet.)

3. Remettez la plaque en position sur la partie saillante de la bouche d'évacuation en la poussant fermement contre le mur.

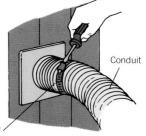

4. Fixez le conduit d'évacuation de la sécheuse ; étirez-le entre la sécheuse et l'évent, en évitant les coudes. Resserrez l'attache à l'extrémité du tuyau.

Structure des cloisons

Les cloisons non portantes (p. 191) permettent de diviser un espace en plusieurs petites pièces. Montez la structure de la cloison à plat sur le sol, puis érigez-la. La cloison est généralement faite de montants de 2 x 4 po (38 x 89 mm) cloués à la lisse et à la sablière. Pour faciliter sa mise en place puis la clouer à la plinthe, doublez la lisse : clouez une lisse au plancher ; fixez-y la lisse de la structure.

Clouez ensuite la structure aux solives et aux montants (ou au mur de fondation). Si le plafond et les murs sont déjà recouverts de panneaux muraux, clouez à travers le revêtement en vous assurant que les clous s'enfoncent dans les montants. Les montants servent de fond de clouage des panneaux. Dans la plupart des cas, ils sont espacés de 16 po (40 cm), de centre à centre. Mais ils pourront l'être de 24 po (60 cm) si les panneaux muraux ont ½ po (1 cm) d'épaisseur.

Les portes se vendent préassemblées. Faites une ouverture brute aux dimensions recommandées par le fabricant. L'ouverture est composée de deux poteaux nains, formant le cadre, d'un linteau reliant les poteaux et, si la hauteur le permet, d'empannons introduits entre le linteau et la sablière.

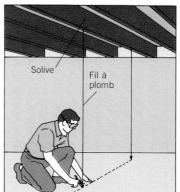

1. Marquez l'emplacement de la cloison sur les solives. Reportez les lignes au plancher à l'aide d'un fil à plomb ; marquez au cordeau enduit de craie. Taillez la sablière et les lisses, et fixez, avec des clous à béton, une première lisse sur la ligne tracée. Portez des lunettes protectrices.

Solive
Fil à plomb

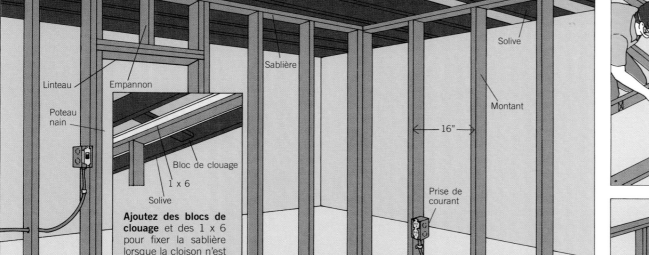

Linteau
Empannon
Sablière
Solive
Montant
Poteau nain
Bloc de clouage
1 x 6
Solive
16"
Prise de courant
Ajoutez des blocs de clouage et des 1 x 6 pour fixer la sablière lorsque la cloison n'est pas sous une solive.
Lisse supérieure
Lisse inférieure
Câble électrique
2 x 4
Panneau mural
Attache
Dans les coins, là où il n'y a pas de fond de clouage, utilisez des attaches à gypse métalliques. Insérez la partie lisse de l'attache entre le montant et le panneau mural ; vissez le panneau du mur adjacent à l'autre moitié de l'attache.

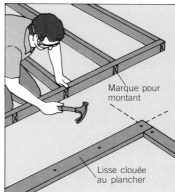

2. Assemblez sans fixer ; marquez sur la lisse l'emplacement des montants en utilisant une équerre. Taillez les montants assez longs pour qu'ils fassent toute la hauteur de la pièce après avoir soustrait l'épaisseur de la sablière et des lisses, plus ¼ po de jeu. Prévoyez les ouvertures et assemblez avec des clous 16d.

Marque pour montant
Lisse clouée au plancher

3. En vous faisant aider, dressez la structure et posez-la sur la lisse. Clouez la sablière aux solives et les montants aux murs. Comblez les espaces avec des cales de bois. Clouez la lisse de la structure à la lisse déjà fixée au plancher. Posez les tuyaux (p. 226-227), les boîtes électriques (p. 248-249) et les panneaux muraux (p. 275).

Moisissure

Champignon noir qui se manifeste sous forme de poudre blanche, rouge ou verte, la moisissure attaque la plupart des surfaces et se propage vite dans les endroits sombres et mal aérés. Sans danger réel pour la structure de la maison, elle dégage parfois une odeur désagréable. Ses spores sont allergènes.

La moisissure apparaît surtout durant les étés humides, dans les endroits mal aérés (sous-sols, salles de bains, placards surchargés et fermés). En raison de l'humidité des matériaux de construction, la moisissure apparaît souvent dans l'année suivant la construction de la maison.

Pour combattre la moisissure, réduisez l'humidité et améliorez la circulation de l'air. Dans les placards, remplacez le rayonnage de bois par des étagères grillagées et posez des portes persiennes. Videz et aérez les placards, nettoyez-les avec de l'eau de Javel diluée et laissez-y une ampoule de 60 W allumée de 24 à 48 heures. Si la moisissure réapparaît, vous devrez laisser l'ampoule toujours allumée. Pour éliminer tout risque d'incendie, assurez-vous qu'il y a un dégagement d'au moins 18 po (45 cm) tout autour de l'ampoule.

Au sous-sol, éliminez toute moisissure : utilisez un déshumidificateur (p. 498) ; posez un revêtement de vinyle plutôt que de la moquette. Dans les salles de bains et de lavage, installez un ventilateur ; réparez les tuyaux qui fuient.

À l'extérieur, taillez les arbustes de manière que les murs soient bien aérés et exposés au soleil. Éliminez la condensation au grenier : installez un soffite et des évents.

Peinture. Éliminez toute moisissure sur les surfaces à repeindre (voir tableau) sinon elle réapparaîtra. Ajoutez un fongicide à l'apprêt et à la peinture ou utilisez une peinture dont les pigments sont à base d'oxyde de zinc. L'alkyde résiste mieux que le latex à la moisissure. Enduisez le bois non traité d'un hydrofuge additionné d'un fongicide.

Surface	Méthode d'élimination de la moisissure	Commentaires
Bois, plastique, stratifié, métal, plâtre	Diluez 1 t. d'eau de Javel dans 1 gal d'eau, ou utilisez une solution de vinaigre et de borax.	L'eau fait gonfler le bois ; l'eau de Javel décolore. Utilisez un mélange de vinaigre et de borax. Ne mélangez jamais eau de Javel et ammoniaque. Portez des gants et aérez.
Céramique, vinyle et coulis	Détachant à moisissure commercial, ou 1 pinte d'eau de Javel dans 1 gal d'eau.	Produits commerciaux : suivez le mode d'emploi. Portez des gants de caoutchouc. Aérez pendant l'application.
Cuir	Mélangez 1 t. d'alcool dénaturé ou à friction dans 1 t. d'eau.	Humectez ; laissez sécher à l'air. En cas d'échec, nettoyez au savon moussant doux ou au détergent. Laissez sécher.
Moulure et parement extérieurs (non peints)	Mélangez 1 pinte d'eau de Javel dans 3 pintes d'eau.	Couvrez d'abord arbustes et sol d'une toile de plastique. Après le nettoyage, mettez un agent de conservation ou de la peinture antimoisissure.
Papier peint	Aucune.	Les champignons se nourrissent de la colle. Si vous remettez du papier peint, mêlez du borax à l'adhésif.
Surfaces peintes	Ajoutez 1 pinte d'eau de Javel à 3 pintes d'eau. Mélangez avec ⅓ t. de poudre à lessive.	Gardez la surface mouillée jusqu'à disparition des taches ; attendez 2 minutes ; rincez. Ne mélangez jamais d'ammoniaque avec de l'eau de Javel. Portez des gants ; aérez.
Vêtements, linge de maison	Savon ou détergent et eau. Pour les taches rebelles, jus de citron et sel, ou 2 c. à table d'eau de Javel dans 1 pinte d'eau tiède.	Rincez bien ; faites sécher au soleil. Faites tremper les taches rebelles dans du jus de citron ou dans de l'eau de Javel diluée (de 5 à 15 minutes) ; rincez (évitez cette méthode sur la soie ou la laine).

Champignons s'attaquant au bois

La *pourriture humide* attaque le bois très exposé à l'humidité (cadres de fenêtre). La surface pourrie est foncée et spongieuse, et le champignon apparaît sous forme de filaments brunâtres. La peinture s'écaille et le bois se fendille. La *pourriture sèche*, caractérisée par des filaments blancs s'étendant par plaques, se développe dans les endroits humides et mal aérés (sous-sols, vides sanitaires). Elle se propage rapidement ; le bois s'effrite et se fendille.

Pour éliminer la pourriture humide, faites disparaître la source d'humidité ; pour éliminer la pourriture sèche, aérez. Si les dégâts sont mineurs, grattez jusqu'au bois sain et enduisez-le d'un agent de conservation. Si les dégâts sont graves, enlevez la partie attaquée, imbibez d'un agent de conservation et remplissez d'un bouche-pores à l'époxyde. Pour régler les problèmes de charpente, laissez sécher complètement le bois. Doublez la pièce endommagée d'une pièce identique mais plus longue.

Remplacement d'un poteau de porche : soutenez le toit à l'aide d'un vérin. Enlevez le poteau endommagé, posez le nouveau et centrez-le sur le pilier sous le plancher. Ou encore, après avoir enlevé le poteau, taillez la partie pourrie et remplacez-la par du bois neuf, par un assemblage d'allongement (p. 111). Remplacez le bois pourri par du bois traité sous pression. Avant de remplacer le poteau, vérifiez la semelle de béton (p. 156-157).

Insectes perce-bois

Les termites ont un corps droit à antennes. À gauche : ouvrier aptère et gris-blanc ; le soldat (non illustré) a des mâchoires plus développées. Au centre : reproducteur ailé de couleur foncée. À droite : fourmi ailée à taille étroite, à ailes courtes et à antennes en coude.

Les termites souterrains, l'espèce la plus courante, vivent surtout dans le sud de l'Ontario et en Colombie-Britannique ; ils rongent le bois et s'attaquent à la structure de la maison. Ils nichent dans le sol et cheminent dans des galeries en quête de cellulose. Moyens d'infiltration : joints non étanches, bois non traité jouxtant le sol, fissures minuscules dans le béton ou la maçonnerie, trous dans le bouclier antitermite.

Pour enrayer le problème, ne plantez pas d'arbustes près des bouches d'évacuation, ne laissez pas d'eau gicler sur la maison et n'élevez pas le terrain jusqu'au haut des fondations. Réparez le bois touchant le sol ou le béton avec du bois traité sous pression. Consultez le ministère de l'Environnement. Méfiez-vous de certains spécia-listes qui ont recours à des produits non chimiques (prédateurs naturels, sondes électriques pour termites et barrières de sable) qui n'ont pas fait leurs preuves.

Les fourmis charpentières se distinguent des termites par leur taille mince, et des autres fourmis par leur *pédicelle* et leur nodule unique. La vermoulure grossière est un indice de leur présence.

Calfeutrez les fissures extérieures (p. 411), posez des coupe-bise autour des fenêtres et des portes (p. 452-454), enrayez toute source d'humidité, taillez les arbres qui touchent la maison, enlevez les tas de bois, nettoyez les gouttières et remplacez le bois pourri.

Éliminez les fourmis reproductrices dans le nid : répandez de la poudre d'acide borique dans les endroits infestés. Si vous ne pouvez atteindre la fourmilière, percez des trous tout autour et saupoudrez de l'acide borique ou appliquez un insecticide (chlorpyrifos, diazinon, malathion ou propoxur). Les colonies de fourmis se développent rapidement : n'attendez pas avant de faire appel à un exterminateur.

Les vrillettes laissent leurs œufs dans les fentes du bois. La larve ronge le bois, mue et re-monte à la surface. Trous dans le bois et bran de scie sont des indices d'infestation. Si les dégâts sont minimes, asséchez le bois et aérez la pièce. Les dégâts sont importants lorsque le bois sondé au poinçon cède facilement ; remplacez le bois. Traitez au chlorpyrifos, au diazinon, au malathion ou au propoxur, ou décapez le bois (p. 117) et enduisez-le de kérosène déodorisé. Ne fumez pas et n'employez pas de kérosène près d'une flamme ou d'une veilleuse.

Si vous ne pouvez pas agir rapidement, il vaut mieux faire appel à un exterminateur.

Vrillette

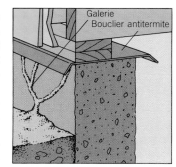

Galerie
Bouclier antitermite

Le bouclier antitermite est une tôle posée sur les fondations, lors de la construction, et qui force les termites à construire leurs galeries à l'air libre plutôt que derrière le parement. Vérifiez régulièrement s'il existe des galeries à l'extérieur et dans le vide sanitaire.

Liste de contrôle : dépistage des termites

- Inspectez la maison lorsque la température au sol se situe entre 10°C et 13°C.
- Frappez sur du bois suspect ; un son creux révèle qu'il est attaqué.
- Sondez les endroits douteux avec un poinçon : s'il pénètre facilement, la structure est touchée.
- Au printemps, les termites essaiment pour fonder de nouvelles colonies. Voyez s'il n'y a pas d'insectes volants ou d'ailes abandonnées dans le sous-sol, le vide sanitaire et près des fondations.
- Vérifiez la présence de galeries sur les fondations extérieures et les murs du sous-sol. Scellez la brique ou le stuc fissuré qui couvre les fondations. Vérifiez les endroits par où les tuyaux pénètrent dans la maison.
- Examinez le vide sanitaire et autres endroits où le plancher est en terre battue.

- Examinez les treillis, clôtures et boîtes à fleurs de bois situés près de la maison. Enlevez les tas de bois ou les cordes de bois qui se trouvent près de la maison.
- Vérifiez les bardeaux de bois de la toiture, les avant-toits, les surplombs et les bordures.
- Voyez si le parement présente des signes d'infestation (peinture craquelée et boursouflée, taches).
- À l'intérieur, recherchez des galeries dans les fondations, les fissures et les joints entre murs et planchers. Examinez l'intersection du mur et de la dalle de béton dans le garage. Vérifiez près des tuyaux et des appareils de chauffage.
- Vérifiez les appuis de fenêtre, les seuils, les escaliers de bois et leurs limons (p. 294). La peinture craquelée ou boursouflée recouvrant du bois non loin du sol est un indice à ne pas négliger.

Abeilles charpentières

Elles ressemblent aux bourdons et nichent dans des galeries creusées dans du bois à l'extérieur, souvent derrière la bordure de l'avant-toit ou dans d'autres moulures à surface non apprêtée. La nuit tombée, au printemps ou au début de l'été, appliquez du diazinon ou du carbaryl dans les trous. Calfeutrez ou obturez avec un goujon.

Pour empêcher l'infiltration d'insectes dans votre maison, assurez-vous que les moustiquaires des portes et des fenêtres sont sans trous et bien ajustées ; calfeutrez les fissures ; enlevez tout résidu de nourriture ; essuyez l'eau près des tuyaux ; conservez les aliments dans des contenants hermétiques ; gardez les déchets dans des poubelles fermées, à l'extérieur ; lavez les vêtements avant de les ranger.

Si, malgré ces précautions, vous êtes envahi, ne tardez pas à agir. On peut vaporiser les insecticides au pulvérisateur (une mince pellicule se dépose sur les surfaces ; elle tue les insectes au contact, même après des semaines) ; on peut aussi les appliquer au pinceau là où les insectes se déplacent ou se reproduisent. On peut enfin répandre de la poudre insecticide là où les insectes s'alimentent et pondent.

▶ **ATTENTION !** Avant d'appliquer un insecticide, lisez et suivez les recommandations du fabricant. Ne dirigez jamais le jet d'insecticide sur les aliments, les ustensiles ou les casseroles, ni sur les surfaces de préparation des aliments. N'en respirez pas les vapeurs. Évitez tout contact du produit avec la peau ou les yeux ; lavez-vous les mains et la figure au savon après l'avoir utilisé. Quittez la pièce sitôt la vaporisation terminée ; fermez-la pendant le temps recommandé ; puis aérez. Ne suspendez pas de plaque insecticide dans une pièce où se trouve un bébé, une personne âgée ou malade, ou un animal, ni dans les endroits où l'on prépare la nourriture. Rangez les insecticides dans un endroit frais et sec, hors de la portée des enfants et des animaux, et jamais près de la nourriture. Si vous en respirez ou en avalez, appelez immédiatement le médecin ou le centre antipoison. L'étiquette renseigne sur l'antidote.

Insecte	Milieu	Mesures préventives
Fourmis	Elles vivent en colonies et sont attirées par les aliments sucrés ou gras. Trouvez la colonie en suivant le trajet que les fourmis empruntent, de la source alimentaire à la fourmilière.	Insecticide résiduel (propoxur, diazinon ou chlorpyrifos) dans les fentes et fissures, sur le trajet, les cadres de fenêtres, les plinthes, autour des pieds de table et sous les éviers. Nid à l'extérieur : carbaryl ou diazinon. (Fourmis charpentières : voir page 345.)
Anthrènes **Mites**	Ces deux insectes pondent leurs œufs dans les tapis, les fourrures, les lainages et autres fibres animales. C'est aussi là que leurs larves se développent.	Insecticide résiduel qui ne tache pas. Appliquez-le sur le bord des tapis, derrière les radiateurs et dans les penderies (après les avoir vidées). Rangez les vêtements non mités et fraîchement nettoyés dans des contenants hermétiques renfermant des cristaux à mites. Passez l'aspirateur sur les tapis, les meubles rembourrés et les housses. Jetez la poussière de l'aspirateur aussitôt.
Blattes (cafards)	Elles se cachent dans les endroits chauds, humides et sombres. Brunâtres, elles mesurent de ½ à 3 po ; nocturnes. Elles se nourrissent de colle, de fécule, d'aliments et d'ordures.	Insecticide résiduel dans les fissures. En cas d'échec, essayez un produit différent ou de la poudre d'acide borique. Sinon, vaporisez aussi de l'insecticide ; posez des pièges dans les armoires et le long des plinthes ou appelez un spécialiste.
Vers de farine	Petits insectes bruns qu'on trouve en général dans les contenants de farine, de céréales, de nourriture pour animaux domestiques ou de graines d'oiseaux.	Jetez les aliments infestés ; nettoyez à fond les armoires, les tablettes et autres endroits de rangement. Gardez grains, nourriture pour animaux et graines d'oiseaux dans des contenants hermétiques. En cas d'infestation : pyrèthre ou diazinon.
Mouches de maison	Elles se reproduisent dans la matière organique ou les déchets en décomposition. Elles propagent des maladies.	Posez des moustiquaires partout. Tuez les mouches dans la maison. Jetez sans tarder les restes d'aliments dans des poubelles hermétiques, qu'il faut garder à l'extérieur.
Lépismes argentés	Ils vivent dans les endroits frais et humides et se nourrissent de fécules, de protéines, de sucre et de tissus encollés. Actifs la nuit.	Insecticide résiduel (propoxur, chlorpyrifos ou diazinon). Après la pulvérisation, répandez de la poudre d'acide borique ou de la terre de diatomées dans les fentes et les ouvertures par où passent les tuyaux.
Araignées (ne sont pas des insectes)	Sauf la veuve noire et la fileuse brune, les araignées qu'on trouve au Canada sont inoffensives et très utiles. Elles tissent leur toile dans les coins et les fentes.	Tuez les insectes servant de nourriture aux araignées. Enlevez les toiles à l'aspirateur. S'il y a trop d'araignées, vaporisez du propoxur, du diazinon ou chlorpyrifos dans les fentes.
Guêpes	Elles piquent. Les guêpes font leur nid dans les maisons, près des maisons ou dans le sol ; elles s'attaquent à d'autres insectes.	Attendez le gel pour tuer les guêpes ; détruisez les nids. Ou encore, vaporisez un insecticide (carbaryl, propoxur, resméthrine ou malathion). Vaporisez les nids le soir, par temps frais. Dans la maison, fermez bien les ouvertures.

Animaux indésirables

Bloquez toutes les entrées possibles. Les chauves-souris pénètrent par de petites ouvertures de ¼ x 1½ po (6 x 38 mm). Calfeutrez trous et fissures ou couvrez-les d'une pièce ou d'un grillage métallique. Couvrez d'un grillage les bouches d'aération et les cheminées.

Réparez les fuites ; rangez les aliments dans des contenants de métal ou de verre ; gardez les ordures dans des poubelles hermétiques.

Signes d'infiltration : portes, fenêtres, fils électriques et aliments rongés, restes d'aliments, bruits d'animaux qui s'enfuient lorsque vous faites de la lumière. Nettoyez le long des plinthes, là où les rongeurs se déplacent, et dans les placards ; vérifiez après quelque temps.

Pièges. Assurez-vous qu'ils sont bien dressés et bien placés. Les *pièges à ressort* et les *pièges à colle* tuent souris et rats sur-le-champ. Les *boîtes-pièges* capturent les animaux sans les blesser. Pour connaître les règlements provinciaux relativement à la capture et au relâchement des animaux, adressez-vous à un agent de conservation de la faune.

Poisons. Les souris et les rats qui meurent derrière les murs dégagent des odeurs désagréables ; s'ils meurent à l'extérieur, ils peuvent contaminer un animal qui les attaquerait. Les poisons anticoagulants à action répétée présentent moins de risques pour les enfants et les animaux domestiques. Avant d'utiliser un poison, adressez-vous à un centre antipoison.

▶ **ATTENTION !** Un animal que vous libérez pourrait vous mordre ; portez des gants pour vous protéger de la rage. Gardez les poisons hors de la portée des enfants et suivez scrupuleusement les recommandations du fabricant. Débarrassez-vous des poisons (p. 348), conformément aux recommandations.

Capture des souris, rats et chauves-souris

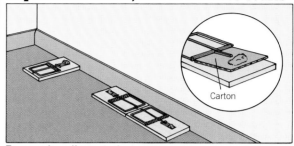

Espacez les pièges de 6 pi, côté appâté contre une plinthe, ou mettez-les bout à bout, les appâts à l'opposé. Un morceau de carton de 2 po sous la détente rendra le piège plus efficace ; appâtez et armez.

Gardez le poison hors de la portée des enfants et des animaux domestiques dans une boîte dotée d'un moraillon à battant et d'une ouverture de 2½ po de chaque côté. Placez-la contre une plinthe.

Animal	Caractéristiques	Mesures préventives
Chauve-souris	Nocturne ; elle loge au grenier, se nourrit d'insectes et peut transmettre la rage.	Repérez les ouvertures. Scellez-les avant la fin de mai ou après la mi-juillet. Posez un grillage de polypropylène de ½ po, à l'extérieur ; avec du ruban ou des agrafes, fixez le grillage à 6 po au-dessus et à 2 pi sur les côtés.
Souris et rat	La souris niche entre les murs ou dans les trous. Le rat ronge le bois.	Souris : appâtez la souricière ou la boîte-piège (beurre d'arachide, bacon ou jujubes). Rats : lavez-vous les mains avant d'appâter le piège. Laissez-le appâté trois jours sans l'armer. Avant d'utiliser le poison, renseignez-vous auprès d'un centre antipoison ou d'un bureau de la conservation de la faune.
Raton laveur	Il pénètre par les ouvertures des avant-toits et peut transmettre la rage.	Consultez les règlements municipaux. Appâtez une boîte-piège de poisson ou de nourriture pour chats à saveur de poisson, de pain tartiné de miel, de guimauve ou de beurre d'arachide. Armez-vous de patience ou adressez-vous à la SPCA.
Mouffette	Elle élit domicile sous les porches et les maisons mobiles ; elle peut transmettre la rage.	Déterminez le moment où la bête quitte son terrier : le jour, saupoudrez l'entrée de farine ; la nuit, voyez s'il y a des traces. Vérifiez si les petits de la mouffette sont restés ; si le nid est vide, bloquez-en l'entrée avec des planches.
Écureuil	Il entre dans le grenier par la cheminée ; il ronge les fils électriques et peut transmettre la rage.	Consultez les règlements municipaux. Utilisez une cage appâtée de maïs, de noix, d'arachides, de beurre d'arachide (très efficace), de graines de tournesol ou de grains d'avoine roulé. Relâchez l'animal au moins à 8 km, dans les bois.

Chauve-souris au repos, le jour : emprisonnez-la dans un contenant vide ; glissez doucement un morceau de carton derrière. Le soir, fermez la pièce où elle se trouve, allumez la lumière, ouvrez portes et fenêtres ; attendez qu'elle parte.

Il y a dans la maison de nombreuses matières dangereuses.

Amiante. Tuyaux, isolants, plâtre, pâtes à joints, peintures et matériaux divers en contiennent. Au Canada, les produits contenant des fibres d'amiante sont interdits. Toutefois, les fibres non détériorées sont inoffensives, tant qu'elles ne sont pas dispersées dans l'air. Il ne faut donc pas poncer un objet qui contient de l'amiante, non plus que balayer, épousseter, ou passer l'aspirateur dans les endroits où il pourrait s'en trouver. En cas d'incertitude, renseignez-vous auprès d'un spécialiste ou de Santé et Bien-être Canada. Évitez de toucher l'amiante ; si elle s'effrite ou se désagrège, faites-la enlever par un spécialiste ou adressez-vous à votre bureau de santé communautaire.

Plomb. On le trouve surtout dans les vieilles maisons : peintures, tuyaux et soudures à base de plomb. Si la peinture est en bon état, n'y touchez pas, mais si elle cloque ou s'écaille, couvrez-la de papier peint ou de placoplâtre. Il ne faut ni poncer, ni brûler, ni peindre de la peinture à base de plomb. Confiez les travaux à un spécialiste. Si vous travaillez avec des tuyaux de plomb, aérez la pièce, portez des vêtements protecteurs (p. 354) et évitez de faire de la poussière. Ne chauffez pas les tuyaux : cela produirait des émanations dangereuses. Ne jetez pas d'objets contenant du plomb avec les ordures ménagères ; apportez-les à un centre de recyclage.

Formaldéhyde. Le formaldéhyde se retrouve dans plusieurs produits domestiques. Les émissions de formaldéhyde peuvent causer maux de tête, nausées, vertiges, vomissements et toux. Évaluez-en le taux dans l'air avec un *dosimètre*, disponible auprès de sociétés de fabrication de produits de sécurité et de santé industrielle. Normalement, les émissions diminuent avec le temps. Pour les réduire, scellez le bois avec du vernis au polyuréthane (p. 121) ou un stratifié (p. 140-141), augmentez la ventilation et servez-vous de climatiseurs ou de déshumidificateurs

pour maintenir l'humidité et la température à un niveau moyen.

Radon. Gaz radioactif présent dans la terre, l'eau et le gaz naturel, il s'infiltre dans la maison par le sous-sol ou le vide sanitaire. Renseignez-vous auprès du DSC (département de santé communautaire) sur les trousses de dépistage et les moyens à prendre pour en réduire la concentration. Obturez les fissures dans les murs et le plancher du sous-sol (p. 339) ; installez une sous-dalle ou un système de ventilation. Les systèmes mécaniques de ventilation réduisent également la concentration intérieure d'autres polluants comme le dioxyde d'azote et le formaldéhyde.

Autres matières. Débarrassez-vous de toute matière dangereuse conformément aux règlements provinciaux. N'achetez que ce dont vous avez besoin. Optez pour des produits moins toxiques. Renseignez-vous sur les modes d'élimination de ces substances. Suivez scrupuleusement les consignes du fabricant. Ne jetez pas les restes de peinture à l'huile ou d'insecticide ; donnez-les à quelqu'un qui en a besoin.

Clé pour la mise au rebut

O **Ordures ménagères.** Jetez avec les ordures allant au dépotoir ou à l'incinérateur (rincez les contenants). N'envoyez pas les bombes aérosols à l'incinérateur.

P **Enveloppez** dans du papier journal ou une pellicule plastique ; jetez avec les ordures ménagères.

D **En petites quantités,** diluez dans beaucoup d'eau ; versez dans l'évier ou la toilette, sauf si vous avez une fosse septique. En grandes quantités, attendez le jour de la récupération des produits dangereux.

S **Solidifiez.** Ajoutez un matériau absorbant (litière, sable, bran de scie). Enveloppez dans deux épaisseurs de plastique ; jetez avec les ordures.

E **Laissez s'évaporer** hors de la portée des enfants et des animaux domestiques. Enveloppez dans deux épaisseurs de plastique ; jetez avec les ordures.

R **Apportez** à un centre de recyclage ou retournez au fabricant.

C **Ne jetez pas.** Attendez la cueillette des produits dangereux, ou renseignez-vous auprès de votre municipalité ou du ministère de l'Environnement.

Élément	Mise au rebut
Symbole	O P D S E R C
Antigel	D[1] ... R
Batterie d'automobile	R
Bombe aérosol (vide)	O
Boules à mites (ou cristaux)	C
Carburant diesel	R
Colle à base d'eau	E
Colle à base de solvant	E C[1]
Collier antipuces	C
Décapant	D
Dérouillant (acide phosphorique)	D
Détachant (solvant)	E C[1]
Détecteur de fumée, ionisation	R
Diluant pour la peinture	E C[1]
Essence	E C[1]
Essences minérales / térébenthine**	E C[1]
Herbicide	C
Huile à moteur, lubrifiant	R
Insecticide de jardin	C
Insecticide (blattes, fourmis)	C
Kérosène	R
Matériau de fibre de verre**	C
Nettoyant, abrasif, poudre	O
Nettoyant antimoisissure	P C[1]
Nettoyant à four	D
Nettoyant à pinceaux (phosphate)	D
Nettoyant à pinceaux, solvant	C
Peinture antirouille	C
Peinture à l'huile (alkyde)	C
Peinture au latex	S E[1]
Pile électrique (tout format)	P R[1]
Poison à souris / à rats (arsenic)	C
Poison à souris / à rats (warfarine)	P
Poli à meubles (avec solvant)	C
Produit de débouchage	D
Produits chimiques de dégraissage	C
Produits de traitement du bois	C
Régulateur de puissance (fluorescent)*	C
Vernis	C

Note : Lorsque plusieurs méthodes sont suggérées, choisissez d'abord celle marquée d'un 1.
* S'il contient des BPC.
** Après solidification ou évaporation, attendez le jour de la cueillette.

Peinture et papier peint
la touche de l'expert

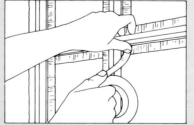  

Peu de travaux de bricolage procurent autant de satisfaction que la peinture et la pose du papier peint. Un coup de pinceau ravive l'extérieur d'une maison et en améliore l'apparence. Une couleur bien choisie rehausse les caractéristiques architecturales et masque les défauts. À l'intérieur, une couleur nouvelle ou un papier peint original rajeuniront une pièce.

Pour réaliser ces changements, il suffit d'utiliser les bons outils, de bien préparer les surfaces et de suivre les techniques décrites dans ce chapitre.

Pinceau rond à boiseries

Pinceau de 1" pour vernis ou émail

Pinceau à retouches (vernis)

Pinceau à boiseries de 1½"

Pinceau aux soies à pointe effilée

Pinceau de 4" pour peinture d'intérieur ou d'extérieur

Les pinceaux sont de dimensions et de formes multiples. Le pinceau de 6 po (15 cm) convient aux grandes surfaces planes ; le pinceau de 4 po (10 cm), plus léger et plus efficace, sert aux murs intérieurs. On utilise des pinceaux plus étroits pour les boiseries.

Les tâches délicates exigent, selon certains experts, un pinceau à pointe effilée, qui distribue la peinture depuis la pointe seulement, et selon d'autres, un pinceau rond. Les détails précis exigent un pinceau biseauté (voir ci-dessous).

L'achat des pinceaux. Les meilleurs pinceaux sont denses et épais. Le bout de chaque soie est dédoublé pour retenir la peinture. Les bonnes soies sont souples et se déploient uniformément lorsqu'on les presse dans la paume. Elles sont solidement fixées de chaque côté d'un séparateur qui n'excède pas le tiers de leur largeur et sont retenues par une bague clouée (la virole). Le manche est robuste et tient bien dans la main.

Les soies synthétiques (nylon, polyester ou un mélange des deux) sont économiques et conviennent à tous les types de peinture. Les soies naturelles, comme les peintures à l'huile pour lesquelles elles avaient été conçues, sont moins en demande : elles s'empâtent quand on les utilise avec des peintures à émulsion.

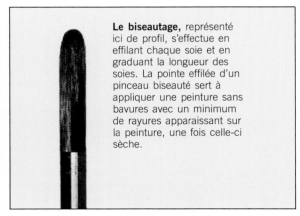

Le biseautage, représenté ici de profil, s'effectue en effilant chaque soie et en graduant la longueur des soies. La pointe effilée d'un pinceau biseauté sert à appliquer une peinture sans bavures avec un minimum de rayures apparaissant sur la peinture, une fois celle-ci sèche.

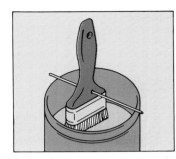

Pour nettoyer un pinceau, plongez-le dans un solvant : eau pour les peintures à émulsion, diluant ou térébenthine pour les peintures à l'huile. Percez un trou dans le pinceau pour que les soies, suspendues, ne se déforment pas.

Pressez les soies entre les doigts jusqu'à la virole pour déloger la peinture. Portez des gants s'il s'agit d'un solvant chimique.

Rincez dans le solvant à plusieurs reprises, puis secouez (dans une boîte de carton pour éviter les éclaboussures). Démêlez les soies à l'aide d'un peigne métallique : il délogera les particules tenaces et redressera les soies. Suspendez le pinceau pour faire sécher les soies.

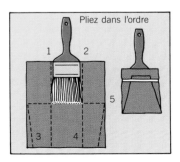

Pliez dans l'ordre

Pour un rangement prolongé, enveloppez le pinceau sec dans du papier brun épais ou un papier d'aluminium, à l'abri de la poussière. Suspendez-le ainsi ou étendez-le sur une surface plane. Ne l'entreposez jamais sur ses soies : cela les endommagerait.

Tampons

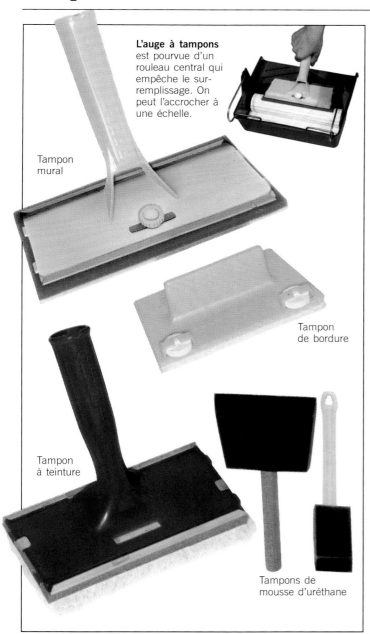

L'auge à tampons est pourvue d'un rouleau central qui empêche le sur-remplissage. On peut l'accrocher à une échelle.

Tampon mural

Tampon de bordure

Tampon à teinture

Tampons de mousse d'uréthane

Pour chaque type de besogne il existe un tampon approprié. Les tampons, de formes différentes et de dimensions variables, sont fabriqués de matériaux divers et munis d'une variété de dispositifs de fixation. Il y a les tampons de bordure, pourvus de roues réglables, qui permettent de tracer une ligne droite près d'un plafond, les tampons triangulaires pour finir les coins, les petits tampons rectangulaires pour finir les boiseries et les tampons pour retoucher l'embronchement (chevauchement des bardeaux d'asphalte et de bois).

On trouve sur le marché un vaste assortiment de garnitures allant des fibres minces pour les surfaces lisses jusqu'au mohair épais pour teindre le bois uniformément et d'autres matériaux synthétiques très épais pour peindre le stuc d'une seule couche de peinture.

Les tampons ne plaisent pas à tout le monde. Certains peintres préfèrent les pinceaux et les rouleaux, estimant qu'ils sont plus sûrs et plus rapides. D'autres optent pour les tampons, qu'ils trouvent efficaces et faciles d'entretien.

Gant à peinture

Le gant ci-contre est doté de poils qui retiennent la peinture. Il permet de peindre rapidement les balustres, traverses, chéneaux ou tuyaux. Il suffit de faire glisser le gant, enduit de peinture, sur l'objet à peindre.

Pour nettoyer un tampon, extrayez le plus de peinture possible sur du papier journal ; séparez le tampon de son manche.

Lavez le tampon dans l'eau s'il s'agit d'une peinture à émulsion. Pour la peinture à l'huile, utilisez un diluant ou de la térébenthine. Portez des gants de caoutchouc.

Lavez de nouveau dans une eau savonneuse. Les détersifs à l'ammoniaque sont particulièrement efficaces pour enlever la peinture à l'huile. Rincez abondamment à l'eau claire.

Pressez l'excédent d'eau sur une vieille serviette ou du papier journal, puis laissez sécher le tampon debout. Enveloppez le tampon sec dans du papier brun épais, du papier d'aluminium ou du plastique, pour qu'il reste propre.

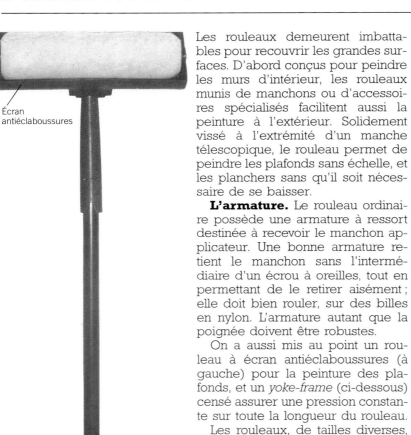

Écran
antiéclaboussures

Rallonge

Les rouleaux demeurent imbattables pour recouvrir les grandes surfaces. D'abord conçus pour peindre les murs d'intérieur, les rouleaux munis de manchons ou d'accessoires spécialisés facilitent aussi la peinture à l'extérieur. Solidement vissé à l'extrémité d'un manche télescopique, le rouleau permet de peindre les plafonds sans échelle, et les planchers sans qu'il soit nécessaire de se baisser.

L'armature. Le rouleau ordinaire possède une armature à ressort destinée à recevoir le manchon applicateur. Une bonne armature retient le manchon sans l'intermédiaire d'un écrou à oreilles, tout en permettant de le retirer aisément ; elle doit bien rouler, sur des billes en nylon. L'armature autant que la poignée doivent être robustes.

On a aussi mis au point un rouleau à écran antiéclaboussures (à gauche) pour la peinture des plafonds, et un *yoke-frame* (ci-dessous) censé assurer une pression constante sur toute la longueur du rouleau.

Les rouleaux, de tailles diverses, s'adaptent à toutes les tâches.

Le manchon. La meilleure qualité de manchons a une garniture uniforme et duveteuse qui ne bouloche pas, ainsi qu'un centre qui résiste à l'eau ; les manchons bon marché retiennent moins de peinture, éclaboussent davantage et ont tendance à se feutrer.

Plus la surface à couvrir est lisse et plus le revêtement devra être uni, plus la garniture doit être courte. Une couche d'émail lustré sur un mur lisse exige une garniture de ¼ po (6 mm) tout au plus. La garniture des manchons tout usage à peinture mate est de ⅜ po (10 mm).

Les garnitures de ½ po (13 mm) conviennent aux murs de stuc ; celles de ¾ po (20 mm) facilitent le recouvrement des sols de ciment, des murs de brique et des clôtures à mailles losangées.

Il existe aussi des manchons en différentes fibres : laine d'agneau pour les peintures à l'huile, dynel pour les peintures à émulsion. L'acétate et le polyester conviennent également pour ces deux types de peinture, et le mohair est excellent pour l'émail lustré et le vernis.

Chargement du rouleau

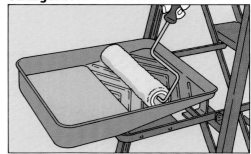

Plongez le rouleau dans la partie la plus profonde de l'auge, puis passez-le sur la partie côtelée jusqu'à ce que le manchon soit uniformément enduit de peinture.

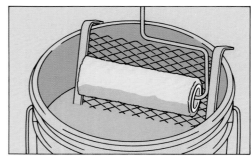

Pour répartir uniformément la peinture, les spécialistes passent un rouleau, fraîchement chargé, sur un grillage portatif, placé ici dans un récipient de 5 gal.

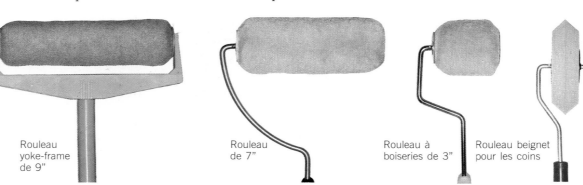

Rouleau
yoke-frame
de 9"

Rouleau
de 7"

Rouleau à
boiseries de 3"

Rouleau beignet
pour les coins

Types de rouleaux. Le rouleau rouge (extrême gauche) est muni d'un écran antiéclaboussures et d'une rallonge pour peindre plafonds et planchers ; le *yoke-frame* de 9 po et le rouleau de 7 po sont aussi destinés aux grandes surfaces ; le rouleau de 3 po est destiné aux boiseries, et le beignet en V aux coins.

Appareils d'alimentation

Soin des rouleaux

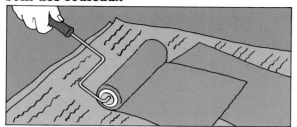

Pour nettoyer un rouleau, essuyez-le d'abord sur du papier journal. Enlevez ensuite le manchon de son support. Pour une courte pause, vous pouvez mettre le rouleau dans un sac en plastique bien fermé.

Utilisez un solvant approprié pour enlever le reste de peinture : de l'eau claire pour les peintures à base d'eau, un solvant ou diluant pour les peintures à l'huile (mettez des gants de caoutchouc). Lavez à l'eau savonneuse et rincez avec soin.

Essorez ; assurez-vous qu'il ne reste plus de peinture : le manchon ne serait pas réutilisable.

Séchez avec une essoreuse manuelle (disponible en quincaillerie). Le manchon sec, rangez-le debout.

Pour accélérer un travail de quelque envergure, servez-vous d'un appareil qui alimente automatiquement en peinture un rouleau spécial par l'intermédiaire d'un tuyau. Un bouton-poussoir sur le manche en règle le débit.

Les avantages : vous n'avez pas à retremper votre rouleau à tout moment, ni à déplacer le seau et l'escabeau.

Que les modèles soient actionnés par l'électricité, une pompe manuelle ou une cartouche de CO_2, ils effectuent essentiellement les mêmes tâches. Pinceaux, tampons, de même que supports et plusieurs manchons pour revêtements différents s'y rattachent.

Les inconvénients : le nettoyage et l'entretien, surtout des tuyaux, qui sont ardus ; et le gaspillage de peinture.

Les appareils d'alimentation servent surtout à l'extérieur pour couvrir de grandes surfaces sans avoir à manier constamment l'échelle.

Appareil d'alimentation à pompe

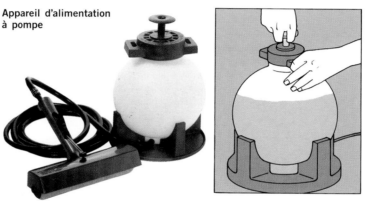

Appareil d'alimentation électrique

Manchon

Adaptateur de robinet

Tampon

Rallonge

Siphon

L'appareil à gauche est muni d'une pompe manuelle. Avec 20 mouvements de pompage, on alimente le rouleau de 1 gal de peinture. Le modèle électrique (en bas, à gauche) est plus puissant, mais bruyant. Ses accessoires : une rallonge, un tampon et un adaptateur pour nettoyer l'appareil au robinet. Pour utiliser l'appareil, versez-y 1 gal de peinture et branchez-le ; le tuyau assure un rayon d'action de 18 pi.

353

Peinture / Pulvérisation

Il faut certes bien protéger les surfaces qui ne sont pas à peindre, mais, outre l'économie de temps que vous réaliserez, le pulvérisateur offre un avantage essentiel par rapport au pinceau ou au rouleau : il permet d'atteindre facilement et rapidement les endroits difficiles d'accès (volets, treillis, clôtures).

Pour les travaux d'envergure — murs, plafonds et extérieurs —, il existe deux types de pulvérisateurs : l'un, à l'air comprimé, atomise la peinture et la projette sur la surface (p. 77) ; l'autre pulvérise la peinture sous pression à travers un gicleur, créant un jet plus dense.

Le pulvérisateur sans air (ci-dessous) est plus facile à utiliser que le pulvérisateur à air comprimé, mais il faut le manipuler avec précaution : la peinture est projetée sous une pression pouvant atteindre 3 000 lb/po^2 (22 kg/cm^2) et à une vitesse atteignant 320 km/h (200 mi/h).

▶ **ATTENTION !** Cet appareil peut injecter la peinture à travers la peau et dans le corps et causer des blessures très graves. En cas d'accident, présentez-vous au service d'urgence le plus proche. Bien des médecins ne savent pas traiter ce genre de blessure et, faute de soins appropriés, vous risqueriez l'amputation ou même pire. Lorsque vous utilisez ce type de pulvérisateur, soyez donc extrêmement prudent et prenez toujours les mesures de sécurité suivantes :

- Ne braquez jamais le pulvérisateur sur vous ni sur personne.
- Assurez-vous qu'il n'y a ni enfants ni animaux dans les environs lorsque vous l'utilisez.
- Débranchez-le avant de le désencrasser ou de vous livrer à toute autre tâche d'entretien et surtout quand vous le démontez.
- Ne le laissez jamais à la portée de qui que ce soit, branché ou pas.

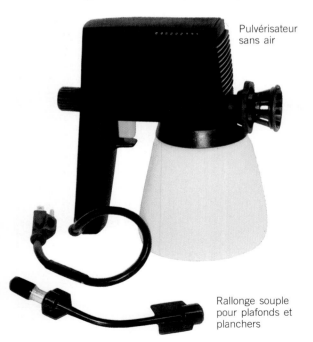

Pulvérisateur sans air

Rallonge souple pour plafonds et planchers

La baguette à fourche vous permettra de déterminer si votre peinture a été assez diluée pour le pulvérisateur. La peinture doit s'écouler à l'enfourchure en un certain nombre de secondes. La plupart des peintures doivent contenir environ 10 p. 100 de diluant.

Le tamisage de la peinture empêchera les grumeaux ou autres débris d'obstruer le gicleur. Utilisez un bas de nylon ou une pièce de gaze.

Équipement de protection

Les lunettes protectrices protègent les yeux des particules et des liquides. Portez-les lorsque vous utilisez une scie, une perceuse, une ponceuse, une brosse d'acier, un rabot ou un pulvérisateur. (Elles ne s'embuent pas, si elles sont munies de trous de ventilation.)

Le masque univervice (à jeter après utilisation), peu cher et muni d'une pince métallique, vous protège des odeurs, de la poussière et des vapeurs. Le masque à poncer vous procurera une meilleure protection que le masque à latex.

Pour les matières toxiques (laques ou urée formaldéhyde), achetez un respirateur uniservice ou un respirateur à cartouches avec filtres remplaçables.

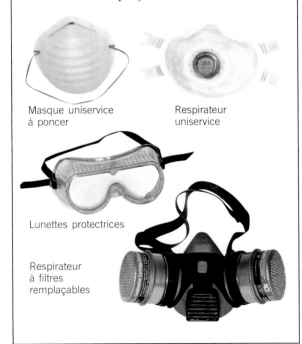

Masque uniservice à poncer

Respirateur uniservice

Lunettes protectrices

Respirateur à filtres remplaçables

Préparation avant la pulvérisation. Toute surface que vous ne voulez pas peindre doit être protégée. Bien qu'un pulvérisateur à pompe soit plus facile à maîtriser qu'un pulvérisateur à air comprimé, les deux appareils dégagent une buée qui se dépose sur les surfaces environnantes. À l'extérieur, recouvrez les haies et mettez la voiture dans le garage. À l'intérieur, faites les préparatifs habituels (p. 356-357) et masquez les vitres avec du papier journal fixé au moyen de ruban adhésif.

Avant de commencer. Installez votre équipement selon les directives du fabricant. (Si vous louez un pulvérisateur, assurez-vous que les directives y soient.) Rincez d'abord le contenant, à l'eau pour le latex, au solvant pour la peinture à l'huile ; remplissez-le ensuite au moyen d'un siphon ou d'un dispositif fixé au gicleur. Assurez-vous que le gicleur a l'ouverture appropriée : les teintures très liquides requièrent la plus petite ouverture, les latex épais la plus grande.

Si vous n'avez jamais utilisé de pulvérisateur, remplissez-le auparavant d'eau et faites un ou plusieurs essais sur un mur extérieur ou sur un contre-plaqué de rebut pour vous accoutumer au maniement de l'appareil.

Les techniques expliquées à droite s'appliquent aux deux types de pulvérisateurs et aux bombes-aérosols. Ces dernières sont coûteuses, mais toutefois bien pratiques pour de petits travaux.

Nettoyage. Suivez les directives du fabricant. Généralement, vous videz d'abord le tuyau de toute peinture qui y reste. En utilisant un solvant pour la peinture à l'huile ou de l'eau pour le latex, vous rincez ensuite le gicleur. Nettoyez toutes les composantes par trempage. L'équipement réassemblé, lubrifiez-en les pièces métalliques avec une huile quelconque pour les protéger de la rouille.

Techniques de pulvérisation. Tenez le pulvérisateur à la verticale, à 10 ou 12 po (25 à 30 cm) de la surface à enduire. Ensuite, faites un

essai pour trouver le mouvement approprié. Le mouvement idéal est large et la peinture est finement atomisée et uniforme. Trois variables détermineront le fini que vous obtiendrez : la viscosité de la peinture, l'ouverture du gicleur et le réglage de la pression.

La pression étant la variable la plus facile à contrôler, faites des essais en tournant le bouton

de réglage. Si cela n'est pas concluant, vérifiez l'ouverture du gicleur et l'épaisseur de la peinture : une ouverture trop petite donne des éclaboussures au centre et un enduit mince à l'extrémité du rayon d'action ; une ouverture trop grande donne un enduit rugueux. La surface comportera essentiellement des éclaboussures et sera mal couverte.

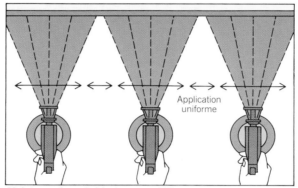

Maintenez le pulvérisateur parallèlement au mur pour obtenir une application uniforme. Au fur et à mesure que vous avancez, restez toujours à 12 po de la surface que vous enduisez : vous aurez un enduit uniforme.

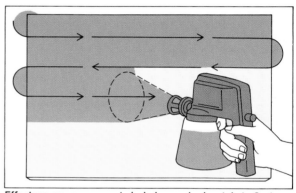

Effectuez un mouvement de balayage horizontal de 3 pi, en assurant un chevauchement d'environ 1 po à chaque passe. Dépassez légèrement la surface avant d'effectuer la passe de retour. Appliquez des couches minces et uniformes.

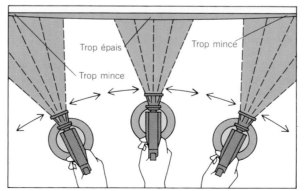

En décrivant des arcs, vous obtiendrez un mauvais fini : trop mince à l'extrémité du rayon d'action, trop épais au centre. Pour éviter ce mouvement de bras, déplacez-vous parallèlement au mur.

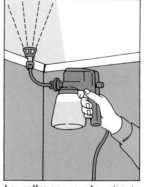

La rallonge souple, dirigée vers le haut, permet d'enduire facilement le plafond ou le dessous d'étagères.

La rallonge souple, dirigée vers le bas, enduit le plancher. Un gicleur ordinaire ne donnera pas un fini uniforme.

La préparation, avant de peindre, est une tâche fastidieuse, mais c'est là que réside le secret d'un travail réussi et durable. Les outils illustrés ci-dessous laissent deviner les travaux à effectuer.

Le *couteau à moulures* détache la peinture et les débris accumulés dans les rainures de pièces décoratives. Un outil semblable, muni de têtes différentes, sert à gratter les moulures arrondies. Le *grattoir*, muni d'une lame de rasoir, sert à décoller les taches de peinture sur les vitres. Le *couteau à murs* de 6 po (15 cm) est souple ; il sert à enlever le papier peint ou la peinture ramollie sur les surfaces planes et à niveler le plâtre. Le *couteau à mastic* est également souple et sert aux petits travaux. Le *racloir*, qu'on tire vers soi, enlève la peinture sur le bois (appuis de fenêtre, chambranles).

Avant de commencer, examinez chacune des pièces que vous vous proposez de peindre comme si vous les voyiez pour la première fois. Vous remarquerez les défauts à réparer.

À la page suivante est illustrée une pièce prête à être peinte. Pour réaliser une bonne préparation, faites ce qui suit :

Repérez les défauts importants. Un plafond qui s'affaisse pourra indiquer que le toit coule ou qu'un calorifère fuit. Avant de réparer le placoplâtre ou le plâtre, déterminez pourquoi vos murs ou vos plafonds se sont détériorés et apportez-y le remède approprié.

Dépouillez les murs. Enlevez tableaux et rideaux ; vérifiez s'il y a des écaillures, des lézardes ou des trous ; examinez les boiseries. S'il y a du papier peint, le remplacez-vous ?

Groupez vos matériaux. Vous aurez besoin : de polythène, de toiles, de papier journal, de ruban gommé, de sacs de plastique ; pour travailler en hauteur, d'escabeaux, d'échelles ou de madriers à échafaudage ; pour réparer le plâtre, de bouche-pores, de décapant, d'une ponceuse et de papiers abrasifs, de chiffons, d'un aspirateur ; pour nettoyer, de détergent, d'un agent de blanchiment, d'un seau et d'une éponge ; pour vous protéger, de lunettes protectrices et d'un respirateur.

Réparation des écaillures

Couteau à moulures

Grattoir

Couteau à murs

Couteau à mastic

Racloir

1. Enlevez la peinture écaillée ou boursouflée avec un couteau souple et émoussé, en prenant garde de ne pas surcreuser la surface. La peinture doit être en bon état sur le reste du mur, sinon les nouvelles couches ne tiendront pas.

2. Mettez du plâtre à partir des bords avec un couteau à mastic ou à murs. Étendez le plâtre de façon à éliminer la petite dénivellation qu'il y a entre la peinture et l'endroit découvert et à obtenir une surface lisse.

3. Nivelez avec un couteau assez large. Assurez-vous que la surface est bien uniforme. Laissez sécher le plâtre.

4. Avec un bloc et du papier abrasif, poncez. Utilisez d'abord un papier moyen, ensuite un papier fin pour obtenir une surface lisse. Portez des lunettes protectrices et un respirateur ou un masque.

Réparation du placoplâtre 278
Réparation du plâtre 280
Démontage des plinthes 293

Enlevez meubles et tapis. Pour toute réparation et application de peinture, vous aurez besoin de beaucoup d'espace pour vous déplacer. Groupez donc au centre de la pièce les meubles devant y rester et recouvrez-les de toiles retenues au bas par une corde.

Défaites la quincaillerie. Enlevez boutons, serrures et verrous aux portes et aux fenêtres, tringles et crochets de rideau, clous et crochets. Coupez le courant dans la pièce (p. 237) ; dévissez et enlevez les plaques des interrupteurs et des prises. Débranchez et enlevez les plafonniers ou dévissez-en la garniture et protégez le tout d'un plastique bien fermé.

Protégez les autres surfaces. Protégez les appliques, les radiateurs et les thermostats. Recouvrez le plancher (ou la moquette) de polythène ; mettez tout autour de la pièce plusieurs épaisseurs de papier journal fixé à la base des plinthes. Faites une « piste » de papier journal qui traverse la pièce à partir de la porte. Le papier journal absorbe la peinture et lui permet de sécher, pas le polythène.

Faites les réparations. Réparez les murs, plafonds et boiseries au moyen des techniques décrites ici et aux pages qui suivent ; voyez aussi les sections portant sur la réparation du placoplâtre (p. 278), du plâtre (p. 280) et sur le démontage des plinthes (p. 293). Appliquez un apprêt aux endroits réparés afin d'assurer un fini de peinture bien uniforme.

Lavez toutes les surfaces. Utilisez un détergent puissant comme le phosphate de trisodium ou son équivalent non phosphaté, que vous trouverez chez le détaillant de peinture ou dans les centres de rénovation. Même les empreintes digitales peuvent empêcher la peinture de bien adhérer : nettoyez toutes les taches de moisissure avec un composé fait de 1 partie d'agent de blanchiment et de 3 parties d'eau. Rincez et laissez sécher avant de peindre. Pour que la peinture adhère bien, poncez les surfaces lustrées ou enduisez-les d'un produit spécial.

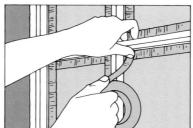

Masquez le tour des carreaux avec du ruban gommé ; laissez un espace de ⅛ po le long des montants et des traverses. La petite bordure de peinture protégera le bois contre la condensation.

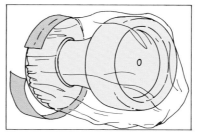

Protégez les boutons de porte avec un petit sac de plastique et du ruban gommé si la forme de la garniture le permet. Ce petit truc évite de démonter le bouton et toutes les pièces.

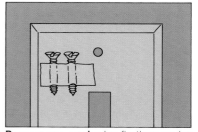

Pour ne pas perdre les fixations ou les petites pièces de quincaillerie, collez-les avec du ruban gommé aux objets enlevés. Ici, les vis sont fixées à la plaque qu'elles retenaient.

Peinture / Préparation des boiseries

Des boiseries en bon état ne requièrent qu'un bon lavage avec un détergent puissant (phosphate de trisodium ou son équivalent non phosphaté). Poncez les surfaces lustrées ou traitez-les pour que la nouvelle peinture y adhère bien. Toutefois, si la peinture commence à se fissurer ou à s'écailler, il vaut mieux l'enlever. Le décapage est un travail fastidieux et salissant, mais il permet d'obtenir un beau fini durable.

▶ **ATTENTION !** Votre peinture peut contenir du plomb si la dernière application a été faite avant 1976. Si oui, faites-la enlever par un spécialiste.

Enlevez la peinture au pistolet à décaper (illustré ci-dessous) ou au décapant chimique (à droite). Les décapants non toxiques agissent lentement — quelques heures plutôt que quelques minutes — mais ne dégagent aucune émanation.

Le bois nu doit être poncé, nettoyé avec un tissu traité commercialement (ou un chiffon de coton trempé dans le solvant) et scellé au moyen d'un apprêt avant d'être peint à nouveau. (Voir les techniques de préparation et de finition du bois naturel, teint ou vernis, p. 117-124.)

Décapant chimique

Appliquez le décapant en pâte au pinceau. Avec un décapant non toxique, il n'est pas nécessaire de porter des gants, mais il faut porter des lunettes protectrices.

Vérifiez avec un couteau à mastic si la peinture est ramollie (il n'y aura ni boursouflures ni rides si vous utilisez un décapant non toxique).

Grattez la peinture ramollie avec un couteau à mastic, un couteau à murs ou, sur les moulures, une éponge mouillée et un couteau à moulures.

Poncez une fois la peinture enlevée conformément aux directives du fabricant. Repliez un morceau de papier abrasif pour atteindre les endroits difficiles d'accès.

Pistolet à décaper

Tenez le pistolet à décaper environ à 1 po de la surface. Pour éviter de brûler le bois, déplacez constamment le pistolet. Faites environ 6 po² à la fois.

La peinture se ramollira et commencera à se boursoufler en quelques secondes. Au pistolet, les températures peuvent atteindre 650°C (1 200°F). Portez des gants épais.

Grattez la peinture ramollie en tenant un couteau à mastic d'une main et en passant le pistolet de l'autre. Pour les moulures complexes, mettez le pistolet sur son support et grattez.

Poncez le bois nu dans le sens du fil avec un papier fin (150). (Enlevez d'abord les restes de peinture ramollie avec de la laine d'acier.) Une ponceuse électrique accélérera la tâche.

Réparation d'encoches et d'égratignures

Enlevez toute la peinture lâche avec un couteau à mastic ou un couteau à murs. Assurez-vous que le reste de la peinture est en bon état, sinon tout s'écaillera plus tard.

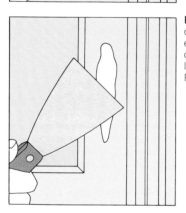

Remplissez de pâte de bois ou de plâtre ; égalisez avec un couteau à murs et laissez bien sécher. Poncez.

Poncez au papier fin (150) jusqu'à ce que la surface soit égale et lisse. Appliquez un apprêt compatible avec la peinture que vous utiliserez.

Réparation de joints séparés

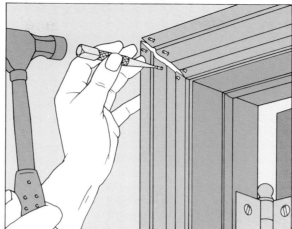

Les joints des cadres de portes ou de fenêtres se séparent lorsque le bois se contracte. Camouflez ces espaces au moyen de plâtre ou de pâte de bois. Vérifiez les têtes de clous ; noyez-les (avec un marteau et un chasse-clou) ; bouchez les trous.

Traitement des nœuds

 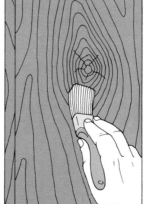

Les nœuds du bois suintent et laissent des taches ; parfois la résine s'en écoule et durcit en formant des bosses sous la peinture. Avec un grattoir, enlevez la résine (à gauche). Nettoyez avec un solvant ou de l'alcool. Scellez les nœuds (à droite) avec une gomme-laque ou un apprêt spécial.

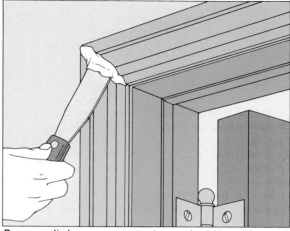

Pour remplir les espaces entre les moulures des cadres, mettez du plâtre ou de la pâte de bois avec un couteau à mastic. Donnez au remplissage la forme de la moulure. Si l'espace est grand, remplissez en deux fois. Poncez doucement en respectant la forme du cadre.

Préparation des vieux radiateurs

Les radiateurs en fonte sont plus efficaces lorsqu'ils sont enduits d'une peinture d'intérieur ordinaire plutôt que d'une peinture à métal. Beaucoup de vieux radiateurs sont décoratifs : peignez-les de façon à les mettre en valeur. Décapez-les et enlevez la rouille avec une brosse métallique ou une ponceuse à contour fixée à la perceuse. Appliquez un antirouille. Peignez les parties difficiles d'accès au pulvérisateur ou à la bombe-aérosol.

Peinture / Échafaudages d'intérieur

On peut atteindre la plupart des murs et des plafonds au moyen d'un escabeau. Ouvert sur un plancher de niveau, les espaceurs tendus et la tablette bloquée, l'escabeau constitue une base de travail solide. Si vous vous tenez sous les deux échelons supérieurs et que vous vous abstenez de trop vous étirer à gauche ou à droite, vous y serez en sécurité.

▶ **ATTENTION !** N'installez jamais un escabeau ou une échelle devant une porte fermée non verrouillée. Ouvrez la porte de façon que l'on voie l'escabeau ou fermez-la à clef.

Pour atteindre les plafonds ou les murs très hauts, dressez un échafaudage. Un madrier bien appuyé sur un escabeau et un tabouret vous as-

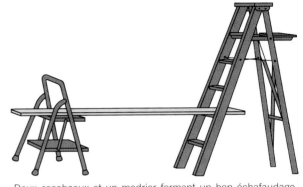

Deux escabeaux et un madrier forment un bon échafaudage.

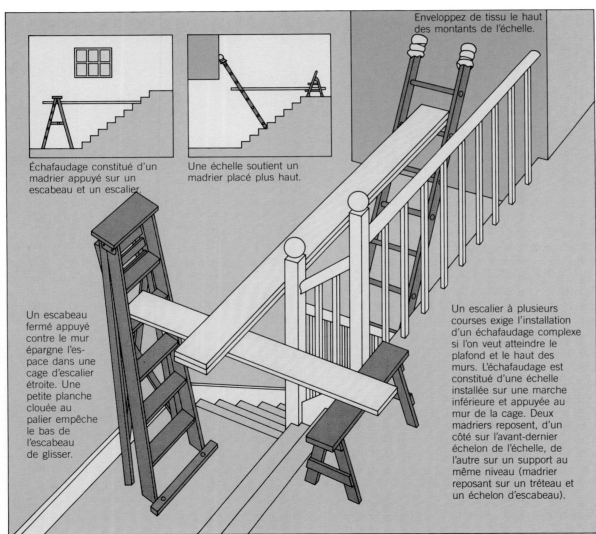

Échafaudage constitué d'un madrier appuyé sur un escabeau et un escalier.

Une échelle soutient un madrier placé plus haut.

Enveloppez de tissu le haut des montants de l'échelle.

Un escabeau fermé appuyé contre le mur épargne l'espace dans une cage d'escalier étroite. Une petite planche clouée au palier empêche le bas de l'escabeau de glisser.

Un escalier à plusieurs courses exige l'installation d'un échafaudage complexe si l'on veut atteindre le plafond et le haut des murs. L'échafaudage est constitué d'une échelle installée sur une marche inférieure et appuyée au mur de la cage. Deux madriers reposent, d'un côté sur l'avant-dernier échelon de l'échelle, de l'autre sur un support au même niveau (madrier reposant sur un tréteau et un échelon d'escabeau).

surera une plus grande portée latérale qu'un escabeau, et vous n'aurez pas à déplacer l'ensemble aussi fréquemment.

Achetez des madriers ou louez-en chez le détaillant de peinture ou dans un centre de rénovation. Ces pièces de bois solides peuvent reposer sur des tréteaux, des escabeaux, des échelles, des marches ou des paliers. Mais il faut respecter certaines règles : le madrier devrait dépasser d'au moins 1 pi (30 cm) chacun de ses supports ; si la portée entre les supports est de plus de 5 pi (1,5 m), il faut mettre un autre madrier sur le premier ; pour les portées de plus de 10 pi (3 m), il faut mettre un autre support au centre. Utilisez des serre-joints pour maintenir les madriers en place.

Pour atteindre le plafond et le haut des murs d'une cage d'escalier, il faut installer un échafaudage plus complexe : un escabeau, une échelle, des tréteaux, des madriers — et quelques blocs d'arrêt pour votre sécurité — rendront toutes les surfaces accessibles.

Achat de peintures d'intérieur

Les progrès de la chimie permettent aujourd'hui de peindre à peu près n'importe quel matériau, à condition que l'on choisisse la formule appropriée. Vous devez donc être très précis en discutant avec votre détaillant. La nature de la surface, le produit qui la recouvre et l'usage auquel elle sera soumise sont autant de facteurs qu'il faut prendre en considération.

Ne lésinez pas sur la qualité de la peinture. L'application sera facilitée, et le fini, durable. Si vous voulez économiser, achetez un apprêt et surveillez les soldes. Assurez-vous qu'apprêt et peinture soient compatibles.

Pour évaluer la quantité dont vous aurez besoin, calculez la surface à peindre et divisez-la par la surface que peut couvrir un litre (selon l'estimation du fabricant). Les appareils d'alimentation (p. 353) et les pulvérisateurs (p. 354-355) font consommer plus de peinture.

Peintures au latex. Elles sont faciles à appliquer, sèchent rapidement, ne sont pas toxiques et sont lavables à l'eau et au savon; elles ont un fini lustré, semi-lustré, satiné ou mat. Il existe aussi des formules spéciales : émail pour planchers, à texture pour murs et plafonds ayant des défauts et époxy pour imperméabiliser les murs de fondations. Comme elles contiennent de l'eau, les peintures au latex provoquent la rouille sur le métal non apprêté (mettez d'abord un apprêt antirouille). Les apprêts au latex sont moins imperméables que ceux à l'alkyde. Conservez la peinture au latex à l'abri du gel.

Peintures diluées au solvant. Faites de résines synthétiques, les alkydes offrent surtout un fini lustré et assurent une surface plus lisse et plus facile à laver que les peintures au latex. Elles sèchent plus rapidement que les peintures à l'huile et dégagent moins d'odeurs; elles sont néanmoins dangereuses. Aérez la pièce et portez un respirateur. Les peintures à l'alkyde, leurs solvants et les chiffons imbibés sont toxiques et inflammables. Consultez la réglementation locale sur les rebuts dangereux (voir p. 348).

Choix des peintures d'intérieur. Les divers types de surface sont énumérés ci-dessous. Les peintures et autres revêtements sont identifiés à droite. Choisissez votre surface et parcourez le tableau vers la droite jusqu'à ce que vous atteigniez un carré foncé qui correspond au revêtement approprié. Identifiez le produit en remontant à la verticale.

	Apprêts									Revêtements de finition										
	Apprêt au latex	Apprêt à l'alkyde	Peinture d'aluminium	Apprêt à métal antirouille	Apprêt au zinc	Peinture à béton	Peinture imperméable	Scelleur à base de béton	Scelleur à maçonnerie	Émail lustré (latex)•	Émail lustré (alkyde)•	Émail semi-lustré (latex) •	Émail semi-lustré (alkyde) •	Latex mat	Alkyde mat	Latex texturé	Émail d'acrylique (latex) •	Émail à plancher (latex) •	Émail à plancher (alkyde) •	Peinture à l'époxy
Plâtre neuf	■	■								■	■	■	■	■	■	■				
Plâtre peint	■									■	■	■	■	■	■	■				
Placoplâtre neuf	■									■	■	■	■	■	■	■				
Placoplâtre peint	■									■	■	■	■	■	■	■				
Papier peint	■											■	■	■	■	■				
Papier peint de vinyle												■	■	■						
Panneau de bois*	■	■								■	■	■	■	■	■	■				
Panneau à fini acrylique										■	■	■	■	■	■					
Contre-plaqué/panneau de particules	■									■	■	■	■	■	■	■	■			
Contre-plaqué peint										■	■	■	■	■	■	■				
Plancher de bois neuf*										■	■	■	■	■	■		■	1	1	1
Plancher de bois fini*										■	■	■	■	■	■		■	■	■	
Boiserie neuve*	■	■								■	■	■	■	■	■					
Boiserie finie*										■	■	■	■	■	■					
Garniture de vinyle	■									■	■	■	■							
Panneau acoustique														2						
Maçonnerie neuve						■	■	■	■	■	■	■	■	■	■		■			■
Maçonnerie traitée						■	■			■	■	■	■	■	■		■			■
Briques neuves						■				■	■	■	■	■	■		■			
Métal (armoires, châssis, couvre-radiateurs)				■						■	■	■	■	■	■		■			
Aluminium (cadres)			■							■	■	■	■	■	■		■			
Métal galvanisé (conduits)				■	■					■	■	■	■	■	■		■			
Fonte (radiateurs)				■						■	■	■	■	■	■		■			

• Convient à plusieurs surfaces et matériaux ; faites le choix approprié.

[1] Utilisez une peinture de finition diluée (suivez les directives du fabricant).
[2] Appliquez une couche mince pour ne pas diminuer les propriétés acoustiques du panneau.
* Pour les finis naturels, voir tableau p. 123 ; pour la peinture du bois nu, voir p. 358-359.

Peinture / Comment choisir vos couleurs

Les couleurs déterminent l'apparence et l'atmosphère d'une pièce. Tout ce qu'il vous en coûtera pour parvenir au décor voulu, c'est le prix de quelques pots de peinture et une fin de semaine de travail.

Les couleurs peuvent transformer une pièce. Les teintes pâles amplifient l'espace. Les couleurs à base de blanc réfléchissent la lumière et éclairent les corridors et les pièces sombres ; les plafonds blancs semblent plus élevés. Les couleurs foncées donnent une impression d'intimité : elles conviennent aux bureaux et aux bibliothèques. Elles servent aussi à dissimuler des défauts (murs inégaux ou surfaces usées).

Le bleu, le violet, le vert et toutes les teintes de gris évoquent la sérénité ; les couleurs froides sont rafraîchissantes et apaisantes ; le rouge, l'orange et le jaune sont des couleurs chaudes, stimulantes, qui éveillent la sociabilité.

Les couleurs, à droite, sont pures : elles ne contiennent ni blanc ni noir. Elles sont vives, mais, sur de grandes surfaces, elles se révèlent fatigantes. Elles conviennent à l'action, une salle de jeu, par exemple. Elles permettent toutefois de rehausser des couleurs douces ou ternes.

Le diagramme chromatique vous permet de voir la relation qui existe entre les couleurs. Le rouge, le jaune et le bleu sont des couleurs primaires. L'orange, le vert et le violet sont des couleurs secondaires : chacune est composée de deux couleurs primaires. Quant aux couleurs tertiaires, elles résultent du mélange d'une couleur primaire et d'une couleur secondaire.

On peut obtenir des coloris harmonieux au moyen du diagramme chromatique. Les couleurs diamétralement opposées — le bleu et l'orange, par exemple — sont des couleurs complémentaires et se marient bien. Pour obtenir un coloris composé de trois couleurs, choisissez dans le diagramme des couleurs équidistantes ou une couleur de base et deux couleurs situées d'un côté et de l'autre de sa complémentaire.

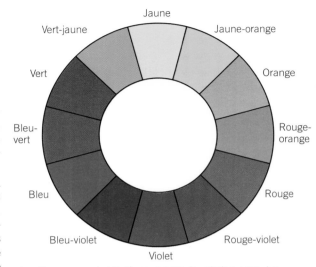

Le diagramme chromatique montre la relation entre les 12 couleurs de base. Les coloris pâles ou foncés, inspirés de ce diagramme, assurent l'harmonie des couleurs.

Les couleurs assorties, comme les verts et les bleus de la salle à dîner (à gauche), créent une harmonie visuelle. Adjacentes sur le diagramme chromatique, les couleurs assorties donnent un bel effet. Toutefois, une couleur contrastante ou complémentaire (le rose dans la bordure du papier peint du haut) ajoute une note intéressante à l'ensemble.

Un coloris monochrome à base de couleurs de terre crée une unité entre les divers éléments de la cuisine (à gauche) et les formes irrégulières de la pièce. La couleur foncée du plan de travail rappelle celle des carreaux de céramique. Les rideaux et le plafond de la salle à manger, légèrement plus pâles, se marient avec le beige chaud des autres éléments.

Effets spéciaux

On obtient des effets intéressants au moyen d'une technique appelée glacis. Elle consiste en l'application d'une mince couche de peinture (transparente ou opaque) sur une autre couleur pour l'adoucir. Le glacis est réalisé à l'éponge ou au chiffon si l'on veut créer des motifs, ou au rouleau avec création de motifs au moyen de pinceaux spéciaux ou de chiffons.

Préparez-le vous-même : mélangez, pour les latex, 4 parties d'eau pour 1 partie de peinture et, pour les alkydes, 3 parties de solvant pour 1 partie de peinture. Utilisez un glacis au latex avec une couche de base au latex et un glacis à l'alkyde avec une couche de base à l'alkyde. Le glacis au latex, plus mat, sèche rapidement ; le glacis à l'alkyde, plus lustré, est plus long à sécher. Avant de commencer, faites un essai afin d'obtenir les couleurs et les motifs voulus.

L'épongeage. 1. Technique utilisable avec le latex ou l'alkyde qui consiste à superposer à une couche de base un motif moucheté. Appliquez d'abord la couleur de base (ici, le bleu) avec un rouleau ou un tampon. Laissez sécher complètement.

2. En utilisant une éponge (faites des essais auparavant), appliquez par taches la deuxième couleur (ici, le rose). Tamponnez énergiquement ; couvrez des carrés de 3 pi. Lorsque l'éponge est trop imbibée, prenez-en une autre. Nettoyez-les plus tard.

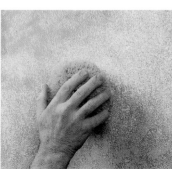

3. Vous pouvez superposer une troisième couleur (ici, le jaune) lorsque la deuxième est sèche. Utilisez des éponges propres. Modifiez le motif de la troisième couleur pour rendre l'ensemble intéressant. Faites des taches plus grandes ou plus petites, ou changez de type d'éponge.

Le chinage. 1. Obtenez un motif plus ou moins régulier en enlevant par endroits un peu de la deuxième couche. Cette technique se réalise mieux à l'alkyde. Appliquez une couche d'alkyde (ici, le bleu) sur une première couleur que vous avez laissée sécher (le crème).

2. Pendant que la deuxième couche est collante, tamponnez par gestes saccadés avec un pinceau à soies rigides pour faire apparaître par endroits la couleur de base et donner au fini une texture. Ce travail se fait bien à deux.

3. Le chinage adoucit les couleurs et est particulièrement efficace lorsque la couleur de base et la deuxième couleur sont très contrastantes (ici, bleu sur crème). Il existe un pinceau spécial qui imprime un motif tacheté.

L'oblitération. 1. Il est préférable d'utiliser de l'alkyde. Mettez une couche de base (ici, le crème) et laissez-la sécher complètement. Préparez une bonne quantité de chiffons (de vieux draps découpes, par exemple), avant d'appliquer la deuxième couche (ici, le vieux rose).

2. Avec des morceaux de tissus repliés, enroulés ou chiffonnés, effacez une partie de la deuxième couche en imprimant des motifs irréguliers qui, dans l'ensemble, auront une certaine unité. Faites auparavant des essais sur du bois de rebut. Ce travail se fait bien à deux.

3. On a utilisé ici des chiffons de coton. D'autres tissus créeront d'autres motifs. Des couleurs contrastantes, comme le bourgogne sur le brun caramel, donneront un effet encore plus marqué ; ici, on a mis du vieux rose sur du crème.

Pour faire un travail propre et efficace, il est recommandé de commencer à peindre par le haut. Faites d'abord le plafond, ensuite les murs, les fenêtres, les portes et les boiseries, et enfin, les plinthes. Utilisez les bons outils (pinceaux, rouleaux et tampons). Il est aussi important d'utiliser les bonnes techniques, qui sont décrites ici et dans les pages suivantes.

Brassage. La peinture se sépare en ses divers éléments lorsqu'elle n'est pas remuée. Brassez-la bien avant de l'utiliser. Si vous avez la peinture depuis assez longtemps, retournez le contenant et laissez-le ainsi pendant 24 heures avant de l'ouvrir.

Si le contenant n'a pas été entamé, versez-en le tiers du contenu dans un récipient ; brassez à la baguette la peinture du contenant et ajoutez-y graduellement le premier tiers. Il existe aussi un dispositif en forme d'hélice qu'on adapte à la perceuse électrique.

Versez de la peinture dans un petit récipient ou dans une auge et refermez le contenant. Cela protège la peinture et l'empêche de sécher, et il n'y tombera pas de débris.

Au moment des pauses, déposez votre pinceau sur un support : un bout de cintre métallique introduit dans les parois du seau (illustration) ; ne le laissez pas tremper dans la peinture.

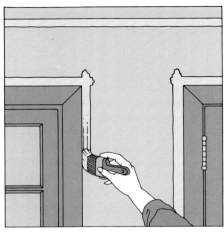

« Découpez » au pinceau : appliquez une couche d'une largeur de 2 po là où le rouleau ne convient pas. Tenez le pinceau comme s'il s'agissait d'un crayon. Trempez-le dans la peinture environ au tiers de la longueur des soies ; enlevez le surplus contre la paroi. Faites des passes chevauchantes et sans trop appuyer.

Le tampon à bordures est muni de petites roulettes : cela évite de tacher le cadre des portes ou des fenêtres. Imbibez le tampon, en évitant d'en mouiller le support : trempez-le dans une auge ordinaire. Cet outil permet d'effectuer rapidement le découpage.

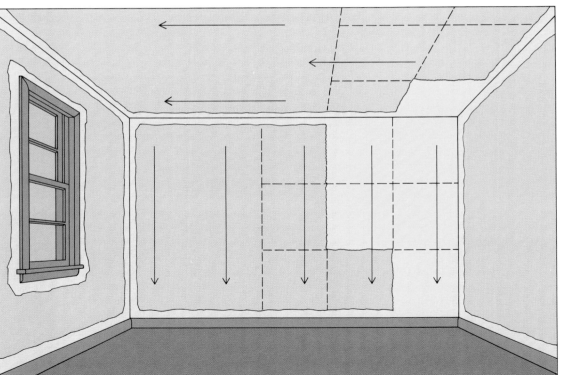

Plan de travail. Peignez un plafond dans le sens de la largeur (sens des flèches) plutôt que dans le sens de la longueur. Après le découpage, commencez dans un coin et faites des carrés de 3 pi de côté. Lorsque le plafond est bas, il est plus simple d'utiliser un rouleau muni d'une rallonge que de monter sur un échafaudage avec un rouleau à manche court. Commencez par le haut et descendez jusqu'à la plinthe.

Nettoyage. Nettoyez les éclaboussures avec un chiffon humide au fur et à mesure. Évitez l'accumulation de peinture sur le bord du contenant ; percez-y des trous avec un clou pour que la peinture s'écoule dans le récipient.

Dans le cas des vieux contenants, enlevez la pellicule qui recouvre la peinture et filtrez celle-ci à travers un bas de nylon pour éliminer tous les grumeaux et tous les débris. Une fois cette étape terminée, remettez dans son contenant d'origine la peinture non utilisée. Essuyez bien le contenant et recouvrez son ouverture d'une pellicule de plastique pour éviter toute éclaboussure ; remettez le couvercle et enfoncez-le à coups de marteau. Étiquetez et datez.

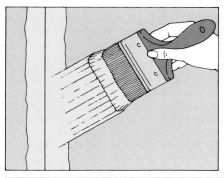
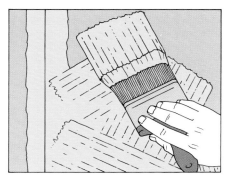
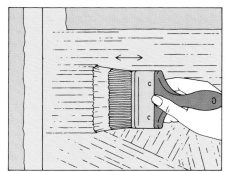

Technique du pinceau. Sur les surfaces planes, faites de petites passes en tous sens sur environ 2 pi ; repassez à l'horizontale, dans un sens et dans l'autre, avant d'imbiber de nouveau votre pinceau. Commencez la section suivante environ à 2 pi sous la première et remontez vers celle-ci. Tenez le pinceau (de 3 po ou 4 po destiné aux grandes surfaces) le pouce d'un côté, les quatre doigts de l'autre. Si votre main se fatigue, tenez-le comme vous le feriez d'une raquette de tennis.

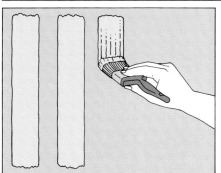

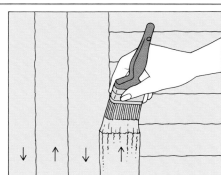

Application de l'émail lustré. Faites trois passes verticales d'une longueur d'environ 2 pi et séparées d'un peu moins d'une largeur de pinceau. Avant d'imbiber à nouveau votre pinceau, passez-le à l'horizontale sur ces trois traits : masquez les vides et étendez la peinture. Le pinceau presque sec, repassez-le doucement au même endroit ; mais à la verticale, cette fois. Commencez la section suivante sous la première.

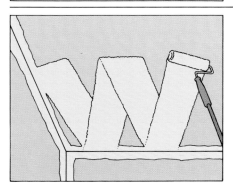

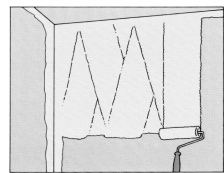

Technique du rouleau. Elle est la même pour les plafonds que pour les murs. Faites des carrés d'environ 3 pi de côté. Roulez d'abord vers le haut, puis étendez la peinture uniformément sur tout le carré. Sur un plafond, décrivez des W ; sur un mur, décrivez des M. Pour éviter de laisser des marques, ne détachez pas le rouleau de la surface. Pour couvrir les espaces non peints, roulez sans non plus détacher le rouleau de la surface.

Sur les boiseries exposées (cadres de porte, appuis de fenêtre et plinthes), on applique en général une peinture lustrée ou semi-lustrée, résistant aux lavages répétés, précédée d'une couche d'apprêt. Cette couche est *essentielle* si le bois est neuf ou fraîchement décapé ; on met alors auparavant une couche de *bouche-pores* pour empêcher la résine des nœuds de traverser la peinture ou de tacher le bois.

Les châssis en bois ou en acier des fenêtres à battants doivent recevoir un apprêt : les premiers, un apprêt imperméable ; les seconds, un apprêt antirouille. Comme meneaux et châssis sont exposés aux intempéries, certains préfèrent appliquer une peinture d'extérieur des deux côtés. Les châssis en aluminium n'ont pas besoin de peinture ; néanmoins, pour les protéger de la saleté et de la corrosion, on leur applique parfois un apprêt et une peinture à métal ou un enduit transparent au polyuréthane.

Commencez par peindre les surfaces horizontales avant d'attaquer les verticales et allez de l'intérieur vers l'extérieur. Pour peindre une fenêtre à battants, le peintre professionnel adopte l'ordre suivant : meneau horizontal, meneau vertical, traverse supérieure du châssis, traverse inférieure, bâtis (côtés) du châssis et cadre de la fenêtre, en commençant par le haut. La règle souffre ici une exception puisqu'il est normal de continuer par les côtés du cadre et de terminer par l'appui et l'allège.

La fenêtre à guillotine exige plus de patience, car certaines de ses surfaces sont difficiles à atteindre. Si vous suivez les étapes numérotées ci-dessous, à gauche, les risques que vous fassiez des erreurs seront diminués.

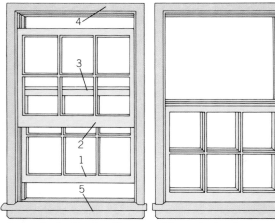

Ouvrez la fenêtre à guillotine : abaissez le châssis du haut et remontez celui du bas. Peignez la moitié inférieure du châssis extérieur (1), puis le châssis intérieur au complet (2). Remettez les châssis en position normale sans les fermer ; faites le reste du châssis extérieur (3), le cadre (4) et l'appui (5).

Peignez les jambages quand le reste est sec. Abaissez et remontez les châssis à quelques reprises pour les empêcher de coller. Puis abaissez les deux châssis. Peignez le jambage supérieur. Quand il est sec, remontez les deux châssis et peignez le jambage inférieur. Lubrifiez les glissières métalliques à la silicone.

Dans une porte pleine, commencez par les deux panneaux supérieurs, puis faites les autres (1, 2, 3). Peignez ensuite les parties horizontales (4), toujours en commençant par le haut, et terminez par les verticales (5). Faites les côtés de la porte à la fin. Si elle est neuve, faites aussi le dessus et le dessous.

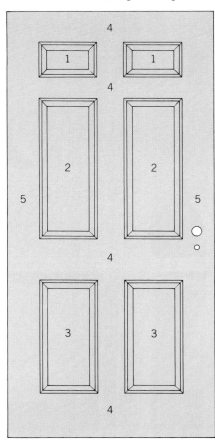

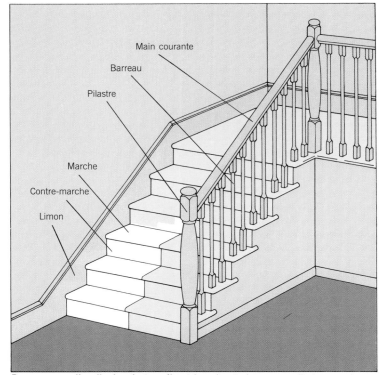

Dans un escalier, l'ordre de travail est le suivant : barreaux, pilastres, main courante. Puis, en commençant par le haut et en descendant d'une marche à la fois : le limon et la moitié des marches et des contre-marches. Quand la peinture est sèche, faites l'autre moitié. Vous pourriez aussi peindre une marche sur deux.

Quelques conseils. Il doit faire au moins 5°C (40°F) et la pièce doit être bien aérée (surtout si l'on peint à l'alkyde). Par temps humide, la peinture au latex sèche mieux que la peinture à l'alkyde, mais ni l'une ni l'autre n'adhèrent bien quand il fait froid. Enlevez portes à jalousie et volets intérieurs ; vous pourrez les peindre au pistolet (p. 354-355) et faire les retouches au pinceau pour effacer les dégoulinades. Peignez les fenêtres tôt dans la journée : elles auront le temps de sécher avant que vienne le temps de les fermer, à la tombée du jour.

Pour peindre armoires et étagères inamovibles, travaillez de l'intérieur vers l'extérieur et de haut en bas. Enlevez les tiroirs et peignez le devant séparément. Commencez par la paroi du fond, puis faites les parois latérales et les étagères ; finissez par les portes.

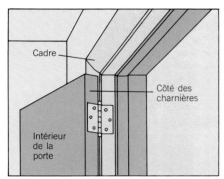

Couleur de la porte. L'intérieur de la porte, son côté charnières et le cadre doivent être de la même couleur (bleu) ; l'extérieur (invisible) et le cadre donnant dans l'autre pièce seront de la couleur de celle-ci (beige).

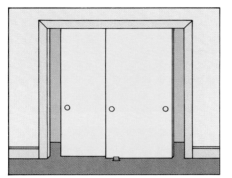

Portes coulissantes. Ouvrez un peu les portes. Peignez la porte extérieure et la partie exposée de l'autre. Modifiez les positions et terminez la porte intérieure. Faites de même à l'intérieur ; finissez par les bords.

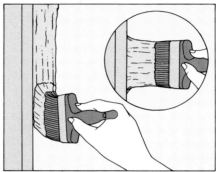

Ligne droite. Appuyez le pinceau à plat jusqu'à ce qu'apparaissent des perles de peinture à l'extrémité (médaillon). D'un mouvement assuré et sans lever le pinceau, étalez la peinture en ligne droite.

Plinthes. Protégez le parquet ou le tapis avec une plaque de plastique ou de métal (le carton est trop poreux). Nettoyez souvent la plaque. Cela est plus pratique que de coller un ruban-cache.

Peinture du béton

Réparez les fissures et écaillures (p. 159). Enlevez les taches (p. 186) et brossez le béton. Le béton lisse doit être lavé à l'acide muriatique (10 volumes d'eau pour 1 volume d'acide) (p. 186) et rincé aussitôt.

Avant de peindre du béton neuf, neutralisez ses sels avec une solution à 3 p. 100 d'acide phosphorique et à 2 p. 100 de chlorure de zinc. Ne rincez pas. Employez une peinture acrylique à maçonnerie.

Les murs en blocs de béton absorbent la peinture ; appliquez un bouche-pores au latex ou une peinture au ciment-colle.

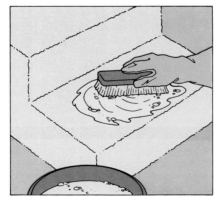

Brossez les marches en béton avec de l'eau chaude et du phosphate trisodique. Rincez bien ; laissez sécher. Passez l'aspirateur avant de peindre.

La première couche se donne au pinceau pour bien remplir les fissures et les trous. Laissez sécher pendant 24 heures, puis appliquez la deuxième couche.

Les planchers en béton se peignent au rouleau à poils longs ou moyens. Travaillez par carrés de 3 pi, en partant du coin le plus éloigné de la porte.

Peinture / Problèmes

Une peinture bien faite devrait, normalement, durer jusqu'à sept ans. Si vous remarquez qu'elle se détériore avant, c'est qu'il y a une cause spécifique. Chez vous, faites le tour de la maison, à l'intérieur comme à l'extérieur, pour constater l'état de la peinture. Vous verrez peut-être certains des problèmes qui sont illustrés ci-dessous.

C'est surtout à l'extérieur qu'ils se manifestent, en raison de l'humidité et des écarts de température. Cependant, des problèmes dus à l'humidité, comme l'écaillage, peuvent avoir leur source à l'intérieur. Il en va de même des problèmes causés par l'incompatibilité entre apprêt et peinture, par une mauvaise préparation ou par l'utilisation de peinture de piètre qualité.

Peau de crapaud. La surface présente de nombreuses craquelures. La peinture de finition n'a pas bien adhéré à la sous-couche : elle a été appliquée sur un apprêt incompatible, sur une surface mal préparée ou sur une couche pas tout à fait sèche. *Solution :* décapez ; appliquez un nouvel apprêt et une peinture de finition.

Écaillage. La peinture n'adhère pas : la surface était sale ou couverte de trop de couches de peinture. Sur la maçonnerie, l'écaillage peut être causé par la pénétration de quelque matière alcaline. *Solution :* décapez ; nettoyez (p. 186) et appliquez la peinture appropriée.

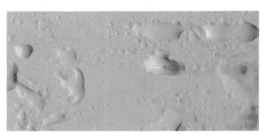

Cloques. Crevez-en une. (1) Si le bois est à nu, l'humidité y a pénétré. *Solution :* trouvez la source (une gouttière qui fuit? un joint mal goudronné? un bouchon de glace?). Réparez ; repeignez. (2) S'il y a de la peinture, la couche de finition a été appliquée lorsqu'il faisait trop chaud. *Solution :* poncez ; repeignez.

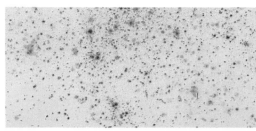

Moisissure. La peinture paraît sale et tachée, mais se nettoie facilement. Ce problème est lié à la croissance de champignons dans les coins sombres et mal aérés. *Solution :* grattez ; lavez avec un mélange fait de 3 parties d'eau et de 1 partie d'eau de Javel ; laissez sécher. Apprêtez avec un produit qui résiste à la moisissure ; peignez.

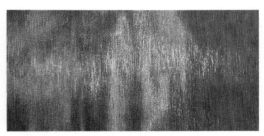

Farinage. La plupart des peintures d'extérieur sont fabriquées de façon à former une fine poudre qui capte les poussières que la pluie lave automatiquement. Une surface ainsi couverte ne peut toutefois être repeinte telle quelle. *Solution :* lavez avec un bon détergent ; rincez avant de peindre.

Viscosité permanente. La peinture est gluante au toucher et la poussière et la saleté y adhèrent. La peinture a été appliquée sur une couche qui n'était pas sèche, ou bien il s'agit d'un alkyde appliqué par temps humide ou d'une peinture de mauvaise qualité. *Solution :* décapez ; peignez avec un produit de bonne qualité.

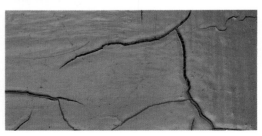

Fissures. La peinture est vieille et a perdu son élasticité : elle ne réagit plus adéquatement aux variations d'humidité et de température. Le problème peut aussi être dû à l'infiltration d'eau ou à la pollution atmosphérique. *Solution :* corrigez le problème d'humidité, décapez et peignez. Lavez périodiquement la nouvelle peinture.

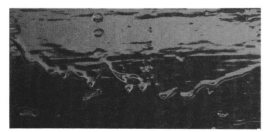

Rides et bavures. Ce problème est souvent causé par l'application d'une couche trop épaisse ou par l'utilisation d'une mauvaise technique. *Solution :* décapez ; peignez avec une peinture plus liquide ; étendez-la bien (p. 373). Laissez sécher complètement entre les couches.

Préparation à l'extérieur

Peindre l'extérieur est un travail essentiel. La peinture protège le parement et les garnitures de bois contre le pourrissement, et les gouttières, garde-fous et rampes métalliques contre la rouille. Vérifiez tous les joints et recalfeutrez partout où cela s'avère nécessaire.

Vous devez suivre un programme d'inspection et de préparation rigoureux. Vous découvrirez probablement qu'un bon lavage avec un déter-gent et qu'un rinçage avec un tuyau seront suffi-sants. Consultez la liste de contrôle ci-dessous.

Si vous trouvez qu'il vous faut repeindre l'ex-térieur de votre maison, planifiez votre travail ; faites-le par beau temps. Vérifiez si vous avez les échelles et les échafaudages nécessaires pour atteindre toutes les surfaces (p. 383). Élaguez les arbres, arbustes ou haies qui peuvent vous nui-re. Enlevez luminaires, volets et quincaillerie,

mais laissez en place les contre-fenêtres pour protéger l'intérieur contre les poussières du pon-çage. Nettoyez et réparez gouttières et descentes (p. 396-397). Réparez le parement (p. 406-410) et la maçonnerie (p. 174-175) ; grattez, poncez (p. 371) et calfeutrez (p. 411). Le ponçage termi-né, enlevez les contre-fenêtres et remplacez les carreaux brisés, s'il y a lieu. Lavez avec un déter-gent puissant et laissez sécher.

Gouttières et descentes. Vérifiez s'il y a des fuites ou des bou-chons ; réparez. Élimi-nez l'écaillage sur les surfaces de métal avec une brosse mé-tallique afin d'obtenir une surface lisse. Utilisez apprêt et peinture appropriés.

Parement de bois. Réparez ; calfeutrez les joints. Noyez les clous ; mettez un apprêt à métal ; bouchez les trous avec du mastic. Poncez. Appliquez un apprêt sur le bois nu ; mettez deux couches de peinture.

Fenêtres. Poncez le bois, passez la brosse d'acier sur les châssis de métal ; réparez le mastic (p. 421). Appliquez l'apprêt et la peinture appropriés.

Pierre. Ne la peignez jamais. Vérifiez les joints de mortier et rejointoyez au besoin.

Soffites. Nettoyez avec une brosse d'acier et une ponceuse. Vérifiez s'il y a de la moisissu-re ; traitez (page ci-contre). Mettez un apprêt et une ou deux couches de peinture.

Volets de bois. Enlevez-les et identifiez-les. Lavez, pon-cez et peignez au pulvérisa-teur ou au pinceau. Faites ce travail dans le garage ou l'atelier lorsque le temps ne s'y prête pas à l'extérieur.

Portes. Vérifiez les coupe-bise ; rem-placez-les, s'il y a lieu. Enlevez la quincaillerie de laiton, polissez-la et enduisez-la d'une laque d'acrylique pour la protéger contre l'oxydation. Grattez la peinture écaillée, réparez les craquelures et fissures et poncez. Mettez un apprêt sur le bois nu. Appliquez ensuite deux couches de peinture.

Luminaires. Polis-sez le laiton et va-porisez d'une laque imperméable trans-parente. Poncez l'acier, mettez-y un apprêt antirouille et une peinture lustrée.

Bordures de toit. Poncez-les ; scellez les nœuds. Vérifiez s'il y a de la moisissure et traitez (page ci-contre) ; apprêtez le bois nu et appliquez une ou deux couches de peinture.

Cheminées de brique. Vérifiez les joints (p. 174) et les solins (p. 392) ; réparez, s'il y a lieu. Brossez pour en-lever les saletés et les débris. Si vous peignez la brique, utilisez la peinture appropriée (p. 370).

Fer forgé. Enlevez la rouille avec une ponceuse fixée à la perceuse. Mettez un apprêt anti-rouille et deux couches d'émail. Utilisez un gant (p. 351) ou un pulvérisateur pour épargner du temps.

Moustiquaires et contre-fenêtres. Enlevez les fenêtres extérieures à châssis de bois et peignez-les dans le garage. Les châssis en aluminium n'ont pas à être peints ; enlevez-les pour avoir accès aux châssis de bois.

Sur les parements de bois extérieurs, on met généralement de la peinture mate, et sur les garnitures de l'émail lustré. Le bardeau ordinaire et le bardeau de fente peuvent être traités de la même façon ou teints et enduits d'un fini transparent qui conserve leur aspect naturel. (Voir le tableau, à droite.)

Consultez votre fournisseur au sujet des divers additifs. Les maisons très ombragées ayant souvent des problèmes de moisissure, vous pourrez faire ajouter un fongicide au produit de finition.

La plupart des peintures d'extérieur se nettoient d'elles-mêmes : elles se réduisent lentement en une poudre blanche qui capte les poussières et que lave la pluie. Toutefois, ce genre de peinture tachera la brique rouge ou tout autre revêtement sombre.

Les latex sont faciles à appliquer, sèchent rapidement et se nettoient à l'eau. Autres avantages : ils résistent aux matières alcalines que contiennent le béton et la maçonnerie et qui décomposent les alkydes ; ils sont perméables, laissent s'échapper l'humidité et cloquent moins.

Les alkydes et les peintures à l'huile mettent longtemps à sécher et doivent être nettoyés avec des solvants qui sont souvent toxiques. L'émail à l'alkyde donne cependant un fini dur et imperméable. Ce produit demeure le choix de bien des professionnels.

Quantités. Pour les parements, multipliez la hauteur moyenne de la maison (des fondations à l'avant-toit) par son périmètre (utilisez une ficelle). Divisez ce nombre par 600 (la surface que couvre en moyenne 1 gal de peinture, en pieds carrés) pour obtenir le nombre de gallons nécessaires. Pour une maison neuve, prévoyez un apprêt et deux couches de peinture.

La peinture au pistolet ou au pulvérisateur (p. 354-355) exige le double des quantités. Les appareils d'alimentation (p. 353) économisent le temps mais pas la peinture.

Pour les garnitures, comptez 1 gal pour 6 gal de peinture à parement.

Choix d'enduits d'extérieur. Les types de matériaux sont énumérés ci-dessous, les divers produits en haut. Identifiez le matériau, puis le produit approprié.

	Latex (extérieur)	Alkyde (extérieur)	Émail au latex (extérieur)	Émail à l'alkyde (extérieur)	Émail à l'acrylique (extérieur)	Teinture au latex (extérieur)	Teinture à l'alkyde (extérieur)	Teinture à l'huile (extérieur)	Peinture à l'époxy	Vernis Spar	Agents imperméabilisateurs	Latex (balcon et plancher)	Alkyde (balcon et plancher)	Peinture à ciment Portland	Scelleur à maçonnerie	Peinture d'aluminium
Bois nu (parements, bardeaux de fente, bardeaux ordinaires, balcons et garnitures)	●	●	●	●	●							●	●			
Bois peint (parements, bardeaux, balcons et garnitures)																
Parements de panneaux de fibres	●	●	●	●	●											
Bois teint (parements, bardeaux et garnitures)																
Parements de pin rouge																
Parements d'aluminium																
Béton ou blocs de béton nus	●	●							●			●	●			
Béton ou blocs de béton déjà enduits																
Briques	●	●														
Stuc	●	●														
Bardeaux ou panneaux d'amiante*	●															
Bardeaux de fibres de verre et d'asphalte	●															
Tuiles de céramique ou de verre																
Acier (gouttières, descentes, châssis)	●	●	●	●	●											
Fer forgé			●	●	●											
Métal galvanisé (gouttières, descentes)	●	●	●	●	●											
Aluminium (fenêtres, portes)	●	●	●	●	●											
Cuivre ou bronze																

Le point noir signale qu'il faut d'abord un apprêt.

* Les vieux bardeaux ou panneaux d'amiante peuvent être peints : lavez-les au détergent et à l'eau de Javel (adaptez une brosse au tuyau d'arrosage). Un scelleur à maçonnerie et un latex d'extérieur emprisonneront les fibres nocives.

Préparation de l'extérieur

Si vous voulez que le fini extérieur ait belle apparence et soit durable, enlevez toute vieille peinture écaillée ou lâche, et bouchez et nivelez les trous avant de peindre de nouveau. Si la maison a été peinte la dernière fois avant 1976, vérifiez si la peinture contient du plomb (p. 348). Si oui, elle doit être enlevée par des spécialistes.

Vous pourrez décaper le parement à la ponceuse à disque de 7 po (18 cm) munie d'un papier de calibre 16 afin de mettre le bois à nu, puis avec du papier de calibre 60 pour éliminer les égratignures. D'autres méthodes sont illustrées ci-dessous.

Peu importe la méthode employée, il faudra toujours gratter, laver et poncer.

Les laveuses à pompe éjectent l'eau sous une pression de quelque 2 000 lb/po². Elles enlèvent la peinture écaillée, réduisent le grattage et, si on y ajoute du savon, servent au lavage. Adaptez un dispositif à votre compresseur (p. 77).

(labels sur l'illustration : Solution détergente ; Fil électrique ; Tuyau d'arrosage ; Fil de mise à la terre)

Adaptez une brosse métallique à la perceuse pour décaper les gouttières et les descentes de gouttières en aluminium, ainsi que les rampes et garde-fous en fer forgé. Portez des lunettes protectrices et des gants.

Le racloir à lames vous permet d'enlever la peinture écaillée sur le bois. Les lames sont remplaçables. Faites des essais auparavant. N'exercez pas trop de pression pour ne pas surcreuser le bois.

Le pistolet à décaper est moins dangereux (p. 358) que le chalumeau que les peintres employaient autrefois. La chaleur ramollit la peinture et facilite le grattage. Portez des gants, des lunettes protectrices et un masque.

Trucs de nettoyage

La brosse à rallonge, qui s'adapte au tuyau d'arrosage, accélère le lavage. Mélangez du trisodium de phosphate (ou un autre détergent puissant) à de l'eau de Javel et de l'eau. Rincez. Sans un bon lavage, la graisse, la saleté et la poussière empêcheront la peinture de bien adhérer.

Le vaporisateur peut également être utilisé. C'est l'instrument idéal pour éliminer la moisissure. Mélangez-y 3 parties d'eau pour 1 partie d'eau de Javel. Ne rincez pas ; laissez sécher complètement avant de peindre. Si les champignons ne sont pas totalement éliminés, la moisissure réapparaîtra.

Des couleurs vives et des contrastes donnent l'impression d'une maison plus grande. Les parements jaunes et les garnitures crème se démarquent du toit brun. Le vert des volets fait ressortir les fenêtres et la porte et est un rappel des arbustes.

Des couleurs sobres confèrent à la maison un aspect différent. Le gris moyen et le gris foncé intègrent le parement au toit. Le gris pâle met en valeur les volets ; le blanc souligne les cadres de fenêtre. La porte rouge ajoute une note de couleur.

La peinture protège l'extérieur de la maison ; la couleur lui confère un cachet agréable et invitant. Un coloris bien choisi peut mettre en évidence ses meilleures caractéristiques architecturales et minimiser ses défauts.

Il n'y a pas de règles absolues touchant le choix des couleurs, mais certaines indications pourront vous être utiles. Examinez d'abord les couleurs que vous ne pouvez changer : le toit, les briques, les pierres des fondations ou de la cheminée, le dallage du trottoir. Cherchez les teintes qui s'harmoniseront avec ces éléments.

Regardez aussi autour. Vous voulez que votre maison se distingue des autres ? Tenez compte de son style. Un stuc de style espagnol exigera des tons de pastel ; des teintes plus foncées et plus chaudes feront mieux ressortir le charme d'une maison de style maritime. Tenez aussi compte du terrain : une maison très ombragée sera presque dissimulée si vous la peignez en foncé. Les couleurs foncées conviennent mieux aux maisons qui dominent le paysage et qui sont baignées de soleil.

L'extérieur compte essentiellement la couleur de base, la couleur des garnitures et la couleur d'accentuation. Une maison de style victorien comportant un certain nombre de caractéristiques intéressantes comptera peut-être même quatre couleurs — une deuxième couleur peut rehausser les teintes et attirer l'attention sur certaines moulures ou appliques qui, autrement, pourraient passer inaperçus.

Couleur de base. C'est celle, dominante, du corps du bâtiment. Pâle, elle peut donner l'impression qu'une petite maison est plus grande ; foncée, elle peut donner l'impression de ramener à de plus justes proportions une maison disproportionnée. Un balcon bizarre ou une porte de garage peu esthétique pourront être intégrés au reste de la maison s'ils sont peints de la même couleur.

Choisissez d'abord la couleur de base. Elle devra contraster avec celle du toit ou en être une variante. Une teinte pâle ou moyenne est le choix le plus sûr, surtout si les surfaces sont grandes.

La couleur de base variera également selon l'ensoleillement. Il pourra valoir la peine de n'acheter qu'un petit contenant de peinture pour en faire l'essai sur un pan de mur et observer les variations de couleurs aux différentes heures de la journée avant d'arrêter définitivement votre choix.

Couleur des garnitures. Elle couvre les bordures du toit, les soffites, les corniches, les cadres, les châssis, les chambranles, les garde-fous et les rampes. (Pour des raisons d'ordre pratique, le sol des balcons est habituellement peint d'une couleur neutre.)

Des soffites blancs ou blanc cassé réfléchissent la lumière sur les surfaces situées dessous. (Pour dissimuler les défauts, peignez les soffites de la même couleur que la maison.) Des fenêtres blanches paraissent toujours plus grandes et plus éclairées.

Couleur d'accentuation. C'est la couleur contrastante ayant pour effet de faire ressortir un élément particulier de la maison. Une couleur chaude comme le rouge attire les regards sur la porte d'entrée et sur les volets, par exemple ; utilisez-la donc avec parcimonie.

Essais. Si vous voulez changer la couleur de la maison, essayez plusieurs combinaisons sur papier avant d'acheter la peinture. Photographiez la maison (en noir et blanc, de préférence), faites un agrandissement et des photocopies. Essayez diverses combinaisons de couleurs au crayon-feutre. Cela vous donnera une bonne idée de l'effet que produira la maison.

Peinture de l'extérieur

Planifiez votre travail de façon à terminer une section en une séance. Vous éviterez ainsi les marques de chevauchement.

À l'extérieur, la peinture doit se faire par temps beau, sec et assez chaud. L'alkyde n'adhère pas aux surfaces humides ; le latex y adhère, mais pas aux surfaces mouillées ou froides. La température doit se situer entre 10°C et 32°C (50°F et 90°F). Par temps chaud, évitez de travailler au soleil. Faites le côté ouest de la maison le matin et le côté est l'après-midi. Protégez les surfaces à ne pas enduire. Installez des toiles (moins glissantes que le polythène) par terre. Rien ne gâche un fini comme les taches sur une corniche ou une pièce de quincaillerie. Protégez les compteurs, les climatiseurs, les robinets et les boîtes à lettres au moyen de feuilles de polythène retenues par du ruban gommé. Avant de recouvrir arbustes et massifs, attachez les branches qui pourraient vous gêner.

Installez les échelles et les échafaudages (p. 383) de façon sécuritaire ; assurez-vous que le contenant de peinture sera bien retenu.

Commencez par le haut des murs et descendez. Faites d'abord les parements, ensuite les garnitures et les fenêtres, puis les portes, les rampes et les garde-fous. Finissez par les seuils, les balcons et les marches. Volets et luminaires, préalablement enlevés, peuvent être peints n'importe quand.

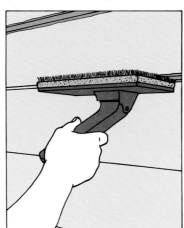

Au pinceau. 1. Sur la planche à clin, faites d'abord le chant inférieur. Évitez que la peinture ne coule le long du manche : essuyez le pinceau contre la paroi du contenant après l'avoir imbibé. Faites des passes régulières sur chaque chant. Assurez-vous que tout est peint. Étendez bien la peinture pour éviter les dégoulinades.

Au tampon. 1. Le tampon convient également aux planches à clin. N'en imbibez que la moitié et peignez les chants en faisant de longues passes. Assurez-vous que tout est peint et étendez bien la peinture pour éviter les dégoulinades.

Au tampon à bardeaux. Il est conçu spécialement pour peindre (ou pour teindre) le bardeau de fente strié et le bardeau ordinaire ; il est facile à utiliser. Le bord du tampon étend la peinture sous les joints ; la surface du tampon fait pénétrer la peinture dans les stries. Commencez par le haut et descendez en suivant le sens du fil.

2. Sur le parement, faites de petites passes (de bas en haut sur les planches verticales). Étendez la peinture en faisant des passes régulières et en appliquant une pression uniforme. Appuyez davantage là où il y a des fissures ou des surfaces rugueuses pour faire pénétrer la peinture. Étendez bien la peinture en bout de sections pour éviter les marques de chevauchement.

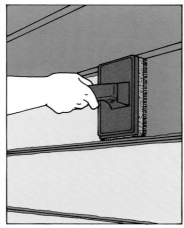

2. Passez le tampon lentement le long de chaque planche (travaillez verticalement si les planches sont à la verticale). Si le tampon est plus étroit que les planches, faites des passes chevauchantes de façon qu'aucune ligne ne paraisse.

La pulvérisation sur la planche à clin s'effectue en deux temps. Premièrement, tenez le pistolet à l'horizontale et pulvérisez le chant de chaque planche ou bardeau de façon que la peinture pénètre dans les joints. Deuxièmement, tenez le pistolet à la verticale et peignez chaque planche en faisant des passes égales et parallèles (p. 354-355).

La pose du papier peint requiert un équipement spécial, de même que certains objets usuels tels qu'un escabeau. Il vous faut surtout une *table à encoller,* aux dimensions minimales de 6 x 3 pi (1,8 x 0,9 m), que vous employiez ou non de la colle. Elle servira à mesurer, à découper et à tailler le papier peint.

Si le papier peint est préencollé, il vous faut une *auge* où le tremper. Si le papier n'est pas encollé, il vous faut une *brosse à encoller* et un *seau* pour contenir l'adhésif ou un rouleau et une auge à peinture.

Le *fil à plomb et à craie* (ou le niveau et un crayon) permet d'installer les bandes à la verticale ; la *règle de métal* permet de mesurer et

sert de guide pour tailler les lisières excédentaires ; utilisé de concert avec le *couteau à araser,* le *couteau à enduire* assure des tailles précises au contact des plinthes et du plafond. Prévoyez des lames de remplacement pour obtenir une coupe nette. De bons *ciseaux* bien aiguisés servent à découper les bandes ; la *brosse de tapissier* permet d'éliminer les bulles d'air. Les soies longues et souples conviennent aux papiers veloutés et en relief ; les soies courtes, aux papiers ordinaires. La *roulette d'angles* assure une bonne adhésion des joints. Nettoyez l'adhésif excédentaire à l'aide d'une *éponge* mouillée.

Quantités. Mesurez le périmètre de la pièce (2 fois la longueur plus 2 fois la largeur). Multi-

pliez ce nombre par la hauteur pour obtenir la surface à couvrir. Plafond : multipliez la longueur par la largeur. Bordure : mesurez le périmètre.

La plupart des papiers peints sont vendus en rouleaux doubles ou triples. Un rouleau de papier peint contient 36 pi² (3,3 m²) et couvre en moyenne 30 pi² (2,8 m²), en tenant compte des pertes. Les papiers à grands motifs couvrent une surface moins grande, car il faut appareiller les bandes. Achetez plus de papier peint que pas assez, pour être sûr que les rouleaux proviennent tous du même lot (les couleurs peuvent varier sensiblement d'un lot à l'autre). Rapportez les rouleaux non entamés ou utilisez-les (fonds de tiroirs, emballages de cadeaux, retouches).

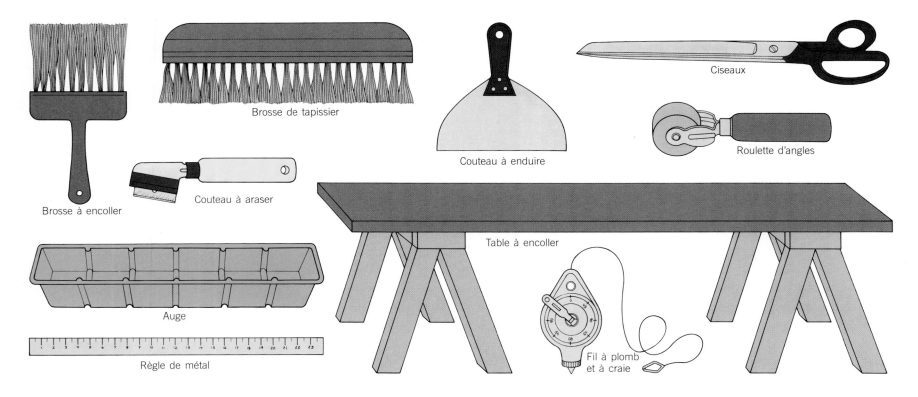

Brosse de tapissier

Ciseaux

Couteau à enduire

Roulette d'angles

Brosse à encoller

Couteau à araser

Auge

Table à encoller

Règle de métal

Fil à plomb et à craie

Types de papiers peints

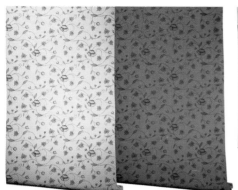

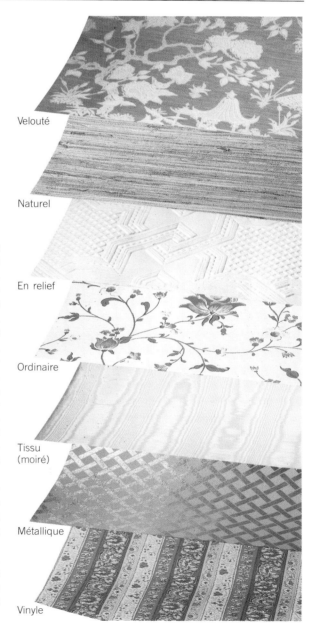

Les papiers à motifs alignés se raccordent facilement.

Prévoyez de plus grandes quantités pour les motifs en biais.

Les papiers à rayures verticales n'ont pas à être raccordés.

Velouté

Naturel

En relief

Ordinaire

Tissu (moiré)

Métallique

Vinyle

Papier ordinaire : le papier imprimé est généralement le moins cher et facile à poser, surtout s'il est préencollé. Cependant il se déchire facilement et est difficile à nettoyer. Le papier vinyle est plus résistant et on le lave (sans frotter trop fort) à l'eau et au savon. Le papier imprimé à la main, plus cher, doit parfois être taillé sur la bordure et ses encres se diluent si vous le mouillez.

Vinyle : fait de vinyle intégré à du papier ou à du tissu, il est lavable et résistant. Ses couleurs ne changent pas au soleil et au lavage ; il convient bien aux cuisines, aux salles de jeu, aux salles de bains, aux corridors et aux chambres d'enfant. Certains vinyles sont préencollés et sont donc plus faciles à poser. Si toutefois vous devez l'encoller, utilisez un adhésif avec antimoisissure, car le vinyle est imperméable et ne « respire » pas. Il faut une colle spéciale pour les chevauchements.

Papier métallique : lisse et luisant, il crée un effet quelque peu spectaculaire et éclaire les petites pièces et les pièces sombres. Comme il fait ressortir les défauts, il est recommandé de poser un sous-papier (p. 376) s'il y a lieu.

Papier velouté : duveteux, il est fait de fibres synthétiques liées à du papier, à du vinyle ou à une feuille métallique. Le papier velouté lavable est facile à travailler. Il est offert surtout dans des motifs de reproduction de dessins traditionnels.

Revêtement naturel : fait de matières synthétiques et naturelles, il s'agit de ramie, de chanvre, de toile ou de liège liés à un papier. L'humidité peut cependant les séparer. Il sèche plus rapidement s'il recouvre un sous-papier. Comme les teintures ne sont pas uniformes, retournez toutes les deux bandes bout pour bout.

Papier en relief : en papier ou en plastique, il comporte des motifs en relief et cache les imperfections d'un mur. On peut parfois le peindre. La roulette d'angles et les brosses de tapissier à soies rigides peuvent en écraser les reliefs. Utilisez donc une brosse à soies souples ou un chiffon pour ne pas l'aplatir.

Tissu : posés directement sur un mur préencollé, le damas, le suède ou d'autres étoffes confèrent à une pièce un air de distinction. Le tissu étant extensible, il est difficile à poser. Utilisez un adhésif transparent à base de cellulose.

Bordure : en papier imprimé ou en vinyle, elle se vend en rouleaux préencollés ou pas. Elle fait le lien ou un contraste entre deux papiers peints différents ou sert d'ornement de lisière ou de garniture.

Papier peint / Préparation des murs

Le papier en relief dissimule les petites imperfections des murs et plafonds; mais d'autres papiers, comme le papier métallique, les font au contraire ressortir. Pour obtenir des résultats satisfaisants et durables, préparez la surface comme si vous vous apprêtiez à peindre (p. 356-357).

Sur les surfaces présentant des défauts, posez un sous-papier, sans motifs et peu cher. Vous obtiendrez ainsi une surface bien lisse. Il absorbe aussi l'humidité de l'adhésif et empêche la ramie, notamment, de se séparer du papier. Le sous-papier est facile à poser. Installé à l'horizontale, il n'a pas à être raccordé, n'ayant pas de motifs. Vous pouvez même ne pas joindre parfaitement les bandes.

Les surfaces doivent être scellées, faute de quoi elles absorberont l'eau de la colle, et le papier n'adhérera pas bien. Cela empêchera par ailleurs les éléments corrosifs du mur de suinter et de tacher le papier peint. On recommande généralement un scelleur à l'alkyde : le vinyle et le papier métallique n'adhèrent pas bien au latex. Vous pourriez aussi utiliser un apprêt à papier peint que vous appliquez au rouleau.

Il est préférable de ne pas poser un papier peint sur un autre, sauf si le vieux papier adhère encore bien. Recollez d'abord les lisières, s'il y a lieu, et appliquez partout un apprêt à papier peint ou un scelleur à l'alkyde.

Peignez le plafond et les boiseries *avant* de poser le papier peint. Il est plus aisé d'enlever de la colle sur de la peinture fraîche que de nettoyer des éclaboussures de peinture sur du papier peint.

Il existe plusieurs méthodes pour enlever le papier peint (voir ci-dessous).

Entaillez le vieux papier peint avec un couteau à araser ou une lame de rasoir avant d'appliquer un dissolvant ou de la vapeur pour accélérer le ramollissement de la colle. Le vinyle et le papier métallique étant imperméables, il faut les entailler, sans quoi la colle ne sera jamais dissoute.

Grattez le papier peint avec un couteau à enduire dès que la colle a été ramollie par le dissolvant ou la vapeur. Attention de ne pas surcreuser le mur. À la vapeur, vous ne pourrez enlever que de petites sections à la fois.

Le dissolvant peut être appliqué avec une éponge, mais il est plus facile et rapide d'utiliser un pulvérisateur. Diluez le dissolvant conformément au mode d'emploi et portez des lunettes protectrices et des gants. Le dissolvant décompose la colle.

Certains papiers peints s'enlèvent facilement après qu'un coin a été dégagé. Ramollissez les résidus de colle à l'eau chaude ; grattez avec un couteau à enduire.

Louez un fer à vapeur électrique. Remplissez d'eau son réservoir ; branchez l'appareil. La vapeur est pompée dans un tuyau et à travers une plaque perforée que vous tenez contre le papier peint jusqu'à ce que la colle soit ramollie. Portez des lunettes protectrices et des gants.

Enlevez la vieille colle : lavez le mur avec un détergent puissant à base de trisodium de phosphate ou, si ce produit est interdit dans votre région, son équivalent non phosphaté. Rincez et laissez sécher complètement avant de poser le nouveau papier peint.

Planification du travail

Voici quelques conseils avant de commencer :

1. Vérifiez le papier peint. Assurez-vous que tous les rouleaux proviennent du même lot. Sinon, retournez-les et commandez-en de nouveaux. Ouvrez et examinez chaque rouleau. Cela est particulièrement important s'il s'agit d'un papier cher.

2. Où commencer. L'endroit où vous devriez poser la première bande variera selon la forme de la pièce et le motif du papier peint (ci-dessous). Tracez au moyen d'un crayon et d'une règle l'emplacement de chaque bande. Vous serez ainsi en mesure de prévoir les problèmes et d'y trouver des solutions.

3. Dégagez la pièce. Sortez le plus de meubles possible ; entassez le reste au centre. Étendez du papier journal autour de la pièce et sous la table à encoller.

4. Préparez votre équipement. Installez l'escabeau à l'endroit de départ. Si vous encollez sur la table, mettez vos outils ailleurs ou portez un tablier de menuisier. Achetez plusieurs douzaines de lames pour le couteau à araser.

5. Examinez le motif du papier. Tenez-le au plafond et déterminez l'endroit le plus convenable au raccordement des motifs. Si la ligne d'intersection entre le mur et le plafond n'est pas droite, ne l'utilisez pas comme point de départ.

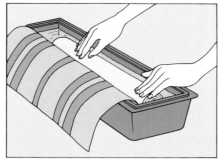

Pour mouiller le papier préencollé, enroulez-le, motifs à l'intérieur, et mettez-le dans une auge remplie d'eau aux deux tiers. Tenez-le submergé.

Posez le papier préencollé à partir de l'auge (lisez le mode d'emploi). Mettez l'escabeau de côté devant l'auge et déroulez le papier en montant dans l'escabeau.

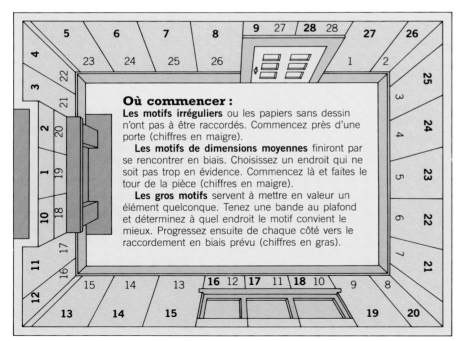

Où commencer :

Les motifs irréguliers ou les papiers sans dessin n'ont pas à être raccordés. Commencez près d'une porte (chiffres en maigre).

Les motifs de dimensions moyennes finiront par se rencontrer en biais. Choisissez un endroit qui ne soit pas trop en évidence. Commencez là et faites le tour de la pièce (chiffres en maigre).

Les gros motifs servent à mettre en valeur un élément quelconque. Tenez une bande au plafond et déterminez à quel endroit le motif convient le mieux. Progressez ensuite de chaque côté vers le raccordement en biais prévu (chiffres en gras).

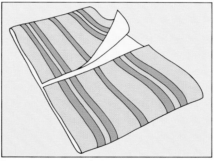

Ramenez une extrémité au centre, puis l'autre, côtés encollés à l'intérieur. N'aplatissez pas les plis. Ainsi pliée, votre bande sera plus facile à manipuler.

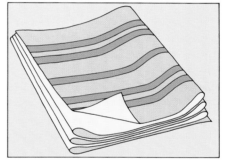

Les bandes destinées au plafond étant souvent plus longues, on les replie en accordéon ; cela facilite la manipulation. Les côtés encollés doivent se toucher.

Encollez proprement

Découpez une bande de papier peint ; installez-la sur la table, à l'envers. Mentalement, divisez-la en quarts. Placez le premier quart (1) de façon que ses bords extérieurs dépassent de ¼ po les bords de la table. Encollez. Déplacez la bande jusqu'à ce que le deuxième quart (2) dépasse de ¼ po. Encollez. Repliez les quarts encollés. Faites la même chose pour les quarts 3 et 4. Repliez-les. Le papier reste propre.

Les murs d'une maison ne sont jamais parfaitement verticaux. Établissez donc vous-même la verticale au moyen d'un fil à plomb (fabriquez-en un en attachant un plomb à un cordeau). Vous pouvez aussi trouver la verticale à l'aide d'un niveau et d'une longue règle en métal.

Tracez la ligne qui vous servira de guide pour poser la première bande, à une largeur de bande de votre point de départ. À chaque coin, tra-cez une nouvelle ligne verticale. Les coins n'étant jamais parfaitement d'équerre, il vous faudra donc « tricher » un peu.

Découpez les longueurs avec un surplus de 4 po (10 cm), c'est-à-dire de 2 po (5 cm) pour le haut et de 2 po (5 cm) pour le bas. Avec un motif en biais (p. 375), vous épargnerez temps et papier en utilisant alternativement deux rouleaux, un pour chaque partie du motif.

Si le papier n'est pas taillé en bordure, taillez-le. Placez chaque bande sur la table à encoller ; vous servant d'une règle de métal comme guide, taillez avec le couteau à araser. Les papiers préencollés ne sont pas tous pareils. Certains doivent être repliés (p. 377), d'autres se posent directement à partir de l'auge à eau. Quel que soit le papier peint, conformez-vous toujours au mode d'emploi.

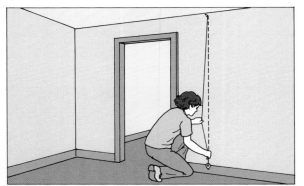

Pour fabriquer un fil à plomb, fixez un cordeau enduit de craie au sommet du mur. Attachez un poids à l'autre extrémité. En tenant le « plomb » contre le mur, tendez le cordeau et relâ-chez-le. Il laissera sur le mur une ligne de craie.

Alignez la première bande sur la verticale tracée et non pas sur le cadrage ou le coin du mur. Laissez un surplus de 2 po au plafond et posez le haut de la bande sur le mur. Dépliez et alignez le reste. Examinez et ajustez.

Éliminez les bulles d'air avec une brosse de tapissier ou un rouleau à peinture propre. Allez du centre vers l'extérieur. Appuyez bien pour assurer une bonne adhésion. S'il y a des rides, soulevez le papier et remettez-le en place.

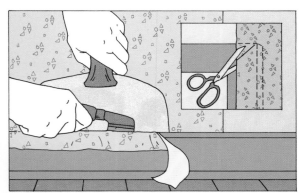

Taillez tout surplus en vous servant d'un large couteau à en-duire comme guide et d'un couteau à araser. Utilisez une lame neuve. Sur un cadre de porte, coupez le papier en diagonale (médaillon) pour qu'il s'ajuste parfaitement de part et d'autre.

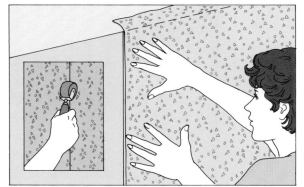

Accolez les bandes en appuyant doucement sur la nouvelle avec les deux mains en les faisant chevaucher. Ne tirez pas sur le papier. Passez la roulette d'angles sur le joint après 10 à 15 minutes.

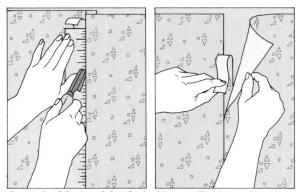

Avant de faire un joint à double entaille (dans les coins), faites chevaucher les bandes. Avec une règle métallique comme guide, entaillez les deux épaisseurs de papier. Enlevez la bandelette du dessus, puis celle du dessous. Recollez.

Cas particuliers

Une pièce pose toujours certains problèmes. Il faut faire preuve de patience et de bon sens. Voici quelques trucs qui vous aideront à les résoudre.

Le chevauchement de deux bandes dans un coin vous permettra, par exemple, d'en cacher les imperfections, tout en établissant une nouvelle verticale pour le mur suivant. Vous pouvez faire de même pour les coins saillants.

Couvrez de la même façon les plaques d'interrupteurs et les plaques de prises de courant. Pour revêtir une niche, une surface en arc ou un enfoncement, utilisez la même technique que pour revêtir une fenêtre en retrait, une ouverture en arc ou un mur mansardé.

Coins

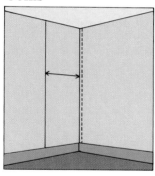

Près d'un coin, mesurez la distance entre la dernière bande et le coin à plusieurs hauteurs. Ajoutez ½ po à la mesure la plus grande et découpez une bande de cette largeur, en conservant le reste. Posez cette mince bande et faites-la bien adhérer au coin.

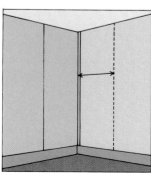

Tracez une verticale à une distance du coin équivalente à la largeur de la partie restante de la bande découpée. Alignez la bande sur cette verticale et laissez-la chevaucher sur la bande de coin. S'il s'agit de vinyle, utilisez un adhésif spécial.

Plaque d'interrupteur

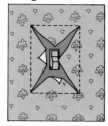   

Entaillez le papier en X; découpez tout autour de la plaque. Mettez-la en place. Repliez un morceau de papier peint par-dessus (raccordez le motif). Taillez les coins en biseau; faites un trou pour l'interrupteur; collez le papier.

Fenêtres en retrait

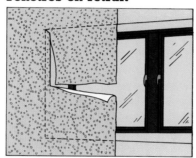

Posez une bande de papier peint sur l'ouverture. Découpez au milieu jusqu'à 1 po du mur. Découpez vers le haut et vers le bas jusqu'aux coins.

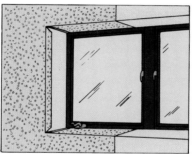

Collez, puis taillez les surplus en haut et en bas du cadre de la fenêtre. Collez la lisière de 1 po sur le mur vertical.

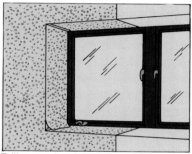

Taillez une bande verticale de l'épaisseur du mur. Collez-la en recouvrant la petite lisière de 1 po. Avec du vinyle, employez une colle spéciale.

Arcs

Recouvrez une ouverture en arc comme s'il s'agissait d'un mur continu. Taillez tout autour en laissant un surplus de 2 po. Dentelez-le et collez-le. Découpez une bande à peine moins large que l'épaisseur du mur. Collez-la en recouvrant la petite lisière. Conservez l'uniformité des motifs.

Murs mansardés

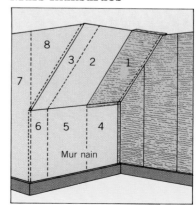

Terminez au coin par un chevauchement de ½ po. Tracez de nouvelles verticales. Recouvrez ensuite le mur mansardé (1, 2, 3), en chevauchant de ¼ po le mur nain. Revêtez le mur nain (4, 5, 6); posez la première bande sur l'autre mur (7). Faites le triangle (8) en dernier.

Papier peint / Revêtement d'un plafond

Si vous projetez de poser du papier peint au plafond, faites-le *avant* de recouvrir ou de peindre les murs. Choisissez un motif neutre n'ayant ni haut ni bas (des fleurs grimpantes donneront l'impression d'être à l'envers).

Travaillez dans le sens de la largeur. Vos bandes seront moins longues et plus faciles à manipuler. Commencez à l'angle d'un mur ayant une fenêtre ; la dernière bande, à l'opposé, sera probablement moins large que les autres.

Tout comme les murs, le plafond doit

être lavé, réparé, poncé et scellé avant d'être revêtu de papier peint. S'il y a des luminaires, enlevez-les. Coupez d'abord le courant (p. 237) ; assurez-vous qu'il y a bien interruption au moyen d'un vérificateur de ligne (p. 243). Les luminaires ordinaires (en bas, à droite) sont faciles à contourner. Étendez des toiles sur le plancher pour ne pas le tacher. Installez un échafaudage solide et assez haut pour pouvoir atteindre facilement le plafond.

Si vous projetez de poser du papier sur les murs, laissez un excédent de ½ po (1,3 cm) aux extrémités. Sinon, taillez le surplus à l'aide d'une règle de métal et d'un couteau à araser.

Un rouleau avec rallonge peut remplacer la brosse de tapissier et vous pourrez travailler à partir du plancher sans trop vous fatiguer.

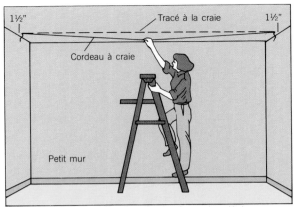

Pour aligner la première bande, tendez puis relâchez un cordeau à craie, le long du petit mur, à 1½ po des grands murs et à une largeur de bande moins ½ po du petit mur.

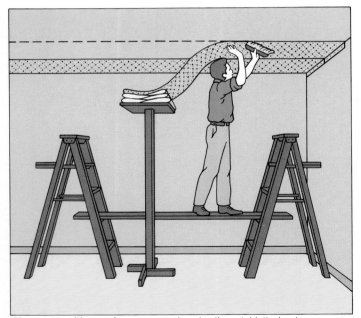

Si vous travaillez seul, vous aurez besoin d'une tablette haute pour soutenir vos bandes repliées de papier peint. Faites-la à l'aide de pièces de 1 po x 3 po et d'un morceau de contre-plaqué. Le papier peint encollé est trop lourd pour qu'on puisse le tenir tout en travaillant.

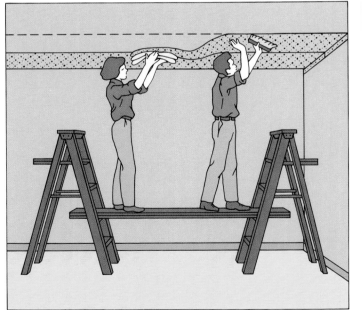

Le travail en équipe est plus facile : une personne aligne la bande et commence à la poser pendant que l'autre tient le bout replié. Si vous travaillez à deux, renforcez l'échafaudage avec un deuxième madrier posé par-dessus le premier.

Contour des luminaires

Quand vous vous approchez du plafonnier, tenez bien la bande sous l'orifice. Marquez le papier peint à l'endroit exact de l'ouverture. Avec des ciseaux, percez-le à cet endroit. Entaillez-le en pointes. Collez-le soigneusement au plafond, autour du plafonnier et continuez tout le long de la bande. Taillez-le proprement autour de la garniture avec un couteau à araser.

Chapitre 14

Extérieur
Constructions, améliorations et réparations

Pour être confortable, la maison doit être bien étanche et à l'épreuve des intempéries. Le présent chapitre donne, dès le départ, une liste de contrôle fort utile. Il indique, par ailleurs, comment réparer le toit, les gouttières et les différentes sortes de revêtement. Il vous apprendra aussi comment installer un lanterneau pour obtenir plus de lumière dans une pièce sombre, et comment construire une clôture pour préserver votre intimité et augmenter la surface utile de votre propriété. (Un autre chapitre, le chapitre 15, vous expliquera comment réparer, embellir, isoler et changer les portes et les fenêtres.)

Extérieur / Liste de contrôle

Tous les éléments, mais surtout l'eau, contribuent à la détérioration de la maison. Une fois que l'eau s'est infiltrée s'ensuivent une foule de problèmes, notamment des dégâts d'eau au niveau du toit et des lézardes dans la maçonnerie. Examinez donc périodiquement l'extérieur, de préférence au printemps.

D'abord, regardez le toit au moyen de jumelles ; en cas de doute, allez voir de plus près si la surface est sèche et si la pente n'est pas trop forte. Appuyez bien l'échelle (page suivante). Vérifiez les sources possibles de fuites, surtout après une bonne pluie : solins endommagés, bardeaux retroussés ou manquants, joints de mortier désagrégés. Sur un toit plat, enlevez les débris et vérifiez les solins et le revêtement. Réparez promptement. Si vous ne pouvez situer une fuite, confiez-en la tâche à un professionnel.

L'accumulation de glace et de neige au bord du toit entraîne l'affaissement des gouttières et l'infiltration de l'eau sous les bardeaux. Prenez les mesures qui s'imposent (p. 399) avant de réparer les gouttières (p. 396-397). Les débris dans les gouttières peuvent aussi être cause d'infiltrations ; enlevez-les au printemps après l'apparition des feuilles et à l'automne après la chute des feuilles.

Examinez les fondations au moins une fois par année. Demandez à un professionnel d'y jeter un coup d'œil s'il y a des lézardes qui s'élargissent ou des renflements. S'il y a des mares près des fondations ou s'il y a des problèmes d'humidité au sous-sol, voyez les solutions proposées aux pages 338-340. Faites réparer les fuites graves par un entrepreneur compétent. S'il y a des termites près des fondations (p. 345) ou si vous soupçonnez leur présence, appelez un exterminateur. Les invasions de termites ne sont pas toujours évidentes, car ces insectes, pour atteindre le bois, pénètrent par tout orifice : vides dans la maçonnerie, joints mal fermés, fissures, etc.

Servez-vous de la liste, à droite, comme guide d'entretien régulier.

Murs extérieurs

	Printemps	Été	Automne	Annuellement	Au besoin
Colmatez les lézardes.	●				
Recalfeutrez les joints entre le revêtement et les autres matériaux.	●			●	
Vérifiez le tour des fenêtres et des entrées de cave.	●			●	●
Vérifiez la peinture sur toutes les surfaces de bois.	●				
Consolidez et réparez le parement, au besoin ; peignez.	●				
Vérifiez s'il y a des fourmis et des nids de guêpes.	●	●			
Lavez les parements de vinyle, d'aluminium ou de bois peint.	●	●			
Consolidez les planches, briques ou pierres lâches.	●				
Vérifiez s'il y a des fissures ou des taches au contact de deux toits.	●				

Toit

	Printemps	Été	Automne	Annuellement	Au besoin
Réparez les bardeaux endommagés.	●				
Examinez les solins de cheminée, de lucarnes, de noues et d'évent ; réparez-les s'il le faut.	●	●			
Refaites le mortier de la cheminée s'il se désagrège ; vérifiez l'état de la mitre.	●	●			
Nettoyez les gouttières, descentes et crépines ; vérifiez le calfeutrage ; repérez les endroits endommagés et défraîchis.	●			●	
Vérifiez bien un toit de 15 ans ou plus.					●
Vérifiez le grillage des sorties d'aération.	●			●	
Repérez les nids d'oiseaux.				●	

	Printemps	Été	Automne	Annuellement	Au besoin
Vérifiez la peinture de la bordure du toit et des soffites.	●	●			
Vérifiez les câbles d'ancrage et les fixations de l'antenne.				●	

Portes et fenêtres

	Printemps	Été	Automne	Annuellement	Au besoin
Remplacez les carreaux brisés ; refaites le mastic au besoin.					●
Nettoyez les moustiquaires.	●				
Remplacez les coupe-bise usés ou endommagés.	●				
Refaites le calfeutrage autour des fenêtres et des portes, s'il y a lieu.			●		
Lubrifiez les charnières, loquets, manivelles de fenêtres.			●		
Nettoyez et lubrifiez les glissières des portes coulissantes.	●				

Terrain

	Printemps	Été	Automne	Annuellement	Au besoin
Nettoyez les drains.	●		●		●
Réparez l'asphalte ou le béton de l'entrée de garage.	●				
Vérifiez les piliers du perron ; refaites les semelles, s'il y a lieu.	●				
Vérifiez s'il y a des termites.	●			●	●
Repérez les fissures dans la maçonnerie ou les trottoirs.	●				
Vérifiez s'il y a des mares près des fondations.	●				
Poncez et peignez le métal.	●				
Vérifiez l'état du bois (insectes et pourrissement) des clôtures et des poteaux (p. 344-345).	●	●			
Taillez arbres et arbustes à proximité du parement et des gouttières, qui pourraient les endommager.	●		●		

Échelles et sécurité

Ayez au moins deux types d'échelles : un escabeau, pour les hauteurs atteignant 10 pi (3 m), et une échelle télescopique, pour les hauteurs atteignant 28 pi (8,5 m). L'escabeau doit avoir des échelons rainurés, des patins antidérapants et des entretoises métalliques ; l'échelle télescopique doit avoir un échelon inférieur renforcé, des patins antidérapants et pivotants et un mécanisme de blocage pour assurer la solidité de l'ensemble lorsque la section supérieure est à la hauteur voulue. (Une échelle articulée remplacera les deux types.) Les échelles sont en bois, en aluminium ou en fibre de verre, la dernière étant la plus chère mais la plus sûre.

Qualité. Achetez une échelle de catégorie I (chaque échelon peut soutenir 250 lb [114 kg]), de catégorie II (l'échelon peut soutenir 225 lb [102 kg]), ou de catégorie industrielle IA (l'échelon peut soutenir 300 lb [136 kg]).

Vérification. Avant d'acheter une échelle, vérifiez si elle a des défauts. Debout sur l'échelon inférieur, empoignez les montants et secouez-la. Elle ne doit pas être branlante.

Si vous faites de gros travaux de réparation ou de peinture, louez des échafaudages. Installez-y des garde-fous et des butoirs en 2 x 4 po (38 x 89 mm).

▶ **ATTENTION !** Toute échelle mouillée (bois ou métal) qui touche un fil transmet l'électricité. Utilisez des outils électriques à double isolation, munis d'un dispositif de mise à la terre.

Échelle télescopique. 1. Pour l'allonger, mettez-la près du mur et remontez-en la section supérieure échelon par échelon.

2. La distance entre le mur et le patin doit équivaloir au quart de la longueur effective de l'échelle.

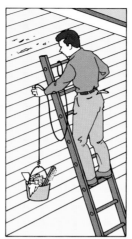

Tenez les deux montants en grimpant ou en descendant. Hissez vos outils ou portez-les dans une ceinture.

Ne montez sur le toit que lorsque l'échelle en dépasse de 3 pi le bord. Ne montez jamais du côté du pignon.

Gardez toujours les hanches entre les montants. Ne vous penchez jamais à l'extérieur.

Accessoires pour échelles

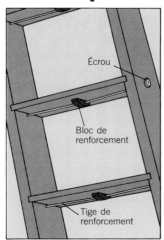

Un bloc de renforcement rendra les échelons d'escabeau plus solides. Si l'escabeau branle, resserrez les écrous de la tige de renforcement.

Pour avoir accès aux fenêtres, fixez un stabilisateur aux montants, selon le mode d'emploi. Les bras du dispositif éloignent l'échelle du mur de 10 à 15 po.

Sur une pente raide, fixez l'échelle au moyen d'un crochet spécial ; vous pouvez vous en procurer dans les centres de rénovation.

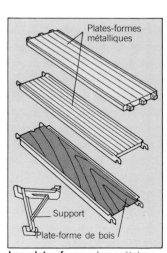

Les plates-formes (en métal ou en bois) se fixent aux échelons au moyen de supports. On peut former des échafaudages en les appuyant sur deux échelles.

383

Les signes d'humidité dans la maison sont le premier indice d'un toit défectueux : décoloration sur un mur, légère détérioration du papier peint, écaillage de la peinture du plafond ou odeur de moisissure.

De sérieuses recherches sont parfois nécessaires avant de pouvoir situer la source de la fuite sur le toit. L'eau s'infiltrant sous la poussée du vent dans une fissure de la cheminée ou sous un bardeau suit un parcours tortueux avant de se manifester dans la maison (à droite) et cause des dégâts tout le long de son trajet.

Il est facile de localiser une fuite si le plafond du grenier n'est pas fini. Un jour de pluie, examinez l'intérieur du toit avec une lampe de poche ; vous découvrirez par où pénètre l'eau. (Une grosse poutre portera les traces d'humidité de l'eau venue des chevrons.) Marquez l'endroit et prenez des mesures temporaires (à droite) ; vous réparerez l'extérieur quand il fera beau.

Pour minimiser les effets d'une fuite lors d'un violent orage, placez un seau ou un récipient quelconque à l'endroit approprié.

Si vous ne voyez pas d'eau, vérifiez si l'isolant entre les solives est humide ou décoloré. Soyez prudent en manipulant la fibre de verre (p. 458). Enlevez l'isolant et vérifiez s'il est taché ou mouillé. Remettez en place l'isolant intact au fur et à mesure.

La tâche est plus difficile si le plafond du grenier est fini. Mais peu importe les sinuosités de son trajet, l'eau finit toujours par tomber. Il y a une fuite au rez-de-chaussée ? Cherchez des signes d'humidité à l'étage. Vérifiez la tuyauterie et les radiateurs. Si rien n'indique que la source est à l'intérieur, examinez les parties les plus vulnérables du toit (liste à droite). Attendez pour cela qu'il fasse beau et que le toit soit sec.

▶ **ATTENTION !** Ne montez jamais sur un toit mouillé. Vous risqueriez non seulement de glisser et de vous blesser, mais également de l'endommager davantage. (Certaines garanties sont annulées si l'on marche sur un toit.)

Le trajet de l'eau

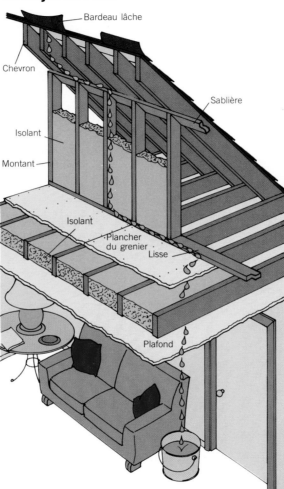

Le trajet d'une goutte d'eau commence à un point d'entrée (ici, un bardeau endommagé) et se poursuit selon les canaux qui s'offrent. L'eau glisse sur un chevron, puis sur la sablière, descend le long d'un montant en passant par l'isolant jusqu'à la lisse, qu'elle longe ensuite jusqu'à un joint du plancher. L'eau traverse l'isolant, s'infiltre dans un joint du coupe-vapeur et goutte au plafond, où elle est décelée, parfois très loin de son point de départ.

Mesures temporaires

Évitez les dégâts pendant qu'il pleut : utilisez un seau et un bout de ficelle. La ficelle fixée au plafond, à la source de la fuite, sert de guide et achemine l'eau vers le seau.

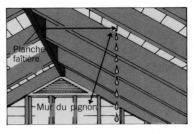

Marquez l'endroit où se manifeste la fuite. Mesurez la distance entre ce point et la planche faîtière, et entre le mur du pignon ; transposez ces mesures sur le toit.

Glissez sous un bardeau une pièce de métal taillée aux bonnes dimensions. Utilisez un marteau et un bloc de bois pour la mettre en place. Pour d'autres mesures temporaires, voyez p. 11.

Parties vulnérables du toit

- Solins (p. 390-393)
- Joints entre le parement et le toit
- Revêtements de toits plats détériorés (p. 388)
- Bardeaux, tuiles ou ardoises sur un toit en pente
- Maçonnerie de la cheminée (p. 400)
- Gouttières (p. 396-399)
- Évents (p. 391)
- Lanterneau (p. 402-405)
- Noues (p. 391)
- Arêtiers et faîtes
- Lucarnes
- Dispositifs d'aération
- Endroits propices aux accumulations de glace (p. 399)
- Clous exposés
- Joints ouverts dans les matériaux de la toiture
- Solins de fenêtres ou de portes (p. 391)

Bardeaux d'asphalte

Le bardeau d'asphalte — le revêtement de toiture le plus utilisé en Amérique du Nord — est constitué d'une couche de base (fibre de verre ou mélange de bois et de papier) imprégnée d'asphalte et recouverte de granules minéraux incrustés. Ils déterminent la couleur du bardeau et le protègent des rayons du soleil.

Le bardeau à base de fibre de verre est le plus cher, mais le plus robuste, le plus ignifuge et le moins lourd. (Le bardeau à base de fibres minérales, souvent fait d'amiante, ressemble davantage à l'ardoise qu'à un bardeau d'asphalte ; il est rigide et lourd et ne devrait être réparé que par un entrepreneur compétent.)

Bien entretenu, un toit en bardeaux d'asphalte dure environ 15 ans. Il peut être recouvert une fois si la charpente ou les fermes peuvent soutenir le poids d'un deuxième revêtement combiné à celui de la neige. Sollicitez d'abord l'opinion d'un expert.

Le soleil et les intempéries usent le bardeau, qui se déformera, s'asséchera et se fissurera par temps froid. Les accumulations de glace (p. 399) peuvent amener l'eau à s'infiltrer dessous.

Réparer le bardeau d'asphalte (ci-dessous) n'est pas compliqué. Soyez prudent si vous utilisez une échelle ; ne travaillez que par temps doux et jamais sous la pluie ni par grands vents. Pour monter sur le toit, mettez des chaussures à semelles de caoutchouc.

Réparation d'un bardeau

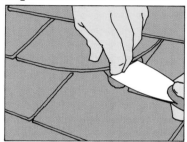

Recollez un bardeau légèrement relevé ou retroussé avec un peu de ciment à toiture. Faites ce travail par temps chaud : les bardeaux plieront sans casser.

Sauvegardez un bardeau déchiré en mettant du ciment à toiture sous le matériau, de part et d'autre de la déchirure. Appuyez bien ou clouez-le (ci-dessous).

Renforcez une réparation avec des clous à toiture de part et d'autre de la déchirure. Recouvrez les têtes de goudron pour empêcher l'eau de s'infiltrer.

Remplacement d'un bardeau

Pour enlever un bardeau endommagé, soulevez doucement les bardeaux plus haut et enlevez les clous avec un pied-de-biche. Prenez soin de ne pas endommager les bardeaux intacts ; retirez les morceaux.

Glissez un bardeau sous les bardeaux que vous avez soulevés. Clouez-le (ci-dessous) avec un marteau et un pied-de-biche. Mettez du ciment à toiture et appuyez bien.

En frappant sur la tige du pied-de-biche, vous épargnerez les bardeaux. Ne touchez pas le bardeau du haut.

Réparation des bardeaux faîtiers

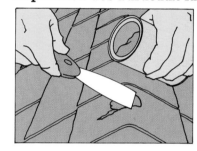

Réparez les fissures dans les bardeaux faîtiers avec du ciment à toiture, si elles ont moins de ½ po de longueur. Réparez de la même façon les trous de la grosseur d'une tête d'aiguille.

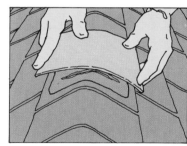

Réparez un bardeau très endommagé au moyen d'une pièce à bardeaux débordant de 3 po de tous les côtés. Donnez-lui la forme appropriée ; collez-la et clouez-en les coins (ci-dessous).

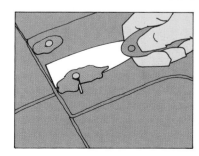

Pour éviter les fuites, mettez du ciment à toiture avant de finir d'enfoncer les clous. Ensuite, recouvrez les têtes de ciment.

L'ardoise est une pierre naturelle extraite en blocs, réduite en plaques et taillée. Elle est noire, grise, verte, marbrée ou chamarrée de vert et de brun, et dure de 85 à 100 ans. Comme elle est lourde, la charpente du toit doit pouvoir soutenir 900 lb (410 kg) par 100 pi^2 (9,3 m^2).

Parfois, les débris qui tombent cassent ou déplacent les bardeaux d'ardoise et les clous à ardoise s'usent (situation grave sur un vieux toit). Il est préférable de remplacer un bardeau d'ar-

doise brisé. Si vous ne pouvez effectuer le travail à partir d'une échelle, appelez un professionnel. Les toits en bardeaux d'ardoise ont généralement une pente raide et sont glissants.

Les couvreurs emploient des outils spécialisés (à droite), mais vous pouvez utiliser une lame de scie à métaux, un chasse-clou et un marteau. Avec la lame, coupez les clous ; avec le chasse-clou et le marteau, taillez le bardeau et faites-y de nouveaux trous pour les clous.

Outils usuels

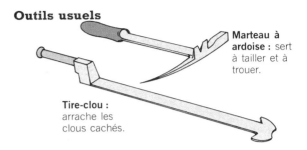

Marteau à ardoise : sert à tailler et à trouer.

Tire-clou : arrache les clous cachés.

Remplacement d'un bardeau d'ardoise

Le tire-clou permet d'arracher les clous.

1. Pour ôter les clous, glissez le tire-clou sous le bardeau du dessus. Lorsque vous accrochez un clou (il y en a deux par bardeau), frappez avec le marteau le coude du tire-clou.

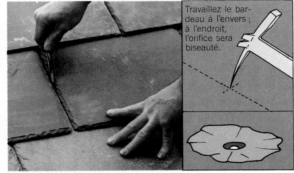

Travaillez le bardeau à l'envers ; à l'endroit, l'orifice sera biseauté.

2. Placez le nouveau bardeau ; tracez-y au chasse-clou la ligne de rencontre des bardeaux du dessus ; trouez-le à l'envers sur cette ligne avec un marteau à ardoise ou un chasse-clou.

3. Installez le nouveau bardeau ; alignez-le sur les autres. Enfoncez des clous galvanisés dans les trous (les têtes des clous de cuivre sont trop grosses). Le chasse-clou sert d'espaceur.

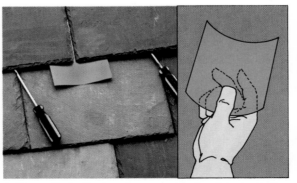

4. Une petite feuille de cuivre recourbée empêche les infiltrations d'eau. Soulevez les deux bardeaux au-dessus du nouveau au moyen de deux vieux tournevis et insérez la feuille dessous.

Taille de l'ardoise

Utilisez un chasse-clou et un marteau pour percer une série de trous le long de la ligne de découpage. Travaillez le bardeau à l'envers.

Un bardeau tendre se sépare sans plus d'opération. S'il est dur, frappez-le sur le bord d'une table.

Égalisez les bords inégaux en donnant de légers coups de marteau le long de la ligne de découpage. Mettez le bardeau à plat au bord d'une table.

Le tranchant du marteau à ardoise permet de faire des coupes nettes, droites ou courbes. Tenez le bardeau à plat au bord d'une table.

Bardeaux de bois

Le bardeau de bois ordinaire ou de fente est fait le plus souvent en cèdre rouge de l'Ouest. Pour les toitures, les meilleures catégories sont le bardeau ordinaire n° 1 Blue Label et le bardeau de fente n° 1. (Le bardeau de cèdre blanc de l'Est est classé différemment.) Le bardeau à toiture doit être solide, à grain fin et à faible coefficient de contraction et de dilatation ; il doit aussi être assez imperméable. Bien entretenue, une toiture en bardeaux de bois devrait durer 25 ans (30 si le bois est traité sous pression), une toiture en bardeaux de fente 50 ans ou plus. Le bardeau de bois est lisse des deux côtés ; le bardeau de fen-te est rugueux des deux côtés, ou rugueux d'un côté et lisse de l'autre. Avec le temps, le bardeau de bois se déforme ou se fend. Il peut être endommagé par les branches d'arbres qui tombent sur le toit ou par le poids des personnes qui y marchent dessus.

Les réparations temporaires sont faciles à effectuer. Si les deux parties d'un bardeau qui s'est fendu sont intactes, glissez dessous une feuille de métal pour imperméabiliser le toit. Clouez temporairement un bardeau déformé ; mais il pourra gonfler et se fendre. Remplacez-le plutôt (voir ci-dessous).

1. Enlevez le vieux bardeau avec un ciseau à bois et un maillet : brisez-le en morceaux que vous pourrez ensuite arracher. Soulevez les bardeaux du dessus avec des coins de bois. Attention de ne pas endommager les bardeaux du dessus et du dessous.

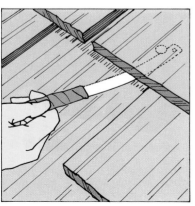

2. Coupez les clous qui retenaient le vieux bardeau : glissez une lame de scie à métaux (l'autre extrémité enveloppée de ruban gommé) sous le bardeau qui les recouvre ; sciez. Taillez le nouveau bardeau ; prévoyez un espace de ⅛ po de part et d'autre.

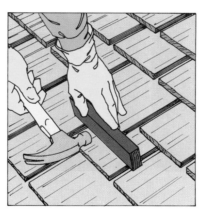

3. Glissez le nouveau bardeau en place avec un marteau et un bloc de bois. Alignez-le sur les bardeaux voisins.

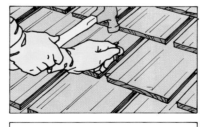

4. Clouez le bardeau dans l'espace entre les bardeaux du dessus. Utilisez des clous galvanisés. Imperméabilisez-en les têtes avec une feuille de métal (p. 386).

Les clous doivent affleurer le bois. / Bon / Mauvais

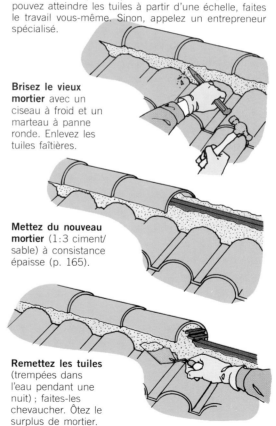

Brisez le vieux mortier avec un ciseau à froid et un marteau à panne ronde. Enlevez les tuiles faîtières.

Mettez du nouveau mortier (1:3 ciment/sable) à consistance épaisse (p. 165).

Remettez les tuiles (trempées dans l'eau pendant une nuit) ; faites-les chevaucher. Ôtez le surplus de mortier.

Un toit plat retient plus longtemps la neige et l'eau qu'un toit en pente. C'est la pente d'un toit qui détermine le revêtement à utiliser. Elle est décrite en pouces, à la verticale, par pied, à l'horizontale. Un toit à pente douce s'élevant de 4 pouces par pied a une pente de 4 à 12. L'*inclinaison* est exprimée en fraction : c'est le rapport entre l'élévation et la portée totale du toit (p. 334). (Les toits en ardoise ou en tuiles d'argile doivent avoir une pente minimale de 4 à 12 ou une inclinaison de 1:6.)

Un toit ayant une pente de 2 à 12 ou moins devra avoir un revêtement composé (notamment de métal ou de goudron et de gravier). Le caout-chouc synthétique en rouleau, réservé autrefois aux immeubles commerciaux, est très utilisé aux États-Unis. Mais il est encore rarement employé au Canada, car il coûte plus cher et dure moins longtemps que les matériaux traditionnels. Sur un toit plat, on met alternativement des couches d'adhésif et de feutre à toiture (parfois trois couches ou plus). Dans les revêtements à chaud, on utilise le goudron comme adhésif ; dans les revêtements à froid, un ciment d'asphalte. Dans les deux cas, il faut installer les solins appropriés ; faites appel à un professionnel.

Le soleil contribue à la détérioration des revêtements composés ; on les recouvre donc souvent de gravier ou de papier asphalté à granules minéraux. Les rayons ultraviolets font s'oxyder et rétrécir l'adhésif ; la chaleur en fait suinter l'huile et rend la surface cassante. Marcher sur ces revêtements les use encore davantage.

Examinez souvent le toit. Une boursouflure ne devrait pas vous inquiéter. Si le papier asphalté est boursouflé et craquelé, faites vous-même les réparations (ci-dessous). Si le revêtement est très endommagé (boursouflures, craquelures et déchirures), faites appel à un professionnel. Prolongez la durée du revêtement en appliquant une peinture d'asphalte et d'aluminium ; elle redonne sa souplesse à la membrane et l'imperméabilise.

Rapiéçage d'un revêtement asphalté

Nettoyez la surface. Découpez la pièce endommagée avec un couteau universel. Taillez une nouvelle pièce de la même dimension.

Couvrez généreusement de ciment à toiture avec un couteau à mastic ; faites pénétrer l'adhésif sous le revêtement.

Mettez deux épaisseurs ou plus de papier asphalté et de ciment à toiture pour que la pièce soit au niveau du revêtement. Clouez.

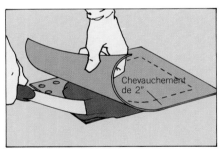

Taillez et collez une pièce dépassant de 2 po tout autour de celle que vous venez de clouer. Scellez les joints.

Pose de papier asphalté en rouleau

Pour être bien protégé (et pour avoir un toit plus durable), choisissez un papier ayant une surface minérale de 17 po et une bordure de 19 po. Enlevez le vieux revêtement, réparez le toit et mettez de nouveaux bords. Découpez des bandes de la largeur du toit ; empilez-les sur le faîte. Travaillez par temps doux (à plus de 7°C) : le papier sera plus souple. Posez les solins (p. 390-391).

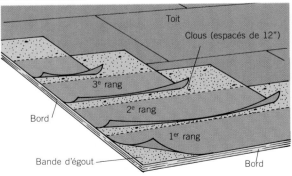

Clouez la bande d'égout (découpée à même le rouleau) à 1½ po, à 8 po et à 14½ po du bord. Comme dans le cas des rangs, elle devrait dépasser de ½ po.

Posez le premier rang sur la bande d'égout. Clouez une partie du bord ; repliez-le ; mettez du ciment à toiture. Dépliez-le ; passez-y un balai-brosse propre.

Entretien d'un toit de métal

Le cuivre (qui verdit en s'oxydant), la tôle, l'acier galvanisé, l'aluminium et les alliages de tôle et de plomb sont autant de métaux dont on peut revêtir un toit. Il exite des revêtements d'aluminium teints qui ressemblent à des bardeaux de bois ; il existe aussi des panneaux métalliques qui imitent les tuiles d'argile.

Un revêtement de métal bien posé est durable. Le cuivre, qui requiert l'intervention de professionnels, dure une cinquantaine d'années ; le bardeau d'aluminium et les panneaux d'acier galvanisé (calibre 26) à joints, à côtes ou ondulés, durent aussi longtemps s'ils sont bien installés et bien entretenus.

Cependant, les toits de métal sont sujets à la corrosion, surtout s'il y a contact entre métaux différents. L'acier galvanisé qui chevauche un solin en cuivre, par exemple, provoque une réaction chimique lorsqu'il pleut. Il faut donc couvrir les diverses surfaces d'une couche de peinture bitumineuse. Pour la même raison, il importe d'utiliser des clous du même métal que celui du revêtement.

L'acier peint ou les alliages doivent être repeints ou retouchés pour éviter qu'ils ne rouillent. Bouchez les petits trous avec du ciment à toiture ou un scelleur à base d'asphalte ; réparez les trous plus gros ou les fissures avec une pièce du même métal (ci-contre). L'acier et les alliages devraient être enduits d'un fondant résineux non corrosif, le cuivre d'un fondant acide. Sur un toit en pente, confiez le travail à un couvreur professionnel.

Il n'est pas nécessaire de peindre l'aluminium, sauf par souci d'esthétique. Ce métal ne se prêtant pas au soudage, on assemble les panneaux d'aluminium par des joints emboîtants et on les fixe au toit par des vis à rondelles intégrées qui résistent à la fois au vent et aux changements de température. (Des clous ne résisteraient pas à ces conditions.) On pose les vis au sommet des côtes. La vis doit exercer une pression sur la rondelle sans plier la côte.

Soudure d'une pièce

1. Nettoyez bien la surface. Taillez une pièce du même métal et plus grande de 2 po. Coupez les coins et repliez de ½ po par-dessous. Poncez les bords jusqu'à ce qu'ils brillent ; mettez un fondant tout autour.

2. Posez la pièce ; assujettissez-la au moyen de briques ou de pierres. Avec un fer à souder électrique, faites fondre de la soudure tout autour jusqu'à ce qu'elle pénètre dans les joints. Scellez bien.

Rapiéçage de l'aluminium

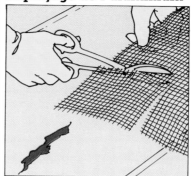

1. Taillez deux pièces de fibre de verre suffisamment grandes pour couvrir le trou. Avec une brosse métallique, nettoyez la surface à réparer et recouvrez-la de ciment à toiture.

2. Posez une pièce de fibre de verre sur le ciment à toiture. Au moyen d'un couteau à mastic, appliquez dessus une autre couche de ciment à toiture. Posez l'autre pièce ; appliquez une dernière couche de ciment à toiture.

Recouvrement d'un toit piqué

Appliquez un scelleur liquide à base d'asphalte. Commencez au faîte ; faites pénétrer le scelleur dans les joints avec un balai-brosse. Regagnez l'échelle et terminez à partir de là. Cette solution n'est pas permanente ; elle vous permet cependant de gagner un an ou deux.

Extérieur / Solins

Les solins sont la clé de l'étanchéité d'une maison. Aux divers points de contact qui se trouvent sur un toit (pentes, cheminée, évents, lucarnes), il faut empêcher les infiltrations d'eau, car tout joint est vulnérable. Il se contracte ou se dilate selon les conditions atmosphériques et s'ouvre si la maison travaille. Le solin doit donc être souple, imperméable et installé de manière à chasser l'eau.

Matériaux. Le cuivre, l'acier galvanisé et l'aluminium sont les matériaux les plus courants, ainsi que le néoprène qu'on utilise pour les évents. Les vieilles maisons ont des solins de plomb ou en plomb et en acier, qui devraient être enlevés par un professionnel (p. 348).

Les solins métalliques se présentent en feuilles ou en rouleaux. Il faut que vous les tailliez avec des cisailles et que vous les façonniez sur une planche. Vous pouvez aussi acheter des solins préfaçonnés pour les bordures de toit, les fenêtres et les portes, les cheminées et les noues (p. 391), et des solins sur mesure pour fermer les joints compliqués.

Le cuivre, courant sur les toits d'ardoise ou de tuiles, est cher mais durable ; l'acier galvanisé, même peint, n'est pas cher mais il doit être repeint souvent ; l'aluminium, intermédiaire entre le cuivre et l'acier, peut être obtenu non fini (il devient alors gris terne) ou peint, dans une vaste gamme de couleurs.

Réparations. L'eau pénètre par le moindre trou. Un trou indique que le métal est usé ; bloquez-le temporairement avec du ciment à toiture et faites remplacer le solin par un professionnel. Le cuivre ou l'acier accidentellement percés se réparent par soudure (p. 389).

Les fuites entre bardeaux et solins de noue peuvent être colmatées au moyen d'une membrane autocollante imperméable, faite de caoutchouc asphalté et de polythène. Elle assurera l'étanchéité du joint le long du solin de noue. Vous devrez cependant enlever les bardeaux pour la poser.

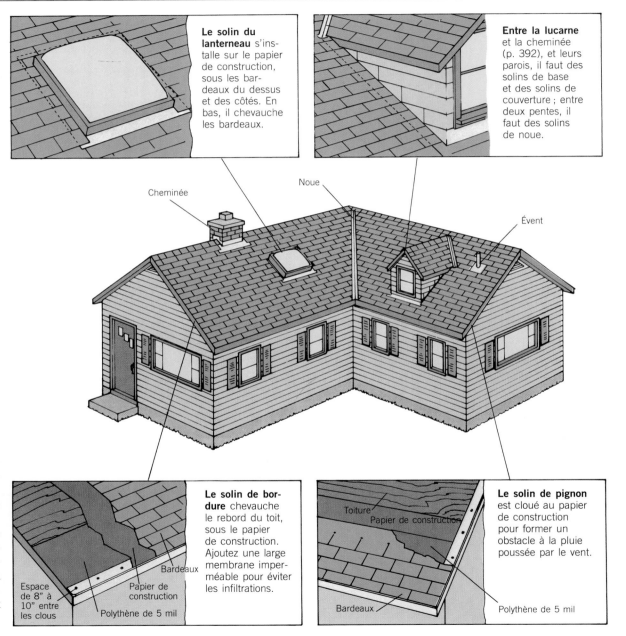

Le solin du lanterneau s'installe sur le papier de construction, sous les bardeaux du dessus et des côtés. En bas, il chevauche les bardeaux.

Entre la lucarne et la cheminée (p. 392), et leurs parois, il faut des solins de base et des solins de couverture ; entre deux pentes, il faut des solins de noue.

Cheminée

Noue

Évent

Le solin de bordure chevauche le rebord du toit, sous le papier de construction. Ajoutez une large membrane imperméable pour éviter les infiltrations.

Espace de 8" à 10" entre les clous

Papier de construction

Bardeaux

Polythène de 5 mil

Le solin de pignon est cloué au papier de construction pour former un obstacle à la pluie poussée par le vent.

Toiture

Papier de construction

Bardeaux

Polythène de 5 mil

Remplacement du solin d'évent

1. Enlevez délicatement les bardeaux autour de l'évent avec un pied-de-biche. Attention de ne pas les déchirer. Utilisez un couteau à mastic pour gratter le vieil adhésif. Enlevez le vieux solin.

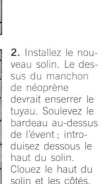

2. Installez le nouveau solin. Le dessus du manchon de néoprène devrait enserrer le tuyau. Soulevez le bardeau au-dessus de l'évent ; introduisez dessous le haut du solin. Clouez le haut du solin et les côtés, là où les clous seront couverts par les bardeaux.

3. Remettez en place les bardeaux de chaque côté du solin (ils doivent cacher les têtes des clous). Le bas du solin devrait recouvrir les bardeaux pour bien chasser l'eau.

Solins de noues

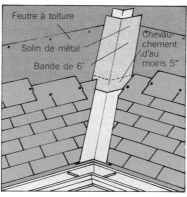

Feutre à toiture
Solin de métal
Bande de 6'
Chevauchement d'au moins 5"

La noue ouverte est revêtue d'un métal qu'on fixe sous les bardeaux, l'ardoise ou les tuiles. Taillez le revêtement de façon à ce que l'eau puisse s'écouler librement dans la noue pour aboutir à la gouttière.

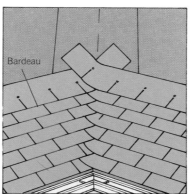

Bardeau

La noue fermée est revêtue de bardeaux d'asphalte posés de façon qu'il n'y ait pas de joint. Posez d'abord le papier de construction, le métal ou la membrane. Les bardeaux se superposent de biais et forment un ensemble continu. Vous pourriez aussi les tailler en biseau.

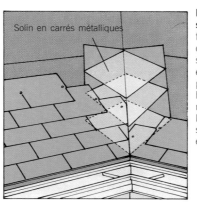

Solin en carrés métalliques

Pour réparer le solin d'une noue fermée, insérez des carrés de métal sous les bardeaux, en commençant par le bas. Pliez-les légèrement : ils n'accrocheront pas les clous et le joint sera complètement étanche.

Solin de portes et de fenêtres

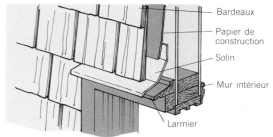

Bardeaux
Papier de construction
Solin
Mur intérieur
Larmier

Les fenêtres et les portes créent des joints perméables. Les solins, cloués sous le papier de construction et sur le larmier empêchent l'eau de pénétrer sous le parement.

Solin en W

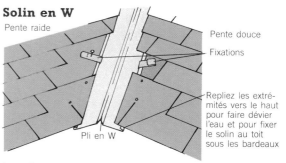

Pente raide
Pente douce
Fixations
Pli en W
Repliez les extrémités vers le haut pour faire dévier l'eau et pour fixer le solin au toit sous les bardeaux

Le solin en W sert entre deux toits de pente différente. Le pli du centre empêche l'eau provenant de la pente raide de se précipiter sous les bardeaux du toit en pente douce.

Solin en Z

Ce solin préfaçonné rend étanches les joints du parement extérieur (contre-plaqué ou panneau de fibres). Sans solin, ce type de joint fait office de buvard. Laissez un espace 1/8 po entre le bas du panneau et le solin pour permettre à l'eau de s'écouler.

Espace de 1/8"

Découpage du métal 128
Façonnage du métal en feuille 136-137
Échelles et sécurité 383

Extérieur / Solins de cheminée

La cheminée, qu'elle soit intérieure ou extérieure, a ses propres assises. Elle travaille donc indépendamment de la maison et du toit, et son solin doit pouvoir absorber le moindre déplacement pour rester efficace.

Le solin de cheminée comporte deux parties (à droite) : le solin de base, fixé au toit et qui s'appuie contre la cheminée ; le solin de couverture, fixé à la cheminée et qui recouvre le solin de base. N'étant pas fixés l'un à l'autre, ces deux solins bougent librement, l'un suivant le mouvement de la cheminée, l'autre suivant celui du toit. Le chevauchement du solin de couverture rend le joint étanche.

Si le solin de cheminée est bien installé, ne l'entourez pas de ciment à toiture : il finirait par se dessécher et se fissurer, créant des fuites. Vérifiez le mortier aux points de fixation du solin de couverture ; il faudra peut-être refaire le mortier le cas échéant, mais, sauf accident, l'ensemble devrait durer 30 ans. Si le toit est en ardoise ou en tuiles d'argile, sur lesquelles il faut éviter de marcher, ou s'il a une pente raide, faites appel à un couvreur.

Il y a des solins de cheminée en cuivre, en aluminium et en acier galvanisé. (Les solins de plomb, très répandus autrefois, sont encore posés par certains couvreurs, mais représentent des risques pour la santé.) La plupart des composantes doivent être taillées d'avance aux dimensions appropriées, mais il existe aussi des pièces préfaçonnées. Les matériaux se présentent en feuilles ou en rouleaux. (Voir les formes à la page suivante.)

Solin en A. La cheminée qui émerge du toit à 1 pi (30 cm) ou plus sous le faîte présente un problème particulier. Le joint supérieur forme un V où peuvent s'accumuler eau et débris. L'humidité constante ainsi créée provoquera la corrosion des solins et des fuites. Pour éviter les accumulations d'eau et de débris à cet endroit, utilisez un *solin en A* qui, combiné aux autres éléments, chassera l'eau.

Solin de base. Commencez par la portion inférieure. Le solin *recouvre* les bardeaux et la base de la cheminée ; ses côtés enserrent les coins. Le solin en escalier (à droite) recouvre la base des côtés et enserre les coins. Le solin de la portion supérieure, s'il n'y a pas de solin en A (page suivante), s'installe *sous* les bardeaux et sur la cheminée.

Solin en escalier. Il assure l'étanchéité des joints sur les côtés. Une série de rectangles de métal pliés à 90° s'intègrent aux bardeaux du toit. Le premier et le dernier enserrent les coins (ci-dessous).

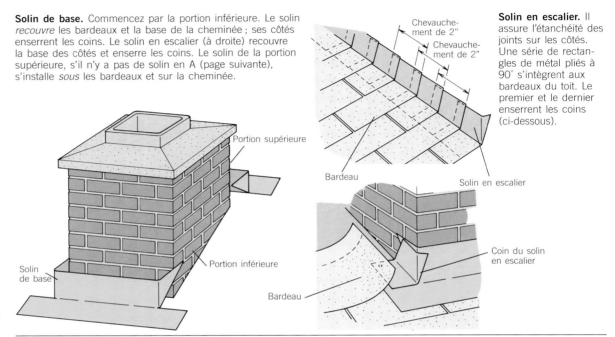

Solin de couverture. On le plie à 90° pour former un rebord de 1 po qu'on introduit dans le joint de mortier et que l'on scelle (mortier ou pâte à calfeutrer). Ce solin recouvre le solin de base sur au moins 4 po. Sur les côtés, il est constitué d'une série de pièces qu'on introduit dans les joints de mortier.

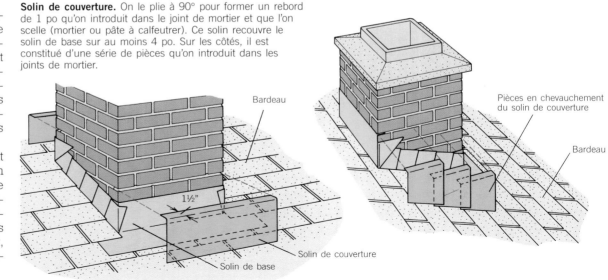

Remplacement d'un solin de cheminée

1. Enlevez le vieux mortier avec un ciseau à froid et un maillet. Portez des lunettes protectrices. Ôtez le vieux solin. Creusez une rainure de 1½ po dans le mortier pour fixer le nouveau solin.

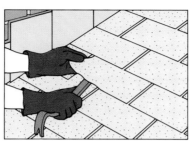

2. De chaque côté, soulevez les bardeaux pour repérer les clous qui retiennent le solin. Travaillez par une température de 10°C ou plus : les bardeaux seront plus souples.

3. Déclouez le vieux solin de base avec un pied-de-biche. Attention de ne pas déchirer le papier de construction. Clouez le nouveau solin sur le papier de construction ; faites de nouveaux trous.

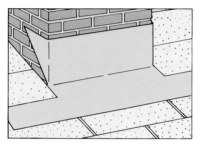

4. Installez le nouveau solin, en commençant par la portion inférieure. Clouez-le sous les bardeaux. Faites ensuite les côtés (page précédente). Fixez la portion supérieure (ou le solin en A) au toit.

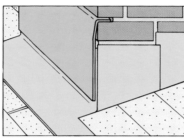

5. Insérez le solin de couverture dans les joints de mortier ; commencez par la portion inférieure. Repliez les pièces latérales sur la portion inférieure ; finissez par la pièce supérieure de la cheminée.

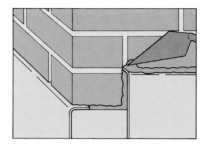

6. Scellez les joints du solin de couverture avec du mortier (p. 168). Recollez les bardeaux (côtés et joint supérieur) à la toiture : ils couvriront les clous fixant le solin.

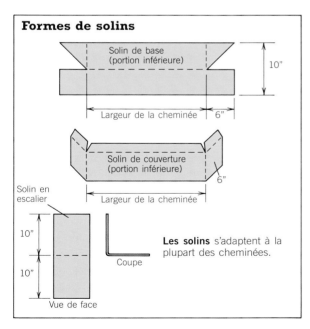

Formes de solins

Solin de base (portion inférieure)

10"

Largeur de la cheminée | 6"

Solin de couverture (portion inférieure)

6"

Largeur de la cheminée

Solin en escalier

10"

10"

Coupe

Vue de face

Les solins s'adaptent à la plupart des cheminées.

Solin en A. Ancré à la toiture par des pièces de 2 x 4, le solin en A a une hauteur équivalant à la moitié de la largeur de la cheminée. Ses composantes triangulaires sont en contre-plaqué, et leurs angles correspondent à la pente du toit. Taillez le solin en A (modèles, à droite) dans une feuille de métal ; soudez-en les pièces si elles sont en cuivre. Clouez les collets à la toiture, sous les bardeaux. Sur la cheminée, recouvrez les collets avec le solin de couverture (à droite).

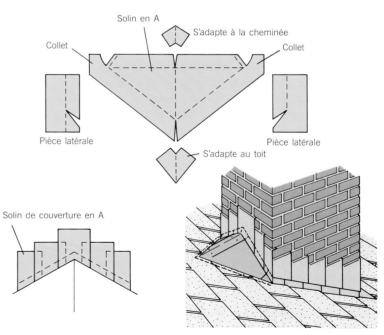

Solin en A

S'adapte à la cheminée

Collet

Collet

Pièce latérale

Pièce latérale

S'adapte au toit

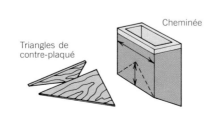

Triangles de contre-plaqué

Cheminée

Solin de couverture en A

393

Extérieur / Pose de nouveaux bardeaux

▶ **ATTENTION !** Une toiture en bardeaux d'asphalte ou de fibre de verre peut, en général, être refaite. Consultez un expert : deux épaisseurs de bardeaux plus le poids de la neige pourront se révéler trop lourds pour la charpente. Les nouveaux bardeaux doivent être du même type et de la même dimension que les bardeaux d'origine.

La pose de nouveaux bardeaux offre les avantages d'une nouvelle toiture (une durée de 15 à 20 ans), à un moindre coût. Enlevez d'abord les bardeaux faîtiers ; clouez les bardeaux lâches ou endommagés ; remplacez les bardeaux manquants. Avant de refaire le toit, sa surface doit être uniforme. Installez partout de nouvelles bordures ; refaites tous les solins.

Le bardeau se vend en paquets de 27 ; trois paquets constituent un *carré*, unité de base d'une toiture, qui couvre 100 pi^2 (9,3 m^2). Pour en évaluer la quantité nécessaire, calculez la surface du toit en pieds carrés et divisez par 100. Vous obtiendrez le nombre de carrés de bardeaux requis. Pour chaque longueur de 5 pi (1,5 m) de faîte, il faut quatre bardeaux ; pour la première rangée, sur le bord, calculez un bardeau supplémentaire pour chaque longueur de 3 pi (0,9 m). Il faut aussi prévoir de 10 à 20 p. 100 de perte.

Travaillez avec des clous d'aluminium ou d'acier galvanisé assez longs pour traverser deux épaisseurs de bardeaux et pénétrer de ³/₄ po (2 cm) dans le bois. Achetez environ 2 lb (1 kg) de clous par carré de bardeaux.

La pose des bardeaux devrait se faire par temps doux — c'est-à-dire à 10°C (50°F) ou plus. Soyez prudent si vous utilisez une échelle : portez des chaussures à semelles antidérapantes et mettez vos outils dans une ceinture de menuisier. Gardez vos paquets de bardeaux au sec et ne travaillez pas sous la pluie : le bardeau mouillé est glissant.

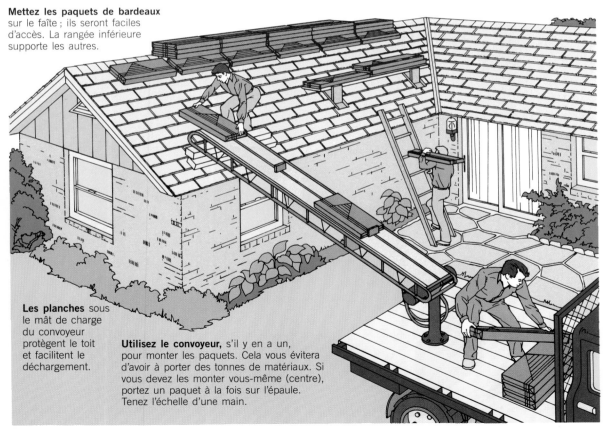

Mettez les paquets de bardeaux sur le faîte ; ils seront faciles d'accès. La rangée inférieure supporte les autres.

Les planches sous le mât de charge du convoyeur protègent le toit et facilitent le déchargement.

Utilisez le convoyeur, s'il y en a un, pour monter les paquets. Cela vous évitera d'avoir à porter des tonnes de matériaux. Si vous devez les monter vous-même (centre), portez un paquet à la fois sur l'épaule. Tenez l'échelle d'une main.

Échafaudages de toiture

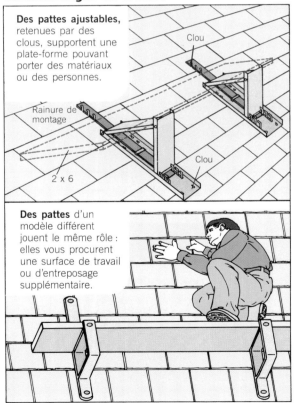

Des pattes ajustables, retenues par des clous, supportent une plate-forme pouvant porter des matériaux ou des personnes.

Clou

Rainure de montage

2 x 6

Clou

Des pattes d'un modèle différent jouent le même rôle : elles vous procurent une surface de travail ou d'entreposage supplémentaire.

Échelles et sécurité 383
Bardeaux d'asphalte 385
Solins 390-393

Clouage des bardeaux

Il faut quatre clous par bardeau (voir ci-dessous).

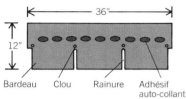

Bardeau   Clou   Rainure   Adhésif auto-collant

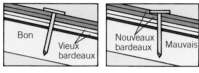

Bon   Vieux bardeaux   Nouveaux bardeaux   Mauvais

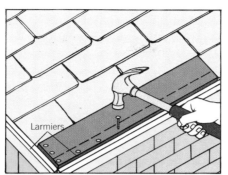

Larmiers

Pour commencer, taillez le bas des bardeaux avec des cisailles de façon à couvrir les vieux bardeaux (5 po) et les larmiers. Découpez à 6 po du bout pour couvrir les joints. Clouez.

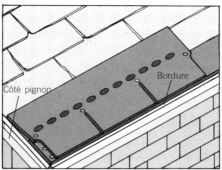

Côté pignon   Bordure

Enlevez 1 po au sommet des bardeaux du premier rang pour les aligner sur le bas du troisième rang de vieux bardeaux et la bordure du toit. Clouez-les.

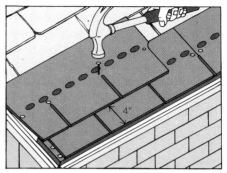

4"

Posez la deuxième rangée avec des bardeaux entiers ; alignez-les sur le bas de la quatrième rangée de vieux bardeaux, laissant à découvert 4 po du premier rang.

Motif

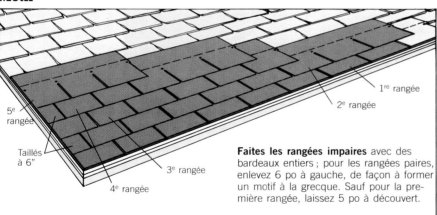

5e rangée   1re rangée   2e rangée   Taillés à 6"   3e rangée   4e rangée

Faites les rangées impaires avec des bardeaux entiers ; pour les rangées paires, enlevez 6 po à gauche, de façon à former un motif à la grecque. Sauf pour la première rangée, laissez 5 po à découvert.

Noues

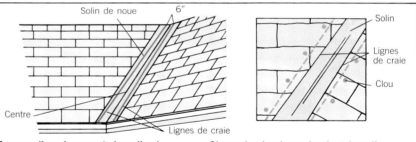

Solin de noue   6"   Solin   Lignes de craie   Clou   Centre   Lignes de craie

Marquez l'emplacement du solin de noue en traçant à la craie des lignes de part et d'autre du centre, à 6 po l'une de l'autre, en élargissant de 1 po tous les 8 pi.

Clouez les bardeaux bordant le solin dans la toiture et non pas dans le solin : il doit pouvoir se contracter et se dilater. Taillez les bardeaux le long des lignes de craie avec des cisailles.

Faîte

On obtient un bardeau de faîte en découpant le long de la ligne hachurée (à droite). Pliez délicatement chaque bardeau, granules à l'extérieur, le long de sa ligne centrale (en bas, à droite), jusqu'à ce que son angle soit conforme à celui du faîte.

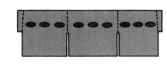

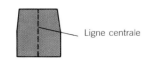

Ligne centrale

Côté pignon   Bardeau de faîte   Rangée de bardeaux

Bardeau central

Commencez aux extrémités en alignant les bardeaux de faîte sur les autres rangées. Travaillez vers le centre.

Posez une pièce rectangulaire au centre pour consolider le dernier chevauchement.

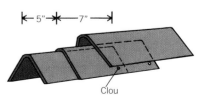

5"   7"   Clou

Clouez les bardeaux de faîte ; les chevauchements recouvrent les clous. Clouez la pièce centrale aux quatre coins ; scellez.

395

Les gouttières et les descentes éloignent l'eau des fondations. Elles sont reliées à un drain souterrain qui disperse l'eau loin de la maison ou qui la conduit au système d'égout municipal. À défaut de drain, installez sous chaque descente un déflecteur, qui empêche l'érosion et canalise l'eau vers la rue.

Les puits secs ne sont pas la solution idéale : ils finissent par s'obstruer et, lors de grosses pluies, ils refluent, ne pouvant pas disperser l'eau assez rapidement.

Les gouttières qui fuient ou qui débordent et les descentes qui se bouchent peuvent entraîner près des fondations une accumulation d'eau qui s'infiltrera dans le sous-sol. Crépines et grillages sont souvent insuffisants : les feuilles ont tendance à s'y accrocher, empêchant l'eau de s'écouler. Il faut donc nettoyer régulièrement les gouttières au printemps et à l'automne.

Le cuivre et le vinyle sont les matériaux qui exigent le moins d'entretien ; le bois doit être revêtu d'un imperméabilisant tous les deux ans ; l'acier galvanisé doit être peint régulièrement pour éviter qu'il ne rouille. Les joints des gouttières sont sujets aux fuites et doivent être calfeutrés périodiquement.

Nettoyage et inspection

Enlevez les débris : allez de la descente vers le point le plus haut. Utilisez une truelle si les feuilles sont mouillées et prises en pain. S'il s'agit de gouttières métalliques à rebords coupants, portez des gants. Marquez à la craie, sur la gouttière, les endroits où les pièces sont lâches, où il y a rouille ou corrosion, où la peinture est écaillée.

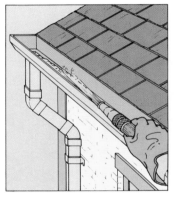

Inondez la gouttière au tuyau d'arrosage à partir du point le plus élevé pour terminer le nettoyage. Si l'eau s'accumule en certains endroits, cela signifie que la gouttière est affaissée. Replacez les fixations (page suivante). Si l'eau ne s'écoule pas, c'est qu'il y a une obstruction dans la descente ou le drain. Vérifiez s'il y a des fuites aux joints.

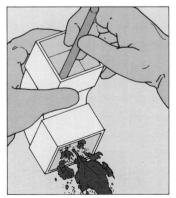

Pour déboucher un coude, enlevez-le, si possible, et nettoyez-le avec un bâton. (Utilisez un tuyau d'arrosage ou un dégorgeoir si les pièces sont soudées.) Si l'eau ne s'écoule toujours pas, l'obstruction se trouve dans la descente ou le drain souterrain (page suivante).

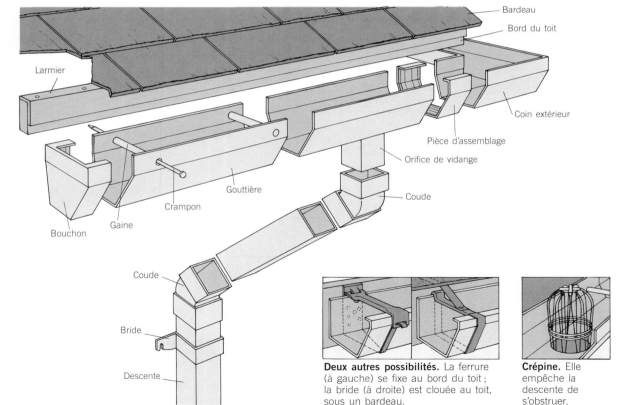

Bardeau
Bord du toit
Larmier
Coin extérieur
Pièce d'assemblage
Orifice de vidange
Gouttière
Coude
Crampon
Gaine
Bouchon
Coude
Bride
Descente

Deux autres possibilités. La ferrure (à gauche) se fixe au bord du toit ; la bride (à droite) est clouée au toit, sous un bardeau.

Crépine. Elle empêche la descente de s'obstruer.

Humidité au sous-sol 338-339
Échelles et sécurité 383
Installation de gouttières et de descentes 398-399

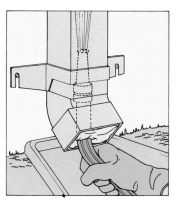

Débouchez une descente en y insérant un tuyau d'arrosage par le bas. Bourrez de chiffons le bas de la descente de façon que la puissance du jet soit concentrée sur l'obstruction (une balle de tennis?). Demandez à un assistant de surveiller le sommet de la descente (sans se pencher au-dessus) et de vous avertir lorsqu'elle sera dégagée.

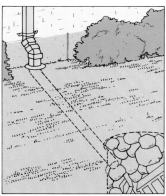

Si l'eau ne s'écoule pas et que votre système est relié à un puits sec, l'obstruction se trouve peut-être sous terre, dans le coude du drain ou dans le puits. Dans les deux cas, vous devrez creuser.

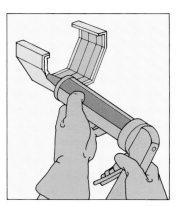

Il y a souvent des fuites à l'endroit des joints. Avant de sceller de nouveau un joint, démantelez les pièces, nettoyez-les et laissez-les sécher. Appliquez ensuite un scelleur à gouttières ou une pâte à calfeutrer à base de polyuréthane et réassemblez.

Rapiéçage de gouttières métalliques

1. Grattez avec une brosse métallique ou un tampon abrasif. Enlevez toute la rouille, sinon elle continuera de progresser. Nettoyez avec un diluant à peinture et laissez sécher.

2. Utilisez un couteau à mastic pour enduire la surface d'une couche de 1/8 po de pâte à calfeutrer à base de polyuréthane ou de scelleur à gouttières (vendus dans les quincailleries et les centres de rénovation). Découpez une pièce de fibre de verre ou de métal qui déborde de 2 po le trou à boucher.

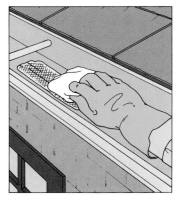

3. Lissez la pièce collée avec un chiffon. Rivez une pièce métallique aux deux bouts. (L'excédent de pâte à calfeutrer peut être utilisé pour sceller les joints.) Mettez une couche d'adhésif sur la pièce. Si vous n'avez que quelques réparations à effectuer, les gouttières dureront encore un certain temps; mais s'il y en a beaucoup, remplacez plutôt les gouttières.

Ajustement d'une gouttière

1. Avec un niveau, tracez la ligne de la gouttière (enlevez d'abord la gouttière). Tendez un cordeau entre un clou planté au point le plus bas et un autre planté au point le plus haut. Avec un niveau, ajustez le clou jusqu'à ce que la ligne soit horizontale. À partir du point le plus bas, faites des marques : elles doivent s'élever de 1/4 po tous les 4 pi.

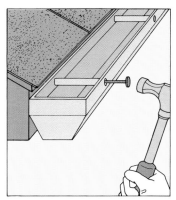

2. Rectifiez la pente de la gouttière en changeant l'emplacement des fixations selon les mesures faites à l'étape 1. Arrachez les crampons avec une pince-étau ; enlevez la gouttière ; bouchez les trous avec une pâte de bois à base d'époxyde ; poncez et peignez. Fixez les crampons au bord du toit et sur le bout des chevrons ou des fermes.

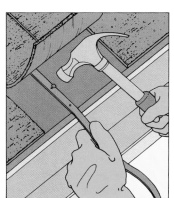

3. Brides et ferrures font appel à deux techniques différentes. Replacez les brides par temps doux, les bardeaux d'asphalte étant plus souples. (Enlevez les bardeaux d'ardoise ou de bois et les tuiles d'argile.) Pour replacer les ferrures, enlevez la gouttière. Dévissez les ferrures ; remplissez les trous de pâte de bois, poncez et peignez. Revissez les ferrures.

397

Extérieur / Gouttières et descentes : installation

Les systèmes de drainage de toiture peuvent être faits de plusieurs matériaux.

Le cuivre est cher et doit être soudé par un professionnel ; solide et durable, il résiste à la corrosion et ne requiert à peu près pas d'entretien. Avec le temps, il verdit, à moins d'avoir été enduit d'un scelleur transparent.

L'aluminium, moins cher, résiste à la corrosion. On le vend non fini ou peint. Il présente un désavantage : les joints doivent être rivés (de préférence par un professionnel), sinon ils fuiront. Ce matériau se dilate et se contracte et ne peut donc être convenablement scellé. Très léger, il se déforme facilement.

Le vinyle est résistant ; il ne se déforme pas, ne requiert pas d'entretien et son prix est moyen. Les gouttières et les descentes sont faciles à installer, car elles s'emboîtent sans adhésif, et constituent le meilleur choix pour quiconque veut les poser soi-même (voir illustrations). On peut en peindre l'extérieur (l'intérieur absorberait trop de chaleur s'il ne restait pas blanc).

L'acier, galvanisé ou émaillé, est solide, peu cher, mais sujet à la corrosion. Enduisez-le d'un apprêt antirouille avant de le peindre. S'il est neuf, lavez-le avec un mélange composé à parts égales d'eau et de vinaigre.

Le bois fait généralement partie de l'ensemble architectural. Il est cher et sujet au pourrissement s'il n'est pas soigneusement entretenu.

Quantités. Faites un croquis du toit. Mesurez la longueur des gouttières et comptez le nombre de descentes (une tous les 35 pi [11 m]), de coins et de bouchons qu'il faudra. Les gouttières se vendent en sections de 10 pi (3 m). Pour couvrir 26 pi de longueur (8 m), vous aurez donc besoin de trois sections. Pour chaque joint, il vous faudra une pièce d'assemblage, et pour tous les 30 po (0,7 m) de gouttière une fixation (crampon et gaine, support ou bride). Fixez les descentes tous les 6 pi (1,8 m). Chacune requiert deux coudes en haut et, à moins qu'elle ne soit reliée à un drain, un troisième en bas ainsi qu'un déflecteur.

Les gouttières ont deux largeurs possibles : 4 po (10,2 cm) et 5 po (12,7 cm). Les moins larges assureront le drainage d'une toiture de 750 pi^2 (70 m^2). Si la maison est située sous les arbres, installez les plus larges : elles s'obstrueront moins rapidement.

1. Enlevez les gouttières ; réparez le bord du toit ; installez de nouveaux larmiers (p. 390) s'il le faut. Tracez une ligne horizontale (en bleu). Marquez la pente (p. 397) du point le plus élevé jusqu'à la descente (en rouge). Installez les supports tous les 30 po.

Ligne de niveau

Pente de la gouttière

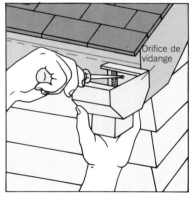

2. Vissez le dispositif de vidange pour qu'il s'aligne sur la ligne rouge. (Mettez le bouchon.) Il devrait dépasser de 1 po le coin de la maison. Si la maison a 35 pi ou plus, prévoyez un point haut au centre et une pente vers les descentes de part et d'autre.

Orifice de vidange

Installation de gouttières en vinyle

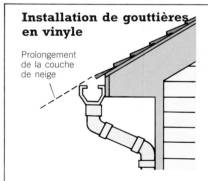

Prolongement de la couche de neige

Des gouttières bien installées permettent à la neige de tomber sans entrave, et à l'eau de bien s'écouler.

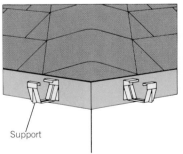

Support

Près des coins, installez les supports au même niveau et à au moins 8 po du coin.

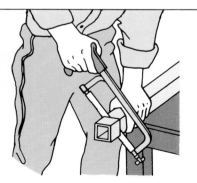

Découpez le vinyle avec une scie à métaux munie d'une lame à dents fines. Sablez au papier fin.

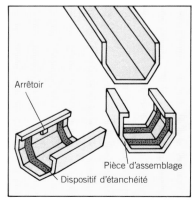

3. Assemblez les sections au sol avant de les installer. Utilisez des pièces d'assemblage munies de dispositifs d'étanchéité : les joints ne requièrent pas d'adhésif, et les mouvements de contraction et de dilatation ne les endommageront pas.

Arrêtoir

Pièce d'assemblage

Dispositif d'étanchéité

Repérage et réparation des fuites du toit 384
Isolation 457-459
Ventilation de l'entretoit 460-461

Accumulation de glace

4. Montez la gouttière sur ses supports, du point le plus haut jusqu'à la descente. Il est plus facile d'effectuer ce travail à deux. Si vous êtes seul, suspendez un bout de la gouttière à une ficelle attachée à un support.

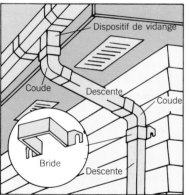

Dispositif de vidange

Coude

Descente

Coude

Bride

Descente

5. Utilisez deux coudes et, si nécessaire, un segment de descente pour rejoindre la descente, au mur. Faites un trait de craie pour bien aligner l'ensemble. Utilisez des vis ou des fixations à maçonnerie (p. 86-87) pour fixer les brides au parement tous les 6 pi.

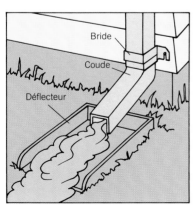

Bride

Coude

Déflecteur

6. Terminez en installant un coude et un segment de descente orienté vers un déflecteur (si vous ne pouvez relier la descente à un drain souterrain). Le déflecteur disperse l'eau et l'éloigne des fondations : il empêche aussi l'érosion du sol.

Les accumulations de glace se manifestent par des glaçons qui pendent au bord du toit après la première grosse chute de neige. L'accumulation est causée par la chaleur qui s'échappe de l'entretoit et qui fait fondre la neige au faîte. L'eau s'écoule le long de la pente et gèle près du bord, où il fait plus froid. Isolée par la neige, la glace ne fond pas et empêche l'eau de se rendre aux gouttières. L'eau s'infiltre alors sous les bardeaux et dans la maison. Un papier de construction installé au bord du toit sur une profondeur de 40 po

(1 m) empêchera la glace de se former. Les câbles chauffants empêcheront la formation de glace dans les gouttières, mais n'élimineront pas les accumulations de glace sur le toit ; elles se formeront plus haut.

Le seul remède contre l'accumulation de glace est un toit froid : la neige fond uniformément et l'eau s'écoule sans entrave. Pour que le toit soit froid, il faut bien ventiler l'entretoit (l'air froid y pénètre par les soffites) et bien isoler le plafond (l'air chaud est emprisonné).

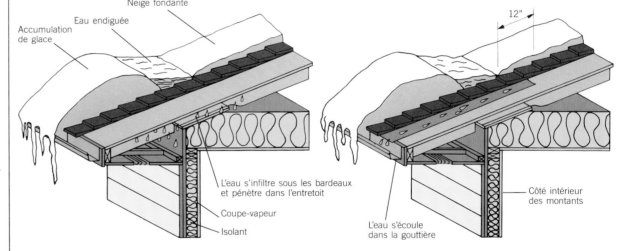

Neige fondante

Eau endiguée

Accumulation de glace

L'eau s'infiltre sous les bardeaux et pénètre dans l'entretoit

Coupe-vapeur

Isolant

12"

Côté intérieur des montants

L'eau s'écoule dans la gouttière

Le papier de construction dépasse de 12" les montants vers l'intérieur

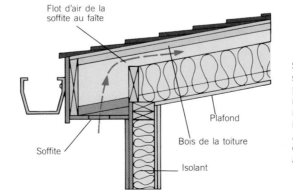

Flot d'air de la soffite au faîte

Plafond

Bois de la toiture

Soffite

Isolant

Sur un toit cathédrale, les risques d'accumulation sont grands. Il est souvent impossible, faute d'espace, de bien le ventiler, et l'isolant d'origine est rarement assez efficace pour retenir la chaleur de la maison. Il faut donc assurer une ventilation continue entre l'isolant et le revêtement de la toiture. Autre possibilité plus coûteuse (non illustrée) : construire un deuxième toit qui créera un espace assez grand pour assurer une bonne ventilation.

Extérieur / Réparation d'une cheminée

Échelles et sécurité 383
Efficacité du foyer 483
Foyers préfabriqués 484-485

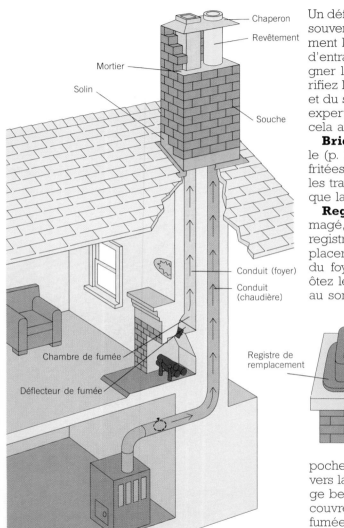

La cheminée se compose d'une *souche* (brique, pierre, blocs de béton) et d'un *conduit*, qui entraîne la fumée à l'extérieur. Il faut un conduit distinct pour chaque élément (foyer, poêle, chaudière). L'intérieur est protégé par un *revêtement*; son *chaperon* en pente permet à l'eau de s'écouler.

Un défaut dans la maçonnerie de la cheminée est souvent difficile à voir. Il faut examiner attentivement la cheminée, car la moindre fissure risque d'entraîner des conséquences graves. Pour épargner la toiture, regardez avec des jumelles. Vérifiez l'état des briques, du mortier, du chaperon et du solin. Si la souche est penchée, appelez un expert. Ne fixez pas d'antenne à la cheminée : cela affaiblit la maçonnerie et le mortier.

Briques. Si le mortier se désagrège, réparez-le (p. 174); remplacez les briques lâches ou effritées (p. 175) s'il le faut. Avant d'entreprendre les travaux, fermez tous les registres pour éviter que la suie se répande.

Registre. Si le registre est rouillé ou endommagé, remplacez-le. Toutefois, les logements du registre sont fixés dans le mortier : pour les remplacer, il faut enlever les briques juste au-dessus du foyer. Pour éviter cette besogne salissante, ôtez le vieux registre et installez-en un nouveau au sommet de la cheminée, que vous actionnerez au moyen d'un câble.

Revêtement du conduit. Au moins une fois par année, il est bon d'examiner la cheminée. Demandez à un aide d'éclairer l'intérieur du conduit avec une lampe de poche et vérifiez si vous voyez la lumière à travers la souche, ou encore faites un feu qui dégage beaucoup de fumée (bois vert ou mouillé) et couvrez le sommet d'un tissu épais et mouillé; la fumée fuira s'il y a des trous. N'utilisez pas le foyer avant d'avoir remplacé le revêtement.

Refaites le revêtement avec de l'acier ou du béton. Le revêtement en acier rigide est introduit dans une cheminée droite et entouré d'un isolant. Si la cheminée fait des coudes, introduisez un revêtement flexible en acier inoxydable ondulé;

mettez autour un mélange de ciment, d'eau et d'isolant. Le revêtement de béton se fait de deux façons. Dans la première, on introduit dans la cheminée un long ballon qui sera ensuite gonflé. On coule le béton tout autour; lorsqu'il est sec, on dégonfle et on ôte le dispositif. Dans la seconde méthode, on fait descendre dans la cheminée une cloche munie d'un vibrateur électrique; on actionne le vibrateur et on remonte lentement la cloche à mesure que le béton est coulé.

Solin. S'il y a des taches d'eau dans la maison, près de la cheminée, vérifiez le solin de celle-ci sur le toit. S'il est lâche, dégagez le mortier, ajustez le solin et refaites le joint. Si le solin est endommagé, remplacez-le (p. 392-393).

Chaperon. Les branches d'arbres au-dessus d'une cheminée provoquent de temps à autre un reflux de la fumée; elles peuvent aussi prendre feu. Dégagez la cheminée sur au moins 10 pi (3 m). Il est recommandé d'installer un pare-étincelles ou une mitre (page suivante). Si la cheminée est munie d'un grillage métallique, nettoyez-le de temps à autre.

Si le chaperon est fissuré, l'eau risque de s'infiltrer dans la cheminée. Réparez le chaperon avec du mortier et, s'il est très endommagé — c'est-à-dire si le mortier ne scelle plus les briques —, remplacez-le. Brisez-le avec un ciseau de briqueteur et un marteau de 2½ lb (1,1 kg). Portez des lunettes protectrices. Mettez les rebuts dans un seau et descendez-les à l'aide d'un câble; ne les laissez pas tomber sur le toit. Nettoyez la surface, humectez les briques et façonnez un nouveau chaperon en mettant plusieurs épaisses couches de béton. Donnez au chaperon une légère pente qui contribuera à éloigner l'eau de la cheminée.

▶ **ATTENTION !** Avant d'effectuer quelque travail que ce soit, lisez les pages 383 à 393 qui portent sur les échelles, les solins et la réfection des toitures. Si vous avez des doutes quant à ce qu'il faut faire, appelez un expert en maçonnerie de cheminée.

Accessoires de cheminée

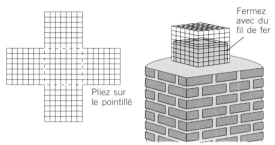

Fermez avec du fil de fer

Pliez sur le pointillé

Le pare-étincelles empêche les étincelles de s'envoler et de causer un incendie. Découpez un treillis métallique ; faites-en une boîte ; refermez-en les joints au moyen d'un fil de fer.

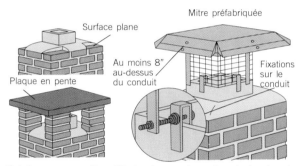

Mitre préfabriquée

Surface plane

Au moins 8" au-dessus du conduit

Fixations sur le conduit

Plaque en pente

Fabriquez une mitre. Nivelez les quatre coins de la cheminée ; dressez quatre colonnes de briques ; déposez dessus une plaque de pierre ou de béton.

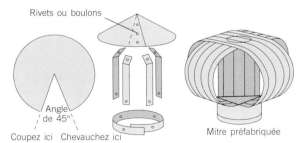

Rivets ou boulons

Angle de 45°

Coupez ici   Chevauchez ici

Mitre préfabriquée

Empêchez les courants d'air descendants avec une mitre conique. Dans de la tôle, découpez le cône, les pattes et la bride ; assemblez. Il existe des modèles préfabriqués.

Si la cheminée n'est pas ramonée régulièrement, la couche de suie qui se dépose sur les parois du conduit peut causer un incendie. Selon sa fréquence d'utilisation, les combustibles employés et la chaleur créée, la cheminée doit être nettoyée de une à trois fois par année. Le ramoneur pourra inspecter la cheminée. Mais vous pouvez le faire vous-même : éclairez le conduit à l'aide d'une lampe de poche à partir de l'âtre ; si la couche de suie a $\frac{1}{4}$ po (6 mm) ou plus, ramonez la cheminée. Si le résidu est visqueux ou dur et luisant, appelez un ramoneur. Ramoner est salissant. Portez de vieux vêtements, des gants, un respirateur et des lunettes protectrices. Ouvrez le registre ; fermez l'âtre avec une feuille de polythène pour empêcher la suie de se répandre dans la maison.

Si vous avez un poêle à bois ou à charbon, enlevez les tuyaux et nettoyez-les séparément.

Après avoir ramoné, balayez la chambre de fumée — entre le conduit et le registre — et le déflecteur de fumée, sinon il y aura risque d'incendie. Quand la poussière sera retombée, passez un aspirateur eau-poussière d'atelier (p. 76). N'utilisez pas l'aspirateur à tapis : la suie pourrait l'endommager.

Tige

Ramonage à partir de l'âtre : introduisez un hérisson au bout d'une tige souple. Fermez l'âtre avec un polythène troué en son centre. Passez-y le manche de la tige ; ramonez. Ajoutez des tiges à mesure que vous montez. Le travail terminé, passez l'aspirateur.

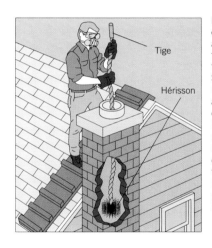

Tige

Hérisson

Ramonage à partir du toit : fermez avec un polythène toutes les ouvertures intérieures. Sur le toit, fixez une tige souple au hérisson ; descendez-le dans la cheminée ; ramonez. Ajoutez une tige ; descendez plus bas. Continuez ainsi jusqu'à la base. Enlevez le polythène ; passez l'aspirateur.

Hérissons et tiges

Utilisez un hérisson fait de fils métalliques rigides (de soies synthétiques pour un conduit de poêle à charbon). Mesurez le diamètre du conduit ; choisissez un hérisson du même diamètre. Utilisez des tiges flexibles emboîtantes, en fibre de verre.

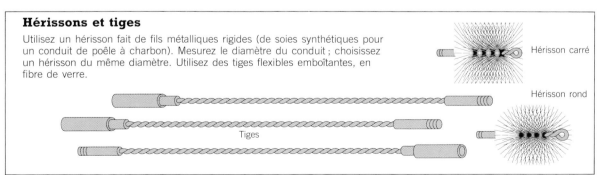

Hérisson carré

Hérisson rond

Tiges

On peut installer un lanterneau sur n'importe quel type de toit en pente. Idéalement, on l'installe du côté nord pour que les rayons du soleil ne pénètrent pas directement dans la maison et on le monte sur un cadre surélevé. Il faut obtenir les permis requis et consulter les règlements municipaux (p. 193).

Si le plafond est horizontal, construisez un puits à parois verticales ou obliques. S'il s'agit d'un plafond cathédrale, installez les linteaux en travers des chevrons. Resituez les fils électriques : ils se trouvent souvent dans une gaine entre charpente et toiture. Vérifiez l'emplacement des chevrons : les poutres visibles d'un plafond cathédrale ne sont peut-être que décoratives.

Choix d'un lanterneau. L'été, un lanterneau peut laisser pénétrer la chaleur ; l'hiver, l'air humide et chaud de l'intérieur peut se condenser sur la vitre froide. Par conséquent, la vitre doit être réfractaire à la chaleur. Sa résistance à la conductibilité thermique est exprimée par l'indice RSI : plus il est élevé, plus la vitre est isolante.

Achetez un lanterneau muni d'une gouttière ou de tout autre dispositif d'écoulement, surtout si vous projetez de l'installer dans une salle de bains ou une cuisine. Choisissez-en un que vous pourrez ouvrir pour évacuer l'humidité.

Installation. Découpez des ouvertures au plafond et sur le toit ; faites le cadre. Mettez de l'isolant et un solin, fixez le lanterneau à la toiture et construisez les parois du puits. Calfeutrez les joints.

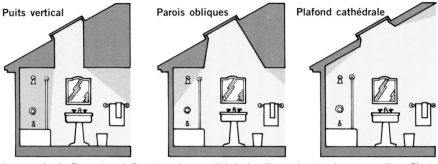

Les parois de l'ouverture influent sur la quantité de lumière qui entre dans une pièce. C'est le plafond cathédrale qui laisse entrer le plus de lumière.

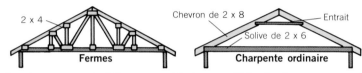

Coupez les chevrons pour installer un grand lanterneau. Mais attention : ne coupez jamais de fermes ; vous affaibliriez la structure du toit. Installez le lanterneau entre deux fermes.

Charpente du plafond

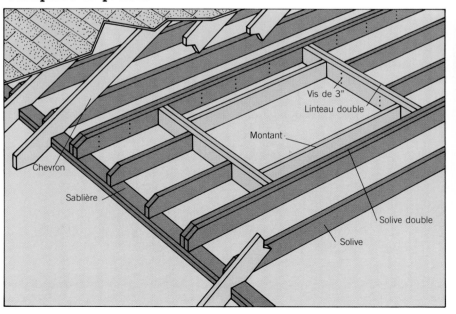

1. Tracez les contours de l'ouverture au plafond. Enfoncez un long clou à chaque coin pour les repérer d'en haut. Portez des gants, des lunettes et un respirateur à deux cartouches (p. 354) ; dans l'entretoit, enlevez l'isolant se trouvant entre les clous.

4. Marquez les solives 3 po à l'extérieur des contours de l'ouverture. Découpez les solives sur les marques, en les tenant pour éviter qu'elles tombent. Commencez avec une scie circulaire ; terminez avec une scie à main. Enlevez les bouts découpés.

2. Restituez les fils électriques, les tuyaux de plomberie et les conduits de chauffage qui se trouvent dans l'ouverture. Revenez dans la pièce, enlevez les clous du plafond et percez des trous là où étaient les clous. Avec une scie à placoplâtre, découpez l'ouverture.

3. En vous basant sur l'illustration de la page précédente, doublez les solives de chaque côté de l'ouverture au moyen de vis à placoplâtre de 3 po, tous les 16 po. (Ne clouez pas : vous risqueriez de disloquer le plafond et de l'endommager.)

5. Découpez quatre pièces de même section que les solives, qui serviront de linteaux. Leur longueur doit être la distance entre les deux solives doublées. Avec des vis de 3 po, fixez les linteaux aux solives coupées. Consolidez en vissant dans les solives doublées.

6. Doublez les linteaux ; vissez-les. Découpez deux autres pièces de même section, qui serviront de montants. Marquez bien leur position sur les linteaux et fixez-en les extrémités au moyen de vis enfoncées dans les deux pièces de chaque linteau.

Charpente du toit

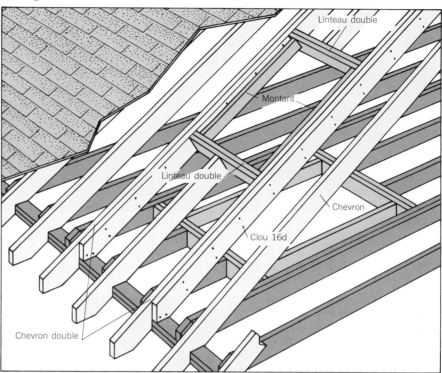

Découpez approximativement l'ouverture dans la toiture et faites un cadre. En suivant les directives de la page suivante, tracez son emplacement sous la toiture, dans l'entretoit, au centre de l'ouverture pratiquée dans le plafond. Doublez les chevrons comme vous l'avez fait pour les solives. Découpez l'ouverture et taillez et installez les pièces de son cadre (voir ci-dessus). Si vous prévoyez avoir des difficultés à monter les chevrons dans l'entretoit, inversez l'ordre des travaux : découpez l'ouverture du toit d'abord, puis montez les chevrons.

Le cadre fait, installez les bordures, le lanterneau et les solins. Conformez-vous aux directives du fabricant, car elles varient de l'un à l'autre. Généralement, elles donnent certaines étapes de base portant sur le soulèvement ou l'enlèvement des bardeaux adjacents, le cadre de l'ouverture, l'installation de la bordure, l'installation du lanterneau et la pose des solins.

(suite p. 405)

1. Faites une marque au centre des linteaux. Dans l'entretoit, suspendez un fil à plomb juste au-dessus des marques que vous venez de faire ; transposez ces marques sur le contre-plaqué de la toiture ; tracez une ligne droite entre les deux pour centrer le lanterneau.

2. Vous basant sur cette ligne, tracez les contours de l'ouverture sur le contre-plaqué et sur les chevrons, selon les dimensions recommandées par le fabricant ; ou encore mesurez les dimensions extérieures du lanterneau et ajoutez 1 po tout autour.

3. Doublez les chevrons de part et d'autre de l'ouverture avec des clous 16d, espacés de 16 po. Plantez des clous 8d dans le contre-plaqué et à travers les bardeaux aux quatre coins de votre tracé. Montez sur le toit et marquez le contour à la craie.

4. Munissez votre scie circulaire d'une lame à dents de carbure ; ajustez-la de façon qu'elle dépasse à peine l'épaisseur de la toiture ; attention de ne pas endommager les chevrons. Enlevez les bardeaux et le contre-plaqué ; découpez les chevrons.

5. Découpez quatre pièces ayant la même largeur que les chevrons. Dans l'entretoit, clouez-les deux par deux. Enfoncez les clous de biais aux extrémités. Découpez deux montants de 2 x 4 de la longueur de l'ouverture ; installez-les.

6. Sur le toit, dégagez les bardeaux sur une bande de 6 à 12 po autour de l'ouverture. Enlevez les clous au moyen d'un petit pied-de-biche. Travaillez délicatement pour ne pas endommager les bardeaux. Vous devrez les remettre en place.

7. Installez le lanterneau selon les directives du fabricant. Ici, la bordure est fixée au moyen de vis et de supports métalliques. Vérifiez constamment pour vous assurer que le dessous et le dessus du lanterneau sont de niveau et que les coins sont d'équerre.

8. Installez le solin selon les directives du fabricant. Installez d'abord une pièce du solin en escalier (p. 392) sous chaque bardeau ; commencez par le bas. Vous devrez probablement ajouter ensuite un solin de couverture ou un cadre d'étanchéité.

Charpente

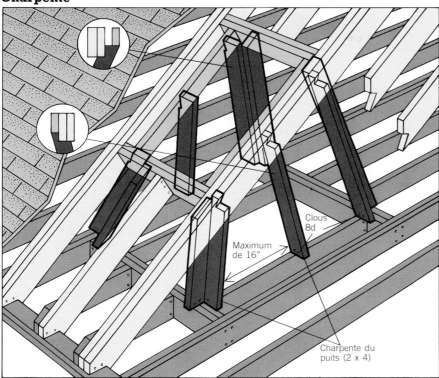

Clous 8d

Maximum de 16"

Charpente du puits (2 x 4)

Le lanterneau installé, il reste à construire le puits le reliant au plafond. Si la distance entre le toit et le plafond est petite, fixez tout simplement des panneaux de contreplaqué de ⅝ po (15,5 mm) aux chevrons et aux solives.

Un puits profond devra cependant avoir une charpente constituée de 2 x 4 (voir ci-dessus). Pour mesurer et marquer les angles des pièces de charpente, utilisez une fausse équerre (p. 48). Installez la charpente, posez un isolant et ajoutez un pare-vapeur (p. 458). Revêtez les parois du puits — profond ou pas — de placoplâtre. Posez un ruban sur les joints et lissez bien le plâtre à joints (la lumière mettra en évidence le moindre défaut). Calfeutrez le joint entre le placoplâtre et le lanterneau et peignez les parois. (Plutôt que de mettre du placoplâtre, vous pourriez lambrisser les parois avec de la planche embouvetée. Dissimulez les joints des bouts avec des moulures et finissez en enduisant de teinture ou de polyuréthane.)

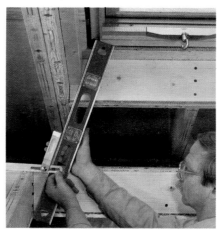

1. Mesurez et découpez les 2 x 4 qui formeront la charpente des parois et entaillez-les (voir l'illustration à gauche). Les pièces doivent réunir les chevrons du toit et les solives du plafond. Mesurez les angles du bout des pièces avec une fausse équerre.

2. Installez les pièces des coins en vous aidant d'une règle métallique ou d'un niveau. Fixez-les avec des clous 8d plantés de biais dans les linteaux, les montants, les solives et les chevrons tout autour de l'ouverture (voir l'illustration, à gauche).

3. Si l'ouverture du puits a plus de 16 po de longueur, ajoutez des montants de 2 x 4. Fixez-les en enfonçant les clous de biais, comme vous l'avez fait dans les coins. Ils serviront de surface de clouage au moment où vos finirez les murs.

4. Installez de la laine minérale entre les montants. Portez un respirateur pour éviter d'inhaler des particules nocives. Agrafez sur l'isolant des feuilles de polythène de 4 ou de 6 mil en guise de pare-vapeur. Posez le revêtement des parois ; faites la finition.

Parement de brique 172
Murs de pierre avec mortier 182
Murs extérieurs 190

Extérieur / Introduction aux revêtements

Le revêtement — qui confère à une maison son apparence extérieure — assure, avec les éléments se trouvant dessous, l'étanchéité des extérieurs. Qu'il soit en bardeaux, en planches à clin ou en panneaux, le revêtement doit être entretenu pour être efficace. Le tableau ci-dessous énumère les diverses tâches d'entretien selon les types de parement.

Nettoyage. Vous y gagnerez, dans la plupart des cas, à laver le revêtement deux fois par année. (Vous pouvez en toute sécurité laver des bardeaux d'amiante, s'ils sont intacts. S'ils se désagrègent, faites appel à un spécialiste qui les enlèvera ou les scellera.) Pour un simple nettoyage, ajoutez 1 tasse de détergent ménager non abrasif à 1 gal (4,5 litres) d'eau chaude. Utilisez une brosse rotative à long manche — du genre de celle que vous employez pour laver votre voiture (p. 371). Rincez au tuyau d'arrosage réglé à débit moyen.

Les revêtements en bois naturel exigent en plus un traitement annuel contre le pourrissement : 1 partie d'eau de Javel pour 3 parties d'eau chaude. Utilisez une brosse à soies douces ; portez des gants, un masque et des lunettes protectrices ; protégez les plantes et le terrain avec du polythène. Ne rincez pas (l'eau contribue à la croissance des champignons).

Élimination des taches. Certaines ternissures méritent une attention spéciale. Le tanin rouge strie le bois naturel ; les clous non scellés rouillent. Pour enlever ces taches, mélangez 1 lb (450 g) d'acide oxalique à de l'eau chaude dans un contenant de verre de 1 gal (4,5 litres) ; faites une pâte. Appliquez-la sur les taches avec une brosse. Laissez sécher ; enlevez les résidus avec une brosse sèche.

▶ **ATTENTION !** L'acide oxalique est toxique. Portez des lunettes, un respirateur et des gants.

Types		Prix	Pose	Durée	Résistance au feu	Entretien et finition
Bardeaux de bois		Moyen	Moyennement difficile	30 ans ou plus	Mauvaise	En climat humide, traitez-les. Lavez-les au besoin avec une solution à base d'eau de Javel pour éliminer la moisissure. Traitez-les tous les 5 ans (facultatif). Remplacez les pièces endommagées ou manquantes.
Planches à clin		Élevé	Moyennement difficile	30 ans ou plus	Mauvaise	Lavez-les au besoin. Peignez, teignez ou scellez (facultatif). Repeignez tous les 7 ans, teignez ou scellez tous les 3 à 5 ans. Réparez ou remplacez les planches endommagées (p. 410).
Planches et couvre-joints		Moyen	Facile	30 ans ou plus	Mauvaise	Lavez-les au besoin. Peignez, teignez ou scellez (facultatif). Repeignez tous les 7 ans, teignez ou scellez tous les 3 à 5 ans. Réparez ou remplacez les pièces endommagées.
Agglomérés et contre-plaqués		De faible à moyen	Facile	20 ans ou plus	Mauvaise	Lavez-les au besoin. Peignez les panneaux non finis tous les 7 ans ou teignez-les tous les 3 à 5 ans. Réparez ou remplacez les panneaux endommagés.
Aluminium		Moyen	De facile à moyennement difficile	40 ans ou plus	Bonne	Lavez-le au besoin. Réparez les bosses et repeignez. Remplacez ou réparez les pièces endommagées. Après 15 ans, s'il y a farinage, lavez à l'eau et au détergent. Rincez. Appliquez un scelleur transparent ou peignez.
Vinyle		Peu élevé	De facile à moyennement difficile	40 ans ou plus	Bonne (ne s'enflamme pas, mais peut fondre)	Lavez-le au besoin ; rincez à l'eau claire. Remplacez les pièces endommagées (p. 408).
Bardeaux de ciment et de fibres		Peu élevé	Moyennement difficile	40 ans ou plus	Bonne	Lavez-les au besoin ; éliminez le farinage en lavant à l'eau et au détergent. Rincez à l'eau claire. Remplacez les bardeaux manquants ou endommagés.

Remplacement des bardeaux

Rangs simples

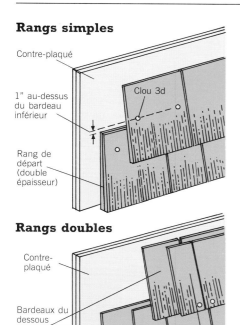

Contre-plaqué

1" au-dessus du bardeau inférieur

Clou 3d

Rang de départ (double épaisseur)

Rangs doubles

Contre-plaqué

Bardeaux du dessous

Bardeaux extérieurs

Clou 5d

Les bardeaux de bois sont faits de cèdre rouge ou blanc. Le bardeau de fente est épais et rugueux. Le bardeau ordinaire, scié, est uniforme et lisse ; il se vend en longueurs standard de 16, 18 et 24 po (40,6, 45,7 et 61 cm), et sa plus grande épaisseur est d'environ ¼ po (6 mm) ; le bardeau de fente a des longueurs de 18 ou 24 po (45,7 ou 61 cm) et varie en épaisseur de ½ à ¾ po (13 à 19 mm). La catégorie supérieure est recommandée pour la toiture et le parement ; les autres catégories serviront de base dans les parements à rangs doubles (à gauche).

Pose. Le bardeau ordinaire est posé en rangs chevauchants, simples ou doubles. Dans les rangs simples, les bardeaux se chevauchent environ de moitié ; dans les rangs doubles, le chevauchement est moins important.

Les bardeaux sont fixés côte à côte avec un jeu de ⅛ à ¼ po (3 à 6 mm). Pose à rangs simples : fixez les bardeaux avec des clous 3d traités contre la rouille environ à ½ po (1,3 cm) des côtés et à 1 po (2,5 cm) au-dessus de la ligne du rang inférieur. Pose à rangs doubles : fixez les bardeaux extérieurs avec des clous galvanisés 5d ou 6d, visibles, plantés à 2 po (5 cm) de la ligne de rang, mais dans le haut du bardeau du dessous.

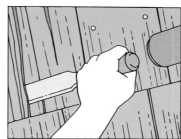

1. Enlevez le bardeau endommagé en le fendant en plusieurs endroits avec un ciseau à bois et un maillet. Ôtez tous les morceaux.

2. Pour enlever les clous du rang supérieur, glissez une lame de scie à métaux sous le bardeau et sciez les têtes. Enlevez les clous apparents.

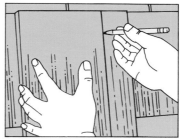

3. Mesurez et coupez le bardeau ; alignez-le sur le rang. Utilisez une scie ou entaillez-le avec un couteau universel et brisez-le.

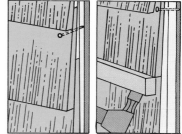

4. Posez le bardeau ½ po plus bas que le rang ; plantez les clous à angle : ils se redresseront quand vous alignerez le bardeau (à droite).

Bardeaux de ciment et de fibre

Fait de ciment portland renforcé de fibre de verre, ce type de bardeau très robuste contenait autrefois de l'amiante. Comme il est toutefois difficile de distinguer un bardeau de fibre de verre d'un bardeau d'amiante, faites-en analyser un échantillon. S'il contient de l'amiante et qu'il soit fissuré ou se désagrège, il présente un risque. Faites appel à un spécialiste (p. 348) pour l'enlever. Dans l'autre cas, il vous faut savoir que travailler le bardeau de fibre de verre exige aussi que vous preniez certaines mesures de sécurité : portez des lunettes protectrices, des gants et un respirateur.

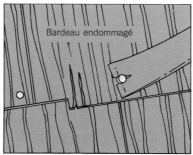

Bardeau endommagé

1. Pour enlever un bardeau endommagé, arrachez les clous avec une pince à démolition. Le vieux bardeau devrait ensuite s'enlever facilement.

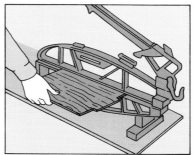

2. Pour tailler de nouveaux bardeaux, louez l'outil spécial qui accélère la tâche et crée moins de poussière que le découpage à la main.

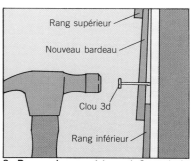

Rang supérieur

Nouveau bardeau

Clou 3d

Rang inférieur

3. Percez des avant-trous à 2 po de la ligne du rang inférieur. Pour installer le bardeau, glissez-le sous le rang du dessus. Fixez avec des clous 3d galvanisés.

Extérieur / Revêtements de vinyle et d'aluminium

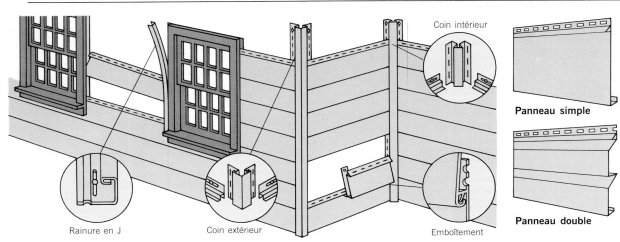

Coin intérieur

Panneau simple

Panneau double

Rainure en J

Coin extérieur

Emboîtement

Les revêtements de vinyle et d'aluminium partagent certaines caractéristiques : ils durent longtemps, sont faciles à installer, n'exigent presque pas d'entretien et résistent aux insectes, au pourrissement et au feu. L'aluminium présente un plus grand choix de couleurs que le vinyle ; les couleurs du vinyle s'affadissent en quelques années. Contrairement à l'aluminium, le vinyle ne peut être repeint. La chaleur fait s'affaisser le vinyle ; le froid le rend cassant et il se fissure ou craquelle s'il reçoit un coup. D'autre part, avec les changements brusques de température, l'aluminium se dilate et se contracte bruyamment s'il n'est pas isolé ; il s'égratigne et se déforme facilement. Conducteur d'électricité, il devrait, comme

Réparation d'un revêtements de vinyle

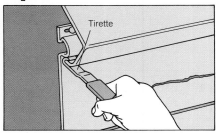

Tirette

1. Introduisez la tirette sous le bas de la section ; appuyez sur l'outil et faites-le glisser le long de la section. Ôtez les clous.

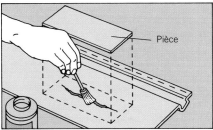

Pièce

2. Nettoyez l'endos de la section endommagée avec un nettoyeur à PVC. Collez une pièce, côté fini à l'envers, avec du ciment à PVC.

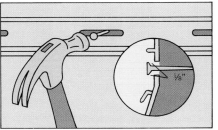

⅛"

3. Fixez la section réparée : plantez les clous à l'horizontale dans la bordure de clouage. Laissez ⅛ po de jeu entre le clou et le vinyle.

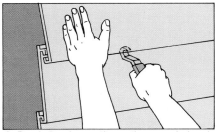

4. Remboîtez les sections : tirez vers le bas le bord inférieur de la section réparée ; avec la main, appuyez dessus pour qu'il s'emboîte.

Réparation d'un coin de vinyle ou d'aluminium

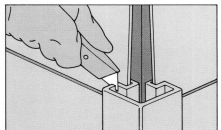

1. Enlevez une pièce d'angle endommagée : incisez-en les côtés avec un couteau universel ; pliez et dépliez avec des pinces.

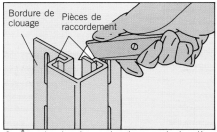

Bordure de clouage

Pièces de raccordement

2. Ôtez les bordures de clouage de la pièce de remplacement. Laissez-y les pièces de raccordement.

Bordure de clouage

Pièce d'angle

Pièces de raccordement

3. Mettez un ruban de pâte à calfeutrer sur les pièces de raccordement des bordures de clouage et de la pièce d'angle.

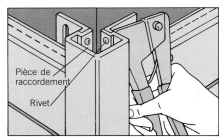

Pièce de raccordement

Rivet

4. Posez la pièce de remplacement ; rivetez-la aux pièces de raccordement avec une riveuse à long nez (p. 133).

l'exigent certains règlements, être muni d'un dispositif de mise à la terre (p. 269).

Remplacement du revêtement. Si le revêtement de bois ou de bardeaux de fibre est en assez bon état, installez simplement dessus un nouveau revêtement d'aluminium ou de vinyle. Si le revêtement est en mauvais état, vous avez deux choix : vous l'enlevez (travail ardu qui entraîne souvent des dépenses importantes, notamment pour la mise au rebut) et en posez un nouveau, ou vous y apposez des fourrures sur lesquelles vous installez le nouveau revêtement. Si vous découvrez des panneaux isolants en polystyrène en enlevant le vieux revêtement, installez des fourrures : une couche d'air entre les panneaux rigides et le revêtement évitera, l'été, l'accumulation de chaleur.

▶**ATTENTION !** Si vous devez enlever du bardeau d'amiante, engagez un spécialiste (p. 348). Vous pouvez toutefois couvrir ce bardeau d'un nouveau revêtement en toute sécurité.

Si vous posez des fourrures, fixez des 1 x 3 (16 x 64 mm) à l'horizontale au haut et au bas de chaque mur ; reliez-les avec des fourrures verticales à chaque montant (p. 283) ; fixez-en aussi autour des portes et des fenêtres.

On installe le vinyle et l'aluminium de la même façon. Les bouts des sections horizontales sont encastrés dans des rainures en J ou dans des pièces d'angle fixées au mur. Le revêtement est fixé section par section au contre-plaqué ou aux fourrures au moyen de clous d'aluminium à grosses têtes. Le haut et le bas de chaque section se chevauchent et s'emboîtent.

Réparations. Le vinyle se répare facilement : soulevez et enlevez avec une tirette (outil que vous trouverez chez les fournisseurs spécialisés) la section endommagée, bouchez la fissure ou le trou et réinstallez la section (page précédente). Si la section est trop endommagée, remplacez-la. L'aluminium, lui, se déforme. Comme il est difficile de l'enlever sans le plier, découpez la portion endommagée et remplacez-la (ci-dessous).

Là où les pièces s'emboîtent, laissez un joint d'expansion de ¼ ou ⅛ po (6 ou 3 mm).

Déformation d'un parement d'aluminium

1. Pour réparer une grosse marque de coup, percez un ou plusieurs trous de ⅛ po dans la partie la plus profonde.

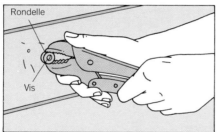

2. Posez dans ces trous des vis à métal dotées de rondelles plates. Avec des pinces, tirez sur les vis : vous soulèverez l'aluminium.

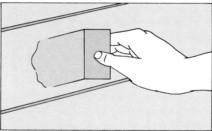

3. Enlevez les vis et appliquez de la pâte à carrosserie sur les renfoncements. Égalisez-la avant qu'elle ne durcisse.

4. Poncez la pâte durcie ; mettez un apprêt à métal. Appliquez deux couches de peinture à revêtement d'aluminium de la même couleur.

Remplacement d'une section de parement en aluminium

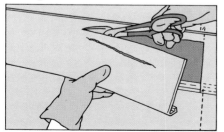

1. Découpez la section endommagée avec des cisailles (p. 128). Laissez en place le haut emboîté de la section.

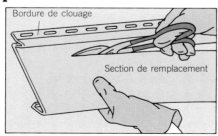

2. Taillez une pièce de remplacement (prévoyez un chevauchement de 3 po de chaque côté). Enlevez la bordure de clouage.

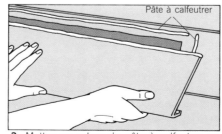

3. Mettez un ruban de pâte à calfeutrer autour du trou. Installez la pièce, côté taillé sous le vieux revêtement.

4. Collez le haut de la pièce de remplacement au vieux revêtement avec du ciment à toiture. Emboîtez le bas.

Repérage d'un montant 191
Élimination des termites 345
Peinture extérieure 368-373

Extérieur / Réparation des planches à clin

La planche à clin varie en largeur de 3 à 12 po (7,6 à 30,5 cm). Elle est d'épaisseur uniforme ou plus épaisse dans le bas que dans le haut. Une planche du dernier type, refendue en diagonale, sera lisse d'un côté (peint s'il est visible), rugueuse de l'autre (teint s'il est exposé).

La planche à clin dure longtemps si elle est bien entretenue (p. 406).

Redressez les pièces gauchies avec des vis résistant à la rouille et assez longues pour pénétrer le contre-plaqué du mur ou les montants derrière. Grattez les surfaces pourries, traitez-les au

moyen d'un produit contre le pourrissement et mettez-y de la pâte de bois (teinte pour les planches teintes). Réparez tout de suite les craquelures et les trous (p. 359) ; réparez les planches fendues (en bas, à gauche) et remplacez celles qui sont très endommagées (ci-dessous).

Réparation d'une fente

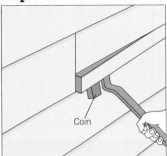

1. Enlevez les clous retenant la planche près de la fente. Soulevez le bas de la planche avec un pied-de-biche. Introduisez un coin pour maintenir cette pièce légèrement sortie.

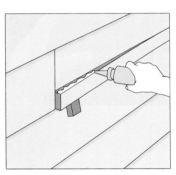

2. Appliquez de la colle hydrofuge sur toute la partie visible de la rive. Lorsque la colle devient gluante, enlevez le coin et repoussez la pièce à sa place. Avec un chiffon mouillé, essuyez l'excédent de colle.

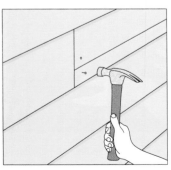

3. Clouez le haut et le bas de la section endommagée dans le contre-plaqué (ou un montant, s'il n'y a pas de revêtement) pour consolider l'ensemble. Dans du bois teint, utilisez du clou galvanisé. Dans du bois peint, noyez le clou ordinaire. Masquez-le à la pâte de bois.

Réparation d'une section de planche à clin endommagée

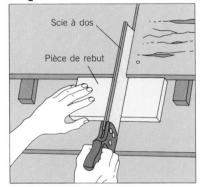

1. Enlevez une section en mauvais état : repérez les montants ; insérez des coins pour la soulever. Appuyez une pièce de rebut au bord de la planche : découper avec une scie à dos.

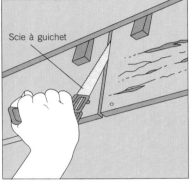

2. Terminez la coupe avec une scie à guichet (illustration). Pour avoir accès au haut de la section endommagée, mettez des coins sous la planche du dessus.

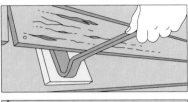
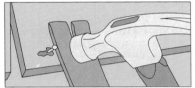

3. Enlevez les clous visibles : mettez une pièce de rebut sous le pied-de-biche et soulevez la planche (en haut). Le pied-de-biche près de la tête du clou, frappez pour faire sortir le clou.

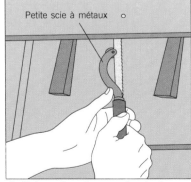

4. Enlevez les clous noyés : insérez des coins sous la planche pour avoir accès à la tige du clou. Glissez une petite scie à métaux sous la planche ; coupez le clou ; ôtez la planche.

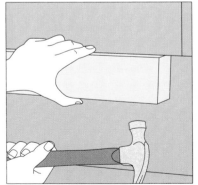

5. Taillez une nouvelle planche. Appliquez un produit protecteur sur ses extrémités sciées ; posez-la comme sur l'illustration. Fixez les planches voisines (quatre clous). Calfeutrez les joints.

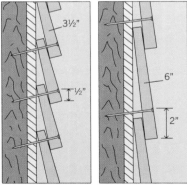

6. Pour fixer les planches étroites, clouez à travers les deux épaisseurs (à gauche). Clouez les planches larges en ne traversant qu'une seule épaisseur (à droite).

Calfeutrage

Teintures et produits protecteurs

Tout bois exposé doit être protégé contre les rayons ultraviolets du soleil, l'eau, les insectes et le pourrissement. La peinture contribue à le protéger, mais aussi les teintures, les produits protecteurs et les imperméabilisants. (Avant de teindre un bois peint, il faut le décaper.) Même le bois traité sous pression doit être protégé des rayons UV et de l'eau. La plupart des teintures et des produits protecteurs sont appliqués au pinceau, au rouleau, au tampon ou au pistolet. Lisez bien les étiquettes. Recommencez tous les deux à cinq ans. Il est recommandé d'appliquer deux couches.

Les teintures pénétrantes semi-transparentes neutralisent les rayons UV, tout en laissant paraître le grain du bois. Elles contiennent aussi des agents de conservation, des agents imperméabilisants ou les deux. Elles pénètrent le bois et ne s'écaillent pas. Enfin, elles conviennent au bois rugueux.

Les teintures opaques, tout comme les peintures, neutralisent les rayons UV et masquent le grain du bois. Très efficaces sur les surfaces lisses, elles forment une couche superficielle qui finit par s'écailler.

Les imperméabilisants contiennent un hydrofuge (cire ou silicone), un fongicide et, souvent, un insecticide.

Les huiles décolorantes, conçues pour accélérer le grisonnement du bois, contiennent un pigment gris qui neutralise les rayons UV. Il faut ensuite protéger le bois avec un imperméabilisant.

Les produits de restauration contiennent des agents caustiques (acide oxalique ou hydroxyde de sodium) qui blanchissent le bois vieilli et lui redonnent sa couleur d'origine. Portez des lunettes et des vêtements protecteurs.

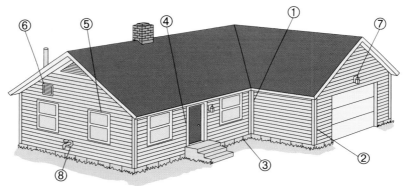

Où calfeutrer

1. Les joints des moulures dans les coins intérieurs. **2.** Les joints des moulures dans les coins extérieurs. **3.** Les joints entre le parement et les fondations. **4.** Les joints entre les portes et le parement. **5.** Les joints entre les fenêtres et le parement. **6.** Autour des bouches de ventilation et des évents. **7.** Autour des prises électriques et des luminaires. **8.** Autour des tuyaux (gaz et eau).

La pâte à calfeutrer scelle les joints du parement et empêche l'eau, l'air (chaud ou froid) et les insectes de pénétrer dans la maison. Ne lésinez donc pas : achetez un produit contenant du polyuréthane. Bien appliquée, une bonne pâte à calfeutrer peut durer jusqu'à 40 ans. Certaines pâtes contenant de la silicone (vérifiez l'étiquette) sont particulièrement efficaces sur le verre et peuvent être polies. Portez des gants et des lunettes protectrices. Nettoyez avec de l'alcool.

Pour calfeutrer proprement un joint (ci-dessous), il faut un peu d'expérience. Avant de recalfeutrer, préparez bien les surfaces, sinon la pâte n'adhérera pas. Enlevez la vieille pâte avec un couteau à mastic, grattez ou frottez avec une brosse métallique de part et d'autre du joint et nettoyez cette surface à l'alcool. Si le joint a plus de ½ po (1,3 cm) de largeur, obturez-le d'abord avec du ruban à calfeutrer (qu'on trouve dans les centres de rénovation) ; calfeutrez ensuite.

Comment calfeutrer

1. Mettez la cartouche dans le pistolet ; pressez plusieurs fois sur la détente pour appuyer solidement le piston à la cartouche. Travaillez toujours par temps sec.

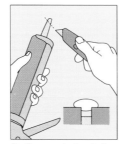

2. Coupez le bout du bec à 45°. Une ouverture de ⅜ po est recommandée dans la plupart des cas. La pâte devrait couvrir les côtés. Percez la cartouche avec un clou.

3. Appuyez le bec sur le joint. Tenez le pistolet à 45°. Appuyez doucement sur la détente pour obtenir un ruban uniforme. Pour l'interrompre, faites un mouvement de torsion.

Finition

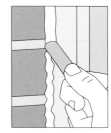

4. Pour assurer une belle finition et une bonne adhésion du joint, lissez la pâte avec un bâtonnet à café. Le joint devrait avoir une forme légèrement concave.

5. Pour refermer la cartouche, introduisez-y un clou par la tête. Nettoyez selon les directives du fabricant. La pâte peut être conservée si elle est protégée du gel.

Extérieur / Réparation du stuc

Le stuc est fait de ciment portland, de sable, de chaux et d'eau. On l'applique en trois couches sur du treillis de métal ou de bois, en deux couches sur le béton ou la maçonnerie. La première couche doit avoir environ ½ po (1,3 cm) d'épaisseur ; le parement doit avoir une épaisseur totale d'environ 1 po (2,5 cm). Il faut humecter le béton ou la ma-çonnerie avant d'appliquer la pre-mière couche.

Appliquez le stuc sous un ciel gris et par une température de 10°C (50°F) ou plus. Si le temps est sec et chaud, gardez-le humide pour qu'il sèche bien.

Si vous préparez vous-même le stuc : dans une brouette, mélangez 1 partie de ciment à maçonnerie et 3½ parties de sable ; ajoutez gra-duellement de l'eau en brassant avec une truelle. Le mélange doit être consistant : il ne doit ni se dé-sagréger ni s'affaisser. Pour la cou-che finale, mélangez 2½ parties de ciment à maçonnerie et 3½ parties de sable. Brassez jusqu'à ce qu'il ait une consistance semblable à celle du beurre mou.

Colmatage des lézardes

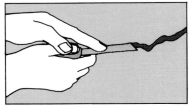

Grattez jusqu'au stuc sain. Élargissez la lézarde et humectez-en les bords.

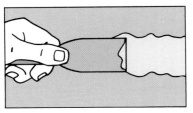

Colmatez les lézardes étroites avec de la pâte à calfeutrer ou du stuc pré-mélangé, les larges avec du stuc ordi-naire. Enduisez de peinture au latex. Avant de réparer une grande lézarde, consultez un spécialiste pour corriger, s'il y a lieu, les problèmes structuraux.

Grandes surfaces 1. Enlevez le stuc endom-magé avec un ciseau à froid ; découpez le treillis en mauvais état ; agrafez du papier de construction ; fixez le nouveau treillis.

2. Vaporisez la surface. Avec une truelle en métal, enfoncez le stuc dans le treillis et re-couvrez de ¼ po. Si le fond est en béton ou en maçonnerie, brossez-le et allez à l'étape 4.

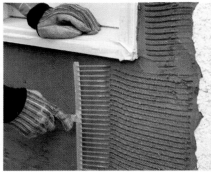

3. Lorsque le stuc commence à se figer (après 30 minutes environ), striez-le sur ⅛ po au scari-ficateur. Laissez sécher toute la nuit. Humec-tez toutes les 4 à 6 heures.

4. Humectez la première couche (ou le fond) ; appliquez une couche de stuc avec une truel-le en métal. Ajoutez du stuc jusqu'à ce que l'épaisseur soit celle des surfaces adjacentes.

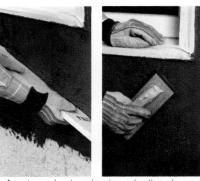

5. Avant que le stuc durcisse, égalisez-le avec une raclette de bois, de bas en haut (à gau-che). Lissez et tassez avec une truelle à épon-ge (à droite) ou un aplanissoire de bois.

6. Gardez le stuc humide pendant 48 heures ; humectez-le deux fois par jour. Laissez-le sé-cher pendant 5 jours. Humectez-le avant d'ap-pliquer la couche finale (⅛ po) à la brosse.

7. Dans les 30 minutes suivant la pose, vous pourrez imprégner un motif : projetez du stuc avec une brosse (à gauche) ; passez douce-ment la truelle pour écraser les pointes.

Extérieur / Tracé d'une clôture

Le type de clôture dépend de sa fonction. Si vous voulez délimiter votre propriété, une clôture de bois vous conviendra probablement, mais si vous voulez empêcher les enfants ou le chien de quitter la cour, optez plutôt pour une clôture en treillis métallique. La clôture haute et fermée protège l'intimité ; la clôture haute à claire-voie sert d'écran contre le vent. Toutes les deux procurent de l'ombre pendant une partie de la journée.

Tenez compte de l'aspect esthétique de la clôture. Choisissez-la en fonction de la maison et du milieu.

Le coût d'une clôture est évidemment un facteur important, mais si vos relations avec le voisin sont bonnes, il acceptera peut-être de partager les frais de construction et d'entretien. Consignez cette entente par écrit. Dans certaines provinces, une telle entente conclue en bonne et due forme lie également les futurs propriétaires.

Limites de la propriété. Vous avez le droit d'ériger une clôture sur votre propriété, mais vérifiez les règlements municipaux : ils en précisent, entre autres, la distance par rapport aux voies publiques et la hauteur maximale. Le certificat d'arpentage accompagnant votre acte d'achat vous aidera à déterminer les limites de la propriété. (Obtenez une copie de l'acte d'achat au bureau d'enregistrement de votre région.) S'il subsiste des doutes,

installez la clôture à l'intérieur de limites sûres ou faites arpenter.

Obstacles. Vérifiez auprès des services publics pour savoir s'il y a des fils souterrains ou des conduites aux endroits où vous projetez de creuser pour installer les poteaux. Si oui, déplacez les poteaux. S'il y a des obstacles, contournez-les ou adaptez-y la clôture. Raccourcissez la clôture par le bas, en vous assurant que le haut est de niveau et à la même hauteur que l'ensemble.

Obstacles

Si un arbre se trouve sur le tracé de la clôture et à l'intérieur de votre propriété, contournez-le ; n'endommagez pas les racines en creusant.

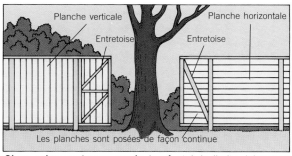

Si un arbre se trouve sur le tracé et à la limite, laissez un vide. Fixez au poteau une section ne dépassant pas 4 pi. Mettez des entretoises.

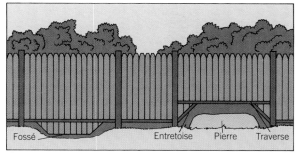

Si une grosse pierre ou un fossé se trouvent sur le tracé, adaptez-y la clôture : raccourcissez-la ou allongez-la, selon le cas.

Pentes

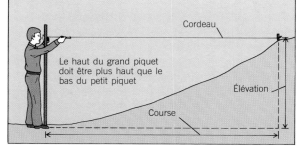

Déterminez l'élévation et la course d'une pente : plantez un petit piquet au sommet et un grand piquet au bas. Reliez-les par un cordeau bien horizontal ; vérifiez au niveau de ligne.

Vous basant sur l'élévation et la course, déterminez sur papier le type de clôture que vous voulez : traverses parallèles à la pente ou clôture étagée (à droite).

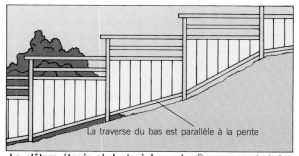

La clôture étagée s'adapte à la pente. Sur une pente inégale, la hauteur des poteaux et la distance entre eux varieront. Les panneaux seront taillés en fonction de la pente.

413

Mesurage et marquage 46-47
Gâchage du béton 150
Tracé d'une clôture 413

Extérieur / Installation des poteaux de clôture

Utilisez des pièces traitées sous pression, de 4 x 4 (89 x 89 mm) ou de 6 x 6 (140 x 140 mm), pour les poteaux d'angle et de porte ; les autres poteaux pourront être des 4 x 4 (89 x 89 mm) si la clôture a moins de 4 pi (1,2 m) de haut. Pour éviter le pourrissement, coiffez les poteaux d'un chaperon et scellez le bois fraîchement coupé.

Distancez les poteaux d'au plus 8 pi (2,4 m). Pour déterminer le nombre de poteaux (si vous installez du panneau précoupé), divisez la longueur totale par 6 ou 8 pi (1,8 ou 2,4 m), longueurs habituelles d'un panneau. Prévoyez une porte. Pour que les panneaux soient égaux, subdivisez la longueur totale de la clôture en parties égales.

Creusez les trous avec une *tarière* et enfoncez les poteaux sous la ligne de gel. Pour une clôture de moins de 6 pi (1,8 m) de haut, dans un sol drainé, remplissez les trous de gravier ou de terre tassée. Dans un sol meuble ou si la clôture a plus de 6 pi (1,8 m), utilisez du béton.

1. Marquez l'emplacement des poteaux en plantant des piquets à l'endroit des poteaux d'angle. Tendez un cordeau entre eux. Situez les poteaux intermédiaires en mesurant la distance avec un ruban métallique ; plantez des piquets.

2. Faites des trous à fond large. Creusez sous la ligne de gel si la clôture est grande ; creusez sur au moins 20 po si les poteaux ont moins de 6 pi. Ajoutez 6 po pour l'épaisseur du gravier. En sol argileux, ou si vous projetez de couler du béton, les trous devront avoir le double du diamètre du poteau.

3. Mettez 5 à 6 po de gravier au fond de chaque trou, mettez une pierre plate et du gravier. Cela assurera un bon drainage et évitera le pourrissement, surtout si le poteau est mis dans un collet de béton (dans ce cas, le béton ne doit pas toucher le bout du poteau).

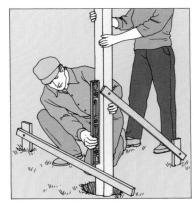

4. Pour maintenir à la verticale un poteau d'angle, plantez dans le sol deux piquets formant un angle droit avec le poteau. Fixez un 1 x 2 à chaque piquet avec un clou. Vérifiez la verticalité du poteau avec un niveau ; clouez les planches au poteau.

5. Mettez 2 à 3 po de gravier dans le trou. Ajoutez 4 po de terre. Tassez-la. Donnez-lui une forme convexe, en partant du poteau. Faites de même avec le béton. Vérifiez la verticalité du poteau. Laissez sécher le béton (1 semaine) ; enlevez les supports ; remplissez les vides avec un scelleur à l'uréthane.

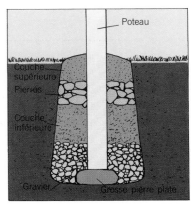

Poteau

Couche supérieure

Pierres

Couche inférieure

Gravier

Grosse pierre plate

Si le gel constitue un problème et pas l'eau, remplissez le trou de terre jusqu'à 6 po du sommet, après y avoir mis le poteau ; tassez la terre. Ajoutez de gros cailloux, puis de la terre jusqu'au sommet. En sol sablonneux ou si le niveau de l'eau est élevé, utilisez plutôt du béton.

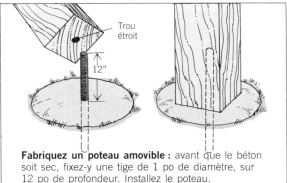

Trou étroit

12"

Fabriquez un poteau amovible : avant que le béton soit sec, fixez-y une tige de 1 po de diamètre, sur 12 po de profondeur. Installez le poteau.

Assemblage de la clôture

Terminez la clôture en lui donnant un style. Les éléments s'achètent précoupés ou préfabriqués, mais vous pouvez les faire vous-même avec du bois traité sous pression. Prenez les précautions qui s'imposent (p. 93).

Enduisez le bois fraîchement coupé d'un produit protecteur. Avant d'assembler la clôture, enduisez tous les éléments d'un scelleur hydrofuge, de teinture ou de peinture.

Fixez traverses et poteaux par assemblage à recouvrement, en bout, à feuillure ou à tenon et à mortaise. Assurez-vous qu'ils sont bien d'équerre et fixez-les avec du clou galvanisé. Pour en améliorer l'apparence, noyez les clous et recouvrez-les de pâte de bois. Si le bois est lourd, installez une troisième traverse au centre.

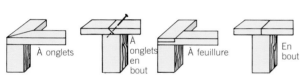

Assemblage des traverses supérieures

Assemblage des traverses inférieures ou médianes

Clôture simple. Posez des 1 x 4 ou des 1 x 6 entre les poteaux, du centre d'un poteau et jusqu'au bord extérieur d'un poteau d'angle. Fixez la planche supérieure de niveau. Avec un espaceur, posez les autres planches.

Traverses pour clôture traditionnelle. Bas : découpez des 2 x 4 pour relier les poteaux distancés de 6 pi. Clouez-les en diagonale (p. 81) ; consolidez avec des blocs. Haut : fixez des 2 x 4 bout à bout au centre des poteaux.

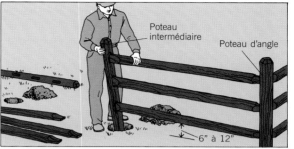

Clôture rustique. Percez des trous dans les poteaux ; façonnez le bout des traverses. Installez le poteau d'angle ; mettez les traverses. Installez le poteau suivant et, en l'inclinant, insérez-y les traverses. Consolidez-le à la verticale.

Posez la première planche le long d'un poteau d'angle, la pointe dépassant de 6 po la traverse supérieure. Vérifiez-en la verticale ; clouez-la. Poursuivez en utilisant une planche comme espaceur.

Autres modèles de clôtures

La palissade est facile à réaliser et préserve l'intimité ; la clôture à losanges délimite le terrain, mais ne vous isole pas des voisins ; la clôture de planche double (planches de part et d'autre des traverses) protège contre le vent, sans stopper l'aération.

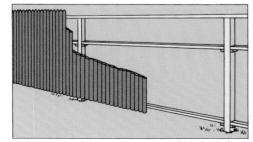

Palissade de cèdre ; utilisez un scelleur hydrofuge.

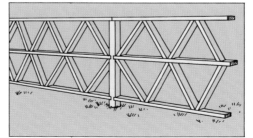

Clôture à losanges faite de 1 x 2 et de 2 x 4.

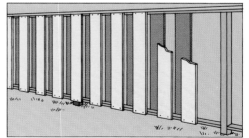

Clôture de planches de part et d'autre des traverses.

415

Clous 80
Boulons et écrous 84
Installation des poteaux de clôture 414

Extérieur / Réparation d'une clôture

La clôture est soumise aux intempéries. Examinez-la tous les printemps. Y a-t-il des fissures, des clous lâches, des signes de pourrissement (p. 344), des termites (p. 345) ?

Vérifiez les poteaux au niveau du sol ; examinez les joints. Taillez à angle les poteaux à dessus plats pour laisser s'écouler l'eau, couvrez-les d'une traverse continue ou encore coif-

fez-les d'un chaperon. Vérifiez aussi les points de contact entre les traverses et les planches ou les piquets.

Si un poteau a été soulevé par le gel, enfoncez-le et alignez-le. S'il n'est plus à la verticale, redressez-le et tassez le sol. Vous auriez avantage à l'installer dans le béton (p. 414). Si la clôture est exposée à des vents violents, les poteaux

devront probablement être consolidés au moyen de fils métalliques ou de tuyaux de métal de 6 pi (1,8 m). Pour amoindrir les effets du vent sur une clôture pleine, pratiquez-y des ouvertures.

Si vous remplacez des pièces ou en ajoutez, utilisez du bois traité sous pression. Enlevez les clous avec un arrache-clou. Enlevez les piquets avec un pied-de-biche (p. 23).

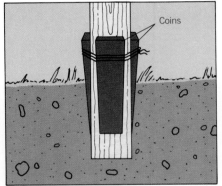

Consolidez un poteau branlant, non pourri, en enfonçant dans le sol sur toutes ses faces des coins de bois traité sous pression ; fixez-les avec du fil métallique.

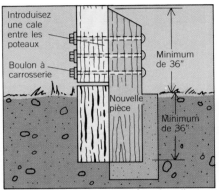

Consolidez un poteau pourri en installant dans le béton, juste à côté, un petit poteau ; fixez avec des boulons. Sciez le vieux poteau à 2 po du sol. Enlevez le bois pourri.

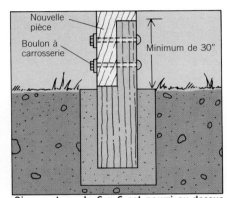

Si un poteau de 6 x 6 est pourri au-dessus du sol, remplacez la portion pourrie par du bois traité sous pression ; assemblez à mi-bois (p. 101) ; fixez avec des boulons.

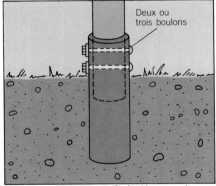

Si le poteau est en métal, découpez la partie endommagée (p. 128) ; percez de part en part (p. 129) la nouvelle pièce et celle qui est fixe. Introduisez la pièce ; boulonnez.

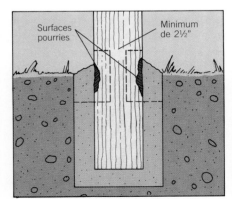

1. Pourrissement dans un collet de béton. Enlevez ce qui est pourri avec un ciseau à bois. (Il faudra briser le béton.) Enfoncez à moitié trois gros clous dans chaque face.

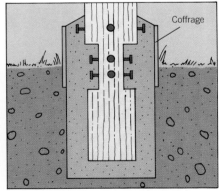

2. Faites un coffrage de contre-plaqué ; enduisez-en l'intérieur d'huile à moteur. Préparez et coulez le béton (p. 150). Donnez-lui une pente. Le béton séché, ôtez le coffrage.

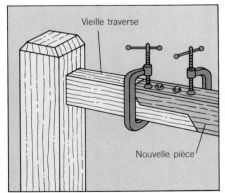

Remplacez une partie de traverse pourrie ou éclatée par une pièce de bois traité sous pression. Collez ; vissez ou boulonnez. Posez des serres en C ; laissez sécher.

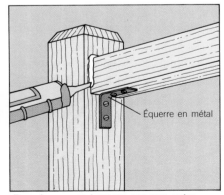

Remplacez une traverse par une autre. Retenez-la aux poteaux avec des équerres en métal ; calfeutrez bien les joints pour éviter le pourrissement du bois.

Portes de clôture

Concevez une porte qui s'harmonise ou qui contraste avec la clôture. Les poteaux qui l'encadrent doivent être solidement installés. En mesurant l'espace entre les deux poteaux, prévoyez assez d'espace pour installer loquets et charnières.

Il y a sur le marché une grande variété de charnières et de loquets. Déterminez si la porte s'ouvrira des deux côtés ou d'un seul, vers l'intérieur ou l'extérieur. Fixez les charnières à la porte avant de la poser.

Tous les ans, vérifiez l'équerre, les vis et les assemblages. Pour réparer les poteaux, voir page ci-contre.

Faites un poteau de porte avec un 6 x 6. Creusez sous la ligne de gel. Mettez dans le trou 5 à 6 po de gravier ou une grosse pierre plate. Ancrez le poteau (p. 414). Coulez le béton ; avec une truelle, donnez-lui une forme convexe au sommet. Laissez sécher pendant une semaine.

Réparation d'une porte

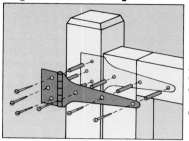

Pour réparer une charnière lâche, enlevez les vis lâches. Bouchez les trous avec des goujons de bois, enduits d'abord de colle hydrofuge. Reposez les vis dans les goujons.

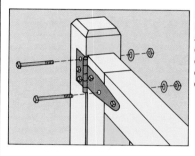

Si vous ne pouvez boucher les trous avec des goujons, déplacez la charnière ou consolidez-la avec des boulons, de part en part du poteau.

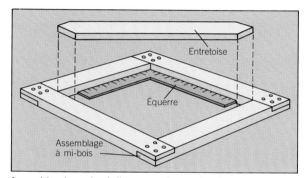

Assemblez le cadre à l'envers ; plantez du clou galvanisé dans les assemblages à mi-bois (p. 101). Découpez l'entretoise pour qu'elle relie les traverses ; vérifiez les angles.

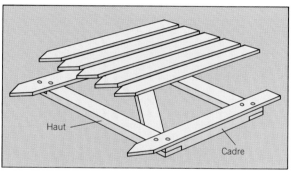

Clouez les deux planches extérieures au ras du cadre ; assurez-vous qu'elles seront au niveau de celles de la clôture. Espacez les autres également, au même niveau.

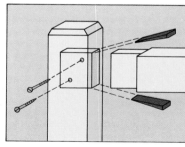

Pour consolider un assemblage à tenon et à mortaise, immergez des coins de bois dur dans une colle hydrofuge et insérez-les dans le joint ; posez deux vis à travers le joint.

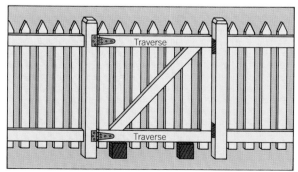

Fixez les charnières aux traverses de la porte. Mettez la porte en place (supportez-la avec des blocs de bois) ; fixez les charnières au poteau ; posez le loquet.

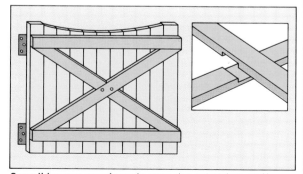

Consolidez une grande porte avec des entretoises en X taillées en onglets. Là où les pièces se croisent, faites un assemblage à mi-bois (p. 101) ; collez et vissez.

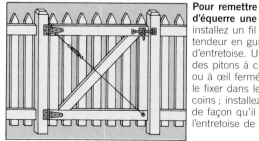

Pour remettre d'équerre une porte, installez un fil et un tendeur en guise d'entretoise. Utilisez des pitons à crochet ou à œil fermé pour le fixer dans les coins ; installez le fil de façon qu'il croise l'entretoise de bois.

417

Découpage du métal 128
Mélange du béton 150
Tracé d'une clôture 413

Extérieur / Clôture en treillis métallique

La clôture en treillis métallique dure longtemps et exige peu d'entretien. Même longue, elle peut être installée, avec de l'aide, en quelques jours seulement : une journée pour installer les poteaux et une autre, une semaine plus tard, pour poser les traverses et le treillis. Louez une tarière et un tendeur de treillis.

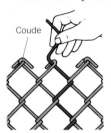
Coude

Fixez les poteaux dans le béton, au plus à 10 pi (3 m) les uns des autres. Creusez des trous d'un diamètre de 12 po (30 cm) sous la ligne de gel pour les poteaux d'angle et de porte. Pour les poteaux intermédiaires, creusez des trous de 36 po (90 cm) de profondeur et 8 po (20 cm) de diamètre. Marquez le niveau du sol sur le poteau avec un crayon avant de l'installer. Les poteaux d'angle dépassent de 2 po (5 cm) le treillis, et le bout des poteaux intermédiaires lui est plus court de 2 po (5 cm).

Pour raccourcir le treillis, dépliez avec des pinces, à l'endroit voulu, le coude du haut et celui du bas. Enlevez le fil de métal dans un mouvement de tire-bouchon. Pour joindre deux sections, passez un fil de métal (enlevé à une extrémité du treillis) de l'une à l'autre.

Truelle

1. Dans un trou, mettez le poteau ; coulez du béton jusqu'à 1 po au-dessus du sol. Avec un niveau, vérifiez la verticalité. Ancrez le poteau ; façonnez le béton (p. 414).

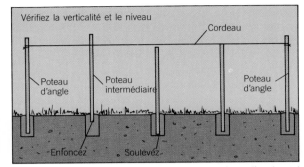
Vérifiez la verticalité et le niveau
Cordeau
Poteau d'angle
Poteau intermédiaire
Poteau d'angle
Enfoncez   Soulevez

2. Avant que le béton ne fige, tendez un cordeau d'un bout à l'autre à 4 po du sommet. Mettez les poteaux intermédiaires au même niveau.

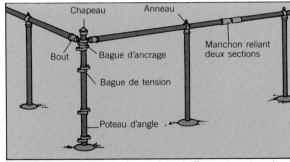
Chapeau   Anneau
Bout
Bague d'ancrage
Manchon reliant deux sections
Bague de tension
Poteau d'angle

3. Installez les bagues de tension et d'ancrage aux poteaux d'angle ; ajoutez les chapeaux et les anneaux. Glissez les traverses dans les anneaux ; boulonnez.

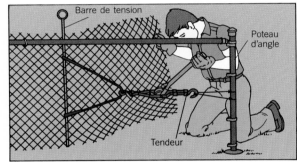
Barre de tension
Poteau d'angle
Tendeur

4. Fixez mollement le treillis à la traverse. Installez une barre de tension à 3 pi de l'extrémité du treillis. Reliez le tendeur à la barre et au poteau. Tendez le treillis.

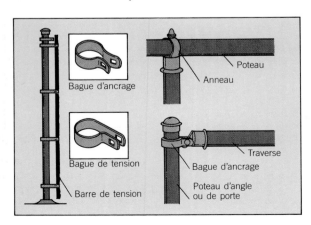
Bague d'ancrage
Poteau
Anneau
Bague de tension
Barre de tension
Traverse
Bague d'ancrage
Poteau d'angle ou de porte

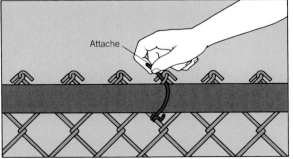
Attache

5. Le treillis est bien tendu s'il cède légèrement sous la poussée. Ôtez le treillis excédentaire. Fixez une barre de tension aux bagues de tension. Attachez le treillis tous les 24 po.

6. Posez la charnière du bas tige vers le haut et la charnière du haut tige vers le bas. Installez la porte au même niveau que la clôture. Posez le loquet.

418

Chapitre 15

Portes et fenêtres
Réparations et améliorations

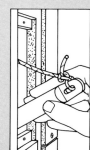

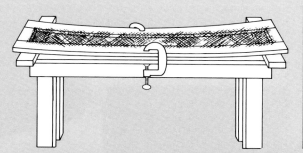
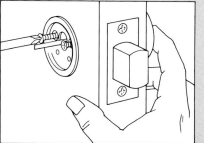

Portes et fenêtres doivent garder à l'intérieur l'air chaud ou conditionné et laisser entrer l'air et la lumière. Elles doivent bien fonctionner en dépit des écarts de température et des intempéries.

Les conseils contenus dans le présent chapitre vous aideront à les conserver en bon état, à en améliorer l'efficacité thermique, à en réduire l'entretien et à les transformer pour qu'elles vous protègent des intrus.

419

Essentiellement, il y a deux types de fenêtres : ouvrantes et fixes. La fenêtre ouvrante a un châssis qui coulisse ou qui pivote sur des charnières ; la fenêtre fixe ne peut être ouverte.

La fenêtre *à guillotine* est une fenêtre ouvrante, comme dans les vieilles maisons. Elle est constituée de deux châssis qui coulissent verticalement. Dans une fenêtre *coulissante* (p. 430), les châssis se déplacent horizontalement. La fenêtre *à battants* (p. 428) s'ouvre grâce à des charnières latérales.

La fenêtre *à auvent*, la fenêtre *à bascule*, la fenêtre *à jalousies* et la fenêtre *pivotante* sont ouvrantes. La fenêtre à auvent a des charnières au haut et s'ouvre du bas, vers l'extérieur ; la fenêtre à bascule a des charnières au bas et s'ouvre du haut, vers l'intérieur ; la fenêtre pivotante s'ouvre partiellement ou pivote de 360° ; la fenêtre à jalousies, constituée d'une série de volets de verre pivotants, n'est pas hermétique.

Les fenêtres fixes peuvent épouser toutes les formes imaginables. Vous pouvez tirer parti de ces formes pour améliorer l'apparence de votre maison.

Composantes d'une fenêtre. Les noms désignant les composantes d'une fenêtre sont inspirés de ceux de la fenêtre à guillotine et s'appliquent à tous les types de fenêtres. Le *bâti* désigne la charpente de l'ouverture ; les *jambages*, les *guides intérieurs* et *borgnes* ainsi que les *séparateurs* constituent la finition de l'ouverture et guident les mouvements des châssis ; le *rebord* est incliné de façon à laisser s'écouler l'eau de pluie ; l'*appui* et l'*allège* finissent la base ; la moulure qui cache le bâti s'appelle le *cadre*. Lorsque vous parlez à des professionnels, utilisez ces termes plutôt que l'expression imprécise « cadre de fenêtre ». En verre ou en plastique, la plaque à l'intérieur du châssis s'appelle *vitrage* ; il est découpé en *carreaux*. Une fenêtre peut être à vitrage *simple*, *double* ou *triple*. Bien qu'elles soient plus chères, les fenêtres à vitrage double ou triple sont économiques à la longue.

Fenêtre à guillotine

Dans cette fenêtre, les châssis coulissent de haut en bas. Le châssis supérieur, à l'extérieur, s'abaisse derrière le châssis inférieur qui se remonte. Le mouvement des châssis est réglé par des contrepoids (p. 422), des ressorts compensateurs (p. 423) ou bien des coulisses à friction (p. 423). Poids et ressorts sont dissimulés derrière les jambages ; les coulisses y sont fixées.

Quel qu'en soit le type, une fenêtre est un ensemble complet comprenant un ou deux châssis, les jambages et — si elle s'ouvre — les coulisses et les dispositifs requis pour son fonctionnement. Les illustrations à droite expliquent la composition d'une fenêtre à guillotine qui, comme les autres types de fenêtres, s'installe dans un bâti. De fait, si vous enlevez le cadre, les clous et les coins qui la retiennent, vous pouvez la retirer et la remplacer par n'importe quelle autre fenêtre aux dimensions identiques (p. 427).

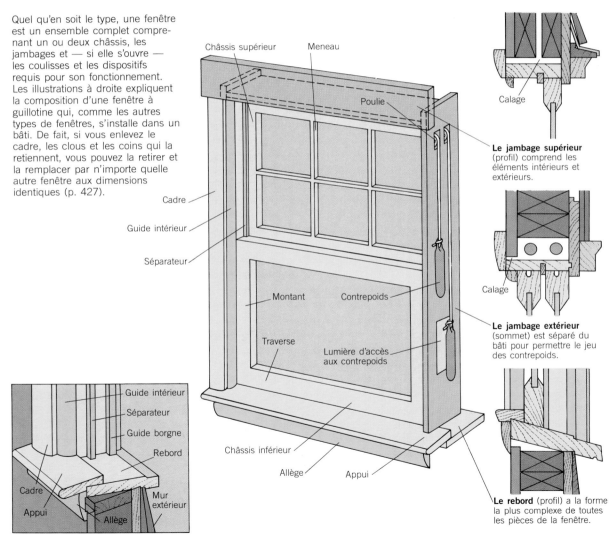

Le jambage supérieur (profil) comprend les éléments intérieurs et extérieurs.

Le jambage extérieur (sommet) est séparé du bâti pour permettre le jeu des contrepoids.

Le rebord (profil) a la forme la plus complexe de toutes les pièces de la fenêtre.

Labels on the main illustration: Châssis supérieur — Meneau — Poulie — Calage — Cadre — Guide intérieur — Séparateur — Montant — Contrepoids — Traverse — Lumière d'accès aux contrepoids — Châssis inférieur — Allège — Appui

Labels on the lower-left detail: Guide intérieur — Séparateur — Guide borgne — Rebord — Cadre — Appui — Allège — Mur extérieur

Réparation d'une fenêtre à guillotine

Pose d'un carreau dans un châssis de bois

Le remplacement d'un carreau de fenêtre à simple vitrage est facile. (Pour les fenêtres à double ou à triple vitrage, achetez un nouveau châssis.) Le nouveau carreau doit avoir la même épaisseur que l'ancien mais mesurer ⅛ po (3 mm) de moins que l'ouverture. (Pour le découpage du verre, voir p. 431 ; pour la coupe de l'acrylique, voir p. 143.) Le détaillant découpe les carreaux aux dimensions voulues. Les meneaux sont souvent taillés en onglets pour retenir le carreau ; s'ils ne le sont pas, mettez du mastic à l'intérieur, sans pointes de vitrier.

Pointe de vitrier

1. Portez des gants épais pour enlever le carreau brisé. Enlevez les pointes de vitrier avec des pinces à long bec. (Il y a deux types de pointes de vitrier : en losange, comme ici, et en poussoir, comme à l'étape 4.)

2. Grattez et enlevez le vieux mastic avec un ciseau à bois ou un couteau à mastic. Poncez. Appliquez un scelleur ou un apprêt sur le bois nu afin qu'il n'absorbe pas l'huile du nouveau mastic. Mesurez l'ouverture ; enlevez ⅛ po dans chaque sens. Taillez le carreau (p. 431).

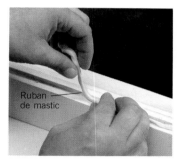

Ruban de mastic

3. Façonnez un ruban de mastic d'une épaisseur d'environ ⅛ po. À l'extérieur, pressez ce ruban autour de l'ouverture. Appuyez le nouveau carreau contre le mastic ; pressez pour aplatir le ruban. Le mastic excédentaire devrait ressortir le long du carreau.

4. Posez des pointes de vitrier tous les 4 à 6 po le long des traverses et des montants. Les pointes doivent s'appuyer fermement contre le carreau. Utilisez un vieux tournevis ou un couteau à mastic rigide pour les enfoncer dans le bois.

5. Faites un ruban de mastic d'environ ⅜ po. Pressez-le sur les pointes de vitrier et contre le carreau.

6. En tenant votre couteau à angle, passez-le sur le mastic pour le lisser. Grattez l'excédent à l'intérieur du carreau. Lorsque le mastic est sec (vérifiez le temps de séchage sur l'étiquette), peignez-le de la couleur de la fenêtre en débordant sur le carreau d'environ 1/16 po.

Dégagement d'un châssis coincé

Les causes les plus courantes du coinçage d'un châssis sont la peinture, l'accumulation de saletés, le gauchissement ou le gonflement du bois. Il peut s'agir aussi d'un coupe-bise trop épais, qu'il suffit de tailler. Une chaîne ou une corde cassées peuvent également entraver le fonctionnement d'un châssis (p. 422). Si le bois s'est gonflé en raison de l'humidité, attendez que le temps soit sec pour réparer.

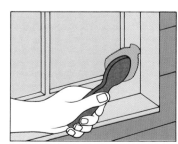

1. Ouvrez délicatement le joint, entre le châssis et le guide, avec un couteau à peinture (illustré ici) ou un couteau à mastic.

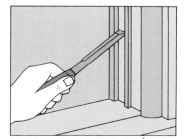

2. Faites glisser les châssis. Ôtez les accumulations de peinture ou de saletés dans les coulisses ; poncez et lubrifiez celles-ci (extrême droite).

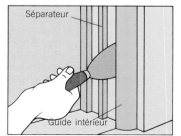

Séparateur

Guide intérieur

Pour élargir une coulisse, enlevez le guide en soulevant délicatement le jambage. Installez-le un peu plus loin du séparateur.

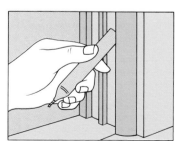

Lubrifiez les coulisses avec du savon, de la paraffine, de la cire, de la vaseline ou de la silicone. Enlevez l'excédent.

Fenêtres / Remplacement des cordes et des coulisses

Chaque côté d'un châssis de fenêtre à guillotine traditionnelle est muni de contrepoids pour faciliter l'ouverture et la fermeture de la fenêtre. Une corde ou une chaîne, reliée à chaque contrepoids, est passée dans une poulie installée dans le jambage et fixée au châssis. Les contrepoids sont dissimulés derrière les jambages latéraux. Les fenêtres modernes sont munies de ressorts compensateurs ou de coulisses à friction (page ci-contre).

Si une fenêtre ne reste pas ouverte (ou fermée), c'est qu'au moins une des cordes est rompue ou coincée. Vérifiez les poulies. Si la corde est sortie de la gorge, remettez-la en place avec un tournevis.

Si la corde ou la chaîne sont rompues, remplacez-les ou installez de nouvelles coulisses à friction (page ci-contre). Les chaînes en acier inoxydable ou en bronze résistent à la rouille. Les cordes de coton à âme de nylon durent presque aussi longtemps que les chaînes. Remplacez les deux cordes même si une seule est défectueuse. Chacune devrait avoir les trois quarts de la hauteur de la fenêtre. Ajustez les longueurs à l'installation.

Coulisses à friction. Faites de vinyle ou d'aluminium, ces coulisses se vendent en kits. Elles remplacent les contrepoids. Si vous en installez, remplissez d'isolant l'espace qu'occupaient les contrepoids.

Ressorts compensateurs. Bien que le ressort soit contenu dans une rainure ou un tube, sa tension peut être ajustée. Remplacez-le par un modèle identique, s'il y a lieu.

Démontage d'un châssis

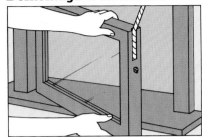

1. Enlevez délicatement les guides intérieurs (p. 420) : vous les réinstallerez. Enlevez le châssis inférieur ; posez-le sur l'appui. Près du sommet, de part et d'autre du châssis, se trouvent des rainures où sont fixées les cordes ou les chaînes.

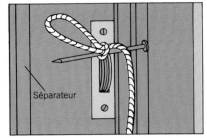

2. Défaites le nœud (ou dévissez la chaîne). Faites remonter la corde jusqu'à la poulie ; attachez-la à un clou pour l'empêcher de tomber derrière le jambage. Faites de même pour l'autre. Pour enlever le châssis supérieur, enlevez les séparateurs.

Remplacement d'une corde par une chaîne

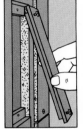

1. Enlevez les deux châssis. Ouvrez les plaques des lumières de contrepoids et enlevez les quatre contrepoids. Détachez ou coupez les cordes et jetez-les.

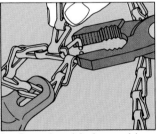

2. Pour le châssis supérieur, passez la chaîne dans les poulies arrière, derrière les jambages, et faites-la ressortir par les lumières. Fixez les chaînes aux contrepoids.

3. Tirez sur la chaîne ; remontez le contrepoids près de la poulie. Bloquez la chaîne avec un clou. Posez le châssis sur l'appui ; placez la chaîne dans la rainure.

4. Coupez l'excédent de chaîne ; vissez le bout au châssis. Réinstallez le châssis et les séparateurs. Faites de même pour le châssis inférieur. Posez les guides.

Remplacement d'une corde dans une fenêtre de vinyle

1. Abaissez le châssis supérieur ; ôtez les vis du haut de la glissière de gauche. Remontez les châssis ; ôtez les vis du bas.

2. Ôtez délicatement la glissière. Abaissez le châssis inférieur. Tirez le côté gauche vers vous pour avoir accès à la rainure.

3. Dégagez la corde de gauche. Remontez-la jusqu'au jambage supérieur. Dégagez la corde de droite ; enlevez le châssis.

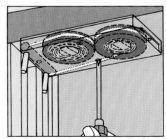

4. Dévissez la glissière du jambage supérieur ; remplacez le mécanisme. Fixez les cordes aux châssis. Remontez le tout.

Installation de coulisses à friction

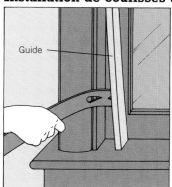 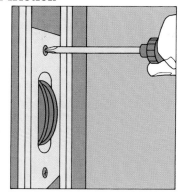   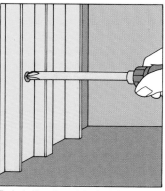

Guide

1. Enlevez délicatement les guides et conservez-les. Ôtez le châssis inférieur, les contrepoids et les cordes. Enlevez et jetez les séparateurs latéraux ; laissez en place celui du jambage supérieur. Dégagez le châssis supérieur de la même façon.

2. Enlevez les poulies. Portez des gants, des lunettes protectrices, un respirateur et un vêtement à manches longues. Bourrez d'isolant les lumières des contrepoids ; remplissez le dessus d'un isolant en vrac, par les trous des poulies. Ôtez les guides de métal avec des pinces.

3. Avec un ciseau à bois, enlevez ½ po à chaque extrémité du séparateur supérieur. Si les glissières sont trop longues, tracez une ligne de découpage suivant la pente du rebord ou de l'appui ; coupez l'excédent. Serrez les rebords ; découpez avec une scie à métaux.

4. Grattez, poncez et apprêtez les jambages. Mettez les châssis dans leurs glissières, le châssis inférieur à l'intérieur. Retenez avec du ruban gommé. Tenez les châssis par le haut et le bas. Passez le bas de l'ensemble dans l'ouverture. Mettez le haut en place ; alignez le bas.

5. Lubrifiez les châssis à la cire ou à la silicone ; faites-les glisser. S'ils se coincent, enlevez-les et rabotez-les ou taillez-les. (Apprêtez et peignez toujours le bois nu.) Si les châssis sont lâches, mettez des cales derrière les glissières ; fixez les guides avec des clous à finition.

Ajustement des ressorts compensateurs

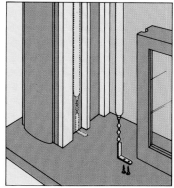 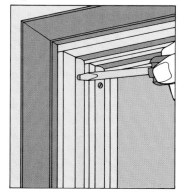 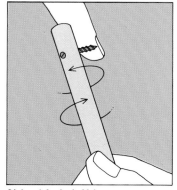 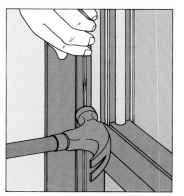 

Le ressort compensateur ajustable est une tige spiralée fixée à un ressort contenu dans un tube. Ce tube est vissé à la partie supérieure du jambage latéral et la tige est fixée au bas du châssis.

Si les châssis ne restent pas fermés ou s'ils s'ouvrent difficilement, ajustez la tension du ressort. La vis qui retient le tube au jambage règle aussi la tension. Tenez le tube et tournez la vis jusqu'à ce qu'elle soit dégagée du jambage. Ne la sortez pas du tube.

Si le châssis inférieur ne reste pas fermé, le ressort est trop tendu. Tenez la vis et desserrez le ressort de deux ou trois tours. Si le châssis est difficile à bouger, le ressort n'est pas assez tendu. Tenez la vis du doigt et tournez le tube vers la droite.

Ressort cassé. 1. Enlevez les guides intérieurs latéraux. S'ils sont en bois, enlevez-les avec précaution et conservez-les pour les réinstaller. S'ils sont en aluminium, séparez-les délicatement du jambage avec vos doigts, en donnant de légers coups de marteau.

2. Enlevez la vis supérieure du tube ; dégagez délicatement le châssis. Enlevez la tige spiralée en dévissant la pièce qui la retient au bas du châssis. Remplacez le mécanisme. Réinstallez le châssis et ajustez la tension du ressort.

Façonnement du métal en feuille 136-137
Moisissure 344
Peinture au plomb 348

Fenêtres / Réparation du rebord et du larmier

Au fil des ans, le temps, beau ou mauvais, détériore le rebord des fenêtres. Étant horizontal, le rebord est vulnérable à la pluie, à la neige, à la glace et aux rayons ultraviolets du soleil. Les cycles humidité-sécheresse et gel-dégel transforment les défauts mineurs de la peinture en craquelures, puis la moisissure s'attaque au bois.

Les indices de pourrissement sont les taches de moisissure et l'écaillage. Si vous avez des doutes, frappez le rebord avec un marteau. Si la consistance est spongieuse ou si le son est creux, sondez avec un poinçon pour déterminer la profondeur du pourrissement. S'il est superficiel, poncez ou grattez jusqu'au bois sain. S'il est pro-

fond, bouchez avec une pâte d'époxyde d'extérieur ou recouvrez de fibre de verre ou de métal. Si tout le rebord est pourri, remplacez-le.

Après avoir réparé ou remplacé un rebord, poncez, apprêtez et peignez. L'installation d'un larmier empêchera l'eau de s'infiltrer dans le mur par capillarité.

Réparation du bois pourri

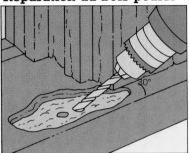

1. Enlevez ce qui est pourri ; laissez sécher. (Ceci peut prendre un mois ; protégez le rebord par mauvais temps.) Lorsque le bois est sec, percez à angle une série de trous de ³⁄₁₆ po, sans traverser la pièce.

2. Mettez des gants de caoutchouc. Au moyen d'un pinceau jetable ou d'un contenant gicleur, saturez la surface d'un apprêt d'époxyde. Laissez sécher. (Vérifiez le temps de séchage sur l'étiquette.)

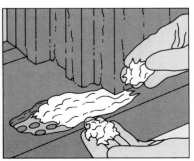

3. Mélangez la pâte à un siccatif. Avec des gants ou un couteau à mastic, mettez-en assez pour pouvoir poncer. Elle durcit rapidement : n'en mélangez pas trop. Lorsqu'elle est sèche, poncez, apprêtez et peignez.

Remplacement d'un rebord

Trait de scie

1. Soulevez le châssis ; enlevez l'appui et l'allège. Sciez le rebord pourri en trois. (Attention au parement.) Si les tiers ne s'enlèvent pas, fendez-les avec un ciseau à bois en évitant d'endommager le rebord. Ôtez les clous.

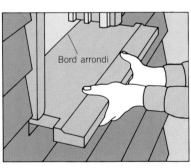

Bord arrondi

2. Le vieux rebord comme guide, découpez-en un de la même épaisseur. Poncez la nouvelle pièce en arrondissant légèrement les bords : cela facilitera l'installation. Scellez toutes les surfaces exposées. Lorsque le rebord est sec, installez-le.

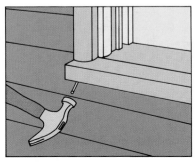

3. Fixez-le aux moulures latérales (clous galvanisés). Noyez les têtes ; remplissez les trous de pâte de bois ; les joints, d'une pâte à calfeutrer à laquelle adhère la peinture (p. 411). Scellez, apprêtez et peignez le rebord. Installez l'allège et l'appui.

Installation d'un larmier

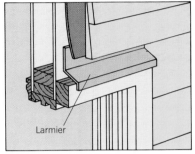

Larmier

Les larmiers préfaçonnés sont en aluminium ou en plastique, blancs ou bruns. Découpez le larmier pour qu'il dépasse la fenêtre de chaque côté ; soulevez ou ôtez le parement ; installez le larmier ; fixez le parement. Calfeutrez les bouts.

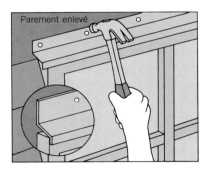

Parement enlevé

Pour une meilleure installation

1. Repliez un larmier d'aluminium préfaçonné ou fabriquez-en un avec une feuille d'aluminium (p. 128, 136). La pente doit être vers l'extérieur. Ôtez le parement ; fixez le larmier avec des clous galvanisés.

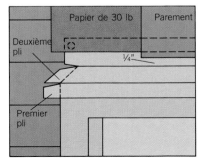

Papier de 30 lb — Parement
Deuxième pli
Premier pli
¼"

2. Pliez l'excédent de façon que le vent ne fasse pas pénétrer l'eau sous le larmier. Installez du polythène ou du papier de construction de 30 lb pour recouvrir les têtes de clous. Remettez le parement, en laissant un espace de ¼ po.

Installation des moulures

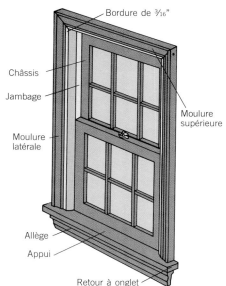

Bordure de ³⁄₁₆"

Châssis

Jambage

Moulure supérieure

Moulure latérale

Allège

Appui

Retour à onglet

Avant de commencer, vérifiez les coins des jambages à l'aide d'une équerre pour vous assurer qu'ils sont à 90°. S'ils ne le sont pas, taillez les onglets de façon qu'ils s'y adaptent. Laissez à découvert une partie égale des rives des jambages de tous les côtés ; une légère différence paraîtra. Jusqu'à ce que toutes les pièces soient ajustées, ne plantez les clous que partiellement : vous pourrez les enlever facilement. Après avoir planté et noyé les clous, enfoncez ceux des coins pour renforcer les assemblages à onglets.

Les fenêtres traditionnelles ont un appui en saillie. Il se vend préfaçonné. Pour obtenir une apparence plus sobre, installez seulement une moulure.

Retour à onglet

Le retour cache le grain de bout. C'est une petite pièce de bois qui part du coin et qui est reliée au mur. Pour harmoniser le grain, découpez l'allège au centre de la pièce (laissez au moins 6 po à chaque extrémité). Taillez les retours dans le rebut. Assemblez l'allège et les retours à 90°.

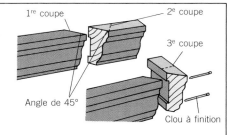

1ʳᵉ coupe

2ᵉ coupe

3ᵉ coupe

Angle de 45°

Clou à finition

1. Collez les retours aux extrémités de l'allège. Enserrez avec du ruban gommé.

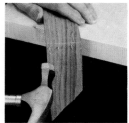

2. La colle séchée, renforcez avec des clous à finition, dans des avant-trous.

3. Sciez l'excédent. Allège et retours formeront une seule pièce.

1. Mesurez et découpez l'appui. Il doit dépasser de 1½ po les moulures et être encoché pour pouvoir s'appuyer contre les jambages. Découpez à partir du centre de la pièce de bois ; conservez les rebuts pour fabriquer les retours. Centrez l'appui ; marquez.

2. Retranchez ¹⁄₁₆ po de la profondeur des encoches. (Cela permettra d'ouvrir et de fermer librement le châssis.) Découpez les encoches avec une scie sauteuse.

3. Mettez de niveau ; fixez l'appui avec des clous à finition de 2 po (dans du bois dur, percez des avant-trous). Étayez l'appui, au besoin, pour le maintenir de niveau pendant le clouage.

4. Mesurez la moulure supérieure (ajoutez ³⁄₈ po) ; découpez les moulures latérales (ajoutez 1 po) ; taillez les coins en onglet. Coupe finale : mesurez en inversant les pièces ; posez les bouts taillés sur l'appui ; marquez les autres ; découpez.

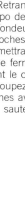

5. Installez la moulure supérieure et les moulures latérales. Mettez de niveau la moulure supérieure. Plantez les clous partiellement ; vérifiez les joints à onglets ; enfoncez et noyez les clous.

6. Découpez l'allège pour que ses coins s'alignent sur les moulures latérales. Ajoutez des retours à onglets (extrême gauche). Percez des avant-trous ; fixez l'allège au mur avec des clous à finition de 2 po. Étayez l'allège et fixez-la avec des clous à finition de 1½ po.

Isolation des fenêtres 324
Le calfeutrage 411
Coupe-bise de fenêtres 453

Fenêtres / Améliorations et efficacité thermique

Améliorer une fenêtre consiste essentiellement à en augmenter l'efficacité thermique. Les pertes de chaleur sont plus grandes aux joints, entre le vitrage et le châssis et entre le châssis et les jambages. La façon la plus simple d'y remédier est de calfeutrer l'extérieur, de poser un coupe-bise à l'intérieur, d'enduire le vitrage d'un produit réflecteur et d'isoler la fenêtre. Il y a des solutions à caractère plus permanent, comme le remplacement du vitrage simple par du vitrage double ou du triple ou l'installation d'une fenêtre *préassemblée* ou d'une fenêtre *de remplacement*.

La fenêtre préassemblée est un ensemble qui comprend les jambages. Choisissez cette solution si vous changez la forme ou les dimensions de l'ouverture ou si vous en découpez une nouvelle. La fenêtre de remplacement est constituée de châssis et de glissières qui s'insèrent dans les jambages existants. Le prix de la fenêtre préassemblée et celui de la fenêtre de remplacement incluent ordinairement l'installation par un professionnel. Plus simple encore (et généralement moins coûteux) : trouvez une quincaillerie ou un centre de rénovation où l'on vous fabriquera des châssis à double vitrage pouvant être posés dans les jambages existants (il vous faudra peut-être de nouvelles coulisses à friction [p. 422-423]).

Le matériau des châssis, le vitrage et le scelleur contribuent tous à l'efficacité thermique de la fenêtre. Choisissez ce qui répond le mieux à vos besoins.

Matériau de la fenêtre	Isolant	Peu isolant	À l'épreuve du pourrissement	Sujet au pourrissement	Peu d'entretien	Beaucoup d'entretien	Lourd	Léger	Peu coûteux	Coûteux	Commentaires
Bois	●			●		●	●		●		Gonfle ou se rétrécit selon le taux d'humidité ; vulnérable à l'eau et aux insectes. Peindre régulièrement.
Bois revêtu de vinyle	●			●	●		●			●	Le bois est vulnérable à l'eau et aux insectes ; le vinyle, cassant au froid, ramollit à la chaleur.
Bois revêtu d'aluminium	●			●	●		●			●	Le bois est vulnérable à l'eau et aux insectes ; l'aluminium se détériore à l'air salin.
Aluminium émaillé		●			●			●	●		La finition, durcie au four ou par procédé électrique, dure longtemps ; déformable ; se dilate et se contracte selon la température ; se détériore à l'air salin.
Aluminium isolé	●				●			●	●		La finition, durcie au four ou par procédé électrique, est durable ; déformable ; se dilate et se contracte selon la température ; se détériore à l'air salin.
Vinyle	●		●		●			●	●		Cassant au grand froid ; se dilate et ramollit par temps très chaud.
Fibre de verre	●		●		●			●		●	Réagit bien à la chaleur, au froid et à l'humidité.
Acier		●	●				●			●	À protéger contre la rouille ; peindre régulièrement.

Simple, double ou triple vitrage : nombre d'épaisseurs de verre ou de plastique dans un châssis. Les épaisseurs d'un double ou d'un triple vitrage sont séparées par une couche d'air ou un mélange de gaz denses (argon ou krypton) qui diminuent les pertes de chaleur. Le verre à faible émissivité thermique « *low-E* » et le verre enduit d'une pellicule isolante réfléchissent la chaleur et les rayons ultraviolets. La valeur R est l'indice de résistance thermique d'un matériau. Plus elle est élevée, plus la résistance est grande.

Vitrage	Valeur R	Épaisseur	Commentaires
Triple vitrage	0,528-0,616	1"- 1½"	Très lourd. Installation par un professionnel.
Verre à pellicule isolante	0,704-1,056	¾"- 1"	Lourd. La pellicule de polyester laisse entrer la lumière ; empêche la chaleur d'entrer l'été et de sortir l'hiver.
Double vitrage avec pellicule à faible émissivité thermique	0,352-1,056	¾"- 1"	Lourd, transparent. Le revêtement métallique réfléchit la chaleur : installer face à l'intérieur (face à l'extérieur en climat chaud).
Double vitrage	0,352	¾"- 1"	Lourd ; peut être teinté couleur bronze ; réfléchissant. Faire installer par un professionnel pour valider la garantie.
Verre trempé	0,176	⅛"- ¼"	Cinq fois plus résistant aux cassures que le verre ordinaire. Doit être coupé par un vitrier.
Simple vitrage	0,176	⅛"- ¼"	Clair, teinté, à motifs, à reliefs ou contenant du fil métallique ; réfléchissant. Facile à couper et à installer (p. 430).
Acrylique	0,176	⅛"- ¼"	Léger, ne se fracasse pas, peut être coupé à la scie. Résiste aux intempéries et aux taches.
Polycarbone	0,176	⅛"- ¼"	Léger, ne se fracasse pas, peut être scié. Blanc ou teinté bronze ; se ternit avec le temps, s'égratigne.

Installation d'une fenêtre préassemblée

La tâche est facile lorsque la nouvelle fenêtre a les mêmes dimensions que la vieille. Si ce n'est pas le cas, il faut certaines compétences en menuiserie et, si le mur extérieur est en brique ou en pierre, l'intervention d'un maçon. Il est toujours plus simple d'enlever une partie de mur que d'en rajouter une.

Les fenêtres préassemblées comprennent les châssis, le rebord, les jambages supérieur et latéraux, le cadre extérieur et parfois le larmier. Pour commander une fenêtre, il vous faut trois mesures : les *dimensions extérieures*, celle de l'*ouverture du bâti* et celle de l'*épaisseur du mur*. Mesurez avec précision. Faites un croquis de l'ouverture et indiquez où vous avez mesuré. Apportez le croquis chez le détaillant. Assurez-vous que la garantie du fabricant sera valide si vous faites l'installation vous-même.

L'installation d'une fenêtre exige un travail soigné mais pas nécessairement difficile. Une fenêtre est toutefois difficile à manier ; vous aurez besoin d'un assistant. Avant de commencer, lisez attentivement les directives.

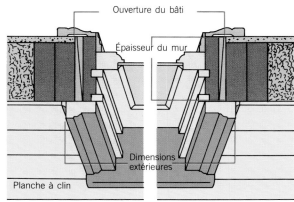

Pour déterminer les dimensions extérieures, incluez le cadre. (Si le parement est en brique, ne mesurez que les dimensions de l'ouverture.) L'épaisseur du mur donne la largeur des jambages latéraux, excluant le cadre. L'ouverture est déterminée par la charpente. Enlevez le cadre intérieur et mesurez l'intérieur de l'ouverture.

1. Enlevez tout ; mettez à nu le bâti. Mesurez la nouvelle fenêtre et ajustez l'ouverture en conséquence. Vérifiez si la fenêtre est d'équerre (étape 3) ; renforcez, s'il y a lieu. Soulevez doucement le parement, insérez du polythène ou du papier de construction de 30 lb autour de l'ouverture. Vérifiez le niveau du rebord ; au besoin, ajoutez des cales.

2. Posez, s'il y a lieu, un larmier (p. 424). Mettez la fenêtre dans l'ouverture. Avec des clous à toiture galvanisés de 1¾ po, fixez un des coins supérieurs. Vérifiez le niveau ; ajoutez et ajustez les cales, au besoin ; plantez-y partiellement des clous. Clouez l'autre coin supérieur. N'enfoncez pas trop les clous en prévision des ajustements.

3. Mesurez les diagonales. Si elles sont égales, les coins sont à angle droit. Sinon, ajustez les cales jusqu'à ce que l'ensemble soit d'équerre, de niveau et bien d'aplomb.

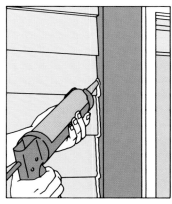

4. Insérez des cales deux à deux dans les côtés, en bas, au milieu et en haut. Insérez-en d'abord une par le gros bout, puis l'autre par le bout effilé. Fixez-les avec des clous à finition. Assurez-vous constamment que la fenêtre est d'équerre, de niveau et d'aplomb. Ouvrez et fermez les châssis pour vous assurer qu'ils coulissent bien.

5. Appliquez de la pâte à calfeutrer d'extérieur à base de polyuréthane (p. 411) autour de la fenêtre pour sceller le joint. Au besoin, installez des moulures à l'extérieur. Pour vous assurer qu'il n'y a aucune infiltration d'air ou d'humidité, appliquez aussi de la pâte à calfeutrer aux joints, entre le cadre et le parement.

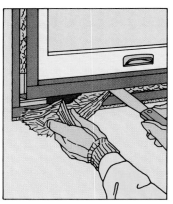

6. À l'intérieur, remplissez les vides de laine minérale ou de mousse gonflante. N'en mettez pas trop : l'une et l'autre peuvent déformer les jambages. **ATTENTION !** Conformez-vous aux directives du fabricant lorsque vous employez de l'isolant. Portez des gants, des lunettes protectrices, un respirateur et des vêtements à manches longues.

427

En bois, en métal ou en vinyle, le châssis d'une fenêtre à battants est fixé au cadre par des charnières, d'un côté, et retenu par une poignée et un loquet, de l'autre. Le châssis, mû par une manivelle ou une glissière, s'ouvre vers l'extérieur. Chacun des éléments qui glisse, tourne ou subit une friction doit être nettoyé et lubrifié annuellement. La silicone est un bon lubrifiant tout usage. Les lubrifiants pénétrants, comme l'huile de graissage, la graisse à auto ou la vaseline, sont utilisés sur les pièces métalliques. La paraffine est indiquée là où il y a frottement de deux pièces de bois.

Si un châssis ne s'ouvre pas complètement, il se peut que le bras ou la glissière soient obstrués par des débris — saletés, rouille, graisse ou peinture. Nettoyez le bois avec un grattoir et du papier abrasif ; lavez le vinyle avec un détergent doux ; frottez le métal avec une brosse à soies rigides. Vaporisez de la silicone. Si la manivelle est de maniement difficile, dévissez-la ; nettoyez et lubrifiez l'engrenage. Si un bras est plié, enlevez-le et redressez-le avec des pinces ou un maillet, ou remplacez-le.

Serrez les boulons et les vis visibles retenant les charnières et les manivelles. Posez des coupe-bise (p. 453). Si le loquet ferme mal, vous devrez mettre une cale sous la gâche. Dévissez la gâche et utilisez-la comme guide pour découper une cale. Faites-y des trous pour les vis. Mettez la cale contre le jambage et réinstallez la gâche.

Quincaillerie

Fenêtres à battants. Elles sont maintenues fermées par un loquet ; deux types sont illustrés à droite. Les vieilles fenêtres à battants sont mues au moyen d'un bras coulissant (ci-dessous) ; les nouvelles sont munies d'un mécanisme à manivelle (extrême droite). Il y a deux types de bras. Si leur maniement est difficile, resserrez les vis lâches, nettoyez les coulisses et lubrifiez les bras à la silicone.

Loquet Gâche Gâche Loquet Pivot Coulisse Pivot

Remplacement d'un carreau

Les carreaux sont retenus, dans les châssis métalliques, par des attaches à ressort et, dans les châssis de bois, par des pointes de vitrier (p. 421). Pour remplacer un carreau, ôtez les éclats de verre avec prudence. Dégagez les attaches avec des pinces. Grattez, poncez et repeignez la coulisse du châssis. La peinture séchée, façonnez un mince ruban de pâte de vitrier ; mettez-le dans la coulisse. Pressez le carreau contre la pâte. Installez les attaches.

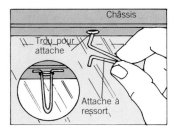

Attaches. Il y en a deux types. Les unes s'insèrent dans des trous du cadre (ci-dessus) ; les autres, sous un petit éperon (à droite).

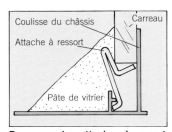

Recouvrez les attaches à ressort d'une pâte de vitrier. Passez un couteau à mastic de biais des deux côtés du carreau.

Réparation d'une manivelle

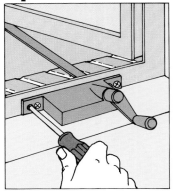

1. Pour enlever le système d'engrenage et le bras, ouvrez partiellement le châssis. Enlevez les vis qui retiennent le mécanisme à la traverse. (Vous aurez probablement à desserrer une vis sur la manivelle.)

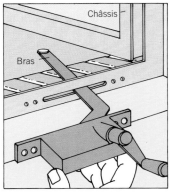

Châssis Bras

2. Le bras glisse dans une rainure située dans la traverse inférieure. En tenant le châssis, glissez le bras vers la gauche ou la droite jusqu'à ce qu'il soit dégagé ; retirez le mécanisme. Dans certains cas, vous devrez dévisser le bras ou le mécanisme d'engrenage.

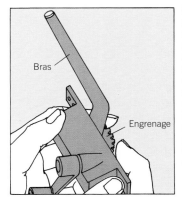

Bras Engrenage

3. Vérifiez s'il y a des pièces brisées ou usées. Assurez-vous que les dents s'engrènent les unes dans les autres. Nettoyez le mécanisme avec du kérosène ; lubrifiez-le avec une huile de graissage légère. Si le bras est plié et que vous ne pouvez le redresser ou si l'engrenage est défectueux, remplacez le mécanisme.

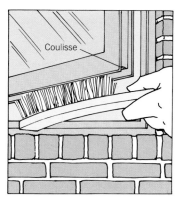

4. Utilisez une brosse à soies rigides pour enlever les saletés accumulées, la graisse durcie, la peinture et autres débris qui obstruent la rainure, la fenêtre et le coulisseau inférieur du châssis. Poncez, apprêtez et peignez, au besoin.

5. Lubrifiez généreusement le coulisseau inférieur du châssis avec de la graisse à auto ou de la vaseline. Appliquez avec un gant ; essuyez l'excédent avec des chiffons ou des serviettes de papier.

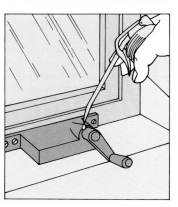

6. Remontez le mécanisme et la manivelle ; fixez-les à la fenêtre. Lubrifiez le joint de la manivelle et les charnières avec une légère couche de silicone, un lubrifiant pénétrant ou une huile de graissage légère. Ouvrez et refermez le battant à plusieurs reprises pour bien répartir le lubrifiant.

Fenêtres à auvent et à bascule

La fenêtre à auvent est constituée d'un battant retenu en haut par des charnières. Elle s'ouvre au moyen d'un mécanisme en ciseaux mû par une *manivelle*. La plupart des fenêtres à auvent s'ouvrent à l'horizontale pour faciliter le lavage. La fenêtre à bascule s'ouvre du haut et se ferme au moyen d'un loquet.

La fenêtre à bascule s'ouvre vers l'intérieur. Les charnières, fixées en bas, permettent de l'ouvrir par le haut. L'ouverture est limitée par la quincaillerie : charnières, chaîne ou bras.

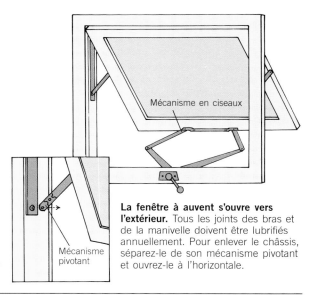

La fenêtre à auvent s'ouvre vers l'extérieur. Tous les joints des bras et de la manivelle doivent être lubrifiés annuellement. Pour enlever le châssis, séparez-le de son mécanisme pivotant et ouvrez-le à l'horizontale.

Fenêtres à jalousies

En raison de son mauvais rendement thermique, on n'utilise la fenêtre à jalousies que dans les espaces restreints. Cependant, comme elle assure une ventilation maximale, on peut l'installer dans un porche fermé et y ajouter une moustiquaire ou une contre-fenêtre.

Les lames sont réglées au moyen d'un système de pivots et de leviers relié à une manivelle. Si elles sont difficiles à ouvrir, lubrifiez les pièces mobiles. Le système a un côté fixe et un côté mobile. S'il est endommagé, tout le côté mobile doit être remplacé.

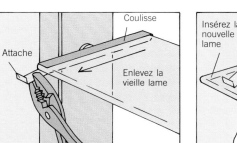

Pour remplacer une lame de verre : 1. Ouvrez à l'horizontale. Avec des pinces, dépliez légèrement les extrémités des attaches pour dégager la lame.

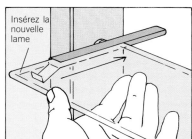

2. Insérez délicatement la nouvelle lame dans les coulisses. Redonnez aux extrémités des attaches leur forme initiale afin de bien maintenir la lame en place.

Pour remplacer le mécanisme pivotant, ôtez toutes les lames. Dévissez le côté mobile ; dégagez-le. Installez le nouvel ensemble. Alignez-y les coulisses.

Fenêtres / Fenêtres coulissantes

Au Canada, la fenêtre coulissante est généralement constituée de deux paires (à double vitrage) de châssis, l'un fixe, l'autre mobile. (La moustiquaire est installée dans une coulisse séparée à l'extérieur ou dans la même glissière ou le même cadre qu'un des châssis, qui devient alors fixe.) La plupart des modèles coulissent dans la glissière du bas, guidés par celle du haut. Le mécanisme le plus courant consiste en une rainure qui chevauche un coulisseau. Certaines fenêtres modernes sont munies de patins ou de roulettes de nylon.

La poussière s'accumule dans les glissières. Il faut donc y passer régulièrement l'aspirateur et, de temps à autre, les laver. Frottez les glissières en vinyle avec une brosse à dents et un détergent ordinaire. Pour le métal et le bois, utilisez une laine d'acier fine ou une éponge abrasive. Lubrifiez les glissières du bas et du haut avec de la silicone.

Les châssis d'aluminium se tachent par oxydation (semblable à la rouille). Frottez avec un produit légèrement abrasif ou avec de la laine d'acier fine et un détergent. Appliquez ensuite une mince couche de cire à auto.

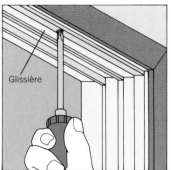

Glissière

Pour enlever les châssis. 1. Fermez et verrouillez le châssis mobile. Avec un tournevis à pointe cruciforme, serrez les vis de la glissière du haut. (D'autres types s'enlèvent tout simplement comme à l'étape 2.)

Glissière

Châssis

2. Si une fenêtre a un châssis fixe et deux châssis ouvrants, enlevez toujours en premier les châssis ouvrants. Déverrouillez-les et, l'un après l'autre, glissez-les au centre de la fenêtre, tenez-les par les côtés et soulevez-les à la verticale. Tirez le bas vers vous pour les dégager et sortez-les.

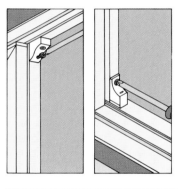

3. Pour enlever le châssis fixe, dévissez les attaches en haut et en bas. Mettez les attaches et les vis dans un endroit sûr.

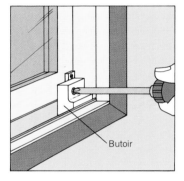

Butoir

4. Dévissez le butoir fixé dans la glissière. Glissez le châssis fixe au centre de la fenêtre. Soulevez-le à la verticale ; inclinez-le de façon à pouvoir l'enlever. Inversez les étapes pour remettre les châssis en place.

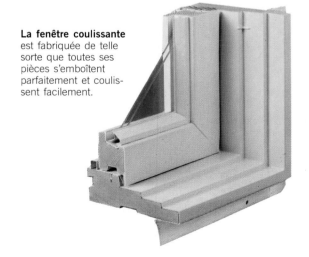

La fenêtre coulissante est fabriquée de telle sorte que toutes ses pièces s'emboîtent parfaitement et coulissent facilement.

Quincaillerie

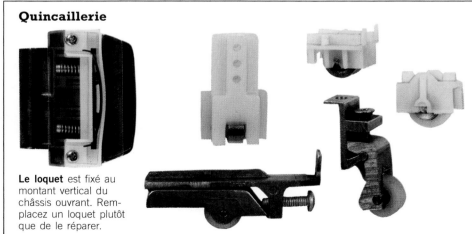

Le loquet est fixé au montant vertical du châssis ouvrant. Remplacez un loquet plutôt que de le réparer.

Les roulettes sont conçues pour soutenir un certain type de châssis et rouler librement dans la coulisse. Il y en a des centaines de types ; on en voit quelques-uns à gauche. Pour remplacer une roulette, adressez-vous au fabricant de la fenêtre ou, chez le détaillant, choisissez-en une identique.

Châssis métallique : carreaux et moustiquaires

Pour couper le verre, mettez-le sur une surface stable et du papier journal. Faites un trait avec un coupe-verre et une règle antidérapante.

Placez le trait sur un clou ou un crayon. Appuyez fort. (Ou séparez brusquement les deux sections avec les mains.)

Ruban et mastic. 1. Enlevez le châssis et le ruban. Retirez les éclats de verre avec des pinces. Portez des gants.

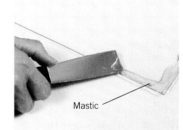

2. Avec un couteau à mastic, mettez du mastic au bord du nouveau carreau. Appuyez doucement le carreau contre le châssis.

Ruban en U. 1. Enlevez le châssis ; dévissez les coins. Enlevez la section latérale du cadre et les éclats de verre dans le ruban.

2. Mettez le ruban autour du nouveau carreau ; glissez le carreau dans le châssis ; remettez le dernier côté.

Rapiéçage

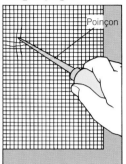

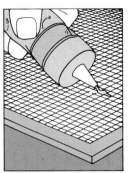

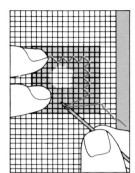

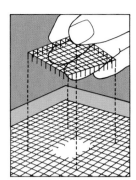

Un petit trou peut souvent être réparé en refaçonnant le grillage avec un poinçon ou un trombone déplié.

Bouchez les petits trous avec de la colle hydrofuge. Utilisez avec parcimonie. Essuyez les gouttes avant que la colle ne sèche.

Dans les grillages de plastique ou de fibre de verre, rapiécez les grands trous avec un matériau semblable.

Pour boucher un trou dans un grillage métallique, pliez les fils tout le tour de la pièce. Fixez au grillage en les repliant.

Remplacement d'un grillage à cadre métallique

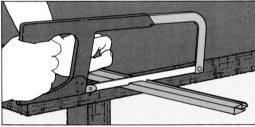

1. Avec une scie à métaux, coupez le cadre aux dimensions voulues ; laissez les extrémités carrées. N'oubliez pas de retrancher la longueur des coins (à droite).

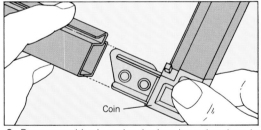

2. Pour assembler le cadre, insérez les coins dans les montants et traverses. Si le sciage a écrasé les extrémités, ouvrez-les avec un vieux tournevis.

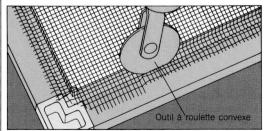

3. Découpez le grillage en laissant ½ po de plus sur tout le pourtour. Insérez le grillage dans les rainures avec un outil à roulette convexe ou un couteau à mastic.

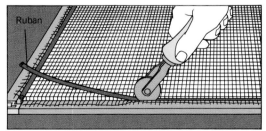

4. Découpez le ruban de calfeutrage avec un couteau à araser. Avec l'outil à roulette, insérez le ruban et le grillage dans la rainure, à petits coups. Coupez l'excédent.

Il y a deux grands types de contre-fenêtres : la contre-fenêtre *complémentaire* et la contre-fenêtre *combinée*. La première, suspendue à des crochets, est maintenue fermée par un crochet et un piton à œil. L'été, on la remplace par une moustiquaire. La deuxième, dont les châssis et moustiquaires coulissent dans des glissières, est fixée sur la moulure extérieure. On l'entretient comme la fenêtre coulissante (p. 430).

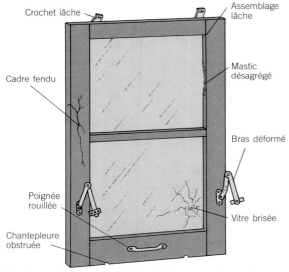

Crochet lâche
Assemblage lâche
Cadre fendu
Mastic désagrégé
Bras déformé
Poignée rouillée
Vitre brisée
Chantepleure obstruée

Examinez et réparez les contre-fenêtres complémentaires avant de les installer.

La fenêtre s'embue si la contre-fenêtre laisse entrer l'air froid. La contre-fenêtre s'embue si l'air chaud fuit autour du châssis intérieur. Posez des coupe-bise. Les chantepleures permettent l'évacuation de la condensation.

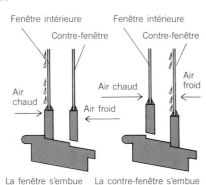

Fenêtre intérieure
Contre-fenêtre
Fenêtre intérieure
Contre-fenêtre
Air chaud
Air froid
Air chaud
Air froid
Air chaud
Air froid

La fenêtre s'embue | La contre-fenêtre s'embue

Réparation d'une moustiquaire à cadre de bois

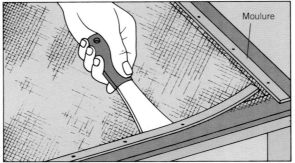

Moulure

1. Ôtez les moulures avec un couteau à mastic rigide. Taillez le nouveau grillage avec 1 po de plus tout le tour.

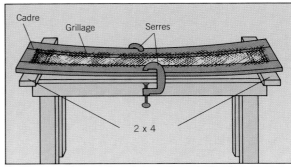

Cadre
Grillage
Serres
2 x 4

2. Pliez le cadre en plaçant des pièces de 2 x 4 po sous chaque bout ; retenez le centre au moyen de serres.

3. Agrafez le grillage à un bout du cadre. Tendez le grillage et agrafez l'autre bout.

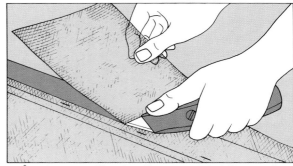

4. Ôtez les serres. Fixez le grillage aux côtés (s'il est en fibre de verre, formez un ourlet). Coupez l'excédent.

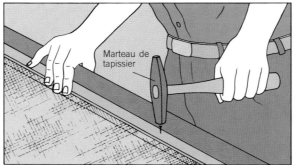

Marteau de tapissier

5. Fixez les moulures avec des clous à finition. Noyez les têtes des clous ; bouchez les trous. Apprêtez et peignez.

Autre méthode. Fixez le grillage au cadre à un bout, à une planche à l'autre. Appuyez sur la planche pour le tendre.

Fermetures de fenêtres

Pour gêner et rebuter les intrus, installez des fermetures. Ne vous fiez pas au dispositif dont sont dotées les fenêtres à guillotine car sa principale utilité consiste à stabiliser le châssis.

Fabriquez une fermeture en perçant le châssis intérieur et une partie du châssis extérieur. Insérez-y un boulon, un goujon ou un gros clou.

Utilisez une tige légèrement moins grosse que le trou pour pouvoir l'enlever facilement et ouvrir la fenêtre. Les fermetures illustrées ci-dessous en sont des variantes. Achetez des fermetures à clé identiques : la même clé pourra les faire toutes fonctionner. Mais, par mesure de sécurité, laissez une clé près de chaque fenêtre (non visible de l'extérieur) de façon à pouvoir ouvrir rapidement en cas d'urgence.

Si le service des incendies de votre municipalité le permet, vous pouvez remplacer les carreaux par un vitrage au polycarbone ou contenant un treillis métallique. Vous pourriez aussi installer des volets ou des grilles.

Fermetures de fenêtres à guillotine

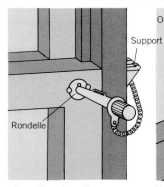

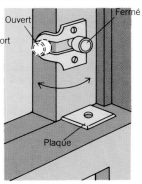

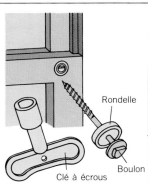

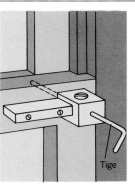

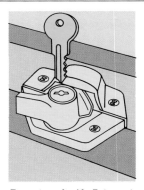

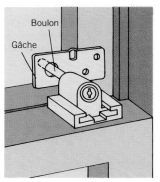

Goupille. Installez-en une de chaque côté. Percez un trou dans le coin supérieur du châssis inférieur et dans le coin inférieur du châssis supérieur. Installez la rondelle et le support ; introduisez la goupille.

Verrou de ventilation. Vissez le verrou au montant du châssis supérieur, à 1 po ou plus au-dessus de la traverse. Vissez la plaque à la traverse supérieure du châssis inférieur. Il permet de régler l'ouverture de la fenêtre.

Boulon de sûreté. Percez un trou au haut du châssis inférieur jusque dans le bas du châssis supérieur. Fraisez (p. 83) le trou pour l'adapter à la rondelle. Serrez le boulon avec une clé à écrous.

Fermeture à tige. Appuyez le dispositif à la traverse ; marquez l'emplacement des trous. Percez le trou de la tige dans le châssis inférieur jusque dans le châssis supérieur, et les trous des vis dans le châssis inférieur.

Fermeture à clé. Enlevez la fermeture à chape. Installez la nouvelle avec des vis à sens unique. Si les nouvelles vis entrent dans les trous existants, bouchez les trous avec de la pâte de bois ; percez-en de nouveaux.

Verrou à clé. Fixez le dispositif sur le coin supérieur du châssis inférieur. Alignez la gâche ; vissez-la au montant du châssis supérieur. Pour pouvoir aérer, posez une seconde gâche 2 ou 3 po au-dessus.

Fermetures de fenêtres coulissantes

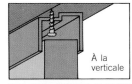

À la verticale

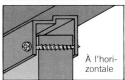

À l'horizontale

Vis. Une vis installée verticalement dans la glissière supérieure élimine la possibilité d'enlever le châssis (en haut). Une vis horizontale (en bas) empêche le châssis de coulisser.

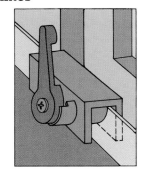

Butoir. Tournez la poignée vers la gauche pour desserrer le boulon. Installez le dispositif au bord de la glissière. Tournez la poignée vers la droite pour resserrer le boulon.

Butoir à clé. Une rainure chevauche le bord de la glissière. Le dispositif peut être utilisé pour que le châssis soit ouvert ou fermé. Tournez la clé pour verrouiller.

Fermeture de fenêtres à battants

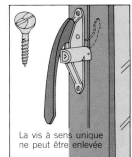

La vis à sens unique ne peut être enlevée

Loquet à clé. Enlevez le vieux loquet. Fixez le nouveau avec des vis à sens unique. (Lorsque vous achetez un loquet de ce genre, précisez s'il sera installé à droite ou à gauche.)

Portes / Structure de base

Il y a trois types de portes : en bois massif, à âme pleine et à âme creuse. L'âme pleine est en bois, en acier ou en mousse isolante ; l'âme creuse est en carton ou en fibre. Les deux peuvent être revêtues d'un placage de bois ou de fibre de verre. La porte d'acier requiert une âme pleine. La porte à âme creuse est utilisée à l'intérieur.

Les portes d'entrée doivent être en bois massif ou à âme pleine. Les portes à âme de mousse revêtue d'acier ou de fibre de verre assurent une meilleure efficacité thermique et exigent moins d'entretien.

Si vous voulez une porte de bois, choisissez-en une ayant une âme en stratifié enrobé de papier d'aluminium. L'âme en stratifié contribue en effet à éviter le gauchissement. Sur les autres portes de bois, l'enduit (p. 117-123) doit être refait tous les trois ou quatre ans pour prévenir le gauchissement.

Les portes ignifuges des maisons unifamiliales, des maisons en rangée ou des petits immeubles doivent pouvoir résister au feu pendant au moins 20 minutes. Elles peuvent être en acier avec âme creuse, en bois massif ou en bois avec âme creuse. Elles doivent présenter une épaisseur de $1\frac{3}{4}$ po (4,4 cm) et avoir été traitées avec un ignifugeant. (Les règlements municipaux contiennent des exigences touchant les portes ignifuges dans les immeubles d'habitation à plusieurs étages.)

Composantes d'une baie de porte

La porte est contenue entre deux *jambages latéraux*, un *jambage supérieur* et un *seuil*. Les jambages sont cloués au *bâti* ; les charnières installées, la porte est posée.

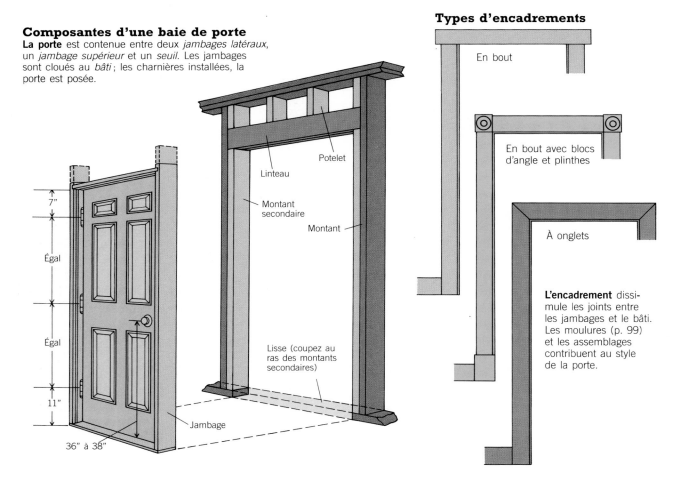

Types d'encadrements

En bout

En bout avec blocs d'angle et plinthes

À onglets

L'encadrement dissimule les joints entre les jambages et le bâti. Les moulures (p. 99) et les assemblages contribuent au style de la porte.

Types de portes

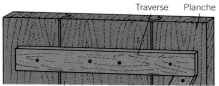

Panneau Montant

Les portes à panneaux de bois massif sont solides mais requièrent de l'entretien.

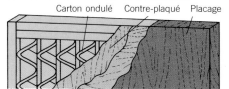

Traverse Planche

Les portes en planches de bois massif conviennent à l'intérieur et à l'extérieur.

Carton ondulé Contre-plaqué Placage

Les portes à âme creuse renferment un support en carton ondulé.

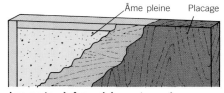

Âme pleine Placage

Les portes à âme pleine ont une âme en acier, en mousse ou en particules.

Charnières

Les charnières sont extrêmement variées. Achetez celles qui s'adaptent à la largeur de votre porte, à son épaisseur et à sa nature. Elles doivent la supporter tout en lui permettant de s'ouvrir facilement. La plupart des charnières portent la spécification *gauche* ou *droite*, qui détermine le sens de l'ouverture. Pour trouver ce sens, tenez-vous face à la porte. Si la porte s'ouvre vers l'intérieur, elle est à ouverture normale ; si elle s'ouvre vers l'extérieur, c'est-à-dire vers vous, elle est à ouverture inversée.

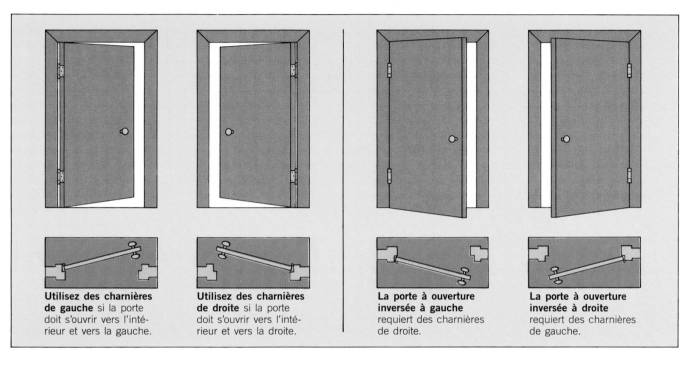

Utilisez des charnières de gauche si la porte doit s'ouvrir vers l'intérieur et vers la gauche.

Utilisez des charnières de droite si la porte doit s'ouvrir vers l'intérieur et vers la droite.

La porte à ouverture inversée à gauche requiert des charnières de droite.

La porte à ouverture inversée à droite requiert des charnières de gauche.

Types de charnières

La charnière est identifiée d'après son mécanisme d'ouverture. La partie plate munie de trous est la *patte* et sa longueur est mesurée parallèlement à la tige. Plus une porte est lourde, plus il faut des charnières solides ou en plus grand nombre.

La charnière de porte a une tige fixe ; on l'installe à droite ou à gauche.

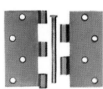

La charnière à tige libre permet d'enlever la porte sans enlever la charnière.

La charnière à coussinet, lubrifiée en permanence (pour les portes lourdes).

La paumelle peut aisément être disjointe.

La charnière à dégagement complet permet d'écarter la porte du chambranle.

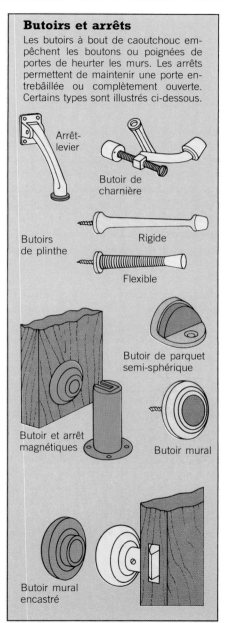

Butoirs et arrêts

Les butoirs à bout de caoutchouc empêchent les boutons ou poignées de portes de heurter les murs. Les arrêts permettent de maintenir une porte entrebâillée ou complètement ouverte. Certains types sont illustrés ci-dessous.

Arrêt-levier

Butoir de charnière

Butoirs de plinthe

Rigide

Flexible

Butoir de parquet semi-sphérique

Butoir et arrêt magnétiques

Butoir mural

Butoir mural encastré

Certains problèmes proviennent de la porte même, des charnières, du loquet ou des jambages. Les problèmes causés par les charnières sont les plus faciles à éliminer. Vérifiez si les vis des charnières sont lâches ou n'ont plus de prise dans le bois. Les problèmes de fermeture (page ci-contre) surviennent lorsque la gâche et le pêne ne sont pas bien alignés.

Une porte très déformée devra être remplacée ; un petit gauchissement pourra être résolu par l'ajout d'une troisième charnière. Une porte qui coince pourra être rabotée ou taillée. Décapez les rives si la peinture est à l'origine du coincement.

Repérage des problèmes

Problème	Solution
La porte frotte aux coins	Serrez ou mettez des cales sous les charnières.
La porte revient	Ajustez une des charnières ou les deux.
La porte se coince par temps humide	Poncez légèrement les rives de la porte et les jambages ; au besoin, mettez le bois à nu, apprêtez et repeignez (une couche). Si le coincement est important, décapez et rabotez la porte.
La porte se coince toujours à un ou plusieurs endroits	La maison a travaillé, modifiant l'alignement des jambages, ou la porte a gauchi. Enlevez la porte et rabotez-la.
La porte se coince sur le nouveau parquet ou le nouveau tapis	Sciez le bas de la porte.
Le pêne ne s'engage pas dans la gâche	Calez la gâche, relogez-la ou ajustez le butoir du jambage.
La porte est branlante	Ajustez la gâche ; ajoutez un coupe-bise.

Vérification des charnières

La porte fermée, insérez une mince pièce de carton entre les jambages et la porte ; si vous ne pouvez faire jouer le carton, l'ensemble est trop serré. Si la porte ne ferme pas, vous devrez probablement ajuster une charnière pour modifier l'angle de la porte par rapport à la gâche.

Si la porte se coince ici, serrez les vis de la charnière supérieure ou calez la charnière inférieure.

Si la porte se coince ici, calez une charnière ou les deux, au besoin.

Si la porte se coince ici, serrez les vis de la charnière inférieure ou calez celle du haut.

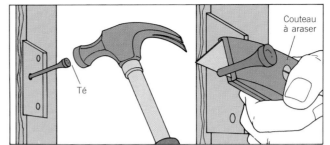

Té

Couteau à araser

Marteau

Placoplâtre

Montant

Mortaise de la charnière

Ciseau à froid

Bloc de 2 x 4

Carton

Charnière

Cale

Porte

Moulure

Vue plongeante

Porte

Cale

Charnière

Bouchez un trou trop grand avec un té, une allumette de bois ou des cure-dents encollés. La colle séchée, arasez. Percez un avant-trou ; vissez. Pour un trou à peine agrandi, percez l'avant-trou à travers le jambage. Enfoncez une vis de 1½ po jusque dans le montant.

En cas d'échec, installez un bloc derrière le jambage. Enlevez la moulure ; découpez le mur sur 10 po ; taillez un bloc dans une pièce de rebut (2 x 4) ; collez-le sur le montant derrière la mortaise de la charnière. Percez des avant-trous jusque dans le bloc.

Posez une cale dans une mortaise trop profonde. Ôtez la patte de la charnière ; découpez une cale dans un carton mince. Installez la patte sur cette cale ; vissez. Vérifiez le fonctionnement de la porte. Si la mortaise est toujours trop profonde, ajoutez une autre cale.

Si la porte revient lorsque vous la fermez, c'est que la mortaise de la charnière supérieure est trop profonde, qu'elle n'est pas à plat, qu'elle n'est pas verticale ou que les charnières ne sont pas alignées. Posez des cales, nivelez ou alignez.

Démontage et rabotage

Pour enlever une porte, retirez tout d'abord la tige de la charnière inférieure. Pour remettre la porte, posez la tige supérieure d'abord. Comme il est plus simple de replacer les charnières que d'ajuster la poignée, rabotez la porte du côté charnières plutôt que du côté poignée. Décapez la rive avant de raboter. Vérifiez souvent le fonctionnement de la porte. Enduisez la rive d'un scelleur à bois clair (p. 120, 123).

Découpage d'un bas de porte

Le plus souvent, lorsqu'on taille une porte, c'est pour créer un jeu entre elle et le parquet ou le tapis. Pour éviter de laisser une marque sur la porte en sciant, recouvrez la semelle de votre scie circulaire d'un ruban gommé. Un découpage important du bas d'une porte à âme creuse dégagera une cavité ; bouchez-la avec le rebut débarrassé de son placage et enduisez le dessous d'un scelleur à bois clair.

Réenclenchement

Si la porte s'enclenche mal, il se peut qu'elle heurte le butoir avant que le pêne ne s'engage dans la gâche. Dévissez la gâche, bouchez les trous des vis avec des allumettes de bois ou de minces goujons, puis percez de nouveaux trous. Rectifiez l'alignement de la gâche et du pêne. Un très petit défaut d'alignement peut être corrigé en agrandissant l'ouverture de la gâche avec une lime à métaux.

Pour enlever les tiges, frappez vers le haut avec un marteau et un vieux tournevis.

Galère

Appuyez la porte dans un coin. Utilisez un rabot pour le dessus et le dessous, une galère pour les rives.

Après le rabotage, creusez les mortaises.

Ciseau à bois

Maillet

Tracez la ligne de découpage avec un couteau à araser pour éviter l'éclatement du bois.

Installez la porte sur des tréteaux ; enserrez le guide ; appuyez-y la scie ; coupez.

Tréteau

Guide

Avec un ciseau à bois, enlevez le placage du rebut. Encollez le rebut, insérez-le dans la cavité ; enserrez.

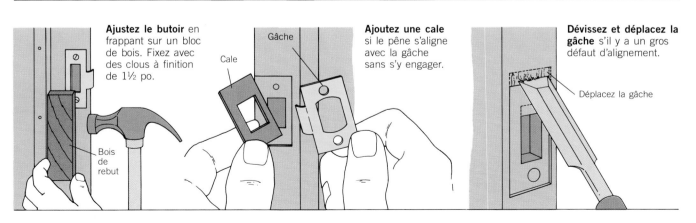

Ajustez le butoir en frappant sur un bloc de bois. Fixez avec des clous à finition de 1½ po.

Bois de rebut

Cale

Gâche

Ajoutez une cale si le pêne s'aligne avec la gâche sans s'y engager.

Dévissez et déplacez la gâche s'il y a un gros défaut d'alignement.

Déplacez la gâche

Que vous installiez un bouton de porte ou une serrure, le travail est le même. La *serrure* comprend les garnitures, les boutons (ou les poignées), un pêne et une gâche. Le *pêne à ressort* peut être ouvert avec un couteau ou une carte de crédit ; le *pêne dormant* ne peut être actionné qu'avec une clé ou un bouton tournant.

La *serrure à barillet* ne peut être actionnée que par une clé (bouton extérieur) et un bouton tournant ou un poussoir (bouton intérieur).

La *serrure à mortaiser* (p. 441) doit être installée par un professionnel, mais vous pouvez la réparer ou la remplacer. Ses dimensions sont variables ; les garnitures cacheront les trous laissés par la vieille serrure.

Les *serrures conjuguées* (page ci-contre) comportent un pêne demi-tour et un pêne dormant — on actionne les deux à la fois en tournant le bouton intérieur, permettant une sortie rapide en cas d'urgence.

Ces types de serrures ne vous mettent pas à l'abri des intrus. Il vaut mieux renforcer la serrure et la porte en appliquant les mesures expliquées en page 441. L'addition d'une serrure d'appoint — une *serrure à palastre* ou un *pêne dormant* (p. 440) — est également recommandée pour plus de sûreté. Les deux types sont peu coûteux et faciles à installer.

Problème	Cause	Solution
Serrure gelée (la clé n'entre pas)	La condensation s'est transformée en glace	Grattez la glace à l'ouverture. Chauffez la clé avec une allumette. Introduisez la clé le plus loin possible. Enlevez et recommencez jusqu'à pénétration complète. Tournez la clé doucement pour dégager les arrêts.
Clé coincée (elle ne tourne pas)	Le barillet s'est peut-être retourné ; la came n'actionne pas le pêne	Replacez le barillet. Comparez la copie de clé à l'originale : elle est peut-être mal taillée. Si vous avez utilisé une clé défectueuse, les arrêts ont pu être endommagés. Remplacez le barillet.
Clé brisée dans la serrure	La clé a été mal ou incomplètement introduite. Mauvaise clé ou copie défectueuse.	Enlevez la partie brisée avec des pinces, un fil d'acier mince ou une lame de scie à guichet. Si cela ne fonctionne pas, enlevez le barillet, tenez-le l'ouverture vers le bas et frappez pour dégager la partie brisée. Ou introduisez un fil d'acier de l'autre côté et poussez.
Pêne coincé (la clé tourne, mais le pêne ne bouge pas)	Le pêne est mal aligné sur la gâche	Resserrez ou calez les charnières de la porte (p. 436-437) ; relogez la gâche ou agrandissez son ouverture. Si le pêne est coincé dans la peinture, grattez la peinture et lubrifiez le pêne.
La clé tourne bien, mais le mécanisme ne s'actionne pas	La queue de la came est lâche ou brisée	Appelez un serrurier ou remplacez la serrure.
La clé est difficile à introduire	Le trou et les arrêts sont sales	Passez les dents de la clé sur une mine de crayon (graphite) ou soufflez un jet de graphite en poudre dans le trou ; tournez la clé plusieurs fois. Vaporisez un lubrifiant pénétrant mais pas d'huile.
	Obstruction	Enlevez comme pour la clé brisée dans la serrure.
La serrure réagit lentement	L'intérieur est sale	Enlevez la serrure et nettoyez comme pour la clé difficile à introduire.

Poignées pour handicapés

Ces poignées permettent aux handicapés d'ouvrir les portes facilement. Elles permettent aussi d'ouvrir une porte avec le coude. La poignée adaptable se pose sur les boutons standard.

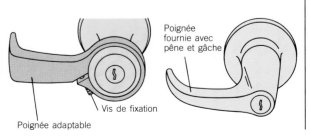

Poignée fournie avec pêne et gâche

Vis de fixation

Poignée adaptable

Serrure tubulaire

Cette serrure est généralement installée sur les portes intérieures, de chambres ou de salles de bains. Le bouton intérieur est muni d'un poussoir qui verrouille la porte. Si la porte est verrouillée accidentellement, on l'ouvre en insérant une petite tige ou un clou dans le bouton extérieur. Pour l'installer, suivez les directives de la page ci-contre.

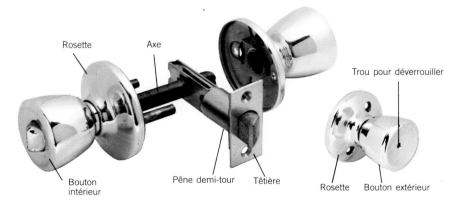

Rosette · Axe · Trou pour déverrouiller · Bouton intérieur · Pêne demi-tour · Têtière · Rosette · Bouton extérieur

Perceuses électriques 52-53
Assemblages à tenon et à mortaise 104-105
Serrures d'appoint 440

Installation d'une serrure tubulaire

Assurez-vous que les vis de la gâche aient 3 po (7,6 cm).

Le bois de la porte peut éclater quand vous percez le trou du barillet : arrêtez avant de déboucher de l'autre côté ; reprenez de ce côté.

Dans certains modèles, le barillet peut être remplacé s'il est endommagé. Pour les modèles comportant un bouton à clé, suivez les directives (à droite).

Serrure avec bouton à clé. Pour verrouiller, utilisez le poussoir à l'intérieur ou la clé à l'extérieur.

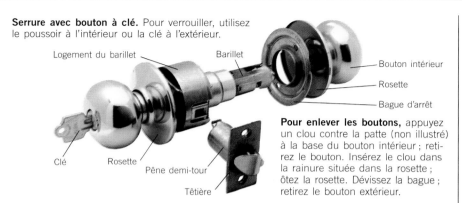

Logement du barillet — Barillet — Bouton intérieur — Rosette — Bague d'arrêt — Clé — Rosette — Pêne demi-tour — Têtière

Pour enlever les boutons, appuyez un clou contre la patte (non illustré) à la base du bouton intérieur ; retirez le bouton. Insérez le clou dans la rainure située dans la rosette ; ôtez la rosette. Dévissez la bague ; retirez le bouton extérieur.

Serrures conjuguées

Il y en a deux types ; l'un a deux pênes que commande de l'extérieur une seule clé ; l'autre est muni d'un pêne supérieur et d'un pêne à ressort et requiert deux clés. À l'intérieur, un seul bouton commande l'ensemble.

Ce type de serrure nécessitant le creusage très précis de deux mortaises, il est préférable de le faire installer par un professionnel.

Barillet du pêne dormant — Tige d'attache du pêne dormant — Bouton tournant — Bouton intérieur — Bouton extérieur — Logement — Tube intérieur — Pêne dormant — Pêne demi-tour

Avec un guide et un poinçon, marquez le centre des trous sur la face et sur la rive.

Découpez à l'emporte-pièce le trou du barillet ; percez celui du pêne avec un foret à trois pointes.

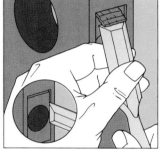

Introduisez le pêne. Marquez le contour de la têtière ; faites la mortaise avec un ciseau à bois.

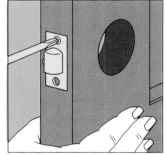

Installez le pêne dans le trou de la rive. Vissez la têtière sur la rive de la porte.

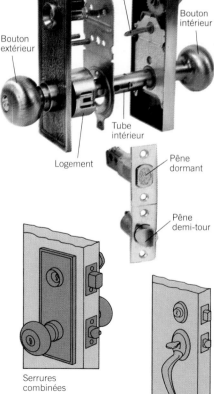

Serrures combinées — Les deux pênes sont actionnés par la même clé

Fixez le bouton extérieur et le barillet au pêne ; suivez les directives du fabricant.

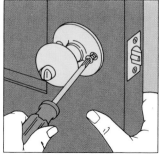

Installez la rosette et le bouton intérieur ; alignez les trous, les vis et les tiges.

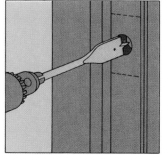

Marquez l'emplacement de la gâche ; alignez sur le verrou. Percez un trou de ½ po de profondeur.

Marquez les contours de la gâche. Creusez la mortaise (la gâche doit affleurer le bois). Fixez.

Perceuses électriques 53
Assemblages à tenon et à mortaise 104
Portes : structure de base 434

Portes / Serrures d'appoint

Discret, le pêne dormant vous assure plus de sécurité. La serrure à palastre, plus visible, est aussi fiable et plus facile à installer. Le coût de votre assurance-vol baissera probablement si vous installez l'un ou l'autre.

Achetez une serrure dont le pêne dormant dépasse de 1 po (2,5 cm) la rive de la porte. Les serrures à pêne dormant sont munies d'un ou de deux barillets ; le modèle à deux barillets s'ouvre au moyen d'une clé, de l'extérieur ou de l'intérieur. Sur une porte vitrée, il évite qu'un cambrioleur l'ouvre en tendant le bras à travers un carreau brisé. Constituant toutefois une entrave à une sortie rapide, il est interdit par les services d'incendie.

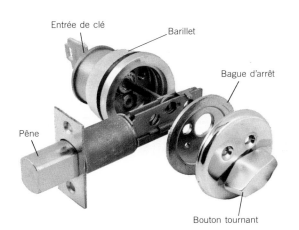

Entrée de clé — Barillet — Bague d'arrêt — Pêne — Bouton tournant

Installation d'un pêne dormant

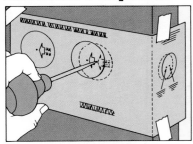

Marquez l'emplacement de la serrure 6 po au-dessus du bouton. Marquez le centre de la serrure et du pêne.

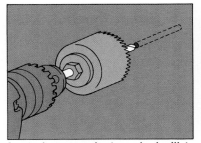

Avant de percer le trou du barillet, faites un avant-trou de ⅛ po de diamètre. Percez à l'emporte-pièce.

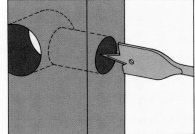

Ouvrez la porte et bloquez-la. Avec un foret à trois pointes, faites le trou du pêne dans la rive.

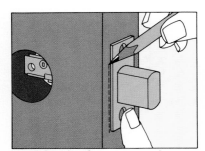

Introduisez le pêne ; marquez les contours de la têtière ; creusez la mortaise. Installez le pêne et la têtière.

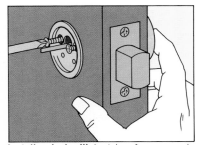

Installez le barillet et le pêne en position verrouillée ; suivez les directives du fabricant.

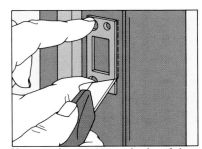

Marquez les contours de la gâche ; creusez le trou du pêne, puis le jambage (la gâche doit affleurer le bois).

Installation d'une serrure à palastre

Installez ce type de serrure à l'intérieur, au bord de la porte et 6 po (15,2 cm) au-dessus du bouton ou de la poignée. Un pêne vertical pénètre dans une gâche fixée le long du jambage. Utilisez des vis de 3 po (7,6 cm).

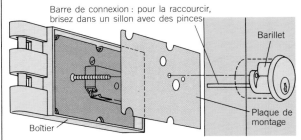

Barre de connexion : pour la raccourcir, brisez dans un sillon avec des pinces — Barillet — Boîtier — Plaque de montage

Percez le trou du barillet ; introduisez le barillet de l'extérieur. Vissez la plaque. Boulonnez le boîtier selon le mode d'emploi.

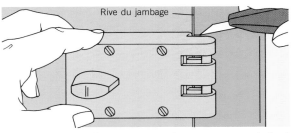

Rive du jambage

Refermez la porte. Avec un couteau à araser, marquez le haut et le bas du boîtier sur la rive du jambage. Ouvrez la porte.

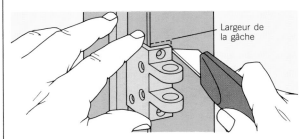

Largeur de la gâche

En tenant la gâche entre les marques faites, tracez son côté sur le jambage. Creusez avec un ciseau à bois ; mettez la gâche. Tracez son autre côté ; creusez. Vissez la gâche.

Serrure à mortaiser

Comportant un pêne demi-tour pour les portes intérieures ou un pêne demi-tour et un pêne dormant pour les portes extérieures, ce type de serrure est installé dans une mortaise creusée dans la rive d'une porte ayant une épaisseur minimale de 1³⁄₈ po (3,5 cm). Comme il est difficile de creuser avec précision une mortaise profonde dans le bois, les serrures à mortaiser sont rarement utilisées. Si vous en avez déjà une, renforcez-la avec une plaque. Pour plus de sûreté, installez une serrure d'appoint (page ci-contre).

Avec un kit de conversion, il est facile de remplacer une serrure à mortaiser par une serrure à barillet. Il contient un mode d'emploi, des guides et des plaques assez grandes pour masquer les anciens trous.

Autres mesures de sécurité

L'*arrêt de porte* vous permet d'entrebâiller la porte. Facile à installer, il est beaucoup plus robuste qu'une chaîne (non illustrée). Le *judas optique*, installé à hauteur d'œil, vous permet de voir les visiteurs sans être obligé d'ouvrir la porte.

La *plaque de renforcement* en U (non illustrée) chevauche la rive de la porte, la poignée et le barillet. Elle protège la porte contre les coups de pied ou de marteau. Il est recommandé de la faire installer par un professionnel.

Si la porte s'ouvre vers l'extérieur, ajoutez un clou dans chaque patte de charnière (extrême droite) ; il sera alors difficile d'enlever les charnières. Renforcez une charnière à la fois.

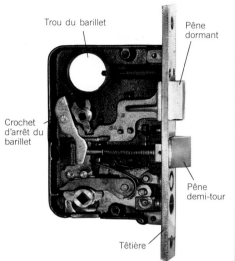

Trou du barillet

Pêne dormant

Crochet d'arrêt du barillet

Pêne demi-tour

Têtière

Conversion d'une serrure à mortaiser

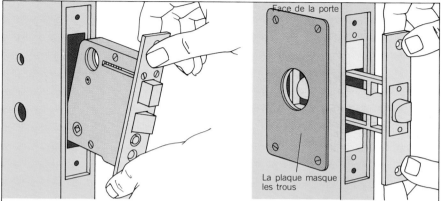

Face de la porte

La plaque masque les trous

Enlevez boutons et quincaillerie : ôtez la serrure par la rive. Marquez l'emplacement de la serrure ; faites le trou à l'emporte-pièce. Introduisez la nouvelle serrure ; agrandissez la mortaise (ciseau à bois) ou rapetissez-la (pâte d'époxyde). Fixez la nouvelle gâche ; agrandissez la mortaise au besoin. Installez la plaque sur la face de la porte ; fixez la serrure ; vérifiez-en le fonctionnement.

Installation d'un judas

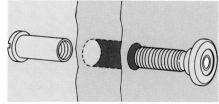

Percez le trou, à hauteur d'œil. Introduisez le judas ; vissez la bague.

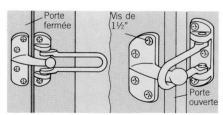

Porte fermée

Vis de 1½"

Porte ouverte

Arrêt de porte. Vissez la plaque avec le bras en U au jambage, l'autre à la porte.

Gâche renforcée

Remplacez une gâche ordinaire par une autre plus robuste.

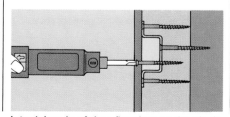

Introduisez la gâche ; fixez-la avec des vis de 3 po.

Serrure et charnières protégées

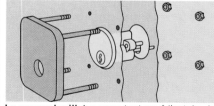

Le couvre-barillet couvre tout sauf l'entrée de clé. Fixez avec des écrous à l'intérieur.

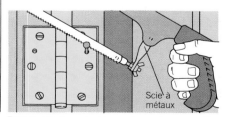

Scie à métaux

Percez un trou de ¼ po dans chaque patte. Plantez-y un clou à moitié ; sciez-le.

Portes / Portes coulissantes

Il y a deux types de portes coulissantes : les portes *de placards* et les *portes-fenêtres*. Les portes de placards sont des panneaux légers et mobiles suspendus dans des glissières à coulisses multiples. Elles sont souvent utilisées pour fermer les garde-robes, car elles permettent d'avoir accès à tout l'espace. Les portes-fenêtres, à cadres de bois, d'acier ou de vinyle, consistent habituellement en deux paires de portes et en une porte moustiquaire, toutes installées dans des coulisses séparées et toutes mobiles.

Entretien. Nettoyez et lubrifiez les glissières régulièrement. Celles des portes-fenêtres exigent plus d'entretien : aspirez les débris et frottez avec une brosse à dents pour enlever les saletés. Utilisez un lubrifiant à la silicone pour assurer le bon fonctionnement des portes. N'employez ni graisse ni huile.

Réparations. Si vos portes de placards sont difficiles à ouvrir, vérifiez les roulettes (extrême droite). Serrez leurs vis. Vérifiez si leurs pattes sont bien placées et les vis bien serrées.

Généralement, les problèmes des portes-fenêtres sont causés par les glissières. Vérifiez s'il y a des ébarbures, des plis ou d'autres déformations. Réparez-les ou remplacez-les au besoin.

Démontage. On peut retirer de leurs glissières la plupart des portes coulissantes en les soulevant ; mais certaines sont munies d'ouvertures par où passer les roulettes. Demandez toujours de l'aide pour enlever les portes-fenêtres.

La glissière supérieure maintient parallèles la porte ouvrante et la porte fixe.

La glissière du bas est constituée de coulisses qui guident la porte.

Ajustez la hauteur des roulettes : passez un tournevis dans le trou prévu dans la porte.

Quincaillerie pour portes de placards

Les pattes à roulettes maintiennent la porte de niveau et assurent un jeu uniforme entre le bas de la porte et le plancher. Il y a des dizaines de types de pattes de suspension, certains comportant une roulette, d'autres deux. (La patte à deux roulettes retient une porte lourde.) Ils sont tous conçus de façon que vous puissiez ajuster la hauteur sans avoir à enlever la porte. Pour ajuster la porte, desserrez les vis et glissez-les dans leur rainure.

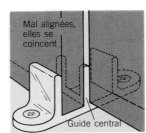

Pour bien fonctionner, les portes de placards doivent être à la verticale (vérifiez avec un niveau) et bien montées dans le guide inférieur. Si elles se coincent, dévissez et replacez le guide.

Mal alignées, elles se coincent

Guide central

Glissières de portes-fenêtres

Pour réparer les petites déformations, découpez un bloc de bois qui entre juste dans la coulisse. Redressez la coulisse en donnant de petits coups de marteau. Une déformation plus grave nécessitera le remplacement de la pièce. Certaines glissières sont vendues en kit dans les magasins spécialisés. Dans certains cas, elles devront être remplacées par un professionnel.

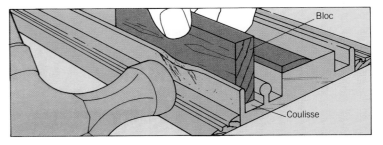

Bloc

Coulisse

Perçage d'une ouverture de porte

Murage d'une porte intérieure

Assurez-vous que la cloison n'est pas portante (p. 191). Tracez les contours de la porte. Avant de découper, assurez-vous qu'il n'y passe pas de conduits de chauffage, de tuyaux ou de fils électriques. Achetez la porte avant de pratiquer l'ouverture. Une porte préassemblée (p. 445) vous évitera d'avoir à installer des jambages. Une porte non assemblée (p. 444) nécessitera la construction d'un cadre.

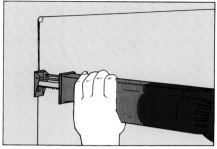

1. Tracez l'ouverture. Portez un casque et des lunettes protectrices. Découpez le plâtre et les lattes avec une scie alternative (p. 62) ; découpez le placoplâtre avec une scie à guichet.

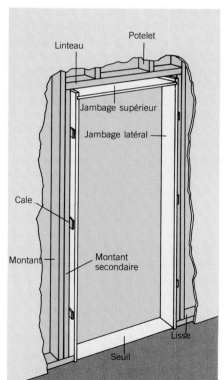

Si vous installez une porte non assemblée, prévoyez 5 po de plus en largeur et 2½ po de plus en hauteur. Pour une porte préassemblée, suivez les directives du fabricant.

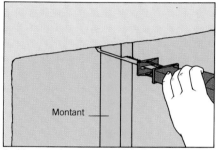

2. Marquez les montants à la hauteur voulue, avec une équerre ; coupez avec une scie alternative. Enlevez en frappant avec un marteau ou en tirant.

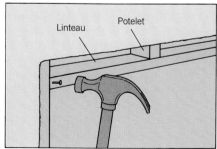

3. Clouez un montant secondaire de part et d'autre de l'ouverture pour retenir le linteau et avoir une base de clouage. Installez de niveau un 2 x 4 en guise de linteau. Ôtez la lisse.

Achetez des montants aux dimensions se rapprochant le plus possible de celles des montants existants. Recouvrez l'ouverture de placoplâtre, même si le mur est en plâtre ; calez pour que le revêtement affleure le mur existant. Si vous murez une porte extérieure, emplissez le vide d'isolant, ajoutez un coupe-vapeur et finissez les deux côtés de façon à ce qu'ils s'harmonisent avec les finitions existantes.

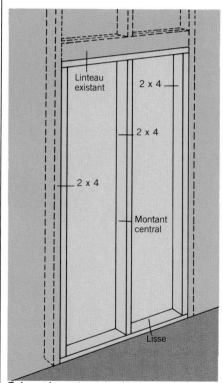

Enlevez la porte et les jambages, le seuil et les moulures. (Portez les accessoires de protection qui s'imposent). Installez la lisse, puis les montants (ci-dessus et à droite).

1. Enlevez la porte. Enlevez les moulures en prenant soin de ne pas endommager le mur. Enlevez le seuil. Si nécessaire, découpez-le en trois et enlevez-le par pièces (p. 454).

2. Tirez sur les jambages latéraux par le bas pour dégager le jambage supérieur et enlever ensemble les trois jambages. Sinon, ôtez chaque pièce séparément.

3. Découpez un à un les montants ou montez une structure à introduire dans l'ouverture (à gauche). Assurez-vous que les montants sont alignés sur les autres ; clouez.

Portes / Installation

Vous devez remplacer une porte, mais les jambages sont en bon état. Vous pouvez acheter une *porte non assemblée*. La porte standard mesure 6 pi 8 po (2 m) et a une largeur de 30, 32 ou 36 po (76,2, 81,3 ou 91,4 cm). D'autres dimensions peuvent être commandées. Mesurez la vieille porte et achetez-en une de même dimension. Si les jambages ne sont pas en bon état, ou si vous n'êtes pas très habile, achetez une porte préassemblée (page ci-contre).

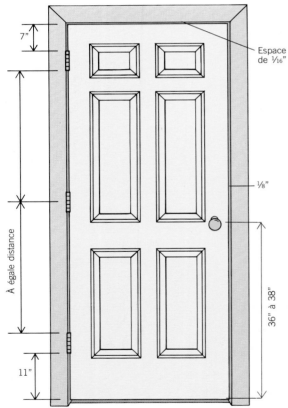

Une porte bien installée s'ouvre et se ferme facilement et sans bruit. Il doit y avoir un certain jeu entre ses côtés et les jambages. Faites percer les trous du bouton et de la serrure à l'achat.

1. Vérifiez l'angle dans le coin formé par le jambage, côté charnières, et le jambage supérieur. Mesurez l'écart entre le jambage supérieur et l'extrémité de la grande branche de l'équerre. Si le coin est d'équerre, passez à l'étape 3.

2. Marquez l'écart côté bouton. Placez une règle entre le haut de la porte, côté charnières, et la marque. Tracez une ligne profonde avec un couteau à araser. Placez la scie juste à l'extérieur de la ligne. Fixez un guide ; coupez.

3. Mesurez la hauteur du jambage côté charnières ; retranchez ⁹⁄₁₆ po. Mesurez les deux côtés de la porte ; faites vos marques en bas. Tracez la ligne et découpez comme à l'étape 2. Chanfreinez avec un papier abrasif moyen.

4. Tenez la porte côté charnières ; soulevez-la sur des cales. (Demandez à quelqu'un d'insérer des cales de l'autre côté.) Continuez jusqu'à ce que le haut de la porte se trouve à ¹⁄₁₆ po (épaisseur d'une pièce de 25 ¢) du jambage supérieur.

5. Transposez l'emplacement et la longueur des charnières sur le bord de la porte. Tracez avec un couteau à araser ou un crayon bien aiguisé. La précision est importante : une erreur de ¹⁄₃₂ po seulement entraînera un mauvais alignement des charnières.

6. Mesurez la partie de la charnière encastrée dans la mortaise du jambage. Rapportez cette dimension sur la porte. Mettez une patte de charnière à l'endroit marqué ; tracez-en le contour avec un couteau à araser.

Porte préassemblée

7. Creusez la mortaise avec un ciseau à bois. Travaillez du centre vers les extrémités, en enlevant peu de bois à la fois et jusqu'à ce que la mortaise ait la profondeur voulue et un fond plat.

8. Mettez la patte de la charnière dans la mortaise. Avec un poinçon, faites des avant-trous décentrés, à l'opposé de la tige ; percez les avant-trous et vissez. Serrez une vis ; laissez les autres lâches.

9. Installez la porte ; serrez les vis. Fermez la porte et vérifiez les espaces. Ajustez le côté charnières avec des cales (p. 436). Rabotez les rives si nécessaire. Peignez ou vernissez la porte, y compris les rives. Installez le bouton et la serrure.

La porte préassemblée étant fixée aux jambages par des charnières, elle vous facilite la tâche. L'installation d'une porte intérieure ne consiste qu'à dégager l'ouverture, à mettre la porte en place, à la caler à la verticale et à la clouer. Si vous installez une porte extérieure (ci-dessous), suivez attentivement le mode d'emploi de façon que l'ensemble soit hermétique. Pour dégager l'ouverture, enlevez les moulures, les jambages et le seuil.

1. Appliquez un ruban de pâte à calfeutrer au polyuréthane au bas du bâti avant de commencer. Installez la porte préassemblée dans le centre de l'ouverture, le seuil reposant sur la lisse.

2. Avec un niveau, vérifiez la verticalité côté charnières. Insérez des cales pour retenir la porte. Fixez-la avec des clous galvanisés de 3½ po au jambage et au montant.

3. Des deux côtés, enfoncez des cales de bois derrière chaque charnière, entre le jambage et le montant. Assurez-vous que la porte demeure bien verticale.

4. Depuis l'extérieur, enfoncez deux clous à finition dans le jambage côté charnières et dans le montant, à l'emplacement de chaque charnière. (Les clous traversent les cales.)

5. Posez un coupe-bise sur le jambage côté serrure (p. 454). Ajustez le jambage pour que tout soit hermétique. Posez des cales derrière la gâche, et au sommet et au bas du jambage.

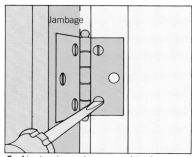

6. Ajustez les cales pour obtenir un espace de ³⁄₃₂ po entre la porte et le jambage côté serrure. Enfoncez les clous dans le jambage, les cales et le montant. Vissez les charnières.

445

Les contre-portes de bois ou à âme de bois ou de mousse isolante sont les plus efficaces sur le plan thermique ; celles en vinyle ou en aluminium résistent au gauchissement.

La porte combinée a un panneau de verre et un grillage interchangeables et permet une transition facile entre les saisons. Si vous avez ce genre de porte, ôtez le panneau de verre et installez la moustiquaire dès le début du printemps. La chaleur emprisonnée entre la contre-porte et la porte d'entrée pourrait finir par faire fondre les coupe-bise ou gauchir les portes.

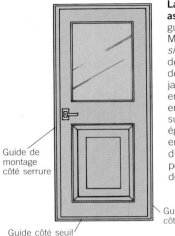

La contre-porte préassemblée a des guides de montage. Mesurez les *dimensions intérieures* de l'ouverture (ci-dessous), entre les jambages latéraux en deux endroits, et entre le jambage supérieur et le seuil, également en deux endroits. Utilisez la dimension la plus petite. Notez le côté des charnières.

Guide de montage côté serrure

Guide de montage côté charnière

Guide côté seuil

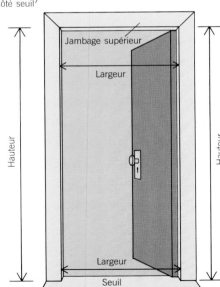

Jambage supérieur

Largeur

Hauteur

Hauteur

Largeur

Seuil

Installation d'une porte combinée

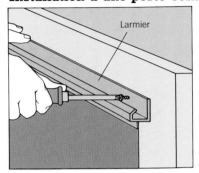

Larmier

1. Suivez le mode d'emploi pour déterminer l'emplacement du larmier. Fixez le larmier au-dessus de l'ouverture avec une vis.

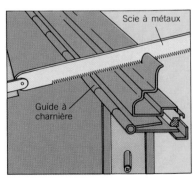

Scie à métaux

Guide à charnière

2. Taillez le guide à charnière à la longueur voulue avec une scie à métaux. Pour déterminer la longueur, mesurez du dessous du larmier jusqu'au seuil et retranchez ⅛ po (ou la longueur prescrite dans le mode d'emploi).

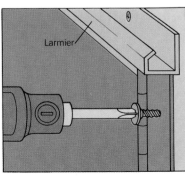

Larmier

3. Appliquez un ruban de pâte à calfeutrer le long du guide à charnière. Sur le jambage, alignez le bord extérieur du dessus du guide et le bout du larmier ; posez la vis du haut. Avec un niveau, vérifiez la verticalité. Vissez.

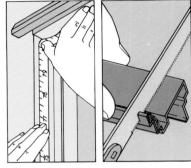

4. Enlevez le larmier, calfeutrez à l'arrière et réinstallez-le. Mesurez le jambage, côté serrure, du larmier au seuil. Avec la scie à métaux, coupez le guide côté serrure à la longueur voulue. Attention de ne pas détacher le coupe-bise.

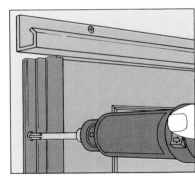

5. Calfeutrez l'arrière du guide et vissez-le. Assurez-vous que l'espace entre le guide et le bord de la porte est égal de haut en bas. (Le mode d'emploi précise la largeur de l'espace.)

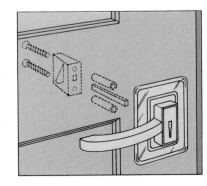

6. Installez le guide côté seuil, la poignée, le ferme-porte et toutes les autres pièces en suivant le mode d'emploi. Au moyen de la vis de tension sur le ferme-porte, ajustez la vitesse de fermeture.

Il existe une variété de pièces de quincaillerie s'adaptant aux contre-portes et aux portes-moustiquaires. Elles ont été conçues pour faciliter le bon fonctionnement des portes.

La porte-moustiquaire en bois est installée de la même façon qu'une porte intérieure (p. 444-445). Remplacez le grillage ou réparez-en les déchirures (p. 431).

Les portes de douche demandent très peu d'entretien, si ce n'est le nettoyage du cadre. Remplacez les panneaux de verre brisés par des panneaux d'acrylique.

Quincaillerie de contre-portes et de portes-moustiquaires

Si la porte est plus épaisse (A) ou plus mince (B) que le jambage, utilisez des charnières dont une patte est plus étroite que l'autre.

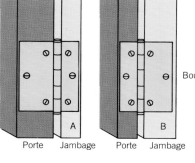

Porte Jambage   Porte Jambage

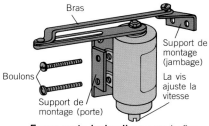

Bras

Support de montage (jambage)

La vis ajuste la vitesse

Boulons

Support de montage (porte)

Ferme-porte hydraulique : on le fixe à la porte et au jambage.

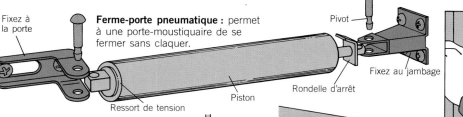

Fixez à la porte

Ferme-porte pneumatique : permet à une porte-moustiquaire de se fermer sans claquer.

Pivot

Fixez au jambage

Ressort de tension

Piston

Rondelle d'arrêt

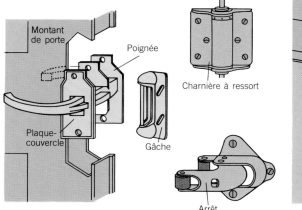

Montant de porte

Poignée

Plaque-couvercle

Gâche

Une fermeture robuste empêche la porte de battre au vent.

Charnière à ressort

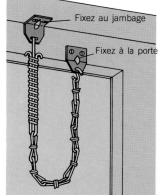

Fixez au jambage

Fixez à la porte

Arrêt

L'arrêt à chaîne limite l'angle d'ouverture de la porte.

Carreau de contre-porte brisé

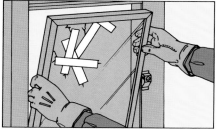

1. Desserrez les vis des attaches et enlevez le cadre contenant le carreau brisé. Portez des gants épais et des manches longues.

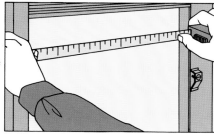

2. Mesurez l'ouverture ; retranchez 1/32 po par pied dans les deux sens, pour la dilatation. Remplacez le verre par de l'acrylique.

3. Installez l'acrylique dans l'ouverture ; serrez les vis des attaches ; repliez les attaches contre l'acrylique.

Vitrage d'une porte de douche

1. Dégagez la porte ; dévissez les coins. En frappant légèrement avec un marteau sur un vieux tournevis, écartez le cadre.

2. Portez des gants. Enlevez le ruban d'étanchéité. Découpez un panneau d'acrylique de 1/8 po, légèrement plus petit que l'ouverture.

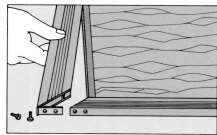

3. Posez le ruban d'étanchéité autour de l'acrylique. Appuyez le cadre contre le ruban ; fixez les vis aux quatre coins.

Les portes de garage articulées comportent un plus grand nombre de pièces mobiles que les portes ordinaires ; elles exigent donc plus d'entretien. Elles doivent s'ouvrir facilement au premier mouvement de la poignée et se refermer tout aussi bien à la moindre traction.

Pour que la porte de garage fonctionne bien, huilez tous les six mois ses roulements à billes, poulies, serrure et câbles. Nettoyez les rails et vaporisez de la silicone ou un lubrifiant pénétrant

(mais pas de graisse ni d'huile). Frottez de paraffine les rebords intérieurs des arrêts (moulures juste devant la porte) pour diminuer la friction à laquelle sont soumises les sections lorsqu'on ouvre ou ferme la porte.

Vérifiez l'alignement des rails tous les ans. Leur portion inférieure doit être verticale. Utilisez un niveau.

Resserrez tous les ans les charnières et les supports. Si les vis ne mordent plus, remplacez-

les par des boulons et des écrous. Percez la porte par le trou existant. Insérez un boulon de l'extérieur et fixez-le avec une rondelle et un écrou à l'intérieur. Assurez-vous que les barres de verrouillage entrent bien dans les gâches. Remplacez les roulements tordus ou brisés ainsi qu'un câble usé.

Il est facile de remplacer un ressort brisé (page ci-contre), mais un ressort de tension sur une porte lourde doit être ajusté par un spécialiste.

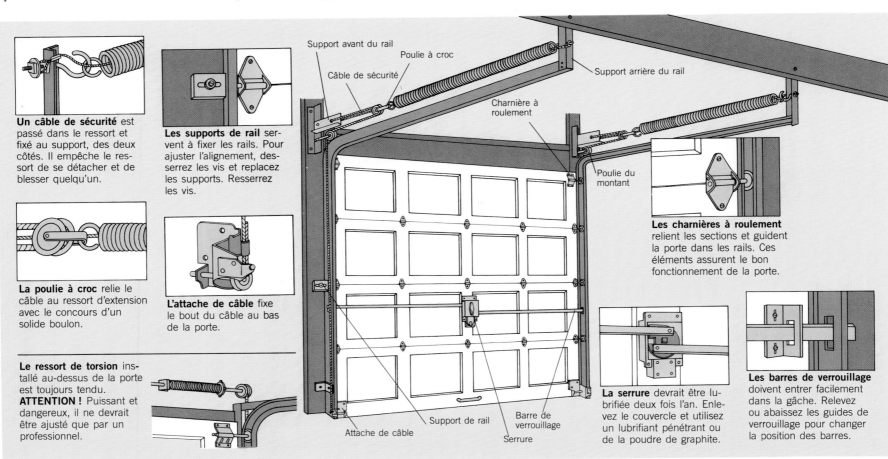

Un câble de sécurité est passé dans le ressort et fixé au support, des deux côtés. Il empêche le ressort de se détacher et de blesser quelqu'un.

Les supports de rail servent à fixer les rails. Pour ajuster l'alignement, desserrez les vis et replacez les supports. Resserrez les vis.

Support avant du rail

Poulie à croc

Câble de sécurité

Support arrière du rail

Charnière à roulement

La poulie à croc relie le câble au ressort d'extension avec le concours d'un solide boulon.

L'attache de câble fixe le bout du câble au bas de la porte.

Poulie du montant

Les charnières à roulement relient les sections et guident la porte dans les rails. Ces éléments assurent le bon fonctionnement de la porte.

Le ressort de torsion installé au-dessus de la porte est toujours tendu. **ATTENTION !** Puissant et dangereux, il ne devrait être ajusté que par un professionnel.

Support de rail

Attache de câble

Barre de verrouillage

Serrure

La serrure devrait être lubrifiée deux fois l'an. Enlevez le couvercle et utilisez un lubrifiant pénétrant ou de la poudre de graphite.

Les barres de verrouillage doivent entrer facilement dans la gâche. Relevez ou abaissez les guides de verrouillage pour changer la position des barres.

Les ressorts s'affaiblissent avec le temps. Pour en ajuster la tension, ouvrez la porte et bloquez-la (à droite). Fixez l'extrémité supérieure du câble de chacun des ressorts à un point plus rapproché pour réduire la tension, plus éloigné pour l'augmenter. Une porte de garage bien ajustée devrait s'immobiliser à n'importe quelle niveau entre 8 po (20 cm) au-dessus du sol et 8 po (20 cm) de l'ouverture complète, dès qu'on l'a lâchée.

Réparation des portes articulées

Problème	Solution
Fonctionnement difficile	Lubrifiez deux fois l'an les roulements, charnières et poulies avec une huile de graissage légère. N'huilez pas les rails ; nettoyez-les et vaporisez de la silicone ou un lubrifiant pénétrant.
Les roulements fonctionnent mal	Examinez les roulements ; s'ils sont endommagés, remplacez-les. S'ils sont gras ou sales, enlevez-les et nettoyez-les à l'alcool. S'ils sont en bon état, vérifiez l'alignement des rails avec un niveau. Ajustez les supports jusqu'à ce que les sections verticales des rails soient d'aplomb. Redressez ou remplacez les rails déformés. Resserrez les vis lâches.
Câble usé	Remplacez le câble, la porte ouverte et immobilisée (à droite). Les câbles doivent être de longueur égale.
La porte s'ouvre trop rapidement	Relâchez la tension : rapprochez le bout de chaque câble des ressorts, dans les attaches au bas de la porte.
La porte s'ouvre difficilement	Augmentez la tension : éloignez le bout de chaque câble des ressorts, dans les attaches au bas de la porte. Égalisez la tension des deux côtés. Assurez-vous que les rails ne sont pas trop écartés.
La serrure se coince	Lubrifiez le mécanisme avec de la poudre de graphite. Assurez-vous que les barres de verrouillage entrent bien dans les gâches ; relevez ou abaissez les guides selon la position voulue.

Remplacement des ressorts et des câbles

1. Ouvrez la porte ; immobilisez-la, en fixant des pinces-étau sous un roulement. Débranchez l'ouvre-porte électrique, si vous en avez un. Remplacez les deux ressorts même si un seul est brisé : une tension inégale finirait par user tout le mécanisme de la porte.

2. Enlevez le câble de sécurité retenant le vieux ressort. Desserrez l'écrou et le boulon (ou toute autre fixation) qui retient le vieux câble au support avant du rail. Tenez le câble pour éviter le mouvement des autres pièces de quincaillerie.

3. Abaissez le ressort en position verticale. Dégagez le câble de la poulie à croc et le vieux ressort du support du rail. Déboulonnez la poulie pour libérer le vieux ressort. Reliez le nouveau ressort, d'abord à la poulie, ensuite au support du rail. Remettez le câble de sécurité.

4. Dégagez le bout du vieux câble de l'attache au bas de la porte. Les vieilles portes présentent un écrou et une rondelle, les nouvelles un axe et un anneau pour faciliter les ajustements. Reliez le nouveau câble à l'attache ; servez-vous du vieux câble comme guide de longueur.

5. Amenez le câble en haut ; passez-le au-dessus de la poulie du montant, puis autour de la poulie à croc (ci-contre). Assurez-vous que la poulie demeure verticale en ramenant le câble vers le support avant du rail.

6. Attachez le câble au support (crochet en S ci-contre). La poulie à croc devrait être alignée sur la section horizontale du rail. Faites de même de l'autre côté. Faites jouer la porte ; ajustez les câbles ; frottez-les avec un chiffon huilé pour éviter la rouille.

449

Quoi de plus commode, tout en restant confortablement assis dans votre voiture, surtout par mauvais temps, que de pouvoir ouvrir votre porte de garage au moyen d'une télécommande à piles. Installer votre propre ouvre-porte électrique représente un travail d'environ trois heures pour deux personnes.

Les ouvre-portes de garage automatiques sont mus par une chaîne, une courroie de plastique ou un treuil, qui peuvent ouvrir une porte double massive au moyen d'un moteur de ¼ ou de ⅓ de cheval-vapeur. Ils actionnent la plupart des portes de garage, même celles à panneau basculant. Si vous installez vous-même l'ouvre-porte, prévoyez, entre le plafond et le plein cintre de l'arc de la porte quand elle se relève, un espace ayant entre 1½ po (3,8 cm) et 3 po (7,6 cm). Si la porte, une fois fermée, dépasse le dessus de l'ouverture, taillez la section du haut ou consultez le détaillant.

Autres accessoires. Le circuit à retour automatique est standard : le mécanisme s'inverse en deux secondes ou moins si un obstacle dépasse le niveau du sol, dans l'ouverture de la porte. Il en est de même pour les lumières automatiques, qui s'allument dès que l'ouvre-porte est actionné, et du déclencheur manuel, qui permet d'ouvrir la porte en cas de panne de courant. La plupart des modèles comportent un dispositif de télécommande et un interrupteur mural.

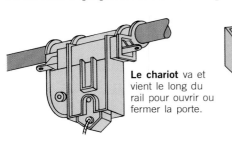

Le chariot va et vient le long du rail pour ouvrir ou fermer la porte.

Un support fixe le rail au-dessus de la porte.

La poulie folle guide le mouvement de la chaîne.

Le rail guide le chariot ; il doit s'élever légèrement vers la porte.

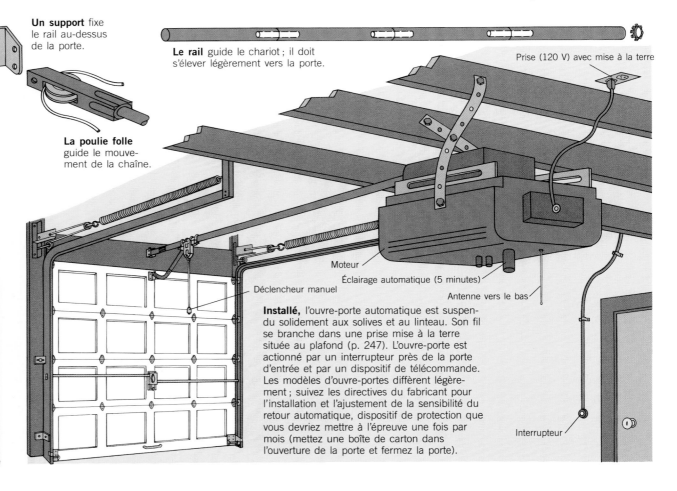

Prise (120 V) avec mise à la terre

Moteur

Éclairage automatique (5 minutes)

Déclencheur manuel

Antenne vers le bas

Interrupteur

Avant de commencer...

Il y a plusieurs éléments à considérer.
- **Source de courant.** Il faut une prise de 120 V avec mise à la terre (trois branches), suffisamment près de l'ouvre-porte pour pouvoir y brancher un fil de 3 à 6 pi.
- **Vieilles serrures.** Neutralisez ou enlevez la serrure à barres de verrouillage. (L'ouvre-porte comporte son propre système de sécurité constitué par une commande ou une clé.) Vous risquez de griller le moteur en lui commandant d'ouvrir une porte verrouillée distraitement au moyen de la vieille serrure.
- **Renforcement.** Si la porte est légère, en fibre de verre ou en aluminium, vous devrez renforcer la section supérieure avec des barres métalliques.
- **Sécurité.** Enlevez les câbles du vieux mécanisme d'ouverture. (L'ouvre-porte comporte son propre système manuel en cas de panne de courant.) Planifiez l'emplacement des interrupteurs. Ils doivent être d'utilisation commode sans être accessibles aux enfants.

Installé, l'ouvre-porte automatique est suspendu solidement aux solives et au linteau. Son fil se branche dans une prise mise à la terre située au plafond (p. 247). L'ouvre-porte est actionné par un interrupteur près de la porte d'entrée et par un dispositif de télécommande. Les modèles d'ouvre-portes diffèrent légèrement ; suivez les directives du fabricant pour l'installation et l'ajustement de la sensibilité du retour automatique, dispositif de protection que vous devriez mettre à l'épreuve une fois par mois (mettez une boîte de carton dans l'ouverture de la porte et fermez la porte).

Outils électriques, vérification et sécurité 242-243
Addition ou extension d'un circuit 248-249
Câblage de nouveaux circuits 250-251

Assemblage des pièces

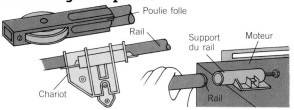

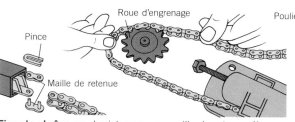

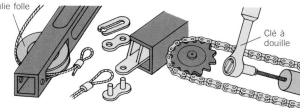

Assemblez le rail : placez un bout dans le support et celui-ci dans le moteur (à droite). Installez le chariot à l'autre bout, de même que la poulie folle (à gauche).

Fixez la chaîne au chariot avec une maille de retenue (à gauche) ; poussez la pince avec un tournevis. Tendez la chaîne jusqu'au moteur ; passez-la sur la roue d'engrenage (à droite).

Amenez le câble de la chaîne autour de la poulie folle et fixez-le au chariot avec une maille de retenue et une pince. Serrez la vis du moteur pour tendre la chaîne (affaissement de ½ po).

Installation du moteur

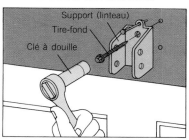

1. Centrez le support au-dessus de la porte (bas du support à 2 po au-dessus de l'arc le plus élevé décrit par la porte). Fixez-le avec deux tire-fond.

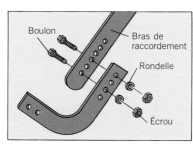

4. Fixez le bras de raccordement droit au bas du chariot. Boulonnez-le à la pièce en L qui élève et abaisse la porte. Une série de trous permet d'ajuster le bras à la longueur voulue.

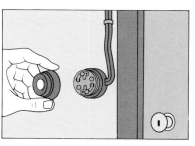

7. Dévissez le couvercle de l'interrupteur ; fixez-y les fils (dénudés sur ¼ po). Installez l'interrupteur dans le garage. Reliez l'autre bout des fils aux bornes du moteur (ci-dessous).

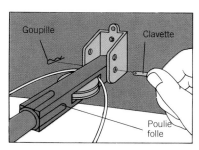

2. Mettez le moteur sur un escabeau pour qu'il soit au niveau du support pendant que vous fixez la poulie folle au support avec une clavette. Retenez la clavette avec une goupille.

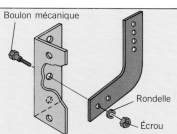

5. Fixez le support (porte) au bras avec un boulon mécanique, qui permet au bras de jouer librement quand la porte s'ouvre ou se ferme.

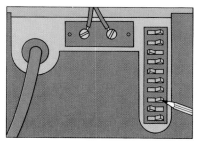

8. Repérez les commutateurs du moteur. Pour composer un code de transmission en vue d'actionner l'ouvre-porte, appuyez au hasard avec un crayon.

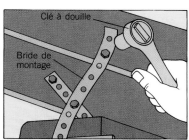

3. Boulonnez les brides métalliques (ou autres attaches fournies) au moteur. Fixez les autres bouts aux poutres ou aux solives du plafond avec des tire-fond.

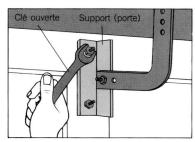

6. Tenez le support contre la porte et marquez l'emplacement des boulons. Percez les trous de l'intérieur ; introduisez des boulons de carrosserie par l'extérieur ; serrez les écrous de l'intérieur.

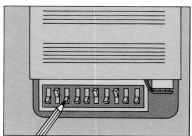

9. Ouvrez le dispositif de télécommande et repérez-y les commutateurs. Composez le même code. L'ouvre-porte ne s'actionnera ainsi qu'à l'aide de ce dispositif.

Coupe-bise / Fenêtres

Les fenêtres doivent être bien scellées pour éviter les déperditions de chaleur, l'hiver, et de fraîcheur, l'été. Les fenêtres neuves comportent généralement un coupe-bise. Mais les vieilles fenêtres requièrent souvent une protection supplémentaire pour éviter les fuites d'air entre les châssis ou tout autour. Les coupe-bise ne remplacent pas les contre-fenêtres ; comme nos hivers sont rigoureux, vous aurez besoin des deux. Si, par exemple, vous avez des contre-fenêtres extérieures, scellez les châssis intérieurs pour éviter la condensation sur l'intérieur de la contre-fenêtre. Les coupe-bise ne seront pas efficaces si un châssis est gauchi ou s'il n'est pas d'aplomb ; il faudra le remplacer (p. 427).

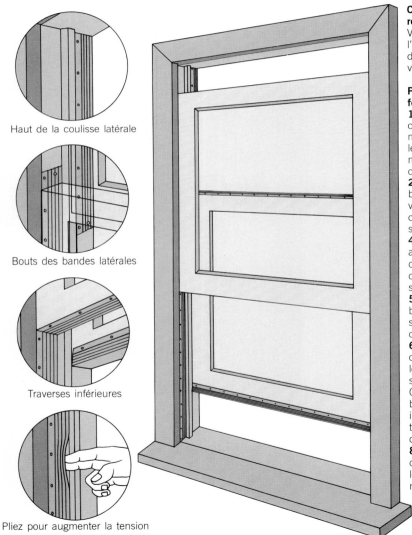

Haut de la coulisse latérale

Bouts des bandes latérales

Traverses inférieures

Pliez pour augmenter la tension

Coupe-bise à ressort métallique. Vous l'installez à l'intérieur, surfaces de clouage vers vous.

Pour sceller une fenêtre à guillotine
1. Remontez le châssis inférieur au maximum. Clouez le coupe-bise métallique aux coulisses latérales.
2. Clouez-en une bande sous la traverse inférieure du châssis. **3.** Abaissez le châssis.
4. Les deux châssis abaissés, clouez le coupe-bise aux coulisses latérales supérieures.
5. Clouez-en une bande sur la traverse supérieure du châssis du haut.
6. Remontez le châssis. **7.** Placez les châssis comme sur l'illustration. Clouez le coupe-bise au rebord intérieur de la traverse inférieure du châssis du haut.
8. Faites ressortir chaque section avec les doigts pour augmenter la tension.

Traverse supérieure

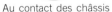

Au contact des châssis

Traverse inférieure

Coupe-bise tubulaire. Se pose à l'extérieur des fenêtres à guillotine.
1. Clouez-en une bande à la traverse supérieure du châssis du haut, la garniture appuyée fermement contre le jambage. **2.** Posez une autre bande sur la traverse inférieure du châssis du bas (garniture vers le bas). **3.** Clouez les bandes latérales sur les montants. Mais, si les châssis sont branlants, fixez-les aux séparateurs. **4.** Pour sceller l'espace entre les châssis, posez une bande sous la traverse inférieure du châssis du haut.

Une fenêtre coulissante est scellée de la même façon qu'une fenêtre à guillotine, avec des coupe-bise tubulaires ou métalliques. Imaginez la fenêtre coulissante à la verticale : elle devient fenêtre à guillotine. Si un des châssis est fixe, calfeutrez-le. Posez les coupe-bise sur l'autre.

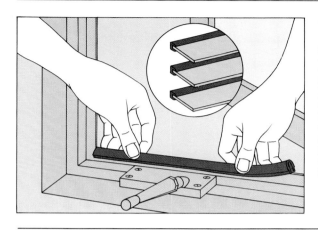

Fenêtres à cadre de métal.
Elles sont faciles à sceller au moyen de garnitures spéciales qui s'installent sur le cadre même. Taillez les coins en onglet et utilisez un bon adhésif (p. 88). Fermée, la fenêtre comprime la garniture, assurant un joint hermétique. Il existe une garniture semblable que l'on pose sur le rebord supérieur de chaque lame des fenêtres à jalousies (médaillon).

Fenêtres à cadre de bois.
Elles peuvent être scellées par des coupe-bise à ressort métalliques que l'on pose dans les coulisses. La bande de clouage se fixe du côté de l'extérieur. Pour des raisons d'esthétique, les coupe-bise tubulaires doivent, quant à eux, être posés à l'intérieur et fixés aux guides, et non aux châssis.

Types de coupe-bise

Tubulaire

Les coupe-bise tubulaires sont en vinyle ou en caoutchouc. Ils sont durables et efficaces, même si les joints sont inégaux. Posés à l'extérieur, les coupe-bise tubulaires réagissent bien aux grands froids.

À ressort métallique

En bronze, en acier inoxydable ou en aluminium, ce type de coupe-bise très durable remplit son rôle par tension. Les portes et fenêtres fermant très juste sont difficiles à ouvrir si elles en sont munies.

En V

Les coupe-bise en V, en métal ou en vinyle, font également appel au principe de la tension. En vinyle, ils sont souvent munis d'un dos autocollant; en métal, ils s'installent avec des clous et durent plus longtemps.

Adhésif

Le caoutchouc mousse adhésif constitue un moyen peu coûteux pour remédier rapidement à un problème de fuite d'air. Très facile à poser, il risque cependant de perdre sa souplesse en une seule saison.

Autocollant

La bande de bois à bord de caoutchouc mousse dure plus longtemps (et est plus chère) que le caoutchouc mousse adhésif. Autocollante, elle est facile à poser sur les surfaces unies.

À rainure

La garniture à rainure, en matière plastique, est posée sur les fenêtres à cadre de métal ou les fenêtres à jalousies. Elle agit par compression et dure 10 ans ou plus.

En T

Les coupe-bise en T, en vinyle ou en aluminium, sont utilisés sur les portes doubles. Un modèle ne comporte qu'une seule pièce que l'on pose sur la porte la moins utilisée; un autre comporte deux pièces.

Magnétique

Les coupe-bise magnétiques pour portes coulissantes sont comme ceux des portes de réfrigérateur. Une partie, fixée au cadre, contient un aimant; l'autre, en métal, est fixée à la porte. L'aimant assure un joint hermétique.

Sabot de porte

Ce coupe-bise consiste en une pièce rigide que l'on visse ou colle sous la porte, et d'une pièce souple qui s'appuie sur le seuil. Certains modèles s'écartent automatiquement de la moquette lorsqu'on ouvre la porte.

Semelle de porte

Il s'agit ici d'un cadre métallique doté, dessous, d'une garniture de vinyle. On glisse la semelle sous la porte, on la visse et on la calfeutre. La garniture, qui s'appuie sur le seuil, assure un joint hermétique.

Garniture de seuil

Elle consiste en une pièce de vinyle insérée dans un seuil d'aluminium. Le vinyle s'appuie contre le bas de la porte fermée, assurant un joint hermétique. Le vinyle usé, on le remplace.

Bas de porte de garage

Fait de caoutchouc résistant, on le cloue au bas de la porte. Les deux pièces latérales s'écrasent et scellent le joint lorsque la porte est fermée.

Coupe-bise / Portes

Les portes sont une importante source de fuites d'air. Fermées, elles doivent être étanches (pour l'entrée à courrier, on trouve des rabats et des couvercles à clé). N'installez pas de coupe-bise sur une porte avant d'avoir ajusté les charnières (p. 436). Posez temporairement les pièces du haut et du bas et faites jouer la porte pour voir si elle se ferme bien et si elle comprime les coupe-bise. Traitez les portes qui communiquent avec des pièces non chauffées.

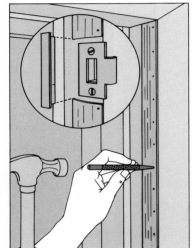

Les bandes métalliques à ressort (et les bandes en V) sont clouées côté ouvert vers l'extérieur. Clouez la bande du dessus, puis celles des côtés. Utilisez un chasse-clou pour ne pas faire de marques. À l'endroit de la gâche, découpez une pièce (médaillon) et clouez sur l'arrêt.

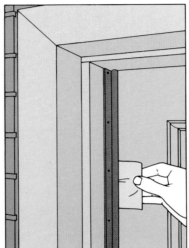
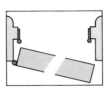

Les bandes tubulaires sont installées sur la face des arrêts. Pour être efficaces, elles doivent être légèrement comprimées lorsque la porte est fermée. Vérifiez de temps à autre (une feuille de papier devrait à peine se glisser entre la porte et la bande).

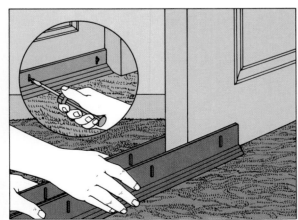

Glissez la semelle, taillée à la longueur voulue, sous la porte ouverte. Ajustez à l'épaisseur de la porte. Fermez la porte. Percez des avant-trous et posez les vis (médaillon) ; ajustez. Serrez les vis. Calfeutrez les bords.

Réparez et peignez le bas de la porte au besoin. Neutralisez l'ouvre-porte électrique. Ouvrez la porte, bloquez-la avec un 2 x 4 et découpez la moulure à la longueur voulue. Clouez ou vissez, le petit rabat vers l'intérieur.

Installation d'un seuil étanche

L'installation d'un seuil d'aluminium avec pièce de vinyle intégrée fermera l'écart entre le bas de la porte et le plancher. Un modèle ajustable scelle les joints inégaux et évite d'avoir à raboter la porte.

Arrêt de la porte

Enlevez le vieux seuil avec un pied-de-biche. S'il s'enlève difficilement, coupez-le à chaque bout avec une scie à dos : le centre se soulèvera facilement. (Protégez la moquette ou le parquet avec un carton retenu par du ruban gommé.)

Délogez les bouts avec un maillet et un ciseau à bois. Découpez le nouveau seuil à la longueur voulue avec une scie à métaux. S'il est plus épais que l'ancien, taillez les arrêts de porte. Nettoyez le plancher sous le nouveau seuil avec de l'alcool.

Posez le seuil, rabat vers l'extérieur. Relevez le rabat et posez les vis. Fermez la porte pour vérifier la hauteur du seuil. Enlevez la pièce de vinyle pour accéder aux vis d'ajustement. Serrez ou desserrez les vis jusqu'à ce que la porte se ferme bien.

Confort au foyer

Chauffage, climatisation et isolation

Votre maison sera confortable et salubre en hiver comme en été si elle est bien isolée et bien aérée, et si les systèmes de chauffage et de climatisation sont adéquats et bien entretenus. Le présent chapitre vous explique comment y arriver tout en réalisant d'importantes économies. Il expose d'abord la question de l'isolation et celle de la ventilation ; il décrit ensuite les systèmes de chauffage et de climatisation les plus courants et offre des suggestions pour les régler, les entretenir et les améliorer. Il propose, en terminant, des moyens pour régler les problèmes d'humidité et de qualité de l'air.

Confort au foyer / Une maison plus confortable

Le confort d'une maison dépend de plusieurs facteurs. Le plus important est sans doute la rigueur du climat, mais il y a aussi l'isolation de l'enveloppe de la maison ainsi que la qualité et l'entretien des systèmes de chauffage, de climatisation et de ventilation.

Évaluation du degré de confort. Si votre maison n'est pas assez confortable, vérifiez l'état de la charpente. Les services publics offrent parfois de faire gratuitement ou à peu de frais l'évaluation énergétique des résidences (parfois à l'aide d'une caméra à infrarouges qui décèle les fuites d'air chaud). Si ce service n'est pas offert, repérez vous-même les sources d'infiltration d'air, d'humidité et d'air vicié.

Il y a courant d'air lorsque les murs et les fenêtres absorbent l'air chaud; plus ces surfaces sont froides, plus l'air circule rapidement. Assis près d'une surface froide, vous êtes incommodé parce que la chaleur de votre corps rayonne vers elle. Le phénomène contraire se produit si la chaleur d'un plafond rayonne vers vous en été; même si l'air est frais, vous êtes incommodé.

Solutions. L'isolant et les coupe-bise (p. 452-454), de même que les contre-fenêtres (p. 432) et les fenêtres à double vitrage (p. 426-427) empêchent les infiltrations d'air. Les fuites d'air affectent le taux d'humidité de la maison. La pose de coupe-bise aux ouvertures (p. 411) et l'isolation des conduits (p. 466) feront peut-être augmenter le taux d'humidité suffisamment pour vous exempter d'avoir recours à un humidificateur en hiver. Enfin, assurez à la maison une bonne ventilation.

▶ **ATTENTION !** Les appareils à combustion comme les chauffe-eau, les chaudières au mazout, les poêles à bois et les foyers ont besoin d'air frais pour bien fonctionner. Il y a généralement assez d'air dans une maison, même bien isolée, pour répondre à ce besoin. Cependant, si vous augmentez l'étanchéité de la maison, vous devrez peut-être installer un conduit d'appel d'air là où se trouvent ces appareils.

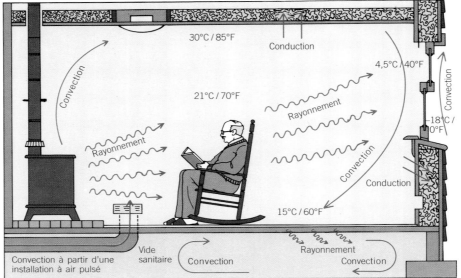

La chaleur se transmet à un matériau — placoplâtre, isolant ou revêtement — par *conduction*. (Mettez la main sur une vitre froide : vous lui transmettrez votre chaleur.) Dans l'air ou l'eau, la chaleur se propage par *convection :* la chaleur monte (au-dessus d'un poêle) et l'air froid descend (le long d'une fenêtre). De la même façon, la chaleur s'échappera d'un plafond où il y a des fuites d'air. La chaleur d'une masse chaude, comme un poêle ou le soleil, se propage par *rayonnement* vers des objets plus froids.

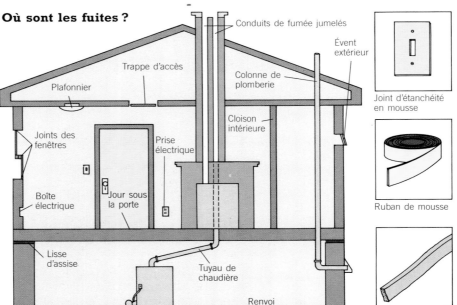

Où sont les fuites ?

Cherchez les fuites d'air. Par temps froid et venteux, approchez une chandelle de l'endroit où vous soupçonnez une fuite ; la flamme vacillera s'il y en a une. Mettez des joints d'étanchéité en mousse derrière les plaques d'interrupteurs et de prises ; posez du ruban de mousse autocollant sur le pourtour de la trappe d'accès à l'entretoit ; bouchez les fuites autour des tuyaux et ailleurs dans les planchers, les murs et les plafonds avec du ruban de mousse ou de la mousse expansible en bonbonne. Calfeutrez les petites fissures dans les fondations et le plancher du sous-sol ; remplissez les joints autour des cadres et entre la cheminée et les murs.

Isolation : notions de base

La résistance d'un matériau isolant au flux de chaleur se mesure en valeur RSI. Plus elle est élevée, plus l'isolant est efficace. L'isolant se vend en nattes de 2½ à 12 po (6 à 30 cm) d'épaisseur, en panneaux de mousse rigides de ½ à 4 po (1 à 10 cm) d'épaisseur et de 2 ou 4 pi (0,6 ou 1,2 m) de largeur sur 8 pi (2,4 m) de longueur, en vrac et en mousse.

Ajoutez l'isolant d'abord aux plafonds sous les espaces non chauffés, autour des conduits dans le vide sanitaire ou l'entretoit, sur les murs extérieurs et les fondations. La quantité d'isolant dépend de la rigueur du climat, des règlements municipaux et de la qualité de l'isolant en place. Le tableau qui suit donne les recommandations minimales d'Énergie, Mines et Ressources Canada pour quatre régions (voir la carte). Les degrés-jours sont basés sur les jours où le mercure descend au-dessous de 18°C (65°F). Plus la saison de chauffage est longue, plus le besoin d'isoler est grand.

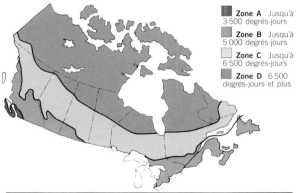

Zone A Jusqu'à 3 500 degrés-jours
Zone B Jusqu'à 5 000 degrés-jours
Zone C Jusqu'à 6 500 degrés-jours
Zone D 6 500 degrés-jours et plus

	Zone A	Zone B	Zone C	Zone D
Murs	RSI 3	RSI 3,6	RSI 4,1	RSI 4,5
Sous-sol	RSI 2,2	RSI 2,2	RSI 2,2	RSI 2,2
Toit ou plafond	RSI 4,5	RSI 5,6	RSI 6,4	RSI 7,1
Plancher (au-dessus d'un espace non chauffé)	RSI 4,7	RSI 4,7	RSI 4,7	RSI 4,7

Efficacité de l'isolant

Ce tableau vous aidera à choisir l'isolant qui convient le mieux à vos besoins. Tenez compte de la cote RSI du matériau, non de son épaisseur. Chaque matériau a ses caractéristiques propres. Les CFC (chlorofluorocarbures), autrefois largement utilisés dans les isolants, affectent la couche d'ozone une fois libérés dans l'atmosphère. La plupart des fabricants ne les utilisent plus depuis le début des années 90, mais certains panneaux rigides pourraient encore en contenir. Vérifiez avant d'acheter.

Type de matériau	Valeur RSI au pouce	Meilleur usage	Avantages	Inconvénients
Nattes et rouleaux Fibre de verre Laine minérale	0,56 0,58	Murs, planchers, entretoits et plafonds cathédrale	Faciles à couper et à installer ; anticorrosifs et ininflammables ; valeur RSI constante	Joints mal comblés à l'installation ; fuites d'air possibles
Isolant en vrac, injecté ou versé Laine minérale ou de laitier Fibre de verre	0,61 0,64	Plafonds plats ou bas, entretoits et espaces confinés	Isole bien les endroits difficiles d'accès ou de configuration irrégulière	Faible valeur RSI
Fibre cellulosique	0,61–0,64	Plafonds plats ou bas	Excellente au-dessus des fermes et solives ; empêche les fuites vers l'entretoit ; injectable	Salissante à la pose ; il faut recourir à un installateur spécialisé
Vermiculite (traitée) (non traitée)	0,38 0,43	Cavités murales, entretoits	Se pose sur l'isolant en place	Contre-indiquée si on veut une valeur RSI élevée
Panneaux rigides Polystyrène extrudé (grande densité) (faible densité)	0,89 0,84–0,89	Murs et fondations	Meilleure résistance à la compression ; efficace au-dessous du niveau du sol	Relativement coûteux par rapport à leur valeur RSI ; doivent être à l'abri du soleil et des solvants
Polystyrène expansé (grande densité) (faible densité)	0,71 0,66	Sur les murs, en panneaux à âme de mousse	Sert de pare-air-vapeur. (Matériau à densité élevée plus résistant à l'humidité)	Pas recommandé au-dessous du niveau du sol ; doit être recouvert d'un matériau ignifuge
Polyuréthane et polyisocyanurate	1,02–1,27	Sur les murs, en panneaux à âme de mousse	Haute valeur RSI au pouce, utile dans les espaces restreints ; sert de pare-air-vapeur	Leur valeur RSI diminue avec le temps ; coûteux ; doivent être recouverts d'un matériau ignifuge
Mousse phénolique (alvéoles ouvertes) (alvéoles fermées)	0,76 1,37	Sur les murs, les toits-terrasse	Plus résistante au feu que les autres mousses ; valeur RSI constante	Coûteuse par rapport à sa valeur RSI ; peut contenir des CFC ; doit être protégée de l'eau et du soleil
Mousse Polyuréthane	1,07	Sur les murs	Peut être appliquée en couches de moins de 2 po d'épaisseur	Doit être protégée du soleil ; à l'intérieur, doit être recouverte d'un matériau ignifuge

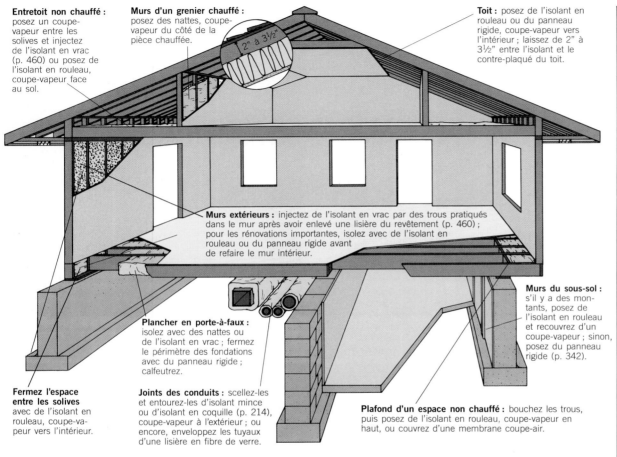

Entretoit non chauffé : posez un coupe-vapeur entre les solives et injectez de l'isolant en vrac (p. 460) ou posez de l'isolant en rouleau, coupe-vapeur face au sol.

Murs d'un grenier chauffé : posez des nattes, coupe-vapeur du côté de la pièce chauffée.

2" à 3½"

Toit : posez de l'isolant en rouleau ou du panneau rigide, coupe-vapeur vers l'intérieur ; laissez de 2" à 3½" entre l'isolant et le contre-plaqué du toit.

Murs extérieurs : injectez de l'isolant en vrac par des trous pratiqués dans le mur après avoir enlevé une lisière du revêtement (p. 460) ; pour les rénovations importantes, isolez avec de l'isolant en rouleau ou du panneau rigide avant de refaire le mur intérieur.

Murs du sous-sol : s'il y a des montants, posez de l'isolant en rouleau et recouvrez d'un coupe-vapeur ; sinon, posez du panneau rigide (p. 342).

Plancher en porte-à-faux : isolez avec des nattes ou de l'isolant en vrac ; fermez le périmètre des fondations avec du panneau rigide ; calfeutrez.

Fermez l'espace entre les solives avec de l'isolant en rouleau, coupe-vapeur vers l'intérieur.

Joints des conduits : scellez-les et entourez-les d'isolant mince ou d'isolant en coquille (p. 214), coupe-vapeur à l'extérieur ; ou encore, enveloppez les tuyaux d'une lisière en fibre de verre.

Plafond d'un espace non chauffé : bouchez les trous, puis posez de l'isolant en rouleau, coupe-vapeur en haut, ou couvrez d'une membrane coupe-air.

L'isolant de fibre de verre est vendu en vrac ou en rouleaux de 8 pi x 14½ ou 22½ po (2 m x 36 ou 56 cm). Ceux-ci sont parfois recouverts d'un coupe-vapeur en papier ou en papier d'aluminium. Coupez-les plus larges (¾ po [19 mm]) que l'espace à combler ; comprimez-les avec une planche et servez-vous d'un couteau denté-lé. Défaites les rouleaux à la main pour passer de chaque côté des fils électriques. Ne comprimez pas l'isolant autour des obstacles, car il perdrait de son efficacité. Ne laissez aucun vide.

▶ **ATTENTION !** La fibre de verre peut avoir des effets nocifs. Portez des vêtements épais et à manches longues, des gants, des lunettes protectrices, une casquette et un respirateur à double cartouche (p. 354).

Si la fibre entre en contact avec la peau, prenez une douche le plus tôt possible. Ne vous grattez pas. Pour travailler dans l'entretoit, mettez de l'éclairage et des planches en travers des solives. Si le coupe-vapeur est inflammable, recouvrez-le de placoplâtre.

Coupe-vapeur

Pour empêcher l'humidité de pénétrer dans un espace isolé, bouchez tous les trous (p. 457), puis posez un coupe-vapeur du côté exposé à la chaleur. Les membranes de polythène (4 à 6 mil), la peinture à faible perméabilité, le coupe-vapeur intégré à l'isolant, les panneaux rigides et l'isolant à bulles font de bons coupe-vapeur.

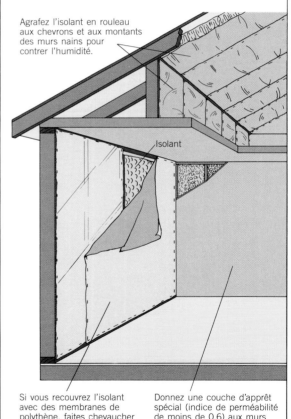

Agrafez l'isolant en rouleau aux chevrons et aux montants des murs nains pour contrer l'humidité.

Isolant

Si vous recouvrez l'isolant avec des membranes de polythène, faites chevaucher celles-ci amplement.

Donnez une couche d'apprêt spécial (indice de perméabilité de moins de 0,6) aux murs injectés de fibre cellulosique.

Isolant en rouleau sous les combles

Pose de déflecteurs

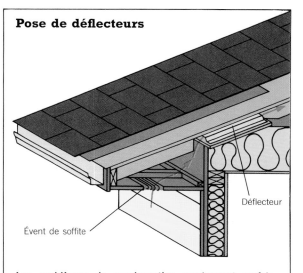

Déflecteur

Évent de soffite

Entretoit non chauffé : posez l'isolant avec le coupe-vapeur en-dessous. Couvrez les sablières en déroulant de l'extérieur vers le centre ; ne recouvrez pas les évents.
ATTENTION ! Pour prévenir les incendies, libérez 3 po autour des plafonniers encastrés et des conduits métalliques.

Grenier chauffé : posez l'isolant de haut en bas, en agrafant la bordure de papier sur la rive des solives, plutôt que sur les côtés. Ne laissez pas d'espaces : coupez l'isolant de biais pour bien isoler jusqu'à la poutre faîtière. Laissez 2 po entre l'isolant et le contre-plaqué du toit.

Les problèmes de condensation surviennent parfois quand on isole l'espace entre le plafond et le contre-plaqué d'un toit plat ou d'un toit cathédrale. Pour éviter la condensation, faites circuler l'air (flèches rouges) en fixant des déflecteurs au contre-plaqué.

Isolation du vide sanitaire

Plancher au-dessus d'un espace non chauffé : posez une membrane coupe-air ou de l'isolant en rouleau, coupe-vapeur contre le plancher ; agrafez du treillis métallique aux solives pour le retenir. Ou encore, faites des supports avec des segments de vieux cintres courbés vers l'isolant.

Murs d'un vide sanitaire sans ventilation : isolez le long de la solive. Coupez l'isolant plus long que le mur (de 1 ou 2 pi) et clouez-le à la lisse basse avec une bande de clouage. Faites la même chose sur les murs parallèles aux solives. En haut, l'isolant doit toucher le plancher.

Les problèmes d'humidité dans un vide sanitaire ventilé se corrigent temporairement : posez de l'isolant en rouleau entre les solives sur tout le périmètre ; agrafez de l'isolant en bulles de 4 pi de largeur sur les solives et la lisse basse. Scellez avec du ruban d'aluminium.

La plupart des bricoleurs ont recours à la vermiculite comme isolant en vrac, mais la fibre cellulosique (papier ignifugé) gagne en popularité. Pour l'appliquer, il faut un appareil composé d'une soufflerie, d'une trémie et d'un tuyau d'au moins 70 pi (21,3 m) de longueur. Injectée à bonne densité, la fibre cellulosique réduit les fuites d'air de 20 à 33 p. 100. Vérifiez si le produit a été inspecté : les sacs devraient porter la mention CCMA n° 8532.

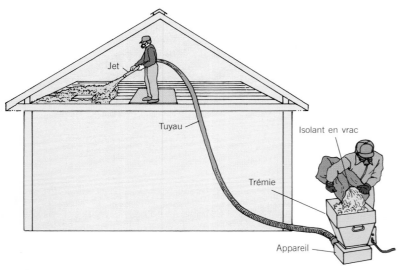

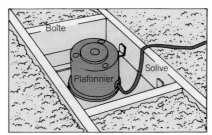

Combles : soufflez l'isolant en vrac sur l'isolant en place. Répandez-le jusqu'au-dessus des murs extérieurs sans couvrir les évents de soffite que vous aurez dégagés avec des déflecteurs en mousse (p. 461). Pour prévenir les incendies, faites une boîte autour des plafonniers encastrés pour en éloigner l'isolant d'au moins 3 po. De temps en temps, laissez retomber la poussière. Isolez la trappe des combles ; posez-y des coupe-bise.

La ventilation contribue à chasser l'humidité en hiver et la chaleur en été. Les évents de soffite ou au bas de la toiture laissent entrer l'air frais, ceux sur la longueur du faîte ou dans les pignons laissent sortir l'air chaud. Les illustrations à droite montrent les combinaisons possibles. Les évents de pignons sont utiles et faciles à installer, mais un évent sur la longueur du faîte est plus efficace.

La ventilation est tout particulièrement importante dans un entretoit isolé. Comme il y pénètre peu d'air chaud depuis la pièce au-dessous, la température baisse et l'humidité qui réussit à s'y infiltrer se condense et peut causer des dommages parfois importants à la charpente.

Les codes exigent généralement que la surface des évents (prises et sorties) soit équivalente au moins aux trois centièmes de la surface de plancher de l'entretoit et qu'elle soit partagée entre évents de soffite et évents de faîte. Tenez compte cependant du climat de votre région : plus il est doux, plus la ventilation garde l'entretoit sec en hiver et frais en été.

Les évents à ventilateur installés sous les combles sont parfois bruyants, pas toujours fiables et guère plus efficaces qu'un évent traditionnel. Il ne faut pas les confondre avec le ventilateur central (p. 492-493) qui sert à garder la maison fraîche en été. Cependant, si vous installez un ventilateur central, vous devrez probablement améliorer la ventilation de l'entretoit, car il chassera beaucoup plus d'air qu'un système ordinaire de ventilation.

Évents de soffite et de pignon

Évents de soffite et de faîte

Évents dans la toiture

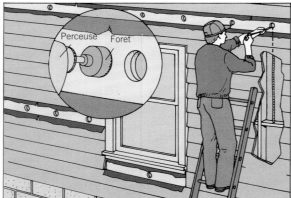

Isolant soufflé dans les murs : 1. Coupez le courant. Ôtez une lisière du parement (p. 407-410) et percez des trous de 2 à 3 po entre les montants, tous les 16 ou 24 po. Repérez les coupe-feu avec un ruban à mesurer ; ôtez une autre lisière de parement plus bas ; percez d'autres trous.

Portez des lunettes, des vêtements protecteurs et un respirateur à double cartouche (p. 354).

2. Fixez 5 pi de tuyau de vinyle souple de 1¼ po au tuyau de l'appareil. Injectez 1 pi à la fois, en commençant par le bas. Ne mettez pas trop d'isolant pour ne pas déclouer la finition intérieure. Le travail terminé, obturez les trous avec de la fibre de verre et remettez le parement.

Construction d'une maison 188-190
Repérage d'un montant 191
Échelles et sécurité 383

Évents de soffite

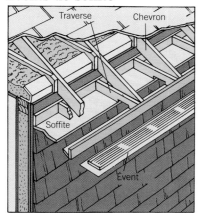

Évent en lisière. Coupez la sous-face du soffite et vissez l'évent dans les traverses auxquelles la sous-face est fixée. Ou encore, installez de petits évents rectangulaires entre les chevrons.

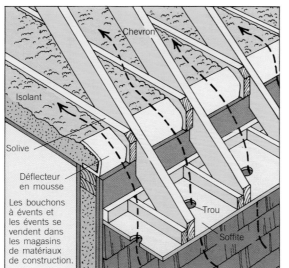

Les bouchons à évents et les évents se vendent dans les magasins de matériaux de construction.

Bouchon

Bouchons à évents. Percez des trous plus petits que les bouchons. Posez des déflecteurs en mousse entre les solives du plafond pour dégager les évents et éviter que l'air froid ne s'infiltre dessous. Mettez les bouchons dans les trous.

Évent au faîte

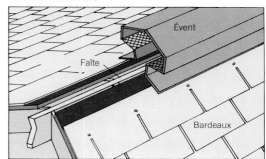

Tringlez une ligne à 2 po de chaque côté du faîte, coupez le bardeau et le feutre au couteau, le contre-plaqué à la scie circulaire. Réglez la profondeur de coupe pour ne pas scier les chevrons. Enduisez le dessous de l'évent de pâte à calfeutrer ; clouez.

Évents de pignon

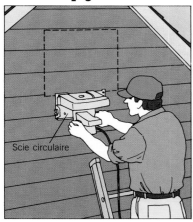

1. Tracez l'ouverture requise (¼ po plus grande que l'évent, sans compter le bord) sur le pignon. Découpez dans le parement et le revêtement en suivant le tracé et en laissant suffisamment de place pour pouvoir clouer le bord de l'évent.

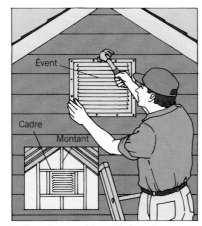

2. Sous les combles, éliminez les montants de l'ouverture en laissant un dégagement de 1½ po en haut et en bas ; posez le cadre. Clouez l'évent de l'extérieur, dans le revêtement et dans le cadre. Posez la garniture ; calfeutrez le joint.

Avant de poser un évent triangulaire, assurez-vous qu'il sera adapté au pignon. Dans l'entretoit, tracez l'emplacement de l'évent et percez des trous pour découper de l'extérieur, sans toucher aux chevrons. Complétez comme pour un évent rectangulaire.

Évent dans la toiture

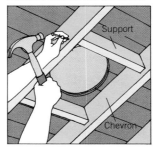

1. Dans le grenier, plantez un clou là où sera le centre de l'évent. Sur le toit, repérez le clou ; découpez dans les bardeaux et le contre-plaqué un trou un peu plus grand que l'ouverture de l'évent. Construisez un support.

2. Soulevez assez de clous pour glisser le rebord de l'évent sous les bardeaux. Mettez de l'enduit à toiture sous l'évent, glissez-le sous les bardeaux et fixez-le avec des clous à toiture galvanisés, à joint d'étanchéité.

461

Confort au foyer / Ventilateurs : salle de bains et cuisine

Le ventilateur de salle de bains évacue l'air humide qui pourrait se condenser, faire écailler la peinture, entraîner la formation de moisissure et même attaquer la charpente de la maison. De préférence, placez le ventilateur au haut d'un mur extérieur, près de la douche et aussi loin que possible de la porte ; ainsi, vous n'aurez pas besoin de longs conduits. Vous pouvez également le poser au plafond, avec des conduits de 3 ou 4 po (7,5 ou 10 cm) de diamètre qui mènent vers l'extérieur. Il est pratique de brancher le ventilateur à une minuterie ou à un hygrostat qui contrôle automatiquement l'humidité.

La hotte de cuisinière dont le ventilateur est relié à un évent aide à chasser la fumée, la chaleur, les odeurs, l'humidité et les vapeurs de graisse. La hotte sans évent sert seulement à filtrer les vapeurs de graisse. La hotte devrait être aussi large que la cuisinière ; installez-la 24 po (60 cm) au-dessus. Les hottes approuvées par l'ACNOR sont les mieux adaptées.

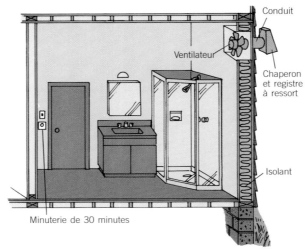

Installez le ventilateur sur un mur extérieur ; reliez-le à l'évent avec un petit bout de conduit. Posez un registre à gravité plutôt qu'à lames, car ce type entrave le flux d'air.

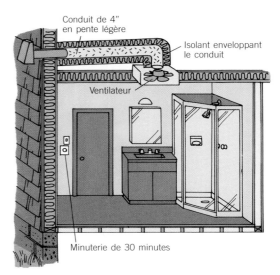

Installez au plafond un ventilateur et un conduit de 4 po de diamètre. Faites passer le conduit dans l'entretoit, en pente vers l'extérieur. Scellez et isolez pour limiter la condensation.

Installation d'un ventilateur dans un mur extérieur

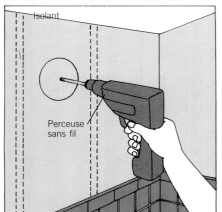

1. Tracez l'emplacement du conduit entre les montants. Coupez le courant et percez le centre du tracé jusqu'au mur extérieur. Attention à la plomberie et aux fils électriques. Découpez une ouverture légèrement plus grande à l'intérieur qu'à l'extérieur.

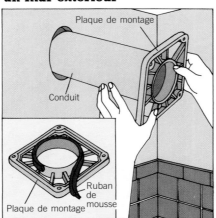

2. À l'endos de la plaque de montage, posez un ruban de mousse sur le pourtour et sur le collet (médaillon). Raccordez le conduit au collet et glissez-le dans le trou, plaque contre le mur. À l'extérieur, marquez le conduit au ras du mur ; sortez-le et coupez-le.

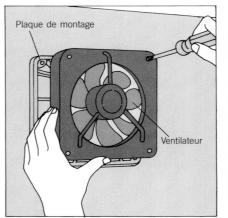

3. Installez le conduit et percez des trous de guidage pour les vis de la plaque. Passez le fil électrique dans la plaque de montage (p. 250) et vissez-la au mur. Raccordez les fils électriques et vissez le ventilateur sur la plaque de montage.

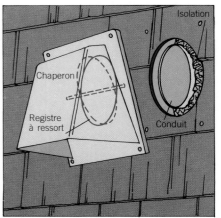

4. À l'extérieur, bouchez l'interstice entre le mur et le conduit avec de la laine minérale ou de la mousse expansible. Vissez le chaperon au mur et placez le registre à ressort sur le conduit. Vérifiez le fonctionnement du registre. Calfeutrez le joint.

Ventilateur à récupération de chaleur

Les maisons très étanches retiennent l'air humide et vicié. Par temps froid, des problèmes de condensation peuvent donc surgir. On y remédie habituellement en suivant les conseils donnés aux pages précédentes. Cependant, étant donné la rigueur de notre climat et le coût élevé du chauffage, le ventilateur à récupération de chaleur est parfois à recommander.

Cet appareil — aussi appelé échangeur de chaleur — donne une ventilation continue. La chaleur de l'air vicié expulsé de la maison par le ventilateur sert à réchauffer l'air frais qui y pénètre. En hiver, ce type de ventilateur fournit habituellement un flux d'air variant entre 5° et 15°C (40° et 60°F). La température extérieure et l'efficacité de l'appareil déterminent le degré exact de température du flux d'air qui entre dans la maison.

La plupart des ventilateurs à récupération de chaleur sont conçus pour aérer une maison entière. Quatre à huit conduits d'entrée et de sortie d'air sont reliés à un ventilateur qu'on a installé au sous-sol, dans le vide sanitaire ou au grenier. L'appareil est coûteux : c'est pourquoi il vaut mieux avoir recours à un ouvrier spécialisé pour l'installer.

Certains modèles de ventilateurs à récupération de chaleur sont cependant installés au mur ou à la fenêtre et servent aussi à purifier l'air. Leur effet est limité mais ils coûtent moins cher et s'installent plus facilement. Installez le ventilateur haut sur le mur, au moins à 1 pi (30 cm) du plafond et du mur adjacent. Mettez-le loin du thermostat et des endroits où vous passez beaucoup de temps, là où le bruit du ventilateur et la circulation de l'air frais ne vous dérangeront pas.

▶ **ATTENTION !** N'installez pas les prises d'air près du garage ou de l'entrée du garage. L'appareil pourrait aspirer les gaz d'échappement de la voiture. Ne vous servez pas non plus du ventilateur à récupération de chaleur pour remplacer le ventilateur de la hotte de la cuisinière : la graisse l'encrasserait.

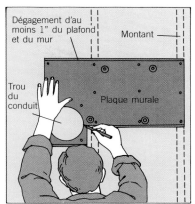

1. Placez la plaque de montage de l'appareil sur le mur, en alignant les trous des vis sur deux montants. Tracez le trou du conduit. Coupez le courant et percez, au centre du tracé, un petit trou jusque dans le mur extérieur. Attention à la plomberie et aux fils électriques.

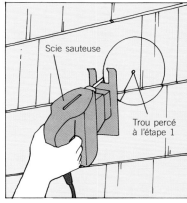

2. Découpez le trou du conduit dans le mur (ou découpez un trou à la dimension de l'appareil, selon le guide d'installation). À l'extérieur, découpez le parement et le revêtement du mur. À l'intérieur, posez la plaque murale, s'il y en a une.

3. Mettez le conduit en place, marquez-le au ras du mur extérieur. Retirez-le et coupez-le en suivant le tracé. Remettez-le en place et vissez-le à la plaque murale. Calfeutrez l'interstice entre le conduit et le mur extérieur, puis vissez le chaperon sur le conduit.

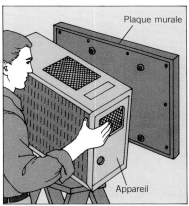

4. À l'intérieur, suivez le guide d'installation pour fixer l'appareil à la plaque murale. Installez les filtres, le cas échéant, et branchez l'appareil. Consultez le guide d'installation, car vous aurez peut-être besoin d'un circuit spécialisé ou d'une sortie de 220 V.

Principe du ventilateur à récupération de chaleur

Un ventilateur expulse l'air vicié de la maison et un autre aspire de l'air frais de l'extérieur. Les deux flux d'air passent, sans se mélanger, par un noyau de récupération constitué de fines surfaces métalliques ou plastiques. La chaleur de l'air vicié se répand dans le noyau et se transmet à l'air frais. Un renvoi évacue l'eau de condensation. Un élément chauffant est parfois ajouté.

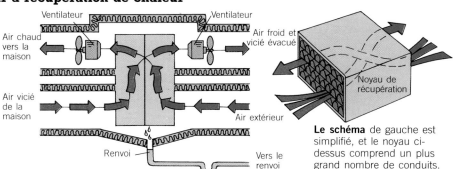

Le schéma de gauche est simplifié, et le noyau ci-dessus comprend un plus grand nombre de conduits.

Confort au foyer / Systèmes de chauffage

Le système de chauffage transforme un combustible (gaz ou mazout) ou de l'énergie (électrique ou solaire) en chaleur et la distribue dans la maison. Tous les systèmes de chauffage ont le même but : garder la maison confortable en hiver.

Divers types d'installations peuvent transmettre la chaleur dans toute la maison : à air chaud, à eau chaude, à la vapeur ou par rayonnement. Dans tous les cas, un appareil chauffe de l'air ou un liquide et le distribue par l'intermédiaire de

conduits ou de tuyaux dans toute la maison. L'air chaud d'un système à air pulsé circule dans la maison par des conduits et des bouches de chaleur. Dans les autres systèmes, de l'eau chaude ou de la vapeur chauffe des radiateurs ou des convecteurs, ou encore les planchers, plafonds ou murs de la maison, lesquels, à leur tour, réchauffent les pièces. La chaleur d'un générateur d'air chaud ou d'une chaudière est produite par un brûleur (à gaz, à mazout, à gaz propane ou butane), par la combustion de bois ou de charbon ou par l'électricité.

Certaines maisons sont entièrement chauffées à l'électricité, par des convecteurs, des plinthes chauffantes ou une thermopompe. Celle-ci extrait la chaleur de l'air extérieur et la diffuse à l'intérieur. D'autres types d'appareils servent surtout au chauffage d'appoint : panneaux solaires, cheminées, poêles à bois, radiateurs électriques ou au gaz.

Un thermostat commande le système de chauffage central. Il le déclenche au besoin pour maintenir la température au degré voulu.

Chauffage par secteurs. Le chauffage (ou la climatisation) peut se faire par secteurs, chacun possédant son propre thermostat. Au lieu de chauffer toute la maison, on peut chauffer individuellement un secteur, comme les chambres à coucher, ou même une seule pièce. La répartition du chauffage par secteurs permet de mieux régler le chauffage et de le rendre plus efficace : plus vous abaissez la température des pièces inoccupées, plus vous économisez d'énergie.

Importance du taux d'humidité. Une bonne distribution de la chaleur n'assure pas nécessairement le confort en hiver. Il faut considérer d'autres facteurs : fenêtres, murs et planchers froids, circulation de l'air, taux d'humidité. (L'air semble plus chaud si le taux d'humidité est élevé.) Les déperditions de chaleur entraînent parfois une baisse du taux d'humidité : il faut colmater les fuites (p. 456) ou installer un humidificateur (p. 499).

Panneaux à chaleur rayonnante : petits panneaux au plafond ou grands panneaux sous la finition, chauffés à l'électricité.

Radiateurs et convecteurs : ils dégagent de la chaleur par convection et par rayonnement.

Énergie solaire : les objets et les personnes absorbent la chaleur du soleil.

Rayonnement : le plancher, chauffé par un liquide qui circule dans des tuyaux, transmet sa chaleur aux surfaces froides.

Convection : les conduits, plinthes chauffantes électriques ou convecteurs encastrés pulsent l'air chaud dans la pièce.

Systèmes de chauffage courants

Système	Mode de transmission	Source d'énergie	Mode de distribution
Air chaud	Convection et pulsion	Gaz naturel, mazout, propane, butane, électricité	Conduits depuis la chaudière ; convecteurs électriques encastrés
Eau chaude	Convection ou convection et rayonnement	Gaz naturel, mazout, propane, butane, électricité	Canalisations et radiateurs ou convecteurs
Vapeur	Convection ou convection et rayonnement	Gaz naturel, mazout, électricité	Canalisations et radiateurs
Rayonnement	Rayonnement ou rayonnement et convection	Gaz, mazout, propane ou butane pour planchers chauffants ; électricité pour plafonds et panneaux ; bois et charbon pour les poêles	Tuyaux dans ou sous le plancher ; fils électriques dans le plâtre ou sous la finition ; panneaux aux murs ou au plafond ; foyer et tuyau

Générateur d'air chaud

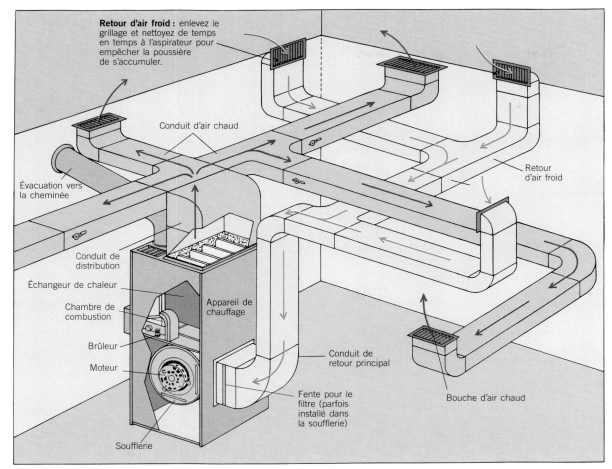

Retour d'air froid : enlevez le grillage et nettoyez de temps en temps à l'aspirateur pour empêcher la poussière de s'accumuler.

Conduit d'air chaud

Retour d'air froid

Évacuation vers la cheminée

Conduit de distribution

Échangeur de chaleur

Chambre de combustion

Appareil de chauffage

Brûleur

Moteur

Conduit de retour principal

Soufflérie

Fente pour le filtre (parfois installé dans la soufflerie)

Bouche d'air chaud

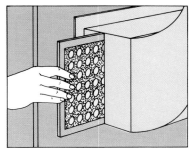

Nettoyez le filtre tous les mois ou remplacez-le. Coupez d'abord le courant. Certains filtres lavables « sifflent » quand ils sont sales pour vous rappeler de les changer. Un filtre encrassé fatigue le moteur et entrave la circulation de l'air.

La soufflerie doit être nettoyée tous les ans par un technicien spécialisé. Il ouvrira la soufflerie pour nettoyer les pales et le carter du ventilateur. Consultez le guide d'utilisation de l'appareil pour voir s'il faut huiler la soufflerie.

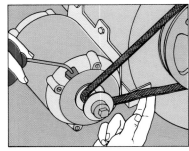

L'entretien doit inclure une vérification de la courroie. Si elle est raide ou effilochée, remplacez-la. La courroie doit être assez tendue pour avoir ½ po de jeu sous une pression légère. Retendez-la au besoin. Lubrifiez le moteur, s'il le faut.

Le générateur d'air chaud est communément utilisé pour le chauffage résidentiel puisque son entretien est simple et qu'il se jumelle facilement aux systèmes de climatisation, d'humidification et de purification de l'air. Faites réviser la soufflerie une fois par année par un spécialiste. Il suffit ensuite de nettoyer le filtre régulièrement (en haut, à droite) pour obtenir un rendement efficace.

L'installation se compose de cinq éléments : un appareil de chauffage, des conduits de distribu-tion, des bouches d'air chaud et des retours d'air, un conduit d'évacuation et un thermostat. L'appareil de chauffage comprend un brûleur, une chambre de combustion et un échangeur de chaleur qui empêche les gaz de combustion de se mêler à l'air qui circule dans la maison.

Une soufflerie, raccordée directement ou par courroie à un moteur, achemine l'air de la maison vers l'échangeur de chaleur, puis vers le conduit de distribution. L'air chaud se répand en-suite dans la maison par des conduits et des bouches d'air chaud réglables. L'air frais revient à l'appareil de chauffage par les retours d'air. Il est filtré dans le conduit principal ou dans la soufflerie. Les gaz résiduels de la combustion s'échappent par le conduit d'évacuation.

Certaines vieilles installations fonctionnent selon le principe de la *circulation par gravité* : l'air chaud monte, l'air froid descend. Ces systèmes sans soufflerie ont de plus gros conduits.

Confort au foyer / Efficacité du chauffage à air chaud

Détection des fuites 456
Brûleur à gaz 476-477
Brûleur à mazout 478-479

Un système de chauffage ou de climatisation avec conduits entraîne plus de fuites d'air — jusqu'à 25 p. 100 — qu'un système sans conduits et consomme de 25 à 40 p. 100 plus d'énergie, car il crée des différences de pression dans la maison et les conduits. L'air de l'extérieur est aspiré dans les conduits qui passent par le vide sanitaire, et les fuites par l'enveloppe de la maison et les conduits de distribution sont plus importantes ou bien l'air s'infiltre dans la maison et dans les conduits de retour d'air.

Pour qu'un système à air chaud soit efficace, il faut que l'enveloppe de la maison et les conduits

passant dans un espace non chauffé soient le plus étanches possible. Il doit aussi y avoir suffisamment de conduits de retour ; s'il n'y a qu'une prise d'air frais ou s'il n'y a pas de retour d'air à l'étage, installez-en un. Identifiez les conduits au toucher : les conduits de distribution sont chauds, les conduits de retour froids.

Réglage de la soufflerie. Dès que le brûleur s'allume, un nouveau cycle de chauffage reprend, mais la chaleur n'est distribuée

Commande

que lorsque la soufflerie fonctionne. Économisez en faisant partir le ventilateur plus tôt et en le faisant arrêter plus longtemps après l'arrêt du brûleur. Ouvrez le boîtier de la commande de soufflerie et réglez la commande Arrêt (off) et la commande Marche (on) quelques degrés plus bas : réduisez-les du même nombre de degrés.

Réglage de la vitesse du ventilateur. Augmenter la vitesse du ventilateur pourra accélérer la distribution de chaleur : faites un essai. Modifiez la vitesse du ventilateur entraîné par courroie (ci-dessous), ou modifiez le câblage : faites appel à un spécialiste.

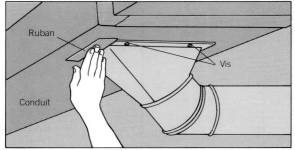

Réparez un raccord de conduit avec des vis à métal. Enlevez la poussière et la graisse dans les joints avec un nettoyant ininflammable. Couvrez les joints avec du ruban d'aluminium et pressez pour éliminer les bulles d'air.

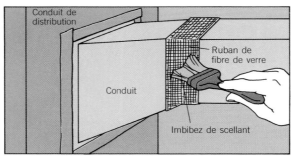

Faites une réparation permanente, surtout près d'une souche de branchement, en couvrant le joint d'une bande de 3 po de ruban de fibre de verre ; imbibez-le de scellant à conduit à base d'eau.

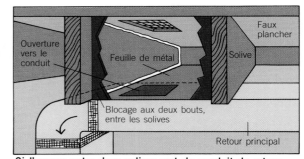

Si l'espace entre deux solives sert de conduit de retour, calfeutrez tous les joints : entre la feuille de métal et les solives, entre les solives et le faux plancher ; scellez le blocage. Nettoyez les joints du retour principal ; couvrez-les de ruban.

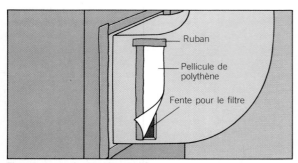

Fixez une pellicule de polythène avec de l'adhésif, en haut et sur un côté seulement de la fente d'accès au filtre. Quand la soufflerie se met en marche, la pellicule est aspirée et vient sceller la fente.

Isolez les conduits dans un espace non chauffé avec de l'isolant en rouleau à valeur RSI de 1,4 ou 1,9 ou avec de l'isolant à bulles. Scellez tous les joints avec du ruban aluminium. **ATTENTION !** Ne retirez pas vous-même l'isolant d'amiante autour des conduits ; demandez un spécialiste.

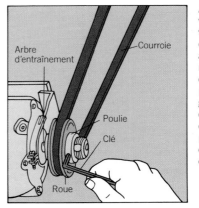

Augmentez la vitesse du ventilateur entraîné par courroie. Demandez à un spécialiste de remplacer la poulie de l'arbre du moteur par une autre, plus grande. Il faudra couper le courant, dévisser la vis sur la poulie. Faites vérifier et remplacer la courroie, au besoin.

Répartition de la chaleur

Pour répartir uniformément la chaleur en fonction de chaque pièce, réglez les bouches de chaleur ou les registres à l'intérieur des conduits. Équilibrez la quantité d'air acheminé dans chaque pièce et la quantité d'air évacué. Pour une pièce qui n'est pas munie d'une grille de retour d'air, il faut laisser la porte ouverte ou couper le bas de la porte à 1 po (2,5 cm) du sol (p. 437) ; autrement, il se créera une pression dans la pièce et l'air chaud sera expulsé par les fissures dans les murs et autour des fenêtres ; ou bien il entrera tout simplement moins d'air chaud.

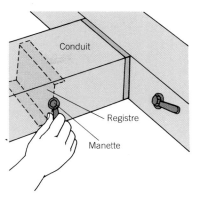

Conduit
Registre
Manette

L'équilibrage. Ouvrez les registres des conduits alimentant les pièces froides ; réduisez le flux d'air dans ceux des pièces chaudes. Les registres sont placés près d'un embranchement. La manette d'un registre ouvert est parallèle au conduit ; celle d'un registre fermé lui est perpendiculaire.

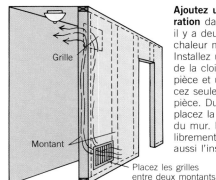

Grille
Montant
Placez les grilles entre deux montants

Ajoutez une bouche d'aération dans les pièces où il y a deux bouches de chaleur mais aucun retour. Installez une grille au bas de la cloison entre une pièce et un couloir ; percez seulement le mur côté pièce. Du côté du couloir, placez la grille au haut du mur. L'air circulera librement ; cela favorisera aussi l'insonorisation.

Installation d'un humidificateur

Si l'air est trop sec en hiver, augmentez le taux d'humidité en calfeutrant les fuites ou en intégrant un humidificateur au système de chauffage. L'humidificateur prend l'air du retour principal, le fait passer par un tampon d'évaporation, l'humidifie et l'achemine vers le conduit de distribution. Un *hygrostat* commande l'humidificateur. Par temps très froid, réglez-le plus bas pour éviter la condensation.

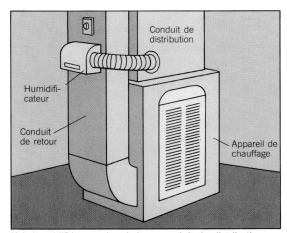

Conduit de distribution
Humidificateur
Conduit de retour
Appareil de chauffage

L'air humidifié est acheminé au conduit de distribution.

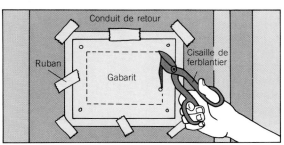

Conduit de retour
Ruban
Gabarit
Cisaille de ferblantier

1. Fixez le gabarit sur le retour principal près de l'appareil de chauffage. Mettez-le bien de niveau, car le réservoir de l'appareil contiendra de l'eau. Percez un trou de guidage ; découpez le conduit avec une cisaille de ferblantier.

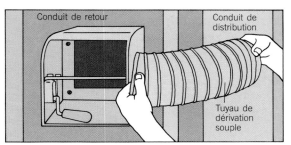

Conduit de retour
Conduit de distribution
Tuyau de dérivation souple

2. Percez des trous de guidage pour les vis et fixez l'humidificateur au conduit avec des vis-forets-tarauds. Étirez le tuyau de dérivation aussi directement que possible jusqu'au conduit principal et marquez sa position.

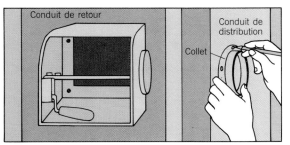

Conduit de retour
Conduit de distribution
Collet

3. Placez le collet sur le conduit de distribution ; marquez l'ouverture et l'emplacement des vis. Forez les trous des vis, découpez l'ouverture ; fixez le collet avec des vis-forets-tarauds. Vissez le tuyau de dérivation aux deux collets.

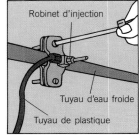

Robinet d'injection
Tuyau d'eau froide
Tuyau de plastique

4. Fixez le raccordement au tuyau d'eau froide. Raccordez un tuyau de plastique au réservoir.

Hygrostat

5. Fixez l'hygrostat au conduit de retour ; câblez-le à l'humidificateur avec du fil à faible tension. Branchez.

Confort au foyer / Systèmes à eau chaude

Dans un système à eau chaude, ou *hydronique,* l'eau est chauffée dans une chaudière à gaz, à mazout ou à l'électricité, puis est acheminée par des tuyaux aux convecteurs ou aux radiateurs situés dans les pièces de la maison. L'eau chaude circule dans les convecteurs métalliques et les réchauffe ; ils libèrent ensuite la chaleur dans la pièce. Les canalisations peuvent être disposées de façons diverses (ci-dessous).

La pompe, ou *circulateur,* fait circuler l'eau dans les canalisations sur appel du thermostat. Elle est fixée sur la canalisation de retour, près de la chaudière, là où l'eau est la plus froide. Un *robinet d'arrêt* empêche l'eau de circuler dans le système dès que la pompe s'arrête ; on évite ainsi de faire surchauffer les convecteurs.

À mesure que l'eau se réchauffe, elle prend du volume et le surplus est acheminé vers un vase d'expansion hermétique installé près de la chaudière. L'eau comprime l'air qui s'y trouve, et le volume d'eau peut augmenter sans qu'augmente la pression dans le système. Lorsque le vase d'expansion se remplit, la soupape de décharge de la chaudière laisse l'eau s'échapper. Les anciens vases d'expansion (page ci-contre) doivent être vidangés lorsqu'ils sont pleins ; les nouveaux *vases d'expansion* ont une membrane élastique qui sépare l'air de l'eau ; ils doivent être vidan-

gés par un plombier ou un entrepreneur en chauffage.

Systèmes par gravité. Ces systèmes fonctionnent sans pompe, et la circulation de l'eau dépend du principe selon lequel l'eau chauffée se dilate et, à volume égal, est plus légère que l'eau froide. L'eau chaude monte dans les canalisations, et l'eau froide, plus lourde, descend par gravité.

Augmentation de l'efficacité. Réduisez les pertes de chaleur en isolant les canalisations du vide sanitaire ou de tout espace non chauffé (p. 214). Équilibrez la distribution de chaleur dans les pièces en fermant partiellement le robi-

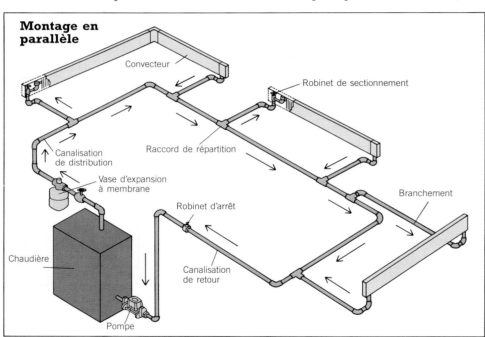

Montage en parallèle

Convecteur — Robinet de sectionnement — Raccord de répartition — Canalisation de distribution — Vase d'expansion à membrane — Robinet d'arrêt — Branchement — Chaudière — Canalisation de retour — Pompe

Dans un système à montage en parallèle, l'eau chaude de la chaudière circule dans la canalisation de distribution et revient vers la chaudière. Les convecteurs sont reliés à cette canalisation par deux branchements : arrivée et sortie. Si le robinet de sectionnement du convecteur est ouvert, l'eau circule vers le convecteur en passant par le raccord de répartition de l'embranchement. S'il est fermé, l'eau circule le long de la canalisation de distribution sans passer par le convecteur, mais continue d'alimenter les autres convecteurs.

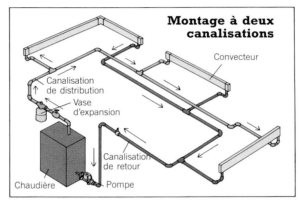

Montage à deux canalisations

Convecteur — Canalisation de distribution — Vase d'expansion — Canalisation de retour — Chaudière — Pompe

Ce système, pratique dans les grandes maisons, comporte deux canalisations : une de distribution et une de retour. L'eau qui quitte les convecteurs est acheminée directement vers la chaudière, sans passer par les autres convecteurs. L'eau d'approvisionnement reste donc plus chaude d'un bout à l'autre du réseau.

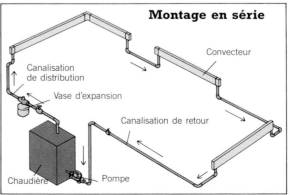

Montage en série

Convecteur — Canalisation de distribution — Vase d'expansion — Canalisation de retour — Chaudière — Pompe

Dans ce type de montage, les convecteurs sont branchés directement sur la canalisation principale, et l'eau circule dans chaque convecteur pour ensuite retourner à la chaudière. Couper l'alimentation à un convecteur a pour effet d'empêcher l'eau de circuler dans tout le réseau.

Brûleur à gaz 476-477
Brûleur à mazout 478-479
Chaudières et générateurs électriques 480

net d'arrêt des convecteurs ou des radiateurs. Ou encore, installez un thermostat commandant chaque convecteur (mais cela coûte cher).

Entretien. Deux fois par année, huilez la pompe et le moteur, sauf s'ils sont lubrifiés en permanence. Auparavant, coupez le courant et laissez refroidir le système ; s'il y a lieu, vidan-

gez la chaudière comme vous le feriez si vous remplaciez un radiateur (p. 470).

Quand on remet le chauffage en marche, après la vidange de la chaudière ou en début de saison, l'eau en se réchauffant entraîne la formation de poches d'air dans les convecteurs. Il faut donc les purger (p. 470).

(p. 470)

Chauffage par circuits indépendants

On peut économiser de l'énergie en installant un système à circuits indépendants qui chauffe la maison par secteurs. Cela permet de garder certaines pièces plus chaudes que d'autres. Une installation type à deux secteurs chauffe les chambres à coucher sur un circuit, et le reste de la maison sur un autre.

On aménage un secteur en raccordant un branchement à la canalisation de distribution ; l'alimentation est réglée par l'intermédiaire d'un robinet commandé par

Robinet de secteur

un thermostat de secteur. Sauf dans les très grandes maisons, une seule chaudière et une seule pompe peuvent alimenter plusieurs secteurs. On peut aussi remplacer les robinets de secteur par des pompes.

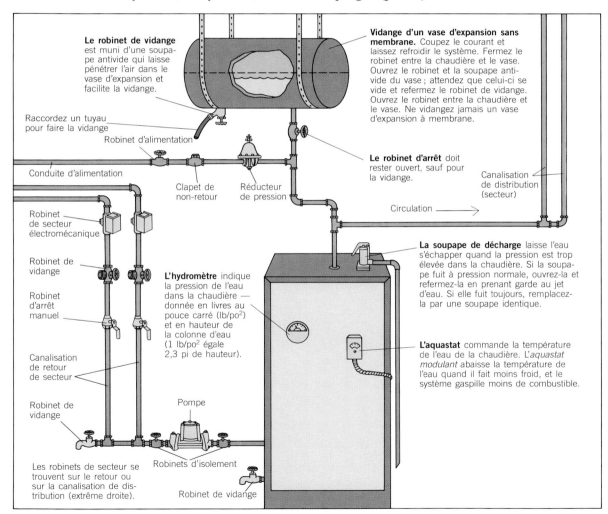

Le robinet de vidange est muni d'une soupape antivide qui laisse pénétrer l'air dans le vase d'expansion et facilite la vidange.

Raccordez un tuyau pour faire la vidange

Robinet d'alimentation

Conduite d'alimentation

Clapet de non-retour

Réducteur de pression

Robinet de secteur électromécanique

Robinet de vidange

Robinet d'arrêt manuel

Canalisation de retour de secteur

L'hydromètre indique la pression de l'eau dans la chaudière — donnée en livres au pouce carré (lb/po^2) et en hauteur de la colonne d'eau (1 lb/po^2 égale 2,3 pi de hauteur).

Pompe

Robinets d'isolement

Robinet de vidange

Les robinets de secteur se trouvent sur le retour ou sur la canalisation de distribution (extrême droite).

Robinet de vidange

Vidange d'un vase d'expansion sans membrane. Coupez le courant et laissez refroidir le système. Fermez le robinet entre la chaudière et le vase. Ouvrez le robinet et la soupape antivide du vase ; attendez que celui-ci se vide et refermez le robinet de vidange. Ouvrez le robinet entre la chaudière et le vase. Ne vidangez jamais un vase d'expansion à membrane.

Le robinet d'arrêt doit rester ouvert, sauf pour la vidange.

Canalisation de distribution (secteur)

Circulation

La soupape de décharge laisse l'eau s'échapper quand la pression est trop élevée dans la chaudière. Si la soupape fuit à pression normale, ouvrez-la et refermez-la en prenant garde au jet d'eau. Si elle fuit toujours, remplacez-la par une soupape identique.

L'aquastat commande la température de l'eau de la chaudière. L'*aquastat modulant* abaisse la température de l'eau quand il fait moins froid, et le système gaspille moins de combustible.

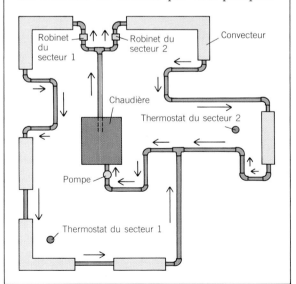

Robinet du secteur 1

Robinet du secteur 2

Convecteur

Chaudière

Thermostat du secteur 2

Pompe

Thermostat du secteur 1

Les radiateurs et les convecteurs dégagent de la chaleur par rayonnement, mais surtout par convection : l'air se réchauffe au contact de leur surface métallique et s'élève. Les radiateurs à colonnes de fonte ne se trouvent plus guère que dans les anciennes installations à eau chaude. Les convecteurs se présentent sous forme d'appareil à grillage ou de plinthe chauffante. Ils sont constitués de tuyaux à parois minces, en cuivre ou en acier, et d'ailettes qui augmentent la superficie chauffante. Si vous remplacez un radiateur par un convecteur, utilisez des raccords isolants diélectriques (p. 216) pour relier des tuyaux de métal différent.

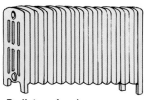

Radiateur à colonnes

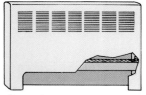

Convecteur

Il faut purger les radiateurs et les convecteurs après avoir vidangé la chaudière et lorsqu'on remet le chauffage en marche à l'automne. Le purgeur du radiateur est situé en haut ; celui du convecteur, sous le carter.

Ne mettez rien sur les radiateurs et les convecteurs ni devant pour ne pas entraver la circulation de l'air. Si vous les peignez, sachez que la peinture métallique peut diminuer de 25 p. 100 la transmission de chaleur. La poussière empêche aussi la circulation de la chaleur ; gardez vos appareils propres.

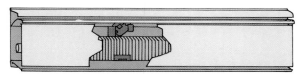

La plinthe chauffante doit toujours rester dégagée.

Purge du système

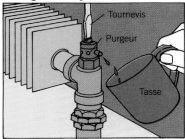

Tournevis

Purgeur

Tasse

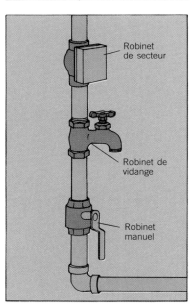

Robinet de secteur

Robinet de vidange

Robinet manuel

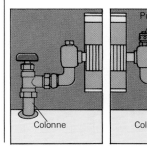

Purgeur automatique

Les poches d'air qui se forment dans le convecteur ou le radiateur empêchent l'eau chaude d'y pénétrer. Ouvrez le purgeur ; attendez que l'eau commence à couler pour le refermer. Attention : l'eau est chaude.

Avant de purger un convecteur, ouvrez le robinet du branchement sur lequel il est installé, ou réglez le thermostat 5°C (10°F) au-dessus de la température de la pièce. Après avoir purgé le système, vérifiez la pression de la chaudière : au besoin, ajoutez de l'eau pour la rétablir. S'il y a un robinet d'alimentation manuel sur la conduite d'eau, mais pas de réducteur de pression ni de clapet de retenue, fermez-le à 12 lb/po^2.

Le purgeur automatique laisse l'air s'échapper lentement à mesure que le système se remplit d'eau. Gardez-le propre ; s'il fuit, remplacez-le.

Remplacement par un convecteur

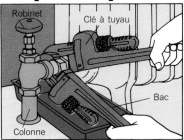

Robinet

Clé à tuyau

Bac

Colonne

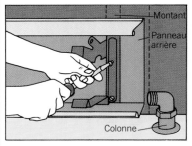

Montant

Panneau arrière

Colonne

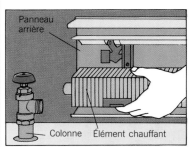

Panneau arrière

Colonne   Élément chauffant

1. Coupez le courant, fermez le robinet d'alimentation, ouvrez le robinet du radiateur et attendez que le système refroidisse. Vidangez la chaudière. Ouvrez le purgeur du radiateur et laissez s'écouler l'eau. Défaites les raccords.

2. Placez le convecteur et alignez ses raccords avec ceux des colonnes ; vissez le panneau arrière dans les montants. Marquez d'abord son emplacement et les trous des vis ; percez ensuite des trous de guidage avant de le fixer.

3. Installez les éléments à ailettes sur le panneau arrière. Nettoyez le filetage des colonnes avec une brosse métallique, essuyez-le avec un chiffon propre et enroulez-y du ruban téflon (p. 223).

4. Utilisez les bons raccords (p. 216). Ouvrez le robinet du convecteur ; fixez le couvercle. Ouvrez l'eau ; rincez la chaudière. Fermez le robinet de vidange de la chaudière ; remplissez-la. Démarrez le système. Purgez plus tard.

Purgeur

Colonne

Chauffage par rayonnement

Outils, essais et sécurité 242-243
Branchement des fils 247
Câblage 250-251

Le chauffage par rayonnement s'obtient en chauffant de grandes surfaces par l'intermédiaire de tuyaux, de câbles électriques ou d'une pellicule contenant des résistances. Commandé par thermostat, le système répand une chaleur uniforme.

Systèmes hydroniques. Avant 1970, un mélange d'eau chaude et d'antigel circulait dans des tuyaux de métal incorporés au béton du plancher ou au plâtre du plafond ou du mur. Depuis, les tuyaux sont en plastique. Il faut parfois remplacer le mélange pour empêcher la corrosion. Si une dalle s'affaisse, cassez-la au brise-béton et remettez-la de niveau ou installez des convecteurs à eau chaude (page ci-contre).

Chauffage du plafond. On peut aussi chauffer grâce à des éléments électriques installés au plafond. Réduisez les coûts de chauffage en isolant bien le plafond, le sous-sol et le vide sanitaire (p. 457-460). Au lieu de défaire le plafond pour réparer un système défectueux, songez à installer des panneaux à éléments intégrés.

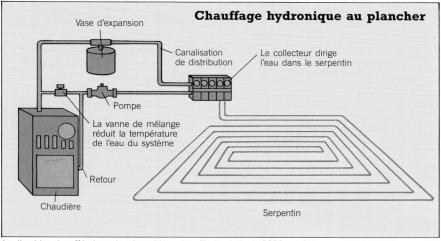

Chauffage hydronique au plancher

Vase d'expansion
Canalisation de distribution
Le collecteur dirige l'eau dans le serpentin
Pompe
La vanne de mélange réduit la température de l'eau du système
Retour
Chaudière
Serpentin

Le liquide chauffé dans la chaudière chauffe la dalle à 30°C en 3 heures environ.

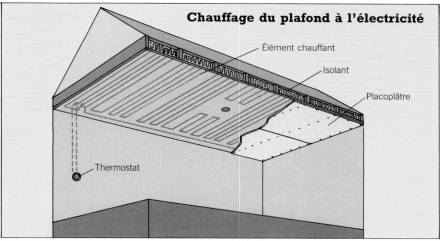

Chauffage du plafond à l'électricité

Élément chauffant
Isolant
Placoplâtre
Thermostat

Les éléments chauffants au plafond chauffent entre 32° et 38°C en 30 à 45 minutes.

Chauffage par panneaux et pellicule plastique

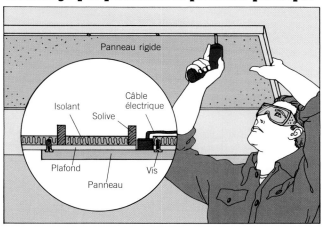

Panneau rigide
Isolant
Solive
Câble électrique
Plafond
Vis
Panneau

Les panneaux rigides en fibre de verre de 1 po d'épaisseur et de 2 pi de largeur, contiennent un élément chauffant à 120 ou à 240 V. Amenez le câble électrique au thermostat et à la boîte de jonction fixée à la solive. Connectez ; vissez le panneau au mur ou encastrez-le au plafond.
ATTENTION ! Assurez-vous que le courant est coupé (p. 237 et 243).

Un papier métallique ou un cordon graphité incorporé à une pellicule plastique peut aussi servir au chauffage par rayonnement. Agrafez la pellicule aux solives, faites les connexions selon le mode d'emploi et posez le placoplâtre. Ou encore, installez des panneaux de gypse avec éléments chauffants intégrés. Installez-les entre les solives, connectez-les et posez le placoplâtre.

Dans une installation à la vapeur, l'eau se transforme en vapeur dans la chaudière. La vapeur monte par les tuyaux jusqu'aux radiateurs ou aux convecteurs. Au contact du radiateur froid, elle se condense et l'eau retourne à la chaudière.

L'installation à la vapeur comprend un ou deux tuyaux principaux. Dans l'installation à un tuyau (ci-dessous), la vapeur et l'eau circulent dans la même canalisation. Dans l'installation à deux tuyaux, la vapeur circule dans une canalisation, et l'eau de condensation dans une autre.

Sécurité du système. L'eau chaude transformée en vapeur crée de fortes pressions dans la chaudière. Le régulateur de pression permet à la chaudière de fonctionner selon les conditions climatiques. Vérifiez le manomètre après l'arrêt de la chaudière. Si la pression dépasse de beaucoup la valeur normale, faites remplacer le régulateur. Il y a aussi une soupape de sûreté qui s'ouvre avant que la pression ne devienne trop forte. Par ailleurs, un coupe-circuit arrête la chaudière lorsque le niveau de l'eau est trop bas. Vérifiez-le ; dans l'hydromètre, il devrait être à mi-hauteur.

Purge d'air. Des purgeurs laissent s'échapper l'air des canalisations principales et des radiateurs à mesure que la vapeur fait monter la pression. Quand la vapeur chaude arrive au purgeur, elle fait dilater une solution d'alcool dans le flotteur du purgeur. La base du flotteur se dilate et pousse le corps du flotteur vers le haut ; celui-ci bouche alors l'orifice d'évacuation. Remplacez un purgeur défectueux.

Entretien. L'air doit circuler librement autour des radiateurs ; ne placez rien devant ni dessus. Époussetez-les souvent.

Faites inspecter le système tous les ans. En cas de dérèglement, ayez recours à un spécialiste.

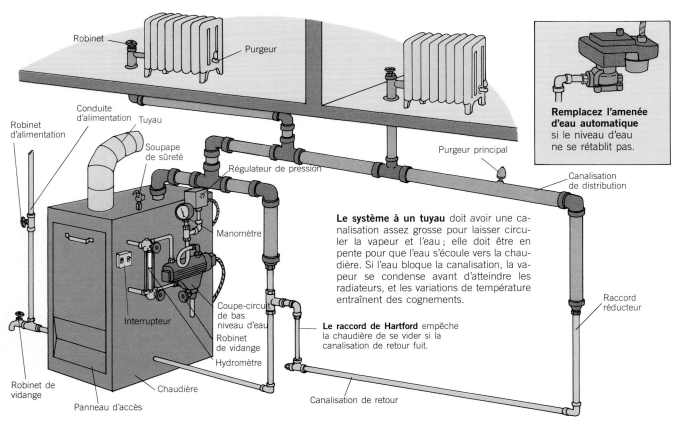

Robinet

Purgeur

Conduite d'alimentation Tuyau

Robinet d'alimentation

Soupape de sûreté

Régulateur de pression

Purgeur principal

Remplacez l'amenée d'eau automatique si le niveau d'eau ne se rétablit pas.

Canalisation de distribution

Manomètre

Le système à un tuyau doit avoir une canalisation assez grosse pour laisser circuler la vapeur et l'eau ; elle doit être en pente pour que l'eau s'écoule vers la chaudière. Si l'eau bloque la canalisation, la vapeur se condense avant d'atteindre les radiateurs, et les variations de température entraînent des cognements.

Coupe-circuit de bas niveau d'eau

Interrupteur

Robinet de vidange

Hydromètre

Le raccord de Hartford empêche la chaudière de se vider si la canalisation de retour fuit.

Raccord réducteur

Robinet de vidange

Chaudière

Panneau d'accès

Canalisation de retour

Purgeur de vapeur
Dans certains systèmes à deux tuyaux, il y a des purgeurs de vapeur à chaque radiateur. Si le retour est très chaud ou s'il s'échappe beaucoup de vapeur par le purgeur d'air de la canalisation principale, il se peut qu'un ou plusieurs purgeurs de vapeur soient défectueux ; faites-les vérifier. Si un purgeur de vapeur fuit, remplacez-le.

Canalisation d'alimentation

Purgeur de vapeur

Canalisation de retour

Entretien du système de chauffage à la vapeur

Peinture des radiateurs 359
Brûleur à gaz 476-477
Brûleur à mazout 478-479

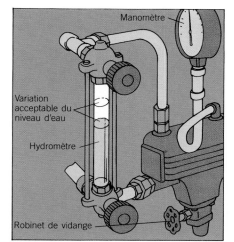

Vérifiez le niveau de l'eau tous les 15 jours pendant l'hiver (moins souvent si une amenée d'eau automatique alimente la chaudière), quand la chaudière n'est pas en marche. Ouvrez le robinet d'arrêt pour rétablir le niveau.

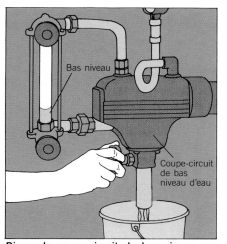

Rincez le coupe-circuit de bas niveau une fois par mois durant l'hiver pour empêcher l'accumulation de dépôts. Arrêtez le chauffage et faites couler l'eau jusqu'à ce qu'elle soit claire. Attention : l'eau est chaude.

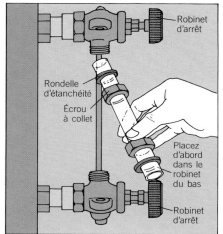

Si le tube est sale, coupez le courant et laissez refroidir. Fermez les deux robinets, dévissez les écrous, délogez le tube en le soulevant. Nettoyez-le, remettez-le en place et serrez les écrous. Ouvrez les robinets.

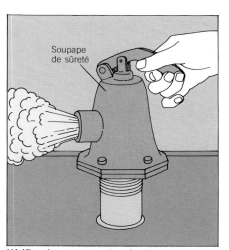

Vérifiez la soupape de sûreté tous les ans. Chaudière en marche, soulevez le levier pour laisser s'échapper un peu de vapeur. La soupape doit se refermer de façon étanche. Si elle fonctionne mal, faites-la remplacer.

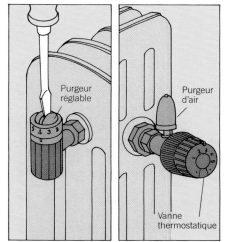

Vérifiez les purgeurs d'air : ouvrez complètement la soupape réglable. Remplacez un purgeur défectueux par un autre de même taille. Dans une pièce trop chaude, ajoutez une vanne thermostatique.

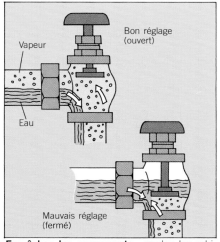

Empêchez les cognements : gardez les robinets complètement ouverts. La vapeur entre et l'eau sort par le même robinet ; s'il est à moitié fermé, la vapeur et l'eau se mélangent, entraînant des cognements.

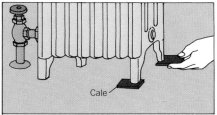

Faites cesser les cognements dans un radiateur : calez ses pattes ou ajustez les boulons de réglage du côté opposé au robinet. Cela empêchera l'eau de s'accumuler au fond et de bloquer la vapeur.

Améliorez le rendement d'un radiateur : glissez un réflecteur derrière. La chaleur sera réfléchie dans la pièce et non pas absorbée par le mur. Fabriquez-le, avec du carton ondulé et du papier d'aluminium, ou achetez-le.

473

Confort au foyer / Thermostats

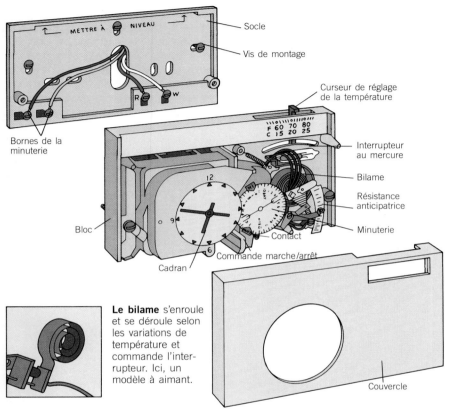

Socle

Vis de montage

Bornes de la minuterie

METTRE À NIVEAU

Curseur de réglage de la température

F 60 70 80
C 15 20 25

Interrupteur au mercure

Bilame

Résistance anticipatrice

Minuterie

Bloc

Contact

Commande marche/arrêt

Cadran

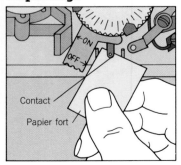

Le bilame s'enroule et se déroule selon les variations de température et commande l'interrupteur. Ici, un modèle à aimant.

Couvercle

Le thermostat est un interrupteur qui commande le circuit électrique d'un système de chauffage ou de climatisation. Il met le système en marche dès que la température ambiante s'écarte du point de réglage.

Le mécanisme principal du thermostat est le bilame, lame bimétallique en spirale. Les variations de température font se dilater et se contracter les deux métaux à des rythmes différents, entraînant l'enroulement ou le déroulement de la spirale. Ce mouvement agit sur l'interrupteur qui amorce ou coupe le circuit du système de chauffage. L'interrupteur est à aimant ou, plus souvent, au mercure. La lame fait basculer le tube ; le mercure établit le contact.

La plupart du temps, une résistance anticipatrice est incorporée au thermostat. Elle chauffe le bilame et arrête le système avant que la température de la pièce n'atteigne celle du thermostat ; la chaleur accumulée continue ensuite de réchauffer les lieux.

Modèles de thermostats. Les thermostats à basse tension peuvent commander le chauffage, la climatisation ou la ventilation ou une combinaison des trois.

Le thermostat met le chauffage ou la climatisation en marche quand la température s'écarte du point de réglage, mais il peut aussi être programmé pour rafraîchir la maison la nuit ou pendant votre absence pour économiser de l'énergie. Les modèles réglables anciens ont des petites chevilles de plastique qu'on insère dans le cadran de la minuterie ; d'autres modèles sont entièrement programmables. Assurez-vous toutefois qu'ils possèdent une fonction « manuelle » : vous pourrez l'utiliser temporairement sans avoir à reprogrammer les thermostats.

Installation. Placez le thermostat là où l'air ambiant a la température moyenne de l'espace chauffé (sur un mur intérieur, loin des courants d'air). Ne l'installez jamais près d'un objet ou d'un appareil qui dégage de la chaleur.

Dépannage

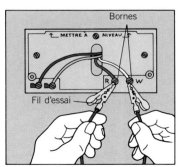

Contact

Papier fort

Si le thermostat ne fonctionne pas, vérifiez le réglage, le fusible ou le disjoncteur. Ensuite, vérifiez le niveau et resserrez les connexions. Mettez le curseur au plus bas et passez un papier entre les pointes du contact pour le nettoyer.

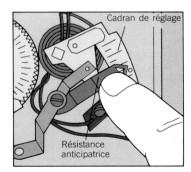

Bornes

METTRE À NIVEAU

Fil d'essai

Pour tester le thermostat, faites passer un fil d'essai d'une borne à l'autre ; mettez le courant. Si le chauffage fonctionne, le thermostat est défectueux. (Faites un fil d'essai en dénudant les extrémités d'un fil de 5 po.) Ne maniez pas les bouts dénudés.

Cadran de réglage

Résistance anticipatrice

Réglez la résistance anticipatrice pour éviter de grands écarts de température. Si le chauffage se met en marche et s'arrête trop souvent, relevez un peu l'aiguille ; si l'inverse se produit, abaissez-la. Attendez quelques heures pour juger du réglage.

Remplacement du thermostat

Un thermostat peut être remplacé par un modèle différent, pourvu que les deux fonctionnent à la même tension (voltage résidentiel ordinaire pour les plinthes chauffantes, basse tension pour la plupart des autres). Coupez le courant : les ris-ques d'électrocution par un fil à basse tension sont minimes, mais il vaut mieux être prudent.

Vous allez devoir relier deux fils aux bornes du thermostat et peut-être un fil de mise à la terre. Si le thermostat a une minuterie, il y aura deux fils supplémentaires, et il y en aura deux autres si le thermostat commande le chauffage et la climatisation. Si l'ancien thermostat n'avait pas de minuterie et que le nouveau en a une, installez un nouveau câblage.

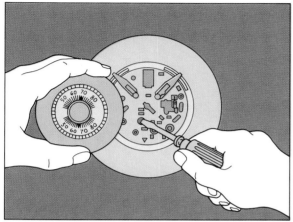

1. Coupez le courant pour éviter tout risque d'électrocution. Déboîtez le couvercle du thermostat ; dévissez le mécanisme et ôtez les fils. Identifiez-les.

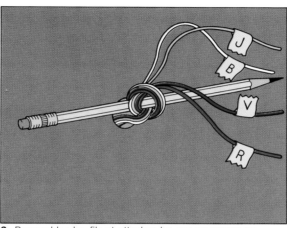

2. Rassemblez les fils et attachez-les sur un crayon ou un petit bâton pour qu'ils ne tombent pas derrière le mur, par le trou.

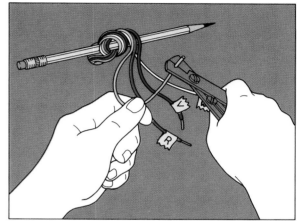

3. Dénudez chaque fil sur ⅜ po à l'aide d'une pince à dénuder. Nettoyez les bouts corrodés au papier à poncer fin ou à la laine d'acier.

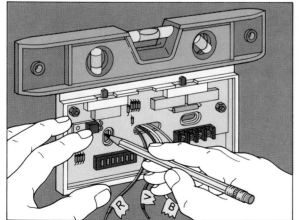

4. Passez les fils dans le socle du nouveau thermostat. Mettez-le en place, bien de niveau, et marquez les trous des vis. Enlevez-le, percez les trous des vis et vissez-le au mur.

5. Faites les connexions en vous guidant sur les étiquettes fixées aux fils et en suivant le guide d'installation. Repoussez le surplus de fils dans le mur.

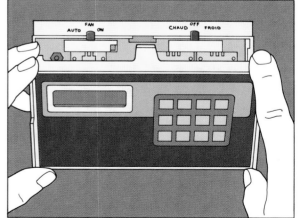

6. Vissez le mécanisme du thermostat dans le socle et installez les piles, si nécessaire. Mettez le couvercle, remettez le courant et programmez le thermostat.

Le brûleur à gaz est raccordé à un réseau de distribution de gaz naturel ou à un réservoir de gaz propane. La combustion du gaz réchauffe l'eau ou l'air de la chaudière. Un thermostat règle le chauffage : il active le régulateur du brûleur qui ouvre une vanne et envoie du gaz aux brûleurs. Le gaz se mélange à l'air et est allumé par une veilleuse ou un dispositif électronique. Le gaz comburant chauffe l'échangeur de chaleur ; les gaz de combustion sont évacués par un conduit d'échappement. Un coupe-tirage installé sur le conduit (ou monté à la sortie de la chaudière) contrôle le débit de l'air et empêche son refoulement dans la cheminée. Un thermocouple coupe l'alimentation en gaz lorsque la veilleuse s'éteint.

Rendement énergétique. Si vous avez mieux isolé la maison, vos besoins en chauffage diminueront.

Si vous remplacez le brûleur à mazout par un brûleur à gaz, remplacez-le par un brûleur à air soufflé. Pour que la circulation des gaz soit convenable, ne laissez pas s'encrasser les brûleurs et les obturateurs d'air. Un des systèmes de conversion les plus efficaces conçus par des industriels canadiens en collaboration avec Énergie, Mines et Ressources Canada est le calorifère à condensation. Il comporte un échangeur de chaleur supplémentaire qui expulse les gaz de combustion par un conduit de plastique installé dans un mur plutôt que sur une cheminée. Les systèmes ainsi convertis ont un haut rendement.

Entretien. Faites inspecter le brûleur tous les ans, avant la saison froide. Le technicien vérifiera le rendement de la combustion, réglera la distribution de l'air et du gaz, et nettoiera conduits et tuyaux.

▶ **ATTENTION !** L'alimentation en air doit être suffisante (p. 456). Ne rallumez pas la veilleuse ; n'effectuez aucune réparation s'il y a une forte odeur de gaz. Fermez la soupape principale ; appelez la compagnie de gaz. Ne touchez à aucun interrupteur électrique.

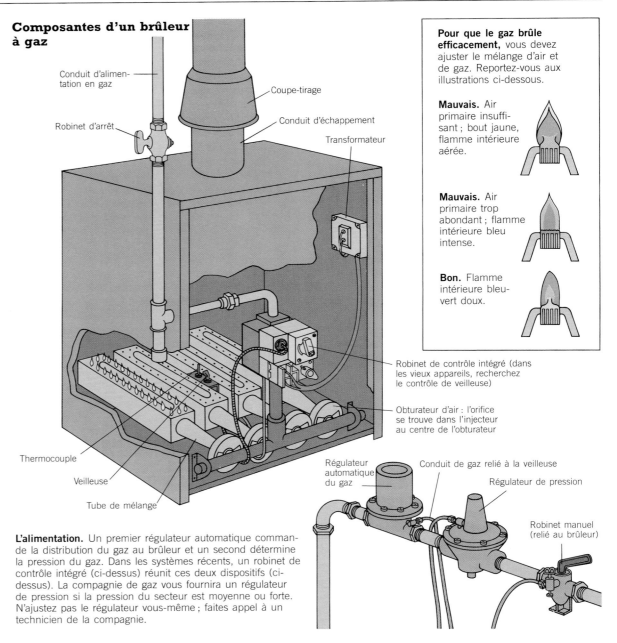

Composantes d'un brûleur à gaz

Conduit d'alimentation en gaz

Robinet d'arrêt

Coupe-tirage

Conduit d'échappement

Transformateur

Robinet de contrôle intégré (dans les vieux appareils, recherchez le contrôle de veilleuse)

Obturateur d'air : l'orifice se trouve dans l'injecteur au centre de l'obturateur

Thermocouple

Veilleuse

Tube de mélange

Régulateur automatique du gaz

Conduit de gaz relié à la veilleuse

Régulateur de pression

Robinet manuel (relié au brûleur)

Pour que le gaz brûle efficacement, vous devez ajuster le mélange d'air et de gaz. Reportez-vous aux illustrations ci-dessous.

Mauvais. Air primaire insuffisant ; bout jaune, flamme intérieure aérée.

Mauvais. Air primaire trop abondant ; flamme intérieure bleu intense.

Bon. Flamme intérieure bleu-vert doux.

L'alimentation. Un premier régulateur automatique commande la distribution du gaz au brûleur et un second détermine la pression du gaz. Dans les systèmes récents, un robinet de contrôle intégré (ci-dessus) réunit ces deux dispositifs (ci-dessus). La compagnie de gaz vous fournira un régulateur de pression si la pression du secteur est moyenne ou forte. N'ajustez pas le régulateur vous-même ; faites appel à un technicien de la compagnie.

476

Rallumage de la veilleuse

Brûleur à robinet de contrôle intégré : ôtez le panneau d'accès extérieur. Coupez le gaz et le courant ; aérez le brûleur 5 minutes. Réglez le thermostat de la pièce au plus bas. Retirez le panneau d'accès au brûleur. Réglez le bouton à « Veilleuse » ; en maintenant le bouton enfoncé 1 minute, allumez la veilleuse. Replacez le panneau et remettez le gaz. Réglez le thermostat à la température désirée.

Brûleur moins récent : suivez les étapes ci-dessus ; fermez les robinets d'arrêt du gaz et de la veilleuse. Aérez le brûleur 5 minutes ; ouvrez le robinet de la veilleuse. Appuyez sur l'interrupteur rouge du contrôle de veilleuse pendant 1 minute tout en allumant celle-ci. **Dans l'un ou l'autre cas,** si la veilleuse ne s'allume pas, attendez 5 minutes et reprenez les étapes ci-dessus.

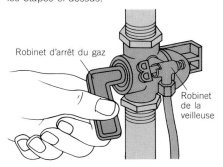

Robinet d'arrêt du gaz

Robinet de la veilleuse

Nettoyage de l'orifice de la veilleuse

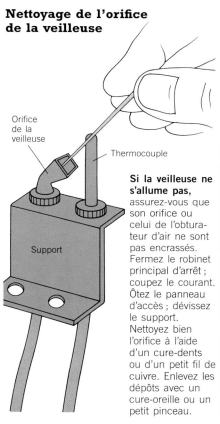

Orifice de la veilleuse

Thermocouple

Support

Si la veilleuse ne s'allume pas, assurez-vous que son orifice ou celui de l'obturateur d'air ne sont pas encrassés. Fermez le robinet principal d'arrêt ; coupez le courant. Ôtez le panneau d'accès ; dévissez le support. Nettoyez bien l'orifice à l'aide d'un cure-dents ou d'un petit fil de cuivre. Enlevez les dépôts avec un cure-oreille ou un petit pinceau.

Nouveau thermocouple

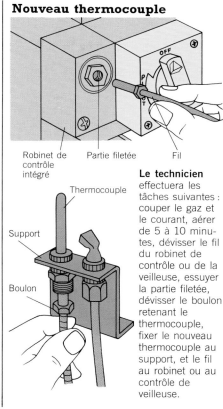

Robinet de contrôle intégré

Partie filetée

Fil

Thermocouple

Support

Boulon

Le technicien effectuera les tâches suivantes : couper le gaz et le courant, aérer de 5 à 10 minutes, dévisser le fil du robinet de contrôle ou de la veilleuse, essuyer la partie filetée, dévisser le boulon retenant le thermocouple, fixer le nouveau thermocouple au support, et le fil au robinet ou au contrôle de veilleuse.

Réglage de la veilleuse

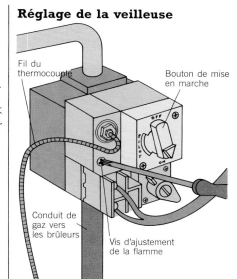

Fil du thermocouple

Bouton de mise en marche

Conduit de gaz vers les brûleurs

Vis d'ajustement de la flamme

Lorsque la flamme est trop basse, le thermocouple coupe l'alimentation en gaz. Certains modèles comportent une vis d'ajustement permettant de régulariser la hauteur de la flamme de la veilleuse. Demandez au technicien de retirer la plaque recouvrant la vis ; vissez vers la gauche pour augmenter la flamme et vers la droite pour la diminuer. Suivez les directives du fabricant.

Dépannage

Problème	Origine	Solution
Le brûleur ne s'allume pas.	Le courant ne se rend pas au brûleur.	Vérifiez l'interrupteur, le fusible et le disjoncteur.
	L'alimentation en gaz est fermée.	Ouvrez le robinet d'arrêt manuel. La manette doit être parallèle au tuyau.
La veilleuse ne s'allume pas.	L'orifice de la veilleuse ou de l'obturateur d'air est encrassé.	Nettoyez l'orifice avec un cure-dents.
	Le thermocouple est défectueux.	Remplacez le thermocouple (ci-dessus).
La veilleuse s'éteint d'elle-même.	La flamme est trop basse.	Réglez la veilleuse.
	Le thermocouple est défectueux.	Remplacez le thermocouple.

Problème	Origine	Solution
La flamme de la veilleuse est petite et bleue.	L'orifice est encrassé.	Nettoyez l'orifice avec un cure-dents.
	La pression du gaz de pétrole liquéfié est basse.	Appelez votre fournisseur.
La flamme du brûleur est jaune et faible.	Il y a insuffisance d'air primaire.	Réglez le mélange air/gaz (p. 476).
	Ouvreaux, évents et chambre sont encrassés.	Nettoyez les ouvreaux avec un cure-dents, les évents et la chambre avec une brosse rigide et un aspirateur.
La flamme du brûleur est bruyante.	Il y a trop d'air primaire.	Réglez la quantité d'air primaire.
	Les orifices sont sales.	Nettoyez les orifices.

De tous les types de brûleurs à mazout, le brûleur à pulvérisation mécanique est le plus courant. Sur appel du thermostat, le mazout, comprimé à haute pression par une pompe, est dirigé à travers la chambre vers un gicleur qui le pulvérise en gouttelettes qu'un ventilateur mélange à l'air. L'allumage est réalisé par une étincelle électrique. Le dispositif d'allumage comprend un transformateur du circuit électrique à haut voltage qui produit une étin-

celle entre deux électrodes situées sur le passage du jet de carburant.

Les gaz réchauffent l'échangeur de chaleur (contenant de l'air ou de l'eau) et sont évacués dans la cheminée par un tuyau. Un régulateur de tirage monté sur le tuyau commande le débit de l'échappement, le *tirage*.

Appareils de commande. Outre les thermostats, les brûleurs sont munis d'un régulateur de commande primaire relié à un détecteur qui

détecte la chaleur dans la cheminée ou la luminosité de la flamme à l'autre extrémité du brûleur. Le régulateur primaire arrête la pompe si le comburant ne s'enflamme pas. (Autrement, il y aurait une dangereuse accumulation de mazout.) En cas d'arrêt du brûleur, réamorcez-le en appuyant sur le bouton de réarmement du régulateur primaire ; faites-le une seule fois. Si le système se met en marche et s'arrête aussitôt, faites appel à un technicien.

Entretien. Avant la saison froide, faites vérifier, nettoyer et ajuster votre brûleur et ses composantes par un technicien. Un contrat d'entretien pourrait s'avérer intéressant.

Gardez propre l'endroit où se trouve le brûleur. La poussière entrave le bon fonctionnement du ventilateur, et la saleté causera l'arrêt complet du système. De temps en temps, passez l'aspirateur, avec un suceur plat, sur les orifices d'entrée d'air du ventilateur. N'accumulez pas de saleté sous le brûleur.

Amélioration du rendement. Si la chaudière est munie d'une fenêtre d'observation, vérifiez la couleur de la flamme : elle doit être

jaune vif et sans fumée. Si elle est orange foncé ou noire, ou s'il se dégage de la fumée par la cheminée, faites régler le système.

Un appareil trop puissant produit trop de chaleur pour les besoins de la maison. Une maison bien isolée réduit les besoins en chauffage ; l'appareil trop puissant est alors moins efficace. Il suffit d'y ajouter un gicleur plus petit.

Un brûleur qui ne fonctionne pas à 75 p. 100 de sa capacité, après mise au point ou remplacement du gicleur, doit être changé. Remplacez-le par un modèle à tête de retenue, plus coûteux au départ, mais rentable à la longue.

Réservoir souterrain. De l'eau dans le réservoir ou le filtre est parfois un signe d'infiltration dans le conduit de remplissage ou d'aération, résultat de la corrosion du réservoir. Le mazout s'infiltre dans la nappe phréatique, et l'eau et les sédiments pénètrent dans le brûleur. Débarrassez-vous de ce réservoir ; à défaut, vidangez-le et remplissez-le de sable. Si le brûleur consomme plus de mazout que d'habitude, le réservoir est peut-être percé.

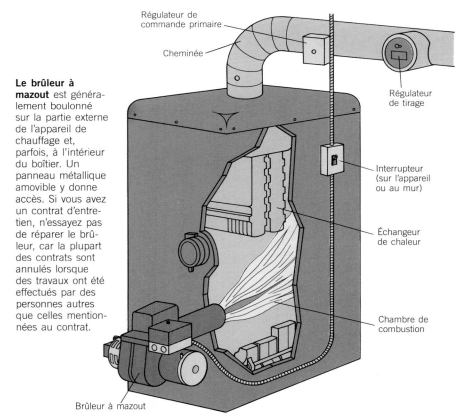

Le brûleur à mazout est généralement boulonné sur la partie externe de l'appareil de chauffage et, parfois, à l'intérieur du boîtier. Un panneau métallique amovible y donne accès. Si vous avez un contrat d'entretien, n'essayez pas de réparer le brûleur, car la plupart des contrats sont annulés lorsque des travaux ont été effectués par des personnes autres que celles mentionnées au contrat.

Régulateur de commande primaire

Cheminée

Régulateur de tirage

Interrupteur (sur l'appareil ou au mur)

Échangeur de chaleur

Chambre de combustion

Brûleur à mazout

Entretien du brûleur à mazout

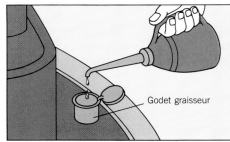

Godet graisseur

Si le moteur est muni de godets graisseurs (pour le lubrifier), versez quelques gouttes d'huile à moteur de bonne qualité dans chaque godet, trois mois après le début de la saison de chauffage. Certains moteurs, dotés de roulements scellés, ne nécessitent aucune lubrification. Les godets se trouvent de chaque côté du moteur. Ne mettez pas trop d'huile : deux ou trois gouttes suffisent.

Entretien et dépannage

Un contrat d'entretien devrait inclure les vérifications suivantes :
— Avec brûleur en marche : qualité de l'allumage, couleur et intensité de la flamme, analyse du rendement de combustion ;
— Vérification du réservoir, des conduits et des robinets ;
— Nettoyage de l'échangeur de chaleur, du tuyau d'évacuation et de la base de la cheminée ; repérage des fissures et autres bris. Inspection de la chambre de combustion ;
— Inspection de toutes les pièces qui ne sont pas directement reliées au brûleur : remplacement du filtre à mazout ; nettoyage du réservoir du filtre et inspection de son contenu ; remplacement, au besoin, du joint d'étanchéité ;

— Nettoyage à fond des canalisations, des électrodes et du cône d'extrémité ; vérification du gicleur ;
— Vérification des ressorts et manchons du transformateur ; essai et nettoyage de la cellule au cadmium ou du régulateur de commande ;
— Remplacement du joint d'étanchéité de la pompe à carburant et nettoyage de son épurateur ;
— Vérification de l'usure des fils ;
— Vérification de la pression de la pompe et mise au point.

Après remise en marche du brûleur, il faut effectuer un deuxième essai du rendement de combustion et le comparer au premier ; on effectue au besoin une mise au point. On vérifie et on met au point le registre de tirage.

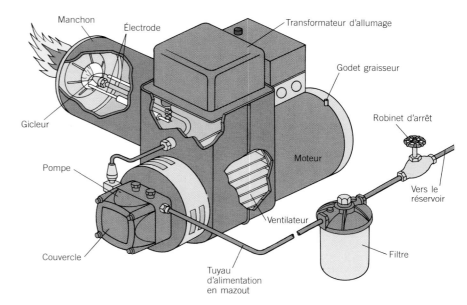

Entretien

Un dépisteur de fumée introduit dans la cheminée vérifie la combustion des gaz.

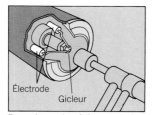

Remplacez le gicleur tous les ans pour assurer la pulvérisation adéquate du mazout.

Remplacez le filtre ; vérifiez pour dépister toute trace d'eau et de sédiments.

Nettoyez l'épurateur (ou remplacez-le) ; remplacez le joint d'étanchéité.

Nettoyez les pales du ventilateur, le courant coupé et le transformateur enlevé.

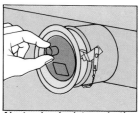

Ajustez le régulateur de tirage ; le tirage doit être adéquat quand le brûleur fonctionne.

Mauvais fonctionnement du brûleur

Avant de faire appel à un technicien :
- Assurez-vous que l'interrupteur de sécurité n'a pas été fermé pas mégarde. Il peut y en avoir deux : un fixé sur la fournaise et un autre près du mur ou en haut de l'escalier.
- Vérifiez le fusible ou le disjoncteur. S'il grille ou saute de nouveau, faites appel à un technicien.
- Vérifiez le niveau de mazout du réservoir (p. 14). Le brûleur requiert au moins 2 po de mazout pour fonctionner ; le réservoir devrait toujours être rempli au moins au quart. (Ne vous fiez pas à l'indicateur : souvent il se bloque.)
- Assurez-vous que le thermostat est réglé au-dessus de la température de la pièce.

- Si le thermostat est muni d'un contrôle de jour et de nuit, vérifiez le cycle de chronométrage. Vérifiez les points de contact ; encrassés ou rouillés, ils inhibent la mise en marche ; passez un papier fort (p. 474).
- Essayez de rétablir le courant à l'aide du bouton de réarmement. N'appuyez qu'une fois. Si le brûleur se remet en marche et s'arrête aussitôt, faites appel à un technicien.
- Un brûleur qui crache ou qui fonctionne par à-coups et s'arrête indique que le filtre à mazout est encrassé ou qu'il y a de l'air dans les tuyaux. Appelez un technicien.
- Si la fournaise ou le brûleur fonctionnent mais produisent peu de chaleur, c'est qu'il y a un défaut dans le système de distribution de la chaleur (p. 465-473).

Chaudière électrique

Ce type de chaudière est compact. Les éléments chauffants à action rapide sont immergés dans l'eau, laquelle se trouve dans un bac en fonte à l'intérieur de la chaudière. Une petite pompe fait circuler l'eau ainsi chauffée dans les tuyaux, les convecteurs ou les canalisations. La distribution de la chaleur est commandée par un thermostat qui commande chaque pièce ou chaque secteur de la maison.

Ce système de chauffage est coûteux, surtout dans les régions froides. Avant d'y faire des réparations importantes, comparez le prix des appareils à gaz et à mazout. Si vous optez pour l'un d'eux, choisissez-en un doté d'un échappement par un mur latéral.

Générateur d'air chaud électrique

Le fonctionnement d'un système électrique à air chaud est semblable à celui d'une chaudière au gaz ou au mazout, sauf qu'il n'y a ni brûleur, ni échangeur de chaleur, ni conduit d'échappement. Un ventilateur distribue la chaleur par l'intermédiaire de conduits (de deux à cinq). Pour éviter toute surcharge, les éléments chauffent en alternance. L'entretien se limite au nettoyage des filtres et à la vérification du moteur du ventilateur (p. 465). Il faut parfois remplacer le fusible (fermez d'abord le moteur).

La distribution de la chaleur par les éléments donne un rendement maximal. Mais les générateurs d'air chaud électriques sont très coûteux et ils connaissent les mêmes problèmes de conduits que les autres appareils (p. 466-467). Si votre appareil requiert d'importantes réparations, songez à le remplacer par un système au gaz ou au mazout à haut rendement. Dans les régions à climat tempéré, il est préférable d'installer une thermopompe (p. 490-491) qui combine chauffage et refroidissement ; avant de faire l'installation, assurez-vous que les conduits en place sont adéquats : les thermopompes exigent des conduits plus gros que ceux des générateurs d'air chaud.

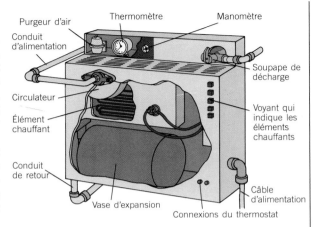

Les chaudières électriques à action rapide sont compactes et peuvent être fixées à un mur.

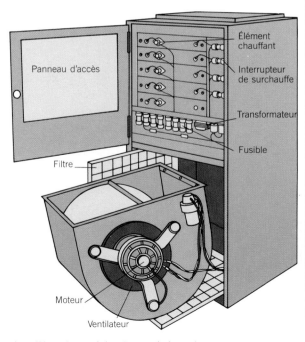

Les éléments produisent une chaleur vive.

Plinthes électriques

Les plinthes électriques installées dans chaque pièce permettent de bien régler la température. Fixées au mur ou au plancher, elles contiennent des éléments à résistance électrique ; l'air circulant à travers les éléments se réchauffe et monte. L'appel d'air frais au sol entraîne une bonne circulation de l'air dans la pièce. Les convecteurs encastrés sont munis de ventilateurs qui accélèrent la distribution de la chaleur. Plus coûteux et plus bruyants que les plinthes (en raison du ventilateur), ils sont néanmoins plus discrets. Pour obtenir un meilleur rendement, nettoyez-les à l'aspirateur.

Les ailettes de métal des plinthes chauffantes augmentent la surface d'échange de la chaleur.

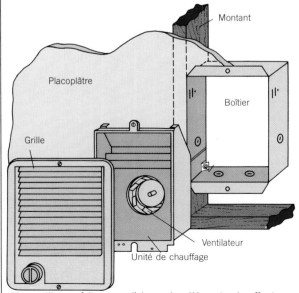

Un ventilateur fait passer l'air par les éléments chauffants.

Dépannage d'un radiateur électrique

Problème	Origine	Solution
Aucune chaleur.	Thermostat réglé trop bas.	Réglez le thermostat plus haut.
	Rideaux ou meubles bloquent la circulation de l'air.	Enlevez tout obstacle.
	Coupe-circuit ou fusible grillé.	Remettez le coupe-circuit en marche ; remplacez le fusible.
	Coupe-circuit ou fusible saute de nouveau.	Vérifiez s'il y a court-circuit dans le câblage du radiateur.
	Thermostat défectueux.	Coupez le courant. Passez un fil de démarrage (p. 474) autour des bornes du thermostat ; remettez le courant. Si le radiateur fonctionne, remplacez le thermostat.
	Câblage de résistance défectueux dans l'élément chauffant.	Déclenchez le coupe-circuit du radiateur et vérifiez le câblage à l'aide d'un testeur de continuité (p. 242-243) ; remplacez l'élément.
	Câblage électrique de la maison défectueux.	Déclenchez le coupe-circuit ou retirez le fusible du radiateur ; resserrez toutes les connexions.
	Connexions lâches dans le radiateur.	Faites vérifier le câblage par un électricien.
L'appareil se met en marche et s'arrête fréquemment.	Rideaux, meubles ou débris bloquent la circulation de l'air.	Enlevez tout obstacle.
Le radiateur ne s'arrête pas.	Perte de chaleur de la pièce supérieure à la capacité du radiateur.	Fermez portes et fenêtres. Posez des coupe-bise ; calfeutrez portes et fenêtres. Isolez davantage ou installez des radiateurs d'appoint.
	Thermostat défectueux.	Réglez le thermostat au plus bas. Si le radiateur fonctionne, remplacez le thermostat.
Il se dégage de la fumée ou des odeurs.	Poussière, saleté et charpie encrassent l'appareil.	Nettoyez le radiateur avec le suceur plat de l'aspirateur (tous les six mois).
Le ventilateur ne fonctionne pas (dans les appareils qui en sont munis).	Pales du ventilateur bloquées.	Coupez le courant. Enlevez le couvercle ou la grille ; enlevez l'objet obstructeur.
	Fils pas reliés au moteur du ventilateur.	Coupez le courant du radiateur. Faites les connexions nécessaires.
	Moteur défectueux.	Avec un voltmètre ou un ohmmètre (p. 242-243), vérifiez si le courant se rend au moteur. Si oui, remplacez le moteur.
Le ventilateur fonctionne, mais il n'y a pas de chaleur.	Câblage de résistance de l'élément de chauffe défectueux.	Vérifiez le câblage avec un testeur de continuité (p. 242-243) ; remplacez l'élément par un élément de même voltage.
	Connexions lâches dans le radiateur.	Déclenchez le coupe-circuit ou ôtez le fusible ; vérifiez et resserrez les connexions.

ATTENTION ! Avant toute réparation, débranchez le radiateur ou coupez le courant.

Radiateurs électriques d'appoint

Si votre maison est munie d'un système de chauffage central, économisez en réglant le thermostat à 15°C (60°F) ou moins et en installant des radiateurs d'appoint dans les pièces que vous occupez. Choisissez des modèles qui s'arrêtent automatiquement en cas de surchauffe. N'utilisez jamais de cordon rallonge et placez-les loin des objets inflammables, des sources d'eau et du thermostat du système de chauffage central.

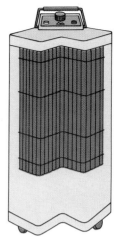

Le radiateur soufflant est muni d'éléments qui chauffent à haute température. Un petit ventilateur fait passer l'air par les éléments et propulse la chaleur dans la pièce. Peu coûteux, il réchauffe rapidement une pièce.

Le radiateur bain d'huile ou bain d'eau distribue la chaleur plus lentement que les autres radiateurs, mais la température reste uniforme. Pour vous protéger des brûlures, choisissez un modèle à grille.

Le radiateur à convection est muni d'un ventilateur qui fait circuler l'air à travers des éléments de céramique. Il est sûr mais sa grille peut causer des brûlures.

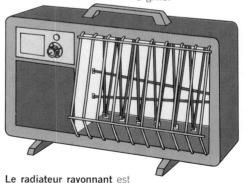

Le radiateur rayonnant est muni d'éléments placés devant un réflecteur. La chaleur émise par rayonnement réchauffe la personne qui se trouve devant, mais pas la pièce entière. Certains modèles ont un ventilateur.

Il s'avère souvent plus économique d'installer un radiateur dans un ajout, un grenier rénové ou une pièce située au-dessus du garage que de relier la pièce au système central.

Un radiateur ventilé au gaz coûte parfois deux fois plus cher qu'un radiateur électrique, mais les économies qu'il permet de réaliser sur les factures d'électricité compensent son prix d'achat. Ce type de radiateur offre également plus de sécurité qu'un modèle non ventilé parce qu'il puise l'air à l'extérieur et qu'il évacue les gaz résiduels. Les radiateurs non ventilés ne sont pas recommandés, même ceux qui ont

Radiateur ventilé au gaz

un détecteur de chute de pression qui arrête l'appareil lorsque la quantité d'oxygène est trop faible, car ils polluent l'air à l'intérieur de la mai-

son. D'ailleurs, la plupart des provinces les interdisent dans les immeubles résidentiels.

Les radiateurs non ventilés posent un autre problème : la condensation. Un radiateur non ventilé de 15 000 Btu/heure pourra produire jusqu'à un demi-litre de vapeur d'eau par heure alors qu'un radiateur ventilé, pour sa part, libère l'humidité à l'extérieur.

Le radiateur à évent direct offre à la fois la prise d'air frais et l'échappement des gaz par un conduit double traversant un mur extérieur (ci-dessous, à gauche). Le radiateur à catalyseur et le foyer à gaz évacuent les gaz par des tuyaux souples de métal ou de plastique assez petits pour être installés dans un mur jusqu'à un évent.

La capacité des radiateurs ventilés varie de 5 000 Btu/heure (unités d'évacuation directe) à 90 000 Btu/heure (combusteur catalytique le plus puissant). En climat tempéré, un radiateur ventilé peut chauffer jusqu'à 1 500 pi^2 (140 m^2) si l'isolation est moyenne.

Chauffage sécuritaire au kérosène

Les radiateurs au kérosène sont interdits dans plusieurs régions : ils ont la réputation d'être dangereux et de polluer l'air intérieur. Les nouveaux appareils à évent direct rendent ce combustible efficace, peu coûteux et plus sûr ; les radiateurs au kérosène non ventilés sont toujours dangereux.

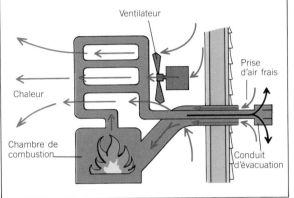

Radiateur à évent direct

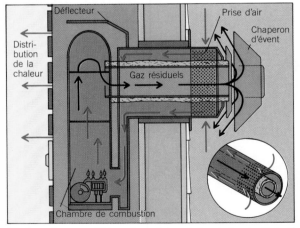

Situé sur le mur extérieur, le radiateur à évent direct est muni d'un conduit d'échappement double qui remplace le conduit de fumée. L'air extérieur est aspiré et acheminé dans la chambre où l'oxygène favorise la combustion. Les gaz résiduels s'échappent par un conduit protégé par un chaperon.

Radiateur à catalyseur

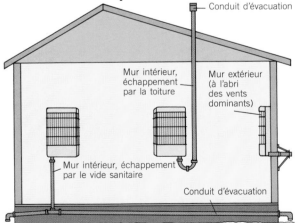

Le radiateur à catalyseur à haut rendement brûle le gaz sans flammes, donnant un rendement de 90 p. 100. Le catalyseur provoque une réaction chimique (entre l'oxygène et le gaz) qui produit la chaleur. Un petit ventilateur évacue les gaz résiduels par un conduit pouvant être diversement placé.

Foyer à gaz

Le foyer à gaz peut être du type encastrable et installé à l'intérieur du foyer avec conduit d'évacuation (médaillon) ; il peut aussi être sur pied, avec tuyau d'échappement passant par la toiture, ou posé contre un mur extérieur avec échappement direct à l'extérieur.

Efficacité d'un foyer

Le feu de foyer réconforte et constitue une importante source de chaleur. Le foyer idéal est situé au centre de la maison, muni d'une prise d'air frais et d'un ventilateur qui fait circuler la chaleur d'une pièce à l'autre grâce à des bouches d'air, et doté de portes de verre et d'un registre de fumée réglable.

Malheureusement, bien peu de foyers répondent à ces critères. Ceux qui n'ont pas leur propre alimentation en air, par exemple, ne font que tirer l'air déjà chaud de la maison.

Pis encore, les feux de bois dans les vieux foyers polluent l'air et présentent des risques d'incendie : le bois qui brûle produit de la créosote dont l'accumulation entraîne des feux de cheminée. Il faut penser alors à utiliser des combustibles moins polluants telles les bûches artificielles qui exigent moins d'air que le bois pour brûler.

Amélioration du foyer. Si vous vous servez peu souvent de votre foyer, le registre de tirage (p. 400) doit être bien fermé pour empêcher la chaleur de votre maison de fuir par cette ouverture. Posez des portes de verre pour conserver l'air chaud quand le feu s'éteint. Et pour mieux répartir la chaleur, installez une grille tubulaire dotée d'un ventilateur (à droite).

Si vous utilisez régulièrement votre foyer, songez à installer un modèle encastrable au gaz (page ci-contre) ou au bois (à droite), qui a un rendement énergétique de 80 p. 100 et assure une combustion plus propre.

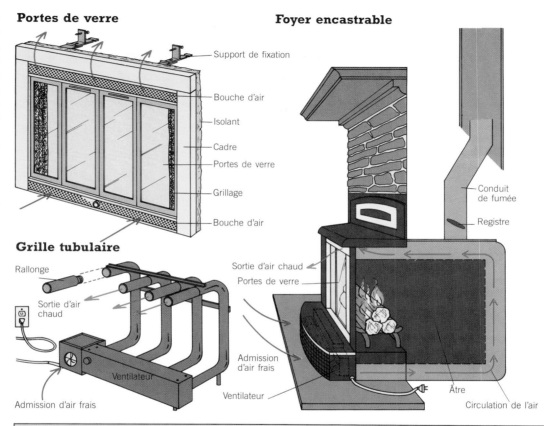

Portes de verre
- Support de fixation
- Bouche d'air
- Isolant
- Cadre
- Portes de verre
- Grillage
- Bouche d'air

Grille tubulaire
- Rallonge
- Sortie d'air chaud
- Ventilateur
- Admission d'air frais

Foyer encastrable
- Conduit de fumée
- Registre
- Sortie d'air chaud
- Portes de verre
- Admission d'air frais
- Ventilateur
- Âtre
- Circulation de l'air

Les portes de verre diminuent la quantité d'air chaud tirée vers l'extérieur. Elles s'appuient sur un cadre isolé. Des bouches d'air, en haut et en bas, s'ouvrent et se ferment ; elles commandent la circulation de l'air. Un grillage métallique sert de pare-étincelles lorsque les portes sont ouvertes.

La grille tubulaire munie de tubes-rallonge et d'un ventilateur fait circuler la chaleur dégagée par le feu. L'air frais de la pièce y pénètre, est réchauffé par le feu et évacué par le haut.

Le foyer encastrable est un poêle assez petit pour être intégré à un foyer. Les mieux conçus ont une chambre de combustion secondaire qui brûle les polluants et maximise le rendement calorifique. Des ventilateurs diffusent la chaleur par des bouches d'air situées au-dessus des portes.

Mesures de sécurité

- Ne laissez pas s'accumuler la créosote dans la cheminée ; faites-la ramoner tous les ans.
- Gardez un extincteur approuvé près du foyer ; installez des détecteurs de fumée.
- Avant d'allumer le feu, ouvrez le registre et assurez-vous que le conduit n'est pas obstrué (p. 401). Ne fermez le registre que lorsque le feu est entièrement éteint.
- N'allumez jamais un feu avec de l'essence.
- N'employez que du bois de foyer. Le bois traité, les résidus, les plastiques, les branches de pin et les feuilles renferment des produits chimiques dangereux ou s'allument trop vite.
- Ne brûlez qu'une bûche artificielle à la fois : elles explosent si elles sont empilées les unes sur les autres ou mêlées à du bois.
- Ne placez aucun objet inflammable à moins de 3 pi (1 m) du foyer ; jetez les cendres dans un contenant de métal.
- S'il y a un feu de cheminée, fermez le registre, évacuez les lieux et appelez les pompiers. Arrosez le toit, si possible, en étant très prudent.

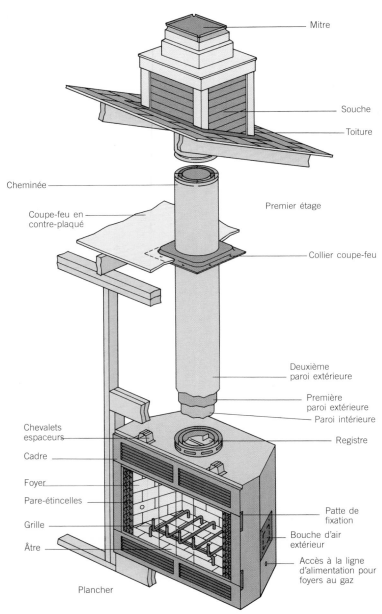

Mitre

Souche

Toiture

Cheminée

Premier étage

Coupe-feu en contre-plaqué

Collier coupe-feu

Deuxième paroi extérieure

Première paroi extérieure

Paroi intérieure

Chevalets espaceurs

Registre

Cadre

Foyer

Pare-étincelles

Grille

Âtre

Patte de fixation

Bouche d'air extérieur

Accès à la ligne d'alimentation pour foyers au gaz

Plancher

Le charme et l'attrait d'un foyer sont proverbiaux. Les agents immobiliers admettent sans conteste que l'installation d'un foyer est une amélioration des plus profitables (soit un rendement moyen du capital investi de 130 p. 100).

Toutefois, la construction d'un foyer traditionnel est une entreprise onéreuse : construction d'une semelle en béton sous la ligne de gel, érection d'une cheminée à parois multiples, conduits reliant le foyer à l'extérieur.

Plus économiques et plus pratiques sont les foyers préfabriqués qui s'intègrent bien à une charpente ordinaire. Composés d'un caisson métallique surmonté d'une cheminée à parois multiples, ils sont dits à dégagement nul, car l'intense chaleur du feu ne se communique pas aux matériaux avoisinants. Ils s'installent presque n'importe où dans la maison, car la cheminée, qui ne nécessite aucun revêtement de maçonnerie, peut avoir quelques coudes.

Modèles. Il y a, outre le foyer encastrable, plusieurs modèles de foyers à dégagement nul. Certains sont transparents et servent de cloison entre deux pièces ; d'autres sont munis de portes de verre sur trois côtés ; d'autres, enfin, sont entièrement vitrés. Certains modèles préfabriqués sont tapissés de briques réfractaires et peuvent être revêtus de pierres pour imiter les foyers de maçonnerie.

▶**ATTENTION !** Comme le foyer à dégagement nul tire beaucoup d'air, le système de ventilation de la maison risque de ne pas en fournir assez. Avant d'acheter, vérifiez les règlements municipaux : il faudra peut-être faire inspecter le foyer après l'installation.

Pour obtenir des conseils, consultez un marchand de foyers et de poêles.

Particularités à rechercher. De nombreux raffinements s'ajoutent à ces foyers pour en accroître le rendement énergétique : prise d'air frais, portes de verre (certains règlements exigent les deux), bouches d'air, registre réglable, ventilateur de circulation d'air.

1. Fabriquez le cadre du foyer à l'extérieur du mur (illustration) ou à l'intérieur (enlevez le recouvrement, p. 279). Laissez un espace de $5/16$ à 2 po entre le bloc-foyer et le cadre, selon les instructions du fabricant.

6. Clouez le collier coupe-feu sous le coupe-feu en contre-plaqué pour qu'il n'y ait aucun espace autour de la cheminée. Fixez la cheminée aux montants avec des attaches de métal (non visibles ici).

2. Posez le bloc-foyer sur un socle de contre-plaqué (un âtre à l'apparence de béton est intégré). Mettez de niveau ; calez au besoin. Laissez l'espace requis sur le dessus et de chaque côté pour les chevalets.

3. Fixez le bloc-foyer en clouant ses pattes aux montants ; reliez le conduit d'air (le cas échéant) à la paroi latérale du foyer. Le conduit d'aluminium souple relie le foyer au mur extérieur, où sera installée la prise d'air.

4. Faites passer le conduit entre les solives de chaque étage jusqu'au toit. Installez un coupe-feu en contre-plaqué à chaque étage ; percez-y un trou (vu ici à l'étage) pour faire passer la cheminée.

5. Reliez la première section de la cheminée à la partie supérieure du foyer ; fixez d'abord la paroi intérieure. Glissez la deuxième section par le coupe-feu depuis l'étage supérieur ; ajustez-la au collier coupe-feu.

7. Posez un coupe-feu de contre-plaqué entre l'étage supérieur et le grenier ; percez le trou de la cheminée. Fixez le collier coupe-feu ; posez les sections de tuyau. Montez la cheminée, du sol jusqu'à la souche.

8. Glissez la dernière section dans la souche ; fixez solidement chaque section. Si la pente du toit est trop prononcée ou si la souche est inaccessible, demandez l'aide d'un professionnel.

9. Posez la mitre sur le dessus de la cheminée (la deuxième mitre illustrée ici coiffe le conduit d'évacuation du système de chauffage). La souche d'un foyer à dégagement nul peut être recouverte de bois.

10. Le plancher, devant le foyer, doit être incombustible (ici en marbre). Des portes de verre complètent le foyer. Le revêtement du cadre est purement matière de goût (ici, placoplâtre, manteau et moulure de bois).

Confort au foyer / Poêles à bois

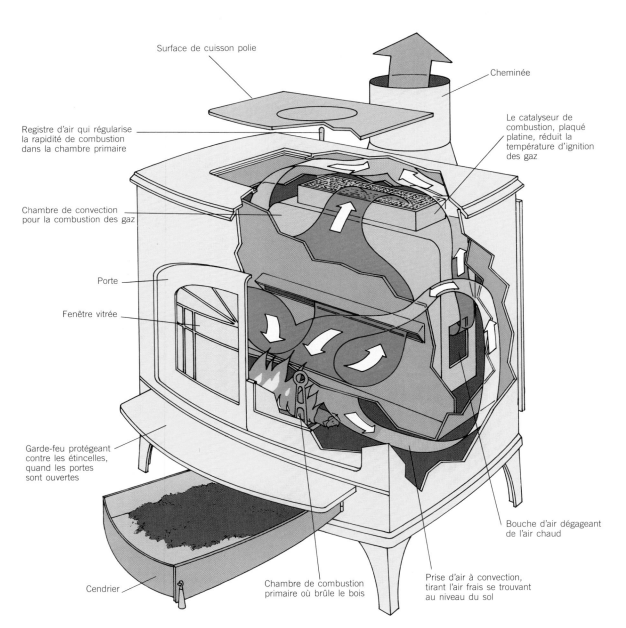

Surface de cuisson polie

Cheminée

Le catalyseur de combustion, plaqué platine, réduit la température d'ignition des gaz

Registre d'air qui régularise la rapidité de combustion dans la chambre primaire

Chambre de convection pour la combustion des gaz

Porte

Fenêtre vitrée

Garde-feu protégeant contre les étincelles, quand les portes sont ouvertes

Cendrier

Chambre de combustion primaire où brûle le bois

Bouche d'air dégageant de l'air chaud

Prise d'air à convection, tirant l'air frais se trouvant au niveau du sol

Devant la popularité des poêles à bois, les États-Unis ont édicté des normes pour diminuer le taux permis d'émission de particules, qui est passé de 30 à 40 g/h qu'il était à 4,1 g/h pour les nouveaux poêles à catalyseur, et à 7,5 g/h pour les nouveaux poêles sans catalyseur. (Les manufacturiers canadiens suivent, pour la plupart, les mêmes normes.) Il en est résulté la mise en marché de toute une série de poêles plus sûrs et plus efficaces. Certains sont même dotés d'une chambre de combustion secondaire isolée permettant une accumulation suffisante de chaleur pour permettre une deuxième combustion des gaz avant leur sortie. D'autres sont munis de catalyseurs de combustion qui réduisent la température d'ignition des gaz, augmentant la production de chaleur de 50 p. 100. Les poêles à haut rendement énergétique (ayant un taux supérieur à 80 p. 100) réunissent ces deux caractéristiques. La combustion des gaz résiduels réduit considérablement l'accumulation de créosote dans la cheminée.

Comment choisir. Dans un magasin spécialisé, choisissez un modèle portant la mention d'homologation de l'Association canadienne de normalisation (CSA) ou des Laboratoires des assureurs du Canada (ULC). Le poêle ne doit pas être trop puissant. Recherchez les modèles à portes vitrées autonettoyantes : l'air nécessaire à la combustion entre par des bouches, laissant les vitres propres. Un poêle à cheminée intérieure accumule moins de créosote qu'un modèle à cheminée extérieure. Les cheminées préfabriquées doivent être conformes aux normes de l'ACNOR. Installez le poêle sur une base incombustible, à bonne distance des murs ou des écrans calorifuges. Tous les mois, vérifiez conduits ou cheminée pour toute accumulation de créosote. L'installation doit être conforme aux règlements municipaux ; informez votre assureur.

▶ **ATTENTION !** Assurez-vous que la ventilation est adéquate. Il pourrait y avoir des risques de refoulement de gaz dangereux dans la maison.

Poêles au charbon

Partout où il est facile de trouver de l'anthracite, le poêle à charbon s'avère plus économique que le poêle à bois. (Le charbon bitumineux et la lignite sont mauvais combustibles.) L'anthracite, qui brûle avec une courte flamme et ne contient pas de créosote ni de polluants particulaires, émet toutefois des cendres volantes, dépôt ininflammable pouvant obstruer la cheminée.

Si vous installez un poêle à charbon, choisissez un modèle approuvé par l'ACNOR et pouvant brûler le charbon que vous utilisez. Les cheminées doivent être inspectées aussi régulièrement que celles des poêles à bois ou des foyers.

Il y a des types de charbons qui renferment plus d'impuretés métalliques que d'autres ; en grande quantité, ces impuretés créent des scories, résidu dur qui encrasse la grille et diminue l'intensité du feu. Faites l'essai du charbon ; brûlez-en un sac ou deux avant de passer votre commande.

Un feu de charbon est plus difficile à allumer qu'un feu de bois, mais il dure plus longtemps et sa chaleur est plus intense. Le charbon exige beaucoup d'air pour brûler ; les poêles à charbon sont donc munis d'une grille qui retient le combustible et d'une prise d'air sous la grille qui aspire l'air nécessaire à la combustion. Une fois le feu bien pris, un registre permet de moduler la chaleur.

La grille est munie de poignées externes pour faire tomber les cendres dans le cendrier. Le feu peut s'étouffer s'il y a trop de cendres.

Allumage : sur du papier froissé, mettez du bois d'allumage. Ajoutez des branches : pin ou épinette pour allumage rapide, érable ou frêne pour feu prolongé. Ouvrez le registre et allumez. Le feu pris, ajoutez les bûches.

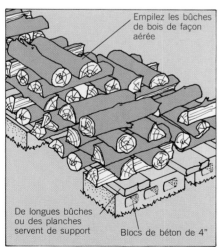

Empilez les bûches de bois de façon aérée

De longues bûches ou des planches servent de support

Blocs de béton de 4"

Entreposage et séchage du bois : empilez-le dehors ; laissez l'air circuler librement. Le bois vert demande au moins six mois pour sécher. Le bois sec brûle mieux que le bois vert et dégage plus de chaleur.

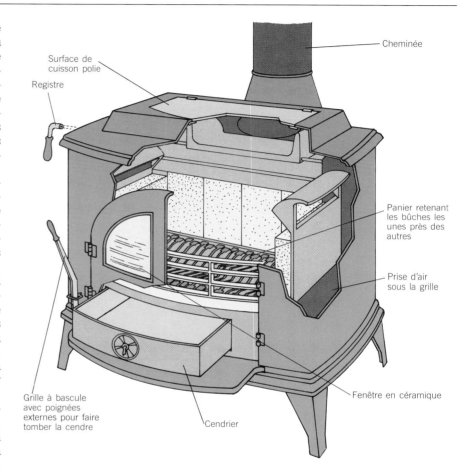

Cheminée

Surface de cuisson polie

Registre

Panier retenant les bûches les unes près des autres

Prise d'air sous la grille

Grille à bascule avec poignées externes pour faire tomber la cendre

Cendrier

Fenêtre en céramique

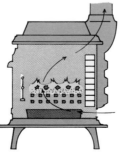

Un feu de charbon s'allume avec du papier et du bois d'allumage. Ne mettez du charbon que lorsqu'il y a un lit de tisons. Mettez une seule couche de charbon : en mettre davantage diminuerait le feu.

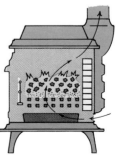

Ajoutez du charbon quand la flamme est rouge et seulement si le feu semble prêt à en recevoir davantage. Remplissez le panier ; gardez le registre ouvert jusqu'à l'allumage du charbon ajouté.

Le système de chauffage solaire passif capte et emmagasine l'énergie solaire. Il assure le confort et réduit la consommation d'énergie. Contrairement au chauffage solaire actif, qui fait appel à des capteurs placés sur le toit, à des pompes ou à des ventilateurs, le système passif fait partie intégrante de la maison et repose sur un principe simple.

Quatre éléments le constituent : 1) des fenêtres exposées au sud qui laissent entrer les rayons du soleil ; 2) des matériaux qui emmagasinent la chaleur (brique, béton, céramique, placoplâtre) ; 3) des distributeurs de chaleur (par rayonnement ou par convection, parfois combinés à un ventilateur dans les systèmes à air pulsé qui diffusent la chaleur aux pièces du côté nord) ; 4) des régulateurs qui protègent de la chaleur pendant l'été (auvents, treillis).

Le chauffage solaire est très économique s'il est installé dans une maison neuve ou dans un ajout ; il l'est moins s'il faut l'intégrer à une maison déjà construite. Il faut donc décider si les autres avantages (plus grande surface vitrée, plus de lumière, plus d'espace ou de confort) valent l'investissement.

Avantages du chauffage solaire passif. Avant de prendre une décision, examinez les questions ci-dessous. Si vous répondez oui à toutes les questions, l'installation d'un système passif s'avérera avantageuse.

● Votre maison est-elle bien exposée au soleil ? L'un des murs doit être exposé au sud, au moins à 30 degrés ; plus elle est exposée au sud, plus il sera facile de contrôler la chaleur pendant l'été. En décembre, le mur capteur doit être exposé au soleil de 10 heures à 14 heures.

● Tirez-vous plein avantage du potentiel solaire de votre maison ? Calculez la surface vitrée des murs exposés au sud. Si elle ne correspond pas à 4 ou 5 p. 100 de la surface totale du plancher (40 pi^2 [3,5 m^2] de vitre par 1 000 pi^2 [93 m^2] de surface de plancher), vous ne l'exploitez pas pleinement. D'après les spécialistes, vous pouvez réduire l'énergie consommée de 25 p. 100 si les fenêtres exposées au sud sont à double ou à triple vitrage et couvrent une surface égale à 6 ou 8 p. 100 de la surface chauffée.

● Votre maison est-elle bien isolée ?

● Vos factures d'énergie sont-elles plus élevées que la moyenne du quartier ? Demandez à votre fournisseur.

Choix d'un système. Sous nos climats, le meilleur système est une serre vitrée représentant entre 6 et 8 p. 100 de la surface chauffée, jumelée à un bon système de distribution de la chaleur. Elle doit être isolée des pièces attenantes, sans quoi les nuits fraîches nécessiteront l'utilisation du chauffage. Solution plus rentable : transformez un porche exposé au sud en aire d'ensoleillement. Si le plancher de l'une des pièces est en béton (un garage transformé en serre, par exemple), ou si le sous-sol est exposé au sud, songez à ajouter des fenêtres et à augmenter la masse thermique (ensemble des planchers, murs, meubles et autres matériaux caloabsorbants). Doublez le placoplâtre dans les pièces recevant un éclairage direct ou ajoutez un ouvrage en maçonnerie ou un récipient d'eau.

Si vous optez pour le chauffage solaire passif, consultez un spécialiste ou un entrepreneur d'expérience avant d'essayer l'une ou l'autre des mesures suggérées, surtout si vous avez l'intention d'ajouter une aire d'ensoleillement.

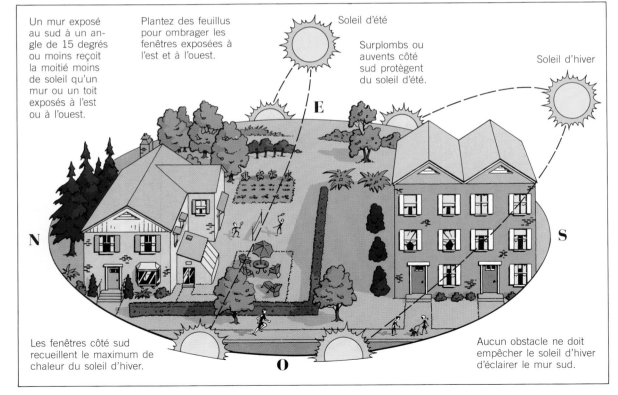

Un mur exposé au sud à un angle de 15 degrés ou moins reçoit la moitié moins de soleil qu'un mur ou un toit exposés à l'est ou à l'ouest.

Plantez des feuillus pour ombrager les fenêtres exposées à l'est et à l'ouest.

Soleil d'été

Surplombs ou auvents côté sud protègent du soleil d'été.

Soleil d'hiver

E

N

S

O

Les fenêtres côté sud recueillent le maximum de chaleur du soleil d'hiver.

Aucun obstacle ne doit empêcher le soleil d'hiver d'éclairer le mur sud.

Ajout de vitrage. Une égale répartition de la surface vitrée, au sud, offre un plus grand confort. La surface totale de vitrage (page précédente) doit représenter entre 6 et 8 p. 100 de la surface chauffée.

Il est préférable de poser de grandes fenêtres ou des portes-fenêtres plutôt que plusieurs petites fenêtres qui exigent une surface d'encadrement plus grande et produisent plus d'ombre. Si le vitrage donne sur une même pièce, la serre, par exemple, isolez-la des autres pièces avec des portes vitrées pour éviter les écarts de température l'hiver et l'été.

La vitre à faible émissivité (p. 426) réduit les pertes de chaleur au cours d'une journée, même par temps gris (une fenêtre à double vitrage à faible émissivité a une valeur RSI égale à celle d'une fenêtre ordinaire à triple vitrage). Utilisez-la pour les fenêtres et les aires d'ensoleillement.

Scellez toute fenêtre ne servant pas à l'aération, pour contrer les fuites et les courants d'air. Les claires-voies exposées au sud diffusent la lumière et la chaleur dans les pièces côté nord. Les coupoles et les lucarnes (p. 334) ont le même effet.

La surchauffe peut provenir de lanterneaux et de tabatières dépourvus de verre réfléchissant : ils laissent entrer trop de soleil l'été.

Plus la surface vitrée est grande, plus il faut de matériaux de stockage de la chaleur dans les pièces recevant directement le soleil. Ordinairement, il ne faut aucun matériau supplémentaire, à moins que les fenêtres exposées au sud ne représentent plus de 8 p. 100 de la surface de plancher de la maison. L'aire d'ensoleillement peut évidemment être conçue pour stocker peu ou beaucoup de chaleur, selon qu'elle sert d'appoint de chauffage ou de serre.

Le chauffage solaire passif bien conçu utilise le soleil d'hiver et empêche la surchauffe le reste de l'année. Pour vous protéger du soleil, installez des auvents rétractables ou des treillis, ou prolongez l'avant-toit (ci-contre).

Serre

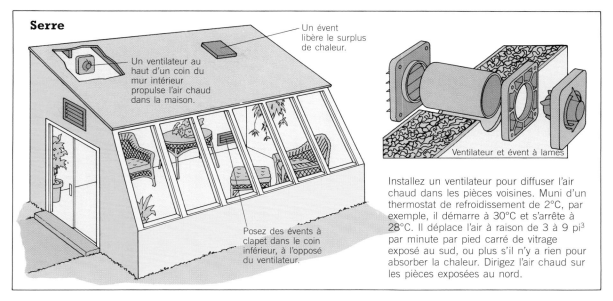

Un évent libère le surplus de chaleur.

Un ventilateur au haut d'un coin du mur intérieur propulse l'air chaud dans la maison.

Posez des évents à clapet dans le coin inférieur, à l'opposé du ventilateur.

Ventilateur et évent à lames

Installez un ventilateur pour diffuser l'air chaud dans les pièces voisines. Muni d'un thermostat de refroidissement de 2°C, par exemple, il démarre à 30°C et s'arrête à 28°C. Il déplace l'air à raison de 3 à 9 pi^3 par minute par pied carré de vitrage exposé au sud, ou plus s'il n'y a rien pour absorber la chaleur. Dirigez l'air chaud sur les pièces exposées au nord.

Ombre et lumière

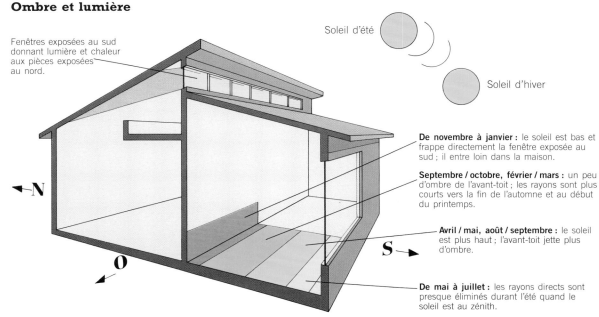

Fenêtres exposées au sud donnant lumière et chaleur aux pièces exposées au nord.

Soleil d'été

Soleil d'hiver

De novembre à janvier : le soleil est bas et frappe directement la fenêtre exposée au sud ; il entre loin dans la maison.

Septembre / octobre, février / mars : un peu d'ombre de l'avant-toit ; les rayons sont plus courts vers la fin de l'automne et au début du printemps.

Avril / mai, août / septembre : le soleil est plus haut ; l'avant-toit jette plus d'ombre.

De mai à juillet : les rayons directs sont presque éliminés durant l'été quand le soleil est au zénith.

La thermopompe est un système mécanique à fluide frigorigène, comme le climatiseur ou le réfrigérateur, qui chauffe et rafraîchit la maison. Elle se compose d'un serpentin extérieur, d'un serpentin intérieur et d'un compresseur. L'hiver, la chaleur de basse énergie est aspirée de l'extérieur vers l'intérieur. L'été, le cycle est inversé : la chaleur intérieure est expulsée. Un thermostat, des conduits et des ventilateurs régularisent et répartissent la chaleur et l'air frais.

Grâce à son frigorigène à une température de −29°C (−20°F), la thermopompe peut efficacement puiser la « chaleur » de l'air à −1°C (30°F). Elle réchauffe le frigorigène du serpentin extérieur où la différence de température atteint 28°C (50°F). Au cours du processus, le compresseur et le ventilateur consomment toutefois de l'énergie. Le rapport entre la quantité de chaleur transmise et l'énergie consommée est défini par le coefficient de performance (CP). Plus ce coefficient est élevé, plus la thermopompe est efficace : pour une saison entière de chauffage, le coefficient type se situe entre 2 et 3,5 (production de 1 à 3 Btu de chaleur par Btu d'électricité consommée) ; ce coefficient est légèrement plus élevé à l'automne. Outre le CP, on parle de coefficient de performance saisonnière (CPS) et de rendement énergétique saisonnier (RÉS) ; ils sont exprimés en watts et correspondent à 3,4 fois le CP (3,4 Btu/W).

Radiateur d'appoint. Toute baisse de température réduit la capacité de la thermopompe de produire de la chaleur. Sous le *point d'équilibre thermique*, un système électrique d'appoint se mettra en marche. Il est inutile d'abaisser le thermostat de la thermopompe la nuit : cela augmente le besoin en radiateurs d'appoint.

Entretien. Faites inspecter la thermopompe tous les ans. Nettoyez régulièrement le serpentin intérieur à l'aspirateur ; remplacez le filtre et lavez le serpentin extérieur. Lubrifiez, s'il y a lieu, le moteur du ventilateur et rajustez les courroies ; consultez le guide du fabricant.

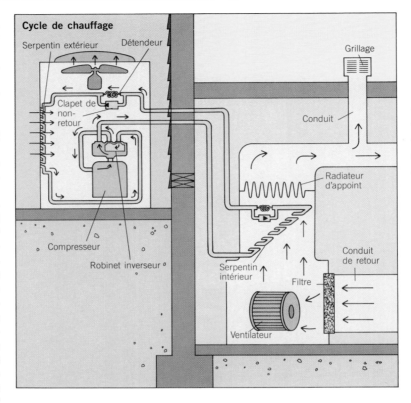

Cycle de chauffage

Serpentin extérieur — Détendeur — Clapet de non-retour — Compresseur — Robinet inverseur — Grillage — Conduit — Radiateur d'appoint — Serpentin intérieur — Filtre — Conduit de retour — Ventilateur

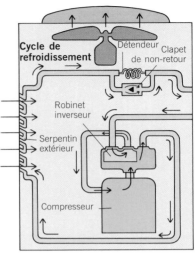

Cycle de refroidissement — Détendeur — Clapet de non-retour — Robinet inverseur — Serpentin extérieur — Compresseur

Cycle de chauffage (à gauche) : le frigorigène circule dans le serpentin extérieur sous forme de gaz, absorbant la chaleur de l'air extérieur. Le gaz est acheminé vers le compresseur qui en augmente la température ; il continue vers le serpentin intérieur, libère sa chaleur et se liquéfie. Un détendeur permet au liquide de passer à une basse pression, abaissant sa température et le transformant en gaz.

Problème	Solutions possibles
Givre sur le serpentin extérieur (hiver) ou intérieur (été) ; dégivrage irrégulier	L'accumulation de givre est normale et dépend de l'humidité, de la température et de la forme des serpentins. Gardez le condenseur propre ; nettoyez les serpentins ; remplacez le filtre. Si le problème persiste, consultez le guide du fabricant.
Fuite rougeâtre de frigorigène	Appelez le technicien. Peut causer une panne du compresseur.
Odeurs à la mise en marche	Vérifiez le drainage du bac d'égouttement.
Chauffage insuffisant par grands froids	Trop faible puissance de l'appareil. Fermez les bouches d'aération des pièces inoccupées. Songez à ajouter des radiateurs. Vérifiez le radiateur d'appoint.
Arrêts fréquents	Le thermostat est peut-être endommagé, ou l'anticipateur thermique mal réglé.
Registre expulse de l'air frais incommodant	Réglez les déflecteurs de manière à diriger l'air ailleurs ; scellez les conduits du grenier ou du vide sanitaire ; faites poser un câble chauffant dans le conduit.

Pompes géothermiques. Si les thermopompes tirent la chaleur de l'air, les pompes géothermiques utilisent celle du sol ou des eaux souterraines. Le système utilisant la chaleur du sol fait circuler un liquide dans des conduits de plastique souterrains. Dans le système utilisant la chaleur de l'eau, les conduits puisent l'eau souterraine (plus rarement, l'eau d'un lac ou d'un cours d'eau) et l'acheminent vers un puits qui alimente la thermopompe. L'eau est ensuite rejetée ou acheminée vers un autre puits.

Avantages. Coûteuses à l'installation, les pompes géothermiques ont un meilleur rendement que les thermopompes ordinaires, la température du sol variant moins que celle de l'air. Comme elles n'ont pas de condenseur, elles n'ont pas à être dégivrées l'hiver et elles durent généralement plus longtemps.

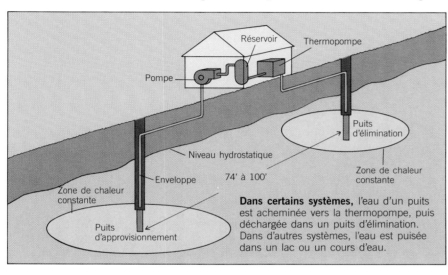

Réservoir — Thermopompe — Pompe — Puits d'élimination — Niveau hydrostatique — Enveloppe — 74' à 100' — Zone de chaleur constante — Zone de chaleur constante — Puits d'approvisionnement

Dans certains systèmes, l'eau d'un puits est acheminée vers la thermopompe, puis déchargée dans un puits d'élimination. Dans d'autres systèmes, l'eau est puisée dans un lac ou un cours d'eau.

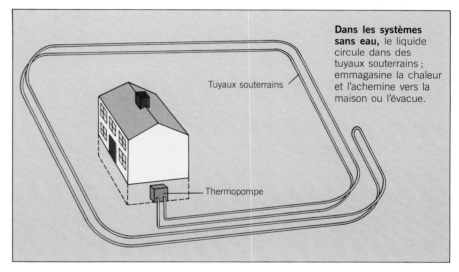

Dans les systèmes sans eau, le liquide circule dans des tuyaux souterrains ; emmagasine la chaleur et l'achemine vers la maison ou l'évacue.

Tuyaux souterrains — Thermopompe

Écran protecteur

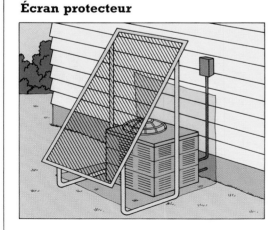

Pour vraiment améliorer le rendement durant l'été (surtout par temps humide), installez un écran pour garder le condenseur à l'ombre ; le serpentin de refroidissement libérera la chaleur plus rapidement. Durant l'hiver, enlevez l'écran pour mieux capter la chaleur du soleil.

Chauffe-eau

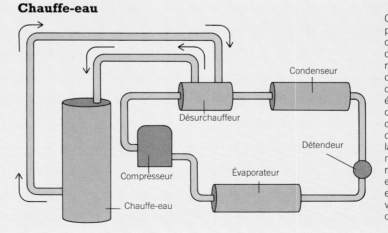

Condenseur — Désurchauffeur — Détendeur — Compresseur — Évaporateur — Chauffe-eau

Certaines thermopompes sont munies d'un *désurchauffeur* qui chauffe l'eau du robinet. L'eau du chauffe-eau passe dans un serpentin échangeur de chaleur logé entre le condenseur et le compresseur, capte la chaleur normalement évacuée et revient au chauffe-eau. (Le rendement est moins bon en hiver : il y a moins de chaleur disponible.)

Confort au foyer / Rafraîchissement de la maison

Une maison bien isolée reste plus fraîche durant l'été et plus chaude l'hiver. L'été, il n'y a pas que les climatiseurs qui peuvent garder la maison au frais ; vous trouverez ci-dessous des idées utiles. Durant la saison estivale, environ 25 p. 100 de la chaleur entre par les fenêtres et une quantité tout aussi importante s'infiltre par les fissures, les murs et les plafonds ; une autre partie provient de la cuisson, de la salle de bains, des luminaires et des divers appareils.

Installation d'un ventilateur central

Un ventilateur central rafraîchira la maison pour une fraction du prix d'un climatiseur. Installé dans l'entretoit, il aspire l'air chaud intérieur et l'évacue à l'extérieur par des bouches d'aération. L'air frais de la nuit est aspiré par les fenêtres ou les portes ouvertes des pièces à aérer.

Le ventilateur renouvelle l'air d'une maison toutes les deux minutes. Pour connaître la puissance de l'appareil qu'il vous faudrait, calculez le volume de toutes les pièces à rafraîchir : multipliez la hauteur de chaque pièce par la largeur et par la longueur ; divisez la somme par 2 pour obtenir le nombre de pieds cubes d'air à être évacués par minute (PCM).

Choisissez un ventilateur qui assure la circulation de l'air à $\frac{1}{10}$ po de pression statique, mesure qui traduit la poussée ou le tirage de l'air. Les bouches d'aération de l'entretoit (p. 460-461) doivent avoir une surface libre de 1 pi^2 pour chaque tranche de 750 PCM.

Avant la mise en marche, ouvrez une fenêtre ou une porte extérieure. L'hiver, recouvrez le ventilateur d'un panneau isolant.

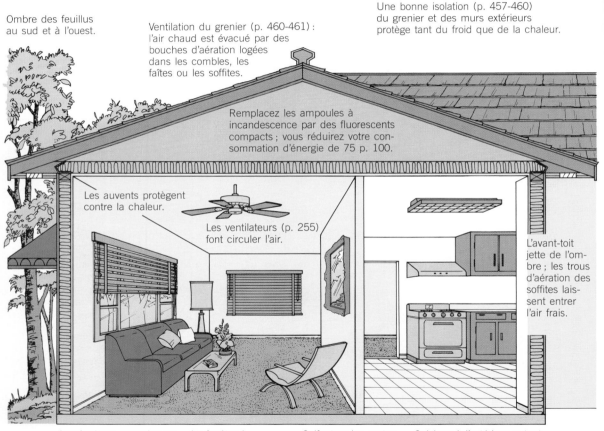

Ombre des feuillus au sud et à l'ouest.

Ventilation du grenier (p. 460-461) : l'air chaud est évacué par des bouches d'aération logées dans les combles, les faîtes ou les soffites.

Une bonne isolation (p. 457-460) du grenier et des murs extérieurs protège tant du froid que de la chaleur.

Remplacez les ampoules à incandescence par des fluorescents compacts ; vous réduirez votre consommation d'énergie de 75 p. 100.

Les auvents protègent contre la chaleur.

Les ventilateurs (p. 255) font circuler l'air.

L'avant-toit jette de l'ombre ; les trous d'aération des soffites laissent entrer l'air frais.

Aux fenêtres exposées au soleil, mettez des rideaux, des stores (p. 324-325) ou une pellicule réfléchissante (p. 426-427).

La fenêtre à double vitrage (p. 426) pourrait être une solution.

Calfeutrez les portes et les fenêtres pour éviter les infiltrations d'air chaud.

Cuisinez à l'extérieur autant que possible. Réduisez la production de chaleur grâce à des appareils ménagers efficaces.

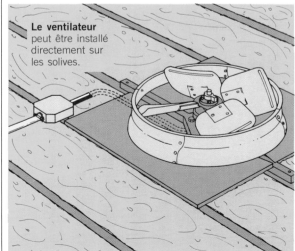

Le ventilateur peut être installé directement sur les solives.

1. Choisissez l'endroit (idéalement, le ventilateur devrait se trouver au centre d'un corridor). Dans le grenier, assurez-vous qu'il n'y a aucun fil électrique, tuyau ou obstacle à cet endroit. Prévoyez un espace d'au moins 20 po entre les solives et la toiture. Servez-vous du gabarit fourni avec le ventilateur pour tracer la découpe.

2. Portez manches longues, gants, lunettes protectrices et respirateur. Dans le grenier, enlevez l'isolant. Retournez à l'étage : découpez le plafond suivant le tracé. N'abîmez pas les solives. Découpez à l'aide d'une scie à placoplâtre ou d'une scie circulaire. Ôtez la partie découpée avec précaution.

3. Assemblez le ventilateur (le cas échéant) en suivant bien les instructions du fabricant. Passez-le par le trou que vous venez de faire et déposez-le sur les solives.

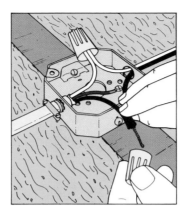

4. Coupez le courant (p. 237) ; confirmez à l'aide d'un détecteur de tension (p. 243). Fixez la boîte de jonction à la solive ; reliez-y les fils du ventilateur et raccordez-les selon les instructions du fabricant et les règlements municipaux (p. 193). Faites passer le fil de commande dans le mur. Installez la commande du ventilateur dans le corridor.

5. Mettez le ventilateur en place et vissez-le aux solives. Avec une scie à métaux, taillez les encoches du boîtier du ventilateur pour qu'elles s'ajustent aux solives ; posez la plaque et vissez-la aux solives. Posez une cage ajourée par mesure de sécurité.

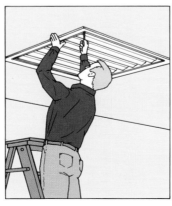

6. Peignez le panneau à claire-voie de la couleur du plafond ; mettez-le en place. Manipulez-le avec soin ; il est fait de lames et de ressorts d'aluminium qui le ferment lorsque le ventilateur est inutilisé.

Choix d'un climatiseur

Le climatiseur rafraîchit, déshumidifie et filtre l'air ambiant. Il y en a deux types : le climatiseur ordinaire pour rafraîchir une pièce (p. 494-495) et le climatiseur central (p. 496-497).

Rendement énergétique. L'énergie que dégage un climatiseur se mesure en Btu (une unité thermique) : 1 Btu est l'énergie qu'il faut pour élever de 1°F la température de 1 lb d'eau ; en d'autres termes, 1 Btu est la quantité d'énergie que dégage en brûlant une allumette de bois.

Les climatiseurs sont évalués en tonnes, terme industriel représentant l'énergie nécessaire pour faire fondre 1 t de glace en une journée, soit l'équivalent de 12 000 Btu/heure. Ainsi, un climatiseur de 3 t produira-t-il 3 x 12 000 Btu de rafraîchissement en une heure pour chaque tonne de rendement, soit 36 000 Btu/heure.

La capacité de rafraîchissement d'un climatiseur est la somme de la chaleur sensible et de la chaleur latente. La chaleur sensible est celle qui est extraite de l'air pour le rafraîchir ; la chaleur latente est celle qui est extraite de la vapeur d'eau pour la condenser.

Capacité. Il est particulièrement important de choisir un climatiseur qui convient à ses besoins. Trop faible, il sera inefficace les jours chauds et humides ; trop puissant, il gaspillera de l'énergie et ne déshumidifiera pas adéquatement.

La plupart des climatiseurs ont une capacité qui se situe entre 1 1/2 et 1 2/3 t par 1 000 pi² (93 m²) de plancher. Prenez vos mesures et apportez-les au détaillant.

Pour calculer la capacité de l'appareil, mesurez la surface des fenêtres, des murs et des plafonds, et multipliez chacune des surfaces par le coefficient de calcul du gain de chaleur. Tenez compte aussi du climat, du nombre de fenêtres exposées au sud, de la température intérieure désirée et de la chaleur dégagée par les habitants, les ampoules et les appareils ménagers. (Pour de plus amples renseignements sur la capacité requise, voir page 497.)

Confort au foyer / Climatiseur ordinaire

On installe le climatiseur au mur ou à une fenêtre. Dans une maison déjà construite, il est moins coûteux d'installer des climatiseurs individuels qu'un climatiseur central. De plus, leur rendement énergétique est excellent du fait qu'ils ne rafraîchissent que les pièces choisies. Les petit et moyen formats s'installent facilement.

Le climatiseur est doté de deux *serpentins* composés d'ailettes d'aluminium et d'une tubulure de cuivre montée en circuit fermé. Un compresseur fait circuler un liquide réfrigérant dans les deux serpentins. Un premier ventilateur aspire l'air de la pièce et le dirige sur le *serpentin de l'évaporateur* où l'air est refroidi et déshumidifié. Un second fait circuler l'air extérieur sur le *serpentin du condenseur* et évacue à l'extérieur la chaleur provenant de l'intérieur. Les deux éléments sont séparés par un panneau que l'on peut ouvrir pour laisser entrer l'air extérieur.

Les climatiseurs sont classés selon leur rendement énergétique : on divise la capacité de l'appareil, en Btu/heure, par le nombre de watts nécessaires à son fonctionnement. Le rendement d'un appareil doit être au moins égal à 9.

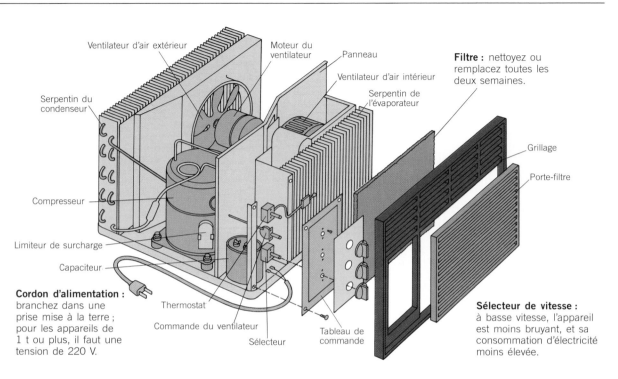

Ventilateur d'air extérieur

Moteur du ventilateur

Panneau

Ventilateur d'air intérieur

Serpentin de l'évaporateur

Filtre : nettoyez ou remplacez toutes les deux semaines.

Serpentin du condenseur

Grillage

Porte-filtre

Compresseur

Limiteur de surcharge

Capaciteur

Cordon d'alimentation : branchez dans une prise mise à la terre ; pour les appareils de 1 t ou plus, il faut une tension de 220 V.

Thermostat

Commande du ventilateur

Sélecteur

Tableau de commande

Sélecteur de vitesse : à basse vitesse, l'appareil est moins bruyant, et sa consommation d'électricité moins élevée.

Installation à la fenêtre

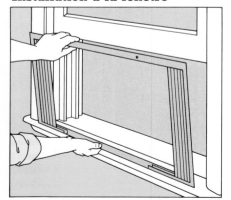

1. Les appareils vendus avec cadre de montage sont les plus faciles à installer. Un cadre coulissant scelle le pourtour. Vissez-le au cadre de la fenêtre.

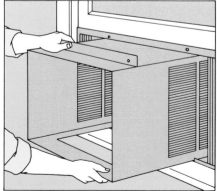

2. Glissez le boîtier dans l'ouverture de la fenêtre ; vissez-le sur l'appui et le châssis. Inclinez-le d'environ ¼ po vers l'extérieur pour que l'eau de condensation s'écoule.

Vis calante

3. Si le boîtier dépasse de plus de 1 pi à l'extérieur, consolidez-le à l'aide de supports fixés au mur avec des vis inoxydables. Réglez l'inclinaison à l'aide de vis calantes.

4. Introduisez l'appareil dans le boîtier. Au besoin, faites-vous aider : un climatiseur peut peser jusqu'à 300 lb. Scellez le pourtour avec du caoutchouc mousse.

Installation au mur

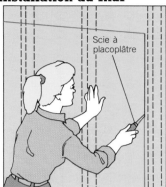

1. Évitez les murs exposés au soleil et assurez-vous que rien ne nuise à la circulation de l'air. Comme l'air frais descend, installez l'appareil assez haut. Enlevez le revêtement pour dégager trois ou quatre montants, selon la largeur de l'appareil. Découpez l'ouverture. Enlevez l'isolant et dégagez la tuyauterie et les fils électriques.

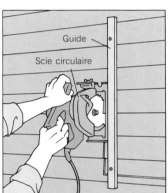

2. Pour marquer les coins de la découpe à l'extérieur, percez des trous de l'intérieur avec une perceuse munie d'une mèche assez longue pour traverser toute l'épaisseur du mur. En vous guidant sur les trous, tracez la découpe en ajoutant ¼ po tout autour. Clouez une règle au mur, elle vous servira de guide ; sciez le parement et le revêtement.

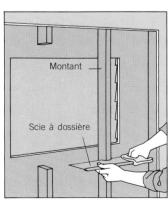

3. De l'intérieur, sciez les montants avec une scie à dossière légèrement au-dessus et au-dessous de l'ouverture (pour le linteau, l'appui et le jambage). Pour savoir où couper les montants, additionnez la hauteur de l'appareil, plus l'épaisseur de deux 1 x 4 et la largeur de deux 2 x 4 (ou de deux 2 x 6 si la charpente est faite de 2 x 6).

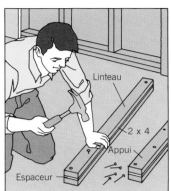

4. Fabriquez le linteau et l'appui avec deux 2 x 4 ou trois 2 x 6. Ces pièces doivent répondre aux normes du Code du bâtiment (p. 193) et combler l'espace entre les montants non coupés, de chaque côté de l'ouverture brute. Ajoutez un espaceur de ½ po entre les 2 x 4 pour que l'épaisseur du linteau et de l'appui soit égale à celle de la charpente.

5. Clouez le linteau et l'appui aux montants ; ajoutez un 2 x 4 ou un 2 x 6 de chaque côté de l'ouverture. Fabriquez le jambage avec des 1 x 4 ou des 1 x 6 (p. 327). Ses dimensions intérieures doivent égaler celles de l'ouverture ; sa profondeur doit égaler celle des montants et du revêtement intérieur. Introduisez-le dans l'ouverture ; clouez-le.

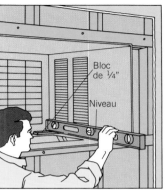

6. Introduisez le boîtier dans l'ouverture et vissez-le au jambage. Si l'appareil dépasse le mur extérieur de plus de 1 pi, posez les supports de métal (page ci-contre) fournis par le fabricant. Suivez le mode d'emploi.

7. L'eau de condensation provenant du serpentin de l'évaporateur s'écoule à l'extérieur. Pour assurer un bon écoulement, inclinez le boîtier d'environ ¼ po vers l'extérieur. Pour régler l'inclinaison, utilisez les vis calantes des supports ou ajoutez des cales entre le boîtier et le jambage ; vérifiez avec un bloc de ¼ po et un niveau.

8. Mettez l'appareil dans son boîtier. Attention : le poids d'un climatiseur varie entre 50 et 300 lb ; faites-vous aider. Manipulez l'appareil par sa base ; ne le tenez jamais par ses composantes en plastique. Prenez soin de ne pas endommager les ailettes en aluminium ou les fils électriques. Posez le panneau de devant, s'il se présente séparément.

9. Calfeutrez le pourtour du boîtier, à l'intérieur et à l'extérieur. Utilisez des baguettes pour combler les espaces de plus de ½ po. Finissez le mur intérieur. Posez une moulure autour de l'appareil, à l'intérieur. Harmonisez-la à celle des portes et fenêtres.

Le climatiseur central distribue de l'air frais dans toute la maison par l'intermédiaire d'un réseau de conduits, les mêmes que ceux du chauffage. Un condenseur extérieur renferme un compresseur, un serpentin et un ventilateur. À l'intérieur, le serpentin de l'évaporateur est installé sur le conduit d'alimentation d'air chaud. Des conduits réfrigérants relient le serpentin de l'évaporateur au condenseur extérieur.

Sur appel du thermostat, le compresseur fait circuler le liquide réfrigérant dans les deux serpentins. La soufflerie de la chaudière envoie l'air intérieur dans le serpentin de l'évaporateur, qui le rafraîchit, le déshumidifie et le diffuse dans la maison. La chaleur de l'air intérieur est transférée au serpentin du condenseur, puis libérée à l'extérieur.

Rentabilité énergétique. L'ajout d'un climatiseur à un système de chauffage à air chaud déjà en place est plus économique que l'installation d'appareils dans chaque pièce. Toutefois, avec un autre type de système de chauffage, il faudra mettre en place, dans le vide sanitaire ou au sous-sol, un réseau de conduits. S'il faut ouvrir les murs et les plafonds, il sera plus économique d'installer des climatiseurs ordinaires.

La rentabilité énergétique des climatiseurs individuels vient du fait qu'ils fonctionnent uniquement dans les lieux occupés. En revanche, le climatiseur central est plus silencieux, car le compresseur est à l'extérieur. Autre avantage non négligeable : il ne fait pas saillie dans les fenêtre ou les murs.

Capacité de l'appareil. Les climatiseurs centraux ont une capacité variant de $1\frac{1}{4}$ à $1\frac{2}{3}$ t par 1 000 pi^2 (93 m^2) de plancher. Les appareils doivent avoir une plus grande capacité dans les régions chaudes et humides que dans les régions froides et sèches. Il est essentiel que l'appareil ne soit pas trop puissant. S'il l'est, il consommera trop d'énergie, sera moins efficace et déshumidifiera moins bien. Demandez au distributeur d'évaluer sa capacité.

Le condenseur extérieur doit être placé dans un endroit ombragé, à moins de 50 pi du générateur d'air chaud. Il doit être dégagé des murs et de l'avant-toit. Enlevez les feuilles et la saleté tous les ans.

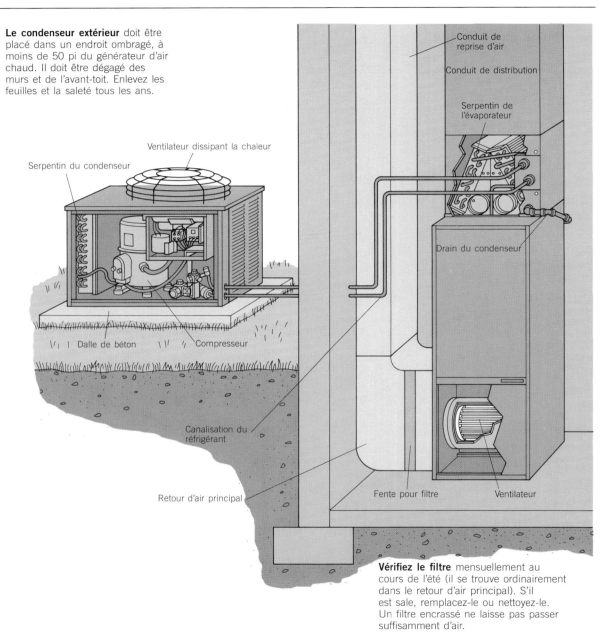

Conduit de reprise d'air

Conduit de distribution

Serpentin de l'évaporateur

Ventilateur dissipant la chaleur

Serpentin du condenseur

Drain du condenseur

Dalle de béton

Compresseur

Canalisation du réfrigérant

Retour d'air principal

Fente pour filtre

Ventilateur

Vérifiez le filtre mensuellement au cours de l'été (il se trouve ordinairement dans le retour d'air principal). S'il est sale, remplacez-le ou nettoyez-le. Un filtre encrassé ne laisse pas passer suffisamment d'air.

Choix de l'appareil le plus économique

Les climatiseurs centraux portent un numéro correspondant à leur rendement énergétique saisonnier (SEER). Plus le numéro est élevé, plus l'appareil est efficace. Bien qu'un rendement de 10 convienne à la plupart des régions du sud du Canada, vous voudrez peut-être vérifier si un appareil à meilleur rendement vaut la dépense. Comparez le coût d'achat et d'installation de l'appareil avec les économies d'énergie que vous réaliserez. Faites faire des estimations par au moins deux entrepreneurs en leur faisant préciser le type, la puissance et le numéro SEER de l'appareil qu'ils comptent installer. Ensuite, calculez les coûts de fonctionnement de l'appareil :

$$\frac{\text{Capacité}}{\text{SEER}} \times \frac{\text{Heures d'utilisation}}{1\,000} \times \text{Tarif d'électricité}$$

La *capacité* correspond au nombre nominal de Btu que l'appareil extrait de l'air intérieur. Pour connaître la capacité d'un appareil, multipliez le nombre de tonnes de rendement du climatiseur par 12 000. Reportez-vous à la carte ci-dessous pour connaître le nombre d'heures d'utilisation. Vérifiez auprès de votre compagnie d'électricité le tarif en dollars par kilowattheure ($/kWh). Ainsi, le coût annuel d'utilisation d'un appareil de 10 SEER, d'une capacité de 3 t, dans une région à 400 heures d'utilisation, à un tarif de 0,05 $/kWh, se calcule de la façon suivante :

$$\frac{36\,000\ \text{Btu}}{10} \times \frac{400\ \text{h}}{1\,000} \times 0,05\ \text{\$/kWh} = 72\ \text{\$}$$

En comparant deux appareils, vous obtenez la période de recouvrement, en années, en divisant la différence du prix d'achat par la différence du coût annuel de fonctionnement. Une période de recouvrement variant entre trois et huit ans confirme la pertinence de l'investissement.

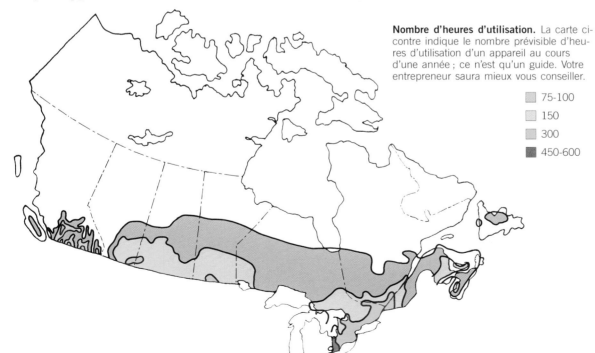

Nombre d'heures d'utilisation. La carte ci-contre indique le nombre prévisible d'heures d'utilisation d'un appareil au cours d'une année ; ce n'est qu'un guide. Votre entrepreneur saura mieux vous conseiller.

- 75-100
- 150
- 300
- 450-600

Conservation de la fraîcheur

Au Canada, en raison des hivers rigoureux, la plupart des maisons sont conçues en fonction du chauffage et non de la climatisation. Pour garder la fraîcheur en été, nous comptons surtout sur les ventilateurs ou sur les feuillus plantés au sud-est et à l'ouest. Au fil des ans, on a eu recours à divers moyens pour oublier la chaleur. Vous trouverez ci-dessous quelques trucs efficaces.

L'« effet de cheminée » est un courant d'air ascendant qu'on peut créer même par une journée sans vent. Il suffit de permettre à l'air frais du sous-sol de monter dans la maison (illustration ci-dessous).

Effet de cheminée — Bouche d'aération du grenier

Fenêtre du sous-sol

Un auvent, un treillis ou un avant-toit protègent mieux de la chaleur qu'un store ou un rideau : la chaleur emprisonnée à l'intérieur d'une fenêtre finit par s'infiltrer dans la maison.

Aérez le grenier. En plein été, l'air peut y atteindre des températures de 10 à 15°C (50 à 60°F) plus élevées que l'air extérieur. Une partie de cette chaleur va descendre dans la maison.

Ouvrez les fenêtres (par le haut et par le bas) sur tous les côtés de la maison.

Si vous avez des climatiseurs ordinaires, réglez les minuteries pour qu'elles les arrêtent 15 minutes avant votre départ le matin et les remettent en marche 15 minutes avant votre retour en fin de journée.

Calfeutrez toutes les ouvertures ; installez des ventilateurs de plafond.

Attention ! Les climatiseurs plus anciens utilisent des chlorofluorocarbures (CFC) comme réfrigérant. Compte tenu de leur effet néfaste sur l'environnement, il faut empêcher toute fuite du réfrigérant et toute panne du compresseur. Les serpentins et le condenseur doivent demeurer toujours propres. Dans les régions où l'air est très pollué, faites nettoyer l'appareil chaque année par des professionnels.

497

Confort au foyer / Régularisation de l'humidité

Déshumidificateurs

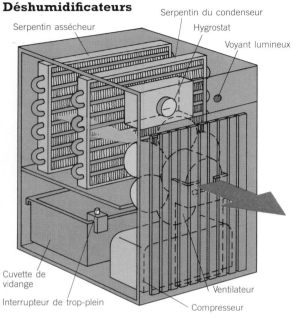

Serpentin assécheur

Serpentin du condenseur

Hygrostat

Voyant lumineux

Cuvette de vidange

Interrupteur de trop-plein

Ventilateur

Compresseur

Même si vous n'avez ni climatiseur central (qui déshumidifie l'air par temps chaud) ni humidificateur intégré au système de chauffage (qui humidifie par temps froid), vous pouvez régulariser l'humidité dans la maison grâce à des appareils portatifs.

Déshumidificateurs

Tout comme le climatiseur, le déshumidificateur (à gauche) est doté d'un système de refroidissement de l'air et d'un ventilateur qui pousse l'air vers un serpentin assécheur froid recueillant l'humidité. Le serpentin du condenseur (chaud) réchauffe l'air avant de le retransmettre dans la pièce. L'eau de condensation tombe en gouttelettes dans une cuvette ou dans un drain. Un hygrostat entraîne l'arrêt automatique quand l'air a atteint le taux d'humidité voulu ; un interrupteur de trop-plein arrête l'appareil quand la cuvette est pleine et allume un voyant lumineux.

Le déshumidificateur est particulièrement utile pour enrayer l'humidité des sous-sols. Mais at-

tention : il n'élimine que l'humidité provenant de la condensation et non de l'eau d'infiltration. Pour augmenter son efficacité, gardez portes et fenêtres fermées.

Conseils pratiques à l'achat. Les appareils à grande capacité sont les plus efficaces : ils extraient, par jour, entre 20 et 30 litres d'eau de l'air d'une pièce où la température est de 27°C (80°F) et l'humidité relative de 60 p. 100 (norme établie par les fabricants pour comparer les modèles). Lorsque la température est supérieure à 27°C et l'humidité relative inférieure à 60 p. 100, un appareil de grande capacité extrait quelques litres de moins par jour, mais néanmoins davantage qu'un petit modèle. Lorsque les températures baissent sous 18°C (65°F), les serpentins des modèles plus petits risquent de geler.

Entretien. Si le déshumidificateur s'égoutte dans un drain, nettoyez annuellement les serpentins à l'aspirateur et huilez le ventilateur (débranchez préalablement l'appareil et laissez les éléments se refroidir). Si le déshumidificateur

Humidificateurs

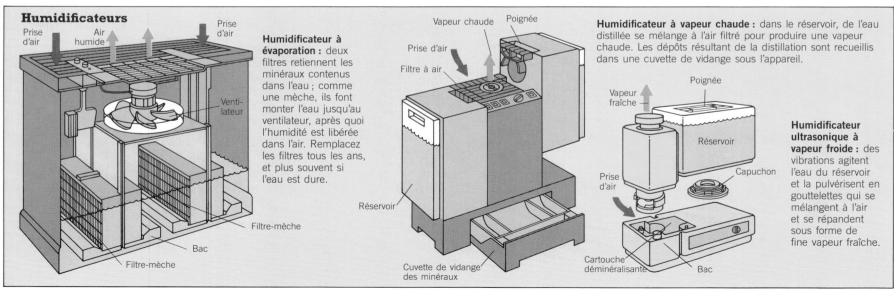

Prise d'air

Air humide

Prise d'air

Ventilateur

Filtre-mèche

Bac

Filtre-mèche

Humidificateur à évaporation : deux filtres retiennent les minéraux contenus dans l'eau ; comme une mèche, ils font monter l'eau jusqu'au ventilateur, après quoi l'humidité est libérée dans l'air. Remplacez les filtres tous les ans, et plus souvent si l'eau est dure.

Vapeur chaude

Poignée

Prise d'air

Filtre à air

Réservoir

Cuvette de vidange des minéraux

Humidificateur à vapeur chaude : dans le réservoir, de l'eau distillée se mélange à l'air filtré pour produire une vapeur chaude. Les dépôts résultant de la distillation sont recueillis dans une cuvette de vidange sous l'appareil.

Vapeur fraîche

Poignée

Réservoir

Prise d'air

Capuchon

Cartouche déminéralisante

Bac

Humidificateur ultrasonique à vapeur froide : des vibrations agitent l'eau du réservoir et la pulvérisent en gouttelettes qui se mélangent à l'air et se répandent sous forme de fine vapeur fraîche.

s'égoutte dans une cuvette, récurez-la souvent pour empêcher toute accumulation de moisissure et de bactéries. Versez plusieurs cuillers à table d'eau de Javel dans la cuvette vide pour éviter que les micro-organismes se développent dans l'eau.

Humidificateurs

L'hiver, l'humidité peut soulager les gorges sèches et irritées, réduire l'électricité statique et empêcher le bois de se contracter. Mais un appareil mal entretenu expulsera dans l'air de la poussière minérale blanche, de la moisissure et des bactéries. Il y a trois types d'appareils : à évaporation, ultrasonique à vapeur froide et à vapeur chaude.

À évaporation. Les modèles plus anciens poussent l'air ambiant sur une courroie rotative munie d'un tampon humide ; ils sont difficiles à nettoyer. Le tampon accumule les dépôts, la moisissure et les bactéries qui sont ensuite libérées dans l'air. Les modèles récents utilisent des filtres-mèches jetables qui retiennent les minéraux et empêchent l'accumulation de bactéries, mais ils sont coûteux.

Ultrasonique à vapeur froide. Des vibrations à haute fréquence pulvérisent l'eau en fines gouttelettes qui se mélangent à l'air. Si on utilise de l'eau déminéralisée ou distillée (ce qui rend l'utilisation de l'appareil plus coûteuse), la vapeur renferme très peu de dépôts. Néanmoins, beaucoup d'appareils sont aujourd'hui munis d'une cartouche déminéralisante qu'il suffit de remplacer au besoin. Pour réduire la teneur en bactéries et en moisissure, nettoyez le réservoir avant chaque remplissage.

À vapeur chaude. Ce type d'humidificateur est conçu pour mettre fin aux problèmes d'entretien. L'eau du réservoir est amenée à ébullition, ce qui la distille et tue les bactéries. L'eau ainsi chauffée est mise en contact avec de l'air filtré pour former une vapeur chaude (mais non brûlante). Ces appareils sont sécuritaires.

Grâce aux progrès en matière d'isolation, la qualité de l'air intérieur est devenue l'une des préoccupations premières de nombreux Canadiens. Dans une maison bien isolée, l'air met plusieurs heures à se renouveler complètement ; dans une maison moins isolée, il se renouvelle en moins d'une heure.

Les polluants intérieurs les plus fréquents — poussière, pollen, bactéries, virus, spores, impuretés, poils d'animaux et fumée — non seulement sont des irritants, mais ils encrassent aussi les appareils audiovisuels, les ordinateurs et les systèmes de chauffage et de refroidissement.

Les épurateurs électroniques font appel au procédé de précipitation électronique. Un avant-filtre capte les grosses particules ; une unité électronique charge les petites particules qui sont recueillies sur une plaque jouant le rôle d'aimant. Plaque et avant-filtre *doivent* être lavés tous les mois, au lave-vaisselle ou dans la baignoire.

Les épurateurs électroniques sont générateurs d'ozone, un irritant respiratoire également produit par les sèche-cheveux et les outils électriques. Une forte circulation d'air dilue l'ozone, et un bon entretien en diminue la quantité.

Une bonne aération demeure néanmoins la meilleure solution pour éliminer la fumée, les odeurs désagréables ou les gaz nocifs : ouvrez la fenêtre ou le lanterneau ; faites fonctionner le ventilateur de la cuisine ou de la salle de bains.

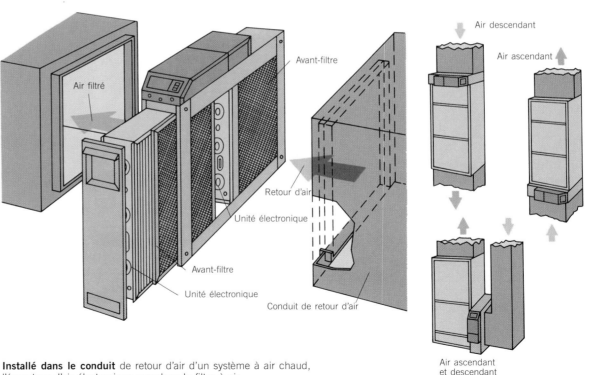

Air descendant

Air ascendant

Avant-filtre

Air filtré

Retour d'air

Unité électronique

Avant-filtre

Unité électronique

Conduit de retour d'air

Air ascendant et descendant

Installé dans le conduit de retour d'air d'un système à air chaud, l'épurateur d'air électronique remplace le filtre à air.

Aspirateur central

L'aspirateur central contribue à maintenir salubre l'air d'une maison bien isolée, surtout s'il s'y trouve des personnes souffrant d'allergies ou de problèmes respiratoires. L'aspirateur ordinaire filtre mal les allergènes tels la poussière, le pollen, la moisissure et les impuretés. En fait, il les renvoie dans l'air ambiant où ils restent en suspension pendant plusieurs heures.

L'aspirateur central résout ce problème ; il aspire saletés et débris dans un bac éloigné des pièces habitées (garage ou sous-sol). Les particules de la taille de la poussière sont évacuées à l'extérieur (loin des patios et des trottoirs).

Par ailleurs, l'aspirateur central nettoie efficacement. Il se met en marche dès que l'on branche le tuyau dans une prise et il s'arrête quand on le retire. Les prises sont posées à des endroits stratégiques de façon qu'on puisse facilement atteindre tous les coins de la maison.

La puissance du moteur est exprimée par la puissance de succion et en pieds cubes d'air par minute. Elle doit correspondre à la puissance d'aspiration que vous désirez et non aux dimensions de la maison.

Des tuyaux en PVC relient les prises au moteur de l'aspirateur et au réservoir de vidange. Dans une maison en construction, les conduits sont installés après l'électricité et la plomberie, mais avant le placoplâtre. Dans une maison déjà construite, l'installation n'est pas non plus très compliquée. Le conduit principal passe entre les solives ou par le grenier ; les branchements, entre les montants ou à l'intérieur des placards.

Un technicien installe un aspirateur central en une journée.

Des conduits en PVC acheminent la saleté vers un réservoir placé au sous-sol. Une plaque (à droite) recouvre les prises reliées au moteur par des fils qui le mettent en marche. Pour vider le réservoir, détachez la section du bas.

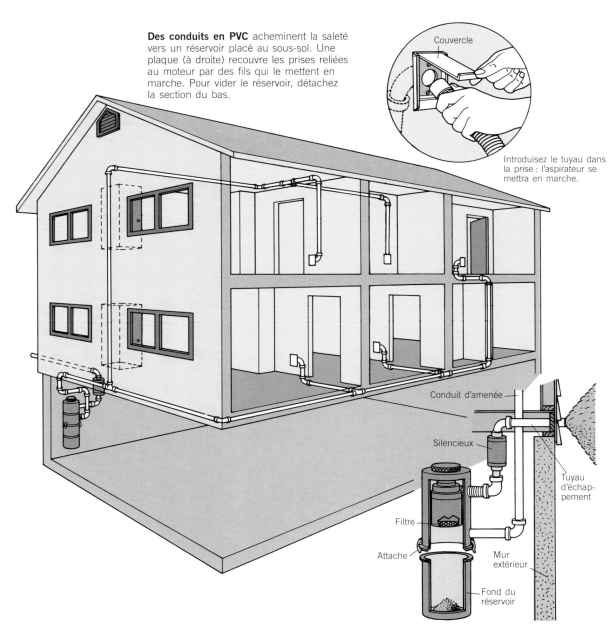

Couvercle

Introduisez le tuyau dans la prise : l'aspirateur se mettra en marche.

Conduit d'amenée

Silencieux

Tuyau d'échappement

Filtre

Attache

Mur extérieur

Fond du réservoir

Meubles
Réparation et remise à neuf

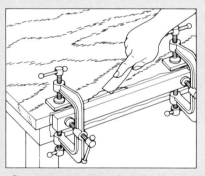
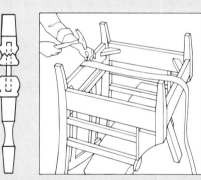

On peut trouver beaucoup de plaisir à réparer, par exemple, une vieille chaise achetée au marché aux puces, une commode défraîchie, dénichée dans une vente de garage ou chez un brocanteur, ou à rajeunir le bois terne et usé du mobilier de salle à manger.

Le présent chapitre vous propose des trucs pour redonner son éclat d'antan à une surface, pour dégauchir le bois et pour réparer des fissures et des cassures. Il vous explique également les techniques pour rembourrer un fauteuil, rempailler une chaise, réparer des meubles en rotin et détacher des tapis, des tentures et des tissus.

Les solutions qui sont décrites ici faciliteront l'entretien et la réparation des meubles. Mais il est recommandé de vous adresser à un spécialiste pour faire réparer les meubles antiques ou ceux dont vous ne pouvez pas identifier le fini.

Les meubles et autres objets de bois peuvent être endommagés en surface ou en profondeur. Pour éviter d'aggraver les défauts mineurs, essayez d'abord de corriger en douceur. Pour restaurer un meuble de prix, consultez un artisan.

Pour commencer, rendez l'éclat à une surface ternie ou collante en la frottant avec un chiffon doux imbibé de nettoyeur à meubles, puis, si nécessaire, avec de l'essence minérale. Appliquez ensuite un mélange d'huile de citron et d'huile minérale — 10 gouttes par litre — pour remplacer les huiles naturelles enlevées au nettoyage. Finissez par une ou deux couches minces de cire en pâte pour protéger la surface.

Taches. Enlevez les taches pâles, comme les cernes laissés par l'humidité, en les frottant avec un papier abrasif fin. Appliquez d'abord avec un chiffon un peu de dentifrice ou de poli à argent contenant du blanc d'Espagne. Au besoin, saupoudrez d'un peu de sel et frottez doucement avec un chiffon imbibé d'huile minérale (et, si rien n'y fait, de pierre pourrie). Pour faire disparaître les taches foncées, il faudra peut-être retravailler la surface.

Pour effacer les petites éraflures ou les craquelures dans la laque ou dans certains vernis, faites fondre une mince couche de la surface en la frottant avec un solvant qui s'évaporera rapidement. Servez-vous d'alcool dénaturé pour diluer la gomme-laque, d'un diluant pour la laque, et de l'un ou de l'autre ou d'un mélange des deux pour les vernis. Faites d'abord un essai sur un endroit peu visible.

Employez de la teinture à bois pour masquer les imperfections ou les rayures profondes. Remplissez l'endroit endommagé de cire en pâte ou vaporisez-le à l'acrylique ou au polyuréthane.

Réparez au bouche-pores les parties endommagées. La pâte de bois convient aux réparations majeures ; le bouche-pores au latex ou la pâte de bois à base d'eau, aux réparations plus délicates. Obturez les petites imperfections du bois teint au bâton de cire de même couleur.

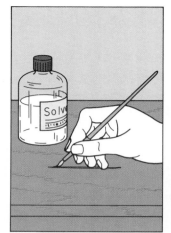

Pour effacer les craquelures, appliquez au pinceau le diluant approprié ; laissez sécher. Un mélange égal d'alcool dénaturé et de laque foncera le bois. Appliquez de la cire en pâte.

Sur une grande surface, utilisez une gaze ou une toile à fromage, et frottez délicatement avec le diluant. Laissez sécher jusqu'au lendemain ; appliquez de la cire en pâte.

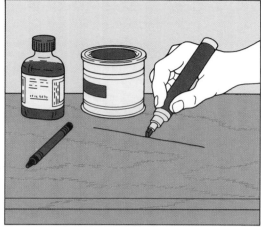

Sur une éraflure fine et profonde, appliquez de la teinture avec un cure-dents ou utilisez un crayon de couleur ou un crayon-feutre. Si la couleur n'est pas uniforme, imitez les nuances. Enlevez immédiatement l'excédent de teinture. La surface séchée, appliquez de la cire en pâte.

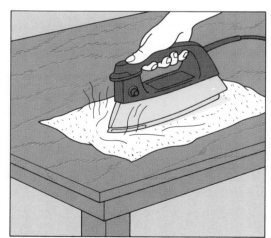

Pour obturer une cavité peu profonde, piquez-en le fond à l'aide d'une aiguille. Humectez, recouvrez d'un chiffon humide et appuyez-y la pointe d'un fer chaud pendant quelques secondes. Recommencez au besoin. Le bois séché, refaites le fini en tout ou en partie.

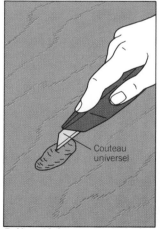

Brûlure légère ou grosse tache
1. Grattez. Faites fondre de la cire en bâton avec la pointe préalablement chauffée d'un couteau à palette (voir étape 2). Appliquez plusieurs couches.

Couteau universel

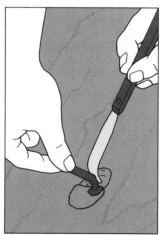

2. Laissez la cire déborder la partie abîmée. La cire refroidie, égalisez au couteau universel, en tenant la lame perpendiculairement à la surface. Appliquez un fini transparent et résistant.

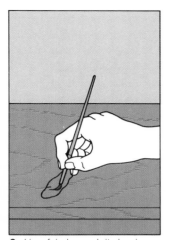

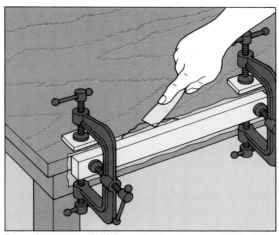

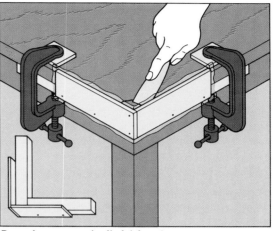

Pour réparer une entaille.
1. Nettoyez la cavité et remplissez-la de pâte de bois à base d'eau ou de bouche-pores au latex teinté. Enlevez l'excédent immédiatement.

2. Une fois le produit durci, poncez. Peignez au moyen d'un pinceau fin et de peinture à l'huile. La surface séchée, appliquez le fini approprié ou refaites la surface (p. 117).

Pour réparer une ébréchure, bridez une planche de bois le long du bord ébréché ; insérez une pellicule plastique entre les deux. Remplissez de bouche-pores au latex teinté ou de pâte de bois à base d'eau. Si les ébréchures ont plus de ¼ po de profondeur, appliquez plusieurs couches ; laissez sécher entre les couches. Poncez pour finir.

Pour réparer un coin ébréché, préparez un moule en forme de L. Bridez le moule contre le coin en insérant une pellicule plastique entre les deux. Remplissez de bouche-pores au latex ou de pâte de bois par couches de ¼ po. Laissez sécher après chaque application. Enlevez le moule, poncez et peignez.

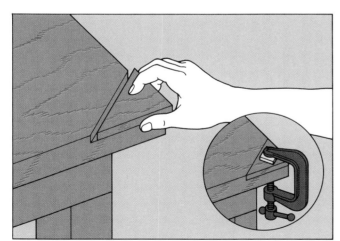

Pour refaire un coin, employez un matériau identique. À l'aide d'une guimbarde, d'un petit rabot ou d'un ciseau, préparez la surface. Assurez-vous que le coin est à angle droit au point de rencontre des surfaces horizontale et verticale. Avant de le coller, faites un essai. Placez des blocs de bois entre les mâchoires des serres et la surface réparée pour éviter de l'égratigner.

Rapiéçage du bois massif
Une grande surface de bois massif se rapièce bien. Taillez d'abord la pièce — les pièces de forme irrégulière se dissimulent mieux — et placez-la sur la surface à réparer. Tracez-en le contour au couteau ; dégagez au ciseau la portion endommagée. Intégrez la pièce (l'ajustage doit être parfait) ; collez-la. Poncez ou rabotez.

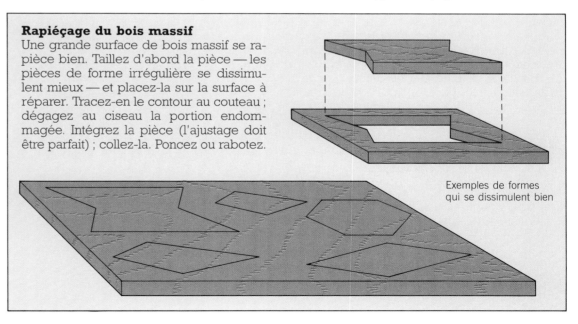

Exemples de formes qui se dissimulent bien

Le placage est une mince feuille de bois décoratif collée sur un matériau de qualité inférieure (bois massif, contre-plaqué ou panneau préfabriqué). En raison de sa fragilité, il vaut mieux, le cas échéant, effectuer la réparation le plus tôt possible. S'il s'agit d'un meuble de prix, adressez-vous à un spécialiste.

Souvent, les placages anciens sont collés avec de la colle de peau qui fond facilement à l'humidité ou à la chaleur. (Les nouveaux adhésifs sont plus résistants.) Si vous ne pouvez gratter toute la colle, injectez de l'eau chaude sous le placage à l'aide d'une seringue.

Placage décollé. Posez un linge humide sur le placage ; réchauffez-le avec un fer à repasser réglé à basse température. Mettez ensuite le placage sous charge pendant 12 heures. En cas d'échec, remplacez la vieille colle uniquement par de la colle de peau ou de la colle jaune. Toute autre colle pourrait entraîner de plus amples dommages parce qu'elle ne réagira pas à l'humidité de la même façon que celle des surfaces contiguës.

Recouvrez le placage de papier ciré ou d'une pellicule de plastique pour éviter que la colle n'adhère au serre-joints. Enlevez le surplus de colle à l'aide d'un chiffon ou d'une éponge humide ; laissez sécher pendant 12 heures.

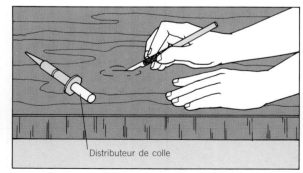

Incisez les boursouflures dans le sens du fil. Injectez la colle sous le placage au moyen d'une seringue. Pressez, ôtez le surplus de colle et mettez sous charge pendant 12 heures.

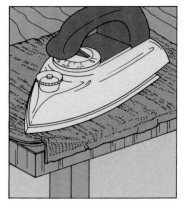

Recoller un placage.
1. Pour rendre le placage plus flexible, placez un chiffon humide sur la partie abîmée ; réchauffez 5 à 10 secondes avec un fer à repasser réglé à basse température. Répétez au besoin. (Attention ! L'humidité peut endommager les surfaces recouvertes de gomme-laque.) Si le placage est flexible, sautez cette étape.

2. Utilisez une lame de rasoir pour gratter toute la vieille colle. À l'aide d'un pinceau, appliquez de la colle à la base du placage et dessous. Appuyez fermement. S'il s'agit d'une grande surface, utilisez un rouleau à pâtisserie pour bien répartir la colle.

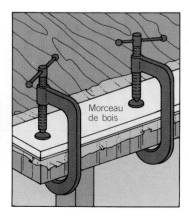

3. Enlevez le surplus de colle à l'aide d'un chiffon humide. Couvrez de papier ciré la surface réparée. Posez un serre-joints ou un poids et laissez sécher pendant 12 heures. Si vous utilisez un serre-joints, mettez un morceau de bois sous les mâchoires de la serre pour répartir également la pression.

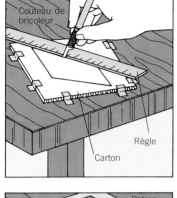

Rapiécer un placage.
1. Placez un carton mince sur la surface abîmée. Avec un couteau, découpez simultanément le carton et le placage dans le sens du bois. S'il s'agit d'une grande surface, découpez une forme géométrique — rectangle ou losange — en vous servant d'une règle. Conservez le carton comme patron.

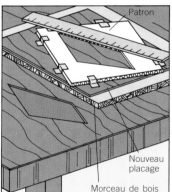

2. Mettez le placage sur un morceau de bois. Avec un ruban adhésif, fixez le patron sur le nouveau placage en tenant compte du sens du grain. Découpez la pièce en appuyant le couteau de bricoleur contre la règle.

3. Enlevez la vieille colle. Appliquez une couche de colle sur la surface abîmée et sous la pièce. Mettez la pièce immédiatement en place ; appuyez. Enlevez le surplus de colle à l'aide d'un chiffon humide. Couvrez d'un papier ciré. Laissez sécher sous charge pendant 12 heures. Si vous utilisez des serre-joints, répartissez la pression avec une planche.

Traitement des problèmes causés par l'humidité

Les variations d'humidité ou une charge imposée trop longtemps font gauchir le bois. Malheureusement, le bois une fois gauchi est à peu près impossible à redresser. Pour éviter d'avoir à faire face au problème, choisissez, pour vos réparations, un bois sans imperfection (p. 92) et traitez toutes ses surfaces. Pour dégauchir un meuble de prix, adressez-vous à un spécialiste.

Les dessus de table et les abattants finis d'un seul côté sont particulièrement vulnérables : le côté fini reste stable, l'autre absorbe ou perd de l'humidité. Si le gauchissement est imputable à un changement de saison, attendez que la surface gauchie se redresse — habituellement l'hiver, en raison de l'air plus sec. Rendez étanche l'envers de la surface en y appliquant du vernis ou du polyuréthane ou, mieux, en la refinissant au complet. Renforcez l'envers en y vissant des tasseaux de bois.

Pour dégauchir une planche, mouillez le côté concave avec des chiffons pendant 24 heures ; simultanément, asséchez l'autre côté si cela est possible, en l'exposant à une lampe à chaleur. Installez des serres de bois fixées par des boulons ou des serre-joints, et laissez en place de deux à quatre semaines. Recommencez si nécessaire ; poncez le bois et enduisez-le d'un scelleur. Ou encore, posez le côté mouillé de la planche sur une surface plane, et laissez dessus des blocs de béton pendant plusieurs semaines. Pour éviter qu'une planche ne gauchisse de nouveau, renforcez-la.

Les portes d'armoires se coincent parce que le bois est gauchi ou parce que les charnières sont lâches ou mal alignées. Mettez d'abord le meuble à niveau. Resserrez les charnières (p. 436), réalignez-les ou posez des cales. Ne rabotez la porte qu'en dernier recours. Rabotez le chant du loquet ou celui des charnières, d'après ce qui vous semble le plus facile. Pour qu'une tablette ne gauchisse pas, renforcez-la avec des tasseaux, une bande de bois ou des supports que vous trouverez chez le quincaillier.

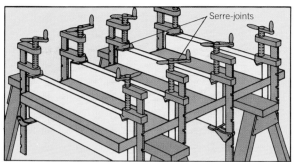

Pour dégauchir, mouillez le côté concave. Intercalez tous les 10 po des 2 x 4 entre la surface gauchie et les serre-joints. Si le gauchissement est très marqué, serrez graduellement.

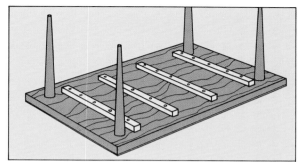

Pour éviter que le bois ne gauchisse de nouveau, posez dessous, perpendiculairement au sens du grain, des tasseaux de 2 x 2 ou même plus gros ; vissez et collez.

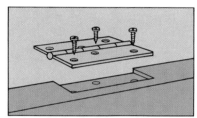

Porte coincée. 1. Enlevez délicatement les charnières afin de ne pas endommager les mortaises.

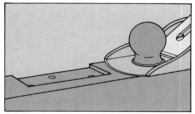

2. Avec un rabot à lame bien affûtée, enlevez l'excédent du chant de la porte, côté charnière.

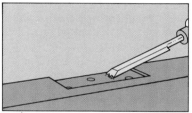

3. Évidez davantage les mortaises au ciseau, en gardant la surface plane. Replacez les charnières.

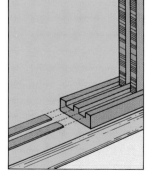

Portes coulissantes. Pour décoincer une porte, élargissez la coulisse en la ponçant ; utilisez un morceau de bois enveloppé de papier abrasif à grain moyen. Si la coulisse est trop large, calez les chants ou la base avec un coupe-bise (p. 453) coupé sur mesure et collé. Cela permet en même temps de réduire la friction.

Renforcement des tablettes

Fixez des tasseaux ou des supports en équerre aux extrémités des tablettes ou sur le mur du fond, ou collez dessous une bande de bois de 1 x 2. Si la tablette a fléchi, tournez-la à l'envers.

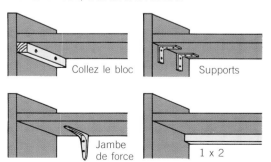

Collez le bloc

Supports

Jambe de force

1 x 2

Un tiroir peut frotter ou se coincer pour différentes raisons : il est usé, surchargé ou déformé par l'humidité. Quand c'est l'humidité qui est en cause, le problème n'est que passager et s'estompe pendant les saisons sèches.

Pour identifier la cause du coincement, enlevez et videz le tiroir. Repérez les marques de frottement. Les coulisseaux de bois, s'ils sont usés, peuvent nuire au bon fonctionnement, tout comme un fond usé, des joints lâches, des parties cassées ou des vis manquantes.

Pour corriger le problème, vous pouvez, selon son ampleur, lubrifier, poncer ou raboter les parties défectueuses. Mais avant de raboter le bois, assurez-vous qu'il ne s'agit pas d'un gonflement passager, causé par l'humidité.

Dans le cas de glissières de plastique ou de métal, vérifiez l'alignement des parties et assurez-vous qu'il n'y a pas de pièces lâches ou manquantes. Au besoin, nettoyez à l'ammoniaque ou remplacez les pièces endommagées.

Si un tiroir n'est plus d'équerre, démontez-le soigneusement et recollez-le. Prenez soin d'enlever les vieux clous et les cales avant de le réassembler.

Si un tiroir trop plein reste coincé, enlevez le tiroir du dessous et soulevez-le par le fond. Prenez garde de ne plus le surcharger. Si le fond du tiroir est bombé, renversez-le ou remplacez-le : il faudra peut-être désassembler le tiroir et le rebâtir.

Si le tiroir heurte le fond du meuble, posez de nouveaux butoirs.

Appliquez de la cire ou vaporisez du silicone, ou encore, rabotez légèrement le coulisseau ; appliquez de la cire.

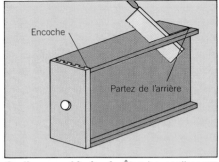

Coulisseaux abîmés. 1. Ôtez les coulisseaux avec une scie à dents fines : faites une encoche devant. Arasez au rabot ou poncez.

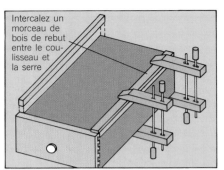

2. Taillez de nouveaux coulisseaux. Collez-les au tiroir avec de la colle jaune ; fixez avec des clous de finition. Bridez le bâti sur la longueur.

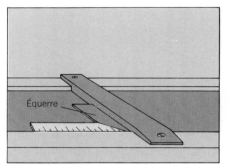

Pour consolider un guide, assurez-vous qu'il est bien perpendiculaire au devant du tiroir. Resserrez les vis ou remplacez-les.

Si les vis d'une glissière métallique sont lâches, essayez des vis de plus gros calibre. En cas d'échec, percez de nouveaux trous.

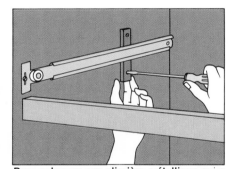

Pour redresser une glissière métallique qui a fléchi, insérez une pièce de bois par-dessous pour la rendre parallèle au côté du tiroir.

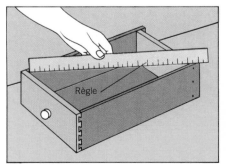

Les joints de tiroir. 1. Pour savoir si un tiroir est d'équerre, mesurez les deux diagonales : elles doivent être égales.

2. Pour remettre d'équerre un tiroir, commencez par le démonter en frappant doucement avec un maillet en caoutchouc.

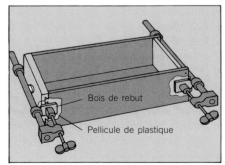

3. Recollez les pièces et fixez-les à l'aide de serres à barre. Ajustez les serres jusqu'à ce que les diagonales soient égales.

Joints lâches et cassures dans le bois

Adhésifs 88-89
Joints des ouvrages de bois 100-112

La réparation d'un meuble branlant ou cassé demande une bonne connaissance du bois et des adhésifs, de même que des outils appropriés et de la dextérité. S'il s'agit d'un meuble de prix, adressez-vous à un spécialiste.

Pour resserrer un joint lâche, il suffit de le recoller. Grattez la vieille colle ; finissez au papier abrasif grossier ou moyen.

Si vous devez démonter un meuble, servez-vous d'un maillet en caoutchouc et d'un bloc de bois. Ne forcez jamais un joint bien collé : vous pourriez casser le bois. Diluez plutôt la colle en injectant dans le joint un mélange fait de parts égales de vinaigre blanc distillé et d'eau chaude. Refaites l'opération de temps à autre pendant deux ou trois heures. Si la colle résiste toujours, employez du diluant à laque ou de l'acétone. Une fois le joint défait, laissez sécher le bois jusqu'au lendemain.

Si vous n'arrivez pas à défaire un joint lâche et qu'il ne s'agit pas d'une pièce portante, injectez-y de la colle ou utilisez un produit qui fait gonfler le bois.

Il suffit parfois de recoller les pièces fendues pour les réparer, mais si la surface est petite ou s'il s'agit d'une pièce portante, il faudra peut-être les renforcer de l'extérieur ou de l'intérieur. Dans le premier cas, utilisez des supports métalliques ou des éclisses de bois. Si vous optez pour la seconde solution, plus ardue, vous vous servirez de chevilles (p. 108) et la réparation sera pratiquement imperceptible.

Renforcement des joints

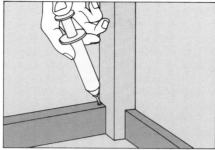

Pour resserrer un joint sans démonter le meuble, pratiquez un petit trou dans le joint et injectez-y de la colle.

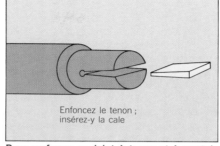

Enfoncez le tenon ; insérez-y la cale

Pour renforcer un joint à tenon et à mortaise, percez le tenon (pour ne pas qu'il fende), sciez une encoche ; insérez une cale.

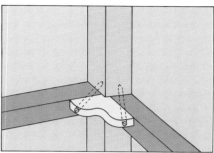

Les blocs d'appui renforcent des joints de pieds. Collez et vissez le bloc de bois ou posez une équerre de métal (p. 112).

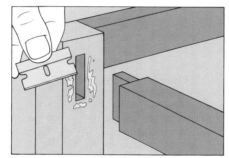

Pour recoller un joint. 1. Défaites les pièces et grattez toute la colle à l'aide d'un couteau bien affûté ou d'une lame de rasoir.

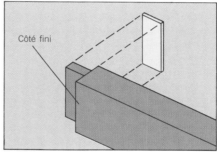

Côté fini

2. Si le tenon est trop petit, collez une éclisse à l'intérieur. Vérifiez l'ajustage. S'il n'est pas parfait, collez une éclisse de chaque côté.

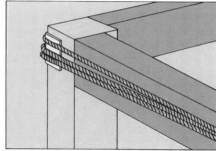

3. Collez et maintenez en place avec de la ficelle ou une bride à tuyau. Protégez la surface avec un bout de bois ou de carton.

Réparation des cassures

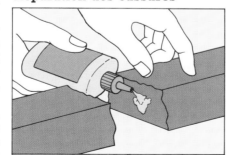

Élément non portant. 1. Enduisez les pièces de colle et pressez-les ensemble. Enlevez l'excédent de colle ; couvrez de papier ciré.

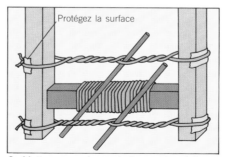

Protégez la surface

2. Mettez sous charge le temps du séchage. À défaut de serre-joints, vous pouvez fabriquer un tourniquet.

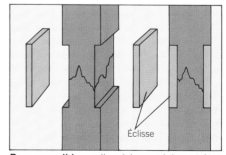

Éclisse

Pour consolider, collez, laissez sécher et ôtez le surplus ; obturez avec une éclisse. Ou faites un assemblage à recouvrement (p. 101).

Avec le temps, les joints et autres pièces d'une chaise de bois peuvent s'affaiblir ou se casser. Les changements de température, l'humidité, l'usure normale ou l'emploi de décapant peuvent faire relâcher un joint. Si vous n'agissez pas à temps, la chaise peut s'effondrer.

Avant de défaire les pieds et les barreaux, identifiez la défaillance. Les petits défauts se réparent généralement assez bien. Pour resserrer un joint lâche, faites d'abord dilater le bois ou injectez de la colle jaune dans le joint à l'aide d'une seringue — consultez les catalogues d'ébénisterie. Resserrez une mortaise élargie en y introduisant des cure-dents ou des allumettes pendant que la colle est encore liquide. Assemblez les pièces fermement et bridez avec un serre-joints.

Si le joint est toujours lâche une fois la colle séchée, vous devrez défaire la chaise et la recoller. Travaillez lentement et avec précaution, de manière à ne pas forcer les joints. Pour faciliter ensuite l'assemblage de la chaise, identifiez les éléments et leur emplacement : inscrivez une lettre ou un numéro sur du ruban-cache. Enlevez immédiatement tout excédent de colle à l'aide d'un chiffon humide : la teinture pourra ainsi pénétrer le bois uniformément.

Fissures et cassures. S'il s'agit d'une petite cassure, enduisez de colle jaune l'endroit abîmé et bridez. Enroulez du ruban-cache en guise de serre-joints. S'il s'agit de cassures plus importantes, renforcez les pièces à l'aide d'un goujon.

Réparation d'un pied brisé

Si la cassure est à l'extrémité supérieure, enduisez les pièces de colle jaune ; pressez-les pendant le séchage. Sciez le pied juste sous la cassure. Enfoncez une pointe au centre de la pièce inférieure. Coupez la tête de la pointe (p. 108). Alignez les deux pièces, pressez-les l'une contre l'autre, puis retirez-les. Aux marques laissées par la pointe, pratiquez un trou assez grand pour y insérer un goujon de ⅜ po de diamètre et d'au moins 3 po de longueur. (Si le pied est large, augmentez le diamètre en conséquence.) Essayez d'enfoncer le goujon pour savoir s'il convient. Enduisez-le de colle et mettez de la colle dans les trous. Réunissez les pièces. Serrez jusqu'à ce que la colle soit sèche.

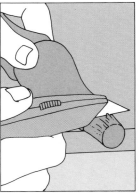

Papier abrasif

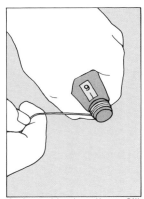

2. Grattez le bout du goujon avec un couteau universel ou un ciseau pour enlever la vieille colle. Poncez un peu.

3. Poncez l'intérieur du trou avec un goujon entouré de papier abrasif. Ôtez la colle au fond du trou au ciseau.

4. Assemblez les pièces. S'il y a encore du jeu, enduisez le bout de colle et enroulez-y un fil de coton.

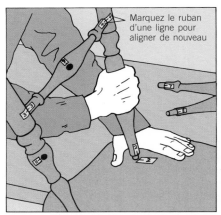
Marquez le ruban d'une ligne pour aligner de nouveau

Pour recoller une chaise. 1. Démontez les éléments lâches. S'ils résistent, frappez avec un maillet de caoutchouc ou injectez une solution à base de vinaigre (p. 507).

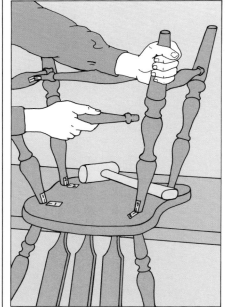

5. Enduisez goujons et mortaises d'une mince couche de colle. Réunissez les pièces en vous aidant d'un maillet. Enlevez tout excédent de colle avec un chiffon humide.

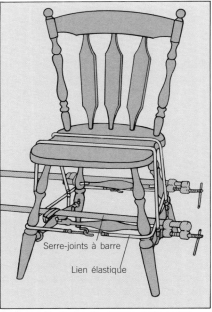
Serre-joints à barre
Lien élastique

6. Posez la chaise de niveau, puis serrez à l'aide de serre-joints à barre, ou de liens élastiques. Vérifiez l'alignement des joints. Laissez sécher complètement.

Réparation d'un barreau lâche ou cassé

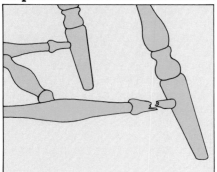

1. Un barreau lâche ou cassé peut affaiblir les emboîtements d'une chaise et risquer d'endommager la structure. Réparez-le le plus tôt possible.

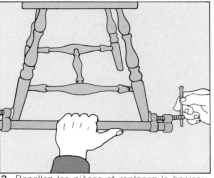

2. Recollez les pièces et replacez le barreau cassé. Mettez un serre-joints à barre ou des liens élastiques. (Faites de même pour un barreau lâche.) Enlevez tout surplus de colle.

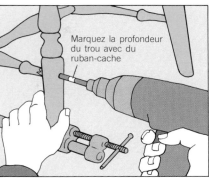

Marquez la profondeur du trou avec du ruban-cache

3. Pour consolider un joint, percez un trou dans le pied et le barreau jusqu'au-delà de la cassure. Choisissez un goujon de ¼ po de diamètre et d'au moins 2 po de longueur.

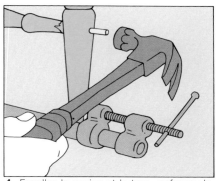

4. Encollez le goujon et le trou ; enfoncez le goujon (au besoin, utilisez un chasse-clou). Laissez sécher. Masquez le goujon avec de la pâte de bois de même couleur.

Rajeunissement des chaises de patio et de parterre

L'usage courant et les intempéries abîment les meubles extérieurs. Mais rajeunir une chaise de jardin est une tâche simple que vous pouvez exécuter vous-même.

Pour rafraîchir le cadre (qu'il soit fait de bois ou d'aluminium), enlevez d'abord son enveloppe. S'il s'agit d'un cadre de bois, solidifiez-en les joints, refaites le fini ou repeignez le bois. L'aluminium non peint se nettoie bien avec des tampons à récurer savonneux ; finissez avec une couche de cire d'automobile. Pour les cadres émaillés, utilisez un nettoyant domestique non abrasif.

Quand vous ôtez les sangles de polypropylène d'une chaise d'aluminium, notez la façon dont elles sont fixées ; cela vous facilitera le remontage. Conservez les vis et attaches en forme de C. Vous trouverez des sangles en polypropylène et en vinyle dans les quincailleries.

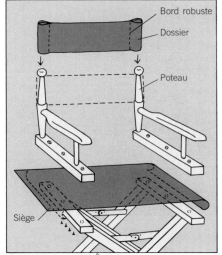

Bord robuste
Dossier
Poteau
Siège

Fauteuil de toile. Ôtez les vieilles bandes et utilisez-les comme patron. Bordez le tissu pour éviter qu'il ne s'effiloche. Pour la bande du dos, faites un double bord et glissez-le sur les poteaux. Fixez la bande du siège avec des semences à la sous-face du cadre. Remontez la structure.

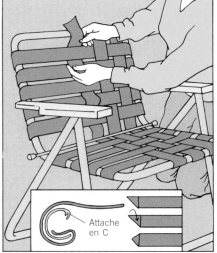

Attache en C

Sangles en polypropylène. Coupez une sangle ; repliez une des extrémités deux fois pour former un triangle. Percez un trou à l'aide d'un poinçon et vissez la sangle au cadre à l'aide d'une attache en forme de C. Tirez et faites la même chose à l'autre bout. Continuez en entrelaçant les sangles.

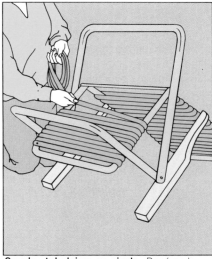

Sangles tubulaires en vinyle. Repérez le trou dans un coin du cadre. Repliez la sangle sur 1 po, enfoncez-y une vis et fixez-la au cadre. Enroulez-la autour du cadre en la tendant bien et de sorte que chaque rang touche au précédent. Finissez en la fixant comme au départ.

Rembourrage traditionnel à ressorts

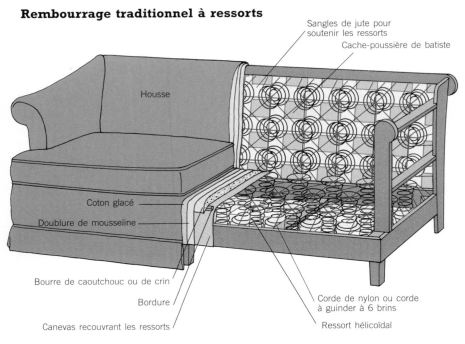

Sangles de jute pour soutenir les ressorts

Cache-poussière de batiste

Housse

Coton glacé

Doublure de mousseline

Bourre de caoutchouc ou de crin

Bordure

Canevas recouvrant les ressorts

Corde de nylon ou corde à guinder à 6 brins

Ressort hélicoïdal

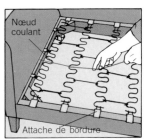

Nœud coulant

Attache de bordure

Ressorts à arc. Pour les réaligner, clouez la corde au cadre ; nouez-la aux ressorts.

Pour renforcer des sangles lâches, posez de nouvelles sangles sur les anciennes.

Le rembourrage peut prendre différentes formes. Les dossiers et les *sièges à ressorts* sont composés d'une assise de sangles fixées au cadre. Les ressorts sont cousus aux sangles et recouverts d'une bourre. Parfois, les *ressorts à arc* remplacent les sangles et les ressorts. Dans un dossier ou un *siège capitonné*, la mousse recouvre le bois massif ou les sangles.

Remplacez d'abord la housse. Choisissez un tissu robuste au tissage serré et plus épais que du tissu à tentures. Étirez-en un échantillon dans les deux sens ; il devrait reprendre rapidement sa forme initiale.

Le crin de cheval servait autrefois de rembourrage. S'il est récupérable, lavez-le à la main dans de l'eau savonneuse et rincez-le bien. Au séchage, passez-le au peigne. S'il n'est pas récupérable, utilisez de la fibre d'Algérie, du coton ou du crin crêpé.

Dégarnissage. Enlevez le minimum de rembourrage. Il s'agit parfois simplement de rattacher un ressort ou de poser de nouvelles sangles sur les sangles usées.

Pour une réparation plus importante, défaites les coutures et enlevez le tissu ; gardez celui-ci comme patron. Notez à mesure l'emplacement de chaque pièce. Cela facilitera le remontage.

Ajustage. Pour vérifier l'ajustage du tissu, fixez-le provisoirement. Centrez-le d'abord sur le cadre ; fixez-le ensuite au milieu de chaque traverse. Clouez à partir du centre.

Vous aurez besoin d'un marteau de tapissier, de ciseaux, d'un tire-sangle et d'un arrache-semence. Ces articles, ainsi que les sangles, les aiguilles, le fil à ligature et les semences, se trouvent dans les magasins spécialisés.

Sièges rembourrés. Procurez-vous de la mousse de polyuréthane d'une densité de 1,8 à 4 lb par pied cube (2 à 6 kg par mètre cube). Pour un siège non amovible, choisissez de la mousse en feuille d'une épaisseur de 1½ po à 2 po (4 à 5 cm), ou de 1 po à 1½ po (2 à 4 cm) pour un siège amovible.

Remplacement des sangles

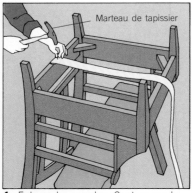

Marteau de tapissier

1. Enlevez les sangles. Centrez sur la traverse arrière un bout de bande replié sur 1 po. Fixez-la au châssis avec cinq semences clouées en zigzag. (Clouez d'abord le centre et les coins.)

Tire-sangle

2. Déroulez la sangle jusqu'à la traverse opposée. Insérez-la dans un tire-sangle. Tenez celui-ci d'abord à 45° pour aligner la sangle de l'arrière à l'avant ; ramenez ensuite la sangle sur le cadre.

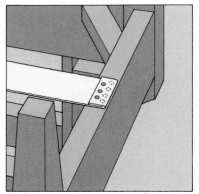

3. Clouez quatre semences. Coupez la bande avec une bordure de 1½ po que vous replierez avant de clouer trois autres semences. Clouez les sangles dans un sens et entrecroisez dans l'autre.

Ressorts à quatre points d'attache

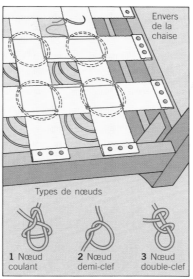

Types de nœuds

1 Nœud coulant **2** Nœud demi-clef **3** Nœud double-clef

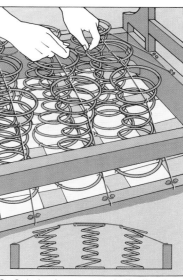

Au croisement des sangles, fixez la spire inférieure du ressort avec du fil solide cousu par quatre points également distancés. Maintenez chaque ressort en place à l'aide d'une corde à guinder résistante. Nouez les brins chaque fois qu'ils se croisent. (Suivez les étapes ci-contre.)

1. Centrez les ressorts. Passez le fil dans la sangle, autour de la spire inférieure et à nouveau dans la sangle. Faites un nœud coulant, deux demi-clefs et un double-clef.

2. Fixez le fil autour de deux semences sur la traverse arrière. Nouez le fil dans la deuxième spire supérieure, dans celle du dessus, et nouez à la suite toutes les autres spires supérieures.

3. Guindez les ressorts de l'arrière à l'avant, puis dans le sens transversal ; nouez les fils aux croisements. Tirez un peu sur le fil pour former le contour. Couvrez les ressorts avec un canevas.

Réfection d'un siège à rembourrage fixe

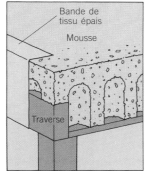

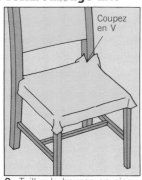

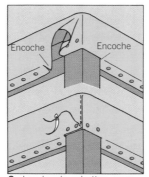

1. Taillez un siège en mousse un peu plus large que l'ancien. Avec de la colle blanche, fixez des bandes de tissu épais sur les côtés.

2. Taillez la housse en ajoutant 1 po de plus tout autour pour pouvoir la rabattre sous le siège. Coupez-la en V aux montants.

3. Les bords rabattus sous les traverses, clouez le milieu de l'avant, de l'arrière et des côtés, puis les coins. Taillez les coins, cousez et clouez.

Réfection des sièges amovibles

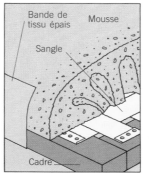

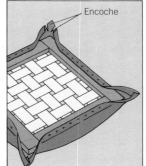

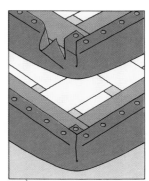

1. Taillez la mousse avec ½ po d'excédent. Collez le tissu à la mousse ; laissez sécher. Tendez les bandes ; clouez-les sous le cadre.

2. Retournez le siège et repliez les bords ; clouez-les au cadre en partant du centre ; arrêtez à 2 po des coins. Entaillez les coins.

3. À chaque coin, clouez d'abord la languette entaillée. Tendez le tissu et fixez les coins au cadre après les avoir repliés au besoin.

Meubles / Refaire un cannage

Le rotin résiste bien à l'usure si l'on en prend soin. Nettoyez-le avec 1 c. à soupe de sel dans 4 tasses d'eau chaude. Asséchez au sèche-cheveux. Pour rétrécir un paillage étiré, plongez-le quelques minutes dans l'eau chaude.

Il existe deux types de cannage. Les sièges dont le cadre est perforé sont tressés à la main ;

ceux dont le cadre est rainuré se réparent avec un paillage précanné et une languette.

Cannage à la main. Le rotin se vend en écheveaux, avec un brin plus large pour la bordure. Il faut environ 250 pi (75 m) de rotin pour réparer un siège. Vous trouverez du rotin précanné chez les détaillants spécialisés ou les ma-

gasins d'artisanat. Vous aurez besoin de ciseaux, d'un perçoir et de chevilles (ou d'un té de golf).

Si la chaise est neuve, percez des trous de 3/16 po (0,5 cm) tous les 5/8 po (1,5 cm) (voir le tableau) dans le cadre. Sinon, nettoyez d'abord les trous à l'aide du perçoir. Gardez les brins abîmés pour fixer la bordure. Enroulez les autres

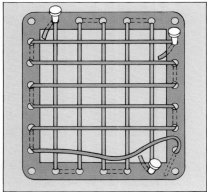 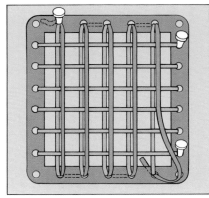 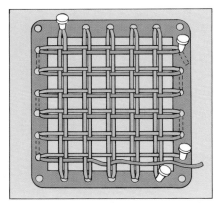 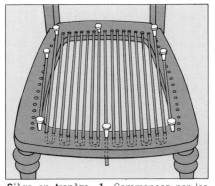

Cannage à la main. 1. Faites entrer le brin par un coin, laissez-en pendre 4 po et coincez-le avec une cheville. Tressez de l'arrière à l'avant, et par-dessus de gauche à droite.

2. Tressez un second rang avant-arrière par-dessus les brins gauche-droite ; passez les brins par les mêmes trous. Mouillez avec un chiffon humide chaud.

3. Tressez un second rang gauche-droite. Passez les brins par-dessous le premier rang avant-arrière (étape 1), puis par-dessus le deuxième rang avant-arrière (étape 2).

Siège en trapèze. 1. Commencez par les trous du milieu. Pour garder les rangs parallèles, insérez des brins séparés sur les côtés et sautez des trous à l'arrière.

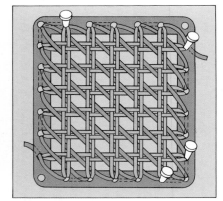 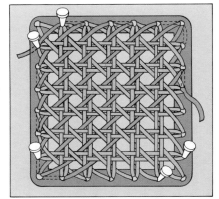 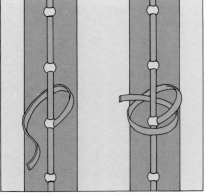 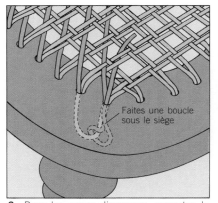

4. Tressez un rang en diagonale au-dessous des rangs avant-arrière, mais au-dessus des rangs gauche-droite. Assouplissez le paillage avec un chiffon humide chaud.

5. Tressez un deuxième rang diagonal perpendiculaire au premier. Passez les brins au-dessus des brins avant-arrière et au-dessous des brins gauche-droite.

6. Humidifiez les bouts. Faites un nœud en suivant l'illustration ci-dessus ; tirez fortement et coupez en laissant 1 po. Posez la bordure (p. 513).

Faites une boucle sous le siège

2. Pour les rangs diagonaux, ressortez le brin par le trou où il est entré, ou sautez le trou et comblez-le au rang suivant.

un à un et mettez-les à tremper, quelques-uns à la fois, 15 minutes dans l'eau chaude. Tressez avec le côté brillant sur le dessus ; tendez uniformément, mais en laissant un peu de jeu.

Cannage prétressé. Procurez-vous un cannage un peu plus grand que le siège. Pour mesurer la languette, basez-vous sur la largeur de la rainure en tenant compte du repli ; elle doit être plus longue que la rainure. Munissez-vous de colle blanche, d'un couteau universel, d'un maillet et d'un coin de bois (une moitié de pince à linge). Finissez le bord pendant qu'il est encore humide : brûlez les effilochures. Traitez au polyuréthane.

Diamètre du trou	Espace entre les trous	Grosseur du rotin
⅛ po / 3 mm	⅜ po / 9,5 mm	Superfin
3/16 po / 4,5 mm	½ po / 12,5 mm	Très fin
3/16 po / 4,5 mm	⅝ po / 16 mm	Fin
¼ po / 6 mm	¾ po / 19 mm	Moyen
5/16 po / 8 mm	⅞ po / 22 mm	Courant

Pose de la bordure.

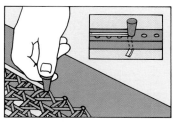

1. Ouvrez les trous avec un perçoir pour faciliter le travail. Chevillez l'extrémité de la bordure dans le trou central arrière.

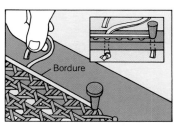

2. Prenez un bout de rotin. Nouez-en l'extrémité et enfilez-le par-dessous dans le quatrième trou à partir de la cheville. Ramenez-le sur la bordure et enfilez-le de nouveau dans le même trou vers le bas.

3. Passez la ligature par le trou suivant. Continuez ainsi jusqu'à la cheville.

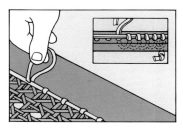

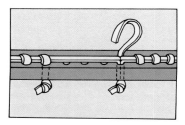

4. Enlevez la cheville ; enfilez l'extrémité libre de la bordure dans le trou, puis nouez-la de l'autre côté. Finissez d'enfiler. Nouez et coupez l'extrémité. Brûlez les effilochures ; traitez au polyuréthane.

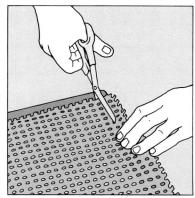

Cannage prétressé. 1. Taillez le cannage en débordant de ½ po ; taillez la languette. Faites-les tremper tous les deux 10 minutes dans l'eau chaude.

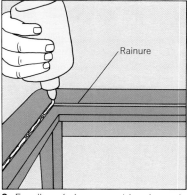

2. Encollez généreusement la rainure de colle blanche. Posez le cannage, côté brillant sur le dessus. Prenez soin de bien aligner les jours.

3. De chaque côté du siège, en partant du milieu, introduisez 1 po ou 2 po de cannage dans la rainure à l'aide d'un bout de bois tenu perpendiculairement.

4. Continuez des deux côtés, puis en avant et en arrière. Pour maintenir une tension uniforme, travaillez par petites sections. Coupez les excédents.

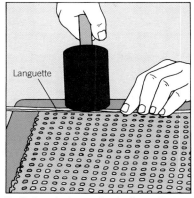

5. Retirez la languette de l'eau. Partant du milieu, enfoncez-en le bord étroit dans la rainure, avec un maillet, jusqu'à ce qu'il soit au ras du siège.

6. Faites ainsi le tour du siège. Marquez, puis coupez les excédents. Au maillet, enfoncez le dernier bout. Brûlez les effilochures ; traitez.

Le rotin et l'osier sont des fibres végétales. Pour les réparer, on rattache les brins lâches et on remplace les brins abîmés.

Pour vous procurer du rotin, consultez les Pages jaunes sous *Rotin*. Pour rendre les brins (sauf les fibres de jonc) plus maniables, trempez-les dans de l'eau chaude pendant 30 minutes ; essayez toutefois de travailler d'abord les brins à sec, car le trempage les fait gonfler. Munissez-vous d'un marteau, de pinces coupantes, de pinces à bec fin, de semences de ½ po (2 cm) et de colle jaune.

Rotin. Le rotin se vend en écheveaux comprenant un brin plus large. Pour rendre les brins plus maniables, trempez-les de 15 à 20 minutes dans de l'eau tiède. Pliez-les en appliquant de l'eau, de la chaleur et de la pression ; attachez les brins épais pendant le séchage. Renforcez les joints avec des vis et enveloppez-les d'un brin épais.

Refaire la finition. Le rotin, le jonc et l'osier en bon état peuvent être décapés par un vannier. Appliquez une teinture, un vernis ou un apprêt et une peinture (émail lustré en atomiseur). Vérifiez d'abord que le produit de finition est compatible et travaillez à l'extérieur.

Entretien. Le rotin se nettoie avec une brosse douce — une brosse à dents dans les endroits difficiles d'accès — et de l'eau tiède savonneuse. Humectez-le deux fois l'an pour en raviver les fibres. Rincez-le au tuyau d'arrosage ou passez-le sous la douche. Laissez-le sécher à l'ombre.

Réparation de l'osier

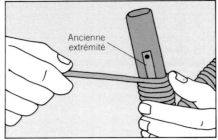

Osier dénoué. 1. Coupez le brin abîmé et fixez-en l'extrémité. Fixez un nouveau brin préalablement trempé près de l'ancienne extrémité ; enroulez-le solidement.

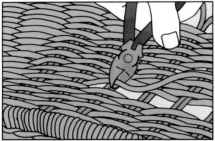

Réparation d'un tressage d'osier. 1. Au revers du meuble, coupez le brin abîmé avec une pince coupante. Pour le nouveau brin, prévoyez 1 po de plus.

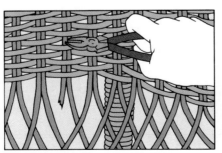

Remplacement d'un rayon. 1. Avec une pince coupante, sectionnez à l'intérieur du tressage les deux extrémités du rayon abîmé.

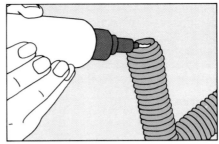

2. Pour finir, rentrez le bout. Fixez-le, coupez-le au ras du montant et enduisez le bout de colle.

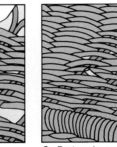

2. Partez du revers pour tresser le nouveau brin. Tirez fortement en tressant. Coupez les bouts ; rentrez-les sous les rayons.

2. Avec une pince à long bec, installez le nouveau rayon. Essayez d'abord un brin sec. En cas d'échec, mouillez-le. Enduisez-en les bouts de colle jaune.

Lier le rotin

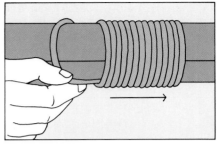

Pour relier deux pièces parallèles, percez un trou ; insérez-y le brin. Enduisez les pièces de colle et enroulez le brin tout autour. Fixez l'extrémité, tirez et coupez.

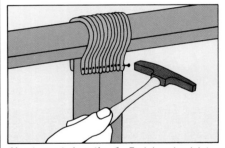

Aboutement de rotin. 1. Enduisez les joints de colle jaune. Juxtaposez les brins et fixez-les avec des semences.

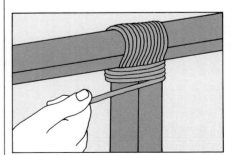

2. Pour masquer les semences, enduisez l'extrémité d'un brin de colle jaune et faites plusieurs tours pour les cacher.

Détachage des tissus d'ameublement

À l'achat d'un meuble, de tentures ou de tapis, il importe de toujours conserver l'étiquette précisant la nature du tissu. S'il se salit, il sera plus facile à détacher. Si vous ne savez pas de quel genre de tissu il s'agit, frottez au savon doux une surface cachée. En cas d'échec, essayez une autre « recette ».

Lisez attentivement le mode d'emploi des produits nettoyants. Essayez l'ammoniaque, l'eau de Javel ou le vinaigre, toujours sur une surface cachée. Épongez légèrement avec un chiffon blanc absorbant. S'il y a décoloration, n'utilisez pas ce détachant.

Le détachage est plus facile lorsqu'une tache est fraîche. Mettez un chiffon blanc absorbant sous la surface tachée. Épongez. S'il y a lieu, enlevez les matières solides avec une spatule ou un couteau ; grattez pour les faire disparaître.

Ne mouillez pas trop le tissu ; appliquez solutions, nettoyants ou diluants par petites quantités. Partez de l'extérieur de la tache en allant vers le centre ; épongez avec un chiffon blanc absorbant. Changez de chiffon au besoin. Ne frottez pas : la tache pourrait s'agrandir. En cas d'échec, essayez toutes les méthodes décrites, dans l'ordre. Une fois la tache disparue, épongez pour assécher le plus possible.

Pour ramollir une tache durcie, mettez quelques gouttes de nettoyant et imbibez un chiffon absorbant du même nettoyant. Appliquez-le sur la tache pendant au moins 30 minutes. Déplacez le chiffon s'il absorbe quelques traces. Ajoutez du nettoyant pour que le chiffon reste humecté.

▶ **ATTENTION !** Employez les détachants dans un lieu bien aéré, loin d'un appareil électrique ou à gaz, d'une flamme ou d'une cigarette. Ne mêlez pas l'eau de Javel à l'ammoniaque ; cela pourrait produire des gaz toxiques. Portez des gants de caoutchouc. N'employez jamais d'ammoniaque, de nettoyants puissants ou d'eau de Javel sur de la laine. Le nettoyage terminé, enlevez tout agent de blanchiment. S'il s'en répand sur la peau ou vos vêtements, lavez aussitôt.

Taches rebelles

Albumines
Aliments pour bébé, fèces, gélatine, mucus, œuf, pâte à modeler, pouding, produits laitiers, sang, urine, vomissures. Épongez. Avec un chiffon absorbant, appliquez un agent aux enzymes. Pressez avec le dos d'une cuiller. Imbibez d'eau, d'ammoniaque diluée, puis d'eau encore. Épongez. Rincez au vinaigre dilué, puis à l'eau. Épongez et séchez.*

Huiles
Beurre, crème pour le visage, crème solaire, graisse de bacon, gras, lotion capillaire, lotion pour les mains, margarine, mayonnaise, saindoux, vinaigrette non colorée. Humectez avec un solvant de nettoyage à sec. Appliquez un détachant à sec ou un dissolvant à peinture, huile et graisse avec un chiffon absorbant. Gardez la tache humide et épongez-la sporadiquement avec un chiffon absorbant. Imbibez de solvant de nettoyage à sec et épongez jusqu'à ce que la tache disparaisse. Séchez à l'air. Avec un compte-gouttes, appliquez plusieurs gouttes de détergent dilué et quelques gouttes d'ammoniaque. Faites pénétrer. Répétez jusqu'à ce que la tache disparaisse. Rincez à l'eau. Épongez et séchez.*

Taches mixtes (huile et teinture ; cire et teinture)
Groupe A : cirage à chaussures, cire à meubles, cire à plancher, cire de bougie, crayon de pastel, crayon-feutre, encre de stylo à bille, fixatif à cheveux, goudron, papier carbone, produits de maquillage, résine de pin, ruban carbone de machine à écrire, sauce à barbecue, sauce brune, sauce tomate, vinaigrette contenant un colorant alimentaire. Vaporisez ou humectez avec un solvant de nettoyage à sec. Épongez. Répétez jusqu'à ce que la tache ait disparu. Humectez avec du détergent dilué. Rincez, épongez, séchez.* En cas d'échec, avec un compte-gouttes, imbibez le tissu d'un agent de blanchiment dilué. Rincez, épongez, séchez.*

Groupe B : cacao, chocolat, ketchup. Humectez avec un solvant de nettoyage à sec. Le tissu séché, suivez les directives pour les tanins (ci-dessous), mais n'imbibez pas d'eau.

Tanins
Baies, boissons alcooliques, boissons gazeuses sans colorant, café, conserves, encre lavable, gelées, jus de fruit, jus de tomate, thé.
Imbibez d'eau. Couvrez d'un chiffon humecté de détergent dilué et de quelques gouttes de vinaigre. Pressez avec le dos d'une cuiller. Rincez à l'eau. Épongez et séchez.*

Teintures
Betteraves, boissons contenant un colorant alimentaire, carottes, cerises, gazon, légumes verts.
Épongez, puis consultez un nettoyeur spécialisé.

Autres taches

Café ou thé contenant crème ou lait
Vaporisez ou imbibez avec un solvant de nettoyage à sec. Imprégnez d'eau tiède et de vinaigre. Pour enlever le cerne, utilisez un agent de blanchiment à l'oxygène si le tissu le supporte. Rincez bien, épongez et séchez.*

Crayon à mine de plomb
Effacer délicatement le surplus avec une gomme. Imbibez de solvant de nettoyage à sec, épongez et laissez sécher à l'air.

Gomme à mâcher
Appliquez du solvant de nettoyage à sec. Raclez le surplus de gomme. Couvrez la tache d'un chiffon humecté de solvant. Imbibez de solvant, épongez et séchez à l'air.

Moutarde
Brossez une tache sèche. Humectez-la avec un solvant de nettoyage à sec, puis un détergent dilué additionné de quelques gouttes de vinaigre. Appliquez au compte-gouttes du peroxyde d'hydrogène. Couvrez de quelques gouttes d'eau. Rincez, épongez et séchez.*

Peinture à l'alkyde (base à l'huile)
ATTENTION ! N'attendez pas que la tache sèche. Imbibez-la de diluant à peinture. Épongez et laissez sécher à l'air.

Peinture au latex (base à l'eau)
ATTENTION ! N'attendez pas que la tache sèche. Imbibez-la d'eau tiède. Épongez et séchez.*

Détachants

Agent de blanchiment dilué
1 c. à thé d'eau de Javel dans 1 c. à soupe d'eau.

Ammoniaque diluée et vinaigre dilué
1 c. à soupe d'ammoniaque ou de vinaigre blanc dans ½ tasse d'eau ou dans du détergent dilué.

Détachant à sec
1 volume d'huile de coco (coprah) ou d'huile minérale dans 8 volumes de solvant de nettoyage à sec.

Détergent dilué
1 c. à thé de détergent liquide doux dans 1 tasse d'eau.

Matériel nécessaire
Chiffon blanc, éponges de couleur neutre, ammoniaque d'usage domestique (sans couleur, ni odeur, ni mousse), peroxyde d'hydrogène (3 %), agent de blanchiment au chlore ou à l'oxygène, détergent liquide tout usage, détergent liquide doux, solvant de nettoyage à sec, dissolvant.

*Réglez le sèche-cheveux à faible intensité ; tenez-le à 12 po de la tache et agitez-le constamment.

Conversion au système métrique

Malgré l'officialisation dès 1871 du système métrique au Canada, l'usage a favorisé les mesures anglaises. Ce n'est qu'un siècle plus tard, en 1971, que le Canada passait à l'implantation réelle du système métrique avec la mise sur pied d'une Commission du système métrique, l'adjonction du Système international à la Loi sur les poids et les mesures, et enfin une nouvelle loi sur l'emballage et l'étiquetage exigeant que les mesures métriques soient inscrites sur la plupart des produits.

En 1975, le Canada est passé des degrés Fahrenheit aux degrés Celsius et, en 1977, les panneaux routiers indiquaient les distances en kilomètres.

La transition ne fut pas facile : plusieurs étaient réticents au changement et y voyaient une entrave à la conduite de leurs affaires avec les États-Unis, où dominait le système impérial. Certaines lois furent donc abrogées dans les années 1980.

Aujourd'hui, les entreprises et industries canadiennes utilisent les deux systèmes pour répondre aux marchés nord-américain et international. (Depuis le début des années 1990, les États-Unis ont emboîté le pas en employant les mesures métriques sur certains articles.)

Dans le système métrique, le poids est exprimé en *grammes*, le volume en *litres*, la longueur en *mètres*. Ces unités n'admettent que des multiples et sous-multiples de 10. Ainsi, le *kilogramme* contient 1 000 grammes, et le *centimètre* représente $1/100$ mètre (voir aussi les tables à l'intérieur de la couverture.)

	1/64	1/32	1/25	1/16	1/8	1/4	3/8	2/5	1/2	5/8	3/4	7/8	1	2	3	4	5	6	7	8	9	10	11	12	36	39,4
Pouces (po)	1/64	1/32	1/25	1/16	1/8	1/4	3/8	2/5	1/2	5/8	3/4	7/8	1	2	3	4	5	6	7	8	9	10	11	12	36	39,4
Pieds (pi)																								1	3	3¼†
Verges (vg)																									1	1½†
Millimètres* (mm)	0,40	0,79	1	1,59	3,18	6,35	9,53	10	12,7	15,9	19,1	22,2	25,4	50,8	76,2	101,6	127	152	178	203	229	254	279	305	914	1 000
Centimètres* (cm)							0,95	1	1,27	1,59	1,91	2,22	2,54	5,08	7,62	10,16	12,7	15,2	17,8	20,3	22,9	25,4	27,9	30,5	91,4	100
Mètres* (m)																								0,30	0,91	1,00

Pour trouver les équivalences métriques de longueur ne figurant pas dans ce tableau, additionnez les unités voulues. Par exemple, pour convertir 2⅝ po en centimètres, additionnez l'équivalent de 2 po (5,08 cm) et de ⅝ po (1,59 cm). Vous obtiendrez, 6,67 cm.

*Valeurs métriques arrondies.
†Approximation.

Coefficients de conversion

Impérial à métrique

Pour convertir des	en	multipliez par
Pouces	Millimètres	25,4
Pouces	Centimètres	2,54
Pieds	Mètres	0,305
Verges	Mètres	0,914
Milles	Kilomètres	1,609
Pouces carrés	Centimètres carrés	6,45
Pieds carrés	Mètres carrés	0,093
Verges carrées	Mètres carrés	0,836
Pouces cubes	Centimètres cubes	16,4
Pieds cubes	Mètres cubes	0,0283
Verges cubes	Mètres cubes	0,765
Chopines	Litres	0,568
Pintes	Litres	1,136
Gallons	Litres	4,546
Onces	Grammes	28,4
Livres	Kilogrammes	0,454
Tonnes	Tonnes métriques	0,907

Métrique à impérial

Pour convertir des	en	multipliez par
Millimètres	Pouces	0,039
Centimètres	Pouces	0,394
Mètres	Pieds	3,28
Mètres	Verges	1,09
Kilomètres	Milles	0,621
Centimètres carrés	Pouces carrés	0,155
Mètres carrés	Pieds carrés	10,8
Mètres carrés	Verges carrées	1,2
Centimètres cubes	Pouces cubes	0,061
Mètres cubes	Pieds cubes	35,3
Mètres cubes	Verges cubes	1,31
Litres	Chopines	0,88
Litres	Pintes	0,176
Litres	Gallons	0,22
Grammes	Onces	0,035
Kilogrammes	Livres	2,2
Tonnes métriques	Tonnes	1,1

cm po
—1
1
—2
—3
—4
—5 2
—6
—7
3
—8
—9
—10 4
—11
—12
—13 5
—14
—15 6

Index

C

Sources des photographies

Les photographies en page 70
(en haut et au centre à gauche) :
Black & Decker, Inc.

Les photographies en page 368 (à
droite) par Virginia Wells Blaker

La photographie en page 174 par
Brick Institute of America

La photographie en page 72 (à
gauche) par Robert Bosch Tool
Corporation

Les photographies en pages 180 et
356 (réparation) par Kenneth Chaya

Les photographies en pages 130
(robinets), 131 (en haut),
133 (à droite) par Ernest Coppolino

Les photographies en pages 56, 61,
63, 64, 66, 70 (en bas),
72 (à droite), 73 (à droite), 74 par
Delta International Machinery Corp.

Les photographies en pages 176,
262, 266, 277, 292, 293, 302,
314, 315, 319, 326, 327, 330,
362 (à gauche), 363 (à droite, à
gauche), 402, 403, 404, 405, 412,
425, 444, 445, 449 par *The Family
Handyman*

La photographie en page
180 (à gauche) par Sally French

Les photographies en pages 165,
166, 167, 173, 308 par Gene et
Katie Hamilton

Les photographies en pages 76 et
77 par Merle Henkenius

Les photographies en pages 18, 22,
24, 26, 27, 28, 29, 30, 32, 34, 35,
36, 38, 40, 41, 46, 47, 48, 52, 55,
57, 58, 62, 68, 117, 118, 119, 120,
121, 122, 124, 127, 128,
130 (clés), 131 (en bas),
133 (à gauche), 162, 177, 237,
242, 307, 312, 350, 351, 352, 353,
354, 356 (outils, à gauche), 358,
363 (au centre), 368 (en bas au
centre, en bas à gauche, en bas à
droite au centre), 375, 386, 430,
431, 435, 438, 439, 440, 441, 484,
485 par Morris Karol

Les photographies en page 368 (en
haut à gauche) par James McInnis

Les photographies en page 185
par Joel Musler

La photographie en page 184
par Steven Napolitano

La photographie en page
362 (à droite) par National Kitchen
and Bath Association

La photographie en page 70 (au
centre à droite) par Porter-Cable

Les photographies en page 146 par
Portland Cement Association

Les photographies en page 319
(coin gauche), 368 (en haut au
centre à gauche, en haut au centre
à droite) © The Reader's Digest
Association Limited, Londres

La photographie en page
73 (à gauche) par Ryobi America
Corporation

La photographie en page 78
par Shopsmith, Inc.

La photographie en page 337
par Solar Additions Inc.

Conversion au système métrique

Parce que les pieds, les pouces et les verges continuent d'être des mesures de longueur courantes dans le domaine de la construction, le *Nouveau Manuel complet du bricolage* a retenu exclusivement le système impérial dans les légendes, les illustrations et les tableaux. Mais le système métrique étant celui qui a officiellement cours au Canada, les équivalents métriques sont donnés, dans le texte principal, entre parenthèses. De tous les pays industrialisés, seuls les États-Unis emploient encore presque exclusivement le système impérial. Néanmoins, le contenu d'un bon nombre de produits en vente à l'étalage est dorénavant exprimé en mesures métriques. C'est là un début.

À l'heure actuelle, le consommateur canadien a encore, dans bien des cas, le choix entre l'un et l'autre système. Des produits comme le bois d'œuvre ou le béton se vendent toujours au pied, au pied carré ou à la verge cube, même si les industries du bois et du béton se sont elles-mêmes depuis longtemps converties au système métrique.

Une fois qu'on s'est familiarisé avec le système métrique, on s'aperçoit qu'il permet de calculer beaucoup plus vite et plus facilement les quantités de matériaux dont on a besoin. Plutôt que d'avoir 12 pouces au pied et 3 pieds à la verge, on aura des unités simples : 1 mètre ou 100 centimètres ou 1 000 millimètres. Les tableaux de conversion de la page 516 donnent les équivalents des mesures les plus courantes. Ces tableaux, ainsi que les renseignements ci-dessous, se révéleront fort utiles pour passer d'un système à l'autre.

Fahrenheit et Celsius

Les températures sont exprimées en degrés Fahrenheit ou en degrés Celsius (anciens degrés centigrades). Pour convertir les degrés Fahrenheit en degrés Celsius, soustrayez 32 et multipliez par $\frac{5}{9}$. Ainsi, 68°F – 32 = 36 x $\frac{5}{9}$ = 20°C. Pour convertir les degrés Celsius en degrés Fahrenheit, multipliez le nombre de degrés par $\frac{9}{5}$ et ajoutez 32. Ainsi, 20°C x $\frac{9}{5}$ = 36 ; 36 + 32 = 68°F.

Équivalents approximatifs

Températures
Pour connaître l'équivalent approximatif en degrés Celsius d'une température en degrés Fahrenheit se situant entre 0 et 100, soustrayez 30 et divisez par 2. Ainsi, 70°F – 30 ÷ 2 = 20°C. Très précisément, 70°F équivaut à 21,1°C.

Équivalences à 10, 20 ou 30 p. 100 près
1 mètre est 10 p. 100 plus long que 1 verge
1 litre représente une capacité de 10 p. 100 de moins que 1 pinte
1 kilogramme représente une masse supérieure de 10 p. 100 à 2 livres
1 tonne métrique représente un poids 10 p. 100 supérieur à 1 tonne courte (2 000 lb)
1 mètre carré (m²) représente une surface 20 p. 100 plus grande que 1 verge carrée
1 mètre cube (m³) représente un volume 30 p. 100 plus grand que 1 verge cube

Estimations basées sur 30
1 pied équivaut à un peu plus de 30 centimètres
1 once équivaut à un peu moins de 30 grammes
1 once liquide équivaut presque à 30 millilitres

Calcul par approximation
1 pouce fait à peu près 25 millimètres ou 2,5 centimètres
4 pouces font à peu près 10 centimètres
Une pièce de bois de 2 pouces sur 4 (2 x 4) fait à peu près 5 centimètres sur 10 (en mesures nominales)
3 pieds font à peu près 1 mètre
10 verges font à peu près 9 mètres
1 mille fait à peu près 1,5 kilomètre
5 milles font à peu près 8 kilomètres
1 livre fait à peu près 0,5 kilogramme
1 gallon fait à peu près 4,5 litres (1 gallon américain fait à peu près 4 litres)
1 pinte fait à peu près 1 litre (la pinte impériale équivaut à 1,136 litre ; la pinte américaine, à 0,946 litre)

Clous et boulons

Les **clous** sont vendus selon leur grosseur ou leur poids, calculés en fonction de l'ancienne pièce de monnaie britannique, le penny (exprimé par la lettre d). L'unité de longueur est le penny (voir p. 80). Voici quelques longueurs courantes :

2d (25 mm/1 po)	20d (102 mm/4 po)
6d (51 mm/2 po)	40d (127 mm/5 po)
10d (76 mm/3 po)	60d (152 mm/6 po)

Voici aussi les équivalents métriques et impériaux de quelques **boulons** couramment utilisés :

10 mm	⅜ po	25 mm	1 po
12 mm	½ po	50 mm	2 po
16 mm	⅝ po	65 mm	2½ po
20 mm	¾ po	70 mm	2¾ po

Béton

Le tableau de la page 148 donne les mesures impériales permettant d'évaluer la quantité de matériaux nécessaires à la construction d'une dalle de béton. Si vous préférez employer le système métrique, vous trouverez utile le tableau ci-dessous.

Multipliez la longueur par la largeur pour obtenir la superficie de la dalle en mètres carrés. Choisissez ensuite l'épaisseur qui vous convient pour voir de combien de mètres cubes de béton vous aurez besoin.

Superficie (long. x larg.) en mètres carrés (m²)	Épaisseur en millimètres		
	100	130	150
	volume en mètres cubes (m³)		
5	0,50	0,65	0,75
10	1,00	1,30	1,50
20	2,00	2,60	3,00
30	3,00	3,90	4,50
40	4,00	5,20	6,00
50	5,00	6,50	7,50

Si vous avez besoin de calculer de plus grandes quantités, multipliez par le nombre approprié. Ainsi, pour construire un patio de 100 millimètres d'épaisseur, de 6 mètres de largeur et de 10 mètres de longueur, faites le calcul suivant : 6 mètres x 10 mètres = 60 mètres carrés (superficie). À partir de là, vous pouvez faire deux choses : soit doubler les quantités données ci-dessus pour construire une dalle de 30 mètres carrés ayant 100 millimètres d'épaisseur (2 x 3 m³ = 6 m³), soit additionner les quantités données pour 10 m² et pour 50 m² (1 m³ + 5 m³ = 6 m³).